U0136998

中华国学文库

诗经注析

程俊英　蒋见元　著

中华书局

图书在版编目(CIP)数据

诗经注析/程俊英,蒋见元著. —北京:中华书局,2017.8
(2024.3 重印)
(中华国学文库)
ISBN 978-7-101-12691-4

Ⅰ.诗… Ⅱ.①程…②蒋… Ⅲ.①《诗经》-注释②《诗经》-诗歌研究 Ⅳ.I222.2

中国版本图书馆 CIP 数据核字(2017)第 175277 号

本书为国家普及类古籍整理图书专项资助项目

书　　名　诗经注析
著　　者　程俊英　蒋见元
丛 书 名　中华国学文库
责任编辑　郭惠灵　李碧玉
责任印制　陈丽娜
出版发行　中华书局
(北京市丰台区太平桥西里 38 号　100073)
http://www.zhbc.com.cn
E-mail:zhbc@zhbc.com.cn
印　　刷　河北新华第一印刷有限责任公司
版　　次　2017 年 8 月第 1 版
2024 年 3 月第 8 次印刷
规　　格　开本/880×1230 毫米　1/32
印张 25⅜　插页 2　字数 600 千字
印　　数　58001-64000 册
国际书号　ISBN 978-7-101-12691-4
定　　价　88.00 元

中华国学文库出版缘起

《中华国学文库》的出版缘起，要从九十年前说起。

1920 年，中华书局在创办人陆费伯鸿先生的主持下，开始编纂《四部备要》。这套汇集三百三十六种典籍的大型丛书，精选经史子集的“最要之书”，校订成“通行善本”，以精雅的仿宋体铅字排印。一经推出，即以其选目实用、文字准确、品相精美、价格低廉的鲜明特点，最大限度地满足了国人研治学问、阅读典籍的需要，广受欢迎。丛书中的许多品种，至今仍为常用之书。

新中国成立之后，党和国家倡导系统整理中国传统文献典籍。六十馀年来，在新的学术理念和新的整理方法的指导下，数千种古籍得到了系统整理，并涌现出许多精校精注整理本，已成为超越前代的新善本，为学界所必备。

同时，随着中华民族以前所未有的自信快速发展，全社会对中国固有的学术文化——国学，也表现出前所未有的关注和重视。让中华文化的优秀成果得到继承和创新，并在世界范围内进行传播和弘扬，普惠全人类，已经成为中华民族的历史使命。当此之时，符合当代国民阅读需要的权威的国学经典读本的出现，实为当务之急。于是，《中华国学文库》应运而生。

《中华国学文库》是我们追慕前贤、服务当代的产物，因此，它自当具备以下三个基本特点：

一、《文库》所选均为中国学术文化的“最要之书”。举凡哲学、历史、文学、宗教、科学、艺术等各类基本典籍，只要是公认的国学经典，皆在此列。

二、《文库》所选均为代表当代最新学术水平的“最善之本”，即经过精校精注的最有品质的整理本。其中既有传统旧注本的点校整理本，如朱熹《四书章句集注》，也有获得学界定评的新校新注本，如余嘉锡《世说新语笺疏》。总之，不以新旧为别，惟以善本是求。

三、《文库》所选均以新式标点、简体横排刊印。中国古籍向以繁体竖排为标准样式。时至当代，繁体竖排的标准古籍整理方式仍通行于学术界，但绝大多数国人早已习惯于现代通行的简体横排的图书样式。《文库》作为服务当代公众的国学读本，标准简体字横排本自当是恰当的选择。

《中华国学文库》将逐年分辑出版，每辑十种，一次推出；期以十年，以毕其功。在此，我们诚挚希望得到学术界、出版界同仁的襄助和广大读者的支持。

中华书局自1912年成立，至今已近百岁。我们将《中华国学文库》当作向中华书局百年诞辰敬献的一份贺礼，更是向致力于中华民族和平崛起、实现复兴大业的全国人民敬献的一份厚礼。我们自当努力，让《中华国学文库》当得起这份重任，这份荣誉。

中华书局编辑部

2010年12月

目　录

序　言

诗经注析同读者诸君见面了。近年来，诗经今注或今译本已经出版了好几种，我们为什么还要来做一番似乎叠床架屋的工作呢？这是要在序言中向读者交待一下的。

诗经作为我国文学史上第一部诗歌总集，是可以传之永久的；但自从被捧上儒家经典的宝座之后，诗旨遭经师的歪曲，每首诗都被套上"思无邪"的灵光圈，打上"温柔敦厚"的标记（我们并不反对温柔敦厚，但以此概括全部诗经，却不符合事实），成为"经夫妇，成孝敬，厚人伦，美教化，移风俗"的金科玉律和辅成王道的"谏书"。自汉魏以迄清末，诗经的研究基本上循着这样一条经学轨迹在行进。当然，经学作为传统文化中很丰富的一部分，值得认真研究总结，但这不是我们写这部书的动机。我们的愿望，是想恢复诗经的客观存在和本来面目。拨开经学的雾翳，弹却毛序蒙上的灰尘，揩清后世各时代追加的油彩，她的面容是能够豁然显露的。南宋治诗大师朱熹，攻讦毛序，废序不用，提出"就诗论诗"的原则。尽管他并没有真正做到这一点，但开创风气，意义是至为巨大的。今天，我们的治学眼光应该更加客观，可以更彻底地就诗论诗。毛序中正确的自当吸收，但大部分必须否定。诗经就是诗，准确地说，就是歌曲，一首首颂德的歌、祭祀的歌、宴饮的歌、恋爱的歌、送别的歌、讽刺的歌，等等，如此而已。我们在每一篇诗前面都加一段“题解”，便是想制作开启“诗”的殿堂的第一把钥匙，也可以看作是我们出版这本书的原因之一。

当然，就诗论诗，决不等于一空依傍。秦火以后，汉时说诗者分成今、古文两派，鲁、齐、韩、毛四家；自毛传以来，直至清代，对诗经作各方面研究注释的著作更多至千馀种。如此庞大纷繁、学说林立的局面，虽然使得学者们不免有“诗无达诂”的感慨，然而毕竟为理解这三百零五篇诗开拓了一条通道。我们作今注，是站在前贤奠定的基础上，择善而从，特别注意不盲从一家。譬如，毛传是最早注释诗经的著作，历来奉为圭臬。它的优点是去古未远，训诂多精确之处。缺点是文字简奥难通，以致于郑玄作笺，孔颖达作疏，陈奂再作疏，累累不穷。因为时代的隔阂，今人已看不懂，其价值是无法不打折扣的。其次，毛公作传时，训诂学尚在草创期，筚路蓝缕之功虽不可没，简陋粗疏之失也是难以讳言的。以毛传为不可逾越，不符合学术发展的事实。再如郑笺，从王肃毛诗问难对它进行批驳开始，责难者代不乏人，甚至斥之为“不守家法之大贼”。直到今天，仍有人矻矻于左郑右毛。实际上，郑笺虽有不少主观武断的地方，但它镕今、古文为一炉，参稽各家，自成一说，是诗经学上的一大进步，郑笺出而三家诗逐渐式微便是明证。又如朱熹诗集传，研究诗经开一代风气，而训诂不及汉学诸家。但我们仔细分析，觉得朱熹就诗论诗，注释中不乏合情合理、通俗易懂之处，还是应当采纳的。至清代，学术的发展使诗经研究大大地向前迈进，但门户偏见并未完全消除。譬如陈奂诗毛氏传疏，唯毛传是尊；而王先谦诗三家义集疏，则明显倾向三家诗说。这两本著作虽然观点互相龃龉，却不妨碍我们择取各自的合理部分。总之，爬梳抉剔，去疵存瑜，是我们的努力目标。此外，在注释中，我们还致力于运用说文、尔雅、广雅等字书，揭示诗经中不少字词的本义、引申义或假借义的关系。有些关键词，甚至不避重复地训释。这样做，旨在帮助读者将眼光扩展到先秦古汉语词义的演变上去，或许能通过读诗得到更多的收获。解放后，甲骨金石文字的研究大大发展，地下文物屡见出土，这些成果开拓了我们的眼界，也丰富了本书的内容。学术是永远向前发展的，诗经研究也必然会不断攀向新的高峰。可以说，这是我们在众多注本之后仍希望将自己的一点心得奉献给读者的原因之二。

诗经作为经典，已经被研究了两千多年。而她作为文学艺术的本质却长期地被忽视、被搁置。经学已经走完了它的历史路程，诗经应该从“经”的桎梏中解脱出来，恢复文学的本来面目了。旧学者们从宗经的立场出发，总认为“三百篇不可及也”。其实哪有这回事呢？如果诗经已处在文学的巅峰，那么两千多年来的中国诗坛岂非都在走下坡路么？当然，诗经作为文学长河的源头，对后世的影响绝不可低估。国风的清婉，小雅的典丽，大雅的凝重，三颂的肃穆，运用赋、比、兴艺术形式的创造等等，无不在后世的诗歌中得到继承和发展。追本溯源，诗经这一朵奇葩实在值得细细地赏析。可惜这方面的论述太少，也太零碎。有鉴于此，我们不揣谫陋，在每一篇“题解”中，都有一段艺术分析。或论意境，或言修辞，或述源流，或摘瑕疵。虽然见仁见智，未敢必其正确，但希望能为读者徜徉诗境作一次导游。这类内容在前此各注本中未曾见过，故而成为我们向读者献芹的原因之三。

顺便提一下，我们的注本为什么没有译诗。诗经的翻译，从郭沫若先生的卷耳集以来，陆陆续续有人在做。近年来，更有将全部诗经都译成白话诗的，包括程俊英也有一种译本问世。虽然这个译本颇受读者欢迎，但自己细细玩味，总觉得翻译诗歌，能达意已是上上之作，至于韵味则丧失殆尽，留下不尽的遗憾。后来看到朱光潜先生在诗论中的一段话，他说：

> 诗不但不能译为外国文，而且不能译为本国文中的另一体裁或是另一时代的语言，因为语言的音和义是随时变迁的，现代文的字义的联想不能代替古文的字义的联想。比如，诗经："昔我往矣，杨柳依依；今我来思，雨雪霏霏。"四句诗看来是极容易译为白话文的。如果把它译为："从前我去时，杨柳还在春风中摇曳；现在我回来，已是雨雪天气了。"总算可以勉强合于"做诗如说话"的标准，却不能算是诗。一般人或许说译文和原文的实质略同，所不同者只在形式。其实它们的实质也并不同。译文把原文缠绵悱恻，感慨不尽的神情失去了，因为它把原文低徊往复的音节失去了。专就义说，"依依"两字就无法可译，译文中，"在春风中摇曳"只是不经济不正确的拉长，"摇曳"只是呆板的物理，而"依依"却带有浓厚的人情。

朱先生把译诗之不可能归结为不同语言之间音与义的差距，真是精确不磨！他所举的恰是诗经的例，因此我们不厌其长地引证出来，为自己的不作译诗找一个根据。当然，目前众多的译本也不可厚非，它们毕竟有助于初学者了解诗句的含义，不失为读诗入门的途径之一。

最后，想谈一谈诗经的韵律。押韵是诗歌的基本要素之一，诗经当然也不例外。但是，两千多年前的语音，同今天有很大的差别。用普通话去读诗经，实在难以理解它的韵律，因此更有必要加以说明。这个问题从明、清学者到今人都做过大量研究，诗经怎样押韵的问题基本上是解决了，但是，困难在于如何将那些不同于今音的上古韵的读音表达出来。汉语拼音只适用于现代汉语，无法表示上古音中某些字。反切是一个方法，清代小学家们便是用的反切。不过时至今日，反切几乎成为“绝学”了，在诗经的读者群中，我们估计懂得反切的同志不会超过百分之十。更何况由于语音的变迁，即便懂得反切原理，也未必能切出正确的上古音来。比如入声，在普通话中已经消失，因而也就无从找一个适当的反切下字来表示上古音的入声声调。最精确的当然是国际音标拼音法（王力先生的诗经韵读便是用的国际音标），然而，且不说上古音拟测是否有科学根据，单是这么几个国际音标字母，除了从事音韵研究的专业工作者之外，识得的人恐怕寥若晨星。表达得纵使十分精确，无人能解也是枉然。这真是令人进退维谷的难题！于是我们不禁想到了“直音”这个比较古老的方法。注直音的优点是人人能懂，缺点是有的注音字只能近似，不可能十分精确。我们在本书每一章的注释之后加上“韵读”一项，基本依据清代学者江有诰诗经韵读，标出该章所属韵部及每个押韵字。上古音与今音差异很大的字，在括号中加注直音。实在找不到声韵相同的直音，不得已只好用反切代替。凡是入声字，都予以标明。比如关雎第四章：“参差荇菜，左右采之；窈窕淑女，琴瑟友之。”“采”、“友”二字押韵，“友”字的古读我们用直音“以”字标出，但“采”字找不到确切的直音，只好用反切“此止反”来注音（反切的基本原则是上字取声，下字取韵、调）。又如关雎第三章“辗转反侧”一句，“侧”字在韵脚上，不过它是个入声字，入声在今天的普通话中已经消失，我们只能用一个声韵都相同的平声字“淄”来注音，同时标明“淄入声”。北方不少地区的读者也许看了这个注还是读不出入声的音来，但至少可以借此明白这个字在上古是读入声的。这种办法当然很粗糙，不过我们标明韵脚，只是为了让读者了解某字在上古的读音与今音不同，因而在诗经中是押韵的，并不是想证明可以用现代汉语普通话来精确描述上古音，更不是要求读者按照上古音去朗诵诗经。我们只希望达到“庶几近之”的目的，用江有诰的话来说，便是“可便于初学，亦不致见笑于通人”。如此一番斟酌的苦心，不知能否得到读者的认可，这也就算是出版这本书的原因之四吧。

以上四点，谈不上是这本书的特色，只是我们在撰写之初的设想以及在撰写过程中努力使其成为现实而已。至于它们能否使读者诸君在众多注本之外感到一点新意，我们诚恳地盼望大家的批评和指教。

本书在撰写初稿时，承黄珅、王铁、曾抗美同志大力协助；稿成之后又承曹大民同志工楷誊清，在此一并致以衷心的谢意。在全书的撰写过程中，自始至终得到朱菊如同志的鼎力支持，更是我们铭感不忘的。

程俊英　蒋见元
一九八七年七月于
华东师范大学古籍研究所

本书原属繁体直排本中国古典文学基本丛书，此次整理收入简体横排本中华国学文库，我们尽量减少了类推简化造字，并保留或补充了部分方便说明字形演进或繁简转换易造成歧义的繁体字形，以便读者。

中华书局编辑部
二〇一七年六月

十五国风

周　南

周南、召南共二十五篇，其中周南十一篇，召南十四篇。

二南是西周末、东周初，即周王室东迁前后的作品。历来治毛诗的学者说二南是西周初年的诗歌，这是因为他们抱有一种偏见，认为二南一定是歌颂“文王之化”、“后妃之德”，所以固执地要把它的产生上推到周文王的年代。这种胶柱鼓瑟的说法已为后人证明是错误的。

关于二南的产生地，韩诗序（郦道元水经注引）说：“南，国名也。其地在南郡、南阳之间。”按南阳即今河南省西南部，湖北省北部；南郡即今湖北江陵一带。司马迁史记自序：“太史公留滞周南。”亦指的东周之地，南郡、南阳之间。方玉润诗经原始说：“窃谓南者，周以南之地也。大略所采诗皆周南诗多，故命之曰周南。何以知其然耶？周之西为犬戎，北为豳，东则列国，惟南最广，而及乎江、汉之间。”

历来学者还有一种意见，认为“南”是“诗之一体”，应该与风、雅、颂并列，不能包含在风里。这种说法滥觞于北宋苏辙的诗集传，王质诗总闻、程大昌考古编从之，直到清代以至近现代，都有人赞成。但是我们认为，既然周南、召南都是以地域作为诗的标目，这两处地方自然也有其地方乐调，列在风里并无不妥之处，又何必独立呢？

二南中，反映妇女们劳动、恋爱、归宁、思夫、拒暴等生活和思想感情的诗居多。还有一些礼俗诗，表达了贺新婚、祝多子等主题。

关　雎

【题　解】

这是一首贵族青年的恋歌。闻一多风诗类钞说："关雎，女子采荇于河滨，君子见而悦之。"所谓"君子"，是当时对贵族男子的称呼。这位君子爱上了那位采荇菜的女子，却又"求之不得"，只能将恋爱与结婚的愿望寄托在想象中。

汉、宋以来治诗的学者，多数认为"君子"指周文王，"淑女"指太姒，诗的主题是歌颂"后妃之德"。这是因为关雎居"三百篇"之首，不如此附会不足以显示其"正始之道，王化之基"的重要地位。但是孔子只说："关雎乐而不淫，哀而不伤。"倒是切实地道出了这首诗的乐调的风格，且从中可以看出这确是一首失恋的情歌。

诗经对后世文坛的影响，主要在赋、比、兴的运用与发展。而前人言兴，又常举"关关雎鸠"为例。"兴者，先言他物以引起所咏之辞也。"（朱熹诗集传）这是最简明的解释，但语焉不详，没有进一步说明"他物"与"所咏之辞"的关系。宋李仲蒙则专从物与情的关系谈"兴"："触物以起情谓之兴，物动情也。"（录自困学纪闻）换句话说，"兴"是诗人先见一种景物，触动了他心中潜伏的本事或思想感情而发出的歌唱。兴的作用是多方面的。朱熹释关雎道:“其(指君子、淑女)相与乐和而恭敬,亦若雎鸠之情挚而有别也。”(诗集传)这样“关关雎鸠,在河之洲”就不仅是起兴,而且兼有比拟下面“所咏之辞”的作用,标示了君子追求淑女的主题。兴的特点是触物起情,也就是即景生情,而它的妙处,正在于诗人情趣与自然景物浑然一体的契合,也即一直为人们所乐道的情景交融的艺术境界。

关关雎鸠,在河之洲。窈窕淑女,君子好逑。

关关,形容水鸟雌雄和鸣的象声词。玉篇、广雅引诗作喧,是后起字。 雎(jū)鸠,水鸟。按鸠在国风中见过四次,都是比喻女性的。相传这种鸟雌雄情意专一,和常鸟不同。淮南子泰族训:“关雎兴于鸟,而君子美之,为其雌雄之不乖居也。”王先谦诗三家义集疏:“不乖居,言不乱耦。”朱熹诗集传:“雎鸠,小鸟,状类凫鹥,今江、淮间有之。生有定偶,而不相乱;偶常并游,而不相狎。”

洲,水中的陆地。说文作州,洲是俗字。 “关关雎鸠,在河之洲”是兴句,诗人听到雎鸠雌雄相和鸣,勾起了追求淑女的心绪。

窈窕(yǎo tiǎo),美好貌,叠韵词。扬雄方言:“秦、晋之间,美心为窈,美状为窕。”陆德明经典释文引王肃云:“善心为窈,美容为窕。”可见古人释窈窕也兼指内心美好而言。

逑,仇的假借字,配偶。释文:“逑,本亦作仇。”毛传:“淑,善。逑,匹也。宜为君子之好匹。”

韵读:幽部——鸠、洲、逑。

参差荇菜,左右流之。窈窕淑女,寤寐求之。

参差(cēn cī),长短不齐貌,双声词。三家诗参作槮,参是假借字。说文:“槮,木长貌。诗曰:‘槮差荇菜。’”广雅释诂:“差,次也。”王先谦集疏:“槮差谓如木有长者有次者,槮差然不齐也。” 荇(xìng)菜,亦作莕菜,一种水生植物，形似莼菜，可以吃。

左右，指采荇菜女子的双手。篆文“左”“右”作“𠂇”“又”，象形。　流，“摎”的假借字，摘取。广雅：“摎，捋也。”鲁诗训“流”为“择”，亦通。

寤寐，陈奂诗毛氏传疏：“寤犹晤，训觉。寐犹昧，训寝。”此处意为日日夜夜。

韵读：幽部——流、求。

求之不得，寤寐思服。悠哉悠哉，辗转反侧。

思，语助词。这是用于语中的；还有用于语首的，如大雅文王“思皇多士”；用于语尾的，如周南汉广“不可求思”。　服，思念。毛传：“服，思之也。”一说“思服”两字为同义复词，都是思念之意，亦通。

悠哉，形容思念深长的样子。王先谦集疏：“悠哉悠哉，犹悠悠也，二哉字增文以成句。重言之，以见其忧之长。”按邶风雄雉“悠悠我思”、泉水“我心悠悠”皆是。

辗转反侧，翻来覆去，形容不能安眠。三家诗“辗”作“展”。说文无“辗”字，它始见于晋吕忱字林，是后起字。按广雅训展转为反侧，郑玄小雅何人斯笺训反侧为展转，是展转与反侧同义。展转，双声词。

韵读：之部——得（丁力反，入声）、服（扶逼反，入声）、侧（音滋入声）。

参差荇菜，左右采之。窈窕淑女，琴瑟友之。

琴瑟，古乐器名。古琴多七弦，古瑟二十五弦。　友，亲爱。广雅：“友，亲也。”汉书王莽传颜师古注：“友，爱也。”

按这一章与下一章都是描写君子想象中与淑女欢聚的情景。

韵读：之部——采（此止反）、友（音以）。

参差荇菜，左右芼之。窈窕淑女，钟鼓乐之。

芼（mào），择取。芼是覒的假借字。说文：“覒，择也。”

乐，本义是乐器、音乐之名。说文：“乐，五声八音总名。”朱骏声说文通训定声：“按五声八音相比而成乐，白象鼓，𢆶象鼙，木者，虡（音巨，挂钟鼓的木架）也。象形兼会意。”引申为喜乐、爱好。这里指使淑女快乐，与上章友字都用作动词。马瑞辰毛诗传笺通释:“乐,古音读劳来之劳,故与芼韵。”

韵读:宵部——芼、乐。

葛覃

【题　解】

这是一首描写女子准备回家探望爹娘的诗。诗中采葛、制衣、洗浣、归宁等描写,反映了当时妇女生活的一个方面。

诗共三章,第一章全章是兴。陈奂传疏:“按,葛覃,一兴也。黄鸟,又一兴也。”第二、三章是赋,朱熹说:“赋者,敷陈其事而直言之者也。”李仲蒙说:“叙物以言情谓之赋,情尽物也。”就是指叙事写景抒情的创作方法,它对楚辞、汉赋影响很大。

这首诗的结构也很有特点。崔述读风偶识说:“诗之为体,多重末章,而前特为原起。”葛覃本写归宁父母一事,因归宁而浣衣,因浣衣而及絺绤,因絺绤而念刈濩之劳,因刈濩而追叙山谷蔓生的葛,及集于灌木的喈喈黄鸟所触起的归思。但首章却偏从中谷景物写起,由葛及衣,至末句才点出归宁本意,所以吴闿生诗义会通称赞葛覃是“文家用逆之至奇者也”。

葛之覃兮,施于中谷;维叶萋萋。黄鸟于飞,集于灌木,其鸣喈喈。

葛,葛藤,一种蔓生纤维科植物,皮制成纤维可以织布,现在叫做夏布。　覃,释文:“本亦作蕈。”延长。尔雅:“覃,延也。延,长也。”这里覃字是形容词。罗愿尔雅翼:“葛蔓牵其首以至根可二十步。”　兮,语气词,相当于现代汉语的“啊”(参阅闻一多全集歌与诗)。

施(yì),蔓延。施是延的假借字。毛传:“施,移也。”　中谷,即谷中。这是倒句以成义,诗经中凡是中字在上,如中逵、中林、中心、中原、中泽、中田、中露等皆同。

维，句首语气词，含有"其"义。　萋萋，茂盛貌。昭明文选潘岳藉田赋注引韩诗章句："萋萋，盛也。"马瑞辰通释："诗以葛之生此而延彼，兴女之自母家而适夫家。"

黄鸟，黄雀。按黄鹂、黄莺亦名黄鸟，与黄雀不同。　于，助词（从马瑞辰说）。与下"集于灌木"的"于"作介词者不同。

灌木，矮小丛生的树木。尔雅释木："木族生为樌。"孙炎注："族，丛也。"

喈喈（jiē），形容黄鸟和鸣的象声词。

韵读：侯部——谷、木。　脂部——萋、飞、喈（音饥）。

葛之覃兮，施于中谷；维叶莫莫。是刈是濩，为絺为绤；服之无斁。

莫莫，本义是形容植物茂盛貌。广雅："莫莫，茂也。"但此章莫莫与上章萋萋对用，义当有别；此章下云"是刈是濩"，故此处的莫莫当含有茂盛而成熟貌之义。参看胡承珙毛诗后笺。

刈（yì），本义是小镰刀，引申为收割。　濩（huò），镬的假借字。本义是煮物的器皿，引申为煮。毛传："濩，煮之也。"将葛煮后取其纤维，用来织布。

絺（chī），细夏布。　绤（xì），粗夏布。

斁（yì），厌弃。三家诗作"射"，是假借字。朱熹诗集传："盖亲执其劳，而知其成之不易，所以心诚爱之，虽极垢弊而不忍厌弃也。"

韵读：侯部——谷（与上章遥韵）。　鱼部——莫（音模入声）、濩（音胡入声）、绤（音虚入声）、斁（音余入声）。

言告师氏，言告言归。薄污我私，薄浣我衣。害浣害否，归宁父母。

言，发语词，无义。下同。　师氏，保姆。仪礼昏礼郑玄注："姆，妇人五十无子，出而不复嫁，能以妇道教人者。"闻一多诗经通义："姆即师氏。……论其性质，直今佣妇之事耳。"

归，归宁，回娘家。陈奂传疏："言归，曰归也。此篇及黄鸟、我行其野、有駜皆作言归，齐南山、东山、采薇皆作曰归，黍苗作云归。言、曰、云三字同义。有在句首者,为发声,若汉广之'言刈其楚'之类是也。有在句中者,为语助,若柏舟'静言思之'之类是也。"

薄,语首助词,有时含有勉力的意思。　污,揉搓着洗。毛传:"污,烦也。"郑笺:"烦,烦撋(ruán)之。"释文引阮孝绪字略:"烦撋,犹挼莎(ruó shā)也。"按挼莎即揉搓之意。　私,内衣。刘熙释名:"私,近身衣。"

浣(huàn),洗衣。说文:"澣,濯衣垢也。"浣(澣)为澣之省。释文:"浣,或作沅。"　衣,指外衣。

害,何。害是曷的假借字。汉书翟义传颜师古注:"害,读曰曷。"

归宁父母,古代已婚女子回娘家省亲叫归宁。左传庄公二十七年杜预注:"宁,问父母安否。"这句是全诗的主旨。

韵读:脂部——归、私、衣。　之部——否(方鄙反)、母(满以反)。

卷　耳

【题　解】

这是一位妇女想念她远行丈夫的诗。戴震诗经补注:"卷耳,感念于君子行迈之忧劳而作也。"诗中写她丈夫上山有马、有仆,饮酒用金罍、兕觥,可见夫妇都是贵族。

刘熙载艺概云:"周南卷耳四章,只'嗟我怀人'一句是点明主意,馀者无非做足此句。"这首诗虽旨在表达作者的思念之情,但诗中着重表现的则是被思念对方的劳苦之状。正如明人杨慎升庵诗话评论的:"盖身在闺门,而思在道途,若后世诗词所谓'计程应说到梁州'、'计程应说到常山'之意耳。"刘勰文心雕龙谈想象,有"寂然凝虑,思接千载;悄焉动容,视通万里"之言,像卷耳,真可以说是"视通万里"了。想象不仅能摆脱时空的限制,还有寄托和激发情感的作用。卷耳诗人的感情,均通过想象曲曲传出。想象越丰富,感情越深切;想象对方越周至,感情越细腻;尽管想象中的景状均属虚构，但所表达的感情却是那么真挚。诗中并没有直写思念之情，而思情反如桃花潭水，越见深长。这样的诗篇，婉转曲折，感人尤深。后世名篇如杜甫月夜、李白寄东鲁二稚子、柳永八声甘州、周邦彦风流子等，均脱胎于此。

采采卷耳，不盈顷筐。嗟我怀人，寘彼周行。

采采，采了又采。　卷耳，今名苍耳，一种草本植物。嫩苗可食，也可入药。

顷筐，浅筐，犹今之畚箕。诗人心事重重，思念远行的丈夫，虽然采了又采，却总是采不满一个浅筐，所以毛传说这两句是"忧者之兴"。按采卷耳不满浅筐，是诗人当前所做的事，因此而触动思夫之情。所谓"忧者之兴"，实质上是兼赋的兴。

嗟，语助词，不是叹词。马瑞辰通释："嗟为语词。嗟我怀人，犹言我怀人也。"按"嗟我怀人"是点明主题。

寘，同置，放下。　周行（háng），大道。朱熹诗集传："方采卷耳，未满顷筐，而心适念其君子，故不能复采，而寘之大道之旁也。"

韵读：阳部——筐、行（音杭）。

陟彼崔嵬，我马虺隤。我姑酌彼金罍，维以不永怀。

陟（zhì），登。　崔嵬，岩石高低不平的土山。叠韵词。

我，诗人想象中的丈夫自称。下同。　虺隤（huī tuí），腿软的病。三家诗作瘣颓，虺隤是假借字。尔雅："虺颓，病也。"叠韵词。

姑，姑且。三家诗作夃，说文解字引诗作夃，朱骏声定声："按此字当训姑且之词，从乃从刃，皆舒迟留难之意。说文引诗'我夃酌彼金罍'，是本字本义，经传皆以姑为之。"　金罍，青铜制的酒器，上刻云雷花纹。金指青铜。孔颖达毛诗正义引韩诗："金罍，大夫器也。天子以玉，诸侯大夫皆以金，士以梓。"按金罍和下章兕觥都是借代修辞，以酒杯代酒。

维，发语词。　永，长。说文："永，水长也。"段玉裁说文解字注："引申之,凡长皆曰永。” 怀,思念。

韵读:脂部——嵬(音危)、隤(音颓)、罍、怀(音回)。

陟彼高冈,我马玄黄。我姑酌彼兕觥,维以不永伤。

玄黄,马病毛色变黑黄。双声词。陈奂传疏:“黄本马之正色,黄而玄为马之病色。”

兕觥(sì gōng),犀牛角制的大酒杯。一说兕觥刻木为之,形似兕角(见孔疏引先师说)。

伤,忧思。伤(傷)是𥅨的假借字。说文:“𥅨,惪(忧)也。”段注:“周南卷耳传曰:‘伤,思也。’此伤即𥅨之假借。思与忧义相近也。”

韵读:阳部——冈、黄、觥(音光)、伤。

陟彼砠矣,我马瘏矣,我仆痡矣,云何吁矣!

砠(jū),多土的石山。毛传:“石山戴土为砠。”

瘏(tú),病。尔雅释诂:“痡、瘏、虺颓、玄黄,病也。”

仆,驾车者。小雅正月笺:“仆,将车者也。” 痡(pū),过度疲劳。孔疏引孙炎曰:“痡,人疲不能行之病。”

云,语助词,无义。 何,何等、多么。 吁,忧愁。按字当作盱,陈奂传疏:“吁当为盱。尔雅注引诗‘云何盱矣’,邢昺疏云:‘卷耳及都人士文也。’邢所据卷耳作盱。”盱是忬的假借字。说文:“忬,忧也。”

韵读:鱼部——砠、瘏、痡、吁。

樛 木

【题 解】

这是一首祝贺新郎的诗。这位新郎,作者称他为君子,当然是上层人物。昭明文选潘安仁寡妇赋:“伊女子之有待兮,爰奉嫔于高族。承庆云之光覆兮,荷君子之惠渥。愿葛藟之蔓延兮,托微茎于樛木。”李善注:“言二草之托樛木,喻妇人之托夫家也。诗曰:

‘南有樛木，葛藟累之。’”潘赋和李注都以葛藟附樛木喻女子嫁“君子”，这是对诗本义的阐发，也是后人定它为新婚诗的根据。同时，他们也指出了上二句是兴的艺术手法。

南有樛木，葛藟累之。乐只君子，福履绥之。

南，指南土，南郡、南阳之间。　樛（jiū），弯曲的树枝。毛传：“木下曲曰樛。”韩诗作朻，是樛的重文。

葛藟，野葡萄之类，蔓生植物。枝形似葛藤，故称葛藟（从马瑞辰说）。有人认为葛是葛藤，藟是另一种蔓生植物，亦通。　累，攀缘。累的本义是绳索，引申为攀缘。

只，语助词，在句中。还有在句末的语气词，如鄘柏舟：“母也天只，不谅人只！”

福履，福禄，幸福。毛传：“履，禄也。”按履的本义是鞋子，训禄是引申义。　绥，安定。按绥的本义是车中绳索，论语：“升车必正立执绥。”周生烈注曰：“正立执绥，所以为安。”故引申为凡安之称。

韵读：脂部——累、绥。

南有樛木，葛藟荒之。乐只君子，福履将之。

荒，掩盖。毛传：“荒，奄也。”说文：“荒，芜也。一曰草掩地也。”奄与掩通。

将，扶助。将是肝的假借字。说文：“肝，扶也。”

韵读：阳部——荒、将。

南有樛木，葛藟萦之。乐只君子，福履成之。

萦，旋绕。鲁、韩诗作藥。说文：“藥，草旋貌也。诗曰：‘葛藟藥之。’”按萦、藥音义皆同。

成，成就。陈奂传疏：“尔雅：‘就，成也。’成、就二字互训。”

韵读：耕部——萦、成。

螽 斯

【题 解】

这是一首祝人多子多孙的诗。诗人用蝗虫多子比喻人的多子,表示对多子者的祝贺。什么叫比?朱熹说:"比者,以彼物比此物也。"李仲蒙说:"索物以托情谓之比,情附物也。"比就是比喻,也是诗经中常用的一种艺术手法。

这首诗和上面的樛木在形式上十分相似。国风中的诗篇大多是叠咏体,语句反复、排比。如这二首诗均只换六个字,但就在这些用字的变换中,显示出前后之序、深浅之别,读来非但不觉其烦,反觉有无穷馀味流于齿间,有一唱三叹之妙。

螽斯羽,诜诜兮。宜尔子孙,振振兮。

螽(zhōng)斯,蝗虫一类的虫,又名蚣蝑、斯螽,是多子的虫。

诜诜(shēn),众多貌。三家诗作辨辨。诜是辨的假借字。

宜,多。马瑞辰通释:"古文宜作𡧯。窃谓宜从多声,即有多义。宜尔子孙,犹云多尔子孙也。" 尔,指被祝贺的人。有人以为指螽斯,恐非诗意。

振振,振奋有为貌(从王先谦说)。毛传训为仁厚或信厚,非诗意。

韵读:文部——诜、振。

螽斯羽,薨薨兮。宜尔子孙,绳绳兮。

薨薨,昆虫群飞的声音。韩诗作㹜㹜。广雅:"㹜㹜,飞也。"薨是㹜的假借字。

绳绳,谨慎貌。毛传:"绳绳,戒慎也。"按绳与慎双声通用。大雅下武"绳其祖武",三家诗作"慎其祖武"。

韵读:蒸部——薨、绳。

螽斯羽，揖揖兮。宜尔子孙，蛰蛰兮。

揖揖，群聚貌。毛传："揖揖，会聚也。"鲁、韩诗作集集，音义均同。

蛰蛰，安静貌。尔雅释诂："蛰，静也。"

韵读：缉部——揖、蛰。

桃　夭

【题　解】

这是一首贺新娘的诗。诗人看见农村春天柔嫩的桃枝和鲜艳的桃花，联想到新娘的年轻貌美。"之子于归"句点明贺新娘的诗旨，末句则致以劝勉之意，其性质就好像旧时的"催妆词"。诗反映了当时社会对新妇的要求和人民生活的片段。

这首诗以咏物见长，如"夭夭"描写桃树少盛的形态，"灼灼"形容桃花盛开的艳丽，体物之工，古今称颂。而诗人咏桃，并非止于描摹物状。姚际恒诗经通论云："桃花色最艳，故以取喻女子，开千古词赋咏美人之祖。"从这一点上说，起首的兴句可谓含比的兴。朱熹道："桃之有华，正婚姻之时也。"虽然方玉润批评这种说法"泥而鲜通"，但不可否认，这确是一首"美嫁娶及时"之诗。咏桃树和桃花在春光中的娇艳之状，对紧接着写芳龄女郎的婚嫁，正起了烘云托月的作用。刘勰文心雕龙物色篇："诗人感物，联类不穷。流连万象之际，沈吟视听之区。写气图貌，既随物以宛转；属采附声，亦与心而徘徊。"这段话可作为桃夭咏物的理论说明。后人在诗文中形容少女姿色，常借自然景物为喻，如杏脸、柳眉、樱唇、梨涡、玉笋、春葱、金莲、柳腰等，实滥觞于此。

桃之夭夭，灼灼其华。之子于归，宜其室家。

夭夭，桃树少壮茂盛貌。三家诗作枖枖，又作媄媄。说文："枖，木少盛貌。”按夭、媄都是枖的假借字。

灼灼，桃花鲜艳盛开貌。按灼是焯的假借字。说文：“焯，明也。” 华，今作花。

之，是，此。之子，这位姑娘，指新娘。尔雅释训：“之子，是子也。” 于归，古代女子出嫁称为于归，或单称归，是往归夫家的意思。毛传：“于，往也。”陈奂传疏：“于读为於。采蘩、燕燕传皆云：‘于，於也。’於者，自此之彼之词。自此之彼谓之於，又谓之往，则‘於’与‘往’同义，亦‘于’与‘往’同义矣。”有人认为于和曰、聿通，是语助词，亦通。

宜，善。马瑞辰通释：“宜与仪通。尔雅：‘仪，善也。’凡诗云宜其室家、宜其家人者，皆谓善处其室家与家人耳。” 室家，指配偶、夫妻。孟子：“丈夫生而愿为之有室，女子生而愿为之有家。”左传桓公十八年：“女有家，男有室。”礼记曲礼：“三十曰壮，有室。”郑注：“有室，有妻也。”国语齐语：“罢女（罢同疲，疲女指品德不好的女子）无家。”韦注：“夫称家也。”这句是祝愿新娘善处她的夫妻关系。

韵读：鱼部——华（音呼）、家（音姑）。

桃之夭夭，有蕡其实。之子于归，宜其家室。

有，用于形容词之前的语助词，和叠词的作用相似。有蕡即蕡蕡。蕡（fén），颜色斑驳貌。蕡与贲（賁）古通，金文作𦤎，即古斑字。于省吾泽螺居诗经新证：“毛公鼎‘𦤎縪驳’，刘心源谓‘斑縪斑驳’是也。然则‘有蕡其实’即‘有斑其实’。桃实将熟，红白相间，其实斑然。”

家室，即“室家”，倒文以协韵。

韵读：脂部——实、室。

桃之夭夭，其叶蓁蓁。之子于归，宜其家人。

蓁蓁（zhēn），树叶茂盛貌。毛传：“蓁蓁，至盛貌。”亦作溱溱，杜佑通典礼十九引诗作“其叶溱溱”。溱是假借字。

家人，指夫家众人。陈奂传疏：“凡诗三章，有末章与上二章辞同而意异者，若此篇之‘宜其家人’。此篇上二章就嫁时言，末章就已嫁时言。”

韵读：真部——蓁、人。

兔 罝

【题 解】

这是赞美猎人的诗。诗人在路上看见英姿威武的猎人正在打桩张网捕兔，联想这些猎人的才力，希望他们能被选拔为保卫国家的武士。崔述读风偶识："余玩其词，似有惋惜之意，殊不类盛世之音。……太平日久，上下恬熙，始不复以进贤为事，是以世胄常蹑高位而寒畯苦无进身之阶。文士或间一遇时，而武夫尤难以逢世。以故诗人惜之曰：'此林中之施兔罝者，其才智皆公侯之干城、公侯之腹心也。'惋惜之情，显然言外。"他的这段话，颇能体会诗意。

"借代"是后世诗人常用的一种修辞，它始于兔罝。诗人借干城代保卫国土而有才智的武士，以腹心代可信任而能尽忠的臣下，形象更加生动。

肃肃兔罝，椓之丁丁。赳赳武夫，公侯干城。

肃肃，兔网繁密貌。肃是缩的假借字。通俗文："物不申为缩。"马瑞辰通释："兔罝本结绳为之，言其结绳之状则为缩缩。缩缩为兔罝结绳之状，犹赳赳为武夫勇武之貌也。" 兔罝（jū，又音 jiē），捕兔的网。说文："兔网也。从网且声。子邪切。"

椓（zhuó），敲打。把系兔网的木桩打进地里。说文："椓，击也。" 丁丁（zhēng），敲打木头声，象声词。

赳赳，威武有才力貌。说文："赳，轻劲有才力也。"尔雅："赳赳，武也。"韩诗赳或作纠，纠是假借字。

公侯，周代统治阶级的爵位。周天子下面有公、侯、伯、子、男（子、男同等）四等爵位，这里是泛指。 干城，干，盾；盾和城都用于防卫。这里借以比喻能御外卫内的人才。

韵读:鱼部——罝(音狙)、夫。　耕部——丁、城。

肃肃兔罝,施于中逵。赳赳武夫,公侯好仇。

施,设置。　中逵,即逵中。逵是四通八达的路口。说文:"馗,九达道也。"逵是馗的假借字,韩诗正作馗。一说逵是陆的假借字,说文:"陆,高平地。"中陆指野外而言(见于省吾新证),亦通。

仇,同逑,匹偶。好逑,这里指好助手。陈奂:"仇,匹也。……公侯好匹,言武夫能为公侯之好匹。匹当读为'率由群匹'之匹。假乐笺云:'循用群臣之贤者,其行能匹耦己之心。'晋语:'国人诵之曰:若狄公子,吾是之依兮;镇抚国家,为王妃兮。'韦注曰:'言重耳当伯诸侯,为王妃耦。'并与诗仇字义同。"

韵读:鱼部——罝、夫。　幽部——逵(音求)、仇。

肃肃兔罝,施于中林。赳赳武夫,公侯腹心。

中林,即林中。鲁颂駉毛传:"野外曰林。"马瑞辰通释:"林犹野也。"　腹心,即心腹,指能尽忠的亲信。

韵读:鱼部——罝、夫。　侵部——林、心。

芣　苢

【题　解】

这是一群妇女采集车前子时随口唱的短歌。这首诗从劳动的发展过程,表现了心理的发展过程。不断的采取,伴随着不断的歌唱,越采越多,越唱越高兴。语言的反复,篇章的重叠,表现了对劳动的热爱。心理过程与劳动过程的统一,内容与形式的统一,是这首诗歌的特点。但诗句比较简单,每章只换两个字,还保存着原始劳动诗歌的形态。诗中"采采芣苢"等词反复出现,但读来却觉得宛转如辘轳,流利似弹丸,毫无累赘之感,这正是民间劳动歌唱天然朴拙、不假雕琢的韵味。方玉润诗经原始说:“读者试平心静气,涵咏此诗,恍听田家妇女,三三五五,于平原绣野、风和日丽中,群歌互答,馀音袅袅,若远若近,忽断忽续,不知其情之何以移,而神之何以旷,则此诗不必细绎而自得其妙焉。……今世南方妇女,登山采茶,结伴讴歌,犹有此遗风焉。”他这段评论,很有助于读者的欣赏。

采采芣苢,薄言采之。采采芣苢,薄言有之。

芣苢(fú yǐ),车前草,一种草药,古人以为其籽可治妇女不孕和难产。马瑞辰通释:“芣苢有二类。逸周书王会云‘康民以桴苡’者,其实如李,食之宜子,此木类也。诗释文引山海经卫氏传及许慎说并同。尔雅:‘芣苢,马舄;马舄,车前。’此草类也,为毛传所本。……据诗言掇之、捋之,皆宜指取子而言,则毛传之说当矣。”

薄,发语词,含有勉力之意。　言,语助词。

有,采取。马瑞辰通释:“广雅释诂:‘有,取也。’孔子弟子冉求字有,正取名、字相因,求与有皆取也。大雅瞻卬篇:‘人有土田,女反有之。’有之犹取之也。”按上“采”字指开始采车前草。有指取,较采又进一步。

韵读:之部——苢、采(此止反)、苢、有(音以)。

采采芣苢,薄言掇之。采采芣苢,薄言捋之。

掇(duó),拾。说文:“掇,拾取也。拾,掇也。”胡承珙毛诗后笺:“掇是拾其子之既落者,捋是捋其子之未落者。”

捋(luō),从茎上成把地抹下来。说文:“捋,取易也。寽,五指捋也。”王先谦集疏:“捋之为言掬也。较掇采易,故云取易也。”

韵读:之部——苢、苢。　祭部——掇(丁厥反,入声)、捋(音劣入声)。

采采芣苢,薄言袺之。采采芣苢,薄言襭之。

袺(jié),用手捏着衣襟揣起来。说文:“执衽谓之袺。”王先谦集疏:“鲁诗曰:‘袺谓之褐。’……采物既多,以袖受之,此袺之义也。”按褐或作褏、胡,即衣袖。此三家诗义,亦通。

襭(xié),用衣襟角系在衣带上兜回来。朱骏声定声:“兜而扱于带间曰襭,手执之曰袺。”

韵读:之部——苢、苢。　脂部——袺(音吉入声)、襭(胡吉反,入声)。

汉　广

【题　解】

这是江汉间一位男子爱慕女子,而又不能如愿以偿的民间情歌。毛诗序说:“汉广,德广所及也。文王之道被于南国,美化行乎江汉之域,无思犯礼,求而不可得也。”牵扯文王之道,实无关诗旨。韩诗序曰:“汉广,悦人也。”与诗意相符。诗人以乔木下无法休歇以及江汉难以渡过为比,抒写自己失恋的心情。“汉有游女,不可求思”二句点明了诗的主题。王先谦集疏:“此章乔木、神女、江汉三者,皆兴而比也。”第二、三章写男子想象和他所爱的女子结婚,想象砍柴作炬、喂马亲迎的情景。但是这种愿望无法实现,所以诗人反复吟唱“汉之广矣”四句,以表示力不从心的苦闷。陈启源毛诗稽古编:“夫说之必求之,然惟可见而不可求,则慕悦益至。”此说确能体会作者真挚恳切的心情。

这首诗每章末尾的四句叠咏,将游女迷离恍惚的形象、江上浩渺迷茫的景色,以及诗人心中思慕痴迷的感情,都融于长歌浩叹之中。感情不能自已,所以诗词也不能不反复。而后人又正是在词语的回往反复之中,获得美感。吟咏此诗,总觉得烟波满眼,樵唱在耳,诗境深远,馀音袅袅。杜甫云“诗罢地有馀”,“篇终接混茫”,这种意境,汉广庶几近之。

南有乔木，不可休思。汉有游女，不可求思。汉之广矣，不可泳思。江之永矣，不可方思。

乔木，高耸的树。毛传："南方之木美。乔，上竦也。"陈奂传疏："上竦者，其上曲，其下少枝叶。高注淮南原道云'乔木上竦，少阴之木'是也。"

休思，思字毛诗误作息，韩诗作思，是。思为语末助词，下同。按思亦有用于句首者为发语词，如大雅文王"思皇多士"。用于句中者为语助词，如周颂丝衣"旨酒思柔"。

汉，汉水。源出陕西西南宁强，东流至湖北汉阳入长江。　游女，出游的女子。韩诗释游女为汉水的女神。昭明文选嵇康琴赋注引薛君韩诗章句："游女，汉神也。"

江，长江。　永，长。三家诗永或作羕，韩诗作漾。漾是羕的后起字。永、羕字异义同。

方，乘筏渡过。毛传："方，泭也。"方言："泭谓之䉡，䉡谓之筏。筏，秦、晋之通语也。"这里的方用作动词。

陈奂传疏："按传以'南方之木美'兴汉上之女贞。上竦之木不可休，兴出游之女不可求。汉广不可泳、江永不可方，亦因见江、汉而起兴也。"

韵读：幽部——休、求。　阳部——广、泳（音养）、永（音养）、方。

翘翘错薪，言刈其楚。之子于归，言秣其马。汉之广矣，不可泳思。江之永矣，不可方思。

翘翘，高扬貌。说文："翘，尾长毛也。"段注："尾长毛必高举，故凡高举曰翘。"　错，交错。错是逪的假借字。说文："逪，这逪也。"错薪，杂乱的柴草。

楚，植物名，又名荆。

秣（mò），喂马。说文："䬴，食马谷也。"秣同䬴。魏源诗古微："三百篇言取妻者，皆以析薪取兴。盖古者嫁娶必以燎炬为烛，故南山之析薪，车舝之析柞，绸缪之束薪，豳风之伐柯，皆与此错薪、刈楚同兴。秣马、秣驹，即婚礼亲迎御轮之礼。"

韵读：鱼部——楚、马（音姥 mǔ）。　阳部——广、泳、永、方。

翘翘错薪，言刈其蒌。之子于归，言秣其驹。汉之广矣，不可泳思。江之永矣，不可方思。

蒌(lóu)，生在水中的草，叶像艾，青白色，今名蒌蒿。

驹，按驹当作骄。说文："马高六尺曰骄。"指高大的马。段注："汉广'言秣其马'、'言秣其驹'，传曰：'六尺以上为马，五尺以上为驹。'按此驹字，释文不为音。陈风'乘我乘驹'，传曰：'大夫乘驹。'笺云：'马六尺以下曰驹。'此驹字释文作骄，引沈重云：'或作驹，后人改之，皇皇者华篇内同。'小雅'我马维驹'，释文云：'本亦作骄。'据陈风、小雅，则知周南本亦作骄也。盖六尺以下、五尺以上谓之骄，与驹义迥别。三诗义皆当作骄，而俗人多改作驹者，以驹与蒌、株、濡、诹为韵，骄则非韵。抑知骄其本字音在二部，于四部合韵，不必易字就韵而乖义乎？"

韵读：侯部——蒌(音娄)、驹(音钩)。 阳部——广、泳、永、方。

汝坟

【题解】

这是一首思妇的诗。她在汝水旁边砍柴时，思念她远役的丈夫。她想象已经见到丈夫，预想相见后的愉快，对丈夫并不抛弃她而感到安慰。这是反映社会乱离的诗，诗序和诗集传认为诗意是赞美"文王之化"，语涉附会，不可信。后汉书周磬传注引韩诗曰："汝坟，辞家也。"比较切合诗旨。崔述读风偶识更进一步指定"此乃东迁后诗，'王室如毁'即指骊山乱亡之事"，也言之成理。

此诗分三章，每章作一转折。这里诗意的转折不仅仅在于陈述的内容，也表现在情感变化之中。而情感的变化，又主要通过每章结句来表现。"惄如调饥"，写出对丈夫无限思念的啮人之情；"不我遐弃"，写出想象见到丈夫时欢惧交集之情；"父母孔迩"，则写出欲挽留丈夫的委婉之情。寥寥数语，写尽心中甜酸苦辣。以凝炼的字句表达凝炼的感情，后来诗人惟杜甫最长于此。如著名的三别诗，其中"妾身未分明，何以拜姑嫜"（新婚别）、"势异邺城下，纵死时犹宽"（垂老别）、"家乡既荡尽，远近理亦齐"（无家别）等语，真是字字凄婉，句句惊心。梁启超中国韵文里头所表现的情感认为在这一类诗中，有"一种极浓厚的情感蟠结在胸中，像春蚕抽丝一般把它抽出来"，所以名之为"回荡的表情法"。

遵彼汝坟，伐其条枚。未见君子，惄如调饥。

遵，沿着。　汝，汝水。源出河南天息山，东南流入淮河。　坟，堤岸。坟(墳)是濆的假借字，郭璞注尔雅释水引诗作"遵彼汝濆"。马瑞辰通释："坟通作濆。方言：'坟，地大也。青、幽之间，凡土而高且大者谓之坟。'李巡尔雅注：'濆谓崖岸，状如坟墓，名大防也。'是知水崖之濆与大防之坟为一。"

条，树枝。　枚，树干。毛传："枝曰条，榦曰枚。"

君子，这里是妇女对丈夫的尊称。

惄(nì)，饥饿貌。毛传："惄，饥意也。"韩诗作愵，是后起字。方言："愵，忧也。秦、晋之间，凡志而不得、欲而不获、高而有坠、得而中亡谓之湿，或谓之惄。"　调，同朝，鲁诗正作朝。调饥，未吃早餐前的饥饿。这里隐喻男女性爱未能得到满足。楚辞天问："胡维嗜不同味，而快鼌饱?"鼌一作朝。鼌饱与调饥同一喻意。

韵读：脂部——枚、饥。

遵彼汝坟，伐其条肄。既见君子，不我遐弃。

肄(yì)，砍过又生出来的小树枝。毛传："肄，馀也。斩而复生曰肄。"

遐，疏远。不我遐弃，这句是倒文，即"不遐弃我"。这章后二句是诗人设想相见后的快乐。

韵读：脂部——肄、弃。

鲂鱼赪尾，王室如毁。虽则如毁，父母孔迩。

鲂(fáng)，鳊鱼。陆玑毛诗草木鸟兽虫鱼疏："鲂一名魾，江东呼为鳊。” 赪(chēng),红色。说文:“魴,赤尾鱼也。”马瑞辰通释:“本草纲目云:一种火烧鳊,头尾俱似魴而脊骨更隆,上有赤鬣连尾,黑质赤章。今江南有鳊鱼,其腹下及尾皆赤,俗称火烧鳊,殆即古之魴鱼。诗人以鱼尾之赤兴王室之如毁,后人遂以火烧鳊名之。”

毁(燬),也作焜,都是火字的或体。如毁,比喻王政暴虐。

孔,甚,很。 迩,近。后二句意为,虽然王政暴虐,徭役不断,你难道不想想近在身边的父母也需要赡养吗?

这章是诗人设想丈夫回家之后怎样劝他不要再去服役的话。

韵读:脂部——尾、毁、毁、迩。

麟之趾

【题 解】

这是一首赞美统治者子孙繁盛的诗。王先谦说:“韩说曰:‘麟趾,美公族之盛也。’(见昭明文选王融曲水诗序张铣注)诗兼言子姓,而专以美公族者子孙之盛。”他的分析大致不错。统治阶级穷奢极欲,妻妾无数,子孙众多。诗的作者以赞叹的口气赞颂他们,可见他也是一个贵族。

此诗和汉广虽同作叠咏,但各有特色。汉广每章四句叠咏,此诗每章一句叠咏。汉广词语反复,思慕之情溶于字中;此诗措辞简洁,赞美之意溢于言表。汉广渲染情景,所重在境;此诗吟咏兴叹,所重在神。汉广叠咏,有深远渺茫之致;此诗叠咏,有一唱三叹之音。

麟之趾,振振公子。于嗟麟兮!

麟,麒麟,我国古代传说中的仁兽,被描写为鹿身、牛尾、马蹄、头上一角。后人或以为即长颈鹿。所谓“仁兽”,即严粲诗缉所说:“有足者宜踶

(踢),唯麟之足可以踶而不踶。有额者宜抵,唯麟之额可以抵而不抵。有角者宜触,唯麟之角可以触而不触。” 趾,亦作止,蹄。按每章的第一句都是兴,诗人以麟是仁兽,兴统治者的子孙振振。

振振,振奋有为貌(从三家诗说)。 公子,诸侯之子。诗经中称年幼的贵族为公子。

于嗟,感叹词,这里是赞美的叹词。陈奂传疏:“叹词,美叹之词也。美叹曰嗟,伤叹亦曰嗟,凡全诗叹词有此二义。”

韵读:之部——趾、子。

麟之定,振振公姓。于嗟麟兮!

定,鲁诗作顁,都是顶的假借字,额头。

姓,孙子。仪礼特牲馈食礼“子姓兄弟”,郑玄注:“所祭者之子孙。言子姓者,子之所生。”贾公彦疏:“姓之言生也,云子之所生,则孙是也。”

韵读:耕部——定、姓。

麟之角,振振公族。于嗟麟兮!

公族,诸侯曾孙以下称公族。公孙之子,支系旁生,各自成族,总括名之公族。汾沮洳毛传:“公族,公属也。”

韵读:侯部——角(音谷入声)、族。

召　南

鹊　巢

【题　解】

这是一首颂新娘的诗。诗人看见鸠居鹊巢,联想到女子出嫁,住进男家,就用来起兴。诗中描写迎接车辆之众,可见新娘是个贵族。

此诗本咏婚姻，而以鸤鸠起兴。但自诗序以来，对此终无定解，穿凿附会，误尽后人。其实，诗三百，本非篇篇都含美刺之意。此诗言鸠居鹊巢，只作妇归夫室之喻，并无深意。姚际恒道："不穿凿，不刻画，方可说诗。""所说极似平浅，其味反觉深长。请思之！"（诗经通论）姚说颇有理。

维鹊有巢，维鸠居之。之子于归，百两御之。

维，语首助词。亦有用作句中助词者，如小雅六月"闲之维则"。　鹊，说文舄，篆文作誰。喜鹊。

鸠，鸤（shī）鸠，又名鸲鹆（qú yù），即今之八哥。王先谦集疏："鹊性好洁，鸲鹆伺鹊出，遗污秽于巢，鹊归见之弃而去，鸲鹆入居之。又鹊避岁，每岁十月后迁移，则鸲鹆居其空巢。吾乡谚云'阿鹊盖大屋，八哥住现窝'，谓此。"一说：鸠即布谷，高诱注吕氏春秋及淮南子均谓鸠即布谷。

之子于归，见桃夭注。

百，虚数，言数量之多。　两，今作辆，一辆车。毛传："百两，百乘也。"书序："武王戎车三百两。"皆以一乘为辆。孔疏："谓之两者，风俗通以为车有两轮，马有四匹，故车称两，马称驷。"　御，讶的假借字，迎接。说文："讶，相迎也。"或作迓。公羊成二年传何注："迓，迎也。"按讶、迓、御古同音，故通用。

韵读：鱼部——居、御。

维鹊有巢，维鸠方之。之子于归，百两将之。

方，占有。毛传："方，有之也。"按释文："方，有之也。一本无之字。"据胡承珙考证"之"为衍文。

将，护卫。将是牂的假借字。说文："牂，扶也。"马瑞辰通释："诗百两皆指迎者而言。将者，奉也，卫也。首章往迎则曰御之，二章在途则曰将之，三章既至则曰成之，此诗之次也。"

韵读：阳部——方、将。

维鹊有巢，维鸠盈之。之子于归，百两成之。

盈，住满。指陪嫁的人非常多。郑笺："满者，言众媵侄娣之多。"

成，指结婚礼成。樛木毛传：“能成百两之礼也。”

韵读：耕部——盈、成。

采　蘩

【题　解】

这是一首描写蚕妇为公侯养蚕的诗。方玉润说：“公侯之事，事者，蚕事也。公侯之宫，宫者，蚕室也。案礼祭义：‘古者天子诸侯必有公桑蚕室，近川而为之，筑宫仞有三尺，棘墙而外闭之。’……盖蚕方兴之始……仆妇众多，蚕妇尤甚，僮僮然朝夕往来，以供蚕事。不辨其人，但见首饰之招摇往还而已。蚕事既卒……又皆各言归，其仆妇众多，蚕妇亦盛，祁祁然舒容缓步而归，亦不辨其人，但见首饰之簇拥如云而已。此蚕事始终景象。”今从其说。古代注家认为“事”指祭事，恐非诗意。

此诗特点，是连提几个问题，为设问修辞之祖。诗人胸中早有定见，话中故意提出问题的，叫做设问。设问有提问与激问两种：提问后面必有答案，如本诗。激问后面也有一个否定的答案，但不说出来，如伐檀：“不稼不穑，胡取禾三百廛兮？不狩不猎，胡瞻尔庭有县貆兮？”诗人发出这两个激问，并不是要求回答，因为人人心中明白，野兽和庄稼都是剥削来的。屈原离骚继承发展了设问修辞手法，在天问中，向天提出一百多个疑问，可见此诗对后人的影响了。又此诗主题，本写蚕事，似宜铺叙，诗人却轻轻带过，唯写蚕妇的首饰、形态，对于蚕事的场面、细节竟只字未提。但从末章写蚕妇之多，可逆知这次蚕事的紧要；从首饰之盛，可推想场面的隆重。故诗中虽未铺叙蚕事，已可想见其盛况。

于以采蘩？于沼于沚。于以用之？公侯之事。

于，在。于字小篆作亐，本义是气之舒，引申之，有“往”和“在”等意思。胡承珙后笺：“于又训为往。训为在者，皆由气出之义而引申之，气出必有所往，既往则有所在。” 以，何，什么地方。这是疑问代名词。参阅杨树达讨论诗经“于”“以”书。 蘩，白蒿，用来制养蚕的工具“箔”。七月毛传：“蘩，白蒿也，所以生蚕。”

沼，池。 沚，水塘。孔疏：“白蒿非水草，言沼沚者，谓于其旁采之也。”

事，指蚕事。

韵读：之部——沚、事。

于以采蘩？于涧之中。于以用之？公侯之宫。

涧，两山之间的水流。毛传：“山夹水曰涧。”

宫，蚕室。朱熹诗集传：“或曰：即记所谓公桑蚕室也。”

韵读：中部——中、宫。

被之僮僮，夙夜在公。被之祁祁，薄言还归。

被，髲的假借字，髲髢（pí tì。髢，亦作鬄）是当时妇女的一种首饰，用假发编成的头髻。左传哀十七年：“初，公自城上见己氏之妻发美，使髡之以为吕姜髢。”可见“被”是当时妇女最时髦的首饰。 僮僮（tóng），假髻高耸貌。王先谦集疏：“三家僮僮作童童。鲁、韩说曰：童童，盛也。”诗人以“被”代蚕妇，僮僮也就是形容蚕妇众多。

夙夜，早晚。 公，指公桑，即君主的桑田。礼记祭义：“古者天子诸侯必有公桑蚕室。”

祁祁，众多貌。七月毛传：“祁祁，众多也。”这里也是借形容发髻之盛来写蚕妇之众。

薄言，语首助词。见芣苢注。 还，音义同旋，指蚕妇回去。

韵读：东部——僮、公。 脂部——祁、归。

草　虫

【题　解】

这是一首思妇诗。戴震诗经补注:“草虫,感念君子行役之诗也。”诗中的主人是一位采菜的女子。第一章叙述在秋天蝗鸣虫跳的季节,她忧心忡忡地思念在外行役的丈夫,并想象着团聚的欢乐。第二、三章遥叙到了春天采蕨薇菜的时候,她的丈夫还不见回来,而她却仍旧幻想着重聚的情景。诗通过物候的更易和内心变化的描写,衬托出别离之苦。王照圆说:“两年事尔。君子行役当春夏间,涉秋未归,故感虫鸣而思。至来年春夏犹未归,故复有后二章。”其实,每章的“既见”、“既觏”,都是想象之辞。

此诗主题与卷耳相同,都是思念行役的丈夫;表现手法也和卷耳相似,都借想象寄托心中的愁思。卷耳作者,本不知其夫近况如何,诗中却着重描写旅途的借酒浇愁和劳苦之状;此诗原写“未见君子”时忡忡、惙惙的忧心,诗中却偏添上一段既见其夫的喜悦之情。对作者来说,这原是出于无奈的自我宽慰和陶醉,而两层描写却形成了强烈的对照。这种虚幻的喜悦之情,恰如镜子,照出诗人真实的痛苦之心。所流露的喜悦愈甚,其思念之情就愈切,而无法相见的痛苦亦愈深。李商隐的名篇夜雨寄北,在表现手法上即受此诗的影响。由于对比能产生强烈的艺术效果,故对后世诗文的影响尤大,如欧阳修生查子、柳永戚氏、周邦彦过秦楼、李清照永遇乐等,均通过今昔对比、环境对比、哀乐对比,从而使心中难堪和难喻之情,得到深切的表现。

喓喓草虫，趯趯阜螽。未见君子，忧心忡忡。亦既见止，亦既觏止，我心则降。

喓喓(yāo)，虫鸣声。毛传："喓喓，声也。" 草虫，虫是螽的假借字，草螽，指蝈蝈。陆玑义疏："……小大长短如蝗也，奇音青色，好在茅草中。"

趯趯(tì)，虫跳貌。毛传："趯趯，跃也。" 阜螽，蚱蜢，形似蝗虫而色青。它和蝈蝈都是秋天的虫。这两句是兴，诗人见草虫叫鸣、阜螽跳跃相从，触动她思夫之情。

忡忡(chōng)，心神摇动貌。桓宽盐铁论论诽篇引诗作冲。按说文："冲，水涌摇也。"是以水波的涌起比心神的摇动。

止，即之字，此处作指示代词，指"君子"。下同。之字卜辞作㞢，金文作㞢，小篆作㞢，隶变作㞢(据于省吾泽螺居诗经新证)。

觏(gòu)，与遘、媾通用，夫妇会合的意思。郑笺："既觏，谓已昏(婚)也。易曰：男女觏精，万物化生。"

降，夅的假借字，放下。穀梁庄三十年传："降，犹下也。"这里指心中思夫之情放下了。

韵读：中部——虫、螽、忡、降(胡冬反)。 之部——子、止、止。

陟彼南山，言采其蕨。未见君子，忧心惙惙。亦既见止，亦既觏止，我心则说。

陟(zhì)，登。

蕨，山菜，初生似蒜，可食。

惙惙(chuò)，心慌气短貌。唐释玄应众经音义："惙，短气貌也。"

说，鲁诗作悦，说、悦古今字。

韵读：祭部——蕨、惙、说。 之部——子、止、止。

陟彼南山，言采其薇。未见君子，我心伤悲。亦既见止，亦既觏止，我心则夷。

薇，山菜，亦名野豌豆苗。

夷，侇的假借字，说文："侇，行平易也。"这里指心安平静。

韵读：脂部——薇、悲、夷。　之部——子、止、止。

采　蘋

【题　解】

这是一首叙述女子祭祖的诗。毛传："古之将嫁女者，必先礼之于宗室，牲用鱼，芼之以蘋藻。"这可能是当时的风俗习尚。明何楷诗经世本古义根据左传襄公二十八年的记载，中有"济泽之阿，行潦之蘋藻，寘诸宗室，季兰尸之，敬也。敬可弃乎？"数语，认为"采蘋为诗人美武王元妃邑姜教成，能修此礼而作"。虽言之成理，但总嫌证据不足。

此诗连用五个"于以"，一个"谁"，一问一答，气势壮阔，如黄河之水，盘涡毂转；群山万壑，奔赴荆门。至末二句笔锋陡转，忽然表出诗中人物。又如"万壑飞流，突然一注"（戴君恩读风臆评）。

于以采蘋？南涧之滨。于以采藻？于彼行潦。

蘋，一种水生植物，与浮萍同类而异种。陈启源毛诗稽古编："四叶合成一叶如田字形者，蘋也。夏秋间开小华白色，又称白蘋。"

藻，聚藻，水生植物。陆玑义疏："茎大如钗股，叶如蓬蒿。"

行，衍的假借字，沟水。说文："衍，沟行水也。"　潦（lǎo），雨后的积水。马瑞辰通释："左传'潢污行潦之水'，服虔注：'畜小水谓之潢，水不流谓之污。'今按行潦对潢污言，沟水之流曰衍，雨水之大曰潦。行与潦为二，犹潢与污为二，四字并举，与上文涧溪沼沚之毛、蘋蘩薀藻之菜、筐筥锜釜之器句法正相类，盖失其义久矣。"由此可见，毛传等注家将"行潦"合为一词去注释，是错误的。

韵读：真部——蘋、滨。　宵部——藻、潦。

于以盛之？维筐及筥。于以湘之？维锜及釜。

维，发语词，含有“是”意。　筐、筥，都是竹制的盛器。毛传：“方曰筐，圆曰筥。”

湘，烹煮。韩诗作鬺，湘是鬺的假借字。说文：“鬺，煮也。”鬺同鬺。

锜（yǐ）、釜（fǔ），都是金属的炊器。锜有三足，釜无足。

韵读：鱼部——筥、釜。

于以奠之？宗室牖下。谁其尸之？有齐季女。

奠，置放祭物。说文：“奠，置祭也。”段注：“置祭者，置酒食而祭也。引申为凡置之称。”

宗室，宗庙。　牖（yǒu），窗。

尸，主持祭祀。说文：“尸，陈也。”段注：“凡祭祀之尸训主。祭祀之尸本像神而陈之，而祭者因主之，二义实相因而生也。”

有，状物的助词。　齐（zhāi），美好而恭敬貌。玉篇引诗作齌，齐（齊）是齌的假借字。毛传：“齐，敬。”广雅：“齌，好也。”是齐含有美好与恭敬二义。　季女，少女。毛传：“季，少也。”据题解所引左传襄公二十八年语，可以说明此诗的中心人物为季女，描写季女在于一个“敬”字。

韵读：鱼部——下（音户上声）、女。

甘　棠

【题　解】

这是人民纪念召伯的诗。这位召伯，前人认为是周武王、成王时的召公奭，但是诗经时代的人都称召公奭为召公，不称召伯，如大雅江汉：“文武受命，召公维翰。”大雅召旻：“昔先王受命，有如召公，日辟国百里。”诗经时代的人将周宣王的大臣召虎才称为召伯，如小雅黍苗：“悠悠南行，召伯劳之。”大雅崧高：“王命召伯，定申伯之宅。”召虎辅助周宣王征伐南方的淮夷，老而从平王东迁，颇著功绩，人们作甘棠一诗怀念他。诗当作于召伯死后，其年代约在东周初年。按司马迁史记燕召公世家说：“召公卒，而民人思召公之政，怀棠树不敢伐，歌咏之，作甘棠之诗。”自此以后，人们都认为甘棠是歌颂召公奭的诗。不知史公误信韩诗。韩诗外传：“诗人见召伯之所休息树下，美而歌之，诗曰：……”韩婴以召伯为召公奭，致有此误。

此诗通过“勿伐”、“勿败”、“勿拜”三语，显示出对甘棠的爱惜，从而表达了人民对召伯的思念。从字面上看，从“伐”（砍伐）到“败”（摧毁），到“拜”（拔掉），对树的伤害愈来愈重，但由于前面加了一个“勿”字，其要求反愈来愈严，对甘棠的情意也显得愈来愈重，表现了诗人对召伯的热爱。方玉润道：“他诗炼字，一层深一层，此诗一层轻一层，然以轻而愈见珍重耳。”（诗经原始）方氏长于分析，短于训诂，盲从宋儒之说，故有此失。

蔽芾甘棠，勿翦勿伐，召伯所茇。

蔽芾（fèi），树木高大茂密貌，叠韵词。韩诗作蔽茀，王先谦集疏：“其本字当为蔽茀，借作蔽芾。”茀之为言蔽也。说文：“茀，道多草不可行。”国语韦注：“茀，草秽塞路也。”是茀有蔽义。朱熹：“蔽芾，盛貌。” 甘棠，即棠梨。树似梨而小，果实霜后可食，野梨的一种。

翦，俗作剪。陈奂传疏：“说文：‘歬，齐断也。从刀歬声。’隶变作剪，经典通假作翦。”胡承珙认为毛训翦为“去”，盖但谓去其枝叶而已。毛训伐为“击”，谓击断其树。 伐，砍伐。

召伯，姓姬，名虎。他的祖先召公奭在周初受封于召地，因此子孙称召伯。 茇（bá），废的假借字。说文：“废，舍也。”引诗作“召伯所废”。茇，本义是草根，引申为草舍，这里作动词用。郑笺：“茇，草舍也……止舍小棠之下。”

韵读：祭部——伐（音吠入声）、茇（音蹩入声）。

蔽芾甘棠，勿翦勿败，召伯所憩。

败，摧毁。说文："败，毁也。"朱熹训败为"折"，程大昌考古编从之，认为"败"者残其枝叶，亦望文生义之说，且与"翦"意重复。

憩（qì），休息。毛传："憩，息也。"

韵读：祭部——败（音别去声）、憩（音揭去声）。

蔽芾甘棠，勿翦勿拜，召伯所说。

拜，扒的假借字。拔掉。郑笺："拜之言拔也。"广韵十六怪："扒，拔也。诗云：勿剪勿扒。"按唐施士丐毛诗说云："拜，如人之拜小低屈也。"朱熹从之，训"拜，屈也"。严粲诗缉："拜，挽其枝而至地也。"皆望文生义，非是。

说，音义同税，停马解车而歇下。王质诗总闻："说或为税，止。诗税意多通用说字。"

韵读：祭部——拜（音鳖去声）、说。

行　露

【题　解】

这是一首女子拒婚的诗。朱熹说："不为强暴所污者，自述己志，作此诗以绝其人。"这位女子对一个已有妻室而又欲欺骗她成婚的男子表示严厉拒绝，虽然那个男人强暴地以打官司为要挟，她也绝不屈从。

诗中连用反诘的口气来谴责对方，比起直诉其恶，更能显出对方行径的不可容忍和自身愤慨的无法遏抑。盖"明知事之不然，而反词质诘，以证其然，此正诗人妙用"（钱锺书管锥编）。这种妙于用反的手法，在以后表达男女情爱的诗篇中用得最普遍，如汉乐府上邪、敦煌曲子词菩萨蛮，均用反语，来表现矢志不二的感情。

厌浥行露，岂不夙夜？谓行多露。

厌，鲁、韩诗作湆（qì），厌是湆的假借字。说文："湆，幽湿也。"厌浥，露水潮湿貌，双声。广雅："湆浥，湿也。" 行，道路。

夙夜，夙和早同义，这里夙夜指早夜，即天未明时，含有早起的意思。马瑞辰通释："诗中言夙夜不一，有兼指朝暮言者，陟岵'行役夙夜无已'之类是也；有专指夙兴者，'岂不夙夜'、'夙夜敬止'、'庶几夙夜'、'我其夙夜'、'莫肯夙夜'皆是也。"

谓，畏的假借字，与下文"谁谓"的"谓"意义不同。马瑞辰通释："谓疑畏之假借。凡诗上言'岂不'、'岂敢'者，下句多言畏。大车诗：'岂不尔思？畏子不敢。岂不尔思，畏子不奔。'出车诗：'岂不怀归？畏此谴怒。岂不怀归？畏此反覆。'僖二十年左传引此诗，杜注：'言岂不欲早暮而行，惧多露之濡己。'以惧释谓，似亦训谓为畏。"按这句"露"，诗人用它象征强暴之男。

韵读：鱼部——露、夜（音豫）、露。

谁谓雀无角？何以穿我屋？谁谓女无家？何以速我狱？虽速我狱，室家不足！

角，鸟嘴。角是咮或噣的假借字。说文："咮，鸟口也。噣，喙也。"从雀嘴穿屋和下章鼠牙穿墉的比喻看来，这位女子可能曾受了强暴男子非礼的欺骗（从王先谦说）。

女，古"汝"字。韩诗作尔，女与尔古通。 家，娶妻成家。屈原离骚："及少康之未家兮，留有虞之二姚。"明汪瑗楚辞集解："未家，犹未娶也。"

速，招致。说文："速，疾也。"马瑞辰通释："速本疾速之义，促之使疾来，故又引申为召。" 狱，打官司。说文："狱，确也。"释名："狱，确也，言实确人情伪也。"不是指监狱。

室家，古代男子有妻谓之有室，女子有夫谓之有家。混言室家，男女可通用，指结婚。 足，成功。左传襄公二十五年："言以足志，文以足言。"杜预注："足，犹成也。"最后两句意为，即使逼我吃官司，也绝对不让你要结婚的企图得到成功。

韵读:侯部——角(音谷入声)、屋、狱、狱、足。

谁谓鼠无牙?何以穿我墉?谁谓女无家?何以速我讼?虽速我讼,亦不女从。

牙,壮牙。说文:“牙,壮齿也。”陆佃埤雅:“鼠,有齿而无牙。”

墉(yōng),墙。

讼,诉讼。说文:“讼,争也。”

女从,即“从汝”,倒文以合韵。

韵读:鱼部——牙(音吾)、家(音姑)。 东部——墉、讼、讼、从。

羔 羊

【题 解】

这是一首讽刺统治阶级官僚们的诗。朱熹诗集传:“小曰羔,大曰羊,皮所以为裘,大夫燕居之服。”左传襄公二十八年:“公膳,日双鸡。”杜预注:“卿大夫之膳食。”由此可见,当时已经将统治者的享受定为制度了。崔述读风偶识:“为大夫者夙兴夜寐,扶弱抑强,犹恐有覆盆之未照,乃皆退食委蛇,优游自适,若无所事事者,百姓将何望焉?……明系太平日久,诸事皆废弛之象。”他的分析,颇合诗旨。

姚际恒、方玉润俱谓此诗“摹神”,就是说诗中通过对人物形态(服饰、步履)的描摹,将人物的神态生动地表现出来,从而透露出作者讽刺嘲笑的意味。诗中没有一句显示主观倾向的议论,没有一句富于感情色彩的咏叹,有的只是极平淡和客观的描述。这种通过细节描写来表现主题的手法,是塑造典型人物形象的极致,在过去的诗文中并不多见,前人对此也不够注意,故今天解诗,对这首不出名的小品,更应予以足够的重视。

羔羊之皮，素丝五紽。退食自公，委蛇委蛇。

素丝，洁白的丝。　五，古文作㐅，象交叉之形，指丝线的交叉，不是数名。陈奂传疏："当读为交午之午。周礼壶涿氏'午贯象齿'，故书午为五，此五、午相通之例。"　紽，陆德明经典释文："它，本作佗，或作紽。"据此，是陆所见到的诗经作"它"。"它"是佗的假借字。小弁传："佗，加也。"五佗就是交加的意思，"素丝五紽"是描写用白丝线将羔羊皮交叉缝制成的皮衣。

公，公门。陈奂传疏："公门谓应门也。应门内治朝，为卿大夫治事之所。"退食自公，从公家吃完饭回家。

委蛇（wēi yí），韩诗作逶迤，叠韵词。说文："迤，衺（邪）行也。逶迤，衺去貌。"形容悠闲得意、走路斜曲摇摆的样子。郑笺："委蛇，委曲自得之貌。"

韵读：歌部——皮（音婆）、紽、蛇（音陀）、蛇。

羔羊之革，素丝五緎。委蛇委蛇，自公退食。

革，䩩的假借字，皮袍里子。玉篇："䙐，裘里也。或作䩩。"马瑞辰通释："古者裘皆表其毛，而为之里以附于革谓之䩩。诗'羔羊之皮，素丝五紽'，皮言其表也。'羔羊之革，素丝五緎'，革言其里也。'羔羊之缝，素丝五总'，合言其表与里也。"

緎（yù），齐诗作黬。说文："黬，羔裘之缝也。"五黬与上章"五紽"同义。

韵读：之部——革（音棘入声）、緎、食。

羔羊之缝，素丝五总。委蛇委蛇，退食自公。

缝，毛传："缝言缝杀之大小得其制。"按缝的本义是以针缝衣，这里引申为衣服缝制得合身。

总（zōng），毛传："总，数也。"陈奂传疏："此传数字当读数罟之数（音促）。"数罟之数意为细密，则五总乃言其交叉细密，与上章"五紽"、"五緎"意同。

韵读：东部——缝、总、公。

殷其靁

【题　解】

这是一位妇女思夫的诗。毛序：“召南之大夫远行从政，不遑宁处，其室家能闵其勤劳，劝以义也。”崔述批评序说的错误道：“今玩其词意，但有思夫之情，绝不见所谓劝义者何在。”的确，这位妇女只是希望丈夫回来，“归哉归哉”的叠词形式便充分反映了这种迫切的心情。但是，她同时又赞美丈夫是个振奋有为的人，全诗格调比较明快，与诗经中其他思妇诗那种感伤惆怅的心境不同，这反映了诗人个性的差异。

复叠是诗经艺术特色之一，有叠字、叠词、叠句、叠章四种形式。此诗“归哉归哉”为叠词，诗人感情激动，不禁重复诉说，表达望归之切，衬以语气词“哉”，更有馀音袅袅之妙。关雎的“悠哉悠哉”，作用与此同。

殷其靁，在南山之阳。何斯违斯？莫敢或遑。振振君子，归哉归哉！

殷，雷声。殷是磤（yīn）的假借字。众经音义引通俗文：“雷声曰磤。”其，状物的助词。殷其，等于叠字“殷殷”。　靁，古雷字。

阳，山的南坡。毛传：“山南曰阳。”

斯，指示代词，这。上斯字指时间，即雷声殷殷之时。下斯字指地点，即南山之阳。　违，说文：“违，离也。”严粲：“言殷然之雷声，在彼南山之南。何为此时违去此所乎？盖以公家之事，而不敢遑暇也。”

或，广雅释诂：“或，有也。”或、有古通用。　遑，闲暇。韩诗作皇。郝懿行尔雅义疏：“偟者，经典通作遑，皆皇之或体也。皇与假俱训大，又俱为暇，其义实相足成。后人见经典‘皇暇’之皇皆作遑，遂以遑为正体。遑变作徨，又省作偟，反而皇为通借。”

振振，振奋有为貌（从三家诗说）。　君子，这里指诗人的丈夫。

韵读：阳部——阳、遑。　之部——子、哉。

殷其靁，在南山之侧。何斯违斯？莫敢遑息。振振君子，归哉归哉！

息，喘息。说文：“息，喘也。”

韵读：之部——侧、息、子、哉。

殷其靁，在南山之下。何斯违斯？莫敢遑处。振振君子，归哉归哉！

处（chǔ），居住。说文：“処，止也。夂得几而止。”段注：“人遇几而止，引申之为凡凥（居）处之字。”处是処的或体。　胡承珙毛诗后笺：“细绎经文，三章皆言（雷）在而屡易其地，正以雷之无定在兴君子之不遑宁居。”他解释每章首二句起兴的意义很确切。

韵读：鱼部——下、处。　之部——子、哉。

摽有梅

【题　解】

这是一位待嫁女子的诗。她望见梅子落地，引起了青春将逝的伤感，希望马上同人结婚。周礼媒氏：“仲春之月，令会男女。于是时也，奔者不禁。若无故而不用令者，罚之。司男女之无夫家者而会之。”毛传：“会而行之者，所以蕃育人民也。”这两段话，可说明本诗的背景。龚橙诗本义说：“摽有梅，急婿也。”陈奂说：“梅由盛而衰，犹男女之年齿也。梅、媒声同，故诗人见梅而起兴。”他们道出了诗的主题和兴义。

此诗与桃夭，都是反映女子婚嫁的诗篇。桃夭充满了对妙龄女郎婚嫁及时的赞美,故诗之情趣欢快;此诗流露出待字女子唯恐青春被耽误的怨思,故诗之情意急迫。孔子说诗"可以观",从这两首诗中,风俗人情,了然可见。

诗分三章,每章一层紧逼一层,与诗中人物心理活动的变化相适应。首章"迨其吉兮",尚有从容相待之意;次章"迨其今兮",已见焦急之情;至末章"迨其谓之",可谓迫不及待了。三复之下,如闻其声,如见其人。

摽有梅,其实七兮。求我庶士,迨其吉兮。

摽(biào),毛传:"摽,落也。"鲁、韩诗作莩,齐诗作蔈。按摽、蔈都是受的假借字,莩是受的异体。说文:"受,物落也,上下相付也。" 有,词头,如称周为有周。 梅,韩诗作楳。果名,今称酸梅。说文:"某,酸果也。"某是正字,梅、楳都是后起字。

七,七成。指树上未落的梅子还有七成。

庶,众。 士,古称未婚男子为士。荀子非相篇:"处女莫不愿得以为士。"杨倞注:"士者,未娶妻之称。"

迨,及、趁着。韩诗训迨为愿,王先谦解释道:"迨其吉者,女之父母愿望众士及此女善时也。"恐非诗意。 吉,吉日,犹今所谓"好日子"。

韵读:之部——梅(谟丞反)、士。 脂部——七、吉。

摽有梅,其实三兮。求我庶士,迨其今兮。

三,三成。树上梅子只剩下三成,喻女子年龄渐大。

今,毛传:"今,急辞也。"朱熹:"今,今日也。盖不待吉矣。"

韵读:之部——梅、士。 侵部——三、今。

摽有梅,顷筐塈之。求我庶士,迨其谓之。

顷筐,犹今之畚箕。见卷耳注。 塈(qì),取。玉篇引诗作"顷筐摡之"。塈是摡的假借字。广雅:"摡,取也。"

谓,会的假借字(从马瑞辰通释说)。会之,指仲春会男女,不必举行正式婚礼,便可同居。见周礼媒氏。

韵读:之部——梅、士。　脂部——塈、谓。

小　星

【题　解】

这是一个小官吏出差赶路,怨恨自己不幸的诗。按当时把人分为十等,左传昭公七年:“人有十等,王臣公,公臣大夫,大夫臣士,士臣皂,皂臣舆,舆臣隶,隶臣僚,僚臣仆,仆臣台,马有圉,牛有牧。”士是可上可下的等级,作者可能是一位知识分子。洪迈容斋随笔:“小星‘肃肃宵征,抱衾与裯’,是咏使者远适,夙夜征行,不敢慢君命之意。”程大昌考古编:“此为使臣行役之诗。”姚际恒、方玉润亦断为“小臣行役之作”。毛序从“抱衾与裯”一句出发,认为这是贱妾进御于君的诗,序云:“夫人无妒忌之行,惠及贱妾,进御于君,知其命有贵贱,能壹其心矣。”朱熹诗集传亦沿其说。因此,后世竟将“小星”一词作为小老婆的代称。

韵律是诗歌特色之一。诗经时代诗歌,多为口头创作,用韵非常自由,只求协音动听,没有什么韵书可查。其用韵之法,非常复杂,约言之,有如下三种:一、用于句首者,如关雎“求之不得”的“求”,与“悠哉悠哉”的“悠”押韵。二、用于句中者,如匏有苦叶“有弥济盈,有鷕雉鸣”,“弥”和“鷕”为句中押韵。三、用于句末者,如关雎首章鸠、洲、逑押韵。此诗仅二章,每章只五句。第一章星、征押韵,东、公、同押韵。第二章亦星、征押韵,昴、裯、犹押韵。(江永古韵标准云:“句中韵,参、衾亦韵。”)每句都押韵,读起来便觉音调铿锵,和谐悦耳。按句首和句中韵,诗经中较少,后世诗坛亦不用。故本书以标句末韵为主。

嘒彼小星，三五在东。肃肃宵征，夙夜在公，寔命不同。

嘒（huì），小星微光闪闪貌。韩诗作嘒。玉篇："嘒，众星貌。"嘒彼，等于叠字嘒嘒（从王筠说）。

肃肃，快步疾走貌。毛传："肃肃，疾貌。" 宵，夜。 征，行，赶路。

夙夜，早夜，指大清早。见行露注。

寔，是；指示代词，作"此"或"这"用。说文："寔，正也。正，是也。"以"是"训"寔"。韩诗作实（實），为"寔"的假借字。说文段注："正与是互训，寔与是音义皆同。……实、寔音义皆殊，由赵魏之间实、是同声，故相假借耳。" 命，命运。 不同，指不同于权贵。

读读：耕部——星、征。 东部——东、公、同。

嘒彼小星，维参与昴。肃肃宵征，抱衾与裯，寔命不犹。

参（shēn）、昴（mǎo），都是星名，即指上章"三五在东"的星。王引之经义述闻："三五，举其数也。参昴，著其名也。"

衾，被。说文："衾，大被也。" 裯，床帐。三家诗作帱。裯是帱的假借字。说文："帱，禅帐也。"

犹，如。毛传："犹，若也。"不犹，不如（别人命好）。

韵读：耕部——星、征。 幽部——昴、裯、犹。

江有汜

【题 解】

这是一位弃妇哀怨自慰的诗。丈夫喜新厌旧，她用长江尚有支流原谅他另有新欢，还幻想他会回心转意，但这毕竟是自我安慰，自我欺骗，又何尝能使负心者悔过？闻一多说："妇人盖以水喻其夫，以水道自喻，而以水之旁流枝出，喻夫之情爱别有所归。"（诗经通义）但最后她明白丈夫终不相顾，于是不得不对沱啸歌，以寓其惆怅伤感之情。

此诗以江面景象，兴起怨望之情。诗中写江，换了三字，其表情，也相应地换了三字。水决复入为汜，作者见江水之有汜，遂起破镜重圆之念，故云“其后也悔”。渚为江中小洲，鸥鸟憩息之所，作者睹渚，复生今虽仳离，他日尚可重聚的幻想，故云“其后也处”。一“悔”字，一“处”字，写出了一位弃妇想入非非的痴情，形象鲜明。

江有汜，之子归，不我以。不我以，其后也悔。

汜（sì），长江的支流。毛传：“决复入为汜。” 按首句是起兴，江喻丈夫，汜喻丈夫的新欢。

之子，指丈夫的新欢。 归，嫁来。

以，用。说文：“目，用也。”目、以古今字。“不我以”是倒文，即不用我，不需要我了。

韵读：之部——汜、以、以、悔（音喜）。

江有渚，之子归，不我与。不我与，其后也处。

渚，江心的小洲。毛传：“水枝成渚。”马瑞辰通释：“盖江遇渚则分，过渚复合也。”陈启源毛诗稽古编：“汜为水决复入，渚为小洲，皆泛称也，非水名也。”

与，同。不我与，不与我同居。王先谦集疏：“与，偕也。……言今日不偕我居：其后必悔而偕我居也。”

处，居住。见殷其靁注。

韵读：鱼部——渚、与、与、处。

江有沱，之子归，不我过。不我过，其啸也歌。

沱，长江的支流。说文：“沱，江别流也。出嶓山东，别为沱。”在今四川省境内。

过，到。不我过，不到我这里来。汉书陆贾传师古注：“过，至也。”

啸，长啸。郑笺：“啸，蹙口而出声也。”说文：“啸，吹声也。”鲁、齐诗作歗，籀文啸从欠。按“其”和“也”都是语辞。　歌，礼记乐记：“歌之为言也，长言之也。”这位女子终于明白丈夫的心意无可挽回，她只能在江边长啸咏歌，以宣泄自己悲愤的心情，即所谓“长歌当哭”之意。

韵读：歌部——沱、过、过、歌。

野有死麕

【题　解】

这是描写一对青年男女恋爱的诗。男的是一位猎人，他在郊外丛林里遇见了一位温柔如玉的少女，就把猎来的小鹿、砍来的木柴用洁白的茅草捆起来作为礼物，终于获得了爱情。这是国风中动人的一首情诗，但历代注家或斥之为“淫诗”，或曲解为“恶无礼”，都是囿于封建礼教的偏见，抹杀了民歌的本色。

此诗前二章辞意平平，未见其奇。末章忽作少女口吻，使求爱情景戏剧化，诗也由此风神摇曳，姿态横生。作为一个怀春少女，诚难抵挡异性的诱惑，但她对这种挑逗，又带着本能的羞惧。末章所流露的正是这种若推若就、亦喜亦惧的心情。“舒而脱脱兮”，在这告诫之中，包含着一种善意的、甜美的希望；“无感我帨兮”，羞态可掬，但这是举袂掩面、偷眼相顾的羞涩；“无使尨也吠”，这惊惧之声，实非为犬而发，她是害怕恋情被人发现，幽会因此打断。通过这短短的三句话，少女丰富的感情、娇羞的形态，都得到了生动的表现。其用笔可谓简洁，其描摹可谓入神。

野有死麕，白茅包之。有女怀春，吉士诱之。

野，毛传：“郊外曰野。”　麕（jūn），小獐，鹿一类的兽。说文：“麇，麞也。籀文作麕。”李善文选注：“今江东人呼鹿为麕。”按古代多以鹿皮作为送女子的礼物。仪礼士昏礼：“纳征：玄纁、束帛、俪皮。”郑玄注：“皮，鹿皮。”

包，孔疏引诗作苞。包、苞都是勹的假借字。说文：“勹，裹也。”

怀，思。 春，春情，指男女的情欲。王质诗总闻：“女至春而思有所归，吉士以礼通情而思有所耦，人道之常。”

吉士，善良的青年。指打鹿的那位猎人。王先谦集疏：“吉士，犹言善士，男子之美称。” 诱，挑诱（从欧阳修诗本义说），追求。

韵读：文部——麕、春。 幽部——包、诱。

林有朴樕，野有死鹿，白茅纯束。有女如玉。

朴樕（sù），又名槲樕，叠韵。陈启源：“按槲樕与栎相类，华叶似栗，亦有斗如橡子而短小。有二种，小者丛生，大者高丈馀，名大叶栎。”古代人结婚时要砍柴作火把，这位青年猎人砍些朴樕树枝当礼物，就含有求婚的意思。胡承珙毛诗后笺：“诗于昏礼，每言析薪。古者昏礼或本有薪刍之馈耳。”

纯（tún）束，捆扎。毛传：“纯束，犹包之也。”三家诗作屯。纯和屯都是稛（kǔn）的假借字。说文：“稛，絭束也。”段注：“絭束，谓以绳束之。”

韵读：侯部——樕、鹿、束、玉。

舒而脱脱兮！无感我帨兮！无使尨也吠！

舒而，舒然，慢慢地。古“而”、“如”、“然”三字通用。 脱脱（tuì），舒缓貌。毛传：“脱脱，舒迟也。”三家诗作娧。脱是娧的假借字。集韵：“娧娧，舒迟貌。一曰喜也。”

感，三家诗作撼。感是撼的古字。毛传：“感，动也。” 帨（shuì），又名袆（huī），又名蔽膝，女子系在腹前的一块佩巾，如今之围裙。

尨（máng），多毛而凶猛的狗。说文：“尨，犬之多毛者。”郭璞穆天子传注：“尨，尨茸，谓猛狗。”

韵读：祭部——脱（音兑）、帨、吠。

何彼襛矣

【题 解】

这是描写贵族女子出嫁车辆服饰侈丽的诗。方玉润说：“何彼襛矣，讽王姬车服渐侈也。……‘何彼襛矣’，是美其色之盛极也；‘曷不肃雝’，是疑其德之有未称耳。”诗写齐侯的女儿出嫁，她又是周平王的外孙女，为什么这首诗列在召南，而不列于齐风或王风？魏源诗古微说：“平王四十九年以前，未入春秋，安知无王姬适齐，而所生之女别适他国者？齐女所嫁，当是西畿诸侯虞、虢之类。其诗采于西都畿内，既不可入东都王城之风，又不可入齐风，故从召南陕以西之地而系其风尔。”

诗的主人公是王姬。当她结婚的时候，诗人以旁观的立场，比兴的手法，问答的形式，描绘她容貌浓艳、车服侈丽、地位高贵。“曷不肃雝”两句，是全诗的枢纽，提出王姬结婚的车马怎么没有严肃和谐的气氛，以车代人，隐含讥刺，表现诗人立言之妙。

何彼襛矣？唐棣之华。曷不肃雝？王姬之车。

襛(nóng)，艳盛貌。韩诗作茙。毛传：“襛，犹戎戎也。”茙是戎的俗体。

唐棣，又作棠棣，树木名，结实形如李，可食。　华，古“花”字。

曷不，何不，怎么没有。　肃雝(yōng)，严肃和睦的气象。毛传：“肃，敬。雝，和。”

王姬，周天子姓姬，他的女儿或孙女称王姬。如春秋庄元年：“冬，王姬归于齐。”

韵读：东部——襛、雝。　鱼部——华(音呼)、车。

何彼襛矣？华如桃李。平王之孙，齐侯之子。

平王，东周平王宜臼。毛传：“平，正也。武王女，文王孙。适齐侯之子。”惠周惕诗说批评说：“何彼襛矣明言平王，而旧说以为武王。……盖昔人误认二南为文王时诗。”章潢诗经原体也说：“若必指为文王时，非特不当作‘正’义；而太公尚未封齐，则齐将谁指乎？”他们都指出了毛传之误。

孙，外孙女。马瑞辰通释：“诗所云平王之孙，乃平王之外孙。言平王之外孙,则于诗句不类,故省而言之曰孙,犹閟宫诗'周公之孙',不言曾孙而但言孙也。诗二句皆指齐侯女子言。"

子,女儿。马瑞辰通释:"齐侯之子,谓齐侯之女子,犹硕人诗'齐侯之子'、韩奕诗'蹶父之子',皆谓女子也。"

韵读:之部——李、子。

其钓维何?维丝伊缗。齐侯之子,平王之孙。

钓,指钓鱼的工具。 维,"维"古与"惟"通。玉篇:"惟,为也。"即"做"的意思。

维,语助词,含有"是"意。 丝,丝线,用于做钓鱼的绳。 伊,同维,为、做。郑笺:"以丝为之纶,则是善钓也。"郑以"为"解伊字。 缗(mín),钓丝。说文:"缗,钓鱼繁也。""繁,生丝缕也。"段注:"繁本施于鸟者,而钩鱼之绳似之,故曰钓鱼繁。召南曰:'其钓维何?维丝伊缗。'传曰:'缗,纶也。'谓纠丝为绳也。"按这二句是兴,朱熹曰:"丝之合而为纶,犹男女之合而为昏也。"

韵读:文部——缗、孙。

驺 虞

【题 解】

这是一首赞美猎人的诗。豳风七月:"言私其豵,献豣于公。"这说农民在打猎之后,把大猪献给公家,把小猪留给自己。可见我国古代已把猪作为主要副食品,所以诗人赞美这位射野猪的猎手。

诗序说:"情动于中而形于言,言之不足,故嗟叹之;嗟叹之不足,故咏歌之;咏歌之不足,不知手之舞之,足之蹈之也。"可见叹词和诗歌的抒情、节奏、旋律、舞蹈都是分不开的。诗经的叹词较多:用于句首者,如於、嗟、噫、咨等。用于句中者,如居、斯等。用于句末者,如兮、也、矣、哉等。毛传对此多释为“辞”。其作用约有感叹、赞叹、语气等类。本诗是赞美驺虞猎人打猪的劳动,而发出“于嗟乎”的赞叹声。郑笺:“于嗟者,美之也。”朱熹:“诗人述其事以美之,且叹之。”按郑略去“乎”字,这是他的疏忽。朱释较确切。马建忠说:“叹字终于单音,而极于三音,至矣!”(马氏文通)他的话,意指诗人运用三音节的叹词,是抒写强烈、波动的感情,表示赞美之意。

彼茁者葭,壹发五豝。于嗟乎驺虞!

茁,草初生出土貌。　葭(jiā),芦苇。马瑞辰通释:“穆天子传:‘天子射鸟,有兽在葭中。’是葭亦藏兽之区。诗言葭、蓬,皆谓豝、豵所藏耳。”

壹,发语词,无义。三家诗作一。马瑞辰通释:“壹发五豝,壹发五豵,二‘壹’字皆发语词。”　发,发箭,指发箭射中。　五,虚数,如三、九,都是泛言其多。　豝(bā),母猪。小猪也叫豝。说文:“豝,牝豕也。一曰二岁。”

于嗟乎,赞美的叹词。鲁诗于作吁,于、吁同。陈奂:“于嗟乎,美叹之也。”　驺(zōu)虞,这里指猎手。毛传:“驺虞,义兽也。白虎黑文,不食生物,有至信之德则应之。”鲁说、韩说:“驺虞,天子掌马兽官。”按毛传所谓义兽,语涉神话,以鲁、韩说为近是。这里以掌马兽官代指猎人。

韵读:鱼部——葭(音姑)、豝(音逋)、乎、虞。

彼茁者蓬,壹发五豵。于嗟乎驺虞!

蓬,一种野草,形状像白蒿。春生,至秋则老而为飞蓬。

豵(zōng),小猪。广雅:“兽一岁为豵,二岁为豝,三岁为肩,四岁为特。”

韵读:东部——蓬、豵。　鱼部(与上章遥韵)——乎、虞。

邶风　鄘风　卫风

邶、鄘、卫都是卫地。卫原来是殷商的首都，叫做牧野。武王灭殷，占领朝歌一带地方，三分其地。朝歌北边是邶，东边是鄘，南边是卫。卫都朝歌在今河南淇县，故诗多称淇水。卫风的产生地，在今河北的磁县、东明、濮阳，河南的安阳、淇县、滑县、汲县、开封、中牟等地。

春秋时人们已经把邶、鄘、卫看作是一组诗，如左传鲁襄公二十九年记载吴公子季札到鲁国参观周乐，“使工为之歌邶、鄘、卫，曰：‘美哉！是其卫风乎！’”又三十一年，卫北宫文子引邶风称为卫诗。三家诗也以邶、鄘、卫为一卷。只有毛诗才把它分为三卷。现在仍旧将它们合在一起。邶风十九篇，鄘风十篇，卫风十篇。这一组诗共三十九篇。

这组诗可考而最早的是硕人，左传鲁隐公三年：“卫庄公娶于齐东宫得臣之妹，曰庄姜，美而无子，卫人所为赋硕人也。”卫庄公是公元前七五〇年左右的人，硕人当产生于此时。后来卫国被狄人灭了，左传鲁闵公二年：“狄入卫，……许穆夫人赋载驰。”接着卫戴公迁漕，文公迁楚丘，产生了定之方中一诗；它与载驰都是卫国最晚的诗。这样看来，卫风都是卫被狄人灭亡（公元前六六〇年）以前的作品。

卫国昏君特别多，人民负担重。北方受狄人的侵略，南方苦于齐、晋的争霸。卫都是一个商业发达的较大城市，为商贾必经之路。魏源说：“商旅集则货财盛，货财盛则声色辏。”他概括了卫地当时的经济形势。这些都给卫风较大的影响。卫诗的特点：第一，产生了中国第一位女诗人许穆夫人，她的作品载驰（有人说竹竿、泉水也是她的作品)，表现着强烈的爱国主义精神。第二，人民对政治不满，大胆揭露、反抗统治阶级的诗比较多，如北风、相鼠、墙有茨、新台、鹑之奔奔等，斗争性之强，在诗经中除魏风外，是少见的。第三，在恋爱婚姻方面的诗，如柏舟、桑中、氓、谷风等，表现了当时妇女的命运及她们大胆反抗封建礼教的精神。这和当时卫国的政治、经济、地理形势是分不开的。

邶　风

柏　舟

【题　解】

这是一位妇女自伤不得于夫，见侮于众妾的诗，诗中表露了她无可告诉的委曲和忧伤。毛序说："柏舟，言仁而不遇也。卫顷公之时，仁人不遇，小人在侧。"方玉润又以为这是邶国贤臣忧谗畏讥的诗。这些说法与全诗所作妇人语气不合。刘向列女传贞顺篇认为卫宣夫人所作，亦与事实不符。今案：此诗的作者应该是一位妇女。诗以坚致牢实的柏木所作的舟，比自己气节的坚贞(马瑞辰通释："古者妇之事夫，皆以坚贞为首。……鄘诗共姜亦以柏舟自喻。")；以未洗过的脏衣比自己心中的忧虑(王先谦集疏："衣久着不浣，则体为不适。妇人义取洁清，故取为喻。葛覃'薄浣我衣'是其证。此正女功之事，非男子之词。")。这好像都是古代女子的口气。汉代张协士命"茕嫠为之擗摽"，擗摽一词即出于本诗。张协的意思，也认为这是妇女的作品。全诗没有一语涉及卫国政治，只是说在夫家不被宠爱，受到群小欺侮；找娘家兄弟诉苦，又得不到同情的一些家庭琐事。朱熹解此诗说："妇人不得于其夫，故以柏舟自比。"闻一多说："柏舟，嫡见侮于众妾也。"二家之说近是。

俞平伯葺芷缭蘅室读诗杂说谓："这诗……五章一气呵成，娓娓而下，将胸中之愁思、身世之飘零，婉转申诉出来。通篇措词委婉幽抑，取喻起兴细巧工密，在素朴的诗经中是不易多得之作。"全诗字字掩抑，声声凄怨，极沉郁痛切之至。清宋大樽评此诗道："曲写闺怨，如水益深，如火益热。"（茗香诗论）

在章法上，此诗也很值得注意。起句以柏舟之泛彼中流，比喻自身无所倚托，逗起一篇旨意。次章以翻笔接入，直写其心，势捷而矫，从中可见其情。三章更由心及容止，"见非徒内志方严，即貌亦未尝有失色失笑之嫌"（毛先舒诗辩坻）。其委屈怨愤，自在言外。一般诗都先道致恨之由，再写长恨之心，此诗则用逆笔，前三章表其心，至四章方写出忧从何起，故其不幸，就更易唤起同情。末章以自身不能如鸟奋飞，与起句之如舟无依呼应，兴无可奈何之叹。欲去不得去，欲归无所归，"一段隐忧，千载犹恨。"（戴君恩读风臆评）

泛彼柏舟，亦泛其流。耿耿不寐，如有隐忧。微我无酒，以敖以游。

泛彼，等于叠字"泛泛"，飘浮貌。下句的泛则意同"浮"，动词。　柏舟，柏木制的船。

亦，语助词，无义。　流，指水流。这说柏舟飘浮在水流中，含有无所依靠的意思。

耿耿，忧心焦灼貌。音义并同炯。鲁诗作炯。严忌哀时命："夜炯炯而不寐兮，怀隐忧而历兹"，正本此诗。说文："炯，光也。"又引杜林说："耿，光也。"按古人每以火比忧，如小雅节南山"忧心如惔"、采薇"忧心烈烈"等。

如，同"而"。古如、而二字通用。　隐忧，深忧。隐通殷，齐、韩诗作殷。昭明文选叹逝赋“在殷忧而弗违”,注:“殷,深也。”

微,非,不是。

敖,今作遨,游玩。　二“以”字都是语助词。王先谦集疏:“非我无酒遨游以解忧,特此忧非饮酒遨游所能解。”

韵读:幽部——舟、流、忧、酒、游。

我心匪鉴,不可以茹。亦有兄弟,不可以据。薄言往愬,逢彼之怒。

匪,不是。广雅:“匪,非也。”　鉴,镜子,古代多用青铜制成,形圆。毛传:“鉴,所以察形也。”

茹(rú),容纳。本义为食,这里是引申义。以上二句大意是:我心不像镜子,好人坏人都可容纳。严粲诗缉:“鉴虽明,而不择妍丑皆纳其影。我心有知善恶,善则从之,恶则拒之,不能混杂而容纳之也。”

据,依靠。

薄,语助词,此处含有勉强的意思。王夫之诗经稗疏:“薄言往愬者,心知其不可据而勉往也。”　愬,诉苦。愬是诉的或体。说文:“诉,告也。从言,斥省声。愬,诉或从朔心。”

韵读:鱼部——茹、据、愬、怒。

我心匪石,不可转也。我心匪席,不可卷也。威仪棣棣,不可选也。

转,移动。

毛传:“石虽坚,尚可转。席虽平,尚可卷。”郑笺:“言己心志坚平,过于石席。”

威仪,仪容,指态度容貌。　棣棣,娴雅富丽貌。

选,三家诗作算,选是算的假借字。古书中多假选为算,东汉朱穆集载绝交论引此诗正作算。毛传释“不可选”为“不可数”,贾谊新书容经篇释为“众也”,都以选为算。言自己仪容美备,不可胜数。　全章抒写自己没有缺点,决不降志屈从于他人。

韵读:鱼部——石(音蜍入声)、席(音徐入声)。　元部——转、卷、选。

忧心悄悄，愠于群小。觏闵既多，受侮不少。静言思之，寤辟有摽。

悄悄，心中愁闷貌。说文：“悄，忧也。”正引此诗。

愠，怨。言自己被一群小人所怨。马瑞辰通释：“释文及正义本传皆作怒，盖怨字形近之讹。”绵诗正义及一切经音义卷十九并引说文：“愠，怨也。” 群小，朱熹诗集传：“众妾也。”

觏，三家诗作遘，音义同，遇、碰到。 闵，鲁、齐诗作愍，闵是假借字，指中伤陷害的事。楚辞哀时命王注引诗作“遘愍”。班固幽通赋“考遘愍以行谣”，亦即本此诗。

静，说文：“静，寀也。”寀即审，仔细。马瑞辰通释：“此诗静字宜用本义，训寀。言为语词，静言思之，犹云审思之也。”

寤，睡醒。见关雎注。 辟，释文谓宜作擗，玉篇手部引诗亦作擗，抚拍胸脯。毛传：“辟，抚心也。” 有摽，即摽摽，拍胸声。王先谦集疏：“女言审思此事，寐觉之时，以手拊心至于擘击之也。”

韵读：宵部——悄、小、少、摽。

日居月诸，胡迭而微？心之忧矣，如匪浣衣。静言思之，不能奋飞。

居、诸都是语尾助词，叠韵，无义。 日月指丈夫。

胡，何，为什么。 迭，更迭。陈乔枞三家诗遗说考：“广雅：‘迭，代也。’毛诗‘迭微’，当训为更迭而食。” 微，昏暗不明。诗人以日月无光喻丈夫总是昏暗不明。闻一多：“国风中凡妇人之诗而言日月者，皆以喻其夫。……本篇曰‘日居月诸，胡迭而微’，此以日月无光喻夫之恩宠不加于己也。”

浣，洗。匪浣衣，没有洗过的脏衣服。

韵读：脂部——微、衣、飞。

绿　衣

【题　解】

这是诗人睹物怀人思念故妻的诗。闻一多说：“绿衣，感旧也。妇人无过被出，非其夫所愿。他日，夫因衣妇旧所制衣，感而思之，遂作此诗。”其实这位妻子究竟是死亡或是离异，都没有很确凿的佐证。但是我们细味诗意，再同后世诗词加以比较，则觉得悼亡的意味更重。诗之前三章，均以“绿衣”领起，既非妙喻，亦无深意，这里反复吟咏的，只是一件在旁人看来极其普通、而于作者却倍觉亲切的衣裳，明确些说，即其亡妻之衣。作者正是借此来写其睹物生感、触目伤心之情。这种写法，在后世悼亡诗中，用得十分普遍。如潘岳悼亡诗“望庐思其人，入室想所历”以下八句，全写其抚悲遗物之情，虽长于铺叙，而精神、手法，与此诗实一。“曷维其已”、“曷维其亡”，写其对亡妻不能忘怀的深情。后世诗词如潘岳的“沾胸安能已，悲怀从中起”，苏轼的“十年生死两茫茫，不思量，自难忘”（江城子），辞意也都十分相似。“絺兮绤兮，凄其以风”，通过凄凉萧瑟的景象，来映衬自身的孤寂愁苦之情，这从潘岳“凛凛凉风生，始觉夏衾单”等诗句中，可明显地见其影响。“我思古人，俾无訧矣”，“我思古人，实获我心”，是申述“曷维其已”、“曷维其亡”之意，言其情为何不能自已、不能忘怀。元稹诗“尚想旧情怜婢仆，也曾因梦送钱财”（遣悲怀），可为“俾无訧矣”作注。“顾我无衣搜荩箧，泥他沽酒拔金钗”（同上），“消渴频烦供茗椀，怕寒重与理薰篝”（厉鹗悼亡姬），正是这些只有深情的妻子才可能有的行为，在其生前实获作者之心，以致在其死后，犹觉难舍难分，直欲“待结个，他生知己”（纳兰性德金缕曲）。前人说诗三百，诸体皆备，这首小诗，可谓悼亡诗之祖。

绿兮衣兮，绿衣黄里。心之忧矣，曷维其已！

里（裏），衣服的衬里。说文：“里，衣内也。”闻一多以为里是穿在里面的衣服,但穿在里面的衣服经传称中衣或内衣,无称里衣的。且上身所穿内外都称衣,里与衣不能相对而称。黄布自可作衬里,如檀弓“综衣黄里”。

曷,何,这里指什么时候。 维,助词。 其,指忧。 已,止。这句说忧伤什么时候才有止期。

韵读:之部——里、已。

绿兮衣兮,绿衣黄裳。心之忧矣,曷维其亡!

裳,下衣,形状像现在的裙。当时男女都穿裳。说文:“衣,依也。上曰衣,下曰裳。”

亡,忘之假借。朱熹诗集传:“亡之为言忘也。”

韵读:阳部——裳、亡。

绿兮丝兮,女所治兮。我思古人,俾无訧兮。

女,同汝。 治,治理纺织。周礼太宰:“以九职任万民。……七曰嫔妇,化治丝枲。”孔疏:“治理变化丝枲,以为布帛之等也。”

古人,古与故通,故人。这里指作者的妻子。

俾(bǐ),使。 訧(yóu),过、错误。陆德明经典释文:“訧,本或作尤,过也。”按:古书多作尤,孟子梁惠王下:“其诗曰:‘畜君何尤?’”注曰:“何尤者,无过也。”这句大意是,使我不犯错误。

韵读:之部——丝、治、訧(音怡)。

絺兮绤兮,凄其以风。我思古人,实获我心。

絺(chī),细葛;绤(xì),粗葛。见葛覃注。

凄,凉而有寒意。毛传:“凄,寒风也。”小雅四月“秋日凄凄,百卉具腓”,亦以有寒意释凄。凄其,等于凄凄。 以,假借为似,像(从闻一多说)。

实获我心,实在能揣度我的心思。朱熹诗集传:“真能先得我心之所求也。”这章是说,秋天穿着葛布衣,好像风吹来感觉到有寒意。因此拿出葛衣,睹物伤情,想到故妻真能体贴人。

韵读:侵部——风、心。

燕　燕

【题　解】

这是一首送人远嫁的诗。诗中的"寡人"是古代国君的自称，当是卫国的君主，"于归"的"仲氏"则是其二妹。本诗的性质是一首送别诗，对此古代学者无异议；至于送者与被送者是什么人，则有很多不同的说法。毛序说这是春秋初年卫庄姜送归妾的诗，郑笺认为这归妾就是陈女戴妫。列女传母仪篇说这是卫定姜之子死后，定姜送其子妇归国的诗。清代魏源调和这两种说法，以为这是卫庄姜于卫桓公死后送桓公之妇大归于薛的诗（见诗古微诗序集议）。崔述读风偶识说："余按此篇之文，但有惜别之意，绝无感时悲遇之情。而诗称'之子于归'者，皆指女子之嫁者言之，未闻有称大归为'于归'者，恐系卫女嫁于南国而其兄送之之诗，绝不类庄姜、戴妫事也。"他依据这诗的内容，分析其作者，语甚精确。又，闻一多据第四章"仲氏任只"句，以为"诗为任姓国君送妹出适于卫之作"。按今存文献所载任姓国都在卫之南，与第三章"远送于南"句抵牾，姑录以备考。

王士禛言燕燕之诗，"为万古送别之祖"（分甘馀话）。这首诗为后人称道，即在诗中描写了一个感人的送别情境。朱熹言作者"譬如画工一般，直是写得他精神出"（朱子语类）。诗中对燕子飞翔时毛羽、形态、声音的描绘，生动形象，富于画意，但在诗中，只是起渲染情境的作用。真正传神写照的，全在前三章所叠咏的"瞻望弗及"一语，此诗的影响，主要也表现在这种情境不断的再现之中。如李白诗"孤帆远影碧空尽，惟见长江天际流"（黄鹤楼送孟浩然之广陵）、苏轼诗"登高回首坡陇隔，惟见乌帽出复没"（辛丑与子由别赋诗寄之）、韩缜词"但登极、楼高尽日，目断王孙”(凤箫吟)、张先词“一帆秋色共云遥;眼力不知人远,上江桥”(虞美人),均远绍此诗之意,而在诗的意境上作了进一步开拓,诗中情感显得更加真切,形象也更加鲜明。

燕燕于飞,差池其羽。之子于归,远送于野。瞻望弗及,泣涕如雨!

燕,鸟名,形似雀。陈奂传疏:“诗重言燕燕者,此犹鸱鸮鸱鸮、黄鸟黄鸟,叠呼成义之例。” 于,句中助词,无义。

差(cī)池,不齐一。马瑞辰通释:“差池二字叠韵,义与参差同,皆不齐之貌。”

之子,指被送的这个女子。 于归,出嫁。

于,往。 野,郊外。王先谦集疏:“以三章‘于南’例之,此‘于野’亦当为往野。”

瞻,毛传:“瞻,视也。”王先谦集疏:“妇去既远,瞻望之至不能逮及,思之涕泣如雨之多也。”

韵读:脂部——飞、归。 鱼部——羽、野(音宇)、雨。

燕燕于飞,颉之颃之。之子于归,远于将之。瞻望弗及,伫立以泣。

颉(jié)、颃(háng),向下飞、向上飞。说文段注:“毛传曰:‘飞而上曰颉,飞而下曰颃。’解者不得其说。玉裁谓当作‘飞而下曰颉,飞而上曰颃’,转写互讹久矣。颉与页同音。页,古文䭫,飞而下如䭫首然,故曰颉之,古本当作页之。颃即亢字,亢之引申为高也,故曰颃之,古本当作亢之。”

将,送。按此句是倒装。“远于将之”即“将之于远”。远于将之,送她往远处去。

伫立,久立。伫是宁之后起字。说文:“宁,辨积物也。”引申为时间积久之义。

韵读:脂部——飞、归。 阳部——颃、将。 缉部——及、泣。

燕燕于飞,下上其音。之子于归,远送于南。瞻望弗及,实劳我心。

下上其音,王先谦集疏:“鸟飞由下而上,下上皆闻其鸣。音随身下上也。”这章“下上”正与上章“颉颃”相应。

南，指卫国的南边。于南，往南方去。闻一多以为南通“林”，指郊外，与音、心叶韵。此说甚为有理。鲁颂駉毛传：“郊外曰野，野外曰林。”如依闻氏的解释，则此诗首章说“远送于野”，三章说“远送于南”，也就有渐送渐远之意。

实，同寔，是。 劳，指思念之劳。说文：“劳，剧也。从力荧省。焱火烧冖，用力者劳。”引申之，用心甚亦曰劳。

韵读：脂部——飞、归。 侵部——音、南(奴森反)、心。

仲氏任只，其心塞渊。终温且惠，淑慎其身。先君之思，以勖寡人。

仲氏，老二、二妹。古人多用伯、仲、叔、季为兄弟姊妹的行次。 任，信任的意思(从郑笺说)。于省吾泽螺居诗经新证训任为善，亦通。 只，语助词。这句是说二妹可信任。

塞，寋之假借，诚实。说文：“寋，实也。”毛传：“塞，瘗也。”崔灵恩集注本作“实也”。按：作实是。郑注考灵耀曰：“通德纯备谓之塞。” 渊，深。孔疏：“其心诚实而深渊也。”

终，既。王引之经义述闻：“终犹既也。”终……且，犹既……又。 温，温柔。 惠，和顺。

淑，善良。 慎，谨慎。

先君，死去的国君，指作者和其妹的父亲。

勖(xù)，勉励。说文：“勖，勉也。周书曰：勖哉夫子。” 寡人，古代国君的自称，即诗的作者。

韵读：真部——渊(一均反)、身、人。

日 月

【题 解】

这是一位弃妇申诉怨愤的诗。古代学者都根据毛序首句“日月,卫庄姜伤己也”,认为是卫庄姜被庄公遗弃后之作,未知确否。

此诗首句为“兴”,作者睹日月生感,遂形之于诗。陈启源谓此诗本意,在“胡能有定”一句,其语甚是。但此句又只有和“日居月诸”对照起来看,方得妙解。各章前二句文字虽有小异,但总不离日月出自东方,照临下土之意。以日月之运行覆照,尚有定所,而已结为夫妇的“之人”,竟心志回惑,“胡能有定”,能不使人伤感!可知作者反复吟咏日月,正是为了陪衬其反复强调的“胡能有定”。末章于无可奈何之时,“忽追痛父母,笔势一纵,而神态并出”(吴闿生诗义会通)。方玉润说:“仰日月而诉幽怀……一诉不已,乃再诉之。再诉不已,更三诉之。三诉不听,则惟有自呼父母而叹安生我之不辰。盖情极则呼天,疾痛则呼父母,如舜之号泣于旻天、于父母耳。此怨极也。”他对这种极为沉痛的格调分析得很中肯。

日居月诸,照临下土。乃如之人兮,逝不古处。胡能有定?宁不我顾!

日居月诸,见柏舟注。

乃,可是。 之人,这个人,指她的丈夫。郑笺:“之人,是人也。”乃如之人兮,可是像这个人啊。

逝,及。逝不,倒文,即“不逝”,指不能及时。一说逝为句首助词,无义,亦通。 古,同故。陈奂传疏:“古处,犹言旧所耳。” 这四句谓日月尚能照临下土,可是这个人的恩爱现在却不能及时到旧日的处所。

胡,何。 定,止。胡能有定,丈夫的这种行为怎样才能停止。马瑞辰释定为正,云:“夫妇有定分,嫡妾有定位,皆正也。”亦通。

宁,胡、何。陈奂传疏:“宁,亦胡也。……宁不我顾,言胡不顾我也。” 我顾,即顾我。郑笺:“顾,念也。”

韵读:鱼部——居、诸、土、处、顾。

日居月诸,下土是冒。乃如之人兮,逝不相好。胡能有定?宁不我报!

冒,覆盖。这里也是照临的意思。

相好,相爱。

报,答。古代称夫不理妻为"不见答"。不我报即不见答的意思。陈奂传疏:"不报,即不答也。"

韵读:幽部——冒、好(呼叟反)、报(布瘦反)。

日居月诸,出自东方。乃如之人兮,德音无良。胡能有定?俾也可忘!

德音,好话。德音无良,指有善待我之名而无善待我之实。

俾,使。俾也可忘,使我可以忘掉忧伤。

韵读:阳部——方、良、忘。

日居月诸,东方自出。父兮母兮,畜我不卒。胡能有定?报我不述!

畜,同慉,爱。孟子:"畜君者,好君也。" 卒,终。不卒,指丈夫爱我不终(用闻一多说)。也有人认为是指父母养我之不终,即正月"父母生我,胡俾我愈"之意。似不及前说。

述,遵循。毛传:"述,循也。"鲁诗述作遹,韩诗述作术。述、术皆从术声,故可通用。孙炎曰:"遹,古述字。"俞樾群经平议释述为"道",言报我不以其道。亦通。报我不述,对待我不循常道,不依常理。又方玉润释述为"称述",意为他对待我的一切,我都不想再去说它了。恐非诗的原意。

韵读:脂部——出、卒、述。

终　风

【题　解】

这是一位妇女写她被丈夫玩弄嘲笑后遭遗弃的诗。毛序:"终风,卫庄姜伤己也。遭州吁之暴,见侮慢而不能正也。”州吁是庄公的儿子,在名义上也是庄姜的儿子,毛序作者认为她遭到儿子的欺侮而作此诗。但诗中“顾我则笑,谑浪笑敖”等词,似不切合母子间情事。朱熹诗集传:“庄公之为人狂荡暴疾,庄姜盖不忍斥言之,故但以终风且暴为比。”认为是庄姜受丈夫卫庄公欺侮而作。清代学者魏源、王先谦皆从朱说。今按:就诗而论,这首诗写夫妇不睦是可以肯定的,但一定坐实是庄姜伤卫庄公不见答之诗,则既无确据,亦无必要。

全诗四章,写出了一位妇女对丈夫既恨又恋的心理过程。首章伤心丈夫对己的轻薄狂暴;二章却又思念起这个掉首不顾的夫君来;三章更是想得睡不着觉,希望丈夫知其思念而打喷嚏;末章则由己及彼,希望丈夫反过来也能想念她。每一章语气都有一层转折,层层递进,将一种既怨恨又思恋,既知无望又割舍不下的矛盾心理表达得委婉尽致。汉司马相如长门赋描写陈皇后的愁闷悲思,始以“君曾不肯乎幸临”的失望,继之“抟芬若以为枕兮”的希冀,终则“魄若君之在旁”的痴情,所用手法与终风是一脉相承的。

终风且暴,顾我则笑。谑浪笑敖,中心是悼。

终,既。见燕燕注。　暴,迅疾。诗人以疾风兴丈夫的狂暴。齐诗暴作瀑。说文:“瀑,疾雨也。诗曰:‘终风且暴。’”齐诗释此句为“疾风暴雨”,但兴义仍同毛诗。

则,而。王引之经传释词:“则犹而也。文二年左传曰:‘周志有之,勇则害上,不登于明堂。’言勇而害上也。”

谑,调戏。　浪,放荡。　敖,放纵。　王先谦集疏:“谑浪,谑之貌。笑敖,笑之貌。盖谑非不可谑,而浪则狂。笑非不可笑,而敖则纵。”

中心,即心中。　悼,伤心害怕。说文:“悼,惧也。陈楚谓惧曰悼。”

韵读：宵部——暴、笑、敖、悼。

终风且霾，惠然肯来？莫往莫来，悠悠我思。

霾(mái)，大风刮得尘土飞扬。古人称为"雨土"，诗人以此兴丈夫心理阴暗，爱情转移。

惠，顺。毛传："言时有顺心也。" 然，语助词。说文："然，烧也。嘫，语声也。"语助词当为嘫字，经典多借然字为之。 肯，鲁诗作肎，肎是古字。王先谦集疏："诗人言公或意顺而肯来乎，冀望之词。"

莫，不。莫往莫来即不往来，下"莫"字是增文足句。

悠悠，形容思念之情绵绵不断貌。悠悠我思，王先谦集疏："望其来而不来，故思之悠悠然长。"

韵读：之部——霾(谟其反)、来(音厘)、来、思。

终风且曀，不日有曀。寤言不寐，愿言则嚏。

曀(yī)，天阴而有风。尔雅释天："阴而风曰曀。"

不日，不到一天。 有，同又。 朱熹诗集传："不旋日而又曀也。亦比人之狂惑暂开而复蔽也。"

寤言，醒着说话。马瑞辰通释："据考槃诗'独寐寤言'，传云：'在涧独寤，觉而有言。'则此言'寤言不寐'，亦当训为觉而有言。" 不寐，难以入睡。

言，助词，无义。 嚏，韩诗作疐，打喷嚏。严粲诗缉："愿汝疐……愿其疐知己念之也。"按旧时民间亦有"打喷嚏，有人想"的谚语。

韵读：脂部——曀、曀、寐、嚏。

曀曀其阴，虺虺其靁。寤言不寐，愿言则怀。

曀曀，天阴暗貌。韩诗作壇壇，曀是壇的假借字。毛传："如常阴曀曀然。"说文："壇，天阴尘也。诗曰：壇壇其阴。"

虺虺(huǐ)，雷始发之声。象声词。朱熹诗集传："以此人之狂惑愈深而未已也。"

怀，思念。严粲诗缉："愿汝思怀我而悔悟也。"

韵读:脂部——靁、怀(音回)。

击 鼓

【题 解】

这是卫国戍卒思归不得的诗。关于诗的时代背景,毛序、郑笺及三家诗都认为是春秋鲁隐公四年夏,卫公子州吁联合宋、陈、蔡三国共同伐郑的事。王先谦根据唐书宰相世系表的记载,考出孙子仲即公孙文仲,与州吁同时。但姚际恒诗经通论提出异议,他说:“此乃卫穆公背清丘之盟救陈,为宋所伐,平陈、宋之难,数兴军旅,其下怨之而作此诗也。其时卫有孙桓子良夫,良夫之子文子林父。良夫为大夫,忠于国;林父嗣为卿,穆公亡后为定公所恶,出奔。所云‘孙子仲’者,不知即其父若子否也?”可备一说。

清乔亿言此诗乃“征戍诗之祖”(剑溪说诗又编)。全诗五章,前三章概括了从应征入伍至行伍涣散这一过程,笔墨简洁,揭示深刻。通过陪衬和烘托来突出主题,是此诗在表现手法上值得注意之处。第三章对丧马归林、失伍离次的描写,表现出当时士卒的怨愤叛离之状,于生动具体的形象中寄意,倍觉真切。这是征人思念家室之作,其所欲言,不单在于从军之苦。第四章笔锋一转,忽追述当日执手相誓、期以偕老之事,与前面所写的战乱景况对照,更加显出此日情状的可悲。末二章所表现的情境,对后世诗歌创作,影响甚大。如托名苏武的别诗、陈琳的饮马长城窟行、杜甫的新婚别,写征人与家室的别离之恨,均深得其意。

击鼓其镗,踊跃用兵。土国城漕,我独南行。

镗,击鼓声。其镗等于镗镗。齐、韩诗镗作鼞。说文:“镗,金鼓之声。

鼛,鼓声也。”王先谦集疏曰:“用兵时或专击鼓,或金鼓兼。鼛、镗字并通。”

兵,兵器。不是指兵士。王筠说文句读:“秦汉以下,始谓执兵之人为兵。”按“兵”为会意字,本义是军器。到战国始引申为兵士。如战国策:“兵始出。”说文:“𠬶,械也。从廾持斤(斧),并力之貌。”

土国,在国内服役土工。　城漕,在漕邑修筑城墙。“土”和“城”在这里都作动词。土可训为役,城可训为筑。漕,卫邑名,在今河南滑县东南。

南行,指下章“平陈与宋”之事。朱熹诗集传:“卫人从军者自言其所为,因言卫国之民或役土功于国,或筑城于漕,而我独南行,有锋镝死亡之忧,危苦尤甚也。”

韵读:阳部——镗、兵(音榜平声)、行(音杭)。

从孙子仲,平陈与宋。不我以归,忧心有忡。

孙子仲,即公孙文仲,字子仲,是卫国的世卿,当时任南征的将领。

平,调解两国之间的纠纷。左传隐公六年杜注:“和而不盟曰平。”按左传隐公四年:“及卫州吁立,将修先君之怨于郑,而求宠于诸侯以和其民,使告于宋曰:‘君若伐郑以除君害,君为主,敝邑以赋与陈、蔡从,则卫国之愿也。’宋人许之。于是,陈、蔡方睦于卫,故宋公、陈侯、蔡人、卫人伐郑,围其东门,五日而还。”诗中的“平陈与宋”似即指当时之事。按陈和宋都在今河南省境内。

不我以归,这句是倒文,即“不以我归”,不让我回来。

有忡,即忡忡,心神不安貌。

韵读:中部——仲、宋、忡。

爰居爰处,爰丧其马。于以求之?于林之下。

爰,与“于何”、“于以”同义,意为“在何处”。

丧,读去声,丢失、丧失。　王先谦集疏:“今于何居乎?于何处乎?如何丧其马乎?求不还者及亡其马者,当于山林之下。军士散居,无复纪律。”朱熹诗集传:“见其失伍离次,无斗志也。”

韵读:鱼部——居、处、马(音姥 mǔ)、下(音户上声)。

死生契阔,与子成说。执子之手,与子偕老。

契,合。 阔,离。契阔,叠韵,是偏义复词,偏用“契”义,指结合。闻一多诗经通义:“死生契阔,犹言生则同居,死则同穴,永不分离也。”

子,指作者的妻。 成说,定约、结誓。这一章回忆当初与妻子分离定约的情景。

韵读:祭部——阔(音缺入声)、说。 幽部——手、老(音柳)。

于嗟阔兮,不我活兮!于嗟洵兮,不我信兮!

于,同吁。吁嗟,感叹词。与驺虞“于嗟”表美叹者不同。 阔,道路辽远。尔雅释诂:“阔,远也。”

活,聚会、聚首。马瑞辰通释:“活,当读为‘曷其有佸’之佸。毛传:‘佸,会也。’佸为会至之会,又为聚会之会。承上‘阔兮’为言,故云不我会耳。”

洵,鲁、韩诗作敻,洵是敻(xiòng)的假借字,久远。广雅:“敻,远也。”这里指别离已久。

信,守约。末章嗟叹夫妻远隔久别,对兵役无已深表怨恨。

韵读:祭部——阔、活(胡说反,入声)。 真部——洵、信。

凯 风

【题 解】

这是一首儿子颂母并自责的诗。诗序:“凯风,美孝子也。卫之淫风流行,虽有七子之母,犹不能安其室。故美七子能尽其孝道,以慰其母心,而成其志尔。”郑笺:“不安其室,欲去嫁也。成其志者,成言孝子自责之意。”朱熹承诗序、郑笺之说,他说:“卫之淫风流行,虽有七子之母,犹不能安其室,故其子作此诗。”自是以后,读诗者多认为这是儿子劝母不要再嫁的诗。清人魏源、王先谦不同意他们的说法。魏源诗古微说:“如其(指诗序)说,则宜为千古母仪所羞道。乃汉明帝赐东平王书曰：'今送光烈皇后衣巾一箧，可时奉瞻，以慰凯风寒泉之思。'又衡方碑：'感鄁人之凯风，悼蓼仪之勤劬。'梁相孔耽神祠碑：'竭凯风以惆惾，惟蓼仪以怆悢。'古乐府长歌行云：'远游使心思，游子恋所生。凯风吹长棘，夭夭枝叶倾。黄鸟鸣相追，咬咬弄好音。伫立望西河，泣下沾罗缨。'咸以颂母德、比劬劳，毫无忌讳。何为者耶？孟子曰：'凯风，亲之过小者也。亲之过小而怨，是不可矶也。'"王先谦诗三家义集疏说："序'美孝子'，自是大师相传古谊。'淫风流行'云云，则毛所涂附。玩孟子'亲之过小'一语，周秦以前旧说决无'母不安室'之辞。"魏、王根据三家诗说，认为这是儿子感激继母劳苦而反躬自责的诗。从诗的情调来看，并没有劝母守节的意思，三家诗说比毛诗更接近诗旨一些。后人泥于序说，遂谓其意"断不可以文章之道平直出之"(吴乔答万季埜诗问)。方玉润虽指出序说无稽，但也同样曲为之说。其实，此诗佳处，不在婉曲，正在平直。诗中没有过分的渲染、太深的寄托，有的只是朴素明白的描述，感情自然的流露。后世一些吟咏慈母的诗篇，如孟郊的游子吟、钱载的到家作，追怀母氏劬劳，自责不能奉侍，文词也都平直明白。对于表现骨肉至情的作品，朴素的语言常是最理想的语言，平直的手法常是最成功的手法，往往能取得最强烈的艺术效果。非朴无以见其真，非直无以见其诚。任何多馀的描写，都是画蛇添足，是感情矫揉造作的表现。

凯风自南，吹彼棘心。棘心夭夭，母氏劬劳！

凯风，南风，夏天的风。孔疏引李巡曰："南风长养万物，万物喜乐，故曰凯风。"

棘，酸枣树。棘心，酸枣树初发芽时心赤。王先谦集疏："棘，小枣丛生者。大东传:‘棘,赤心也。’凯风,喻母。棘,子自喻。丛生心赤,兴众子赤心奉母。”

夭夭,树木嫩壮貌。郑笺:“夭夭,以喻七子少长。”

劬(qú)劳,劳累辛苦。尔雅释诂:“劬,劳病也。”郝懿行尔雅义疏:“劬劳者,力乏之病也。”

韵读:侵部——风、南(奴森反)、心。　宵部——夭、劳。

凯风自南,吹彼棘薪。母氏圣善,我无令人。

棘薪,酸枣树长到可以当柴烧。王先谦集疏:“棘薪,谓棘长大可以为薪……喻子已成长。”

圣善,明理而有美德。说文:“圣,通也。善,吉也。”

令,灵的假借字,善。这句是反躬自责的话,意为儿子没有一个成材。

韵读:侵部——风、南。　真部——薪、人。

爰有寒泉,在浚之下。有子七人,母氏劳苦。

爰,发语词,无义。与击鼓“爰居爰处”的“爰”字不同义。　寒泉,在卫地浚邑。水冬夏常冷,故名寒泉。

浚,在卫楚丘东。王先谦集疏:“言虽七子无益于母,不如寒泉有益于人。”

韵读:鱼部——下(音户上声)、苦。

睍睆黄鸟,载好其音。有子七人,莫慰母心。

睍睆(xiàn huǎn),叠韵,清和宛转的鸣声。郑笺:“睍睆以兴颜色悦也。”亦通。韩诗睍睆作简简。陈奂传疏引段玉裁诗经小笺云:“说文无睆字,疑此本作睍睍,故韩作简简。”　黄鸟,黄雀。

载好其音,朱熹诗集传:“言黄鸟犹能好其音以悦人,而我七子独不能慰悦母心哉。”陈奂传疏:“后二章以寒泉之益于浚,黄鸟之好其音,喻七子不能事悦其母,泉鸟之不如也。”这种以相反事物衬托主题思想的方法,是诗经兴法的一个特点,也是“兴”区别于“比”的主要方面。

韵读:侵部——音、心。

雄 雉

【题 解】

这是一位妇女思念远役丈夫的诗。旧说多认为这是妇女之作，朱熹诗集传："妇人以其君子从役于外，故言雄雉之飞舒缓自得如此，而我之所思者乃从役于外，而自遗阻隔也。"姚际恒怀疑此说，他说："上三章可通，末章难通，不敢强说。"方玉润诗经原始则认为是朋友互勉的诗，他说："雄雉，期友不归，思而共勖也。首章言远行乃自取。次言怀想之至。三章言难来之故。末期自勉，亦以共勖。"此说可供参考。

这首诗是闺中思远之作，前三章言相思之深，尚称真挚。末章口气一转，忽以教训说理作结，不但索然无味，连前面的意境也一并破坏了。同是思念久役的丈夫，王风君子于役便远胜于此诗。钟惺评曰："'百尔君子，不知德行'，非妇人语。'君子于役，苟无饥渴'，真妇人语。"所谓"妇人语"，应即指诗中这位思妇形象的抒情。此诗末章强作"非妇人语"，破坏了形象的完整性，后人对君子于役的赞诵远过于此诗，不是没有原因的。雄雉作者是上层人物，君子于役作者是农村妇女，诗歌源于生活，各人生活不同，主题虽一，她们歌唱的风格也就不相同了。

雄雉于飞，泄泄其羽。我之怀矣，自诒伊阻。

雉，野鸡。闻一多诗经通义："雄雉，喻夫也。" 于，语中助词，无义。

泄泄（yì），鼓羽舒畅貌。左传隐公元年"其乐也泄泄"，杜预注："泄泄，舒散也。"马瑞辰通释："前二章睹物起兴，以雄雉之在目前，羽可得见，音可得闻，以兴君子久役，不见其人，不闻其声也。"

诒,遗的假借字,别体作贻。赠送。这里的"自诒"是自找、自取之意。伊,同繄,此、这。郑笺:"伊,当作繄。繄犹'是'也。" 阻,忧。玉篇:"阻,忧也。"朱熹训阻为隔,亦通。

韵读:鱼部——羽、阻。

雄雉于飞,下上其音。展矣君子,实劳我心。

下上其音,见燕燕注。

展,诚、确实。尔雅释诂:"展,诚也。展,信也。"按展的本义训"转",说文段注:"此因展与慎音近假借。" 君子,指作者的丈夫。

实,同寔,是,指君子行役。 劳,忧。陈奂传疏:"此女望君子之词,言诚以君子久役之故,我心是劳也。"

韵读:侵部——音、心。

瞻彼日月,悠悠我思。道之云远,曷云能来?

瞻,视。瞻彼日月,马瑞辰通释:"以日月之迭往迭来,兴君子之久役不来。"

悠悠,绵绵不断貌。按此句为倒文,即"我思悠悠"。

云,语助词。下句"曷云能来"之"云"同。这两句意为,相隔的道路如此遥远,丈夫何时才能回来。

韵读:之部——思、来(音厘)。

百尔君子,不知德行。不忮不求,何用不臧?

百,凡是、所有。 君子,这里指包括丈夫在内的朝中的统治者。

德行,道德品行。这句是批评统治者不知道修其德行。

忮(zhì),害人。说文:"忮,很也。"段注:"很者,不听从也。雄雉、瞻卬传皆曰:'忮,害也。'害即很义之引申也。" 求,追求名利。马融论语子罕注:"忮,害也。不疾害,不贪求,何用不为善也。"

用,施行。 臧,善、好。王先谦集疏:"何用不臧,犹言无往而不利。"马瑞辰通释:"末章则推其君子久役之故,皆由有所忮求。若知修其德行,无所忮求,则可以全身远害,复何用而不臧乎?此以责君子之仕于乱世也。"

韵读:阳部——行(音杭)、臧。

匏有苦叶

【题　解】

这是一位女子在济水岸边等待未婚夫时所唱的诗,前人多曲解之。毛序:"刺卫宣公也。公与夫人并为淫乱。"朱熹诗集传:"此刺淫乱之诗。"方玉润诗经原始:"匏有苦叶,刺世礼义澌灭也。"王先谦集疏:"贤者不遇时而作也。"各持己见,令后之读者无所适从。按诗末章云:"卬须我友",卬为古代妇女的自称,故为女求男之词。

余冠英先生诗经选一扫旧说,还它以民歌本来面目。他说:"这诗所写的是一个秋天的早晨,红通通的太阳才升上地平线,照在济水上。一个女子正在岸边徘徊,她惦着住在河那边的未婚夫,心想:他如果没忘了结婚的事,该趁着河里还不曾结冰,赶快过来迎娶才是。再迟怕来不及了。现在这济水虽然涨高,也不过半车轮子深浅,那亲迎的车子该不难渡过吧?这时耳边传来野鸡和雁鹅叫唤的声音,更触动她的心了。"他将全诗内容用散文译述一遍,扼要生动,可谓善于说诗者。

姚际恒言此诗"四章各自立义,不为连类之辞。"(诗经通论)方玉润驳其言:"诗岂有四章各自立义,不相连类之理?……详味诗,词非不连属,亦非不明显,特其制局离奇变幻,措词谲诡隐微,若规若讽,忽断忽连,故难骤解。"(诗经原始)方氏能言姚说之弊,却不知自身之弊。由于他认为这"直是一篇讽世座右铭耳",故和姚氏同样堕于穿凿附会、自生轇轕之中。朱熹言各章首句为"比",也是因将"刺淫乱"数字梗在心中,遂成此误。其实,此诗通篇为

“赋”，前三章但写渡口的所见所闻，在这些景物的描绘之中，隐隐约约露出诗中主人公的影子，至末章始表出人物，点明主题。若说其章法之奇，也仅此而已。诗中的景物描写，虽然细腻，但也只就眼前所见，信手写出，着物虽多，线索自清。总览全诗，作者何曾在制局措辞上煞费心思，故也无由得奇幻难解之叹。诗有以曲折获誉的，也有以平直见长的，有些作品须求其言外之意，有些作品的意思就在字面上，不若“虚心平看，自有意味”（朱熹答周叔瑾）。此诗即是一例。前人正是由于心存崎峣，想入非非，硬是推之使高、凿之使深，反失其真意，丧其自然之美。

匏有苦叶，济有深涉。深则厉，浅则揭。

匏（páo），葫芦。古人常腰拴葫芦以渡水。国语鲁语韦昭注：“佩匏可以渡水也。”闻一多诗经通义：“古人早已知道抱着葫芦浮水能使身体容易漂起来，所以葫芦是他们常备的旅行工具，而有‘腰舟’之称。叶子枯了，葫芦也干了，可以摘来作腰舟用了。” 苦，枯的假借字。齐说：“枯瓠不朽，种以济舟。渡逾江海，无有溺忧（易林震卦）。”王先谦集疏：“齐读苦为枯，枯、苦字通。”

济，水名，本作泲。源出河南济源西王屋山。 涉，步行过河谓之涉，涉水的渡口亦谓之涉，此处指渡口。渡口本是水较浅的地段。现在水涨，渡口水深了，所以称为深涉。

厉，连衣徒步渡水。三家诗作砅，又作濿。厉（厲）是砅的假借字，濿是砅的或体。毛传：“以衣涉水为厉，谓繇带以上也。”

揭（qì），提起下衣渡水。毛传：“揭，褰裳也。”闻一多诗经通义：“八月间葫芦干了，而济水涨了，渡头的水深起来了，也正是用得着葫芦的时候。厉是带在腰间，揭是挑在肩头。出门人备好了葫芦是不必发愁的，反正遇见水深了就系起，水浅就挑起，爱怎么着就怎么着。”此说可供参考。

韵读：叶部——叶、涉。 祭部——厉（音列入声）、揭。

有弥济盈，有鷕雉鸣。济盈不濡轨，雉鸣求其牡。

有弥，即弥弥，水满盈貌。

有鷕（yǎo），即鷕鷕，雌雉的叫声。

濡，沾湿。　轨，车轴的两端。闻一多诗经通义："那时惯乘车子渡水，所以用车轴来作记录水位的标准。水浅不到车轴，还不算太深，意思是说有人要浮水渡河来，是没有什么危险的。"

牡，指雄雉。闻一多诗经通义："她想，你们男人也该回来了，野鸡叫唤着找她的雄伴，我怎能不感着孤单呢？"

韵读：脂部——弥、鷕（以水反）。　耕部——盈、鸣、盈、鸣。　幽部——轨（音九）、牡。

雝雝鸣雁，旭日始旦。士如归妻，迨冰未泮。

雝雝，雁相和的鸣声。按古代婚礼用雁，但雁是候鸟，秋天南飞，春天北归。当无雁之时，婚礼则用鹅。这是诗人听到雁声，联想到自己的婚事。

旭日，朝阳。　旦，明亮。

士，古代未结婚的男子通称。　归妻，娶妻。王先谦集疏："妇人谓嫁曰归，自士言之，则娶妻是来归其妻，故曰归妻。"

迨，及，趁。见摽有梅注。　泮（pàn），融化。按泮是判的假借字。说文："判，分也。"毛传："泮，散也。"分、散在这里都是指冰融化。陈奂传疏："未泮，犹在解冻前也。"古代人结婚多在秋冬两个季节举行，荀子大略："霜降迎女，冰泮杀止。"姚际恒诗经通论："古人行嫁娶必于秋冬农隙之际，故云'迨冰未泮'。"左传襄公二十二年："十二月，郑游眅将归晋，未出竟（境），遭逆（迎）妻者，夺之。"可见春秋时民间嫁娶亦在秋冬。

韵读：元部——雁、旦（丁见反）、泮（音片）。

招招舟子，人涉卬否。人涉卬否，卬须我友。

招招，招手貌。朱熹诗集传："招招，相召之貌。"

卬（áng），我。马瑞辰通释："按卬者，姎之假借。说文：'姎，妇人自称我也。'尔雅郭注：'卬，犹姎也。'卬、姎声近通用，亦为我之通称。"这句大意是：有人坐着船渡过济水，我则不渡留在岸上。

须，等待。　我友，指她的未婚夫。

韵读：之部——子、否（音痞）、否、友（音以）。

谷　风

【题　解】

这是一首弃妇诉苦的诗。朱熹诗集传："妇人为夫所弃，故作此诗，以叙其悲怨之情。"这是不错的。此诗以一个弃妇自述的口吻，诉说了她的不幸遭遇。缠绵悱恻，怨而不怒，是前人对此诗的总评，也确实概括了它的艺术特色。托名卓文君的汉诗白头吟，也是一首以女子口吻写的诗。这两首诗中的女主角，对爱情有着同样的要求："德音莫违，及尔同死"，"愿得一心人，白头不相离。"但对待对方的负心，则表现出绝然不同的态度。白头吟中的女子，秉性刚烈，一闻其所爱的人已经变心，便毅然分手："闻君有两意，故来相决绝"；对于其人因贪财而背叛爱情，直言指责："男儿重意气，何用钱刀为"，何等痛快；"今日斗酒会，明日沟水头"，对割断过去的情丝，竟毫不悔惜。而谷风中的女子，虽知其夫已经变心，尚曲意规劝："黾勉同心，不宜有怒"；对于其夫因好色而喜新厌旧，但云"采葑采菲，无以下体"，何其委婉；即使在被弃离之后，犹"行道迟迟，中心有违"，充满不能自诀之情。尤其是"毋逝我梁，毋发我笱"二句，自身尚不能见容，犹顾念其家事，其情痴绝。诗中女子虽有德音，却以色衰见弃，尤见其夫薄幸可恨！但她对薄幸人犹作情厚语，虽字字含怨，却绝不怒骂，只是通过今昔对比、新旧对比，谕之以理，动之以情："昔育恐育鞫，及尔颠覆，既生既育，比予于毒"，婉中带厉，令人惊心；"不我能慉，反以我为雠"，"不念昔者，伊余来塈"，怨中有望，使人酸心。对于那个新人,也不作刻薄的妒恨怨詈。诗中三处提及“宴尔新昏”,但以“如兄如弟”形容对方逸乐,以“不我屑以”、“以我御穷”形容自身的憔悴和凄凉。这样,其自陈治家勤劳、周睦邻里,就使人不觉是自我标榜,而是一种无辜的、委屈的心情的自然流露。这些絮絮屑屑的陈述,如怨如慕,如泣如诉,语婉意曲,辞烦事悲。弃妇的怨恨,其夫的薄情,人世的炎凉,女子的不幸,已尽在其中。作者一往情深,读者凄怆不已。

习习谷风,以阴以雨。黾勉同心,不宜有怒。采葑采菲,无以下体。德音莫违:“及尔同死。”

习习,犹飒飒,连续不断的大风声。　谷风,来自山谷的大风。严粲诗缉:“来自山谷之风,大风也,盛怒之风也。又习习然连续不绝。……又阴又雨,无清明开霁之意。……皆喻其夫之暴怒无休息也。”按:毛传:“东风谓之谷风。阴阳和而谷风至。”毛以谷为稻谷(穀)之谷之假借,以穀风(亦即东风)为帮助生长之风。这是错误的,不合诗的兴义。

以,为、是。陈奂传疏:“以阴以雨,为阴为雨也。”诗人以来自山谷的习习大风和阴雨的天气兴丈夫的暴怒。

黾(mǐn)勉,双声,努力、勉力。释文:“黾勉,犹勉勉也。”韩、鲁诗黾勉作密勿。按黾勉,古籍中还有作蠠没、文莫、闵免者,都是勉力之意,因双声音同而通用。

有,同又。不宜有怒,这是弃妇认为丈夫不应该对自己时常发怒。

葑,亦作蘴,芜菁,又名蔓青,今名大头菜。　菲,又名莱菔,今名萝卜。

以,用。无以,不用。　下体,指根部。葑菲的根和茎叶皆可食,但根是主要食用部分,茎叶过时即不可食。这里以根喻德美,以茎叶喻色衰。指责她丈夫采食葑菲却不用它的根,以比娶妻不取其德,但取其色,色衰即抛弃。

德音,本义是“声誉”,此处指丈夫曾经对她说过的“好话”,即下句“及尔同死”。陈启源毛诗稽古编:“‘德音无良’、‘德音莫违’,此二‘德音’谓夫妇闲晤语之言也。‘德音’屡见诗,或指名誉,或指号令,或指语言,各有攸当。”

及尔同死,这句便是当初丈夫对她说的好话:愿同你白头偕老。

韵读:侵部——风、心。　鱼部——雨、怒。　脂部——菲、体、死。

行道迟迟,中心有违。不远伊迩,薄送我畿。谁谓荼苦?其甘如荠。宴尔新昏,如兄如弟。

迟迟,走路缓慢貌。毛传:“迟迟,舒行貌。”

中心,即心中。　有违,指行动和心意相违背。朱熹诗集传:“言我之被弃,行于道路,迟迟不进。盖其足欲前而心有所不忍,如相背然。”经典释文引韩诗云:“违,很也。”马瑞辰通释:“广雅释诂:‘怨、愇,很也。’韩诗盖以违为愇之假借,故训为很。很亦恨也。书无逸:‘民否则厥心违怨。’违与怨同义,中心有违犹云中心有怨。”按:马说亦通,但从全诗情调来看,似以朱熹之说为长。

伊,是。　迩,近。鲁诗作尔。

薄,语助词,含有勉强的意思。王夫之诗经稗疏:“方言:‘薄,勉也。秦晋曰薄,南楚之外曰薄努。’郭璞注曰:‘相劝勉也。’薄言采之者,采者自相劝勉也。薄送我畿者,心不欲送而勉送也。”　畿,门坎。毛传:“畿,门内也。”门内即门坎。这二句意为,当我走的时候,你不肯远送也应该近送,可是你只勉强地送我到房门口。

荼,亦名苦,苦菜。今名苦蕒菜。

荠(jì),甜味的菜。今名荠菜。这二句意为,比起被抛弃的痛苦,荼菜的苦味就像荠菜一样甜了。

宴,安乐。毛传:“宴,安也。”　昏,古婚字。新昏,指丈夫另娶新人。

韵读:脂部——迟、违、畿、荠、弟。

泾以渭浊,湜湜其沚。宴尔新昏,不我屑以。毋逝我梁,毋发我笱。我躬不阅,遑恤我后。

泾、渭,都是水名,源出甘肃,在陕西高陵合流。　以,因。

湜湜(shí),水清貌。说文:"湜,水清见底也。" 沚,指河底。马瑞辰通释:"说文:'止,下基也。'湜湜即状水止之貌,故以为清可见底。"按:泾水浊,渭水清,诗人以泾水浊比自己,以渭水清比新人。泾水和渭水比较,就显得更浊,但泾水的下基是清可见底的。喻自己和新人比较,虽显得憔悴,但自己的品德是清白无瑕的。马瑞辰通释:"喻己之色虽衰而德则盛。"王先谦集疏:"盖其夫诬以浊乱事而弃之,自明如此。"

屑,洁。朱骏声说文通训定声:"屑,今字误作屑。假借为絜。小尔雅广诂:'屑,洁也。'"不我屑以,即不以我为洁。

逝,往、去。 梁,鱼坝,垒石块拦住水流,中空而留缺口,以便捕鱼。

发,拨的假借字,搞乱。韩诗云:"发,乱也。"有人训发为"开",亦通。笱(gǒu),捕鱼的竹篓。

躬,自身。 阅,容纳,见容。按:阅的本义,说文云:"具数于门中也。"即在门中简阅的意思。这句的阅是"穴"的假借字。段玉裁说文注:"宋玉赋'空穴来风',庄子作'空阅来风'。司马彪云:'门户孔空,风善从之。'诗'我躬不阅',传云:'阅,容也。'言我躬不能见容,如无空穴以自处也。"

遑,暇。犹言"哪儿来得及"。 恤,担忧。 后,走后的事,指上面的鱼梁、鱼笱等。有人说"后"指后代,即自己的子女。虽可通,但与上文不连贯。

韵读:之部——沚、以。 侯部——笱、后。

就其深矣,方之舟之。就其浅矣,泳之游之。何有何亡,黾勉求之。凡民有丧,匍匐救之。

方,筏子。郑笺:"方,泭(桴的假借字)也。"毛传:"舟,船也。"都是以当时语注古语。按:方、舟二字这里都作动词"渡水"用。

泳、游,朱熹诗集传:"潜行曰泳,浮水曰游。"此章前四句是起兴,以渡水比喻治理家务。孔疏:"随水深浅,期于必渡,以兴己于君子之家事,随事难易,期于必成。"后人据此,推想诗人可能是一位渔妇。

亡,同无。毛传:"有,谓富也。亡,谓贫也。"何有何亡,黾勉求之,郑笺:"君子何所有乎?何所亡乎?吾其黾勉勤力为求之,有求多,亡求有。"

君子,指诗人的丈夫。

民,人,指邻人。　丧,读平声,指凶祸的事。朱熹诗集传:"又周睦其邻里乡党,莫不尽其道也。"

匍匐,一作扶伏,本义是手足伏地爬行。说文:"匍,手行也。匐,伏地也。"这里用来形容竭尽全力。　这章叙述过去在治家睦邻方面都尽了力,无被弃之理。

韵读:阳部——方、泳(音养)、亡、丧。　幽部——舟、游、求、救。

不我能慉,反以我为雠。既阻我德,贾用不售。昔育恐育鞫,及尔颠覆。既生既育,比予于毒!

不我能慉,三家诗作"能不我慉"。能,乃。王念孙广雅疏证:"能字古读若'耐',声与'乃'相近,故义亦同。"　慉,爱。马瑞辰通释:"慉与雠对,当读如畜好之畜。孟子:'畜君者,好君也。'文子亦云:'善即吾畜也,不善即吾雠也。'说苑引孔子曰:'以道导之则吾畜也,不以道导之则吾雠也。'并以畜与雠对举,与诗文同。畜者,慉之省借。广雅:'�,好也。'说文:'嬻,媚也。'媚亦悦好之义。……说文引诗'能不我慉',与芄兰诗'能不我知'、'能不我甲'句法相同。能不我慉承上章而言,犹云乃不我畜也。"

阻,拒绝。毛传:"阻,难也。"　我德,我的好意,指治家睦邻勤劳之事。

贾(gǔ),卖。　用,货物。　不售,卖不出去。广韵:"售,卖物出手也。"这句意为,我的好意对于你竟像商人卖不出去的货物一样。

育恐,生活恐慌。　育鞫,生活困穷。朱熹诗集传引张子(张载)曰:"育恐,谓生于恐惧之中。育鞫,谓生于困穷之际。"

颠覆,本义是顿仆失足,这里指患难。这二句意为,当初在恐慌困穷的生活中,我与你共患难。

既生既育,现在生活已经好起来。

于,通如。　毒,毒虫(从闻一多诗经通义说)。

韵读:幽部——慉、雠、售、鞫、覆、育、毒。

我有旨蓄,亦以御冬。宴尔新昏,以我御穷。有洸有溃,既诒我肄。不念昔者,伊余来塈。

旨,美。　蓄,腌的干菜。陈启源毛诗稽古编引荆楚岁时记:"腌藏蘘荷以备冬储。”又马瑞辰通释以为蓄是菜名，即遂菜。亦通。

御，抵挡。郑笺：“蓄聚美菜者，以御冬月乏无时也。君子亦但以我御穷苦之时，至于富贵，则弃我如旨蓄。”

有洸（guāng）有溃，即洸洸溃溃，本义为水激流貌。此处借用为形容丈夫发怒而动武貌。说文：“洸，水涌光也。”毛传：“洸洸，武也。溃溃，怒也。”说文释本义，毛传释借义。

既，尽、全。　诒，同遗，留给。　肄（yì），劳苦的工作。按肄是勚的假借字。尔雅释诂：“勚，劳也。”郭璞注引诗作“莫知我勚”。此言你只把劳苦的工作全留给我做。

伊，惟。　来，语助词，含有“是”义。王引之释词：“来，词之是也。全诗来字多与‘是’同义。”　塈（jì），爱。马瑞辰通释：“爱，正字作炁。说文：‘炁，惠也。㤅，古文。’是㤅即古文爱字。此诗塈疑即㤅之假借。伊余来塈，犹言‘维予是爱’也。仍承‘昔者’言之。”这二句是作者追念昔日丈夫说过的缠绵情话，于怨恨中仍露出留恋的意味。

韵读：中部——冬、穷。　脂部——溃、肄、塈。

式　微

【题　解】

这是人民苦于劳役，对君主发出的怨词。诗用简短的几句话，表达了劳动人民对统治者压迫奴役的极端憎恨。毛序：“式微，黎侯寓于卫，其臣劝以归也。”刘向列女传贞顺篇：“黎庄夫人者，卫侯之女，黎庄公之夫人也。既往而不同欲，所务者异，未尝得见，甚不得意。其傅母闵夫人贤，公反不纳，怜其失意，又恐其已见遣而不以时去，谓夫人曰：‘夫妇之道，有义则合，无义则去。今不得意，胡不去乎？’夫人终执贞壹，不违妇道以俟君命。君子故序之以编诗。”刘向的鲁诗说与毛诗不同，以往的经今古文学家对此互相多有辩驳，但囿于成见，未能中肯。而且无论实指黎侯或黎庄夫人，都缺乏史实左证。余冠英诗经选："这是苦于劳役的人所发的怨声。"今从余说。

此诗二章，全用设问。所谓设问，指心中早有定见，话中故意提出问题。诗人苦不堪言，因此一再反问，为什么有家不能归？为什么要在泥水、露水中受苦？这样的明知故问，比直接的叙述显得更加宛转而有情致。因此式微虽然只有八句，但由于设问而使得怨恨之情溢于言表，给读者的印象还是比较深刻的。

式微式微，胡不归？微君之故，胡为乎中露？

式，发语词，无义。　微，幽暗，指天黑。郝懿行尔雅义疏："微有幽隐蔓昧之意。幽犹黝也。黝训黑，黑色亦幽暗。"

微，非、要不是。陈奂传疏："微，非也。言非君之故。"　君，指君主。故，事。

胡，何。胡为乎，为什么。　中露，即露中。鲁诗露作路。

韵读：脂部——微、微、归。　鱼部——故、露。

式微式微，胡不归？微君之躬，胡为乎泥中？

躬，身体。躬是躳的俗字。说文："躳，身也。从吕从身。"段注："从吕者，身以吕为柱也。"按吕篆文作"8"，是脊椎骨的象形。

泥中，泥水路里。方玉润诗经原始："犹言泥涂也。毛氏苌曰：'中露、泥中，卫邑也。'此或后人因经而附会其说耳，不可从。"

韵读：脂部——微、微、归。　中部——躬、中。

旄　丘

【题　解】

这是一些流亡到卫国的人，盼望贵族救济而不得的诗。那时人民因为受不了本国统治者的残酷剥削压迫，或因战争的缘故，纷纷逃亡别国。但到处都一样，想向他国贵族乞求同情、救济，当然仍是一种梦想。结果一无所得，反闹了一肚子气。本诗即反映了这一情况。

毛序："旄丘，责卫伯也。狄人迫逐黎侯，黎侯寓于卫，卫不能修方伯连率之职，黎之臣子以责于卫也。"毛诗认为这首诗与上篇式微同为黎臣所作。齐诗说："阴阳隔塞，许嫁不答。旄丘、新台，悔往叹息。"（见易林归妹之蛊）王先谦集疏："曰隔塞，曰不答，知与式微同恉，亦黎庄夫人不见答而作也。"三家诗也把它同式微联系在一起解释。但这两种说法都看不出有什么根据。

此诗第一章以旄丘之葛起兴，连用两句疑问，虽然疑惑于卫国君臣救援之迟，但还是满怀希望的。第二章连用两句设问，后面又自己作了回答。姚际恒评道："自问自答，望人情景如画。"其实作者对卫人已经很失望，所谓"必有与也"、"必有以也"，无非是一种自我宽解而已。第三章用赋法，说卫国的叔伯贵族与自己感情不相通，朱熹说："至是始微讽之。"讥刺而仅止于"微"，活现出一种又气愤又不敢得罪人的矛盾心理。最后一章也用赋法，但末句声色俱厉，感情上到了爆发点。作者破口大骂，斥责卫人傲慢无礼，对他们的呼告恳求像聋子一样充耳不闻。此时他已经完全绝望，也就无所顾忌了。正如朱熹所说的："至是然后尽其词矣。"用不同的艺术手法来描写不同的心理状态，层层递进，细致入微，这是读者从旄丘中可以仔细玩味的。

旄丘之葛兮，何诞之节兮？叔兮伯兮！何多日也？

旄丘，前高后低的土山。三家诗旄作堥，旄是堥的假借字。

诞，同覃，延长。　之，其、它的。马瑞辰通释："之，犹其也。何诞之节，犹云何诞其节也。"王先谦集疏："何者，惊讶之词。览物起兴，以见为日之多。” 节，指葛藤的枝节。

叔、伯，对卫贵族的称呼。陈奂传疏：“叔伯，斥大夫也。”

何多日也，何以很久不见救助。马瑞辰通释：“诗以葛起兴，春秋之交也。而后言狐裘蒙戎，则为严冬。此正诗言‘多日’之证。”

韵读：脂、祭部通韵——葛（音吉入声）、节、日。

何其处也？必有与也。何其久也？必有以也。

处，安居不出。说文：“処，止也。處，処或从虍声。”段玉裁注云：“人遇几而止，引申之为凡居処之字。今或体独行，转谓‘処’俗字。”

与，指同伴或盟国。朱熹诗集传：“与，与国也。”

以，原因。朱熹诗集传：“因上章‘何多日也’而言何其安处而不来，意必有与国相俟而俱来耳。又言何其久而不来，意其或有他故而不得来耳。诗之曲尽人情如此。”

韵读：鱼部——处、与。 之部——久（音己）、以。

狐裘蒙戎，匪车不东。叔兮伯兮！靡所与同。

狐裘，狐皮袍。当时大夫以上的官穿的冬服。毛传：“大夫狐苍裘。” 蒙戎，叠韵，亦作龙茸，蓬乱貌。这句疑指卫大夫。

匪，彼。陈奂传疏：“匪，彼也。彼车不东，言彼大夫之车不东来也。”疑东方是流亡者居住的地方，故大夫之车不东来。

靡，无。 同，同心。朱熹诗集传：“不与我同心。”

韵读：东、中部通韵——戎、东、同。

琐兮尾兮，流离之子。叔兮伯兮！褎如充耳。

琐，细小。尔雅释训：“琐琐，小也。” 尾，与“微”通，卑贱。按“琐尾”双声。

流离，双声，漂散流亡。方玉润诗经原始：“流离，漂散也。”毛传训流离为鸟名，恐非诗意。流离之子，指诗人自己。

褎（yòu），盛服。褎如，即褎然，盛服而傲慢自大貌。王先谦集疏：“按然、如同训。褎如犹褎然也。” 充耳，毛传：“充耳，盛饰也。”郑笺：“充耳，塞耳也。”按充耳本是一种挂在耳旁的首饰，又有充耳不闻的意思，这里含有双关的意义。

韵读：之部——子、耳。

简　兮

【题　解】

这是一位女子观看舞师表演万舞，从而对他产生爱慕之情的诗。

毛序：“简兮，刺不用贤也。卫之贤者仕于伶官，皆可以承事王者也。”三家诗无异议。但是我们细玩全诗，唯有赞美的口气，却体会不出讽刺的意味来。闻一多神话与诗说：“左传隐公五年：‘考仲子之宫，将万焉。’仲子者，公之祖母，考其宫用万舞，可知万舞与妇人有特殊关系。然而左传庄公二十八年又曰：‘楚令尹子元欲蛊文夫人，为馆于其宫侧而振万焉。’注：‘蛊惑以淫事。’邶风简兮曰‘方将万舞’，‘公庭万舞’，又曰：‘云谁之思，西方美人。’似亦男女爱慕之诗。爱慕之情生于观万舞，此则舞之富于诱惑性可知。”闻先生的考证更接近诗旨。

此诗妙处，在于感情的炽热与坦率。前三章虽然是对舞师表演的客观描写，但字里行间仍充溢着赞美之情。末章则毫不掩饰地吐露了对舞师的爱慕，尤其最后两句，一再高唱，给人“情有不可已者”的强烈感受。历代说诗者，受毛序“刺不用贤也”的影响，将这首诗的艺术特点解释得曲折隐晦。吴闿生诗义会通认为此诗对“极伤心事”却作“极得意语”。方玉润诗经原始认为“末章慨然遐想，有高乎一世之志”，他们二位的失误就在于因袭了毛序的谬说。

简兮简兮，方将万舞。日之方中，在前上处。

简，鼓声。闻一多："简简，鼓声。乐奏舞前，必先鸣鼓以警众。"有人以为"简"是形容武师武勇之貌，亦通。

方将，即将、将要。马瑞辰通释："方将二字连文。方，犹云将也。将，且也。"毛传训"方"为"四方"，似不可从。　万舞，周天子宗庙舞名，是一种大规模的舞，相对小舞而言，分文舞、武舞两部分。毛传："以干羽为万舞。"朱熹诗集传："万者，舞之总名。武用干戚（盾、板斧），文用羽籥（雉羽和籥的乐器）也。"

日，太阳。　方中，正午。

处，读上声，作动词，指处于某一位置。在前上处，舞师在舞蹈者的前列领队。

韵读：鱼部——舞、处。

硕人俣俣，公庭万舞。有力如虎，执辔如组。

硕，本义为"头大"，引申为凡大之称。硕人，身材高大的人，指舞师。俣俣（yǔ），身躯魁梧貌。毛传："俣俣，容貌大也。"韩诗作扈扈，云"美貌"。马瑞辰通释："俣、扈音近，美与大亦同义，故扈扈训美，又训大。"按周代以男女之身材高大为美，如卫风硕人、小雅车舝"辰彼硕女"等。

公庭，庙堂的庭前。毛传："以干羽为万舞，用之宗庙山川。"孔疏："于祭祀之时，亲在宗庙公庭而万舞。"

辔（pèi），马缰绳。　组，编织的一排排丝线。段玉裁说文注："执辔如组，非谓如组之柔，谓如织组之经纬成文，御众缕而不乱，自始至终秩然，能御众者如之也。"按这章写武舞。

韵读：鱼部——俣、舞、虎、组。

左手执籥，右手秉翟。赫如渥赭，公言锡爵。

籥（yuè），古代乐器名。礼记郑玄注："籥，如笛，三孔。舞者所吹也。"闻一多风诗类钞："籥，三孔笛，舞师吹以节舞。"

秉，拿。按秉字本义是"禾束"，如小雅甫田："彼有遗秉。"说文："秉，禾束也。”引申为执持。尔雅释诂:“秉,执也。” 翟(dí),野鸡尾羽。闻一多风诗类钞:“翟,雉尾长羽,舞师执以指挥。”

赫,形容脸色红而有光。说文:“赫,大赤貌。” 渥,涂抹。三家诗作屋,是渥字的省借。 赭(zhě),红土。

公,指卫国的君主。 锡,赐。 爵,古代酒器名,这里用它代指酒。这句意为舞后卫君赐酒。按这章写文舞。

韵读:宵部——籥、翟(音濯入声),爵。

山有榛,隰有苓。云谁之思?西方美人。彼美人兮,西方之人兮!

榛,树名。结实似栗而小。

隰,低湿的地。陈奂传疏:“下湿曰隰。” 苓,药草名,即甘草,亦名大苦。按这二句是诗经中常用的起兴句式。如山有扶苏:“山有扶苏,隰有荷华。”晨风:“山有苞栎,隰有六驳。”山有枢:“山有枢,隰有榆”等,皆以山隰有草来象征男女的爱情。余冠英先生认为以树代男,以草代女,是一种隐语。

西方,指周,周在卫西。 美人,指舞师,即上文的硕人。硕人、美人都是当时赞美男女美丽的通用词。

韵读:真部——榛、苓、人、人、人。

泉 水

【题 解】

这是嫁到别国的卫女思归不得的诗。王先谦诗三家义集疏据艺文类聚引晋刘愔母孙氏悼艰赋“览蓼莪之遗咏,讽肥泉之馀音”,认为“以肥泉与蓼莪并称,则二语为思既没之父母,古义如此”。他又据钱澄之田间诗学说“思须与漕”句,谓诗作于卫避狄迁漕、东渡黄河之后。“盖须是旧都,漕乃新徙。故国之变,闻而心伤，思之悠悠然长，欲归不得，故结之曰：'驾言出游，以写我忧。'罔极之哀，多难之急，皆在其内。"据他考证，则诗为思父母、忧家国的作品。何楷诗经世本古义、魏源诗古微认为这首诗和竹竿、载驰都是许穆夫人所作，姚际恒诗经通论、方玉润诗经原始认为是许穆夫人媵妾所作，但均无确证。

首章"有怀于卫，靡日不思"，是诗之本旨。"出宿"二章，一忆往昔，一想来日，皆用虚笔。尤以第三章遣词轻快，读之有"千里江陵一日还"之感。虽凭空结撰，并非实境，然情文斐然，其迫切心情，跃然纸上。戴君恩评："蜃楼海市，出有入无，诗人用虚之妙。"（读风臆评）但作者虽有归宁之思，却无自主之权，"不瑕有害"四字，道出了她的疑惧之情。吴闿生道："以上二章，皆决绝之词，此一句掉转，文法奇绝。"（诗义会通）李煜词："梦里不知身是客，一晌贪欢。"（浪淘沙）故国之思，含情凄惋。若此女子，也是在设想中"一晌贪欢"，情意甚悲。后世诗赋，写不能如愿之事，常于想象及梦境中得到满足，推其源始，即在此篇。

毖彼泉水，亦流于淇。有怀于卫，靡日不思。娈彼诸姬，聊与之谋。

毖（bì），泌的假借字，说文引诗作泌。"泌，侠流也。"侠流即"涌流"的意思。韩诗毖作秘，秘也是泌的假借字。　泉水，亦名泉源水，即末章的"肥泉"，卫地水名。马瑞辰通释："诗意以泉水之得流于淇，兴己之欲归于卫。"

娈，美好貌。毛传："娈，好貌。"娈彼，等于娈娈。　诸姬，一些姬姓的女子。卫君姓姬，卫女嫁于诸侯，以同姓之女陪嫁，古称侄娣。毛传："诸姬，同姓之女。"

聊，姑且。桧风素冠郑笺："聊，犹且也。"　谋，商量。小雅皇皇者华毛传："咨事之难易曰谋。"此句指商量回娘家的事。

韵读：之部——淇、思、姬、谋（谟其反）。

出宿于沸，饮饯于祢。女子有行，远父母兄弟。问我诸姑，遂及伯姊。

沸(jǐ)，卫地名。鲁诗沸作济。马瑞辰通释认为沸是济字的或体，济即济水。亦通。

饯，饯行。郑笺："饯，送行饮酒也。" 祢(nǐ)，卫地名。韩诗祢作坭，士虞礼郑注引诗作泥，皆音同通用。

行，嫁。左传桓公九年："凡诸侯之女行。"杜预注："行，嫁也。"按"女子有行"二句亦见于蝃蝀、竹竿，可能是当时常用的谚语。

问，问候。这里有告别的意思。 诸姑，姑母们。毛传："父之姊妹称姑。"

伯姊，大姊。按这章是诗人回忆嫁时别离的情景。陈奂传疏："此卫女思归而追念及来嫁时耳。"

韵读：脂部——沸、祢、弟、姊。

出宿于干，饮饯于言。载脂载舝，还车言迈。遄臻于卫，不瑕有害？

干、言，都是作者所居国的地名，今在何地不可考。或说干在河南濮阳北干城村，即后汉书郡国志及水经注所说的"竿城"。按干、言是作者设想归卫饯行之处。

载，发语词，无义。陈奂传疏："乘车为载，假借之为语词。载者，发语词也。载驱：'载驱薄薄'，言驱薄薄也。" 脂，用油涂车轴。按脂的本义为牛、羊等牲畜的脂肪，说文："戴角者脂，无角者膏。"这里用作动词。 舝(xiá)，后世作辖，汉书天文志晋灼注："舝，古辖字。"文选潘尼四言诗："星陈宿驾，载脂载辖。"是舝、辖为古今字。为车轴两头的金属键。这里也用作动词，意为插上车轴两端的键。朱熹诗集传："脂，以脂膏涂其舝使滑泽也。舝，车轴也。不驾则脱之，设之而后行也。"

还，音义同"旋"。郑笺："还车者，嫁时乘来，今思乘以归。"朱熹诗集传："还，回旋也。旋其嫁来之车也。" 言，助词。 迈，行路。说文："迈，远行也。"指归卫之行。

遄(chuán),疾,快。　臻,到达。

瑕,无。不瑕,犹今云“没有什么”。按说文:“瑕,玉小赤也。”马瑞辰通释:“瑕、遐古通用。遐之言胡,胡、无一声之转。……凡诗言不遐有害,不遐有愆,不遐犹云不无,疑之之词也。”这句意为,这没有什么害处吧?

韵读:元部——干、言。　祭部——舝(胡例反,入声)、迈(音蔑)、卫(音悦)、害(胡例反,入声)。

我思肥泉,兹之永叹。思须与漕,我心悠悠。驾言出游,以写我忧。

肥泉,在卫境内,即首章的“泉水”。

兹,同滋,益发、更加。马瑞辰通释:“按兹即滋也。兹之永叹,犹常棣诗‘况也永叹’,况亦滋也。说文:‘滋,益也。’字通作兹。”　永叹,长叹。王先谦集疏:“首章泉水兴,此当是赋。盖女之父母既没,或葬肥泉之侧,故思其地则益之长叹也。”

须、漕,皆卫国地名。须(須)是“湏”之讹字,即沬,卫国旧都。王先谦集疏引陈蔚林诗说:“说文‘湏’下云:‘古文沬从页’。是湏即沬也。桑中‘沬之乡矣’是也。此诗‘思须’之须字当为湏。后人不知湏是古文沬字,传写讹改为须。”漕亦作曹,陈奂传疏:“曹、漕,古今字。”在今河南滑县东二十里。卫国被狄人侵占,戴公带人民渡河迁徙于漕。可证是诗作于卫迁漕之后。

驾,驾车。钱锺书管锥编:“按驾为‘或命中车’之意。……操舟曰驾,御车亦曰驾。”

写,消除。毛传:“写,除也。”说文:“写,置物也。”段玉裁注曰:“凡倾吐曰写。俗作泻者,写之俗字。”　我忧,指她思乡的忧愁。

韵读:元部——泉、叹。　幽部——漕(音愁)、悠、游、忧。

北　门

【题　解】

这是一个官吏诉苦的诗。毛序:“刺仕不得志也。言卫之忠臣不得其志尔。”分析诗旨基本正确,但尚失之笼统。所谓“忠臣不得其志”者,一般是指“忧谗畏讥”、“忠而受谤”之类。但此诗作者并非如此,他颇得卫君信任,事无巨细都交给他处理,以致不堪其劳;而生活又入不敷出,因此还受到家里人的责难。他内外交迫,无能为力,只得归之于天命,写这首诗发发牢骚,并没有标榜自己是一个忠臣。

郭沫若中国古代社会研究说:“这位尊驾我想来怕也不必一定是怎的贫窭,只是社会的生活程度一天一天的高涨了起来,人民也一天一天的奢华了起来,他的收入不很够供他老婆的挥霍,所以才那样很夸张的长吁短叹。总而言之,他总算是一位破产的贵族。”郭先生认为诗反映当时一些贵族已经破产的情况,很有见地。

全诗三章,每章末都重复“已焉哉!天实为之,谓之何哉”三句,一遍又一遍的叹息,衬托着这位贵族错综复杂的心理:又恼怒,又无可奈何;又想自我排解,又不免黯然。这种一唱三叹的叠章,有效地加强了感情的色彩。

出自北门,忧心殷殷。终窭且贫,莫知我艰。已焉哉!天实为之,谓之何哉!

殷殷,深忧貌。陆德明释文:“殷,本又作慇,同。”尔雅释训:“慇慇,忧也。”按这章首二句,毛传曰:“兴也。北门背明乡阴。”郑笺:“兴者,喻己仕于暗君,犹行而出北门,心为之忧殷殷然。”毛、郑以背明乡阴的北门喻暗君,太穿凿。朱熹认为这二句是“比”,其误同毛。姚际恒诗经通论标此二句为赋体。王先谦集疏:“出北门者,适然之词,或所居近之,与‘出其东门’同赋也。”姚、王二说才是符合诗的实际。

终,既。　窭(jù),房屋简陋,无法讲求礼节排场。释文:“窭,谓贫无以为礼。”王先谦集疏:“此言既窭无以为礼,且至贫无以自给也。”

莫知我艰，方玉润诗经原始：“莫知二字是主。”

已焉哉，既然这样。陈奂传疏：“已焉，犹云既然。古训然、焉通用，既、已通用。既然，既如是。此承上转下之词。”

谓，马瑞辰通释：“谓犹奈也。谓之何哉，犹云‘奈之何哉’。齐策曰：‘虽恶于后王，吾独谓先王何乎？’高注：‘谓犹奈也。’是其证矣。”按此句犹云：对它有什么办法呢？

韵读：文部——门、殷、贫、艰（音根）。　歌部——为（音讹）、何。

王事适我，政事一埤益我。我入自外，室人交遍谪我。已焉哉！天实为之，谓之何哉！

王事，有关周王朝的差事。朱熹诗集传：“王事，王命使为之事也。”适，投掷。按适（適）是“擿”字的省借。说文：“擿，搔也。一曰投也。”擿我，犹云都扔给我。

政事，卫国国内的政事。郑笺训政事为赋税之事。　一，皆、完全。埤（pí），使。按埤是俾的假借字。说文：“俾，益也。”段注：“俾与埤、朇、裨音义皆同。今俾行而埤、朇皆废矣。经传之俾皆训使也，无异解。盖即益义之引申。”这句意为国内的政事都使加在我身上。

室人，家人。　交，更迭、轮流。　谪（zhé），责备。毛传：“谪，责也。”

韵读：支部——适、益、谪（音滴入声）。　歌部——为、何。

王事敦我，政事一埤遗我。我入自外，室人交遍摧我。已焉哉！天实为之，谓之何哉！

敦，逼迫。经典释文引韩诗曰：“敦，迫。”

遗（wèi），与上章“益”义同，加给。毛传：“遗，加也。”

摧，讽刺。郑笺：“摧者，刺讥之言。”韩诗摧作讙。玉篇：“讙，谪也。”郑笺正用韩诗义。

韵读：脂、文部借韵——敦（音低）、遗、摧。　歌部——为、何。

北　风

【题　解】

这是人民不堪卫国虐政，招呼朋友共同逃亡的诗。毛序：“刺虐也。卫国并为威虐，百姓不亲，莫不相携持而去焉。”这段话还合诗意。方玉润诗经原始：“此篇不知其为卫作乎？抑为邶言乎？若以诗编邶风内，则当为邶言为是。”邶亡于卫在什么时候，史不可考。据方的说法，这首诗是反映邶亡前统治阶级的暴虐腐败、社会混乱和人民纷纷逃亡的情况，可备一说。

朱熹言此诗“气象愁惨”。读这首诗，确实使人感到一种紧张恐惧的气氛，这种气氛，主要通过三方面来表现。一是景物的描写。诗前两章前两句是兴，通过对风紧雪盛的描述，来渲染悲惨气氛，写得凛凛有寒意。二是音节的变化。各章前四句辞尚宽缓，至末二句忽作促音，更加深了这种紧张感。三是形象的语言，“其虚其邪，既亟只且”，自问自答，通过人的紧张情绪，将这种迫不及待的气氛，淋漓尽致地表现出来。至末章以赤狐、黑乌不祥的动物象征暴虐的统治者，尤为形象。

北风其凉，雨雪其雱。惠而好我，携手同行。其虚其邪？既亟只且！

雨雪，下雪。雨在这里作动词用。　雱（páng），雪盛貌。毛传：“雱，盛貌。”按雱是旁的籀文。说文：“旁，溥也。”段注：“籀文从雨，众多如雨意也。毛云盛，与许云溥正合。”其雱，即雱雱，上句“其凉”，即凉凉。诗人以凉风喻虐政，以雨雪喻社会纷乱。

惠而，即惠然，顺从、赞成之意。马瑞辰通释：“终风诗‘惠然肯来’，传：‘惠，顺也。’此诗惠而，犹惠然也。惠亦当为顺，惠然，谓顺貌也。”

行(háng),道路。郑笺:“与我相携持同道而去,疾时政也。”

其,语助词。 虚,舒的假借字。 邪,鲁、齐诗作徐,邪是徐的假借字。虚邪,叠韵,即舒徐,缓慢而犹豫不决貌。

亟,同急。既亟,事已紧急。 只且(jū),语尾助词,其作用与“也哉”相同。王先谦集疏:“诗人见其同行者从容安雅之状如此,又速之曰‘既亟只且’,犹言事已急矣,尚不速行而为此徐徐之态乎?”

韵读:阳部——凉、雱、行(音杭)。 鱼部——虚、邪(音徐)、且。

北风其喈,雨雪其霏。惠而好我,携手同归。其虚其邪?既亟只且!

喈,是湝的假借字,寒凉。马瑞辰通释:“喈,玉篇作飁,云:‘疾风也。’此后人增益字。喈当作湝,又通凄。说文湝字注:‘一曰,湝,水寒也。’引诗‘风雨湝湝’,即郑风‘风雨凄凄’之异文。邶风传:‘凄,寒风也。’盖水寒曰湝,风寒亦为湝,其喈犹其凉也。”按其喈,即喈喈。

其霏(fēi),即霏霏,鲁诗作“雨雪霏霏”。霏霏即纷纷之意。

同归,一起到较好的他国去。毛传:“归有德也。”

韵读:脂部——喈(音饥)、霏、归。 鱼部——虚、邪、且。

莫赤匪狐,莫黑匪乌。惠而好我,携手同车。其虚其邪?既亟只且!

莫,无。 匪,非。莫匪即无非,应连用。

乌,乌鸦。这二句意为,所见执政者,无非都是赤狐乌鸦之类,毫无例外。按狐是妖兽(见说文),乌啼不祥(唐韩愈有“鸦啼岂是凶”之句),这是古代民间的传说,诗人以赤狐、黑乌象征妖异不祥的统治者。孔疏:“狐色皆赤,乌色皆黑,以喻卫之君臣皆恶也。”

同车,朱熹诗集传:“同车,则贵者亦去矣。”当时人民无权坐车,所以朱熹认为这句是指贵族。

韵读:鱼部——狐、乌、车、虚、邪、且。

静　女

【题　解】

这是一首男女约会的诗。欧阳修诗本义："静女一诗，本是情诗。"可谓一语中的。毛序："静女，刺时也。卫君无道，夫人无德。"朱熹诗序辩说云："此序全然不是诗意。"批评得很对。但他又说"此淫奔期会之诗"，却充满了腐朽的道学气，总不及欧阳永叔说得明白贴切。

诗以男子口吻写幽期密约的乐趣，语言浅显，形象生动，气氛欢快，情趣盎然。"爱而不见"，暗写少女活泼娇憨之态，"搔首踟蹰"，明塑男子心急如焚之状，描摹入神；"说怿女美"，一语双关，富于感情色彩；"匪女之为美，美人之贻"，情意缠绵，刻画心理细腻入微，道出人与物的关系，是从人与人的关系投射出来的真理。总的说，此诗以人人所能之言，道人人难表之情，自然生动，一片天籁。李梦阳引王叔武语曰："真诗乃在民间。"以此诗诠之，诚非虚论。后世唯民歌俗谣，遣辞道情，尚能得其仿佛，求诸文人集中，传神之作，不可多得。

静女其姝，俟我于城隅。爱而不见，搔首踟蹰。

静，靖的假借字，善。马瑞辰通释："郑诗'莫不静好'，大雅'笾豆静嘉'，皆以静为靖之假借。此诗静女亦当读靖，谓善女。"　姝，美好貌。其姝，等于姝姝。韩诗说："姝姝然美也。"鲁、齐诗姝作娖，亦作袾，皆三家异文。

城隅，城上的角楼。马瑞辰通释："说文：'隅，陬也。'广雅：'陬，角也。'是城隅即城角也。"

爱（愛），薆、僾的省借，隐藏。尔雅释言："薆，隐也。"说文："僾，仿佛也。诗曰：僾而不见。"爱而，等于薆然。陈乔枞三家诗遗说考："离骚'众薆然而蔽之'，薆而犹薆然也。"　不见，朱熹诗集传："不见者，期而不至也。"

踟蹰，双声，徘徊、仿徨。韩诗作踌躇，云："踌躇，犹踯躅也。"玉篇："踌躇，犹犹豫也。"按踟蹰、踌躇、踯躅并字异而音义皆同。

韵读：侯部——姝（昌讴反）、隅（俄讴反）、蹰（池讴反）。

静女其娈，贻我彤管。彤管有炜，说怿女美。

娈，美好貌。见泉水注。其娈，等于娈娈。

贻，赠送。　彤（tóng），红色。彤管，一说是赤管的笔，一说是一种像笛的乐器，一说是红管草，但都没有确实的证据。朱熹说："彤管，未详何物，盖相赠以结慇懃之意耳。"态度比较谨慎平实。

炜（wěi），红而有光貌。毛传："炜，赤貌。"说文："炜，盛明貌也。"有炜，等于炜炜。

说，即悦字。说怿，喜爱。　女，同汝，指彤管。欧阳修诗本义："古者针笔皆有管，乐器亦有管，不知此彤管为何物也。但彤是色之美者，盖男女相悦，用此美色之管相遗，以通情结好耳。"

韵读：元部——娈、管（音卷）。　脂部——炜、美。

自牧归荑，洵美且异。匪女之为美，美人之贻。

牧，郊外。尔雅释地："郊外谓之牧。"　归，同馈，归、馈古通用，赠送。　荑（tí），初生的柔嫩白茅。这句意为，她从郊外采了嫩茅来送我。一说荑即上文所说的彤管，未知确否。

洵，确实。陈乔枞三家诗遗说考："洵者，恂之假借。说文：'恂，信心也。'释诂：'恂，信也。'亦假洵为恂。"　异，可爱。韩诗作瘱，云："瘱，悦也。"按异是瘱的假借字。方玉润诗经原始评此句云："惬心满意之至。"

匪，非。　女，同汝，指荑草。按这二句是拟人的修辞。钱锺书管锥编："卉木无知，禽犊有知而非类，却胞与而尔汝之，若可酬答，此诗人之至情洋溢，推己及他。……要之吾衷情沛然流出，于物沉浸沐浴之，仿佛变化其气质，而使为我等匹，爱则吾友也；憎则吾仇尔，于我有冤亲之别，而与我非族类之殊，若可晓以语言而动以情感焉。"

韵读：脂部——荑、美。　之部——异、贻。

新　台

【题　解】

这是人民讽刺卫宣公劫夺儿媳的诗。毛序:“刺卫宣公也。纳伋之妻,作新台于河上而要之,国人恶之而作是诗也。”左传桓公十六年:“卫宣公蒸于夷姜,生急子,为之取(娶)于齐而美,公取之。”司马迁史记卫世家亦有同样的记载。历来学者根据这些史料,都认为这是讽刺卫宣公乱伦,同情齐女所得非所求的诗,细析诗的内容,大概是不错的。

黑格尔说:“一种高尚的精神和道德的情操无法在一个罪恶和愚蠢的世界里实现它的自觉的理想,于是带着一腔火热的愤怒或是微妙的巧智和冷酷辛辣的语调去反对当前的事物,对和他的关于道德与真理的抽象概念起直接冲突的那个世界不是痛恨,就是鄙视。”“以描绘这种有限的主体与腐化堕落的外在世界之间矛盾为任务的艺术形式就是讽刺。”(美学第二卷)在这首诗中,作者即通过对“燕婉之求”与“得此戚施”这一对矛盾的揭示,用辛辣的语言、不平的口吻,鞭挞了人世“籧篨”的卑劣行径,反映了一个美好愿望的可悲的破灭,表现了理想和现实的冲突,自身和丑恶现象不能兼容的愤怒心情,对邪恶的事物起了揭露、讥刺的作用。前人说一部诗经,诸体皆备。如这首诗,已开我国古代讽刺诗的先声。

新台有泚,河水弥弥。燕婉之求,籧篨不鲜!

新台,台名。筑在水上的房子称为台。新台旧址在今河南临漳西黄河旁。　泚(cǐ),玼的假借字。说文:“玼,玉色鲜也。诗曰:新台有玼。”段注:“说文‘玉’上当有‘新’字。玼本新玉色,引申为凡新色。如诗‘玼兮玼兮’,言衣之鲜盛;‘新台有玼’,言台之鲜明。”有玼,等于玼玼,形容新台新而鲜明貌。

河,黄河。　弥弥,水盛貌。按弥的本字作洂,说文:“洂,水满也。”张参五经文字云:“洂见诗风。”即指此句。弥盖后人增益字。

燕婉,亦作宴婉或嬿婉,安和美好貌。这句意为,本来想求得个好配偶。

籧篨(qú chú),蟾蜍、癞虾蟆一类的东西(见闻一多全集天问释天)。马瑞辰认为籧篨和下文的“戚施”都是“丑恶之通称”,亦通。　鲜,尔雅释诂:“鲜,善也。”郑笺:“伋之妻齐女来嫁于卫,其心本求燕婉之人,谓伋也。反得籧篨不善,谓宣公也。”

韵读:脂、元部借韵——泚、弥、鲜。

新台有洒,河水浼浼。燕婉之求,籧篨不殄!

洒(cuǐ),高峻貌。有洒,即洒洒。韩诗洒作漼,云:“鲜貌。”亦可通。

浼浼(měi),水平缓貌。韩诗作浘浘,音尾,云:“盛貌。”亦可通。

殄(tiǎn),同腆,善。郑笺:“殄当作腆。腆,善也。”

韵读:文、元部通韵——洒(音薛)、浼(音免)、殄。

鱼网之设,鸿则离之。燕婉之求,得此戚施。

鸿,旧解为鸟名,雁之大者。闻一多在诗新台鸿字说一文中,考证鸿就是虾蟆。　离(lì),附着、获得。王先谦集疏:“易序卦传:‘离者,丽也。’附着之义。”陈奂传疏:“鱼网所以求鱼,今反得鸿,此所谓所得非所求也。求即经‘燕婉之求’,以喻齐女求伋而得宣公也。”

戚施,虾蟆。太平御览虫豸部引薛君章句云:“戚施,蟾蜍,喻丑恶。”按蟾蜍即癞虾蟆,可能就是俗语所谓“癞虾蟆想吃天鹅肉”的癞虾蟆。

韵读:歌部——离(音罗)、施(音娑)。

二子乘舟

【题　解】

这是诗人挂念乘舟远行者的诗。卫国政治腐败,民不聊生,多逃亡国外,北风即其一例。二子乘舟可能是抒发对流亡异国者的怀念。

毛序:"二子乘舟,思伋、寿也。卫宣公之二子争相为死,国人伤而思之,作是诗也。"刘向新序:"使人与伋乘舟于河中,将沉而杀之。寿知不能止也,因与之同舟;舟人不得杀伋。方乘舟时,伋傅母恐其死也,闵而作诗。"毛序是古文诗说,刘向是今文诗说,但都是根据左传桓公十六年的记载加以附会,并不能从诗中得到确切证据,姚际恒说:"大抵小序说诗非真有所传授,不过影响猜度,故往往有合有不合。如邶、鄘及卫皆摭卫事以合于诗,绿衣、新台以言庄姜、卫宣,此合者也;二子乘舟以言伋、寿,此不合者也。正当分别求之,岂可漫无权衡,一例依从者哉!"他对毛序所持态度是很正确的。

二子乘舟,泛泛其景。愿言思子,中心养养。

泛泛,飘浮貌。广雅:"泛泛,浮也。" 景,古与憬通,远行。王引之经义述闻:"景读如憬……憬,远行貌。"

愿,虽然。毛传:"愿,每也。"陈奂传疏:"皇皇者华传训每为虽,'愿言思子,中心养养',虽曰思子,徒忧其心养养然也。"

中心,即心中。 养养,鲁诗作洋洋,养、洋都是恙的假借字,忧思而心神不定貌。说文:"恙,忧也。"

韵读:阳部——景(音襁)、养。

二子乘舟,泛泛其逝。愿言思子,不瑕有害?

逝,往。

不瑕有害,见泉水注。王先谦集疏:"不瑕有害,言此行恐不无有害,疑虑之词。"

韵读:祭部——逝(时例反,入声)、害(胡例反,入声)。

鄘 风

柏 舟

【题 解】

这是一位少女要求婚姻自由，向家庭表示违抗的诗，表现了爱情专一，坚决反抗封建礼教的精神。毛序说："柏舟，共姜自誓也。卫世子共伯蚤死，其妻守义。父母欲夺而嫁之，誓而弗许，故作是诗以绝之。"这种说法，实际是把天真无邪爱情真挚的民间歌唱附会成统治阶级的贞节牌坊，姚际恒在诗经通论中驳得好："序谓共姜自誓，共伯已四十五六岁，共姜为之妻，岂有父母欲其改嫁之理？至于共伯，已为诸侯，乃为武公攻于墓上，共伯入厘侯羡（墓道）自杀，则大序谓共伯为世子及早死之言尤悖矣。故此诗不可以事实之。"他的分析，道破了毛序的错误。

此诗与邶风柏舟所表现的情感、所用的艺术手法，以及语言风格，区别很大。邶柏舟作于既遭弃离之后，故诗中充满了痛苦的反思；此诗作于热恋之时，故诗中突出了愤怒的抗争。邶柏舟作者，其心已受伤害，其情如百尺潭水那样深沉；此诗作者，其身正遭压迫，其情如冲天之火那样热烈。邶柏舟所用的是"回荡的表情法"，"是一种极浓厚的情感蟠结在胸中，像春蚕抽丝一般，把它抽出来"；此诗所用的是"奔迸的表情法"，"是情感突变，一烧烧到白热度"，"用极简单的语句，把极真的感情尽量表出"（梁启超中国韵文里头所表现的情感）。邶柏舟多用比喻，在意象的表现中寄情；此诗全是直陈，将毫无隐瞒的情感，迸裂到字句之中。故邶柏舟风格沉郁，能长久地引起人们同情；此诗表现激烈，能很快激起人们共鸣。邶柏舟语言委婉曲折，如山间溪水；此诗语言一泻无馀，如大河奔流。

泛彼柏舟，在彼中河。髧彼两髦，实维我仪，之死矢靡它。母也天只！不谅人只！

泛彼，即泛泛，快速不停地飘浮貌。陈奂传疏："泛，犹泛泛也。"

中河，即河中。这二句诗人以柏舟飘荡不定兴自己爱情坚贞和身世飘零。

髧（dàn），发（鬓）下垂貌。齐、韩诗髧作紞。国语鲁语"王后亲织元紞"，韦注："紞，所以悬瑱当耳者。"马瑞辰通释："悬瑱即垂也。紞为悬瑱之貌，因谓髦垂之貌为紞。玉篇'髧，发垂貌'是也。" 髦，三家诗作髳，亦作髼。髦是髳的假借字。说文："髳，发至眉也。"古代未成年的男子前额头发分向两边披着，长齐眉毛；额后则扎成两绺，左右各一，称为两髦。

实，寔的假借字。小星传："寔，是也。" 维，为。 仪，读如俄，与偶字双声，假借为偶，所以毛传说："仪，匹也。"

之，至、到。 矢，发誓。尔雅释言："矢，誓也。" 靡，无。 它，佗的假借字，他。鲁诗作他，是俗字。靡它，无他心，不嫁别人的意思。王先谦集疏："无它，犹言无二也。"

也、只，都是语气词。 天，指父。左传桓十五年杜注："妇人在室则天父，出则天夫。"

谅，亮察、体谅。释文："本亦作亮。"经传中二字常通用。

韵读：歌部——河、仪（音俄）、它（音佗）。 真部——天（铁因反）、人。

泛彼柏舟，在彼河侧。髧彼两髦，实维我特；之死矢靡慝。母也天只！不谅人只！

特，匹偶。特的本义为牛。说文："特，牛也。"段注："特本训牡，阳数奇,引申之为凡单独之称。”马瑞辰通释:“物无偶曰特。广雅:‘特,独也。’皆训特为独。特训独,又训匹者……犹匹为一,又为双为偶,皆以相反为义也。”

慝,更改。慝是忒(tè)的假借字。说文:“忒,更也。”

韵读:之部——侧(音淄入声)、特(徒力反,入声)、慝(他力反,入声)。

真部——天、人。

墙有茨

【题　解】

这是一首揭露、讽刺卫国统治阶级淫乱无耻的诗。左传闵公二年:“初,惠公之即位也少,齐人使昭伯烝于宣姜。不可,强之。生齐子、戴公、文公、宋桓夫人、许穆夫人。”毛序:“墙有茨,卫人刺其上也。公子顽通于君母,国人疾之而不可道也。”齐诗说:“墙茨之言,三世不安。”(易林)鲁诗说:“卫宣姜乱及三世,至戴公而后宁。”据这些记载,这首诗的讽刺对象可能就是卫宣姜。宣姜本被聘为卫宣公世子伋的妻子,后被卫宣公中途劫夺据为己有。宣公死后,他的庶长子公子顽(即昭伯)又与宣姜私通。这些乱伦的行为,已经无复人理。方玉润说:“卫宫淫乱未必即止宣姜,而宣姜为尤甚。……盖廉耻至是而尽丧,有诗人不忍道、不忍详、不忍读者。”分析得较中肯。

此诗特点是讽刺尖锐而不直露,章末“所可道也?言之丑也”,自问自答,戛然煞住,是怎样的丑恶,丑恶到什么程度,一切都留给读者自己去想象,似直实曲,似露实隐。作诗者或因有所顾忌而辍笔,读诗者却由言外得意而骋思。

墙有茨,不可扫也。中冓之言,不可道也。所可道也?言之丑也。

茨(cí),蒺藜。齐、韩诗作荠,茨是荠的假借字。说文:"茨,茅盖屋。荠,蒺藜也。"陈启源毛诗稽古编:"蒺藜有二种,子有三角刺人者,杜蒺藜也。子大如脂麻,状如羊肾者,白蒺藜也。杜蒺藜布地蔓生,或生墙上,有小黄花,诗墙有荠指此。"

扫,扫除。墙上种茨,是为了防闲内外。诗人以墙茨不可扫起兴,有内丑不可外扬之意。马瑞辰通释:"左氏传云:'人之有墙,以蔽恶也。'诗以墙茨起兴,盖取蔽恶之义。以墙茨之不可扫所以固其墙,兴内丑之不可外扬,将以隐其恶也。"

中冓(gòu),宫闱,宫廷内部。陈奂传疏:"中冓与墙对称,墙为宫墙,则中冓当为宫中之室。"王先谦集疏引韩诗,训"中冓"为"中夜",亦通。

道,说。

所,尚(从闻一多风诗类钞说)。最后二句是自问自答之词,下二章同。

韵读:幽部——扫(音叟)、道(徒叟反)、道、丑。

墙有茨,不可襄也。中冓之言,不可详也。所可详也?言之长也。

襄,除去。按襄字本义为"解衣而耕"(见说文),引申为除去。山井鼎七经考文:"诗足利本、古本并作攘。"攘是襄的假借字,故出车释文云:"襄,本或作攘。"

详,细说。朱熹诗集传:"详,详言之也。"韩诗作扬,是宣扬之意,亦通。

韵读:阳部——襄、详、详、长。

墙有茨,不可束也。中冓之言,不可读也。所可读也?言之辱也。

束,打扫干净。王先谦集疏:"束是总集之义,总聚而去之,言其净尽也,较扫、襄义又进。"

读,反复地说。毛传:"读,抽也。"郑笺:"抽犹出也。"抽又与"籀"通。

胡承珙后笺云："服虔左传注云：'繇，抽也，抽出吉凶也。'繇与籀同，于义皆为紬绎而出之，此古训也。盖道者约言之，详者多言之，读者反复言之。诗意盖谓约言之尚不可，况多言之乎？况反复言之乎？三章自有次第。"

韵读：侯部——束、读、读、辱。

君子偕老

【题　解】

这首诗同墙有茨一样，是讽刺卫宣姜的不道德。毛序："君子偕老，刺卫夫人也。夫人淫乱，失事君子之道。"郑笺："夫人，宣公夫人，惠公之母也。"所不同者，墙有茨充满厌恶斥责的情绪，而这首诗的讽刺意味却表达得非常委婉。沈德潜道："讽刺之词，直诘易尽，婉道无穷。卫宣姜无复人理，而君子偕老一诗，止道其容饰衣服之盛，而首章末以'子之不淑，云如之何'二语逗露之……苏子所谓不可以言语求而得，而必深观其意者也，诗人往往如此。"（说诗晬语）王照圆诗说，言之尤详："君子偕老诗，笔法绝佳。通篇止'子之不淑'二句，明露讥刺，馀均叹美之词，含蓄不露。如'副笄六珈'、'象服是宜'，是说服饰之盛；'委委佗佗，如山如河'，是说仪容之美。通篇俱不出此二意。'玼兮玼兮'以下复说服饰之盛，'扬且之晳'以下复说仪容之美；'瑳兮瑳兮'以下又是说服饰之盛，'子之清扬'以下又是说仪容之美。抑扬反复，咏叹淫泆，句句有一'子之不淑'在，言下蕴藉可思。至笔法之妙，尤在首末二句。首云'君子偕老'，忽然凭空下此一语，上无缘起，下无联缀，乃所谓声罪致讨，义正词严，是春秋笔法。末云'邦之媛也'，诎然而止，悠然不尽。一'也'字如游丝袅空，馀韵绕梁，言外含蕴无穷，是文章歇后法。"这种用丽辞写丑行的艺术手法，与墙有茨既有异曲同工之妙，又反映出两位诗人的不同风格。

后世杜甫丽人行，其命笔用意，与此诗仿佛。

君子偕老，副笄六珈。委委佗佗，如山如河，象服是宜。子之不淑，云如之何！

君子，指卫宣公。　偕老，本是夫妻相偕至老、相亲相爱的意思。但宣姜本应是卫宣公世子伋的妻子，因貌美被卫宣公劫为己有，成了宣公夫人，故这里的“偕老”含有讽刺的意味。

副，亦作髻，古代首饰名。毛传：“副者，后夫人之首饰，编发为之。”释名：“王后首饰曰副。副，覆也，以覆首也。”　笄（jī），首饰名。说文：“笄，簪也。”　珈（jiā），首饰名。悬在笄下，垂以玉。因走路时珈会摇动，故汉时又称步摇。其数有六，因名六珈。按副、笄、珈均是诸侯夫人的首饰，所以这句诗实际是突出了卫宣姜的地位。

委委佗佗，应读作“委佗委佗”，与羔羊“委蛇委蛇”同，但这里是形容宣姜行步仪容之美。此从于省吾说。泽螺居诗经新证云：“委佗古人謰语。金文、石鼓文及古钞本周秦载籍，凡遇重文不复书，皆作‘ = ’以代之。如敦煌写本毛诗六月‘既成我服，我服既成’，作‘既成我₌服₌既成’。又‘四牡既佶，既佶且闲’，作‘四牡既₌佶₌且闲’。中谷有蓷‘慨其叹矣，慨其叹矣’，作‘慨₌其₌叹₌矣₌’。式微‘式微式微’，作‘式₌微₌’。扬之水‘怀哉怀哉’，作‘怀₌哉₌’。……此例不胜枚举。羔羊‘委蛇委蛇’，作‘委₌蛇₌’。此篇‘委委佗佗’，作‘委₌佗₌’。然则一读‘委蛇委蛇’，一读‘委委佗佗’，自毛传已如此，沿讹久矣。又羔羊释文‘沈读作委委虵虵’，亦犹此篇今作‘委委佗佗’矣。”按一切经音义卷三引韩诗云：“委佗，德之美貌也。”似韩诗作“委佗委佗”。

如山如河，王先谦集疏：“如山凝然而重，如河渊然而深，皆以状德容之美。言夫人必有委委佗佗、如山如河之德容，乃于象服是宜也。反言以明宣姜之不宜，与末句相应。”

象服，亦名袆衣，即画袍。孔疏：“象鸟羽而画之，故谓之象服也。”说文袆字注引周礼曰：“王后之服。”　宜，指合乎国母的身份。

子,指宣姜。　淑,善。不淑,指品德行为不好。

云,语首助词。　如之何,即奈之何,犹言"能对你怎么样呢?"王先谦集疏:"言今子与公为淫乱而有不善之行,虽有此小君之盛服,则奈之何哉。显刺之也。"

韵读:歌部——珈(音歌)、佗、河、宜(音俄)、何。

玼兮玼兮,其之翟也。鬒发如云,不屑髢也。玉之瑱也,象之揥也,扬且之皙也。胡然而天也?胡然而帝也?

玼,玉色鲜明貌。说文:"玼,玉色鲜也。"毛传云:"鲜盛貌。"此处用它形容翟衣的鲜艳。按玼亦作瑳,释文引沈氏重云:"本或作瑳。"

其,指宣姜。其之,她的。　翟(dí),翟衣。朱熹诗集传:"翟衣,祭服。刻绘为翟雉之形而彩画之以为饰也。"翟雉,山鸡。

鬒(zhěn),形容发黑而密。毛传:"鬒,黑发也。"说文引诗作㐱,云"稠发也"。按㐱是本字,鬒是重文。

不屑,用不着。　髢(dì),假发制的髻。三家诗作鬄。说文:"鬄,髲也。髲,益发也。"孔疏:"言己发少,聚他人发益之。"

之,其。马瑞辰通释:"此诗三'之'字皆当训其,犹云玉其瑱也、象其揥也、扬其皙也。"　瑱(tiàn),古人头饰上垂在两侧以塞耳的玉饰。说文:"瑱,以玉充耳也。"

象,象牙。　揥(tì),象牙做的簪。毛传:"揥,所以摘发也。"后来称作搔首或搔头。

扬,形容颜色之美。马瑞辰通释:"按清扬皆美貌之称。野有蔓草诗'清扬婉兮'、'婉如清扬',此泛言貌之美也。猗嗟诗'美目扬兮'、'美目清兮',此专言目之美也。此诗'扬且之皙也',皙谓色白。又曰'子之清扬,扬且之颜也',则颜色之美皆可曰清扬矣。"　且(jū),句中助词。且用于句末者,如唐风椒聊:"椒聊且,远条且。"陈奂传疏读为"且又"之且,恐非诗义。　皙,白。

胡,何、为什么。　然,如此、这样。　而,同如。陈奂传疏:"古而、如通用。"　天,天仙。

帝，帝女。按天仙、帝女皆极言其美。但这两句以设问的语气而隐含讽刺，意为仅仅服饰尊贵，容貌美丽，但行为不正，又岂能尊为天仙帝女。

韵读：支部——翟、髢、揥、晳、帝。　真部——瑱、天（铁因反）。

瑳兮瑳兮，其之展也。蒙彼绉絺，是绁袢也。子之清扬，扬且之颜也。展如之人兮，邦之媛也？

瑳（cuō），玼字的或体，义同。说文玼字段注：“玼之或体作瑳。诗君子偕老二章、三章皆曰‘玼兮玼兮’，是以二章毛、郑有注，三章无注。或两章皆作瑳，内司服注引‘瑳兮瑳兮，其之翟也’，又引‘瑳兮瑳兮，其之展也’可证。”

展，展衣，亦作襢衣，说文段注：“按诗、周礼作展，假借字也。”白纱或红绢制的单衣，是夏天见君主或宾客的礼服。

蒙，罩、覆盖。　绉絺，细夏布，今名绉纱。

绁袢（xiè pàn），内衣，如今汗衫。亦称亵衣。三家诗绁正作亵，绁即亵的假借字。这四句意为，细夏布做的贴身内衣外面，罩着鲜丽的展衣。

子，指宣姜。　清扬，犹今言眉目清秀。见上章“扬且之晳也”注引马瑞辰说。

展，乃、可是。王先谦集疏：“展是语之转也。”毛传训展为“诚（确实）”，亦通。　之人，此人，指宣姜。

媛，美女。姚际恒诗经通论：“邦之媛，犹后世言国色。”按此句隐含讽刺，有德色不能相副的意思。　也，说文引作“玉之瑱兮，邦之媛兮”，段玉裁、陈奂疑这两句“也”字古皆作“兮”。

韵读：元部——展、袢（音烦）、颜、媛。

桑　中

【题　解】

这是一首男子抒写和情人幽期密约的诗。毛序：“桑中，刺奔也。卫之公室淫乱，男女相奔。至于世族在位，相窃妻妾，期于幽远。政散民流而不可止。”按序意以为此诗是讽刺贵族男女互相偷情的诗,但细玩诗意,便知不确。崔述读风偶识云:“桑中一篇但有叹美之意,绝无规戒之言。若如是而可以为刺,则曹植之洛神赋,李商隐之无题诗,韩偓之香奁集,莫非刺淫者矣。夫子虚、上林,劝百讽一,古人犹以为讥,况有劝而无讽,乃反可谓之刺诗乎!”他的驳斥很有说服力。闻一多说:“桑中,思会时也。”他正确地指出了诗的主题。后世研究诗经者,因为诗中写三人的事,而相聚又在同一地,这三位女性又都是贵族,如朱熹说:“姜、齐女,言贵族也。……弋,春秋或作姒,盖杞女,夏后氏之后,亦贵族也。……庸未闻,疑亦贵族也。”因此,对诗的作者到底是贵族还是劳动者,大家意见有分歧。许伯政诗深云:“诗中孟庸、孟弋及齐姜、宋子之类,犹世人称所美曰西子耳。”他的话给我们很大启发。民歌中称人之名,多属泛指,似不应过于拘泥。诗中的三姓女子,可能都是诗人称所美者的代词。他在采菜摘麦时,想念起恋人。但不愿将她的真实姓名说出来,就借用几个美女作代称。她曾经约他在桑中、上宫相会,临别时还送他到淇水口上。这是他念念不忘的,所以在劳动时兴之所至,便顺口歌唱起来。这首诗被后人尊为“无题诗”之祖。

诗用一问一答的形式,表达诗人的深情;末用复唱,道出“期我”、“要我”、“送我”等不能忘怀的往事。情意柔和,神采飞扬,文字隽永,音节铿锵,是一首天籁自然、耐人寻味的好诗。

爰采唐矣?沬之乡矣。云谁之思?美孟姜矣。期我乎桑中,要我乎上宫,送我乎淇之上矣。

爰,在什么地方。疑问词。闻一多诗经新义:“爰,‘于焉’之合音,犹言在何处也。” 唐,又名蒙,女萝,蔓生植物。有人说,唐与棠通,名沙棠,结果实。亦通。

沬,亦作湏,卫都朝歌。商代称妹邦、牧野。牧,说文作坶。在今河南淇县北。

云,语首助词。　之,语中助词。云谁之思,即谁思。

孟,排行居长。　姜,姓。按卫国无姜姓,这里用贵族姓氏代表美人,是泛指。孔疏:"知孟姜列国之长女者,以卫朝贵族无姓姜者,故为列国。列国姜姓,齐、许、申、吕之属。不斥其国,未知谁国之女也。"

期,约会。说文:"期,会也。"　桑中,卫地名,亦名桑间,在今河南滑县东北。一说泛指桑林之中,亦通。

要,音义同邀。荀子儒效杨注:"要,邀也。"　上宫,楼名。马瑞辰通释:"桑中为地名,则上宫宜为室名。'孟子之滕,馆于上宫',赵岐章句曰:'上宫,楼也。'古者宫室通称,此上宫亦即楼耳。"

淇,卫国水名。陈奂传疏:"淇之上,即淇水口也。从濮阳(今河南滑县东北)之南,送至黎阳淇口也(今河南浚县东北)。"

韵读:阳部——唐、乡、姜、上。　中部——中、宫。

爰采麦矣?沬之北矣。云谁之思?美孟弋矣。期我乎桑中,要我乎上宫,送我乎淇之上矣。

沬北,即邶地旧址。王先谦集疏:"沬乡为朝歌,则沬北即朝歌以北,诗所谓邶也。"

弋(yì),姓。亦作姒。朱熹诗集传:"弋,春秋或作姒,盖杞女夏后氏之后。"按公羊、穀梁皆作弋。胡承珙后笺云:"案姒本作以。说文无姒字,盖即作以。弋与以一声之转。"

韵读:之部——麦(明逼反,入声)、北(音逼入声)、弋。　中部(与上章遥韵)——中、宫。　阳部(与上章遥韵)——上。

爰采葑矣?沬之东矣。云谁之思?美孟庸矣。期我乎桑中,要我乎上宫,送我乎淇之上矣。

葑,芜菁,今名萝卜。见谷风注。

沬东,即古鄘地。王先谦集疏:"地理志鄘作庸,孟庸即孟鄘。庸在沬东,居此之人,取旧邑之名以为族。” 庸,姓。古亦作鄘。

韵读:东部——葑、东、庸。 中部(与上章遥韵)——中、宫。 阳部(与上章遥韵)——上。

鹑之奔奔

【题 解】

这是一首人民讽刺、责骂卫国君主的诗。诗讽刺的对象是谁?作者是谁?意见有分歧。毛序:“刺卫宣姜也。卫人以为宣姜鹑鹊之不如也。”郑笺:“刺其与公子顽为淫乱行,不如禽鸟。”这是第一说。姚际恒诗经通论:“均曰‘人之无良’,何以谓一指顽,一指宣姜也?大抵人即一人,我皆自我。而为兄为君,乃国君之弟所言,盖刺宣公也。”这是第二说。方玉润诗经原始:“鹑之奔奔,代卫公子刺宣公也。”这是第三说。左传襄公二十七年:“郑六卿享赵孟,伯有赋鹑之贲贲。赵孟曰:‘床第之言不逾阈,况在野乎?非使人之所得闻也。’”杜预注:“卫人刺其君淫乱,鹑鹊之不若。”左传又云:“文子告叔向曰:‘伯有将为戮矣。诗以言志,志诬其上,而公怨之,以为宾荣,其能久乎?’”杜预注:“言诬,则郑伯未有其实。”按春秋和晋人都以此为刺君的诗,并不将“君”解为“小君”(指卫宣姜)。至于作者,据诗“我以为兄”,便认定国君之弟所作,或言人民代卫公子作,均无确据。陈奂说:“我,国人也。”国风多民歌,还是从陈说为是。

此诗首章以“鹑之奔奔,鹊之彊彊”起兴,但毛公没有标兴,至朱熹才把它列为兴诗。毛公漏标的原因,恐怕是嫌它喻义不明。诗经的兴句,大部分含有比义,但同纯粹的比句又有所不同。比的运用,是以彼物比此物,二者之间总有一个特点是相同的,总是以好比好,以不好比不好。但兴含比义时,有时也可起反衬作用,以好反衬不好等。如此诗起首二句,就是诗人看见鹌鹑、喜鹊尚且有自己固定的匹偶,联想到卫国君主荒淫无耻的乱伦生活,觉得他连禽兽都不如。毛公没有看出这种反衬的喻义,故此漏标。而这种特点,则是兴区别于比的一个明显标志。

鹑之奔奔,鹊之彊彊。人之无良,我以为兄!

鹑(chún),鹌鹑,鸟名。　奔奔,飞貌。郑笺:"言其居有常匹,飞则相随之貌。"齐、鲁诗奔奔作贲贲。马瑞辰通释:"说文奔从夭从贲省声,是奔本以贲得声,故通用。"

彊彊(jiāng),义同奔奔。齐、鲁诗作姜姜。

人,指下文的兄和君,即诗人斥骂的对象。　之,韩诗外传作而。

我,诗人自称。　兄,长辈,这里不作兄弟的兄解。闻一多诗经新义:"家法嫡长传位,故为人君者即人兄。"

韵读:阳部——彊、良、兄(虚王反)。

鹊之彊彊,鹑之奔奔。人之无良,我以为君!

君,君主。

韵读:阳部——彊、良。　文部——奔、君。

定之方中

【题　解】

这是一首歌颂赞美卫文公从漕邑迁到楚丘重建国家的诗。毛序:"定之方中,美卫文公也。卫为狄所灭,东徙渡河,野处漕邑,齐桓公攘戎狄而封之。文公徙居楚丘,始建城市而营宫室,得其时制,百姓说(悦)之,国家殷富焉。"郑笺:"春秋闵公二年冬,狄人入卫,卫懿公及狄人战于荥泽而败。宋桓公迎卫之遗民渡河,立戴公以庐于漕。戴公立一年而卒。鲁僖公二年,齐桓公城楚丘而封卫，于是文公立而建国焉。”序、笺都很清楚地说明了这首诗的背景与主题。左传闵公二年：“卫文公大布之衣，大帛之冠。务材训农，通商惠工，敬教劝学，授方任能。元年革车三十乘；季年乃三百乘。”左传概括叙述卫文公的政绩，与本诗所反映的大抵相同，所以后世学者对此诗均无异议。至于诗的创作时间，根据末句“騋牝三千”来看，恐怕作于卫文公季年（公元前六三五年）国防力量已经强大的时候。

十五国风，基本上都是抒情诗，这却是一首记事诗，故其情境、语言，都和其他诗有所不同。诗中常见的比兴、譬喻、叠咏，此诗都未见用，描写不似他诗生动形象，文字也不若他诗简洁明快。诗中对卫文公建城市、营宫室、劝农桑等事，一一缕举，细致而不累赘、拙重而不滞涩，是这首诗的特色。

定之方中，作于楚宫。揆之以日，作于楚室。树之榛栗，椅桐梓漆，爰伐琴瑟。

定，星名，亦名营室，二十八宿之一。　方中，当正中的位置。大约在每年十月十五后至十一月初的时候，定星在黄昏时出现于正南天空。古人在这时兴建宫室。春秋僖公二年：“正月，城楚丘。”按周的正月，即今农历十一月。

于，三家诗作“为”，义同。下文“作于楚室”的“于”字亦训“为”。古书引此二句诗多作“为”。按古于、为通用。仪礼士冠礼郑注：“于犹为也。”　楚宫，楚丘的宫庙。郑笺：“楚宫，谓宗庙也。”楚丘在今河南滑县东。

揆，衡度、测量。　日，日影。孔疏：“度日，谓度其影。”毛传：“度日出日入以知东西。”按又度日中之影以正南北。

楚室，居住的房屋。郑笺：“楚室，居室也。”

树，种植。　榛、栗，树名，实味美，榛实较栗小。古人建国，在朝庙官府皆植名木，榛、栗即其一，其果实可供祭祀。

椅，楸一类的树，青色，秋日结红果。　桐，梧桐。　梓（zǐ），楸一类的树,似桐而叶小,白色,生子。　漆,漆树。按漆是桼的俗字。说文:"桼,木汁可以髹物。"段注:"木汁名桼,因名其木曰桼。今字作漆而桼废矣。漆,水名也,非木汁也。诗、书梓桼、桼丝皆作漆,俗以今字易之也。"这四种好树木都是制琴瑟的原料。马瑞辰通释:"琴瑟古多用桐,亦或以椅为之。说文檹字注引贾侍中说'檹即椅木,可作琴'是也。陈用之曰:'琴瑟唇必以梓漆,所以固而饰之。'是椅桐梓漆皆为琴瑟之用,若榛栗则无与于琴瑟也。"

爰,于是。黄侃批经传释词云:"爰即'于'之借。"　伐琴瑟,伐它以制造琴瑟。马瑞辰通释:"诗'爰伐琴瑟'特承上椅桐梓漆言,谓六木中有可伐为琴瑟者耳。笺谓六木皆可为琴瑟,失之。"

韵读:中部——中、宫。　脂部——日、室、栗、漆、瑟。

升彼虚矣,以望楚矣。望楚与堂,景山与京,降观于桑。卜云其吉,终焉允臧。

虚,今作墟,丘陵。这里指漕墟,漕邑与楚丘邻近的丘墟,其地亦在今河南滑县东。

堂,地名,楚丘的旁邑。

景,憬的假借字,远行。王先谦集疏:"陈蔚林云:据士昏礼注,今文景作憬,知景、憬古通。此诗景当读为憬。泮水传:'憬,远行貌。'与上升望、下降观相属为义。毛训大,于文不顺。"　京,人力造的高丘。尔雅释丘:"绝高为之京。"郭璞注:"为之者,人力所作也。"

降,从高处下来。　观,视察。　桑,桑田。毛传:"地势宜桑,可以居民。"郑笺:"文公将徙,登漕之虚,以望楚丘。观其旁邑,及其丘山,审其高下所依倚,乃后建国焉,慎之至也。"

卜,古人欲预知后事的吉凶,烧龟甲以取兆。说文:"卜,灼剥龟也。像灸龟之形。一曰像龟兆之从横也。"毛传:"建国必卜之。"

终焉,既是。唐石经及古书引诗均作终然,毛诗误作焉。陈奂传疏:"终,犹既也。然,犹是也。"　允,信,确实。　臧,善、好。按"其吉,终焉允臧"六字是卜辞。

韵读:鱼部——虚、楚。　阳部——堂、京(音姜)、桑、臧。

灵雨既零，命彼倌人。星言夙驾，说于桑田。匪直也人，秉心塞渊，騋牝三千！

灵雨，好雨。毛传："灵，善也。"按灵的本义是巫者。说文："灵，巫也。以玉事神。"引申为善。马瑞辰通释："灵，说文训巫，本为巫善事神之称，因通谓善为灵。" 零，落。按零是霝的假借字。说文："霝，雨零(落)也。"

倌人，驾车的小官。毛传："倌人，主驾者。"这二句意为，一场好雨落过，就命令倌人驾车视察农桑。

星，亦作晵，天晴。按晵就是晴的古字。宋本释文引韩诗："星，晴也。" 言，语助词。姚际恒诗经通论认为星言犹今人言星夜，亦通。 夙驾，清早驾车出行。

说，音义同税，休息。史记李斯传："吾未知所税驾。"索隐："税驾，犹解驾，言休息也。"

匪，非。 直，特。匪直，不仅。 也，句中语助。 人，指人民。王先谦集疏："承上文而言，文公夙驾劝农，于民事可谓尽美矣，抑非特于人然也。"

秉心，用心。 塞渊，踏实深远。见燕燕注。方玉润诗经原始引邹泉曰："怀国家根本之图，而不事乎虚文，所以为塞实。建国家久远之策，而不狃乎近虑，所以为渊深。"

騋(lái)，大马。毛传："马七尺以上为騋。" 牝，母马。 按诗以騋牝代良马，三千泛言其多。古代以马驾战车，所以马匹的多少可以衡量军力的强弱。国语齐语："齐桓公城楚丘以封之，其畜散而无育，与之系马三百。"可见卫文公初建国时，军力甚弱，多年经营之后，国防力量增强了十倍。

韵读：真部——零、人、田(徒人反)、人、渊(一均反)、千(音亲)。

蝃　蝀

【题　解】

这是讽刺一个女子争取婚姻自由的诗。陈奂传疏："后汉书杨赐传：赐曰：'今殿前之气，应为虹蜺，皆妖邪所生不正之象，诗人所谓蝃蝀者也。'李贤注引韩诗序云:'蝃蝀,刺奔女也。'"韩说最古,似较可靠。毛序:"蝃蝀,止奔也。卫文公能以道化其民,淫奔之耻,国人不齿也。"但是我们在诗中找不出什么赞美卫文公的根据。这首诗反映了当时妇女婚姻不自由的情况和这个女子的反抗精神。

文心雕龙比兴篇说:"诗人比兴,拟容取心。"他所说的容,指的是客观的具体事物,是个别的;所谓心,指的是客观事物的本质,是抽象的、一般的。容和心二者的统一,以个别显示一般的特性,构成了艺术形象,达到"称名也小,取类也大"的效果。蝃蝀诗人以美人虹象征淫妇(实际上,是抗抵礼教、争取自由恋爱婚姻的女子),是含比义的兴。这位女子艺术形象,是个别的,具体的,她显示了当时社会上一般的本质问题,即男尊女卑、妇女婚姻不自由的特性。故此诗具有深刻的现实意义。

蝃蝀在东,莫之敢指。女子有行,远父母兄弟。

蝃蝀(dì dòng),双声,虹,亦称美人虹。鲁诗"蝃"作"蝳"。刘熙释名:"虹又曰美人。阴阳不和,昏姻错乱,淫风流行,男美于女,女美于男,互相奔随之时,则此气盛。"古人认为虹的产生是由于婚姻错乱,所以这里用它来起兴。

指,用手指点。古人以为虹代表淫邪之气,对它有所忌讳,所以不敢去指它。毛传:"夫妇过礼则虹气盛,君子见戒而惧,讳之莫之敢指。"

女子有行,王先谦集疏:"女子,谓奔者。行,嫁也。奔而曰'有行'者,先奔而后嫁。"按"女子有行,远父母兄弟"二句亦见泉水、竹竿。钱澄之田间诗学云:"'女子有行'二句,似是当时陈语,故多引用之。"但此处引这二句有讽刺的意味,与泉水、竹竿所引寓意不同。

韵读:脂部——指、弟。

朝隮于西,崇朝其雨。女子有行,远兄弟父母。

朝,早晨。　隮(jī),虹。周礼春官:"九曰隮。"注:"郑司农云:隮者,升气也。玄谓：隮，虹也。诗云：朝隮于西。”陈启源稽古编：“蝃蝀在东，暮虹也。朝隮于西，朝虹也。暮虹截雨，朝虹行雨，屡验皆然。虽儿童妇女皆知也。”

崇，终的假借字。终朝，整个早晨，指从日初出到吃早餐的时候。毛传：“从旦至食时为终朝。”

韵读：之、鱼部借韵——雨、母。

乃如之人也，怀昏因也。大无信也，不知命也。

乃如之人也，可像这样的人啊。韩、鲁诗“也”作兮。古也、兮通用。之人，一般都认为是指那个女子。王先谦却认为是指与女子私奔的那个男子，他说：“上二章刺女，此章刺男，不敢斥言，故云之人。”可备一说。

怀，古与坏通用，败坏、破坏。说文：“坏，败也。”王先谦集疏：“怀盖坏之借字。怀(懷)、坏(壞)并从褱声，故字得相通。左襄十四年传：‘王室之不坏。’释文：‘坏，本作怀。’荀子礼论篇：‘诸侯不敢坏。’史记礼书作怀，是其证。怀昏姻，言败坏婚姻之正道也。”郑笺训怀为“思”，云：“乃如是之人思昏姻之事乎？言其淫奔之过恶之大。”亦通。按：昏因叠韵。

大，即太字。释文：“音泰。” 信，贞信，贞洁。或释为“诚信专一”，均可通。

命，父母之命。郑笺：“不知昏姻当待父母之命。”其他说法甚多：有训为寿命者，韩诗外传：“触情纵欲，反施乱化，是以年寿亟夭，而胜不长也。”列女传孽嬖篇：“言嬖色殒命也。”有训为正理者，朱熹诗集传：“命，正理也。言此淫奔之人，但知思念男女之欲，是不能自守其贞信之节，而不知天理之正也。”也有训为命运者，方玉润诗经原始：“是不知天缘之自有命在也。”以上诸说，比较起来，似以郑说为当。

韵读：真部——人、姻、信、命。

相　鼠

【题　解】

这是人民斥责卫国统治阶级苟且偷安、暗昧无耻的诗。诗人以鼠起兴，讥刺在位者人不如鼠。毛序：“刺无礼也。”这是不错的。在周代,统治阶级定了一套礼,用来欺骗、统治劳动人民,炫耀自己的权威,巩固政权。他们嘴里说礼,实际上的行为是最无耻、最无礼的。人民看透了他们的欺骗性,忍不住满腔怒火,大胆地诅咒他们,诅咒他们为什么不快死。这种大无畏的反抗精神,在那时候是很不容易的,班固白虎通义谏诤篇引诗末章四句说:"此妻谏夫之诗也。"这是鲁说,似不足信。

孔子曰:"关雎乐而不淫,哀而不伤。"(论语八佾)又礼记经解:"温柔敦厚,诗教也。"后儒为了突出诗作为"经"的地位,将其中的作品都纳入封建伦理的轨道,不惜穿凿附会,将三百篇尽视作"乐而不淫,哀而不伤"之诗,即使是一些情辞愤激之作,也经百般曲解,偏要誉以"温柔敦厚"之名。诗中固然有不少含蓄蕴藉之作,但也有一些作品,"以述情切事为快,不尽含蓄也。语荒而曰'周馀黎民,靡有孑遗',劝乐而曰'宛其死矣,他人入室',讥失仪而曰'人而无礼,胡不遄死',怨谗而曰'豺虎不食'、'投畀有昊'……"(王世贞艺苑卮言)。如此诗及前面的鹑之奔奔,后面的小雅巷伯、大雅云汉,均为直吐怒骂之作。这些被后人称作"变风"、"变雅"的作品,"具忧世之怀","多忧生之意","读之当兼得其人之志与遇焉"(刘熙载诗概),既有强烈的感染作用,又有深刻的教育意义,故因"变"而更显示出不朽的价值。

相鼠有皮,人而无仪。人而无仪,不死何为?

相,看。毛传:"相,视也。"或说相是地名,相鼠是相州地方的老鼠,恐非诗意。

仪,威仪,指可供他人取法的端庄严肃的态度、行为。左传襄公三十一年,卫北宫文子曰:"有威而可畏谓之威,有仪而可象谓之仪。君有君之威仪,其臣畏而爱之,则而象之,故能有其国家,令闻长世。臣有臣之威仪,其下畏而爱之,故能守其官职,保族宜家。顺是以下皆如是,是以上下能相因也。……故君子在位可畏,施舍可爱,进退可度,周旋可则,容止可观,作事可法,德行可象,声气可乐,动作有文,言语有章,以临其下,谓之有威仪也。”这就是当时人对威仪的内容和作用的解释。

何为,即“为何”的倒文,为什么。按这句应作“为何不死”,倒文协韵。鲁诗何作“胡”。下章同。

韵读:歌部——皮(音婆)、仪(音俄)、仪、为(音讹)。

相鼠有齿,人而无止。人而无止,不死何俟?

止,节止,控制嗜欲,使行为合乎礼。吕览大乐篇:“必节嗜欲。”高诱注:“节,止也。”王先谦集疏:“韩说曰:‘止,节。无礼节也。’说文:‘止,下基也。象草木出有址,故以止为足。’引申之,凡有所自处自禁者皆谓之止。礼大学:‘在止于至善。’注:‘止,犹自处也。’淮南时则训:‘止狱讼。’注:‘止犹禁也。’是其证。故止训节,而无止为无礼节也。”按止字应作**止**,诗经中止字古文应分为止、**止**二字,后世以形近而混。**止**字卜辞作[illegible]或[illegible],像人的足趾之形,引申为足,为容**止**,为留**止**,为节**止**,为基**止**。另一止字应作之,用作指示代词或语末助词。二字意义迥别,不可混淆(参阅于省吾泽螺居诗经新证)。

何,三家诗作“胡”。　俟,等待。按俟是竢的假借字。说文:“俟,大也。”段注:“此俟之本义也。自经传假为竢字,而俟之本义废矣。立部曰:‘竢,待也。’废竢而用俟,则竢、俟为古今字。”

韵读:之部——齿、止、止、俟。

相鼠有体,人而无礼。人而无礼,胡不遄死?

体,身体。礼记礼运郑注:“言鼠之有身体,如人而无礼者矣。”广雅释诂:“体,身也。”毛传训体为“肢体”,似不及郑注“身体”为长。王先谦集疏:“首二章皮、齿指一端,此举全体言之。”按首二章威仪、节止都是礼的一个方面,这章总言礼,与以鼠比人的取喻相当。

胡,三家诗作何。　遄(chuán),速、快。

韵读:脂部——体、礼、礼、死。

干　旄

【题　解】

这是赞美卫文公招致贤士，复兴卫国的诗。诗人叙述卫国官吏带着良马礼物，树起招贤的旗子，到浚邑去访问贤士，征聘人才。毛序说诗是赞美卫文公的，和左传称他“授方任能”之说合。崔述读风偶识说：“卫之重封，由于齐桓。齐桓所封者，邢与卫也。然邢仅二十馀年而遂亡，而卫历春秋及战国秦又数百年而始亡，何哉？吾读干旄之篇，而知卫之所以久存，良有由也。盖国家之治惟赖贤才，而贤才不易得，故人君于贤才不惟当举之用之，而且当鼓之舞之。旌旄之赍于浚，所以下贤也，即所以劝贤也。”他的分析，很能阐发干旄的主题。

魏源诗古微引申王照圆列女传校注的观点，认为干旄是叙述卫公子寿代兄太子伋而被杀，伋载寿尸还至卫国浚邑亦自杀的事，说得比较牵强。还有认为这是卫国一个贵族乘车去看他的情人的诗，似乎也缺乏根据。

此诗共三章，每章六句。但实际每一章仅调换了五个字，三章反复述说的也只是一层求贤的意思。但这样重章叠唱，一而再、再而三地向“彼姝者子”求教，一种思贤若渴的心情随着章节的反复便越来越强烈地反映出来，真有所谓“三顾臣于草庐之中”的味道，这就是复叠的艺术魅力。

孑孑干旄，在浚之郊。素丝纰之，良马四之。彼姝者子，何以畀之？

孑孑（jié），干旄独立貌。说文：“孑，无又（右）臂也。”段注：“引申之，凡特立为孑。”　干，三家诗作竿，旗竿。　旄，是一种旌旗的名称，旗竿顶端用牦牛尾为饰。陈奂传疏:“注牦牛尾于竿之首谓之干旄。下章干旟、干旌,皆同干旄也。”按干旄是当时用于招致贤士的旗。

浚,卫邑名。郦道元水经注:“浚城距楚丘只二十里。”

素丝,洁白的丝线。 纰(pí),在衣裳上镶边。这里指用白丝线在旗帜上镶边作为装饰。朱骏声说文通训定声:“按此字本训当为缘。”郝懿行尔雅义疏:“是衣裳缘边俱曰纰也。”下二章的“组”、“祝”也都是缝旗法。闻一多诗经新义:“纰、组、祝皆束丝之法。”

良马四之,指用好马赠送贤士。王念孙广雅疏证:“四马,大夫以备赠遗者。下文或五或六,随所见言之,不专是自乘。左昭十六年传:郑六卿饯韩宣子于郊,宣子皆献马焉。是以马赠遗,古有是礼。”孔广森经学卮言:“四之、五之、六之,不当以辔为解,乃聘贤者用马为礼,转益其庶且多也。左传:王赐虢公晋侯马五匹。楚弃疾遗郑子皮马六匹。皆不必成乘,故或五或六也。”

姝,顺从貌。胡承珙毛诗后笺:“盖以姝为孎之假借。说文:‘孎,谨也。从女属(屬)声。读若人不孙为不孎。’” 子,古代对人的尊称,这里当指贤者。

畀(bì),给予。陈奂传疏:“训畀为予,与二章同义,又互文以见也。予之,予之以法也。”朱熹诗集传:“言卫大夫乘此车马,建此旌旄,以见贤者。彼其所见之贤者,将何以畀之,以答其礼意之勤乎?”按上二句大意是,不知贤士采用什么给卫国献谋献策?

韵读:宵部——旄、郊。 脂部——纰、四、畀。

孑孑干旟,在浚之都。素丝组之,良马五之。彼姝者子,何以予之?

干旟(yú),也是招贤的旗子,上面画着疾飞的鸟隼形状。尔雅释天:“错革鸟曰旟。”邢昺疏曰:“孙炎云:‘错,置也。革,急也。画急疾之鸟于縿也。’郑志答张逸亦云:‘画急疾之鸟隼。’”

都,近郊。陈奂传疏:“周制,乡、遂之外置都、鄙。都为畿疆之境名。”

韵读:鱼部——旟、都、组、五、予。

孑孑干旌，在浚之城。素丝祝之，良马六之。彼姝者子，何以告之？

干旌，竿端加五彩翟鸟羽毛为饰的旗。说文："游车载旌，折羽注旄首，所以精进士卒也。"这里干旌当亦用于招贤。

城，都城。左传隐公元年："都城过百雉，国之害也。"按春秋时诸侯的封邑大者皆谓之都城。

祝，属的假借字，编连。毛传："祝，织也。"郑笺："祝当作属。"

告，建议。左传定公九年："竿旄'何以告之'，取其忠也。"杜预注："取其中心愿告人以善道也。"

韵读：耕部——旌、城。　幽部——祝、六、告。

载　驰

【题　解】

这是许穆夫人回漕吊唁卫侯，对许大夫表明救卫主张的诗。许穆夫人是一位有识有胆的爱国诗人，也是世界历史上最早的一位女诗人。

许穆夫人是卫宣公的儿子公子顽与后母宣姜私通所生的女儿。有两个哥哥，戴公和文公。有两个姊姊，齐子和宋桓夫人。经后人考证，她大约生在公元前六九〇年，即周庄王七年左右。她幼年即闻名于诸侯，许国（许穆公）和齐国（齐桓公）都向卫国求婚。汉刘向列女传仁智篇说："初，许求之，齐亦求之。懿公将与许，女因其傅母而言曰：'今者许小而远，齐大而近。若今之世，强者为雄。如使边境有寇戎之事，惟是四方之故，赴告大国，妾在，不犹愈乎？'卫侯不听，而嫁之于许。"可见她从小就有爱国思想。她嫁许以后约十年，卫国亡于狄。懿公战死，国人分散。她的姊夫宋桓公迎接卫国的遗民渡河，住在漕邑，立戴公。戴公立一月而死，文公即位。她听到卫亡的消息，立刻奔到漕邑吊唁，提出联齐抗狄的主张，得到齐桓公的帮助而复国于楚丘。公元前六五六年，她的丈夫许穆公随齐桓公伐楚，病死军中。儿子名业继位，她这时大约三十多岁了。死年不详。

关于载驰一诗是许穆夫人的作品，左传闵公二年有明确记载："冬十二月，狄人伐卫。卫懿公好鹤，鹤有乘轩者。将战，国人受甲者皆曰：'使鹤，鹤实有禄位，余焉能战！'及狄人战于荧泽，卫师败绩，遂灭卫。立戴公以庐于曹。许穆夫人赋载驰。齐侯使公子无亏帅车三百乘、甲士三千人以戍曹。"据此，载驰即作于她抵达漕邑的时候。这一段记载，不但使后人了解载驰的作者是谁，而且公认为她是妇女文学的始祖。魏源诗古微认为，泉水和竹竿两首诗也是她的作品。

这首诗表现了诗人强烈的爱国思想。她听到祖国被灭的消息，快马加鞭地赶到漕邑吊唁，目的在于为卫国策划向大国求援。"控于大邦，谁因谁极"是全诗的主旨。可是许国的大夫反对她这一行动，竟赶到漕邑拦阻。这引起了她的愤怒和忧伤，就写了这首诗。毛序："许穆夫人闵卫之亡，伤许之小，力不能救，思归唁其兄，又义不得，故赋是诗也。"序认为夫人并未回卫，诗为设想之词。王先谦驳之云："言我遂往，'无我有尤'也。是夫人竟往卫矣。或疑夫人以义不果往而作诗。今案'驱马悠悠'、'我行其野'，非设想之词。服说是也。如夫人未往，涉念而止，乌有举国非尤之事？"今从王说。

关于诗的分章问题，后人亦有争论。我们按陈奂诗毛氏传疏的意见，将全诗分为五章。陈氏根据左传赋诗称章的原则（如子家赋载驰之四章，叔向赋载驰之四章，不称卒章。赋其他诗的末章，则称卒章），认为载驰应分为五章，他的意见是正确的。

载驰的风格，沉郁顿挫，感慨欷歔，但悲而不污，哀而不伤，一种英迈壮往之气，充溢行间。许穆夫人的行止，固已贻愧须眉，其诗亦迥出流辈之上。首章起势横绝，然意蕴而未露；以下二章情辞缠绵，微露其意；四章始直抒胸臆，慨然生责；末章斩钉截铁，以一吐为快。章章转折，层层紧逼，其情愈激，其志愈决，其意愈明。没有真挚的爱国之心，怎能唱出激昂的歌曲；而后人吟咏此诗，虽千载之后，犹如闻其声，如见其人。“夫缀文者情动而辞发，观文者披文以入情。沿波讨源，虽幽必显。世远莫见其面，觇文辄见其心。”（文心雕龙知音）质诸此诗，信然。

载驰载驱，归唁卫侯。驱马悠悠，言至于漕。大夫跋涉，我心则忧。

载，发语词，无义。按载的本义为乘车，见说文。引申为语词，用于句首者，为发语词。用于句中者，为语助词，如宾之初筵“宾载手仇”，言客人选取对手，载亦无义。又用如连词“则”，和白话里的“就”字相当，如江汉“王心载宁”，黍苗作“王心则宁”。“则”与“载”古通用。　驰、驱，快马加鞭。孔疏：“走（跑）马谓之驰，策马谓之驱。”

唁，慰问死者家属。吊人失国也叫作唁。王先谦集疏：“韩说曰：吊生曰唁，吊人失国亦曰唁。”　卫侯，旧说指卫戴公，据胡承珙毛诗后笺说，应指卫文公。因为戴公立仅一月就死了。

悠悠，形容道路的悠远。毛传：“悠悠，远貌。”

言，助词，无义。　漕，卫邑名。见击鼓注。

大夫，指追到卫国劝阻许穆夫人的许国诸臣。　跋涉，犹言不顾山水阻隔，远道急急奔走而来。按毛传：“草行曰跋，水行曰涉。”王先谦集疏：“韩说曰：‘不由蹊遂而涉曰跋涉。’谓事急时不问水之浅深，直前济渡，视水行如陆行。跋涉二字连贯读之用之。”王说较毛传将一个词分释二义为优。齐诗跋作軷，释为“道祭”，是古代使臣上路之前的一种祭礼。则大夫指卫国大夫，将卫亡的消息奔告于许国。此别一义。

我心则忧，朱熹诗集传："许之大夫有奔走跋涉而来者，夫人知其必将以不可归之义来告，故心以为忧也。"

韵读：侯部——驱（音蓲 qiū）、侯。　幽部——悠、漕（音愁）、忧。

既不我嘉，不能旋反。视尔不臧，我思不远。既不我嘉，不能旋济。视尔不臧，我思不閟。

既，尽，都。左传僖公二十二年："宋人既成列，楚人未既济。"杜注："未尽渡泓水。"　嘉，称善，赞同。尔雅释诂："嘉，善也。嘉，美也。"我嘉，即嘉我。郑笺："言许人尽不善我欲归唁兄。"

旋，回返。朱骏声定声："小尔雅广言：'旋，还也。'字林：'旋，回也。'经传亦多以还为之。"　反，同返。

视，比较。朱骏声定声："小尔雅广言：'视，比也。'广雅释诂三：'视，效也。'按观此可以知彼也。"按：视的本义是看，比较是引申义。　尔，汝，指许国大夫。韩诗尔作我。王先谦集疏："视我不臧，即不我嘉意。诗言虽视我不臧，我之思虑岂不远且閟（按王释閟为周密）乎？语意正同。"　臧，善。郑笺："视女不思善道救卫。"

思，计谋。闻一多风诗类钞："思，亦谋也。"　远，迂远。方玉润诗经原始："然而我之所思，并非迂远难行之事，亦非閟塞不通之谋。"

济，渡。

閟（bì），闭塞，不通。毛传："閟，闭也。"严粲诗缉："闭塞，言不通也。"

韵读：元部——反、远。　脂部——济、閟。

陟彼阿丘，言采其蝱。女子善怀，亦各有行。许人尤之，众稚且狂。

阿丘，偏高的山坡。毛传："偏高曰阿丘。"刘熙释名："阿，何（同荷）。如人儋何（担荷）物一边偏高也。"也有人说是丘名。陈奂传疏："阿丘所在未闻，疑卫丘名。"

蝱（méng），鲁诗作莔，说文引诗亦作莔。按蝱是莔的假借字。尔雅释草："莔，贝母。"按贝母是一种药草，据说可以治郁积之症。

怀，思念。善怀，好思念故国。

行，道、道理。王先谦集疏："女子多思念其父母之国，如泉水、竹竿皆然。夫人自明我之思归与它女子异，亦各有道耳。"

尤，通訧，反对。论语宪问："不尤人。"郑注："尤，非也。"毛传："尤，过也。"按非和过都用作动词，反对的意思。

众，古与终通用，"既"的意思（从王引之经义述闻说）。一说众指许人，亦通。　稺，幼稚。说文："稺，幼禾也。"引申为凡幼小之称。朱熹诗集传释稺为"少不更事"。　狂，愚妄。说文："狂，猘犬也。"愚妄是引申义。韩非子解老篇："心不能审得失之地则谓之狂。"

韵读：阳部——蝱（音芒）、行（音杭）、狂。

我行其野，芃芃其麦。控于大邦，谁因谁极！

野，指卫国的郊外田野。

芃芃（péng），茂盛貌。这两句是许穆夫人抒写自己的心情，她看到祖国的田野上麦子蓬勃茂盛，但因丧乱，竟无人收割，心里十分难过。

控，赴告、奔告。马瑞辰通释："一切经音义引韩诗曰'控，赴也'是也。赴、讣古通用。说文有赴无讣。既夕注：'赴，走告也。'控于大邦即谓走告于大邦耳。襄八年左传云：'无所控告。'今世兴讼者犹称控告。控告即赴告也。列女传许穆夫人传曰：'边疆有戎寇之事，赴告大国。'义本韩诗。"大邦，大国，指齐国。

因，亲、依靠。论语学而："因不失其亲。"刘宝楠论语正义："诗皇矣'因心则友'，传：'因，亲也。'"　极，至，带兵到他国救难称为"至"。陈奂传疏："至者，当读如'申包胥以秦师至'。"

韵读：之部——麦（明逼反，入声）、极。

大夫君子，无我有尤。百尔所思，不如我所之。

无，同毋。　有，同又。无我有尤，不要再反对我了。

百尔，即尔百。尔百所思，指你们众多的主意。

之，往、方向。这里指"控于大邦"的方向。一说训之为"思"，亦通。

韵读：之部——子、尤（音怡）、思、之。

卫　风

淇　奥

【题　解】

这是赞美卫国一位有才华的君子的诗。古书上都说赞美的是卫武公。左传昭公二年“北宫文子赋淇奥”，杜预注：“淇奥，诗卫风，美武公也。”三国魏徐幹中论虚道篇：“昔卫武公年过九十，犹夙夜不怠，思闻训道。命其群臣曰：‘无谓我老耄而舍我，必朝夕交戒。’又作抑诗以自儆也。卫人诵其德，为赋淇奥。”毛序：“淇奥，美武公之德也。”根据这些记载，说淇奥是赞美武公的诗，大致是可信的。

卫武公弑兄自立，在夺取政权的斗争中，是一个残酷的野心家。但他上台之后，史记说他“修康叔之政，百姓和集。犬戎杀周幽王，武公将兵往，佐周平戎甚有功。”可见在政治上还是颇有作为的。他又善写诗，大雅抑和小雅宾之初筵据说出自他的手笔。诗中称赞他是“有匪君子”亦非虚誉。卫风中许多诗对昏庸淫佚的卫宣公痛加斥骂或讥刺，但淇奥对卫武公却衷心赞美，一褒一贬，可以看出这两位君主在人们心目中的不同地位。

此诗与甘棠、君子偕老，都是描写人物的作品，所不同者，甘棠纯为虚写，君子偕老多是实摹，此诗则虚实相间，富于变化。首章“如切如磋”二句，虚状治学之勤；次章“充耳琇莹”二句，实写服饰之盛；末章“如金如锡”二句，又虚拟德器之成。前二章“瑟、僩、赫、咺”，实赞仪容之美；“不可谖兮”，虚写人品之高。末章“宽兮绰兮”二句为仪容妙旨，是实写其形状；“善戏谑兮”二句为言语妙旨，是虚写，虽不道其言语若何，但有一往摹神之妙。

瞻彼淇奥，绿竹猗猗。有匪君子，如切如磋，如琢如磨。瑟兮僩兮，赫兮咺兮。有匪君子，终不可谖兮！

瞻，看。　淇，淇水。　奥，齐、鲁诗作隩，齐诗又作澳。奥是隩或澳的假借字。尔雅释丘：“隩，隈。”隈即水岸深曲之处。

绿竹，毛传：“绿，王刍也。竹，萹竹也。”是二种草名。鲁诗绿作菉，韩诗竹作薄，均用本字。朱熹诗集传：“绿，色也。淇上多竹，汉世犹然，所谓淇园之竹是也。”他将绿竹释为绿色的竹子。但郦道元水经淇水注说：“今通望淇川，无复此物，唯王刍编草，不异毛兴。”郦氏得之目验，似较可信，然毕竟去古已远，不能确定何说为是。钱锺书管锥编：“窃谓诗文风景物色，有得之当时目验者，有出于一时兴到者。出于兴到，固属凭空向壁，未宜缘木求鱼；得之目验，或因世变事迁，亦不可守株待兔。”钱氏之说，实为通论。“绿竹”二句，系诗人触景起兴，读者体会其艺术的意味即可；究竟是竹是草，并没有强求的必要。

猗猗，美盛貌。陈奂传疏：“诗以绿竹之美盛，喻武公之质美德盛。”

匪，鲁、齐诗作斐，匪是斐的假借字，礼记、尔雅引诗均作斐。毛传：“匪，文章貌。”即指有文彩，有才华。有匪，等于匪匪。韩诗作邲，广韵：“邲，好貌。”也是形容人的风彩，字异义同。　君子，朱熹诗集传：“指武公也。”

切、磋、琢、磨，陈奂传疏：“皆治器之名。”尔雅释器：“骨谓之切，象（象牙）谓之磋，玉谓之琢，石谓之磨。”这里用来比喻他研究学问和陶冶品行的精益求精。按这种以多种事物作比的明喻，后人称之为“博喻”。博喻是诗人遇到不易使人理解的事物，或者需要强调的某一种事物，因而用多种的喻体来形容、说明本体。使抽象的概念具体化，透露了诗人爱憎的情绪。

瑟，璱的假借字，矜持庄严貌。毛传：“瑟，矜庄貌。”王先谦集疏：“瑟兮，谓德容之缜密庄严，秩然不乱。”　僩（xiàn），威武貌。说文：“僩，武貌。”

赫，光明貌。汉书韦贤传注：“赫，明貌。”　咺（xuān），鲁诗作烜，齐诗作喧，韩诗作宣，又作愃。按宣是正字，其馀都是假借字。韩诗："宣，宣显也。"说文："愃，宽闲心腹貌。"都是形容人心胸的坦白宽广。

终，最终、永远。按终字在这里训"最终"，与"终风且暴"、"终窭且贫"等句中的"终"训"既"，同样是时间副词，但含义不同。　谖（xuān），齐诗作諠，谖、諠都是蕿的假借字，忘记。马瑞辰通释："说文：'蕿，令人忘忧之草也。'或从暖作蘐，或从宣作萱，引诗'安得蕿草'。今毛诗作谖草，谖即蕿及蘐、萱之假借。是知凡诗作谖训'忘'者，皆当为蕿及蘐、萱之假借。若谖之本义，自为'诈'耳。"

韵读：歌部——猗（音阿）、磋、磨。　元部——僩、咺、谖。

瞻彼淇奥，绿竹青青。有匪君子，充耳琇莹，会弁如星。瑟兮僩兮，赫兮咺兮。有匪君子，终不可谖兮。

青青（jīng），一作菁菁，唐风杕杜释文："青，本或作菁。"叶盛貌。

充耳，亦名瑱，古代饰物，一种垂在冠冕两侧以塞耳的玉。见君子偕老注。　琇（xiù），宝石。三家诗作璓，琇是璓的假借字，说文："璓，石之次玉者。诗曰：充耳璓莹。"　莹，玉色晶莹。说文："莹，玉色。"

会（kuài），鲁诗作冠，韩诗作髗。皮帽两缝相合处。　弁（biàn），皮帽。陈奂传疏："弁为皮弁，皮，白鹿皮也。"是当时贵族戴的帽，用它拢住头发。　如星，指皮与皮之间的帽缝处的玉石饰物像星星一样闪烁。郑笺："会，谓弁之缝中，饰之以玉，皪皪而处，状似星也。"

韵读：耕部——青、莹、星。　元部——僩、咺、谖。

瞻彼淇奥，绿竹如箦。有匪君子，如金如锡，如圭如璧。宽兮绰兮，猗重较兮。善戏谑兮，不为虐兮。

箦，音义同"积（積）"，积的假借字。毛传："箦，积也。"王先谦集疏："韩说曰：'箦，积也。'陈乔枞云：'毛、韩并训箦为积，是以箦为积之假借。西京赋芳草如积，正用斯语。'"朱熹诗集传训箦为"栈"，栈是用竹木编成的器具，他说："竹之密比似之，则盛之至也。"亦通。

如金如锡，如圭如璧，孔疏："武公器德已百炼成精如金锡；道业既就，琢磨如圭璧。"按这两句也是博喻。

宽，宽宏而能容人。　绰，韩诗亦作婥，云："柔貌也。"王先谦集疏："韩训绰为柔，宽绰犹礼中庸云'宽柔'矣。韩训貌，不训性情，得之。"

猗，三家诗作倚，荀子非相篇、文选西京赋注、礼记曲礼疏、论语乡党疏并引作"倚"，猗是倚的假借字。倚，依靠。经典释文："猗，于绮反，依也。"重较，古代卿士所乘车，车箱前设一横木谓之轼，车箱两旁各设一木谓之輢，輢上各有钩形弯曲向外反出谓之较，其形如耳，故名为"重耳"，亦名"重较"。马瑞辰通释："盖车輢上之木为较，较上更饰以曲钩，若重起者然，是为重较。"胡承珙毛诗后笺："较在两旁可倚。人直立稍后，一手可以凭较；俛躬向前，两手可以凭式。"三家诗较作較，較是较的古字。按这两句赞美卫武公宽柔温和的风姿。

戏谑，戏言，开玩笑。说文："谑，戏也。"

虐，过分。马瑞辰通释："虐之言剧，谓甚也。"按这两句是诗人赞美卫武公为人幽默，但又不过分，不刻薄伤人。

韵读：支部——箦、锡、璧。　宵部——绰、较、谑、虐。

考　槃

【题　解】

这是一首抒写隐居生活的诗。毛序："考槃，刺庄公也。不能继先公之业，使贤者退而穷处。""刺庄公不能继先公之业"是傅会之说，没有什么根据；但是"使贤者退而穷处"倒是符合诗中的情调。在诗经时代，除了劳动人民在压迫奴役下呻吟之外，贵族的没落、官僚的失意也在处可见。北门诗人所发的牢骚，以及小雅中的政治讽刺诗，都属于这一类。考槃诗人竟隐居山间，过起独善其身的生活来了。

孔丛子说："孔子曰：'吾于考槃，见士之遁世而不闷也。'"字里行间，对这位隐者颇为赞许。在中国古代，隐士以消极的态度抵抗浊世，他的名声一直很好，隐逸诗也成为文学的一个流派，历世不衰。钟嵘赞陶渊明:“古今隐逸诗人之宗也。”(诗品)确实,隐逸诗至六朝始盛,至渊明始大,然推其始,则在考槃。这首诗创造了一个清淡闲适的意境,文字省净,辞兴婉惬,趣味幽洁,“读之觉山月窥人,涧芳袭袂”(吴闿生诗义会通),一种怡然自得之趣,流于行间。末句“独寐寤宿,永矢弗告”,意隽韵远,陶弘景名句“只可自怡悦,不堪持寄君”(诏问山中何所有赋诗以答),即承此意。

考槃在涧,硕人之宽。独寐寤言,永矢弗谖。

考,建成。春秋隐公五年“考仲子之宫”,杜预注:“成仲子宫。”按考的本义是“老”,引申为“成”,这里应是“建成”的意思。毛传释考为“成”,释槃为“乐”,训考槃为“成乐”,虽可通,但嫌抽象。　槃,木屋。方玉润诗经原始引黄一正曰:“槃者,架木为室,盘结之义也。”黄氏以“盘结”释槃,亦非确解。朱熹诗集传:“陈氏(傅良)曰:考,扣也。槃,器名。盖扣之以节歌,如鼓盆拊缶之为乐也。”陈氏释“考”为“扣”,是假“考”为“攷”字。槃,文选吴都赋刘注引韩诗作盘。汉书叙传注引毛诗亦作盘,是“槃”同“盘”。说文:“槃,承盘也。”是一种木制盛水的器皿。扣槃于山水之间,颇得隐者神韵。此说最通。　涧,韩诗作干,干是涧的假借字。易“鸿渐于干”,释文引荀、王注:“干,山间涧水也。”虞翻注:“小水从山流下称干。”

硕人,大人、美人、贤人。王先谦集疏:“大人犹美人,简兮咏贤者,称硕人又称美人,郑笺以为即一人,是其证也。古人硕、美二字为赞美男女之统词,故男亦称美,女亦称硕。若泥长大、大德为言,则失之矣。”　宽,宽广。这二句意为,隐者扣盘而歌,心胸十分宽广。

独寐寤言,独睡、独醒、独说话。严粲诗缉:“既寐而寤,既寤而言,皆独自耳。”

矢,发誓。易虞注:“矢,古誓字。”　谖,忘记。见淇奥注。朱熹诗集传:“虽独寐而寤言,犹自誓其不忘此乐也。”

韵读:元部——涧、宽、言、谖。

考槃在阿，硕人之薖。独寐寤歌，永矢弗过。

阿，山坡。毛传："曲陵曰阿。"

薖（kē），窠的假借字。马瑞辰通释："薖音又近窠，说文：'窠，空也。'"是薖又可读如"窝"或"窠"。毛传训薖为宽大貌；郑笺训为饥意；韩诗作過，训为美貌；比较以上数说，以训"窝"为长。

过，过从、交往。王先谦集疏："弗过，谓不与人相过也。"郑笺："弗过者，不复入君之朝也。"亦通。

韵读：歌部——阿、薖、歌、过。

考槃在陆，硕人之轴。独寐寤宿，永矢弗告。

陆，高平之地。

轴，本义是车轴。说文："轴，持轮也。"引申为盘旋。方玉润诗经原始引张彰曰："言其旋转而不穷，犹所谓'游于环中'者也。"鲁诗作逐，云："病也。"似非诗意。

告，告诉。朱熹诗集传："不以此乐告人也。"

韵读：幽部——陆、轴、宿、告。

硕　人

【题　解】

这是卫人赞美卫庄公夫人庄姜的诗。左传隐公三年："卫庄公娶于齐，东宫得臣之妹，曰庄姜。美而无子，卫人所为赋硕人也。"这段史料，证实这确是卫人颂庄姜的诗。列女传母仪篇称庄姜的傅母见庄姜妇道不正，谕之乃作诗。这是鲁诗说，和左传的记载不合，恐不足信。毛序："硕人，闵庄姜也。庄公惑于嬖妾，使骄上僭。庄姜贤而不见答，终以无子，国人闵而忧之。"毛序很明显是从左传"美而无子"一句生发开去，但诗中却看不出有"闵而忧"的意思。何楷诗经世本古义、姚际恒诗经通论、崔述读风偶识都认为诗作于庄姜始嫁至卫之时，细玩诗意，是正确的。按卫武公死后，庄公即位，那是公元前七五七年。史记卫世家："庄公五年，取齐女为夫人。"据此推算，这篇作品大约产生于公元前七五二年左右。

世之绝色，往往难以文字形容其美。佳人的魅力，不仅在于形，主要还在其神。形尚可写，神则难摹，故形容美人，宜于虚写，使人自去想象其美。清孙联奎释司空图诗品形容中"离形得似，庶几斯人"二句："形容处断不可使类土木形骸。卫风之咏硕人也，曰：'手如柔荑'云云，犹是以物比物，未见其神。至曰：'巧笑倩兮，美目盼兮'，则传神写照，正在阿堵，直把个绝世美人，活活的请出来在书本上滉漾，千载而下，犹如亲其笑貌，此可谓离形得似者矣。似，神似，非形似也。"（诗品臆说）即主虚写之说。当然，传神也不能完全遗形，硕人写庄姜之美，不少是对其容貌细致、逼真的描摹，成功的描写，应是虚实相生，形神兼备。宋范晞文道："不以虚为虚，而以实为虚，化景物为情思，从首至尾，自然如行云流水，此其难也。"（对床夜语）硕人写庄姜，即能此"难"。钟惺、吴闿生俱言此诗次章前五句犹状其形体之妙，末二句并写出性情生动处。这种由形体及性情的手法，即范晞文"化景物为情思"在描写人物上的表现。对此，宗白华说得更加明白："前五句堆满了形象，非常'实'，是'错采镂金、雕缋满眼'的工笔画。后二句是白描，是不可捉摸的笑，是空灵，是'虚'。这二句不用比喻的白描，使前面五句形象活动起来了。没有这二句，前面五句可以使人感到是一个庙里的观音菩萨，有了这二句，就完全成了一个如'初发芙蓉，自然可爱'的美人形象。"（中国美学史中重要问题的初步探索）从观音菩萨到自然可爱的美人，表现出在动作描写上"化美为媚"的效果。莱辛在拉奥孔中谈到"媚就是在动态中的美"，"它是一种一纵即逝而令人百看不厌的美。它是飘来忽去的。因为我们回忆一种动态,比起回忆一种单纯的形状或颜色,一般要容易得多,也生动得多,所以在这一点上,媚比起美来,所产生的效果更强烈。”这种动态美的描写,发轫于硕人,而继承于后世。西厢记“怎当他临去秋波那一转”,便从“巧笑倩兮,美目盼兮”演化而来,但又青出于蓝,深得夺胎之妙。

硕人其颀,衣锦褧衣。齐侯之子,卫侯之妻,东宫之妹,邢侯之姨,谭公维私。

硕人,见考槃注。这里指庄姜。 颀(qí),身长貌。说文:“颀,头佳貌。”段玉裁注:“此本义也。引申为长貌。卫风‘硕人其颀’,齐风‘颀若长兮’,传皆曰:‘颀,长貌。’”其颀,即颀颀。齐风猗嗟在描写鲁庄公的仪态时有“颀而长兮”之句,可见古代不论男女,皆以高大修长为美。

衣,读去声,动词,作“穿”解。衣锦,穿着锦制的衣服。 褧(jiǒng)衣,鲁、齐诗褧作絅,韩诗作苘。说文:“褧,苘衣也。”段玉裁注:“苘者,枲属,绩苘为衣,是为褧也。”苘是枲麻一类的植物,用它的纤维织成纱,制为单罩衫,称褧衣。女子出嫁途中所穿,以蔽尘土。絅是苘的假借字,苘,同褧。这句意为,穿着锦衣,外罩抵挡尘土的褧衣。

齐侯,这里指齐庄公。 子,女儿。礼丧服传:“凡言子者,可以兼男女。”

卫侯,这里指卫庄公。

东宫,这里指齐太子得臣。东宫是太子的住所,因称太子为东宫。这句意为庄姜与太子同母,也是嫡出。

邢,国名,在今河北邢台。 姨,妻子的姐妹。

谭,国名,在今山东历城。鲁诗作覃,说文作鄿。鄿是谭的古字,覃是三家诗异文。 私,女子称她姐妹的丈夫为私,见尔雅释亲。刘熙释名:“姊妹互相谓夫曰私,言于其夫兄弟之中,此人与己姊妹有私恩也。”韩诗作厶,为本字。说文:“私,禾也。”“厶,奸邪也。韩非曰:‘苍颉作字,自营为厶。’”段注:“公厶字本如此,今私行而厶废矣。”按这章是叙述庄姜身份之贵。姚际恒诗经通论评曰:“叙得详核而妙。”

韵读:脂、文部借韵——颀(音耆)、衣、妻、姨、私。

手如柔荑,肤如凝脂,领如蝤蛴,齿如瓠犀,螓首蛾眉。巧笑倩兮,美目盼兮。

荑,初生白茅的嫩芽。见静女注。

凝脂,冻住的脂油。

领,头颈。 蝤蛴(qiú qí),天牛的幼虫,又名木蠹,身长而白色。鲁诗蝤作蠀,蠀蛴为另一种昆虫,鲁诗误。

瓠(hù)犀,葫芦的籽。鲁诗犀作栖,犀是栖的假借字,尔雅释草注引诗正作“瓠栖”。栖有“整齐”的意思。按这四句是诗经“比”的艺术手法运用得非常出色的例子。诗人以荑芽比喻白滑柔嫩的双手,以凝脂比喻滋润白皙的皮肤,以蝤蛴比喻丰润白净的头颈,以葫芦籽比喻整齐洁白的牙齿,四句都采用明喻的形式,给人生动而具体的印象。

螓(qín),蜻的假借字。虫名,似蝉而小。孔疏:“此虫额广而且方。”蛾,蚕蛾,其触须细长而弯曲。孔疏:“螓首蛾眉,指其体之所似。”按这句采用隐喻的形式,以名词(螓、蛾)作为形容词,将本体和喻体合而为一,隐去了“如”字而读者仍明其喻意。三家诗螓作頱,说文:“頱,好貌。”蛾作娥,王逸离骚注:“娥眉,好貌。”按三家诗异字异训,亦可通,但不及毛诗之生动。

倩,笑时两颊现出酒涡貌。毛传:“倩,好口辅。”陈奂传疏:“楚辞大招‘靥辅奇牙,宜笑嗎只’,王逸注:‘嗎,笑貌。’辅,一作酺。倩与嗎一声之转。传云‘好口辅’,口辅即靥辅也。”按口辅、靥辅就是今天所谓酒涡。

盼,眼睛转动现出黑白分明貌。论语八佾引这句诗,马融注:“盼,动目貌。”毛传:“盼,黑白分。”按这章写庄姜的美貌。姚际恒诗经通论:“千古颂美人者无出其右,是为绝唱。”钱锺书管锥编称“卫、鄘、齐风中美人如画象之水墨白描,未渲染丹黄。……至楚辞始于雪肤玉肌而外,解道桃颊樱唇,相为映发,如招魂云:‘美人既醉,朱颜酡些。’大招云:‘朱唇皓齿,嫭以姱只。容则秀雅,穉朱颜些。’宋玉好色赋遂云:‘施粉则太白,施朱则太赤。’色彩烘托,渐益鲜明,非诗所及矣。”钱先生以发展的眼光比较诗经、楚辞之艺术特点，另辟蹊径，立论之高非姚氏所能及。

韵读：脂部——荑、脂、蛴、犀、眉。 文、耕部合韵——倩、盼。

硕人敖敖，说于农郊。四牡有骄，朱幩镳镳，翟茀以朝。大夫夙退，无使君劳。

敖敖，身材高大貌。敖是聱的省字，说文："聱，颟，高也。"

说，鲁诗作税，说是税的假借字，文选上林赋张揖注引此句诗正作"税于农郊"。税意为停车休息，见甘棠注。 农郊，指卫国都城的近郊。

四牡，驾车的四匹雄马。 有骄，即蹻蹻，健壮貌。

朱幩（fén），马嚼两旁的铁饰，以红绸缠裹。朱熹诗集传："幩，镳饰也。镳者，马衔外铁，人君以朱缠之也。" 镳镳（biāo），盛美貌。这里名词"镳"用作形容词。王先谦集疏："重言镳镳者，四牡皆有镳，连翩齐骋，故传云盛貌。此实字虚诂之例，会意为训也。"韩诗作儦儦，说文："儦，行貌。"字异义别。

翟（dí），长尾野鸡。 茀（fú），遮蔽女车的竹制屏障，周天子及诸侯以野鸡毛装饰车茀。韩诗茀作蔽，尔雅释器："舆革前谓之䩕，后谓之茀。竹前谓之御，后谓之蔽。"可见茀、蔽二字对文则异，散文则通。 朝，朝见。指卫庄公来迎接庄姜，两人相见。

夙退，早点退去。王先谦集疏："公羊庄二十四年传：'礼，夫人至，大夫皆郊迎。'此大夫为卫大夫，姜税于郊，大夫随君出迎，正与礼合。……谓既见夫人，早退罢也。"

无使君劳，郑笺："无使君之劳倦，以君夫人新为配偶，宜亲亲之故也。"按此章叙庄姜嫁时景象。

韵读：宵部——敖、郊、骄、镳、朝、劳。

河水洋洋，北流活活。施罛濊濊，鳣鲔发发，葭菼揭揭。庶姜孽孽，庶士有朅。

河，黄河。 洋洋，水势盛大貌。鲁诗作油油，洋、油一声之转，故可假油为洋。

北流，黄河在齐西卫东，北流入海。由齐至卫，必须渡河。 活活（guō），流水声。也作湉，说文："湉，水流声。"按活活是摹声叠字，犹今言哗哗。

施,设、撒开。 罛(gū),鱼网。鲁诗又作罟,也训为鱼网。 濊濊(huò),撒网入水声。朱熹诗集传:“濊濊,罟入水声也。”三家诗作泧泧或濊濊。

鳣(zhān),大鲤鱼。崔豹古今注:“鲤大者为鳣。”郭璞注尔雅,训鳣为黄鱼。未知孰是。 鲔(wěi),与鲤同类的鱼。陆玑诗草木鸟兽虫鱼疏:“鲔鱼形似鳣而青黑,头小而尖,似铁兜鍪。口亦在颔下,其甲可以摩姜。大者不过七八尺。” 发发(bō),鱼尾甩动声。闻一多风诗类钞:“发发,鱼掉尾声。”鲁诗又作泼泼,韩诗作鲅鲅,齐诗作鲅鲅,都是摹声叠字。

葭(jiā),芦苇。 菼(tǎn),荻草。 揭揭(jiē),芦荻修长貌。

庶,众。庶姜,一批陪嫁的姜姓女子。齐国姜姓,陪庄姜出嫁的都是同姓的女子,古人称之为“侄娣”。 孽孽,韩诗作巘巘,与颀颀、敖敖同义,都是形容女子长大美丽貌。

庶士,指随从庄姜到卫的诸臣。古人称为“媵臣”。 朅(qiè),威武壮健貌。有朅,即朅朅。韩诗作桀,是朅的假借字。按末章描写庄姜出嫁时所经途中风景之美、侍从之盛。姚际恒诗经通论:“间叙处描摹极工,有珠玑错落之妙。”

韵读:祭部——活(胡说反,入声)、濊、发(音废,入声)、揭、孽、朅。

氓

【题 解】

这是一首弃妇的诗。她生动地叙述和氓恋爱、结婚、受虐、被弃的过程,表达了她悔恨的心情和决绝的态度,深刻地反映了古代社会妇女在恋爱婚姻问题上受压迫和损害的现象。毛序:“刺时也。宣公之时,礼义消亡,淫风大行。男女无别,遂相奔诱。华落色衰,复相弃背。或乃困而自悔,丧其妃耦,故序其事以风焉。美反正,刺淫佚也。”毛序的解释有部分(如“华落色衰,复相背弃”)同诗意是大致吻合的;但是它一定要牵扯上美刺之说,一定要斥不幸的弃妇为“淫佚”,则纯粹是出于封建教化的目的。二千多年来毛序谬种流传，其害处也正类乎此。朱熹诗集传曰：“此淫妇为人所弃，而自叙其事以道其悔恨之意也。”他比毛序高明处是看出这是弃妇自作之诗，但斥之为“淫妇”，则封建卫道者的面目又令人生厌。毛序、朱传是二千多年来诗经研究中影响最大的两部典籍，我们如何从中汲取合理，扬弃糟粕，于氓诗的分析可见一斑。

氓是一首夹杂抒情的叙事诗，是诗人现实生活和悔恨情绪的再现，她不自觉地运用了现实主义的创作方法，歌唱抒述自己悲惨的命运，起了反映、批判当时社会现实的作用。诗人所叙述的是自己切身经历、感受，这种真情实感在阶级社会中是带有普遍性的。她抓住自己和夫权代理人“氓”的矛盾，透露了男尊女卑制度的社会现实。她抓住了自己和兄弟的矛盾，反映了当时道德、舆论是以夫权为中心思想的社会现实。她抓住了自己内心的矛盾，婚前没有通过父母之命、媒妁之言是否可以同居？见氓就开心，不见就伤心，如何解决见与不见的矛盾？这些错综复杂的矛盾，结成诗的主要矛盾——封建礼法制度与妇女幸福家庭生活的愿望的矛盾。这是当时社会中极为普遍的现实。氓诗人善于塑造人物形象；氓是一个流亡到卫国的农民，是小商人。他以假老实、假温情、假忠诚的虚伪手段，欺骗一位天真美貌的少女，获得了她的爱情、身体、家私、劳动力。同居以后，把她当牛马般使用；生活安定，不但虐待，甚至一脚踢出了家门。他是夫权制度的产物，是商人唯利是图的产物。诗中又描绘一位善良的劳动妇女形象，她做的是养蚕缫丝的家庭副业。她天真，一下子便以心许氓了。她多情，不见氓，便泣涕涟涟。她勇敢，敢于无媒而与氓同居。她忠诚，把自己的家私都搬到氓家。她安贫，愿与氓过苦日子。她辛勤，把家务一起挑起来。她坚贞，受丈夫虐待,仍旧爱氓。她刚毅,被弃以后,坚决和氓决绝。她从一位纯洁多情的少女,到辛劳忍辱的妻子,再到坚强刚毅的弃妇。她性格的发展,是随着和氓关系的变化而发展的。本诗通过氓和女两个形象鲜明对比,谁真谁假,谁善谁恶,谁美谁丑,不是很清楚吗?当时男女不平等的社会真实面貌,不是如在目前吗?所以我们说,氓诗人不自觉地运用了现实主义的创作方法。虽然,这仅是上古朴素的现实主义,如实地描写生活倾向罢了;但是,无可否认,它是现实主义创作方法之源。周扬同志说:"有文学就有创作方法。神话传说,是浪漫主义的渊源。诗经是现实主义的渊源。"他的分析,是符合中国文学史的实际情况的。

氓之蚩蚩,抱布贸丝。匪来贸丝,来即我谋。送子涉淇,至于顿丘。匪我愆期,子无良媒。将子无怒,秋以为期。

氓,流亡的人民。石经作"甿",据魏源诗古微考证,认为氓字从亡民,谓流亡之民也。又同甿,言亡田之民也。周礼"新氓之治",注:"新徙来者也。"孟子:"陈相自楚之滕,愿受一廛而为氓。"又曰:"天下皆悦而愿为之氓。"这些,都是指离开本地寄居他国的人叫做氓。本诗的氓,可能是一个丧失田地而流亡到卫国的人。 蚩蚩,嘻笑貌。韩诗蚩作嗤。陈乔枞三家诗遗说考:"小尔雅广言:'蚩,戏也。'众经音义二十三引仓颉篇云:'蚩,笑也。'文选阮籍咏怀诗注、古诗十九首注两引说文:'嗤,笑也。'李善云:'嗤与蚩同。'"按毛传训蚩蚩为"敦厚之貌",韩诗训嗤嗤为"意志和悦貌",均可通。

布,布匹。 贸,交易,交换。有人说布是货币,按古代农村尚不用货币,农民皆以有易无,如孟子中许行说的"以粟易之"。马瑞辰引桓宽盐铁论:"古者市朝而无刀币,各以其所有易无,抱布贸丝而已。"孔疏亦以布为丝麻布帛之布,谓"此布非泉,泉不宜抱之也"。

匪,非、不是。匪来贸丝,意为"醉翁之意不在酒"。

即,就、接近。 谋,谋划。指商量婚事。

子，对男子的美称。马瑞辰通释："诗当与男子不相识之初，则称氓。约与婚姻，则称子。子者，男子美称也。嫁则称士。士者，夫也。荀子非相篇：'处女莫不愿得以为士。'是足见立言之序。"

顿丘，地名，在今河南清丰。魏源诗古微："淇水顿丘皆卫未渡河故都之地。"

愆，拖延。毛传："愆，过也。" 期，日期。这里指婚期。

将（qiāng），请求。

秋以为期，以秋天为婚期。王先谦集疏："按此氓欲为近期，故妇言非我故欲过会合之期，因子尚无善媒耳。将子无怨，秋以为期可乎？初念尚知待媒，虽有成约，犹欲以礼自处也。妇欲待媒而氓怒。"

韵读：之部——蚩、丝、丝、谋（谟其反）、淇、丘（音欺）、期、媒（谟其反）、期。

乘彼垝垣，以望复关。不见复关，泣涕涟涟。既见复关，载笑载言。尔卜尔筮，体无咎言。以尔车来，以我贿迁。

乘，登上。 垝（guǐ），毁坏残缺。 垣（yuán），土墙。

复关，地名。王应麟诗地理考引寰宇记："澶州临河县，复关城在南，黄河北阜也。复关堤在南三百步。"澶州在今河南清丰西南。王先谦认为复关是关名。在近郊地方设重门以防异常，复关即重关的意思，亦通。按诗人以复关代氓，是借代的修辞。朱熹诗集传："复关，男子之所居也。不敢显言其人，故托言之耳。"

涟涟，涕泪不断下流貌。

载，则、就。语首助词。按这六句写自己已经陷入情网。郑笺："用心专者怨必深，则笑则言喜之甚。"钱锺书管锥编："此篇层次分明，工于叙事。'子无良媒'而'愆期'，'不见复关'而'泣涕'，皆具无往不复，无垂不缩之致。"

尔，你。指氓。 卜，卜卦。用火灼龟甲，看甲上的裂纹来判断吉凶。 筮（shì），用蓍（shī）草排比推算来占卦。

体，卦体，就是用龟、蓍占卜所显示的卦象。齐、韩诗体作履，韩诗云：

"履,幸也。"字异训别,但全句的意思是相近的。　咎言,不吉利的话。按古代男女结婚,事先必占卜以问吉凶,这是当时一种迷信习俗。贵族亦不例外,如左传载懿氏卜妻敬仲,晋献公筮嫁穆姬。

贿,财物,这里指嫁妆。　迁,搬走。王先谦集疏:"此妇自恨卒为情诱,违其待媒订期之初念。直道其事如此,齐诗所谓'弃礼急情'也。"按第一、二章是诗人追述她与氓恋爱、同居的经过。

韵读:元部——垣、关、关、涟、关、言、言、迁。

桑之未落,其叶沃若。于嗟鸠兮,无食桑葚。于嗟女兮,无与士耽。士之耽兮,犹可说也。女之耽兮,不可说也。

沃若,润泽柔嫩貌。若,词尾,和然、如通用。毛传:"沃若,犹沃沃然。"陈奂传疏:"传以然字代若字,旄丘传又以然字代如字。如、若同声,如谓之然,若谓之然,其义一也。"此二句是诗人以桑叶的柔嫩兴自己年轻时的美貌。

于,同吁,叹词。韩诗正作吁。　鸠,斑鸠。

桑葚,桑树的果实。毛传:"鸠,鹘鸠也。食桑葚过则醉,而伤其性。"这可能是古代的民间传说。按这二句是以鸠借喻女子,以桑葚借喻男子,告诫女子不要沉溺在爱情里。

耽,本义是垂耳,说文:"耽,耳大垂也。"这里是酖的假借字。过分地沉溺于欢乐,即"迷恋"的意思。陈奂传疏:"说文:'酖,乐酒也。媅,乐也。'今字媅通假作湛,酖又通假作耽。凡乐过其节谓之酖。"

说,音义同"脱",摆脱、解脱(用林义光诗经通解说)。按这章是诗人追悔年轻时沉溺于恋爱生活。

韵读:鱼部——落(音卢入声)、若(音如入声)。　侵部——葚、耽(多森反)。　祭部——说、说。

桑之落矣,其黄而陨。自我徂尔,三岁食贫。淇水汤汤,渐车帷裳。女也不爽,士贰其行。士也罔极,二三其德。

而,同且。　陨(yǔn),落下。陈奂传疏:"其黄而陨,言黄且陨也。"按这二句是诗人以桑落兴自己容颜衰老。

徂,往、到。徂尔,到你家。

三岁,多年。按“三”是虚数,言其多,非实指三年,如“三旬九食”。可参考汪中述学释三九。　贫,贫苦。食贫,过贫苦生活。

汤汤(shāng),水势盛大貌。

渐(jiān),浸湿。广雅释诂:“渐,渍也。”　帷裳,车箱两旁的饰物,状如今车两旁的帘子。帷裳唯用于女子所乘之车,故毛传曰:“帷裳,妇人之车也。”王先谦集疏:“此妇更追溯来迎之时,秋水尚盛,已渡淇径往,帷裳皆湿,可谓冒险,而我不以此自阻也。以上四句皆‘不爽’之证。”

爽,本义为“明”,引申为差错。毛传:“爽,差也。”

贰,应作“贰”,形近而讹。贰是忒(tè)的同音假借字,训为“偏差”,与“爽”同义。　行(háng),行为。

罔,无。　极,中,准则。罔极即无常。陈奂:“无中,即是二三之谓。”

二三其德,三心两意,指男子变心,前后感情不专一。这章写自己被弃,对氓的负心表示怨恨。

韵读:文部——陨、贫。　阳部——汤、裳、爽、行(音杭)。　之部——极、德(丁力反,入声)。

三岁为妇,靡室劳矣。夙兴夜寐,靡有朝矣。言既遂矣,至于暴矣。兄弟不知,咥其笑矣。静言思之,躬自悼矣。

三岁为妇,“三岁”,也是虚数,这里指她结婚初期而言。

靡,无、没有。　室劳,家务劳动。此句意为氓婚后再无家务之劳,全由妻子承担了。

靡有朝矣,意即天天如此。郑笺:“无有朝者,常早起夜卧,非一朝然,言己亦不解惰。”

言,语首助词,无义。　既,已经。　遂,安,指生活安定。雨无正毛传:“遂,安也。”按遂的本义是“亡”,“安定”是引申义。

暴,凶暴。指氓以凶暴的态度对待妻子。

咥(xì),哈哈大笑貌。王先谦集疏:“兄弟今见我归,但一言之,皆咥然大笑,无相怜者。”按诗人连用六个“矣”字叹词,表示她沉痛的心情。

躬，自身、自己。　悼，伤心。这一章叙述她婚后的操劳、被虐和兄弟的讥笑而自伤不幸。

韵读：宵部——劳、朝、暴、笑、悼。

及尔偕老，老使我怨。淇则有岸，隰则有泮。总角之宴，言笑晏晏。信誓旦旦，不思其反。反是不思，亦已焉哉！

及，与、和。　偕老，夫妻共同生活到老。这句可能是氓从前对女的誓言。

老使我怨，意为老而被弃，想起当年的话，徒增怨恨。

隰，低湿的地。　泮，通"畔"，涯岸。王先谦集疏："言淇水之盛尚有岸以为障，原隰之远尚有畔以为域，今复关之心略无拘忌，盖淇隰之不足喻矣。"按这二句可能是诗人站在淇水岸上，触景生情的歌唱。姚际恒评它为"就本地作喻，妙"。朱熹指出是"赋而兴也"。他们的分析都有道理。

总，扎。总角，孩子童年时，把头发扎起成两角状。孔疏："男子未冠，妇人未笄，结其发，聚之为两角。"　宴，安乐。按诗人以"总角"代"童年"，是借代的修辞。

晏晏，和悦温柔貌。二句意为，他们在童年时代是非常友爱的。

信誓，真挚的誓言，似指"及尔偕老"。　旦旦，怛怛的假借字，诚恳貌。按怛的本义是心情伤痛，心情伤痛者有至诚迫切之义，所以引申为诚恳之貌。

不思，想不到。　反，反复、变心。陈启源毛诗稽古编："言'总角之宴'，则妇过氓时尚幼也。又言'老使我怨'，则氓弃妇时，妇已老矣。……意氓本窭人，赖此妇车迁之贿及夙兴夜寐之勤劳，三岁之后，渐致丰裕，及老而弃之，故怨之深也。然风俗薄恶如此，岂独氓之罪与？"他的分析已经触及社会根源，比较深刻。

是，这，指誓言。反是，违反了这誓言。　不思，不再顾及。指氓把誓言丢在脑后。

已，止。已焉，到此为止。这句犹今说"那就从此算了吧"。

韵读：元部——怨、岸（音彦）、泮（音片）、宴、晏、旦（丁见反）、反。

之部——思、哉（音兹）。

竹　竿

【题　解】

这是一位卫国女子出嫁别国，思归不得的诗。毛序说：“竹竿，卫女思归也。适异国而不见答，思而能以礼者也。”朱熹批评他说：“未见‘不见答’之意。”的确，诗里找不出她和丈夫有什么不愉快的问题，毛序后两句话，显然是多馀的。朱熹又说：“卫女嫁于诸侯，思归宁而不可得，故作此诗。”他叙述诗的主题简单明了，没有画蛇添足之弊。至于诗的作者，何楷毛诗世本古义和魏源诗古微都认为竹竿和泉水均载驰作者许穆夫人所作。魏源说：“盖卫自渡河徙都以后，其河北故都胥沦戎狄，山河风景，举目苍凉……望克复以何时，思旧游兮不再。一篇之中，三致意焉。词出一人，悲同隔世。”但细味诗意，只觉风神骀荡，并无黍离之悲。方玉润力辟忧时之说，他在诗经原始中说：“载驰、泉水与此篇皆思卫之作，一则遭乱以思归，一则无端而念旧，词意迥乎不同。此不惟非许穆夫人作，亦无所谓不见答意。盖其局度雍容，音节圆畅，而造语之工，风致嫣然，自足以擅美一时，不必定求其人以实之也。……俗儒说诗，务求确解，则三百篇不过一本记事珠，欲求一陶情寄兴之作，岂可得哉？”他从诗的艺术风格来推度竹竿的主题，比凭空穿凿要高明得多。

魏源指定竹竿是许穆夫人所作，虽无确据，但他说：“是以泉源、淇水，曩所游钓于斯、笑语于斯、舟楫于斯者……一篇之中，三致意焉。”这一段话倒是道出了此诗的艺术特点，那便是“示现”的手法。所谓示现，是将实际上不闻不见的事物，说得如闻如见。这些事物，或者已成过去，或者尚在未来，或者纯属想象。这是作者想象活动表现最活跃的一种修辞格式。此诗第一章写旧时钓游之乐，第二章写嫁时途中所经，第三章写嫁前嬉戏之景，三章全部是回忆，作者不知不觉地用了示现的修辞，将往事活灵活现描绘出来。读者体会了诗人昔日的欢乐，再看第四章的“出游写忧”，就更加理解她思归不得的忧思是多么深长。用示现手法表现将来或过去，无论是甜蜜的憧憬还是凄苦的追思，这种甜或苦，都会使感情的浓度大大地加重，增加诗的魔力。

籊籊竹竿，以钓于淇。岂不尔思？远莫致之。

籊籊(dí)，长而细貌。毛传：“籊籊，长而杀也。”陈奂传疏：“杀者，纤小之称。”按这二句毛传标“兴也”，王先谦集疏：“淇水卫地，此女身在异国，思昔日钓游之乐，而远莫能致，此赋意。”王氏的分析是正确的。

不尔思，即“不思尔”的倒文。尔，指上二句垂钓于淇水的往事。

远，指离卫国路远。　莫，不能。　致，到达。

韵读：之部——淇、思、之。

泉源在左，淇水在右。女子有行，远兄弟父母。

泉源，水名，在朝歌城西北，东南流与淇水合。陈奂传疏：“水以北为左，南为右。泉源在朝歌北，故曰在左。淇水则屈转于朝歌之南，故曰在右。”

远，远离，动词。远兄弟父母，按俗本“父母”在“兄弟”上。马瑞辰通释：“按古音右与母为韵，当从唐石经及明监本作‘远兄弟父母’。”马氏说是。按这二句诗又见于泉水、蝃蝀，恐是当时的流行俗语。

韵读：之部——右(音以)、母(满以反)。

淇水在右，泉源在左。巧笑之瑳，佩玉之傩。

瑳(cuō)，齿色洁白貌。何楷毛诗世本古义：“瑳，说文云：‘玉色鲜白也。’笑而见齿，其色似之。”

傩(nuó),女子身上挂着佩玉,走起路来腰身婀娜而有节奏。毛传:“傩,行有节度。”按这章是诗人回忆过去曾在二水间笑语游戏。

韵读:歌部——左、傩。

淇水滺滺,桧楫松舟。驾言出游,以写我忧。

滺滺(yóu),水流貌。鲁诗作油,经典释文作浟,玉篇作攸。攸是正字,滺、浟、油都是假借字。

桧(guì),木名,似柏树,亦名刺柏。桧楫,桧木做的桨。 松舟,松木做的船。王先谦集疏:“古之小国数十百里,虽云异国,不离淇水流域。前三章卫之淇水,末章则异国之淇水也。”按这二句是诗人看见所在国的淇水依旧流去,船和桨也都齐备,但却不能坐上船顺着淇水回卫国,因而勾起思乡的忧念。

驾言二句,见泉水注。诗人因乡思无法排解,只能驾车出游,聊以消忧罢了。

韵读:幽部——滺、舟、游、忧。

芄　兰

【题　解】

这是一首讽刺贵族少年的诗。毛序:“芄兰,刺惠公也。骄而无礼,大夫刺之。”按左传:“初,惠公即位也少。”杜注:“盖年十五六。”毛序可能是根据左传推测的。三家诗并无异议,后人亦多沿序说。清钱澄之田间诗学说:“觿所以解结,以象智也。智不足,则虚佩觿矣。韘所以发矢,以象武也。武不足,则虚佩韘矣。”他的分析切合这首诗的中心思想,即讽刺这位贵族少年徒有佩觿佩韘的外表装饰,高高在上,摆出一副贵族的架势,实际上却是个无能的纨绔子弟。

诗经艺术特色之一,即用形象、生动的语言,塑造诗中的主要人物及描写细节,从而突出诗的思想意义。高尔基在论文学中说:“文学的第一要素是语言,语言是文学的主要工具。它和各种事实、生活现象一起,构成了文学的材料。”芄兰诗人以佩觿、佩韘、容兮、遂兮、悸兮等词汇,描绘了诗中主要人物童子的服饰、姿态,虽然这些词对今天的读者来说已经比较陌生,但通过注释,我们还是可以约略感觉到这些词用得极为洗炼而又传神,将童子人物的外形和内心活动融为一体,透露了诗人讥刺之意。使人感到逼真如在目前,以见诗人立言之妙。

芄兰之支,童子佩觿。虽则佩觿,能不我知。容兮遂兮,垂带悸兮。

芄(wán)兰,蔓生植物,亦名萝藦。枝上结的荚子尖形,折断有白汁,可食。陈奂:“芄兰,叠韵。” 支,鲁诗作枝(见刘向说苑修文篇),支是枝的假借字。素问注:“枝,茎也。”

童子,玉藻郑注:“童子,未冠之称也。” 觿(xī),象骨制成的小锥,古代贵族成年人的佩饰。它用来解衣带的结,所以也叫做“解结锥”。王先谦集疏引焦循云:“即今田野间所名‘麻雀棺’者,其结荚形与解结锥相似,故以起兴。”沈括梦溪笔谈:“觿,解结锥。芄兰荚枝出于叶间,垂垂正如解结锥。疑古人为韘之制,亦当与芄兰之叶相似。”

则,是。陈奂传疏:“则,犹是也。”意为虽然是成人的佩饰。

能,乃、而、可是。王引之释词:“古字多借能为而。”郑笺训为“才能”,恐非诗意。 知,了解。不我知,即“不知我”,不了解我。王引之经义述闻:“诗凡言‘宁不我顾’、‘既不我嘉’、‘子不我思’,皆谓‘不顾我’、‘不嘉我’、‘不思我’也。此‘不我知’亦当谓‘不知我’。下文‘不我甲’亦当谓‘不狎我’,非谓不如我所知、不如我所狎也。”

容,容仪可观,形容成年贵族走路摇摆貌。 遂,因走路摇摆引起的佩玉摇动貌。毛传:“佩玉遂遂然。”

悸，韩诗作“萃”，悸和萃都是棨的假借字。形容走路时大带下垂摇动有节度貌。马瑞辰通释：“容兮、遂兮与悸兮皆形容之词。”

韵读：支部——支、觿、觿、知。　脂部——遂、悸。

芄兰之叶，童子佩韘。虽则佩韘，能不我甲。容兮遂兮，垂带悸兮。

芄兰之叶，叶形状似心脏而略长，下垂并向后微弯，样子很像韘，所以诗人用它起兴。程瑶田芄兰疏证：“叶油绿色，厚而不平正，本圆末缺。玦形如环而缺，此叶圆端像其环，狭末像其缺。”

韘（shè），用兽骨或玉制成的扳指，在缺口处联上柔皮，古人射箭时套在右手大拇指上以钩弦，又称“抉（决、玦）”。佩韘也是成年的表征。

甲，韩诗作狎，是本字，甲为假借字。毛传：“甲，狎也。”亲近之意。

韵读：叶部——叶、韘、韘、甲（音颊入声）。　脂部——遂、悸。

河　广

【题　解】

这是住在卫国的一位宋人思归不得的诗。卫国在戴公未迁漕以前，都城在朝歌，和宋国只隔一条黄河。诗里极言黄河不广，宋国不远，言外之意，总有什么东西阻隔着他不能回去。毛序：“河广，宋襄公母归于卫，思而不止，故作是诗也。”宋襄公母即宋桓夫人，她是卫戴公、文公、许穆夫人的姊妹，嫁给宋桓公，生下襄公后就被遗弃而归卫。陈奂说：“当时卫有狄人之难，宋襄公母归在卫，见其宗国颠覆，君灭国破，忧思不已，故其篇内皆取其望宋渡河救卫，辞甚急也。未几，而宋桓公迎诸河，立戴公以处曹。则此诗之作，自在迎河之前。河广作而宋立戴公矣，载驰赋而齐立文公矣。载驰许诗，河广宋诗，而系列于鄘、卫之风，以二夫人于其宗国皆有存亡继绝之思，故录之。”这说诗的作者为宋桓夫人希望宋国渡河救卫，而不是自己思归宋国。后人对这个问题多有争论，毛、陈之说恐不足信。

周南汉广作者，写他对一个少女思慕不已而终不可得的感情，故望水兴叹："汉之广矣，不可泳思。"此诗作者，望乡之情，已压倒一切，故云："谁谓河广？一苇杭之。"同样对着一条河，或言其宽，或言其狭。诗中的河，已非现实的河，而是作者心目中的河了。尤其此诗，作者心目中的黄河是那么狭，宋国是如此近，"一苇杭之"、"跂予望之"、"曾不容刀"、"曾不终朝"等语都是言过其实，但读起来却感到诗人迫切思归的心情跃然纸上。因为夸张的手法虽然违背了事实，但它造成的意境却是真实的，它反映了艺术上的真实，所以读者非但不感到它不近情理，反而被它感染了。梁启超说："境者心造也。一切境皆虚幻，惟心所造之境为真实。"（自由书惟心）就自然现象而言，未必如此。但在文学创作中，凡境都带着诗人心灵的感受、情感的色彩。境本情之境，境从情中生，无情之境是不存在的。

谁谓河广？一苇杭之。谁谓宋远？跂予望之。

河，黄河。

苇，用芦苇编的筏子。　杭，鲁诗作斻，杭是斻的假借字。说文："斻，方舟也。"段玉裁注："舟字盖衍。卫风'一苇杭之'，毛曰：'杭，渡也。'杭即斻字。诗谓一苇可以为之舟也。舟所以渡，故谓渡为斻。"初学记及白居易六帖引诗皆作航，航是后起的俗字。

跂，鲁、齐诗作企，跂是企的假借字。说文："企，举踵也。跂，足多指也。"是企和跂本义不同。"举踵"即踮起脚跟之意。　予，我。按踮起脚跟就能望到宋国，是极言宋国之近。

韵读：阳部——广、杭、望。

谁谓河广？曾不容刀。谁谓宋远？曾不崇朝。

曾，乃、而、可是。　刀，通"舠"，小船。郑笺："不容刀，亦喻狭。"

崇朝，终朝，一个早上。见蝃蝀注。郑笺："行不终朝，亦喻近。"

韵读：宵部——刀、朝。

伯兮

【题　解】

这是一位女子思念远征丈夫的诗。毛序："伯兮，刺时也。言君子行役，为王前驱，过时而不返焉。"郑笺："卫宣公之时，蔡人、卫人、陈人从王伐郑伯也（事见左传鲁桓公五年）。为王前驱久，故家人思之。"春秋时代，各国互相侵略吞并，强陵弱，众暴寡，战争频繁，这是普遍现象。郑康成确指诗的背景是蔡、卫、陈人从王伐郑之役，恐未必然。朱熹反驳道："郑在卫西，不得为此行也。"一语点破郑笺之失。诗中说伯执殳前驱，是担任当时"旅贲"的官职，属于"中士"级别，地位相当高，不是一般士卒，他的妻子当然也是上层人物。

全诗四章，后三章集中写一个"思"字。方玉润诗经原始："始则首如飞蓬，发已乱矣，然犹未至于病也。继则甘心首疾，头已痛矣，而心尚无恙也。至于使我心痗，则心更病矣。其忧思之苦何如哉！"他说出了诗的层递手法。这首诗写室家怨思之苦，情意至深，对后世闺怨思远之作有很大影响。如李清照凤凰台上忆吹箫的"起来慵自梳头"、永遇乐的"如今憔悴，风鬟雾鬓"，都从"自伯之东，首如飞蓬"化出。徐干杂诗"自君之出矣，明镜暗不治"、杜甫新婚别"罗襦不复施，对君洗红妆"，很明显地继承"岂无膏沐，谁适为容"之意。欧阳炯贺明朝"终是为伊，只恁偷瘦"、柳永凤栖梧"衣带渐宽终不悔，为伊消得人憔悴"，则是"愿言思伯，甘心首疾"的发展。

伯兮朅兮，邦之桀兮。伯也执殳，为王前驱。

伯，周代女子称她的丈夫为伯，类似现在乡间称夫为阿哥。仪礼士冠礼郑注："伯、仲、叔、季，长幼之称。"正月毛传："伯，长也。" 朅(qiè)，鲁诗作偈，朅是偈的假借字。壮健英武貌。按硕人"庶士有朅"，韩诗作桀，也训为"健"。朅的本义是"去"，在这两首诗中都是假借。

邦，国家。 桀，韩诗作杰，是本字。才智出众者。郑笺："桀，英桀，言贤也。"

殳(shū)，古代兵器，竹制，形如竿，以当时的尺度衡量，长一丈二尺。广雅："殳，杖也。"

前驱，在战车两旁保卫统帅。马瑞辰通释："执殳先驱，为旅贲之职。"王先谦集疏："其执殳前驱者，当为中士。"按旅贲是天子的侍卫，其首领是中士级别。作战时，旅贲披甲执殳，守卫在统帅的战车两旁。

韵读：祭部——朅、桀。 侯部——殳(市藘反)、驱(音藘 qiū)。

自伯之东，首如飞蓬。岂无膏沐？谁适为容！

之，往。

飞蓬，蓬草遇风，四散飘飞，以喻不常梳洗的乱发。

膏，润面的油。 沐，洗头。王先谦集疏："泽面曰膏，濯发曰沐。"按此处膏沐连用为偏义复词，主要指面油。

适，悦。马瑞辰通释："按一切经音义卷六引三苍：'适，悦也。'此适字正当训悦。女为悦己者容，夫不在，故曰'谁适为容'，即言'谁悦为容'也。" 容，修饰容貌。这句意为，修饰容貌是为了取悦谁呢？

韵读：东部——东、蓬、容。

其雨其雨，杲杲出日。愿言思伯，甘心首疾！

其，语助词。王引之经传释词："其，犹庶几也。"这里表示一种希望的语气。"其雨其雨"的重叠，诗人用它比喻迫切盼望丈夫归来的心情。

杲杲(gǎo)，光明貌。马瑞辰通释："杲对杳言。说文：'杳，冥也。从日在木下。杲，明也。从日在木上。'说文又曰：'榑桑，神木，日所出也。'日出神木之上,故日出谓之杲杲。”诗人用它比喻失望的心情,盼望下雨,偏偏出了太阳,事与愿违。

愿言,念念不忘貌。闻一多风诗类钞训“愿言”为“睠然”,即眷眷的意思。与二子乘舟的“愿言”训异。

甘心,痛心。　首疾,头痛。马瑞辰通释:“甘与苦古以相反为义,故甘草,尔雅名为大苦。方言:‘苦,快也。’郭注:‘苦而为快者,犹以臭为香、治为乱、徂为存。’以此推之,则甘心亦得训为苦心,犹言忧心、劳心、痛心也。成十三年左传:‘诸侯备闻此言,斯是用痛心疾首。’杜注:‘疾犹痛也。’甘心首疾与痛心疾首文正相类,皆为对举之词。诗不言疾首而言首疾者,倒文以为韵也。”这两句意为,念念不忘地想念丈夫,想得心口与头都痛起来了。

韵读:脂部——日、疾。

焉得谖草,言树之背?愿言思伯,使我心痗!

焉,何。这里指何处。　谖草,又名萱草,韩诗作諠。古人以为此草可以使人忘忧。即今之黄花菜、金针菜。

言,而、乃。　树,种植。　背,古与“北”通,这里指北堂,即北房的阶下。姚际恒诗经通论:“背,堂背也。堂面向南,堂背向北,故背为北堂。”

痗(mèi),病。心痗即心痛。

韵读:脂部——背、痗。

有　狐

【题　解】

这首诗是一位女子忧念她流离失所的丈夫无衣无裳而作。毛序:“刺时也。卫之男女失时,丧其妃耦焉。古者国有凶荒,则杀礼而多昏,会男女之无夫家者,所以育人民也。”据毛说,诗的主题是写怨女旷夫相亲相爱。狐隐喻男子,是女爱男的诗。自宋至清,学者多沿此说。按韩诗外传:“夫处饥渴、苦血气、困寒暑、动肌肤;此四者,民之大害也。害不除,未可教御也。四体不掩,则鲜仁人;五脏空虚,则无立士。故先王之法,天子亲耕,后妃亲蚕,先天下忧衣与食也。诗曰:‘父母何尝’、‘心之忧矣,之子无裳’。”外传说人民衣食贫困,为人君的要不忘国本,急于养民,并引诗句为证,和诗的无裳、无带、无服内容相合,原与怨女旷夫无涉。按诗言淇水,当是卫未迁都时的作品,它所反映的,可能是卫懿公执政时,人民贫困不堪的情形。吴闿生诗义会通将诗的时代移至戴公、文公时,这是他的疏忽。

诗共三章,都是诗人见狐起兴。第一章,“有狐绥绥,在彼淇梁。”是狐先走在淇水深处的桥梁上。第二章,“有狐绥绥,在彼淇厉。”是狐又走到淇水浅处的沙滩上。第三章,“有狐绥绥,在彼淇侧。”是狐最后走到淇水旁边的岸上。这是诗人不自觉地运用了层递的修辞。陈望道修辞学发凡说:“层递是将语言由浅及深,由低及高,由轻及重,逐层递进地排列起来的一种辞格。”也就是陈骙文则说层递的特点,是“上下相接,若继踵然”。诗人见狐慢吞吞地走,联想爱人的流离失所,贫困得没有衣服穿,而唱出了三章简单的诗句。

有狐绥绥,在彼淇梁。心之忧矣,之子无裳。

绥绥,齐诗作夂夂,慢吞吞地走。说文:“行迟曳夂夂也。”按绥的本义是古代车上用于拉手的绳索,此处是夂的假借字。

梁,桥。古代的桥用石砌成,所以毛传说:“石绝水曰梁。”按周代人称梁不称桥,说文段注:“见于经传者,言梁不言桥也。”

裳,下衣,形如现在的裙。古代男女都穿裳,不穿袴。毛传:“在下曰裳,所以配衣也。”丝衣毛传:“上曰衣,下曰裳。”

韵读:阳部——梁、裳。

有狐绥绥，在彼淇厉。心之忧矣，之子无带。

厉，濑的假借字，水边有沙石的浅滩。胡承珙毛诗后笺："此厉当为濑之借字。史记南越传：'为戈船下厉将军。'汉书作'下濑'。说文：'濑，水流沙上也。'楚辞'石濑兮浅浅'，是濑为水流沙石间，当在由深而浅之处。上章'石绝水曰梁'为水深之所，次章言厉为水浅之所，三章言侧，则在岸矣。立言次序如此。"

带，衣带。这里指外衣的带，亦称绅。毛传："带，所以申（同绅）束衣。"

韵读：祭部——厉（音列）、带（丁例反）。

有狐绥绥，在彼淇侧。心之忧矣，之子无服。

侧，旁边，指岸上。魏风伐檀毛传："侧，犹厓也。"

韵读：之部——侧（音淄入声）、服（扶逼反，入声）。

木　瓜

【题　解】

这是一首男女互相赠答的定情诗。毛序："美齐桓公也。卫人有狄人之败，出处于漕，齐桓公救而封之，遗之车马器服焉。卫人思之，欲厚报之而作是诗也。"毛说没有什么依据，似不可信。但历来学者多沿袭之。姚际恒、方玉润等驳斥序说，认为齐桓对卫国有再造之恩，诗不应仅以果实喻其所投之甚微；卫人始终未报答齐国，而诗中却拟以重宝为报，未免以空言妄自矜诩。他们就诗意和史实来剖析毛序的破绽，很有说服力。朱熹疑此"亦男女相赠答之词"，闻一多指此为定情之诗，都胜于毛序。姚际恒说："然以为朋友相赠答亦奚不可，何必定是男女耶！"也可备一说。

诗共三章，每章末叠唱"匪报也，永以为好也"二句，看似重复，诗的精神却全从此二句生出。人赠以木瓜，我竟欲报之琼瑶，报答不可谓不重，但如果诗就此而止，则恃富炫贵而已，没有什么可称道的。而下紧接"匪报也"三字，露出作者之意，原不在物，仅欲表其爱慕之诚，以永结情好。这一转折，顿时别开生面，有山重水复、柳暗花明之妙。汉秦嘉诗："诗人感木瓜，乃欲答瑶琼。愧彼赠我厚，惭此往物轻。虽知未足报，贵用叙我情。"（留郡赠妇诗）虽赠答厚薄有异，但重情轻物则一，可谓善体诗人之意。

投我以木瓜，报之以琼琚。匪报也，永以为好也。

投，郑笺："投，犹掷也。"含有赠送之意。　木瓜，又名楙（mào），落叶灌木，果实形如黄金瓜，亦可供赏玩。

报，报答，回赠。　琼，本义为赤玉，后引申为形容玉美。除此诗的琼琚、琼瑶、琼玖三词外，其他诗篇如琼华、琼莹、琼英、琼瑰都是形容玉美。当时男女都在衣带上挂一装饰物，用好几种玉石组成，称为佩玉、玉佩或杂佩。风诗中凡男女两性定情之后，男的多以佩玉赠女，如女曰鸡鸣"杂佩以赠之"，丘中有麻"贻我佩玖"都是。　琚，杂佩中的一种玉名。胡承珙后笺："杂佩谓之佩玉，亦谓之玉佩，故郑风言'佩玉琼琚'，秦风言'琼瑰玉佩'，一也。佩玉名者，杂佩非一，其中有名琚者耳。"

匪，通"非"。

永，永久。　好（hào），爱。

韵读：鱼部——瓜（音孤）、琚。　幽部——报（布瘦反）、好（呼叟反）。

投我以木桃，报之以琼瑶。匪报也，永以为好也。

木桃，又名樝（zhā）子，落叶灌木。陆文郁诗草木今释："果实圆形或卵形，具芳香……供盆栽清赏。"

琼瑶，美玉。说文："瑶，玉之美者。"

韵读：宵部——桃、瑶。　幽部——报、好。

投我以木李，报之以琼玖。匪报也，永以为好也。

木李，又名木梨，落叶灌木。陆文郁诗草木今释："果实圆形或洋梨形……具芳香……适于生食。”据陈启源、马瑞辰考证，木瓜、木桃、木李三者异名而同类，并非桃子、李子。胡承珙则认为木桃、木李就是指桃和李。明朱谋㙔诗故又说木瓜、木桃、木李“皆刻木为果，以充笾实者”。以上三说可供参考。

玖，黑色次等的玉。说文：“石之次玉，黑色。”琼玖泛指宝石。

韵读：之部——李、玖（音己）。　幽部——报、好。

王　风

“王”即王都的简称。平王东迁洛邑之后，周室衰微，无力驾驭诸侯，其地位下降到等于列国，所以称为“王风”。

王风共计十篇，全部都是平王东迁以后的作品。它的产生地在今河南省洛阳、孟县、沁阳、偃师、巩县、温县一带地方。

崔述读风偶识说：“幽王昏暴，戎狄侵陵；平王播迁，家室飘荡。”这便是王风的历史背景。表现在诗中，如黍离、扬之水、兔爰、葛藟、君子于役等，多带有乱离悲凉的气氛。方玉润诗经原始说：“后世杜甫遭天宝大乱，故其中有无家别、垂老别、哀江头、哀王孙等篇，与此先后如出一辙。杜作人称诗史，而此册实开其先。”方氏所指出的这种前后相承的渊源，实际就是现实主义创作传统的延续。但王风诗人的哀思怨怒只是出于不自觉的嗟叹，而杜甫则写出了“人生无家别，何以为蒸黎”的诗句，已经比较自觉地在反映人民的痛苦，这又体现了历史的进步。

黍　离

【题　解】

这是诗人抒写自己在迁都时心中难过的诗。自汉以来，学者对这首诗的主题和作者，迄无定论。毛序："黍离，闵宗周也。周大夫行役至于宗周，过故宗庙宫室，尽为禾黍。闵周室之颠覆，彷徨不忍去，而作是诗也。"此说影响极大，"黍离"一词已成为后世文人感慨亡国触景生情时常用的典故。但我们就诗论诗，从中看不出有凭吊故国之意，所以毛序并不可信。韩诗说曰："昔尹吉甫信后妻之谗而杀孝子伯奇，其弟伯封求而不得，作黍离之诗。"胡承珙毛诗后笺云："尹吉甫在宣王时，尚是西周，不应其诗列于东都。"胡氏从时代上推断其误，是有说服力的。何况韩诗以具体人事附会诗旨，也没有什么证据。冯沅君诗史说："这是写迁都时心中的难受。"较为切于当时的实际情况，今从冯说。

梁启超在中国韵文里头所表现的情感一文中说："'回荡的表情法'是一种极浓厚的情感蟠结在胸中，像春蚕抽丝一般，把它抽出来……这一类所表现的情感，是有相当的时间经过，数种情感交错纠结起来，成为网状的性质。"梁氏将"回荡的表情法"分成四种不同的方式，其中"引曼式"的表情法即以黍离为例。这种表情法，"是胸中有种种甜酸苦辣写不出来的情绪，索性都不写了，只是咬着牙龈长言咏叹一番，便觉一往情深，活现在字句上。"这首诗用重叠的字句、回往反复的韵律，来表现绵绵情思。拉长声调，反复咏叹，是它在艺术表现上的主要特色。

此诗历代传诵，影响不绝。后世诗篇，写家国兴亡之感，或得其神，或效其形。如杜甫哀江头，"乃子美在贼中时，潜行曲江，睹江水江花，哀思而作。""而无穷之恨，黍离麦秀之悲，寄于言外。"（张戒岁寒堂诗话）刘禹锡石头城"潮打空城寂寞回"，"不言兴亡而兴亡之意溢于言外，得风人之旨矣。"（王鏊震泽长语）

彼黍离离，彼稷之苗。行迈靡靡，中心摇摇。知我者，谓我心忧；不知我者，谓我何求。悠悠苍天，此何人哉！

黍，糜子，今称小米。齐民要术："黍者，暑也。种者必以暑。" 离离，庄稼长长排列整齐貌。

稷，高粱。马瑞辰通释："按诸家说黍稷者不一。程瑶田九谷考谓黍今之黄米，稷今之高粱。其说是也。……稷以春种，黍以夏种，而诗言黍离离、稷尚苗者，稷种在黍先，秀在黍后故也。"

行迈，远行。说文："迈，远行也。"马瑞辰通释："行迈连言，犹古诗云'行行重行行'也。" 靡靡，行路迟缓貌。毛传："靡靡，犹迟迟也。"陈奂传疏："靡、迟一语之转。"

中心，即心中。 摇摇，三家诗作愮，摇是愮的假借字。尔雅："愮愮，忧无告也。"这句意为，忧思郁积在心中无人可以诉说。

谓我何求，郑笺："怪我久留不去。"指诗人眷恋家乡故土，徘徊不忍离去，似乎还在寻求什么。

悠悠，遥遥的假借字。毛传："悠悠，远意。" 苍天，青天。韩诗作仓，苍是本字。毛传："据远视之，苍苍然，则称苍天。"说文："苍，草色也。"

此何人哉，意为这是什么人造成啊，使我陷入如此悲惨的境地。诗人怨恨平王东迁，害得他跟着流浪。

韵读：歌部——离（音罗）、靡（音摩）。 宵部——苗、摇。 幽部——忧、求。 真部——天（铁因反）、人。

彼黍离离，彼稷之穗。行迈靡靡，中心如醉。知我者，谓我心忧；不知我者，谓我何求。悠悠苍天，此何人哉！

穗，说文作采，"采，成秀也。"穗是俗字。

中心如醉，心中忧闷，像喝醉酒一样恍惚。

韵读：歌部——离、靡。 脂部——穗、醉。 幽部——忧、求。 真部——天、人。

彼黍离离，彼稷之实。行迈靡靡，中心如噎。知我者，谓我心忧；不知我者，谓我何求。悠悠苍天，此何人哉！

如噎，孔疏："噎者，咽喉蔽塞之名。而言心中如噎，故知忧深不能喘息，如噎之然是也。"按醉和噎都是人们易于理解的感觉，拿它们来比喻忧思之深，给人留下更深刻的印象。

韵读：歌部——离、靡。　脂部——实、噎。　幽部——忧、求。　真部——天、人。

君子于役

【题　解】

这是一位妇女思念她久役于外的丈夫的诗。毛序："君子于役，刺平王也。君子行役无期度，大夫思其危难以风焉。"王先谦集疏："按据诗文鸡栖、日夕、羊牛下来，乃家室相思之情，无僚友托讽之谊。所称君子，妻谓其夫。序说误也。"他的意思是比较正确的。汉班彪北征赋说："日晻晻其将暮兮，睹牛羊之下来。寤怨旷之伤情兮，哀诗人之叹时。"班彪也认为君子于役是怨女旷夫之作，可见毛序是臆测，不足为据。

这首诗的特点是情景交融。落日衔山，暮色苍茫，鸡栖敛翼，牛羊归舍。面对此时此景，久别夫君的闺中少妇，心头涌起一阵阵难以抑制的惆怅，她想念丈夫，该不会受饥挨饿吧？暮色越来越浓，思绪越来越长。每天这一段黄昏时光，她感到实在太难挨了。王照圆诗说云："写乡村晚景，睹物怀人如画。"睹物是写景，怀人是写情，写出了情景交融的凄凉境界，始能使人感到"如画"。许瑶光有再读诗经四十二首，第十四首云："鸡栖于桀下牛羊，饥渴萦怀对夕阳。已启唐人闺怨句，最难消遣是昏黄。"

可作此诗最好的注脚。

君子于役，不知其期，曷至哉？鸡栖于埘，日之夕矣，羊牛下来。君子于役，如之何勿思！

君子，当时妻子对丈夫的称呼。后汉书列女传："君子，谓夫也。" 于，往。于役，往他处服役。

其期，指服役的期限。按这句含有服役遥遥无期之意。

曷，何，这里意为何时。 至，到家，归来。

埘（shí），释文作时，为假借字。鸡窝，在墙上挖洞砌泥而成。毛传："凿墙而栖曰埘。"

羊牛下来，齐诗羊牛作牛羊。这句意为，黄昏了，牛羊从牧地的山坡上走下来归栏。郑笺："言畜产出入尚使有期节，至于行役者乃反不也。"

韵读：之部——期、哉（音兹）、埘、来（音厘）、思。

君子于役，不日不月，曷其有佸？鸡栖于桀，日之夕矣，羊牛下括。君子于役，苟无饥渴？

不日不月，已经不能用日月来计算。

有，又。 佸（huó），聚会，指与丈夫团聚。

桀，本字作弋，亦作榤、橜，系鸡的木桩。王先谦集疏："就地树橜，桀然特立，故谓之榤。但榤非可栖者，盖乡里家贫，编竹木为鸡栖之具，四无根据，系之于橜，以防攘窃，故云栖于榤耳。"

括，通"佸"。释文："括，本亦作佸。"陈乔枞三家诗遗说考："佸、括、会古声义并同。"毛传："括，至也。"陈奂传疏："下括，犹下来。采薇传：'来，至也。'"

苟，且、或许，带有疑问口气的希望之词，希望丈夫或许不至于忍饥受渴。郑笺："苟，且也。且得无饥渴，忧其饥渴也。"

韵读：祭部——月、佸（音厥入声）、桀、括（音厥入声）、渴（音揭）。

君子阳阳

【题　解】

这是描写舞师和乐工共同歌舞的诗。关于诗的主题，说各不一。毛序："闵周也。君子遭乱，相招为禄仕，全身远害而已。"朱熹诗集传："此诗疑亦前篇妇人所作。盖其夫既归，不以行役为劳，而安于贫贱以自乐；其家人又识其意而深叹美之。"以上二说，都被姚际恒所驳。他说："大序谓'君子遭乱，相招为禄仕'，此据'招'之一字为说，臆测也。集传谓'疑亦前篇妇人所作'，此据'房'之一字为说，更鄙而稚。大抵乐必用诗，故作乐者亦作诗以摹写之；然其人其事不可考矣。"我们在诗里看不出什么"相招为禄仕"和夫妇"安于贫贱以自乐"的影子，而且簧、翿的歌舞工具，也不是当时贫贱者所能有。姚的评语，可谓恰当。据陈奂和马瑞辰考证，认为周代国王在庙朝设有专职的乐工和舞师，在寝室休息时，同样有专职演奏，以供娱乐。不过东周王国衰微，苟安在洛阳周围五、六百里的地方，外患频仍，内政不修，百官废弛，还有什么馀力去管理这些乐工们？所以，他们也就自得其乐了。

这首诗描绘舞师神态生动活泼，格调轻松愉快，同王风其他各诗苍凉悲郁的气氛迥然不同，恐怕是一种"人生得意须尽欢"心理的反映。

君子阳阳，左执簧，右招我由房。其乐只且！

君子，这里指舞师。　阳阳，扬扬的假借字，快乐得意貌。陈奂传疏："正义引史记称'晏子御，拥大盖，策驷马，意气阳阳，甚自得。'今史记(晏子)列传作扬扬，晏子杂上篇亦作扬扬。荀子儒效篇'则扬扬如也'，杨注云:‘得意之貌。’阳即扬之假借。”

簧,古乐器名,用竹制成,似笙而大。说文:“古者随作笙,女娲作簧。”这可能是传说,但小雅鹿鸣有“吹笙鼓簧”之句,可见这两种乐器,周初就已经有了。

我,诗的作者,舞师(君子)的同事,很可能是一名乐工。陈奂传疏:“我,我僚友也。王燕用房中之乐,而君子位在乐官,故得相招,呼其僚友也。” 由房,可能是“由庚”、“由仪”一类的笙乐、房中之乐。胡承珙毛诗后笺:“由房者,房中,对庙朝言之。人君燕息时所奏之乐,非庙朝之乐,故曰房中。”有人将“由”字解作“自”,将“房”解作“东房”,恐非诗意。这句意为,舞师右手招呼我演奏笙乐房中的歌曲。

只,韩诗作旨,“只”是“旨”的假借字。王先谦集疏:“盖以旨本训美,乐旨,犹言乐之美者,意谓乐甚。” 且(jū),语尾助词。又“只且”二字亦可作语尾助词,如北风“既亟只且”。

韵读:阳部——阳、簧、房。 鱼部——且(与下章遥韵)。

君子陶陶,左执翿,右招我由敖。其乐只且!

陶陶,和乐舒畅貌。王先谦集疏:“韩说:陶,畅也。”

翿(dào),用五彩野鸡羽毛做的扇形舞具,亦名翳。陈奂传疏:“翳者,谓以翳覆头也。”闻一多风诗类钞:“舞师拿着一把五彩羽毛,跳舞时自己盖在头上,借以装扮鸟形。”

敖,舞曲名,即鷔夏。马瑞辰通释:“敖,疑当读为鷔夏之鷔。周官钟师:奏九夏。其九为鷔夏。”有人训敖为“遨游”,与上执翿语不连贯,恐非诗意。

韵读:幽、宵部通韵——陶、翿、敖。 鱼部——且(与上章遥韵)。

扬之水

【题 解】

这是一首戍卒思归的诗。史记周本纪及国语郑语韦昭注都说：申，姜姓，周平王的舅家。平王父亲幽王嬖褒姒，废申后。太子宜臼奔申，王伐申。申联合西戎伐周，杀幽王，立宜臼于申，是为平王。另外，吕、许二国对平王东迁洛阳也都出了力。那时南方楚国强大，有并吞小国的野心。申、吕、许三国距王畿甚近，唇齿相依，平王派兵戍守。可是王都地小人稀，派去的兵士到期不能回乡，大家怨恨思归，就作了这首诗。正如方玉润诗经原始所指出的："其所以致民怨嗟，见诸歌咏而不已者，以征调不均，瓜代又难必耳。"

此诗艺术特点在于含蓄。诗人负羽从军，身处异乡。室家不见，生死相望。对水惊心，析薪断肠。百感交集，岂不凄怆！胸中塞满了独戍异地的怨思，但唱出来的歌词却不怨恨久戍，反而责怪所思念的人不和自己一起戍守。归期无望，而思情又不可遏抑，于是只能作此无聊之想。其情其意，显得格外悲凉。清文融道："本怨戍申，却以不戍申为辞，何其婉妙。"诗的起句也很有特色，诗人以缓慢的流水漂不动束薪起兴，以寄托诗人无力与新婚妻子团聚的感慨，既含蓄，又深沉。首句"扬之水"起兴的乐调，可能也很悠扬动人，所以被后来诗人采用为诗篇的开头，如郑风的扬之水和唐风的扬之水都是。

扬之水，不流束薪。彼其之子，不与我戍申。怀哉怀哉，曷月予还归哉？

扬，悠扬，水缓流无力貌。鲁诗作杨，是扬的假借字。朱熹诗集传："扬，悠扬也，水缓流之貌。"

束薪，一捆柴。古代用这个词代表新婚。见汉广注。闻一多说："析薪、束薪，盖上世婚礼中实有之仪式，非泛泛举譬也。"

其(jì)，语助词，亦作记、己。 郑笺："其，或作记，或作己，读声相似。"嵩高郑笺："迈，声如'彼记之子'之记。" "彼"和"子"都是第三人称的代名词，古语往往有这种重复。之子，是子；指作者所怀念的人。朱熹诗集传:“彼其之子,戍人指其室家而言也。”

戍,守卫。说文:“戍,守边也。” 申,古国名。在今河南唐河南。毛传:“申,姜姓之国,平王之舅。”

怀,想念。

曷,何,指何时。 还,音义同“旋”。尔雅释言:“还,返也。”郝懿行尔雅义疏:“还者……又通作旋。”

韵读:真部——薪、申。 脂部——怀(音回)、怀、归。

扬之水,不流束楚。彼其之子,不与我戍甫。怀哉怀哉,曷月予还归哉?

楚,荆条。说文:“楚,丛木。一名荆也。”按楚枝较薪小,形容流水更无力。

甫,古国名。亦作吕。在今河南南阳西。陈奂传疏:“甫,即吕国,诗及孝经、礼记皆作甫,尚书、左传、国语皆作吕。甫、吕古同声。”

韵读:鱼部——楚、甫。 脂部——怀、怀、归。

扬之水,不流束蒲。彼其之子,不与我戍许。怀哉怀哉,曷月予还归哉?

蒲,蒲柳。较荆条枝更细更轻。陆玑毛诗草木鸟兽虫鱼疏认为蒲柳有两种:一种青皮,称为小杨;一种红皮,称为大杨。其叶皆比柳树叶长而宽,枝条都可制箭干。就是左传所说的“董泽之蒲”。

许,古国名。在今河南省许昌市。按诗共三章,三易戍地。大约这位戍卒久役,曾换了三个防守的地方。

韵读:鱼部——蒲、许。 脂部——怀、怀、归。

中谷有蓷

【题 解】

这是描写一位弃妇悲伤无告的诗。毛序:“闵周也。夫妇日以衰薄,凶年饥馑,室家相弃尔。”朱熹诗集传:“凶年饥馑,室家相弃。妇人览物起兴，而自述其悲叹之辞也。”但诗中说“有女仳离”，恐怕不是弃妇所自作。这位妇女被丈夫遗弃于荒年之时，天灾人祸相逼迫，实在走投无路，只有慨叹、呼号、哭泣了。诗反映了东周时代妇女悲惨生活的断片。

同样反映弃妇的不幸，此诗和谷风、氓相比，在表现手法上有较大的差别。后者含有比较完整的叙事成分，前者则是单纯的抒情。同样是控诉男子的负心，后者是通过琐琐屑屑的诉说，前者则只有慨叹悲泣。主要原因在于谷风、氓是自述，中谷有蓷的作者是一位同情弃妇者。但在用词方面，此诗还是颇具推敲的。姚际恒诗经通论说：“干、修、湿，由浅及深；叹、啸、泣亦然。”传说汇纂记谢枋得曰：“此诗三章，言物之暵，一节急一节。女之怨恨者，一节急一节。始曰‘遇人之艰难’，怜其穷苦也。中曰‘遇人之不淑’，怜其遭凶祸也。终曰，‘何嗟及矣’，夫妇既已离别，虽怨嗟亦无及也。”可见诗人在刻画弃妇遭遇和表达弃妇感情时，不同层次的描绘，是把握得比较准确的。

中谷有蓷，暵其干矣。有女仳离，慨其叹矣。慨其叹矣，遇人之艰难矣。

中谷，即谷中。　蓷（tuī），益母草。古又名萑、茺蔚。朱骏声通训定声：“茺蔚者，蓷之合音。”

暵（hàn），干燥貌。三家诗作灘，是假借字。毛传：“暵，烟貌。”烟、蔫一语之转，广韵：“萎，蔫也。”烟、蔫都是枯萎的意思。但毛传释“暵其干矣”为“陆草生于谷中，伤于水”，则是错误的。严粲诗缉：“据本草，益母正生海滨池泽，其性宜湿。”生长在低洼潮湿的山谷中的益母草都干萎了，可见旱灾的严重。暵其，即暵暵。按这一句是起兴，诗人见谷中草干，联想女子因饥馑而离异。

仳（pǐ）离，分离。毛传：“仳，别也。”陈奂传疏：“别离，言相弃也。”

慨,叹息貌。说文:“慨,叹也。”慨其,即慨慨。

艰难,指丈夫生活困穷。郑笺:“所以慨然而叹者,自伤遇君子之穷厄。”

韵读:元部——干、叹、叹、难。

中谷有蓷,暵其脩矣。有女仳离,条其啸矣。条其啸矣,遇人之不淑矣。

脩,本义为干肉,说文:“脩,脯也。”引申为干枯,陈奂传疏:“干肉谓之脯,亦谓之脩。因之,凡干皆曰脩矣。”

条,长。条其,即条条,形容长啸。陈奂传疏:“条条然者,啸声也。”啸,撮口出声。人在心情郁闷到无法排解的时候,经常会独自长啸来宣泄胸中的块垒,如召南江有汜的“其啸也歌”便是一例。此诗的弃妇条然长啸,比首章慨然长叹时的心情更加凄凉。

不淑,不善。郑笺:“淑,善也。君子于己不善也。”

韵读:幽部——修、啸(音修)、啸、淑。

中谷有蓷,暵其湿矣。有女仳离,啜其泣矣。啜其泣矣,何嗟及矣。

湿,𫄸(qī)的假借字。晒干。广韵:“𫄸,曝也。”王念孙广雅疏证:“湿,当读为𫄸,𫄸亦干也。”

啜,抽泣哽咽貌。按啜的本义是尝食,这里是惙的假借字,韩诗正作惙。啜其,即啜啜。

何嗟及矣,据胡承珙毛诗后笺考证,这句是后人传写误倒,应作“嗟何及矣”。犹言“唉呀,后悔也来不及了!”是悔嫁之词。

韵读:缉部——湿、泣、泣、及。

兔 爰

【题 解】

这是一个没落贵族因厌世而作的诗。他留恋西周宣王时代的"盛世",那时虽有天灾,但无人祸,贵族的地位和利益尚未动摇。东迁以后,有些贵族失去了土地和人民,地位起了变化,甚至还要服役。这就是他感叹的"逢此百罹"的社会背景。他抚今忆昔,不觉产生了厌世思想,写了这么一首诗。毛序:"兔爰,闵周也。桓王失信,诸侯背叛,构怨连祸,王师伤败,君子不乐其生焉。"他将诗定为桓王时的作品,那是错误的。崔述读风偶识:"其人当生于宣王之末年,王室未骚,是以谓之'无为'。既而幽王昏暴,戎狄侵陵,平王播迁,家室飘荡,是以谓之'逢此百罹'。"崔氏确定的时代比较正确。

此诗首二句是含有比义的兴,顾起元说:"三章各首二句比君子得祸,小人独免。下皆是叹其所遭而安于死也。"(传说汇纂)顾氏指出了兔爰结构的特点。方玉润诗经原始说:"词意凄怆,声情激越,阮步兵专学此种。"他指出此诗的风格及其继承关系。可是以阮籍诗当之,则大谬不然。阮嗣宗身当魏晋多事之秋,常恐罹谤遇祸,不预世事,以沉醉获免。论其行迹,倒也算得上"尚寐无觉"。他虽翱翔区外,实并未浑然忘世。咏怀诸诗,俱悯乱之作,多感慨之词,虽文多隐避,而托体高妙。足见其胸襟高朗,意气宏放,不同凡响。与此诗作者之斤斤于个人沉浮,乏忧世之意,心胸狷隘,厌不乐生,相去实不能以道里计。刘勰文心雕龙体性评阮诗"响逸而调远",而兔爰响抑而调促,在风格上亦不相同。方氏但视其表,故有此失。

有兔爰爰,雉离于罗。我生之初,尚无为。我生之后,逢此百罹,尚寐无吪!

爰爰,解脱貌。马瑞辰通释:"韩诗:'爰,发踪之貌。'胡承珙曰:'踪当作纵。发纵,谓解放之,即郑笺听纵之义。'其说是也。"

离，遭。　罗，捕鸟兽网。朱熹诗集传："言张罗本以取兔，今兔狡得脱，而雉以耿介反离于罗。以比小人致乱，而以巧计幸免。君子无辜，而以忠直受祸也。"

尚，犹、还。　为，事，指军役之事。郑笺："言我幼稚之时，庶几于无所为，谓军役之事也。"

百，是虚数，许多的意思。　罹（lí），忧。陈奂传疏："说文无罹字，疑古毛诗作离。释文：'罹，本又作离'；文选卢谌赠刘琨诗注引毛诗作'逢此百离'……离为忧，则逢此百离，犹下章'逢此百忧'耳。"

尚，庶几，带有希望之意。此章二"尚"字意义不同。　吪，说文："吪，动也"。尔雅作讹，是吪的或体。无吪（é），不想动嘴。此句意为，希望睡去不再说话。方玉润诗经原始："无吪、无觉、无聪者，亦不过不欲言、不欲见、不欲闻已耳。"

韵读：歌部——罗、为（音讹）、罹（音罗）、吪。

有兔爰爰，雉离于罦。我生之初，尚无造。我生之后，逢此百忧，尚寐无觉！

罦（fú），又名覆车，是一种带有机关的捕鸟兽网。尔雅释器郭注："罦，今之翻车也，有两辕，中施罥以捕鸟。"

造，与上章"为"字同义。尔雅释言："作、造，为也。"

觉，清醒。朱熹诗集传："觉，寤也。"无觉即不想看见之意。

韵读：幽部——罦、造（徂瘦反）、忧、觉（左瘦反）。

有兔爰爰，雉离于罿。我生之初，尚无庸。我生之后，逢此百凶，尚寐无聪！

罿（tóng），捕鸟兽网。韩诗以为是张设在车上的网。说见释文。

庸，用，指兵役。陈奂传疏："无用者，谓无用师之苦。"

聪，毛传："聪，闻也。"无聪，不想听见。朱熹："无所闻，则亦死耳。"

韵读：东部——罿、庸、凶、聪。

葛藟

【题 解】

这是流亡他乡者求助不得的怨诗，同旄丘描写的情况相似。朱熹诗集传："世衰民散，有去其乡里家族而流离失所者，作此诗以自叹。"春秋时代，战争频仍，民不聊生，纷纷逃亡。这首诗的作者可能是从洛阳附近的邻国逃亡到王都的。他到处乞求，甚至称别人为父母兄弟，希望得到一点同情和救济，但人们给他的却只有白眼。诗深刻地反映了当时炎凉无情的世态。

此诗首二句"绵绵葛藟，在河之浒"，毛传曰："兴也。"但是左传文公七年曰："宋昭公将去群公子，乐豫曰：'公族，公室之枝叶也。'若去之，则本根无所庇荫矣。葛藟犹能庇其本根，故君子以为比，况国君乎？"对这种不同的解释，陈奂传疏分析说："此诗因葛藟而兴，又以葛藟为比；故毛传以为兴，左传则以为比。凡全诗通例，关雎若雎鸠之有别，旄丘如葛之曼延相连，葛生喻妇人外成于他家，卷阿犹飘风之入曲阿。曰若、曰如、曰喻、曰犹，皆比也，传则皆曰兴。比者，比方于物；兴者，托事于物。作诗者之意，先以托事于物，继乃比方于物，盖言兴而比已寓焉矣。"这种含有比义的兴的艺术手法，在诗经中虽然常见，但并非唯一的形式。其他还有兼赋而不含比义的兴，如"采采卷耳，不盈顷筐"；有的和下文只有音节上联系的兴，如"扬之水"。但到后来，比兴在文人诗歌中大大地发展了，不但含赋义的兴不认其为兴，连以民间习语开个头的兴也不被采用；只有兼比义的兴才被认为比兴，比兴成为一个词了。

绵绵葛藟，在河之浒。终远兄弟，谓他人父。谓他人父，亦莫我顾。

绵绵，连绵不断貌。孔疏："绵绵然枝叶长而不绝者。"　葛藟，野葡萄，蔓生植物，攀援于丛树上。

浒（hǔ），水边。这两句是兴，诗人见葛藟尚能蔓生于河边树上，联想自己附托于他人。

终，既。陈奂传疏："传云，'兄弟之道已相远矣'者，以'已'释'终'，为全诗'终'字通训。既醉传又以'终'字释'既'字，终、既、已三字同义。"　远（yuàn），离弃。　兄弟，指家人。

谓，称呼。指行乞时喊别人做爸爸。

顾，理睬。有人解作"眷顾"或"照顾"，亦通。

韵读：鱼部——浒、父、父、顾。　脂部——藟、弟。

绵绵葛藟，在河之涘。终远兄弟，谓他人母。谓他人母，亦莫我有。

涘（sì），水边。说文："涘，水厓也。"按厓俗作涯。

有，同"友"，亲近、亲爱之意。左传昭公二十年："是不有寡君也。"杜注："有，相亲有也。"

韵读：之部——涘、母、母、有。　脂部——藟、弟。

绵绵葛藟，在河之漘。终远兄弟，谓他人昆。谓他人昆，亦莫我闻。

漘（chún），深水边。尔雅释丘："夷上洒下不漘。"郭注："厓上平坦而下水深者为漘。不，发声。"

昆，毛传："昆，兄也。"按昆为翼之借字。说文作翼，本字；尔雅释亲作晜，为讹字。

闻，同"问"，救助慰问之意。王引之经义述闻："家大人（王念孙）曰：闻，犹问也，谓相恤问也。古字闻与问通。"

韵读：文部——漘、昆、闻。　脂部——藟、弟。

采　葛

【题　解】

这是一首思念情人的诗。这位情人可能是一位采集植物的姑娘,因为采葛织夏布,采蒿供祭祀,采艾以疗疾,这些在当时都是女子的工作。毛序:"采葛,惧谗也。"毛公搞错了诗的主题,还错标诗的第一句为兴句。朱熹纠正毛序的错误,认为这是思念情人的诗,并将第一句改标为赋。但是他却又将这位被思念的情人说成是"淫奔者",姚际恒斥之为"尤可恨",实在有道理。

此诗首章言一日不见如三月,次章言如三秋,末章言如三岁,层层递进,以见其思念之情,久而愈深。这里可注意的是"三秋"二字。作者不用"三春"、"三夏"、"三冬",而偏用"三秋",并非偶然。秋日萧瑟,草木摇落,登高望远,临流叹逝,易感别离之怀,最动故人之思。所以用"秋"字,较之"春"、"夏"、"冬",更易引起读者形象的想象,以及发自内心的共鸣。前人谓杜甫善于炼字,往往用一字而神理俱出、景物逼肖。此诗用"秋"而不用他字,虽是出于作者直觉,妙手偶得,非刻意锻炼而成,但也有入神造微之妙。"一日不见,如隔三秋"二句,已成后世文人书信中常用的习语了。

彼采葛兮,一日不见,如三月兮。

葛,葛藤,其皮制成纤维可织夏布。见葛覃注。

韵读:祭部——葛(音揭入声)、月。

彼采萧兮,一日不见,如三秋兮。

萧,蒿类,有香气,古人在祭祀时杂以油脂将它点燃,类似后世的香烛。

周礼甸师:“祭祀共萧茅。”杜子春注云:“萧,香蒿也。”

三秋,三个秋季,共九个月。孔疏:“年月四时,时有三月。秋三,谓九月也。”和后代虞世南秋赋“对三秋之爽节”,专指秋季三个月的“三秋”;与王勃滕王阁序“时惟九月,序属三秋”专指秋季九月者不同。

韵读:幽部——萧(音修)、秋。

彼采艾兮,一日不见,如三岁兮。

艾,亦蒿类,艾叶可供药用和针灸用,名医别录称为“医草”。朱熹诗集传:“艾,蒿属,干之可以灸,故采之。”按孟子离娄:“今之欲王者,犹七年之病,求三年之艾也。”赵注:“艾可以灸人病,干久益善,故以为喻。”毛传:“艾所以疗疾。”足见以艾叶针灸治病,其源甚早。

韵读:祭部——艾(音蘖)、岁。

大　车

【题　解】

这是一首女子热恋情人的诗。她很想和情人同居,但不知对方心里究竟如何,所以还有些畏惧而不敢找他私奔。最后,她对情人明誓,表白她矢志不渝的爱情。这首诗同国风中其他较为含蓄委婉的恋歌相比,显得很大胆热烈,但又不失矜持。

刘向列女传贞顺篇说诗是息夫人所作。息国被楚所灭,息君和夫人都做了俘虏。楚王纳息夫人为妻,她见到息君,写这首诗表明心迹,二人同日自杀。但左传记载与此不同。鲁庄公十四年:“楚子……遂灭息。以息妫归,生堵敖及成王焉。未言。楚子问之,对曰:‘以一妇人而事二夫,纵弗能死,其又奚言?’”左传并不言及息妫自杀事。后人对此聚讼纷纭,有疑左传者,有驳列女传者,有调和二传,以息妫与息夫人为二人者,莫衷一是。我们认为一定要坐实诗的本事,于这首诗的理解并无裨益。既然古说歧异，还是阙疑为好。

此诗末章结以誓词，别开生面。曹雪芹言历来才子佳人之书，满纸子建、文君，千部共出一套，虚张其词，令人生厌。在这类作品中，又必然插入一段海誓山盟，几乎成为表白爱情的公式。此诗末章，可说是这类誓词的滥觞，但它绝无后来作品中轻浮、夸诞之弊，而坚定、炽热之情，尽在誓中，令人读之不觉动容。汉乐府上邪和杜甫新婚别中自明心迹之语，虽风格迥殊，但情深意长，则与大车同一境界。

大车槛槛，毳衣如菼。岂不尔思？畏子不敢。

大车，大夫坐的车子。毛传："大车，大夫之车。" 槛槛(kǎn)，车行声。

毳(cuì)衣，用兽毛织成，上面绣着五彩花纹的衣裳。说文："毳，兽细毛也。" 菼(tǎn)，初生的芦荻，青白色。毛传："毳衣，大夫之服。"诗人用菼形容毳衣的嫩绿色。

尔，指坐在大车上身穿毳衣的男子，与下句的"子"是同一人，都指她所恋的男子。

不敢，朱熹诗集传："不敢，不敢奔也。"

韵读：谈部——槛、菼、敢。

大车哼哼，毳衣如璊。岂不尔思？畏子不奔。

哼哼(tūn)，车行缓重貌。毛传："哼哼，重迟貌。"孔疏："哼哼，行之貌，故为重迟。上言行之声，此言行之貌。"

璊(mén)，本义为红玉。鲁、齐诗作䊳。璊是䊳的假借字。说文："䊳，以毳为𦆽，色如虋，故谓之䊳。虋，禾之赤苗也。诗曰：'毳衣如䊳。'"陈奂传疏："玉色如虋曰璊。衣色如虋曰䊳，犹上章之以菼色作喻也。毳为兽，故䊳字从毛会意。毳衣有赤色，故䊳声读如赤苗之虋。"

奔，私奔。

韵读：文、元部通韵——哼、璊、奔。

穀则异室，死则同穴。谓予不信，有如皦日。

穀，活着。毛传：“穀，生也。”陈奂传疏：“凡穀皆训善，唯此穀字与下句死字作对文，故又训生也。”

穴，墓穴，也叫圹。郑笺：“穴，谓冢圹中也。”

如，此、这（从裴学海古书虚字集释）。 皦，同“皎”，释文：“皦，本或作皎。”皦和皎皆“曉”字之同音假借。光明。按此章四句是作者对情人的誓言。闻一多说：“指日为誓，言有此皎日以为证也。”

韵读：脂部——室、穴、日。

丘中有麻

【题 解】

这是一位女子叙述她和情人定情过程的诗。首先叙述他们二人的关系，是由请子嗟帮忙种麻认识的。后来又请他父亲子国来吃饭。到明年夏天李子熟的时候，他们才定情。子嗟送她佩玉，作为定情的礼物。

历来学者对这首诗的解释很不相同，约有三说：一、思贤之作。毛序：“思贤也。庄王不明，贤人放逐，国人思之而作是诗也。”王先谦说：“三家无异义。”二、私奔之诗。朱熹诗集传：“妇人望其所与私者而不来，故疑丘中有麻之处，复有与之私而留之者，今安得其施施然而来乎？”三、招贤偕隐诗。方玉润诗经原始：“丘中，招贤偕隐也。周衰，贤人放废，或越在他邦，或尚留本国，故互相招集，退处丘园以自乐。”按诗的内容看不出有什么思贤、招隐的痕迹。也不像朱熹所说这位女子和子国、子嗟父子有私情，而这二人在丘中有麻处又为新欢所留。朱、方二人都将留姓解作挽留的留，致有此误。

此诗各章中间二句为复叠句，均重复一个男子的名字，虽一字不易，其含意却大不相同。前一句说“彼留子嗟”，只是客观地介绍一个在丘中的男子，但紧接着重复一句，便将这个男子和作者联系起来，成了作者的意中人，使这个普通的名字，添上浓厚的感情色彩。通过这句简单的重复，不仅突出了那男子的地位，也表白了作者自身的感情。只有能够体味其间细微的区别，方能了解这种复叠的妙用。

复叠的修辞是诗经艺术手法最突出的一个特征，包括叠字、叠词、叠句和叠章，它们除了将感情色彩烘托得更强烈之外，还有配合乐调的关系。天鹰古代歌谣的艺术特征说：“章句的重叠往复这种表现手法和古代劳动歌曲有密切的关系，是旋律的作用更甚于语言的意义的。”类似丘中有麻“彼留子嗟”的叠句，王风中还有中谷有蓷的“慨其叹矣”等三句，葛藟的“谓他人父”等三句。十五国风中，这类叠句在王风中出现最多，由此我们可以推测，当时王都的地方乐调恐怕很适宜于这类叠句的演唱。

丘中有麻，彼留子嗟。彼留子嗟，将其来施施。

留，古与“刘”通用。马瑞辰通释：“留、刘古通用，薛尚功钟鼎款识有刘公簠，积古斋钟鼎款识作留公簠。”陈奂传疏：“隐十一年左传：‘王取邬、刘、蒍、邗之田于郑。’杜注云：‘河南缑氏县西北有刘亭。’刘与留通。王，桓王也。”按留是姓，子是当时男子的美称，所以在“嗟”上加“子”字，作为那位男子的名字。他可能是周桓王取郑国刘姓田里的一位农民。

将，请。见氓注。　施施，此句衍一“施”字，应作“将其来施”。颜之推家训书证篇：“诗云：‘将其来施施’……河北毛诗皆云‘施施’，江南旧本悉单为‘施’。”据臧琳经义杂记考证，单为“施”者是。施，帮助。马瑞辰通释：“施亦为也、助也。”毛传训施为“难进之貌”，按施的本义为旗貌，引申为设施。史记韩世家：“施三川而归”，正义：“施，犹设也。”诗此句施字与下句食字对文，都是动词。如果把施作副词用，形容子嗟来时难进之貌与下句食字不类，恐非诗义。今从马说。

韵读：歌部——麻（音摩）、嗟（子何反）、嗟、施（音娑）。

丘中有麦，彼留子国。彼留子国，将其来食。

子国，毛传："子国，子嗟父。"

韵读：之部——麦（明逼反，入声）、国（古逼反，入声）、国、食。

丘中有李，彼留之子。彼留之子，贻我佩玖。

之子，是子，指子嗟。

贻，赠送。陈奂传疏："贻，当依释文作诒，诒，遗也。" 玖，似玉的浅黑色石，可以制成佩带的饰物。说文："玖，石之次玉黑色者。"古代风俗，男女相悦，多以身上所佩的饰物相赠，或以瓜果花草表爱。

韵读：之部——李、子、子、玖（音己）。

郑　风

周幽王的时候，郑桓公作周司徒的官。犬戎杀幽王和桓公，桓公的儿子武公继位，仍称郑。但是桓公的郑在今陕西西安附近，和武公的新郑不同地。

郑风共二十一篇，其本事可考者仅清人一首。左传闵公二年："郑人恶高克，使帅师次于河上，久而弗召，师溃而归，高克奔陈。郑人为之赋清人。"此事约发生于公元前六六〇年左右。可见郑风是东周至春秋之间的作品。

郑国的都城在新郑（今河南新郑在开封西南），新郑是一个大都会，民间一直流传着男女在溱、洧等地游春的习俗，故诗多言情之作。论语说"郑声淫"，不仅是指声调而言，其内容大多也是恋爱诗歌，这就是郑风的特点。

缁　衣

【题　解】

这是一首赠衣的诗。古代制衣多为妇女的工作,缁衣则是当时卿大夫私朝穿的衣服,诗中改衣、授粲又似较亲密的家人口吻,所以我们揣测这位作者可能是一个贵族妇女,也可能就是这位穿缁衣者的妻妾。毛诗和三家诗都说这是赞美郑武公的诗,因为他父子都做过周卿士的官。但这种说法无非是根据左传"郑武公、庄公为平王卿士"一语而附会其说,并不可信。朱熹、姚际恒、方玉润虽对旧说有怀疑,但也跳不出武公的范围。今细味诗意,参酌闻一多风诗类钞说,定为赠衣诗。

诗经句式,基本上是四言的,但也有一言到八言的不等。此诗有"敝"、"还"的一言句,有"缁衣之宜兮"的五言句,有"予授子之粲兮"的六言句,是句式变化较多的一首。一章之中三易句式,恐怕是当时诗歌口语化的一种痕迹。其效果,将作者与"子"之间的密切关系和亲密气氛表达得很充分,使读者感到明白如话、音节悠扬的美。

缁衣之宜兮,敝,予又改为兮。适子之馆兮,还,予授子之粲兮。

缁(zī)衣,黑色的衣。古代卿大夫官吏到官署(古称私朝,即第三句的"馆")所穿的衣服。孔疏:"卿士旦朝于王,服皮弁,不服缁衣。退适治事之馆,释皮弁而服(缁衣),以听其所朝之政也。"　宜,合适、合身。

敝,俗作弊,破旧。说文:"敝,帗也。一曰败衣。"段注:"帗者,一幅巾也。引申为凡败之称。"

为,制作。

适,往。毛传:“适,之也。”尔雅释诂:“之,往也。” 馆,官舍,相当于现代的办公室。郑笺:“卿士所之之馆,在天子之宫。”孔疏:“谓天子宫内卿士,各立曹司,有庐舍以治事也。”

还,音义同“旋”,归来。

授,给予。 粲,本义为洁白的精米,引申为鲜明,指新衣。小雅大东:“粲粲衣服”,毛传:“粲,鲜盛貌。”闻一多风诗类钞:“粲,新也,谓新衣。”按毛传训粲为“餐”,为假借字,训食。与上文意不相连贯。

韵读:歌部——宜(音俄)、为(音讹)。 元部——馆、粲。

缁衣之好兮,敝,予又改造兮。适子之馆兮,还,予授子之粲兮。

好,美好。

造,与上章的“为”、下章的“作”同义,因协韵而易字。

韵读:幽部——好(呼叟反)、造(徂瘦反)。 元部——馆、粲。

缁衣之席兮,敝,予又改作兮。适子之馆兮,还,予授子之粲兮。

席,通席,宽大。毛传:“席,大也。”陈奂传疏:“席,大。与一章‘宜’、二章‘好’,不同义也。”

韵读:鱼部——席(音徐入声)、作(音租入声)。 元部——馆、粲。

将仲子

【题 解】

这是一首女子拒绝情人的诗。她拒绝情人的原因,是怕家庭反对、舆论批评。从她叮嘱情人仲子的语句和仲子敢于逾墙攀树来相会,可以看出她是极爱仲子的。他们之间的感情虽然真挚,但却达不到结婚的目的,这种爱情和礼教的矛盾使她痛苦不安,不得不向情人叮嘱,请他不要再来。诗歌反映了当时婚姻不自由的社会现象。

毛序:“将仲子,刺庄公也。不胜其母以害其弟,弟叔失道而公弗制,祭仲谏而公弗听,小不忍以致大乱焉。”三家诗无异议。这是根据左传隐公元年的记载而附会出来的,穿凿太甚,后人多不相信。朱熹引郑樵说:“此淫奔者之辞。”他虽然以卫道者的口吻斥责诗人为“淫奔者”,但毕竟明确指出这是男女情爱之诗,比毛序和三家诗前进了一大步。姚际恒说:“此虽属淫,然女子为此婉转之辞以谢男子,而以父母、诸兄及人言为可畏,大有廉耻,又岂得为淫者哉!”姚氏是反对朱熹之说的,但他虽然为诗中的姑娘脱去了“淫奔者”的帽子,却又给她戴上“大有廉耻”的枷锁,这种说法与朱熹在思想上是伯仲之间,谈不上什么进步。这是我们在分析前人诗学时应加以注意的。

这首诗的特点是心理的描写。诗歌囿于篇幅,无法对人物的心理作很细腻的描绘。但是在诗人简炼的语句中,有时候也可以将自己心情表达得颇为尽致。此诗三章全为女子与情人讲话口气,首句“将仲子兮”,一声呼告,十分亲密,已透露那姑娘爱仲子的心情。后两句“无逾我里,无折我树杞”是要求仲子不要再来会面。然而这不是无情的拒绝,她心里还是爱仲子的,虽然回绝了仲子,却又恐怕他误解,所以急急乎解释道:“岂敢爱之,畏我父母。”解释了还嫌不足,她索性坦露了自己的心迹:“仲可怀也。”然而她又摄于家庭、舆论的压力,因为“父母之言”、“人之多言”,“亦可畏也”。至此,整个心事和盘托出,希冀求得情人的谅解。短短八句,一波三折,曲尽女子爱和畏的矛盾心理。姚际恒在“岂敢爱之”和“仲可怀也”二句下分别评以一个“宕”字,点出了诗人婉委曲折心理的微妙。

将仲子兮！无逾我里，无折我树杞。岂敢爱之？畏我父母。仲可怀也，父母之言，亦可畏也！

将(qiāng)，请求。 仲子，男子的字。伯、仲、叔、季是兄弟、姊妹的排行，当时女子多以伯、仲、叔称所爱的男子。子，是对男子的美称。仲子犹言“老二”。

逾，越、翻越。 里，古代二十五家为里。孔疏：“地官遂人云：‘五家为邻，五邻为里。’是二十五家为里也。”凡里皆有墙，这里的“里”实指里墙。

折，伤害折断。姚际恒诗经通论引季明德曰：“篇内言‘折’，谓因逾墙而压折，非采折之折。” 杞，杞柳。

怀，想念，惦记。

韵读：之部——子、里、杞、之、母(满以反)。 脂部——怀(音回)、畏。

将仲子兮！无逾我墙，无折我树桑。岂敢爱之？畏我诸兄。仲可怀也，诸兄之言，亦可畏也！

墙，院墙。这里指作者所居的院墙。

桑，古代墙边种桑。孟子尽心：“五亩之宅，树墙下以桑。”

韵读：阳部——墙、桑、兄(虚王反)。 脂部——怀、畏。

将仲子兮！无逾我园，无折我树檀。岂敢爱之？畏人之多言。仲可怀也，人之多言，亦可畏也！

园，古代种树木和果树的场所。毛传：“园，所以树木也。”说文：“园，所以树果也。”徐常吉说：“由逾里而墙而园，仲之来也以渐而迫也。由父母而诸兄而众人，女之畏也以渐而远也。”(传说汇纂)徐氏指出了此诗层递的修辞。

韵读：元部——园、檀、言。 脂部——怀、畏。

叔于田

【题　解】

这是一首赞美猎人的诗。毛序：“刺庄公也。叔处于京，缮甲治兵,以出于田,国人说而归之。”将此诗具体指为描写郑庄公的弟弟太叔段,这是附会左传史事。从诗中的赞美甚至溢美之辞来看,毫无刺意。崔述读风偶识曰:“大抵毛诗专事附会。仲与叔皆男子之字。郑国之人不啻数万,其字仲与叔者不知几何也。乃称叔即以为共叔,称仲即以为祭仲,情势之合与否皆不复问。然则郑有共叔,他人即不得复字叔;郑有祭仲,他人即不得复字仲乎?”这段话驳斥得很痛快。诗经中常用伯、仲、叔、季的表字;特别是女子,多半用它称其情人或丈夫,这是当时的习俗。这首诗的作者,就可能是和“叔”住在同里的女子。朱熹说:“或疑此亦民间男女相悦之辞也。”他看出了诗中有爱悦之意,比毛序客观得多。

这首诗的特点是修辞的夸张。“巷无居人”、“巷无饮酒”、“巷无服马”三句,在诗人看来,整个巷子里,除了叔,别人都是不足道的。王充论衡艺增说:“故誉人不增其美,则闻者不快其意。”诗人为了痛快地表达她对叔爱慕至深的感情,不自觉地用了“增其美”的修辞,留给读者强烈的印象。而且这种夸张朴实自然,并无刻意雕琢的痕迹。我们只要看接下去的几句诗:“岂无居人? 不如叔也,洵美且仁。”便更觉得天籁流露,纯真无邪了。

叔于田,巷无居人。岂无居人? 不如叔也,洵美且仁。

于,往。　田,打猎。春秋公羊传桓公四年何休注曰:“田者,搜狩之总名也。古者肉食,衣皮服。捕禽者故谓之田。”

巷,古代聚居区中的道路。说文:“䢼,里中道。”篆文作[illegible],即今之巷字。按王充论衡艺增:“易曰:‘丰其屋,蔀其家,窥其户,阒其无人也。’非其无人也,无贤人也。”这句“巷无居人”也是这个意思。胡承珙毛诗后笺:“犹云倾城出观,里巷为空耳。”他这样理解是错的。

洵,确实。　仁,厚道谦让。王先谦集疏引黄山云:“论语‘里仁为美’,

仁只是敦让意。”

韵读:真部——田(徒人反)、人、人、仁。

叔于狩,巷无饮酒。岂无饮酒?不如叔也,洵美且好。

狩,打猎。毛传:“冬猎曰狩。”马瑞辰通释:“狩又为田猎之通称,于狩犹于田也。”

巷无饮酒,意为巷里没有人称得上是能喝酒的了。论语乡党:“唯酒无量,不及乱。”可见古代对能够饮酒还是很看重的。

韵读:幽部——狩、酒、酒、好(呼叟反)。

叔适野,巷无服马。岂无服马?不如叔也,洵美且武。

适,往。　野,郊外。

服马,驾马。马瑞辰通释:“服者,犕之假借。易系辞‘服牛乘马’,说文引作‘犕牛乘马’。玉篇:‘犕犹服也。以鞍装马也。’”

武,勇敢英武。王先谦集疏:“武者,谓有武容。”

韵读:鱼部——野(音宇)、马(音姥 mǔ)、马、武。

大叔于田

【题　解】

这是赞美一位青年猎手的诗。毛序:“大叔于田,刺庄公也。叔多才而好勇,不义而得众也。”其误与上篇叔于田同。这位猎手有高车四马,有弓箭,有烧火的随从人员,打来老虎又献于公所,都说明他的身份是贵族。

篇名原作叔于田,释文:“叔于田,本或作大叔于田者,误。”后人因此篇诗文较上篇长,故加上大小的大。严粲诗缉:“短篇者止曰叔于田,长篇者加大为别。”陈子展先生认为此诗“似是改写之叔于田,或是二者同出于一母题之歌谣”,颇有理。所谓改写的区别,看来就在于方玉润所说的“前篇虚写,此篇实赋”。这位诗人可能是狩猎的参加者，否则不会描写得如此逼真具体，有声有色。诗对于驾车、射箭、打虎、烧火等都作了细节的形容，通过这些动作的描写，把青年猎人勇武好胜的性格衬托得很鲜明。这种铺叙的手法，对后世辞赋的影响很大，所以此诗被评为"描摹工艳，铺张亦复淋漓尽致。便为长杨、羽猎之祖"。

叔于田，乘乘马。执辔如组，两骖如舞。叔在薮，火烈具举。襢裼暴虎，献于公所。将叔无狃，戒其伤女。

叔于田，本篇的诗题，据诗经命题的惯例，应作叔于田，后人加一"大"字，是"长"的意思，以区别于前面短篇的叔于田。

乘（chéng），驾车，作动词。　乘（shèng）马，古时一车四马叫做一乘。

执辔如组，手执六条马缰，整齐如带。见简兮注。

两骖，驾车的四匹马中在两旁的两匹。　如舞，像跳舞行列一样动作整齐。毛传："骖之与服和谐中节。"服，指中间的两匹服马。

薮，低湿而多草木之处，为禽兽聚散地。韩说曰："禽兽居之曰薮。"孔疏："郑有圃田，此言在薮，盖圃田也。"

烈，鲁诗作列，烈是列的假借字，列是迾的古字。说文："迾，遮也。"打猎时放火烧草，遮断群兽逃走的路，叫"火迾"。　具，通"俱"。具举，齐起，指火光四面升起。

襢裼（tǎn xī），脱衣露体，赤膊。齐、韩诗襢作膻，襢是膻的假借字。说文："膻，肉膻也。诗曰：膻裼暴虎。"　暴，通搏。暴虎，不持兵器，空手打虎。毛传："暴虎，徒搏也。"

将（qiāng），请。　狃（niǔ），熟练。毛传："狃，习也。"无狃，不要因熟练而麻痹大意。

戒，警惕。　女，通"汝"，指叔。

韵读：鱼部——马（音姥 mǔ）、组、舞、举、虎、所、女。

叔于田，乘乘黄。两服上襄，两骖雁行。叔在薮，火烈具扬。叔善射忌，又良御忌。抑磬控忌，抑纵送忌。

乘黄，四匹黄马。

两服，驾车的四匹马中，居中驾辕的两匹。孔疏："中央夹辕者名服马。" 襄，同"骧"，说文："骧，马之低仰也。"上襄，指马头昂起。

雁行，骖马比服马稍后，其排列像飞雁行列一样。

扬，孔疏："言举火而扬其光耳。"

忌，语尾助词。郑笺："忌，读如'彼己之子'之己。"

良御，善于驾车。

抑，发语词，含有"忽而"的意思。礼记中庸郑注："抑，辞也。" 磬，原为乐器名，后以其形状形容人弯腰前曲貌。 控，控制马不使前进。磬控，形容御者止马的姿态。

纵送，纵马快跑。马瑞辰通释："磬控双声字，纵送叠韵字，皆言御者驰逐之貌。"

韵读：阳部——黄、襄、行（音杭）、扬。 鱼部——射（音豫）、御。 东部——控、送。

叔于田，乘乘鸨。两服齐首，两骖如手。叔在薮，火烈具阜。叔马慢忌，叔发罕忌。抑释掤忌，抑鬯弓忌。

鸨（bǎo），黑白杂色的马。尔雅释畜郭注："鸨，今之乌骢也。"

齐首，两匹服马并头齐驱。即上章的"两服上襄"。

如手，两匹骖马在旁而稍后，像人的双手那样整齐。与上章"两骖雁行"亦同意。

阜，旺盛。

发，发箭。 罕，少。这两句意为，打猎近尾声，叔的马走得慢下来，他射出的箭也少了。

释，打开。楚辞王注："释，解也。" 掤（bīng），箭筩盖。释掤，打开箭筩的盖，准备将箭收起。

鬯（chàng），通"韔"，弓袋。这里用作动词，"鬯弓"指将弓放进弓袋里。

韵读:幽部——鸨(博叟反)、首、手、阜。　元部——慢、罕。　蒸部——掤、弓。

清　人

【题　解】

这是一首讽刺郑国将军高克的诗。春秋闵公二年:“冬,十有二月,狄入卫,郑弃其师。”左传:“郑人恶高克,使帅师次于河上,久而弗召,师溃而归,高克奔陈。郑人为之赋清人。”这便是诗的背景。左传所说赋清人的郑人,据毛序说是公子素。经后人考证,汉书古今人表有公孙素,和郑文公、高克列在上下的位置,当即是公子素。

诗三章,每章都先极力渲染战马的强壮和武器的精良,末句则点出军中恬然嬉戏、闲散无备的状态。这是一种反衬的写法,形成明显的对比,那么末句不言刺而讽刺之意自见。姚际恒说:“诗人之意微婉如此。”其实这只是诗人的一种表现手法,讽刺的意味还是非常辛辣的。

清人在彭,驷介旁旁。二矛重英,河上乎翱翔!

清人,清邑的人,指高克及其军队。清在今河南中牟西。郦道元水经注:“清池水出清阳亭西南平地,东北流经清阳亭,东南流即清人城也。诗所谓‘清人在彭’。”王先谦集疏:“据易林‘清人高子’,知克亦清邑之人,故率其同邑之众,屯于卫邑彭地。”　彭,黄河边卫国地名。毛传:“彭,卫之河上,郑之郊也。”孔疏:“卫在河北,郑在河南,恐狄渡河侵郑,故使高克将兵于河上御之。”

驷介,披着铁甲的四匹马。郑笺:“驷,四马也。”介是甲的假借字。古代战争人与马都披铁甲,以防箭、矛等兵器的击刺。左传僖二十八年杜注:

"驷介，四马被甲也。" 旁旁，马强壮貌。三家诗作骉骉，说文："骉骉，马盛也。"段玉裁注谓"盛也"当作"盛貌"。三家诗异文与毛诗义同。

二矛，矛是古兵器，长二丈，末端有尖刃用以击刺。古代每辆战车上都树两支矛，一支用以攻敌，一支备用，故称"二矛"。 英，饰，指矛柄上刻红色的花纹及染红的羽毛所作的装饰。重英，每支矛都加上两重英饰。

翱翔，广雅："翱翔，浮游也。"王念孙疏证："翔，古读若羊，翱翔，双声字也。"这里形容兵士们驾着战车游逛。

韵读：阳部——彭（音旁）、旁、英（音央）、翔。

清人在消，驷介麃麃。二矛重乔，河上乎逍遥。

消，黄河边郑国地名。

麃麃（biāo），威武貌。陈奂传疏："酌传：'蹻蹻，武貌。'麃、蹻声转义通。"

乔，韩诗作鷮，乔是鷮的假借字，鷮是长尾野鸡。此处指将鷮羽挂在矛柄及矛头有刃处作为装饰（从范家相诗渖说）。

逍遥，游玩。文选南都赋注引韩诗："逍遥，游也。"

韵读：宵部——消、麃、乔、遥。

清人在轴，驷介陶陶。左旋右抽，中军作好。

轴，黄河边郑国地名。按上章的消与这章的轴究在何处，已不可考。

陶陶，是駋駋的假借字。说文："駋，马行貌。"

左旋右抽，练习击刺貌，指身体向左边旋转，用右手抽出刀剑。三家诗抽作搯。说文："搯者，拔兵刃以习击刺。诗曰：左旋右搯。"

中军，古代军队分上、中、下三军，中军的将官为主帅，这里指高克（从闻一多说）。毛传释中军为军中，亦通。 作好，毛传："居军中为容好。"陈奂传疏："容，仪容也。传释经'作好'为'为容好'，唯是讲习兵事而已，与上两章翱翔、逍遥同意。"这两句意为，高克转身抽刀，只是做做练武的姿态，并非真正抵御敌人。

韵读：幽部——轴、陶（徒愁反）、抽、好（呼叟反）。

羔 裘

【题 解】

这是赞美郑国一位官吏的诗。毛序:"刺朝也。言古之君子,以风其朝焉。"但是我们分析诗意,并没有讽刺的味道。如果一定要以"陈古刺今"为理由将其纳入刺诗,那么任何赞颂诗都可以算是"刺诗"了,这显然是站不住脚的。朱熹诗集传说:"盖美其大夫之词,然不知其所指矣。"是很客观的。郑国较小,处于晋楚两个大国之间。子皮、子产相继执政,使郑国数十年对外免除了战争之患;对内由于实行"丘赋",国家也渐趋富强,所以人民对执政的官员比较满意。左传昭公十六年:"郑六卿饯韩宣子于郊,子产赋郑之羔裘。宣子曰:'起不堪也。'"可见这首诗在当时已广泛地流行于郑国的朝野。

这首诗在艺术上没有什么突出的地方,不过诗中"舍命不渝"和"孔武有力"两句一直被人引用,已经成为汉语中的两个成语。可见诗经语言的表达力,无论是捕捉形象的概括集中,还是描绘人物的生动准确,都已经达到相当高的程度。所以几千年之下,它仍然具有生命力。

羔裘如濡,洵直且侯。彼其之子,舍命不渝。

羔裘,当时大夫等级官员穿的衣服。　如,同"而"。　濡(rú),滋润而有光辉。

洵,确实。韩诗作恂,是正字。　直,顺直。　侯,美。毛传训侯为"君",左传昭公元年:"楚公子美矣君哉。"古字训"君"者多有美义。按诗人赞美羔裘光润顺直的美丽,实际上是赞美穿它的人正直德美。

舍,舍弃。　渝,变。韩诗渝作偷,渝古音如偷,偷即渝的假借字。此句意为，当国家有危难时，能舍弃生命而不变节。

韵读：侯部——濡（汝薑反）、侯、渝（喻薑反）。

羔裘豹饰，孔武有力。彼其之子，邦之司直。

豹饰，用豹皮作羔裘袖子边缘的装饰。管子揆度："卿大夫豹饰。"

孔，甚、很。　孔武有力，诗人借赞美豹子来赞美大夫的威武而有力量。

司直，官名。掌管劝谏君主过失。马瑞辰通释："司，主也。直，正也。正其过阙也。……上章云'洵直且侯'，是君子之处己以直。此章'邦之司直'，是言君子之能直人也。"

韵读：之部——饰、力、子、直。

羔裘晏兮，三英粲兮。彼其之子，邦之彦兮。

晏，本义为天清，引申为柔暖貌。尔雅："晏晏、温温，柔也。"

三英，即上章的豹饰。豹皮镶在袖口上，有三排装饰。　粲，鲜明貌。

彦，俊杰。毛传："彦，士之美称。"据闻一多说，彦、宪古通。邦之彦，犹云邦之法则、邦之仪表，即今"模范"的意思。亦通。

韵读：元部——晏、粲、彦。

遵大路

【题　解】

这是一首弃妇的诗。文选宋玉登徒子好色赋："遵大路兮揽子祛。"朱熹据此说："亦男女相悦之辞。"这比毛序的"思君子"之说要实在得多。这一对男女可能不是正式的夫妻，但同居的时间比较长，所以诗中说"不寁故也（不要离开故人）"。他们平日可能争吵过，所以又说"无我恶兮"、"无我魗兮"。从这些诗句看来，诗确实反映了男子喜新厌旧、女子终被遗弃的悲剧。

国风中写弃妇的诗甚多，而风格各不相同。如邶风柏舟的卑顺柔弱而忧思深结，邶风谷风的怨思虽深而犹存希冀，卫风氓的追悔不及而毅然决绝，塑造了几个同一遭遇而身份、性格不同的女性。这首诗与上述三诗又有区别，诗很简短，没有那些追忆往事、谴责负心的铺叙，只有可怜的求告，“执袪”、“执手”二句刻画一个哀告情急的女子，形象极为生动，章末二句祈求语更能引起读者的同情。因为诗短，倒留给我们不少想象的馀地。读者不妨将此诗与野有蔓草对看，野有蔓草反映了“邂逅相遇”式的爱情的甜蜜，而此诗的作者似可说尝够了这种“寁故”的苦涩。

遵大路兮，掺执子之袪兮。无我恶兮，不寁故也。

遵，循、沿着。

掺，疑为“操”字之讹。说文：“操，把持也。” 袪(qū)，袖口。

恶，厌恶。无我恶，即“无恶我”的倒文。

寁(zǎn)，很快地离去。马瑞辰通释：“寁字训速，速当读同孟子‘可以速则速’之速。赵注孟子：‘速，速去也。’速对久言，久为迟留，故知速为速去。” 故，故人、老伴。

韵读：鱼部——路、袪、恶、故。

遵大路兮，掺执子之手兮。无我魗兮，不寁好也。

魗，今作丑(醜)。孔疏：“魗与丑，古今字。”说文：“丑，可恶也。”

好，相好。

韵读：幽部——手、魗、好(呼叟反)。

女曰鸡鸣

【题　解】

这是一首新婚夫妇之间的联句诗。夫妇俩用对话的形式联句，叙述早起、射禽、烧菜、对饮、相期偕老、杂佩表爱的欢乐和睦的新婚家庭生活。闻一多风诗类钞："女曰鸡鸣，乐新婚也。"确能体会诗的意境。毛序："刺不说德也。陈古义以刺今，不说德而好色也。""不说德"的说法使人感到莫名其妙。方玉润诗经原始云："序以为陈古以刺今，不知何所见而云然。彼其意盖谓郑风无美词耳。夫使美者皆述古而恶者皆刺今，则变风中无一可取之诗，而何以知政治得失耶？"他对毛序无端牵合美刺的批评是很中肯的。

张尔岐蒿庵闲话曰："琴瑟在御，莫不静好。此诗人凝想点缀之词，若作女子口中语，似觉少味，盖诗人一面叙述，一面点缀，大类后世弦索曲子。三百篇中述语叙景，错杂成文，如此类者甚多。"这首诗中有男词，有女词，还有诗人的旁白，参差错落，很有情趣。实开汉武帝"柏梁体"，为后人联句之祖。

女曰："鸡鸣。"士曰："昧旦。""子兴视夜，明星有烂。""将翱将翔，弋凫与雁。"

昧，说文："昧，昧爽，且明也。"段玉裁注："且明者，将明未全明也。"昧旦即天快亮未亮的时候。

兴，起，这里指睡着起来。　视夜，看看夜色。

明星，指启明星。天快亮时，只有启明星发亮。所以毛传说："言小星已不见也。"　有烂，即烂烂，明亮。说文："烂，火孰（熟）也。"本义为烂熟，灿烂明亮是引申义。按以上二句是女词。

翱翔，本为形容鸟飞貌，这里借指人出外游逛。

弋（yì），射。古时以生丝作绳，系在箭上来射鸟，称为"弋"。　凫（fú），野鸭。按以上二句是男词，意为将出门去射野鸭与雁。

韵读：元部——旦、烂、雁。

"弋言加之，与子宜之。宜言饮酒，与子偕老。"琴瑟在御，莫不静好。

言，助词，下同。　加，射中。朱熹诗集传："加，中也。史记所谓'以弱弓微缴加诸凫雁之上'是也。"

宜,烹调菜肴。毛传:"宜,肴也。"此处作动词用。按此章前四句是女词。

御,用,弹奏的意思。古代常用琴瑟合奏来象征夫妇的和好,如关雎"窈窕淑女,琴瑟友之",小雅常棣"妻子好合,如鼓瑟琴"。这句诗也是用琴瑟象征夫妇的同心和好。

静,靖的假借字。尔雅释诂:"靖,善也。"静好,指和睦友好。

韵读:歌部——加(音歌)、宜(音俄)。 幽部——酒、老(音柳)、好(呼叟反)。

"知子之来之,杂佩以赠之。知子之顺之,杂佩以问之。知子之好之,杂佩以报之。"

子,这章的"子"都是指妻子。 来,殷勤。王引之经义述闻:"来,读为劳来之来。尔雅云:'劳来,勤也。'"闻一多风诗类钞:"来之、顺之、好之,三'之'字语助。"

杂佩,古人身上佩带的饰物。陈奂传疏:"集诸玉石以为佩,谓之杂佩。"

赠,江永诗韵举例认为当作"贻"字,以同"来"字押韵。

顺,柔顺。

问,赠送。毛传:"问,遗也。"

好,爱恋。按这章是男词。

韵读:之、蒸部通韵——来(音厘)、赠。 文部——顺、问。 幽部——好(呼叟反)、报(布瘦反)。

有女同车

【题 解】

这是一首贵族男女的恋歌。诗人看中的那位姑娘不但容貌美丽,更难得的是品德好,内心美。这和关雎的君子追求窈窕淑女一样,兼取女子的品行和容貌两方面。与氓、谷风中的男子重色不重德、色衰则爱弛的坏作风不可同日而语。毛序:“刺忽也。郑人刺忽之不昏于齐。”认为是讽刺郑昭公忽拒绝齐侯想把女儿文姜嫁给他的要求,失去与大国联姻的机会,卒致孤立无援,被强臣所逐。此事虽见左传,但从诗中看不出同忽有什么联系。前人谓“孟姜”即齐文姜,齐侯的长女,但鄘风桑中有“美孟姜矣”之句,显然不是指文姜,其实“孟姜”只不过是一种泛称,犹今人称美人为西子。又有人觉得文姜是个淫荡的女子,与诗中“德音不忘”的赞扬不符,于是解释道:“齐女未必实贤实长,假言其贤长以美之。”(孔颖达毛诗正义)种种曲说,总为囿于毛序的附会。

孙矿批评诗经云:“状妇女总不外容饰二字,此诗艳丽则以同车翱翔等字点注得妙。”容饰是描写静态的美,而“同车翱翔”则是描写动态。把人的活动和人的形态作有机的结合,刻画一个朱颜娴雅、德音不忘的完整形象。其中尤以“翱翔”二字下得妙。姚际恒云:“以其下车而行,始闻其佩玉之声,故以‘将翱将翔’先之,善于摹神者。‘翱翔’字从羽……此则借以言美人,亦如羽族之翱翔也。神女赋‘婉若游龙乘云翔’,洛神赋‘若将飞而未翔’,又‘翩若惊鸿’,又‘体迅飞凫’,又‘或翔神渚’,皆从此脱出。”他道出了这句诗的艺术效果及后人对这种手法的继承。

有女同车,颜如舜华。将翱将翔,佩玉琼琚。彼美孟姜,洵美且都。

舜,鲁诗作蕣,是正字。木槿,落叶灌木,开淡紫或红色花。今名牵牛花(见王夫之诗经稗疏)。　华,同“花”。闻一多风诗类钞:“蕣华赤色,‘颜如蕣华’,谓朱颜也。”

将翱将翔,此处指两人下车出游。翱翔形容女子步履轻盈貌。

都，娴雅大方。都是奲(duǒ)的假借字。说文："奲，富奲奲貌。从奢单。"陈奂传疏："奲合二字会意。奢，张也。单，大也。富奲奲，言容貌之美大也。"

韵读：鱼部——车、华(音呼)、琚、都。　阳部——翔、姜。

有女同行，颜如舜英。将翱将翔，佩玉将将。彼美孟姜，德音不忘。

行(háng)，道路。

英，毛传："英犹花也。"

将将，玱玱的假借字，鲁诗作锵锵，是俗字。走路时佩玉相击的声音，摹声词，说文："玱，玉声也。"

德音，好声誉。　不忘，王引之经义述闻："不忘，犹言德音不已。"朱熹诗集传："德音不忘，言其贤也。"

韵读：阳部——行(音杭)、英(音央)、翔、将、姜、忘。

山有扶苏

【题　解】

这是写一位女子找不到如意郎君而发牢骚的诗，也有人说是女子对情人的俏骂。毛序："刺忽也。所美非美然。"其附会与上篇同，所以姚际恒批评它"皆影响之辞"。但姚氏又说："集传以序之不足服人也，于是起而全叛之，以为淫诗，则更妄矣。"朱熹认为这是"淫女戏其所私者"的诗，本是颇通达的见解，而姚氏坚决反对说是"淫诗"，则反映了相当大一部分清代学者的治学偏见。对这种偏见，崔述读风偶识分析道："至于同车、扶苏、狡童、褰裳、蔓草、溱洧之属，明明男女媟洽之词，岂得复别为说以曲解之！若不问其词，不问其意，而但横一必无淫诗之念于胸中，其于说诗岂有当哉！"崔氏的批评是非常中肯的。

诗中的子都、子充都并非实有其人，而只是美男子、好人儿的代词。这种以特称代总名的借代修辞，比只用抽象词汇的表达法生动多了。

山有扶苏，隰有荷华。不见子都，乃见狂且。

扶苏，亦作扶疏，大树枝叶茂盛分披貌。段玉裁说文解字注："扶疏谓大木枝柯四布，疏通作胥，亦作苏。"

隰，低洼的湿地。 荷华，即荷花。按这两句是兴，诗人以山上大树、隰地荷花各得其所，反比自己得不到如意的对象。毛传："言高下大小各得其宜也。"下章同。

子都，古代著名的美男子。孟子告子："至于子都，天下莫不知其姣也。"这里以子都代表标准的美男子。

狂且（jū），疯狂愚蠢（的人）。马瑞辰通释："且当为伹字之省借……狂且，谓狂行拙钝之人。"毛传："狂，狂人也。且，辞也。"释"且"为语助词。闻一多风诗类钞释"且"为"者"，狂且即狂者。按以上三说均可通。

韵读：鱼部——苏、华（音乎）、都、且。

山有桥松，隰有游龙。不见子充，乃见狡童。

桥，乔的假借字。陆德明经典释文："本亦作乔。王（肃）云：高也。"

游，本义为旌旗之流，说文段注："旗之游如水之流，故得称流也。"引申为放纵。这里形容茏草枝叶舒展貌。 龙，茏的假借字。又名红草、水红，今名狗尾巴花。生水傍，叶长大。

子充，人名。毛传："子充，良人也。"这里用子充代表好人。

狡童，狡猾的青年。方玉润诗经原始："狡童，狡狯小儿也。"

韵读：东部——松、龙、充、童。

萚　兮

【题　解】

这首诗可能是当仲春"会男女"的集体歌舞曲。称叔称伯，显然是女子带头唱起来，男子跟着应和的。而且不止两个人，而是一群男女的合唱。周礼媒氏："仲春之月，令会男女。于是时也，奔者不禁。若无故而不用令者，罚之。司男女之无夫家者而会之。"说明了诗的社会背景。左传昭十六年记载郑六卿饯宣子，子柳赋萚兮，宣子认为是"昵燕好"之词，可见萚兮的诗旨，在春秋时早认为是女子希望得到亲热的闺房之乐。毛序认为是"刺忽"，此附会之说。宋、清学者对诗旨众说纷纭，不外乎忧国刺时之类，与毛序也大同小异。惟朱熹诗集传说："此淫女之词。"虽指为"淫女"是他的局限，但看出其中男女情爱的意味则是他的卓见。

诗人以风比男，以萚比女，姑娘们希望男子能像风一样吹到她们身上，互相应和，互相期会。这种心情除了以风吹萚来起兴之外，还使用了呼告的形式来表达。"叔兮伯兮"一句热情而又亲切的呼唤，使人想见一群男女欢乐倡和、清歌曼舞的场面，表现了民歌善于渲染气氛的特色。

萚兮萚兮，风其吹女。叔兮伯兮，倡予和女。

萚（tuò），枯叶。说文："草木凡皮叶落陊地为萚。"

女，汝，指萚。

倡，即唱字。说文："倡，乐也。"段玉裁注："经传皆用为唱字。"按这里指女子带头唱。　和，读去声，以歌声相应和。　女，汝，这里指男子。按这句是倒文，即"予倡汝和"。

韵读：鱼部——萚（音兔入声）、萚、伯（音补入声）。　歌部——吹（音磋）、和。

萚兮萚兮，风其漂女。叔兮伯兮，倡予要女。

漂，通"飘"，释文："漂，本亦作飘。"

要（yāo），通"邀"，庄子寓言："老聃西游于秦，邀于郊。"释文："邀，要也。"按这句是女子希望男子邀请她相会。

韵读:鱼部——萚、萚、伯。　宵部——漂、要。

狡　童

【题　解】

这是一首女子失恋的诗歌。毛序:"狡童,刺忽也。不能与贤人图事,权臣擅命也。"朱子语类驳曰:"经书都被人说坏了,前后相仍不觉。且如狡童诗,是序之妄。安得当时人民敢指其君为狡童?况忽之所为,可谓之愚,何狡之有?当是男女相怨之诗。"朱熹的批评是很得当的。宋、清学者反对狡童及其他情歌为"淫诗"者,总因为有"思无邪"三字梗在胸中,认定圣洁的经典中决不可能有淫佚之词。存此成见,便再不可能客观地就诗论诗了。闻一多风诗类钞将狡童归入"女词",解曰:"恨不见答也。"对诗旨的分析比朱熹更为完善。

此诗缠绵悱恻,依依之情,溢于言表;而失恋之意,见于言外。钱锺书管锥编曰:"若夫始不与语,继不与食,则衾馀枕剩、冰床雪被之况,虽言诠未涉,亦如匣剑帷灯。……习处而生嫌,迹密转使心疏,常近则渐欲远,故同牢而有异志,如此诗是。其意初未明言,而寓于字里行间,即含蓄也。"这一段很透彻的剖析,可为读者欣赏此诗指迷。

彼狡童兮,不与我言兮。维子之故,使我不能餐兮。

狡童,见山有扶苏注。孔颖达疏释狡童为"狡好之幼童",即以狡为姣之假借字,亦通。

维,与惟通,与"以"字用同。介词。王引之释词:"惟,犹以也。诗狡童曰:'维子之故。'"

韵读:元部——言、餐。

彼狡童兮，不与我食兮。维子之故，使我不能息兮。

息，气息通畅。马瑞辰通释："息对餐言，谓喘息也。人之气息曰喘，舒曰息。浑言之，则喘亦为息。……不能息，即言气息不利耳。"按此句意为因狡童的变心而难过得气都透不过来。

韵读：之部——食、息。

褰裳

【题解】

这是一位女子责备情人变心的诗。这位女子的性格爽朗而干脆，富于斗争性，与上篇狡童中那位软弱缠绵的女子绝然不同。有人说她"用情不专，可说是'人尽夫也'一个实例"。这是不正确的，似乎还存着"男子可以三妻四妾，女子必须从一而终"的老眼光。

毛序："褰裳，思见正也。狂童恣行，国人思大国之正己也。"朱熹诗序辨说批评道："此序之失，盖本于子太叔、韩宣子之言，而不察其断章取义之意耳。"左传昭公十六年："子大叔赋褰裳。宣子曰：'起在此，敢勤子至于他人乎？'"子大叔赋褰裳，借以试探晋国的态度。韩宣子回答道晋国不会抛弃郑国，所以杜预注曰："言己今崇好在此，不复令子适他人。"这些问答都是借诗发挥，以寄托自己的心意，即所谓"断章取义"。毛序往往将寄托之意当作诗的本旨，以致谬误百出。

诗共两章。每章前四句干净利落，毫不拖泥带水，活脱一个泼辣女子的声口，读来如见其人。末句突然放慢声调，以戏谑的口吻作结。寓反抗于嘲讽之中，完全是一种优胜者的姿态，所以孙矿批评诗经云："'狂童之狂也且'，语势掩靡，风度绝胜。"

子惠思我,褰裳涉溱。子不我思,岂无他人?狂童之狂也且!

惠,爱。郑笺:“爱,相亲爱也。”

褰(qiān),提起。按褰是攘的假借字,说文:“攘,抠衣也。” 裳,裙。当时的人男女都穿裳。 溱(zhēn),郑国河名,在今河南密县。毛奇龄毛诗写官记:“女子曰:子思我,子当褰裳来。嗜山不顾高,嗜桃不顾毛也。”

不我思,是“不思我”的倒文。

童,痴呆愚蠢。国语晋语韦昭注:“童,无智。”陈奂传疏:“童即狂也,童昏即狂行之状。……单言狂,累言狂童,无二义也。……以童为幼童解之者,皆沿其误。”

也且,语气词。

韵读:真部——溱、人。 鱼部(与下章遥韵)——且。

子惠思我,褰裳涉洧。子不我思,岂无他士?狂童之狂也且!

洧(wěi),郑国河名,在今河南密县。与溱水相合。

士,青年男子。朱熹诗集传:“士,未娶者之称。”

韵读:之部——洧、士。 鱼部(与上章遥韵)——且。

丰

【题 解】

这是一首女子后悔没有和未婚夫结婚的诗。她希望未婚夫能重申旧好,再来接她。闻一多风诗类钞:“亲迎不行,既而悔之。”即是诗旨。至于那女子为什么不行,很难臆断。戴震说:“时俗衰薄,婚姻而卒有变志,非男女之情,乃其父母之惑也。……悔不送,以明己之不得自主,而意终欲随之也。……凡后世婚姻变志,皆出于父母,不出于女子。诗言迎者之美,固所愿嫁也。”他的分析很有道理。据此,则又是一出封建礼教下的婚姻悲剧。

诗前二章互相只易三字，表达的意思是完全一样的。后二章互相只易一字，另有两句颠倒了一下次序，表达的意思也是完全一样的。但是我们朗读起来，非但没有重复拖沓之感，反而觉得那位女子既后悔又盼望挽回的心理被渲染得更充分了。究其原因，是由于反复吟诵起一种强调作用，而少量文字的改易和语序的倒置则变化了音节，避免了单调感。这便是诗经中重章叠唱的那种不加雕琢的自然美，倘配上原来的曲调，那就更加摇曳多姿了。

子之丰兮，俟我乎巷兮，悔予不送兮！

丰，脸部丰满美好貌。字或作妦，玉篇："妦，容好貌。"

巷，毛传："巷，门外也。"马瑞辰谓巷为所居之宅，非街巷之巷，亦可备一说。

送，将女儿交给来亲迎的女婿同往夫家。胡承珙毛诗后笺："送犹致也。荀子富国篇注：'送，致女。'春秋言致女者，即以女授婿之谓。此女悔其不行，故托言于其家之不致，非自谓其不送男子也。"则此句"予"字，当训为我家。

韵读：东部——丰、巷（音洪去声）、送。

子之昌兮，俟我乎堂兮，悔予不将兮！

昌，身体壮实貌。

堂，厅堂。按古代婚娶要经过六道程序：纳采（男送礼物到女家，表示愿谈婚事）、问名（请媒人问女方的姓名和生年月日）、纳吉（男家卜卦得吉兆后告诉女家）、纳征（男家送钱和礼物给女家，表示订婚）、请期（男家卜得结婚吉日，征求女家同意）、亲迎（男子驾车至女家，等在庭中，女方从房里出来，女方父亲将女儿的手递给女婿，婿牵妇手出门，一同上车回家）。这句诗即写男子亲迎的情况。

将，与上章的"送"同义。

韵读:阳部——昌、堂、将。

衣锦褧衣,裳锦褧裳。叔兮伯兮,驾予与行。

衣,动词,穿。　锦,古代女子出嫁,内穿锦锻制的衣裳。　褧(jiǒng)衣,用绢或麻纱制的单罩衫,披在锦衣外以蔽尘土。郑笺:"褧,襌也。盖以襌縠为之。中衣裳用锦,而上加襌縠焉。庶人之妻嫁服也。"参阅硕人注。按妇女穿的衣和裳是连起来的,诗为了押韵,把衣和裳分开成两句。

叔、伯,此处指随婿亲迎之人。毛传:"叔伯,迎己者。"陈奂传疏:"谓婿之从者也。"

驾,驾着亲迎的车子来。　行,指出嫁,即泉水等诗"女子有行"的"行"。

韵读:阳部——裳、行(音杭)。

裳锦褧裳,衣锦褧衣。叔兮伯兮,驾予与归。

归,与上章"行"同义,即桃夭等诗"之子于归"的"归"。

韵读:脂部——衣、归。

东门之墠

【题　解】

这是一首男女相唱和的民间恋歌。毛序:"东门之墠,刺乱也。男女有不待礼而相奔者也。"郑笺:"此女欲奔男之辞。"朱熹诗集传:"门之旁有墠,墠之外有阪,阪之上有草,识其所与淫者之居也。室迩人远者,思之而未得见之辞也。"细玩诗句,全无淫奔之意,否则,何至有室迩人远之感?毛、郑、朱的分析都不够恰当。我们认为这位女子还是比较矜持的,正如王先谦集疏所说:"言我岂不思为尔室家,但子不来就我,以礼相近,则我无由得往耳。"他的分析比较正确。

诗共两章,上章男唱,下章女唱,一倡一和,是民间对歌的一种形式。首章"其室则迩,其人甚远"两句,将相思而不得见的心情曲曲道出，委婉隽永。唐鱼玄机隔汉江寄子安诗："烟里歌声隐隐，渡头月色沉沉，含情咫尺千里，况听家家远砧。"其意境便从此诗生发开去；而"室迩人远"久为后世文人表达咫尺天涯相思之苦的习语。所以孙矿批评诗经指出："两语工绝，后世情语皆本此。"

东门之墠，茹藘在阪。其室则迩，其人甚远！

墠(shàn)，亦作坛，平坦的广场。毛传："墠，除地町町者。"陈乔枞三家诗遗说考："町町，言除地使之平坦。"按除地，指在郊外治地除草。町町，形容地的平坦。

茹藘，茜草。孔疏引李巡云："茅搜一名茜，可以染绛。" 阪(bǎn)，土坡。按这二句点明他邻居情人的住处。

室，指情人的家。 迩，近。

韵读：元部——墠、阪、远。

东门之栗，有践家室。岂不尔思？子不我即。

践，善。有践，即践践。韩诗践作靖。王先谦集疏："韩践作靖，云善也。……有靖家室，犹今谚云好好人家也。"

即，往就、接近。毛传："即，就也。"陈奂传疏："传为全诗通训。"按此句为倒文，即"子不即我"。

韵读：脂部——栗、室、即。

风 雨

【题 解】

这是一首写妻子和丈夫久别重逢的诗歌。它和其他民歌一样，都因在民间广泛歌唱流传而得以保存。但作诗序的人往往加以主观臆测，改变了诗的原意。毛序："风雨，思君子也。乱世则思君子不改其度焉。”郑笺：“兴者，喻君子虽居乱世，不变改其节度。……鸡不为如晦而止不鸣。”这样一来，“风雨”就变成象征乱世，“鸡鸣”就变成象征君子不改其度；由妻称夫的君子，变成品德高尚的君子。这一说法对后世影响极大，很多士人虽处“风雨如晦”之境，犹以“鸡鸣不已”自励。记得在抗战期间，阿英（钱杏邨）发表的作品，笔名“魏如晦”，也是寄托风雨诗意，表明他处乱世的气节。毛序对诗旨多附会歪曲其说，不过这篇诗序却起过一定的积极作用。

诗三章，每章皆以风雨、鸡鸣起兴，这些兼有赋景作用的兴句，渲染出一幅寒凉阴暗鸡声四起的背景。这种时候，最容易勾起离情别绪；而诗中的女子竟在此刻重逢了久别的丈夫，其欣喜之情，可以想见，而凄风苦雨则置诸脑后了。这种反衬的速写法，其艺术效果正如王夫之所说的，“以乐景写哀，以哀景写乐，一倍增其哀乐”。

风雨凄凄，鸡鸣喈喈。既见君子，云胡不夷？

喈喈，鸡鸣声。

君子，指丈夫。

云，语首助词。　胡，为什么。　夷，平。指心境由忧思而平静。

韵读：脂部——凄、喈（音饥）、夷。

风雨潇潇，鸡鸣胶胶。既见君子，云胡不瘳？

潇潇，亦作潚潚，风雨猛急貌。毛传：“潇潇，暴疾也。”

胶胶，三家诗作嘐，胶是嘐的假借字。鸡鸣声。

瘳（chōu），病愈。

韵读：幽部——潇（音修）、胶（音樛）、瘳。

风雨如晦，鸡鸣不已。既见君子，云胡不喜？

如，而。陈奂传疏：“如犹而也。”　晦，昏暗。说文：“晦，月尽也。”段玉裁注:“引申为凡光尽之称。”这句意为因风雨而天色昏暗。

已,停止。

韵读:之部——晦(呼鄙反)、已、子、喜。

子 衿

【题 解】

这是一位女子思念情人的诗。毛序:“子衿,刺学校废也。乱世则学校不修焉。”三家无异议,而且“青衿”一词已成为读书人的代称。但是我们在诗中根本看不出什么“学校废”的迹象,毛序的附会是显然的。朱熹诗集传说:“此亦淫奔之诗。”他看出这是男女相悦之辞,但是他在白鹿洞赋中又云:“广青衿之疑问,宏菁莪之乐育。”可见毛序的影响之大,连说诗攻序的朱熹都难以避免。

末章写她在城阙等待情人而不见来,心情焦灼,来回走着,觉得虽然只有一天不见面,却好像分别了三个月一样漫长。这种夸张的修辞手法,形象地刻画了诗人的心理活动。心理描写法,在后世文坛上发展得更加细腻,更加深刻,更加多样化,而上溯其源,三百篇已开其先。正如钱锺书管锥编所指出的那样:“褰裳之什,男有投桃之行,女无投梭之拒,好而不终,强颜自解也。丰云:‘悔余不送兮’,‘悔余不将兮’,自怨自尤也。子衿云:‘纵我不往,子宁不嗣音?’‘子宁不来?’薄责己而厚望于人也。已开后世小说言情心理描绘矣。”

青青子衿,悠悠我心。纵我不往,子宁不嗣音?

衿(jīn),衿的假借字,亦作襟,衣领。颜氏家训书证篇:“古者斜领下连于衿,故谓领为衿。”这里诗人用它代所思的情人。

悠悠,忧思不断貌。

宁，反诘副词，岂，难道。　嗣，韩、鲁诗作诒，嗣、诒古同音通用。韩诗云：“诒，寄也。曾不寄问也。”嗣音便是送音问的意思。

韵读：侵部——衿、心、音。

青青子佩，悠悠我思。纵我不往，子宁不来？

佩，佩玉。青青子佩是指系佩玉的带。

韵读：之部——佩（音邳）、思、来（音厘）。

挑兮达兮，在城阙兮。一日不见，如三月兮！

挑、达，亦作佻、健，独自来回地走着。毛传：“挑达，往来貌。”胡承珙毛诗后笺：“大东‘佻佻公子’，传训独行。此挑达训往来者，亦谓独往独来。”

城阙，城门两边的观楼。闻一多诗经通义：“盖城墙当门两旁筑台，台上设楼，是谓观，亦谓之阙。……城阙，为城正面夹门两旁之楼。”今名城门楼。

韵读：祭部——达（他折反，入声）、阙、月。

扬之水

【题　解】

这首诗的主题颇难解。毛序：“扬之水，闵无臣也。君子闵忽之无忠臣良士，终以死亡，而作是诗也。”但诗中并没有闵伤的意思，后人多驳其非。朱熹诗集传以为是“淫者相谓”之词。闻一多风诗类钞转而解释为“将与妻别，临行慰勉之词也”，从诗中殷殷叮嘱的意味来看，这一说法还是比较切实的。方玉润诗经原始又以为“此诗不过兄弟相疑，始因谗间，继乃悔悟，不觉愈加亲爱，遂相劝勉”。因为从诗句中不易判断作者的性别，所以方说也还是可通。总之，这是一首叮咛劝勉的诗，至于诗人是男是女，两者关系是兄弟抑或夫妻，则只能阙疑。

诗以“扬之水”起兴，这个兴句，在王风扬之水和唐风扬之水中都出现过。这是诗人运用民间流传的诗歌习语,作为自己歌唱的开端。它和下文的意义并不连贯,但唱起来音节非常悠扬合拍,流利顺口,带头导出全诗的基调,倾诉诗人那种憎恨谗言离间的心声,有一定的感染力。但这种兴法在诗经中是少见的。

扬之水,不流束楚。终鲜兄弟,维予与女。无信人之言,人实迋女。

扬,悠扬(从朱熹说)。

束楚,一捆荆条。

终,既、已。　鲜,少。说文:"鲜,鲜鱼也。出貉国。"段玉裁注:"按此乃鱼名,经传乃假为尟少字,而本义废矣。"

维,通"惟",只有。　女,即汝。下同。

言,指挑拨离间之言。

迋(guàng),本义为往,这里是诳的假借字,欺骗。

韵读:脂部——水、弟。　鱼部——楚、女、女。

扬之水,不流束薪。终鲜兄弟,维予二人。无信人之言,人实不信。

维予二人,毛传:"二人,同心也。"陈奂传疏:"予二人,犹云予汝二人耳。不言汝,文不备也。传云同心以申明经义,谓予女二人有同心也。"

不信,陈奂传疏:"不信犹诳也。"

韵读:脂部——水、弟。　真部——薪、人、信。

出其东门

【题　解】

这是一位男子表示对妻子忠贞不二的诗。毛序:"出其东门,闵乱也。公子五争,兵革不息。男女相弃,民人思保其室家焉。"方玉润说:"诗方细咏太平游览,绝无干戈扰攘、男奔女窜气象,序言无当于经,固已!"他依据诗文而不外骛,能切中毛序胶固的弊病。齐说:“郑男女亟聚会,声色生焉,故其俗淫。”鲁说曰:“郑国淫辟,男女私会于溱、洧之上。”这些都说明郑国当时在恋爱婚姻问题上,风俗比较纷乱。在这种环境中,居然有出其东门所描写的男子不为如云如荼的女子而动心,忠贞不二地爱着生活俭朴、安于贫贱的妻子,确是难能可贵。这和谷风、氓中的男子是不可同日而语的了。有人认为这是男人思念女子的情诗,说亦可通。

诗人以“缟衣綦巾”、“缟衣茹藘”来称呼他的妻子,这是一种借代的修辞手法。白衣绿裙红围腰,这些素俭的服饰在诗人眼中是多么美丽,远远胜过那些如花如云的美女,因为那身衣服恰恰标志着妻子纯朴娴静的品格,而这正是他倾心相恋之处。借标记来代人,借得恰到好处,而且揉进了自己的感情,所以给读者留下更深刻的印象。

出其东门,有女如云。虽则如云,匪我思存。缟衣綦巾,聊乐我员。

东门,东门是郑国游人云集处。王先谦集疏:“郑城西南门为溱洧二水所经,故以东门为游人所集。”

如云,以喻女子众多。

匪,非、不是。　存,在。思存,思念之所在。这句意为,(这些如云的游女)都不是我思念的人。

缟,白色。　綦(qí),草绿色。按綦的本字作綥,说文:“綥,帛苍艾色也。”　巾,佩巾,亦称大巾,似今之围裙。按缟衣綦巾是当时妇女较俭朴的服饰。郑笺:“缟衣綦巾己所为,作者之妻服也。”这里用来代指俭朴的妻子。

聊,姑且。　员(yún),友、亲爱。马瑞辰通释:“员当读如‘婚姻孔云’之云。彼笺云:‘云犹友也。’有与友同。诗言不相亲者,云‘亦莫我有’,则言其相亲有者,宜曰‘聊乐我员’矣。”韩诗员作魂,云:“魂,神也。”按魂是云的假借,韩诗释为神,不妥。孔疏以员为助句词,亦可通。

韵读:文部——门、云、云、存、巾、员。

出其闉阇,有女如荼。虽则如荼,匪我思且。缟衣茹藘,聊可与娱。

闉阇(yīn dū),城门外层的曲城。闉阇是一个词,说文:"闉,闉阇,城曲重门也。阇,闉阇。"毛传将二字分开解释为"闉,曲城也。阇,城台也。"似不妥。

荼(tú),白茅花。如荼,像白茅花那样美丽。一说如荼比喻女子像白茅花那样众多,亦通。

且(cú),徂之假借,和存同义。尔雅:"徂、在,存也。"郑笺:"匪我思且,犹匪我思存也。"

茹藘,茜草。见东门之墠注。这里用它代指佩巾。王先谦集疏:"诗言茹藘,不言巾者,省文以成句。"

娱,乐。这句意为,姑且与她一起欢乐。

韵读:鱼部——阇、荼、荼、且、藘、娱。

野有蔓草

【题　解】

这是一首恋歌。毛传:"野有蔓草,思遇时也。君之泽不下流,民穷于兵革。男女失时,思不期而会焉。"郑笺:"蔓草而有露,谓仲春之月,草始生,霜为露也。周礼:仲春之月,令会男女之无夫家者。"毛、郑的话说出了诗的产生时间和背景。春秋时候,战争频繁,人口稀少。统治者为了蕃育人口,规定超龄的男女还未结婚的,允许在仲春时候自由相会,自由同居。风诗中许多首诗都反映这一情况。欧阳修诗本义:"男女婚聚失时,邂逅相遇于田野间。"说得很确切。方玉润说这是朋友相期会的诗,王先谦说是思遇贤人的诗,但诗中"有美一人,清扬婉兮"的描写显然是针对一位美丽的女子,方、王之说均不合诗意。

"野有蔓草,零露漙兮"两句是兼赋的兴句,它勾勒出一派春草青青、露水晶莹的良辰美景。紧接着"有美一人,清扬婉兮"两句,则使我们仿佛看见一位漂亮的姑娘正在秋波一转地微笑。四句诗俨然一幅春日丽人图,真可以说是诗中有画。

野有蔓草,零露漙兮。有美一人,清扬婉兮。邂逅相遇,适我愿兮。

蔓,本义为葛属,此处是"曼"的假借字,蔓延。

零,落下。　漙(tuán),与团(團)通,释文:"漙本又作团。"文选李善注引诗作团。露多貌。毛传:"漙漙然盛多也。"按这二句是诗人叙述他们相会的时间和地点,用以起兴。朱熹诗集传:"男女相遇于田野草露之间,故赋其所在以起兴。"

清扬,眉目清秀。见君子偕老注。按这一词汇在诗经中屡见,可能是当时的习语。　婉,妩媚貌。毛传:"眉目之间婉然美也。"

邂逅,本字作解遘,双声。碰巧相遇,不期而会。

适,符合、适合,有"如愿以偿"之意。

韵读:元部——漙、婉、愿。

野有蔓草,零露瀼瀼。有美一人,婉如清扬。邂逅相遇,与子偕臧。

瀼(ráng),露浓貌。

如,与"而"同。婉如即婉而。

臧,善。偕臧,都满意。朱熹诗集传:"偕臧,言各得其所欲也。"

韵读:阳部——瀼、扬、臧。

溱　洧

【题　解】

这是描写郑国三月上巳节青年男女在溱水、洧水两旁游春的诗。太平御览引韩诗章句:"当此盛流之时,士与女众方执兰,拂除邪恶。郑国之俗，三月上巳之辰，于此两水之上，招魂续魄，除拂不祥。”上巳是指三月上旬的巳日。这一节日亦名“修禊(xì)”，后汉书礼仪志注：“三月上巳，官民皆絜于东流水上，日洗濯祓除去宿垢疢(chèn，热病)为大絜。”三国以后，改用三月三日为修禊的节日，王羲之兰亭集序：“永和九年，岁在癸丑，暮春之初，会于会稽山阴之兰亭，修禊事也。”可见这种风俗流传很久。据韩诗所述，这首诗就是描写郑国这一节日的盛况，传神地再现了一群青年男女趁此机会相聚相乐，互表衷情的热闹场面。

这首诗有叙事，有对话，语言生动，表情真挚，显然是通过切身的感受才写出来的，诗人可能就是秉蕑赠花的少女或少男之一。诗中渗透着浓厚的抒情意味，正如方玉润所说：“每值风日融和，良辰美景，竞相出游；以至兰勺互赠，播为美谈，男女戏谑，恬不知羞。”所谓“恬不知羞”，实际是青年们天然纯朴的感情流露。方氏又以此诗“开后世冶游艳诗之祖”，殊不知发轫之清新与末流之华靡，虽渊源有自，终不可同日而语也。

溱与洧，方涣涣兮。士与女，方秉蕑兮。女曰：“观乎？”士曰：“既且。”“且往观乎！洧之外，洵订且乐。”维士与女，伊其相谑，赠之以勺药。

溱、洧，郑国二水名。见褰裳注。

涣涣，水流盛大貌。郑笺：“仲春冰释，水则涣涣然。”韩诗作洹，云：“洹，盛貌。谓三月桃花水下之时至盛也。”齐诗作灌，鲁诗作汍。洹是正字，汍为洹之重文，涣、灌均假借字。

士与女，同下文的“维士与女”都是泛指春游的男男女女，下句的“女曰”和“士曰”则专指某一女子和男子。

方，正。　秉，执、拿。有人解作佩戴，亦通。　蕑(jiān)，菊科，亦名兰，但不是今天所称的兰花，是一种著名的香草，古人用来或沐浴，或泽头，或佩身,以拂除不祥。李时珍本草纲目:“蕑,即今省头草。”

既,已经。　且(cú),徂的借字,往、去。这二句意为,女的说:“去看看吗?”男的说:“已经去过了。”

且,姑且。这句是女要约男的:“姑且再去看看吧。”

洵,恂的假借。信、确实。　吁(xū),广大。扬雄方言:“吁,大也。中齐、西楚之间曰吁。”这里指洧水岸边地方的宽广。按以上三句为女子说的话,鼓动男的陪她去游春。

维,语助词,无义。

伊,瞖的假借字,嘻笑貌。伊其,即伊伊。　相谑,互相调笑。

勺药,又名辛夷。这里指的是草芍药,不是花如牡丹的木芍药。又名“江蓠”,古时候情人在“将离”时互赠此草,寄托即将离别的情怀。又古代勺与约同声,勺药是双声词,情人借此表爱和结良约的意思(从马瑞辰通释说)。

韵读:元部——涣、蕑。　鱼部——乎、且、乎。　宵部——乐、谑、药。

溱与洧,浏其清矣。士与女,殷其盈矣。女曰:“观乎?”士曰:“既且。”“且往观乎?洧之外,洵吁且乐。”维士与女,伊其将谑,赠之以勺药。

浏(liú),水清貌。说文:“浏,流清貌。”

殷,人众多貌。殷其,即殷殷。说文:“作乐之盛称殷”,段注:“此殷之本义也。又引申之为众也。”

将谑,马瑞辰通释:“将谑犹相谑也。”朱熹诗集传:“将,当作相,声之误也。”

韵读:耕部——清、盈。　鱼部——乎、且、乎。　宵部——乐、谑、药。

齐　风

齐风是齐国的诗歌。齐国国土在今山东省北部和中部,首都临淄,在春秋时是一个人口众多、工商发达的大都市。朱熹诗集传:“太公……既封于齐，通工商之业，便鱼盐之利，民多归之，故为大国。”

齐风共十一篇。齐襄公荒淫乱伦，南山、敝笱二篇便是讽刺他的。齐地面山，人民多狩猎，因此而具尚武精神，还、卢令便是这方面的反映。另外，还有一些反映恋爱婚姻和士大夫家庭生活等的诗，如鸡鸣、著、东方之日、东方未明等。

齐风产生的年代，可能在东周初年到春秋这一段时期内。

鸡　鸣

【题　解】

这是一首妻催夫早起的诗。毛序："鸡鸣，思贤妃也。哀公荒淫怠慢，故陈贤妃贞女夙夜警戒相成之道焉。"这是引申开去的讽喻之意，并非诗的本义。诗中的妻和夫，说是君和妃固然切题，说是大夫和妻妾亦未尝不可。李商隐为有所云："无端嫁得金龟婿，辜负香衾事早朝。"盖此诗之遗意。诗为问答联句体，但哪几句是谁说的，大家意见不一致。我们认为这位夫人催她丈夫早起的原因，是怕他误了上朝的时间，引起别人的批评，所以提到朝会的都是她说的话，而赖着不肯起床的都是丈夫的话。

诗贵创意，诗经因为处在文学的最早成熟期，故独多创意之作。即如此篇，男子淹恋枕衾，而不愿闻鸡之鸣，与郑风女曰鸡鸣情景略似。六朝乐府乌夜啼："可怜乌臼鸟，强言知天曙。无故三更啼，欢子冒暗去。"李廓鸡鸣曲："长恨鸡鸣别时苦，不遣鸡栖近窗户。"云溪友议载崔涯杂嘲："寒鸡鼓翼纱窗外，已觉恩情逐晓风。"盖男女欢会，亦无端牵率鸡犬也。诸诗之意，尽从此篇翻出，此三百篇之所以可贵也（参阅钱锺书管锥编）。

“鸡既鸣矣，朝既盈矣。”“匪鸡则鸣，苍蝇之声。”

朝(cháo)，朝廷。　盈，满，指上朝的人都到齐了。古代国君于清晨上朝接见群臣。书大传云：“鸡鸣……然后应门击柝，告辟也。然后少师奏质明于阶下。”郑注：“应门，朝门也。辟，启也。”按以上二句是妻子说的话。下二句是丈夫回答的话。

则，之、的。杨树达词诠：“则，陪从连词，与‘之’同。”下章“匪东方则明”的“则”义同。

苍蝇之声，这句是男子留恋床笫，所以对妻子鸡鸣应起的催促，用苍蝇之声来加以推托。毛传曰：“苍蝇之声，有似远鸡之鸣。”后世学者又群起争论鸡鸣、蝇飞何者为先，实在是胶柱鼓瑟，将饶有情致的诗意破坏殆尽。

韵读：耕部——鸣、盈、鸣、声。

“东方明矣，朝既昌矣。”“匪东方则明，月出之光。”

昌，盛多貌。按这章也是上二句为妻子的催促，下二句为丈夫的对话。

韵读：阳部——明(音芒)、昌、明、光。

“虫飞薨薨，甘与子同梦。”“会且归矣，无庶予子憎。”

薨薨(hōng)，虫子群飞声，象声词。

甘，乐意、喜欢。　同梦，同睡。

会，朝会。　且，即将。　归，指散朝归去。

庶，庶几，带有希望之意。“无庶”即“庶无”的倒文。　予，同“与”，给。　子，你，指丈夫。　憎，憎恶、讨厌。马瑞辰通释：“庶，幸也。无庶，即庶无之倒文。……予、与古今字。予子憎，正义引定本作‘与子憎’。与，犹遗也。遗，犹贻也。无庶与子憎，即庶无贻子憎。犹诗言‘无父母贻罹’，左传‘无贻寡君羞’也。”按这章上二句是夫对妻的话，他希望多睡一会儿。下二句是妻的回答，她说：“朝会都快散了，快起来吧，别让人家讨厌你。”

韵读：蒸部——薨、梦、憎。

还

【题　解】

这是猎人互相赞美的诗。齐地多山，狩猎为人民谋生的一种手段，故对于身手矫健的猎手颇为赞美。毛序："还，刺荒也。哀公好田猎，从禽兽而无厌。国人化之，遂成风俗，习于田猎谓之贤，闲于驰逐谓之好焉。"但是诗中唯见推许之词，未闻讥刺之意，崔述读风偶识云："疑作序者之意但以录此诗为刺之，非以作此诗为刺之，不必附会而为之说也。"他的分析是很通达的。

方玉润诗经原始引章潢曰："子之还兮，已誉人也。谓我儇兮，人誉己也。并驱，则人、己皆与有能也。寥寥数语，自具分合变化之妙。猎固便捷，诗亦轻利，神乎技矣！"这首诗的好处便在于轻利。第一句四言，第二句七言，后两句六言，长短错杂，短以取劲，长以取妍，一种不受束缚的豪爽之气脱口而出。尤其是每章后两句，并肩驰马，拱手相许，写出一个英武潇洒的猎人形象。与风诗中缠绵悱恻的情歌相比，又别具一种气度。

子之还兮，遭我乎峱之间兮。并驱从两肩兮，揖我谓我儇兮。

还，通"旋"，敏捷貌。毛传："还，便捷之貌。"齐诗作营，营是嫙的假借字，美好貌。与毛诗训异。

遭，遇见。　乎，通于，在。　峱（náo），齐国山名，在今山东临淄南。

并驱，两个猎手一起驱马。　从，追逐。说文："从，随行也。"段注："齐风：'并驱从两肩兮'，传曰'从，逐也'。逐亦随也。"　肩，鲁诗作豣，豣是后出字。说文引此句诗作豣，王念孙广雅疏证："豣，与肩通。"毛传："兽三岁曰肩。"按三岁之兽是指大兽。

儇(xuān),婘之假借,释文引韩诗正作婘,好貌。毛传训为“利”,轻利,熟练的意思。陈奂传疏:“传训儇为利者,利犹闲也,闲于驰逐也。”

韵读:元部——还、间、肩、儇。

子之茂兮,遭我乎峱之道兮。并驱从两牡兮,揖我谓我好兮。

茂,本义为“草木盛”,引申为美,夸奖猎手技艺完美。陈奂传疏:“美者,谓习于田猎也。”

牡,雄兽。

好,指技术好。下章“臧”同义。

韵读:幽部——茂、道(徒叟反)、牡、好(呼叟反)。

子之昌兮,遭我乎峱之阳兮。并驱从两狼兮,揖我谓我臧兮。

昌,英俊。郑笺:“昌,佼好貌。”

阳,山的南面。按古人称山南曰阳,山北曰阴,山东曰朝阳,山西曰夕阳。

两狼,胡承珙毛诗后笺云:“首章举其大者言之。秦风‘奉时辰牡’,则田猎贵牡,故次章举所贵者言之。陆疏云狼猛捷,自是难获之兽。此所以互相夸誉,以为戏乐。”

臧,善。

韵读:阳部——昌、阳、狼、臧。

著

【题　解】

这是一位女子写她的夫婿来亲迎的诗。毛序:“著,刺时也。时不亲迎也。”这首诗通体无刺意,毛序显然是以美诗为刺。这是“变风必为刺诗”的成见在作祟。撇开这点谬误不谈,毛序指出诗的内容是亲迎,还是正确的。余冠英诗经选:“中庭是她和新郎第一次相见的地方。充耳以素,尚以琼华,是新郎给她的第一个印象。”这几句话，将诗意讲得更明白。陈子展诗经直解认为也可能是“贵族女子出嫁，女伴相随歌唱之词，有如后世新妇伴娘之歌词赞颂然”。这种推测亦颇有情致。

全诗三章，每章只易三个字，反映的也只是一种情绪，即少女出嫁前的喜悦。新郎容光焕发，冠饰华丽，诚心诚意地等在堂前接她。她感到心满意足，于是情不自禁地哼出这首诗来。每句均以“乎而”二虚词收尾，音节舒迟宽缓，虽然含蓄曲折，却自然入妙。

俟我于著乎而，充耳以素乎而，尚之以琼华乎而。

俟，等待。本义为“大”，应作竢，说文：“竢，待也。”段玉裁说文注：“自经传假为竢字，而俟之本义废矣。” 著，音义同“宁(zhù)”，大门和屏风之间的地方。尔雅释宫：“门屏之间谓之宁。”现在北京旧四合院的房子，院中多有屏风。门屏之间即古代的著。 乎而，语尾助词。这句意为，新娘在房内看见来亲迎的夫婿已经进了大门，在院内屏风间等着她。

充耳，古代男子的一种冠饰。从冠两旁垂下，悬在耳边。将充耳系在冠上的杂色丝线称“紞”，丝线垂到耳边打成一个结像绵球称“纩”，纩下垂着玉称“瑱”。紞、纩、瑱三部分组成充耳。这里是指纩。 素，白色。

尚，加。段玉裁说文解字注：“尚，上也，皆积垒加高之义。” 琼华，与下章琼莹、琼英都是描写玉瑱。华，光华。莹，晶莹。说文：“莹，玉色也。”英，瑛之假借，说文：“瑛，玉光也。”姚际恒诗经通论：“琼，赤玉，贵者用之。华、莹、英取协韵，以赞其玉之色泽也。”姚训最得诗旨。

韵读：鱼部——著、素、华(音乎)。

俟我于庭乎而，充耳以青乎而，尚之以琼莹乎而。

庭，中庭、院中。地方比著更进了一层。

青，指青色的纩。

韵读：耕部——庭、青、莹。

俟我于堂乎而，充耳以黄乎而，尚之以琼英乎而。

堂，堂前，即正房前。按屏风间、中庭、堂前都在大院子里，写新郎由远而近地走来。

韵读：阳部——堂、黄、英（音央）。

东方之日

【题　解】

这是诗人写一个女子追求他的诗。毛序："东方之日，刺衰也。君臣失道，男女淫奔，不能以礼化也。"序说是有所引申的，并非诗本义。朱熹诗序辨说云："此男女淫奔者所自作，非有刺也。其曰君臣失道者，尤无所谓。"崔述读风偶识："东方之日云：'在我室兮，履我即兮。'皆以其事归之于己。夫天下之刺人者，必以其人为不肖也；乃反以其事加于己身，曰我如是、我如是，天下有如是之自污者乎！"崔、朱二人的分析切合诗意，不牵合美刺，是比较客观的。据后人考证，关于"闼"的解释，有的说是"小门"（汉书颜师古注："闼，宫中小门也。"）或"门内"，有的说是"门屏之间"（释文引韩诗）或"楼上户"（说文："闒，楼上户也。"）。不论如何解释，都说明闼是贵族住所特有的建筑。看来诗是反映了齐国贵族的恋爱生活。

诗每章末句"履我即兮"、"履我发兮"，描写了那位女子一个很细小的动作，但就在这一蹴一蹑、在室在闼之间，便很形象地刻画出那女子的轻薄浮荡的性格。动作的描写精彩之处，是能够传神绘形的。如吴伟业永和宫词："皓齿不呈微索问，蛾眉欲蹙又温存。"便写出田贵妃之不娴词令，而却仍有一种脉脉文静和温存的风韵。王实甫西厢记："他那里尽人调戏亸着香肩，只将花笑捻。”又使人如见崔莺莺含情还羞的神态（参阅刘衍文、刘永翔文学的艺术）。当然，比起东方之日来，这些后人的诗文在动作的描写上要精巧细腻得多了。

东方之日兮，彼姝者子，在我室兮。在我室兮，履我即兮。

东方之日，这是诗人以东方旭日初升的光芒，兴这位美丽的姑娘皮肤的白皙。马瑞辰通释：“古人喻人颜色之美，多取譬于日月。……宋玉神女赋：‘其始出也，耀乎若白日初出照屋梁；其少进也，皎若明月舒其光。’义本此诗。”

姝，美丽。说文：“姝，好也。好，美也。” 子，指女子。

履，踩。说文：“履，足所依也。”段玉裁注：“引申之训践，如‘君子所履’是也。” 即，膝的假借字。第二章的“发”字，指足、脚（均从杨树达积微居小学述林）。古人没有椅子，都跪坐在席上，男女亲近所至，所以会踩到对方的膝或脚。朱熹诗集传：“履，蹑。即，就也。言此女蹑我之迹而相就。”意亦可通，然不及杨说正确、生动。

韵读：脂部——日、室、室、即。

东方之月兮，彼姝者子，在我闼兮。在我闼兮，履我发兮。

闼（tà），门内。王先谦集疏：“切言之，则闼为小门。浑言之，则门以内皆为闼。故毛传但云：‘闼，门内也。’”

发，指脚。

韵读：祭部——月、闼（他折反，入声）、闼、发（音废入声）。

东方未明

【题　解】

这是写一位妇女的当小官吏的丈夫忙于公事，早夜不得休息的诗。后世注家对这首诗的主题说各不一。毛序和朱传都认为是讽刺“朝廷兴居无节，号令不时”的诗，姚际恒以为“难详”，方玉润认为“‘折柳’二句插入，不伦”，可见这首诗不易解释。闻一多风诗类钞曰：“夫之在家，从不能守夜之正时，非出太早，即归太晚。妇人称夫曰狂夫。”他以为诗以妇女的口吻，写出丈夫为吏的忙碌。这样解释比较通顺。否则第三章无法理解。如果把狂夫说成是监视小官吏者，末二句又联系不上了。还是以闻先生的解释为最优。

此诗通篇用赋体，把一个忙忙碌碌而又心胸狭隘的小官吏的神态刻画得很生动。尤其是“颠倒衣裳”一句，以手忙脚乱、穿错衣衫的动作，写出人物的辛苦，颇为传神。末章“狂夫瞿瞿”的“瞿瞿”二字，描摹瞪大眼睛瞧不停的神态，以反映丈夫对妻子不放心的心理，也很细致入微。挚虞文章流别论说：“古之作诗者，发乎情，止乎礼义。情之发，因辞以形之；礼义之指，须事以明之，故有赋焉，所以假象尽辞，敷陈其志。”赋的手法，在曲尽其妙的铺陈描绘中，也表达了作者的感情。即如此诗，对“狂夫”的行为描写越是生动，妻子那种怨恨不已而又无可奈何的心情不是就越发明显了吗？

东方未明，颠倒衣裳。颠之倒之，自公召之。

颠倒，双声。颠倒衣裳，意为急于起身，连衣和裳都穿颠倒了。

之，指衣裳。

自，从。　公，公所。　召，召唤。闻一多风诗类钞：“颠倒求领，言迫遽也。所以然者，以有自公所而召之者故也。”

韵读：阳部——明（音芒）、裳。　宵部——倒、召。

东方未晞，颠倒裳衣。倒之颠之，自公令之。

晞（xī），昕的假借字。说文：“昕，且明，日将出也。”

韵读：脂部——晞、衣。　真部——颠（德因反）、令。

折柳樊圃，狂夫瞿瞿。不能辰夜，不夙则莫。

樊，篱笆。这里作动词"围"字用。　圃，菜园。这句意为折下柳枝作篱笆围起菜园。

狂夫，女子骂她的丈夫。她觉得这种举动像疯汉一样，故称他为狂夫。瞿瞿，双眼瞪视貌。荀子非十二子"瞿瞿然"，杨倞注："瞿瞿，瞪视之貌。"闻一多风诗类钞："折杨柳以为园圃之藩篱，所以防闲其妻者也。临去复于篱间瞿瞿然窥视，盖有不放心之意。"

辰，与晨通。这句意为，早夜不能守时。毛传训辰为时，时是"伺"的意思，作动词用，指不能守夜，亦通。

夙，早。　莫，同"暮"。这句意为，不是早出便是晚归。

韵读：鱼部——圃、瞿、夜（音豫）、莫。

南　山

【题　解】

这是一首讽刺齐襄公淫乱无耻的诗。左传桓公十八年："公会齐侯于泺，遂及文姜如齐，齐侯通焉。公谪之，以告。夏四月，享公。使公子彭生乘公，公薨于车。"这一段记载便是说齐襄公与文姜私通的事。这桩丑闻在齐国不免传开，引起人民的憎恶，便产生了这首诗。

由于这是讽刺斥责本国的君主，所以诗写得比较隐蔽。首章以南山、雄狐起兴，二章以葛屦、冠緌起兴，三章蓺麻，四章析薪，每章各自为兴，兴意各不相同，打破风诗中一般各章兴句多半相同的格式，这恐怕便是有所顾忌的缘故。每章末句均用无答的设问式，留给读者去思考，既收到"言者无罪"的效果，又可加强诗的讽刺力量。

南山崔崔，雄狐绥绥。鲁道有荡，齐子由归。既曰归止，曷又怀止？

南山，齐国山名，亦名牛山。　崔崔，高大貌。这一兴句以南山象征齐襄公地位的尊严。

雄狐，古人以雄狐为淫兽。　绥绥，韩诗作夊夊，绥是夊的假借字。追逐匹偶貌。是一种往复徘徊的样子，所以玉篇云："夊，行迟貌。"这一兴句以雄狐淫兽比齐襄公追随文姜。

鲁道，指从齐国到鲁国的大道。　有荡，即荡荡，平坦。齐襄公的亲妹文姜嫁给鲁桓公，她出嫁时即从这条大道到鲁国。

齐子，指文姜。与硕人"齐侯之子"例同。　归，出嫁。

止，语尾助词。下同。

怀，想念。方玉润诗经原始："首章言襄公纵淫，不当自淫其妹。妹既归人而有夫矣，则亦可以已矣，而又曷怀之有乎？"

韵读：脂部——崔、绥、归、归、怀（音回）。

葛屦五两，冠緌双止。鲁道有荡，齐子庸止。既曰庸止，曷又从止？

葛屦（jù），麻布鞋，是古代劳动者穿的鞋。毛传："葛屦，服之贱者。"五，通"伍"，行列。　两，古緉字。说文："緉，履两枚也。"段注："齐风：'葛屦五两'，履必两而后成用也，是谓之緉。"五两，指麻鞋必定成双并排地摆着。

冠緌（ruí），两条帽带下垂胸前部分，是古代贵族的服饰。毛传："冠緌，服之尊者。"诗人用葛屦、冠緌比喻不论人民或贵族都各有一定的配偶。

庸，用。此言用鲁道而嫁于鲁桓公。

从，跟从。方玉润云："次章言文姜即淫，亦不当顺从其兄。今既归鲁而成耦矣，则亦可以已矣，而又曷返齐而从兄乎？"

韵读：阳部——两、荡。　东部——双、庸、庸、从。

蓺麻如之何？衡从其亩。取妻如之何？必告父母。既曰告止，曷又鞠止？

蓺，本作埶，俗作蓺、艺。种植。

衡从，即横纵。南北曰纵，东西曰横。贾思勰齐民要术："凡种麻耕不厌熟，纵横七遍以上，则麻无叶也。"贾氏所云正是"衡从其亩"之意。

鞠，毛传："鞠，穷也。"朱熹诗集传："又曷为使之（指文姜）得穷其欲而至此哉？"

韵读：之部——亩（满以反）、母（满以反）。　幽部——告、鞠。

析薪如之何？匪斧不克。取妻如之何？匪媒不得。既曰得止，曷又极止？

析，说文训为"破木"。析薪，劈柴。古代常以"析薪"指婚姻。齐诗析薪作"伐柯"。

克，能，成功。按克的本义为"肩"，说文段注："肩，谓任，任事以肩，故任谓肩，亦谓之克。释言曰：'克，能也。'其引申之义。"

取，今作娶，韩诗正作娶。

极，与上章"鞠"同义。尔雅释诂："极，至也。"方玉润云："后二章言鲁桓公以父母命，凭媒妁言而成此昏配，非苟合者比，岂不有闻其兄妹事乎？既取而得之，则当礼以闲之，俾勿归齐，则亦可以已矣，而又曷从其入齐，至令得穷所欲而无止极，自取杀身祸乎？"

韵读：之部——克、得（丁力反）、得、极。

甫　田

【题　解】

这是一首思念远人的诗。作者可能是一位流亡的农民，曾经种过领主的大田。他想起当初种田除草的辛苦，现在虽然可以离开了，但又添了思念远人的苦恼，所以用大田起兴。第三章他说出了这个远人是谁，就是那个幼小美好的孩子。别时他还是扎着羊角辫的娃娃，如果不久能见到的话，该是青年人了吧。他的久别之感，与前两章的劳心是相应的。毛序认为是"刺襄公”，后人也多围绕着齐襄公、文姜、鲁庄公（文姜子）来解此诗，恐怕是由于前一篇南山是讽刺齐襄公同文姜乱伦的行为，所以脱不出这个框框。其实据诗意分析，并无难懂之处。

此诗前二章反复吟咏，总是一种思念之苦。末章忽然转过一层，作设想之词，想象那可爱的人该长大了吧，不言思而思意自见。有人解末章为最终相逢的实写，似不及虚想来得蕴藉。

无田甫田，维莠骄骄。无思远人，劳心忉忉。

前一“田”字，是畋的假借字，耕种。说文：“畋，平田也。”无田，不要耕种。　甫，大。说文：“甫，男子之美称也。”段玉裁注：“凡男子皆得称之，以男子始冠之称，引申为始也，又引申为大也。”按大田在当时属领主所有，小雅甫田、大田便是反映农民在那里耕种的情况。

维，发语词，含有“其”的意思。　莠（yǒu），害苗的野草。今称狗尾草。　骄骄，韩诗作乔乔，骄是乔的假借字。尔雅：“乔，高也。”陈奂传疏：“说文：‘莠，禾粟下扬生莠也。’莠草挺出直上，非若禾粟向根下垂，故曰扬。骄骄者，扬之意。”

忉忉（dāo），忧伤貌。

韵读：真部——田（徒人反）、人。　宵部——骄、忉。

无田甫田，维莠桀桀。无思远人，劳心怛怛。

桀桀，桀是揭的假借字。揭是高举的意思，这里用来形容莠草高高挺立在田中的样子。

怛怛（dá），忧伤痛心貌。说文：“怛，憯也。憯，痛也。”

韵读：真部——田、人。　祭、元部通韵——桀、怛。

婉兮娈兮，总角丱兮。未几见兮，突而弁兮。

婉娈，叠韵，年少而美好貌。

总角，儿童发饰。总聚额两边披的头发，状如两个羊角，称为总角。丱（guàn），形容总角的形状。说文：“丫，羊角也，象形。”丫字古省作丱，而丱是卝的俗字。

未几,不久。

突而,突然。　弁(biàn),戴冠。弁是帽子,这里用作动词。古代男子年二十而冠,表示已成年。

韵读:元部——婉、娈、丱、见、弁。

卢　令

【题　解】

这是一首赞美猎人的诗。春秋时代,人们爱好田猎,反映在风诗里,有驺虞、叔于田、大叔于田、还及此篇。毛序对以上诸诗均有美刺之说,指此诗刺齐襄公"好田猎毕弋,而不修民事"。后人多引国语、管子、左传、公羊传等记载以证成之。但诗中称誉之意甚明,纵使是描写齐襄公出猎,亦是赞美之而非讥刺之。释诗当从本文,决不可囿于"变风、变雅"之说而强索诗旨。

此诗每章只有两句,章与章之间也只变换二、三字,可能是顺口溜一类的民歌。这种质直而复唱的诗句,反映了民歌早期粗拙的风格。孙矿批评诗经赞此诗"淡语却有风致",淡则淡矣,风致却并不出众。旧时文人奉三百篇为圭臬,他们的评论难免有过誉之处。

卢令令,其人美且仁。

卢,黑色的犬,猎狗。战国策:"韩国卢,天下之骏犬也。"　令令,象声词,狗颈下套环的响声。三家诗令作鏻、作獜、作泠,皆字异而音同。

其人,指猎人。　仁,和蔼友好。

韵读:真部——令、仁。

卢重环,其人美且鬈。

重环,大环中套一个小环,也称子母环。

鬈(quán),勇壮。郑笺:“鬈,当读为权,权,勇壮也。”据马瑞辰考证,权是攉字之讹,攉是拳字异体,即“拳勇”之意。

韵读:元部——环、鬈。

卢重镅,其人美且偲。

重镅(méi),大环中套两个小环。毛传:“镅,一环贯二也。”

偲(cāi),多才。说文:“偲,强力也。”段玉裁注:“(毛)传曰:‘偲,才也。’笺云:‘才,多才也。’许云强力者,亦取才之义引申之。才之本义,草木之初也。故用其引申之义。”

韵读:之部——镅(谟其反)、偲。

敝　笱

【题　解】

这是讽刺齐国文姜的诗。毛序:“敝笱,刺文姜也。齐人恶鲁桓公微弱,不能防闲文姜,使至淫乱,为二国患焉。”齐文姜是齐襄公的妹妹,嫁给鲁桓公为妻。但她却同其兄襄公私通,鲁桓公也因此被齐人杀死。文姜的儿子鲁庄公即位之后,文姜还是不断往齐国跑。齐人看不惯她这种乱伦的丑行,便写了这首诗。后人对这首诗是讽刺鲁桓公还是鲁庄公多有争论,朱熹认为是刺庄公,清儒陈启源毛诗稽古编、胡承珙毛诗后笺又驳之,认为是刺桓公。其实从诗意来看,主要是针对文姜本人。毛序“齐人恶鲁桓公微弱”云云,是推本之论。由于鲁桓公的放纵,使文姜更加肆无忌惮地为禽兽之行,这从笱敝鲂逸的兴句中也能看出。诗学女为引戴震说云:“笱所以取鱼,敝笱则取之不能制之。即以本诗辞义求之,其为桓公明矣。”他的分析比较中肯。

诗中用了“如云”、“如雨”、“如水”三个夸张性的明喻来比文姜侍从人员的众多盛大。后人在文学创作中以云、雨、水喻众多的真是不可胜数,所以我们今天看来觉得不甚新鲜。但处在文学发展早期的诗经时代,能作此比拟,则应当说是很生动的创意。刘勰文心雕龙比兴篇云:“比类虽繁,以切至为贵……物虽胡越,合则肝胆。”诗经中的比喻能抓住不同事物的共同点,比得贴切,给人鲜明的形象感,所以为后世大量地袭用,体现了它旺盛的生命力。

敝笱在梁,其鱼鲂鳏。齐子归止,其从如云。

敝,破败。　笱(gǒu),竹制的捕鱼笼。　梁,鱼梁。在河中用石块筑成堤坝,中留空缺,把笱嵌在空处,鱼游进去就出不来了。

鲂鳏(guān),鳊鱼和鲲鱼。三家诗鳏作鲲,今名草鱼。

齐子,指文姜。　归,回齐国去。　止,语尾助词。

韵读:文部——鳏(音昆)、云。

敝笱在梁,其鱼鲂鱮。齐子归止,其从如雨。

鱮(xù),鲢鱼。

韵读:鱼部——鱮、雨。

敝笱在梁,其鱼唯唯。齐子归止,其从如水。

唯唯,鱼儿自由自在地游动貌。陆德明经典释文:“唯唯,韩诗作遗遗,言不能制也。”

韵读:脂部——唯、水。

载　驱

【题　解】

这是一首写齐女嫁鲁的诗。毛序认为是齐人刺襄公与文姜淫乱的诗。三家诗齐说认为是“襄嫁季女,至于荡道。齐子旦夕,留连久处(易林屯之大过)。”王先谦列举春秋记载,“庄二十二年冬,公如齐纳币。”“二十四年夏,公如齐逆女。秋,公至自齐。八月,丁丑,夫人姜氏入。”他认为这些齐女嫁鲁的记载便是诗的背景。按鲁庄公到齐国去亲迎是在夏天;到了秋天,自己一个人回来了,并未接到新娘。一直到八月,齐哀姜才进入鲁境,时间相隔几个月。这是什么缘故呢?公羊传说出了原因:“其言入何?难也。其书日何?难也。其难奈何?夫人不偻,不可使入,与公有所约,然后入。”何休注:“约,约远媵妾也。”原来哀姜对鲁庄公不放心,要他允诺给予专房之宠才肯进门。诗便是描写这位新嫁娘在鲁国边境迟迟不入的情景。

此诗首章四句,有两句用叠字(有荡,即荡荡)。后三章每章四句,有三句用叠字。诗经中用叠字来状物、摹声的,真是比比皆是。刘勰文心雕龙物色篇:“‘灼灼’状桃花之鲜,‘依依’尽杨柳之貌,‘杲杲’为出日之容,‘瀌瀌’拟雨雪之状,‘喈喈’逐黄鸟之声,‘喓喓’学草虫之韵。”他所举的例子,都是诗经中运用得较成功的叠字,所以刘勰评论道:“写气图貌,既随物以宛转;属采附声,亦与心而徘徊。”就是说,形容景物,既要写出物的神气形貌,又要揉进作者的感情心境。但是这首诗叠字的应用,同刘勰“随物宛转,与心徘徊”的要求似还有距离。我们觉得诗中之所以用了这么多叠字,恐怕同当时配合乐曲有关。虽然诗经乐谱已经失传,但我们不妨想象拖长了声调歌唱的效果,岂不是把哀姜那种故意拖拖拉拉的神态活画出来了吗?

载驱薄薄,簟茀朱鞹。鲁道有荡,齐子发夕。

载,语首助词,无义。　薄薄,象声词,车轮转动声。毛传:“薄薄,疾驱声也。”

簟(diàn),竹席。毛传:“簟,方文席也。”孔疏:“簟字从竹,用竹为席，其文必方，故云方文席也。” 茀（fú），车帘。毛传：“车之蔽曰茀。” 朱鞹（kuò），染红的兽皮制的车盖。这样的车子，是当时诸侯所乘，名为路车。

有荡，即荡荡，平坦。

齐子，指哀姜。她是齐襄公最小的女儿，嫁给鲁庄公。 发，旦、早。王先谦集疏：“韩说曰：发，旦也，齐子旦夕，犹言朝见暮见，即久处之义。”按这二句意为，齐国到鲁国的道路是平坦的，为什么哀姜久久不入鲁境？因为她一路上同庄公早夜在讲条件，所以就误了结婚的时间。

韵读：鱼部——薄（音蒲入声）、鞹（音枯入声）、夕（音徐入声）。

四骊济济，垂辔沵沵。鲁道有荡，齐子岂弟。

骊（lí），黑色的马。 济济，整齐貌。

沵沵（nǐ），柔软貌。沵是鞹的假借字。玉篇：“鞹，辔垂貌。”

岂（kǎi）弟，闿圛的假借，据陈乔枞考证，尔雅释言：“闿圛，发也。”舍人注：“闿明发行也。”王先谦集疏：“谓齐子留连久处之后，至开明乃发行耳。”

韵读：脂部——济、沵、弟。

汶水汤汤，行人彭彭。鲁道有荡，齐子翱翔。

汶水，水名，流经齐、鲁二国，即今山东省的汶河。 汤汤（shāng），水势盛大貌。

彭彭，行人盛多貌。

翱翔，游逛。这里指不进鲁国。

韵读：阳部——汤、彭（音旁）、荡、翔。

汶水滔滔，行人儦儦。鲁道有荡，齐子游敖。

儦儦（biāo），来回行走貌。

敖，古遨字。游敖，即遨游，与翱翔同义。

韵读：幽、宵部通韵——滔、儦、敖。

猗　嗟

【题　解】

这是赞美一位貌美艺高射手的诗。王先谦集疏:"春秋庄公四年冬,及齐人狩于禚。故齐人赋之。"陈奂传疏:"吴惠士奇春秋说云:庄四年春二月,夫人姜氏飨齐侯于祝丘。其年冬,公及齐人狩于禚。齐有猗嗟之诗,为庄公狩而作也。"他们都相信猗嗟诗中所描写的主人公是鲁庄公。这时,他大约是一位十七岁的青年,已经当了四年的鲁侯。毛序:"猗嗟,刺鲁庄公也。齐人伤鲁庄公有威仪技艺,然而不能以礼防闲其母,失子之道,人以为齐侯之子焉。"序的依据是"展我甥兮"及"以御乱兮"二句。这二句微寓刺意,讽刺他样样都好,只是忘记报父之仇,不能制止母亲与襄公私通。这样,诗旨就是以美为刺了。可作参考。

这是一首写貌图神很出色的诗。对射手的容貌舞姿,诗中都描绘一种动态的美。如"美目扬兮,巧趋跄兮",同卫风硕人中千古传颂的名句"巧笑倩兮,美目盼兮"完全同一机杼,刻画出一位顾盼有神、栩栩如生的形象。对庄公射技的描写,则又有不同。第一章"射则臧兮"是虚写,第二章"终日射侯,不出正兮"是实写,第三章"射则贯兮,四矢反兮"是特写,层层递进,推到读者面前的镜头一个比一个具体细微,使读者对他神乎其技的叹美,也逐步达到高峰。方玉润说:"描摹庄公,如见其人。"很能体会诗的妙笔。

猗嗟昌兮!顾而长兮,抑若扬兮。美目扬兮,巧趋跄兮。射则臧兮!

猗嗟,犹吁嗟,赞叹之词。陈奂传疏:"猗嗟,叠韵。"　昌,美盛貌。

颀(qí)而,即颀然,身材高长貌。古人以男女身材高大为美。

抑,懿的假借字,美好。韩诗作印。马瑞辰通释:"按懿、抑古通用。抑诗外传作懿是也。释诂、诗烝民传皆曰:懿,美也。"抑若,即抑而、抑然。古而、若、然三字通用。　扬,韩诗作阳,曰:"眉上曰阳。"皮锡瑞经学通论:"阳者,阳明之处也。今俗呼额角之侧亦谓'太阳',即同此义。然则自眉以及额角,皆得为阳也。"按这句是赞美射手额头的美好。

扬,睁眼貌。礼记:"扬其目而视之。"王先谦集疏:"瞻视清明,其美自见。"

趋,快步走。　跄(qiàng),快步走的姿态。毛传:"跄,巧趋貌。"说文:"跄,动也。"

则,法则。下章的"舞则"同。射则意即射艺。说文:"则,等画物也。"段注:"引申之为法则,假借之为语词。"　臧,好、熟练。

韵读:阳部——昌、长、扬、扬、跄、臧。

猗嗟名兮!美目清兮,仪既成兮。终日射侯,不出正兮。展我甥兮!

名,明的假借字。昌盛。韩诗作顯。马瑞辰通释:"名、明古通用,名当读明,明亦昌盛之义。……三章首句皆赞美其容貌之盛大。"

仪,射仪,射手在射箭之前先表演射法的各种姿态。　成,完备。

侯,箭靶。

正,置于箭靶正中的圆形小白布,亦名"的"或"鹄"。射箭以中"的"为上。这两句是形容射手射技的高明。

展,诚、确实。　甥,外甥。郑笺:"容貌技艺如此,诚我齐之甥。言诚者,拒时人言齐侯之子。"朱熹诗集传:"言称其为齐之甥,而又以明非齐侯之子,此诗人之微辞也。按春秋桓公二年,夫人姜氏至自齐。六年九月,子同生。即庄公也。十八年,桓公乃与夫人如齐,则庄公诚非齐侯之子也。"

韵读:耕部——名、清、成、正、甥。

猗嗟娈兮!清扬婉兮,舞则选兮。射则贯兮,四矢反兮。以御乱兮!

娈,壮美。毛传:"娈,壮好貌。"

清扬婉兮，眉清目秀。见野有蔓草注。

选，读去声，韩诗作纂，整齐。按古代射箭活动包括跳舞的项目。韩诗云："言其舞则应雅乐也。"这句意为，跳舞的步伐与音乐的节奏整齐合拍。

贯，射中。陈奂传疏："贯，今串字，古作毌，作贯者，假借字。贯，训中。"

反，反复。韩诗作变。这里指反复地射。将第一次射中的箭拔去再射，共射四次，每次都射中第一次所中的地方，这比"不出正"更难。郑笺："反，复也。礼射三而止，每射四矢，皆得其故处，此之谓复。"

御，抵抗。这句意为，以他的才能足以抵抗外侮。历来诗经研究者很多人认为这句也是诗人的微辞，讽刺鲁庄公貌美艺高，但忘记了报父仇。庄公的父亲桓公被齐襄公派人暗杀，而庄公却又娶了襄公的女儿为妻，所以后人怀疑诗中有讽刺之意。

韵读：元部——娈、婉、选、贯、反、乱。

魏　风

魏风共七篇。周初封同姓于魏，到周惠王十六年，即公元前六六一年，被晋献公所灭。全部魏诗都是魏亡以前，即春秋时代的作品。

魏在今山西芮城东北。土地干涸，物产稀少，人民生活比其他地区更苦，正如朱熹所说："其地陋隘而民贫俗俭。"魏风多半是讽刺、揭露统治阶级的诗歌，风格较为一致。葛屦中已经体会到诗歌的战斗作用。硕鼠的作者已经幻想着无剥削的乐土。伐檀的作者已经意识到剥削与被剥削的生产关系。在两千五百年前，人们有这样深刻的觉醒，真是不容易。鲁诗说："履亩税（农民除了要种公田交劳役、地租税之外，还要交私田所产十分之一的实物税）而硕鼠作。"魏风富于战斗性，可能是和魏地较早向人民征收双重税有关。

葛屦

【题　解】

这是一位缝衣女奴讽刺所谓“好人”的诗。诗仅两章，塑造了两个对立的形象：一个是受冻挨饿、疲乏不堪的缝衣女，一个是衣饰华贵、傲慢褊狭的贵妇人，反映了阶级地位的差异和生活的悬殊。毛序：“葛屦，刺褊也。魏地陿隘，其民机巧趋利，其君俭啬褊急，而无德以将之。”三家诗无异议。这是将“纤纤素手”的缝衣女同“宛然左辟”的贵妇人当作一个人看待，于诗意显然相违。朱熹诗集传：“此诗疑即缝裳之女所作。”这是正确的。

这首诗全篇用赋体，首章叙写缝衣女含辛茹苦地为“好人”缝制衣裳，二章写“好人”挑剔作态的傲慢样儿，前后对照，褒贬分明。这同国风中其他各篇多作重章叠唱的结构也有所不同。尤其篇末点明“是以为刺”的作诗宗旨，更为他诗所罕见。所以方玉润评曰：“明点作意，又是一法。”唐代白居易作秦中吟，于世上事“闻见之间有足悲者，因直歌其事”。其中如“夺我身上暖，买尔眼前恩”（重赋），“如何奉一身，直欲保千年”（伤宅），“是岁江南旱，衢州人食人”（轻肥），“岂知阌乡狱，中有冻死囚”（歌舞），“一丛深色花，十户中人赋”（买花），“寄语家与国，人凶非宅凶”（凶宅）等等，都是采用两相对照的方法，而且大声疾呼，毫不隐微。这同葛屦笔法相仿佛，而思想的深度当然是后来居上。

纠纠葛屦，可以履霜？掺掺女手，可以缝裳？要之襋之，好人服之。

纠纠，纠缠交错貌。　葛屦（jù），夏布鞋，只能夏天穿。严粲诗缉：“葛屦既敝，而以绳纠缠之，纠而复纠，行于霜雪寒沍之地，言其苦也。”

可，何的假借字。

掺掺，韩诗作纤纤，掺是纤的假借字，形容女子双手的柔弱纤细。

要，同褄，系衣的带子。古人在衣襟上缀短带以系衣，相当于现在的纽扣。　襋（jí），衣领。要、襋本来都是名词，这里作动词用，即提带、提领的意思。

好人，美人。姚际恒诗经通论：“好人犹美人，指夫人也。”按这句称“好人”带有刺意。这二句意为，缝衣女一手提衣带，一手提衣领，将衣服拿给“好人”穿。

韵读：阳部——霜、裳。　之部——襋、服（扶逼反）。

好人提提，宛然左辟，佩其象揥。维是褊心，是以为刺。

提提，鲁诗作媞媞，安详貌。尔雅释训：“媞媞，安也。”郭璞注：“好人安详之容。”

宛然，转身貌。　辟，通“避”。左辟，向左闪开。按这句，三家诗作“宛如左僻”。

佩，戴。　象揥（tì），象牙簪子。朱熹诗集传：“揥所以摘发，用象为之，贵者之饰也。”这三句意为，那“好人”装腔作势地不理睬，还把身子扭向旁边，自顾自地佩着象牙簪子。

维，鲁诗作惟，因为。　是，这个，指“好人”，代名词。　褊心，心胸狭窄。说文：“褊，衣小也。”段玉裁注：“引申为凡小之称。”

是以，“以是”的倒文。是，指这首诗，代词。　刺，讽刺。

韵读：支部——提、辟、揥、刺。

汾沮洳

【题　解】

这是一首赞美劳动者才德的诗。春秋时代劳动人民地位极低，有的仍然是农奴。诗人将这位从事采菜的“贱者”与“公路”等达官贵族相比，而且褒前者而抑后者，这是颇不寻常的。只有劳动人民的口头歌唱，才会有这样热爱同类的诗句。毛序：“汾沮洳，刺俭也。其君子俭以能勤，刺不得礼也。”认为这是贵族躬自采菜，俭而过度。韩诗外传：“君子盛德而卑，虚己以受人，旁行不流，应物而不穷，虽在下位，民愿戴之，虽欲无尊得乎哉！”魏源诗古微：“据外传之言，盖叹沮泽之间有贤者隐居在下，采蔬自给。然其才德实出乎在位公行、公路之上。……盖春秋时晋官皆贵游子弟，无材世禄，贤者不得用，用者不必贤也。”二说相比较，韩诗显然比毛诗来得切近诗意。这首诗同葛屦、硕鼠、伐檀一样，都富有斗争性，不但在魏风中，便是在整部诗经中也算得上杰出的诗篇。

章首“彼汾沮洳，言采其莫”二句，朱熹标为兴体，其实这是诗人目见的赋句。诗人描写一位采菜的劳动者，并用了夸张（美无度）、比喻（美如英、美如玉）的手法来赞美他的高尚品德。末句忽然提出“公路”、“公行”、“公族”来作对比。虽然短短一句便陡然煞住，但诗人似将他的褒贬爱憎情绪全部倾注在这一句中，给读者以回味的馀意。这首诗中不自觉地运用了夸张、比喻、顶真、反衬等修辞格，虽然还很粗糙，但中国文学的滔滔长河，毕竟是从这些涓涓细流发源的。

彼汾沮洳，言采其莫。彼其之子，美无度。美无度，殊异乎公路！

汾，水名，在今山西中部。　沮洳（jù rù），水旁低湿处。

言，语首助词。　莫，野菜名。陆玑诗草木鸟兽虫鱼疏：“莫，茎大如箸，赤节，节一叶，似柳叶，厚而长，有毛刺。……始生可以为羹，又可生食。五方通谓之酸迷。”

彼、之，都是第三人称代名词，为了加重语气，所以重复地说，这里指采菜的人。王先谦集疏：“之子，指采菜之贤者。”　其（jì），句中助词，无义。

度，尺寸。陆德明经典释文："度，丈尺也。"无度，犹不可衡量。郑笺："是子之德，美无有度，言不可尺寸。""美无度"句下重复"美无度"，即顶真的修辞格。

殊，同"异"。说文："殊，死也。"段注："死罪者身首分离，故曰殊死。引申为殊异。" 乎，同于。陈奂传疏："殊亦异也。乎，犹于也。" 公路，与下章的公行、公族都是当时的官名。公路是管理魏君路车的官员，公行是管理兵车的，公族是管理宗族事务的。这些官员都以贵族子弟充任，其职位、俸禄均世袭，即所谓"无材世禄"者。

韵读：鱼部——洳、莫、度、度、路。

彼汾一方，言采其桑。彼其之子，美如英。美如英，殊异乎公行。

方，同旁。一方，指在汾水旁边一个地方。

英，花朵。俞樾群经平议："英，读如'颜如舜英'之英。"

韵读：阳部——方、桑、英（音央）、英、行（音杭）。

彼汾一曲，言采其藚。彼其之子，美如玉。美如玉，殊异乎公族。

曲，水流弯曲处。

藚（xù），药名，又称泽泻，可入药，亦可作菜。

韵读：侯部——曲、藚、玉、玉、族。

园有桃

【题　解】

这是一首没落贵族忧贫畏讥的诗。人家称他为"士"，可能是一位知识分子。他没落了，穷得没有饭吃，只好摘园中的桃枣充饥。春秋时候，魏国实行勤俭政策，这对士的生活来说，不免也受到影响，因而引起了他的感伤，便歌唱起来。他讥刺时政，不满现实。别人指责他骄傲反常，自以为是。他觉得无人能理解自己,精神上异常痛苦,只能用丢开一切、什么都不想的办法来寻找解脱。诗反映了当时魏国"士"的经济地位和思想情况。

此诗与王风黍离、兔爰同一格调,都是所谓"悲愁之词"。诗以园桃兴起,急接"心之忧矣"一句,点明主题。然后句句围绕"忧"字,慷慨悲凉,大有"世人皆醉,而我独醒"之慨。诗中全无描状摹态、模山范水之笔,但胸臆的抒发一波三折,深沉而又痛切,所以姚际恒评曰:"诗如行文,极纵横排宕之致。"

园有桃,其实之殽。心之忧矣,我歌且谣。不知我者,谓我"士也骄。彼人是哉,子曰何其!"心之忧矣,其谁知之?其谁知之,盖亦勿思!

实,桃实,桃子。　之,是。　殽,烧好的菜,这里作动词"吃"用。朱熹诗集传:"殽,食也。"这二句意为,园里有桃树,我吃了它的果实。

歌、谣,有乐调配唱的叫作歌,无乐调配唱的叫作谣。这里的歌谣是泛称歌唱,并无配乐与否的区别。

士,古代下级官僚或知识分子的通称。　也,语中助词。

彼人,指执政者。　是,正确。

子,你,指那位士。　其,语助词。何其,什么缘故。按这四句的意思各家注释各不相同,今从林义光诗经通解说,林氏曰:"不知我者之言也,言彼在位者所行良是,而子讥之,果何故乎?"

盖,"盍"的假借字,是"何不"的合音。　亦,语助词。这两句意为,我心中的忧愁无人了解,何不丢开了不去想它。

韵读:宵部——桃、殽、谣、骄。　之部——哉(音兹)、其、矣、之、之、思。

园有棘,其实之食。心之忧矣,聊以行国。不知我者,谓我"士也罔极。彼人是哉,子曰何其!"心之忧矣,其谁知之?其谁知之,盖亦勿思!

棘,酸枣树。

行国,行游国中。朱熹诗集传:"聊,且略之辞。歌谣之不足,则出游于国中而写忧也。"

罔极,无常。这里指违反常道。见氓注。

韵读:之部——棘、食、国(古逼反,入声)、极、哉、其、矣、之、之、思。

陟　岵

【题　解】

这是一首征人思家的诗。毛序:"陟岵,孝子行役,思念父母也。国迫而数侵削,役乎大国,父母兄弟离散,而作是诗也。"所说与诗意基本相符。无休止的劳役,连睡觉的时间都没有,使征人难免联想到死亡,他只希望能在死亡线上挣扎到回家乡。诗反映了当时劳役生活的痛苦和劳动人民对统治者征役无已的极度憎恨。

诗的艺术手法极为巧妙。诗人在役地思家,但他不直说自己的望乡之情,却想象着父母兄长在家中想念他的情景。这样的表达法,反映出一种极迫切、极深厚、极苦涩、又极难排解的心情。方玉润诗经原始云:"人子行役,登高念亲,人情之常。若从正面直写己之所以念亲,纵千言万语,岂能道得尽?诗妙从对面设想,思亲所以念己之心与临行勖己之言,则笔以曲而愈达,情以婉而愈深,千载之下读之,犹足令羁旅人望白云而起思亲之念,况当日远离父母者乎?"他这一段分析,正点出其中三昧。这种手法,钱锺书先生称之为"分身以自省,推己以忖他;写心行则我思人乃想人必思我。"后世诗人用此意者非常普遍,如白居易望驿台:"两处春光同日尽,居人思客客思家。"韦庄浣溪纱:"夜夜相思更漏残,伤心明月凭阑干,想君思我锦衾寒。"龚自珍己亥杂诗:“一灯古店斋心坐,不是云屏梦里人。”遣词造境都越出越精,然其机杼则同陟岵无异,这就是风诗几乎篇篇有创意的可贵之处。

陟彼岵兮,瞻望父兮。父曰:“嗟予子!行役夙夜无已。上慎旃哉,犹来无止!”

陟,登上。见卷耳注。　岵(hù),无草木的山。毛传:“山无草木曰岵。”唐语林施士丏曰:“山无草木曰岵。所以言‘陟彼岵兮’,言无可怙也。以岵之无草木,故以譬之。”

父曰,这句以下均是诗人想象他父亲在家中说的话。下章“母曰”、“兄曰”等语皆同。

已,停止。这句意为,服役日日夜夜没有休息的时间。按鲁诗无已作毋已,义与毛诗异。

上,鲁诗作“尚”,是正字。庶几,表示希望。　慎,谨慎。含有“保重”之意。　旃(zhān),之、焉的合音,指示代名词。这句意为,希望保重你自己啊。

犹来,还是归来。　止,停留、滞留。朱熹诗集传:“犹可以来归,无止于彼而不来也。”

韵读:鱼部——岵、父。　之部——子、已、哉、止。

陟彼屺兮,瞻望母兮。母曰:“嗟予季!行役夙夜无寐,上慎旃哉,犹来无弃!”

屺(qǐ),有草木的山。毛传:“山有草木曰屺。”

季,小儿子。侯人传:“季,人之少子也。”

无寐,没有睡觉的时间。

弃,抛弃。毛传:“母尚恩也。”陈奂传疏:“母尚恩以释经之无弃,言不弃母也。”

韵读:之部——屺、母(满以反)。　脂部——季、寐、弃。

陟彼冈兮，瞻望兄兮。兄曰：“嗟予弟！行役夙夜必偕，上慎旃哉，犹来无死！”

偕，一起。毛传：“偕，俱也。”朱熹诗集传：“言与其侪同作同止，不得自如也。”

韵读：阳部——冈、兄（虚王反）。　脂部——弟、偕（音儿）、死。

十亩之间

【题　解】

这是一群采桑女子呼伴同归的歌唱。毛序云：“刺时”，姚际恒诗经通论云：“此类刺淫之诗”，这两种说法于诗意相去皆甚远，毫无根据。朱熹诗集传：“贤者不乐仕于朝，而思与其友归于农圃。”他倒是看出了一点意味，但是古代采桑是妇女的劳动，如豳风七月：“女执懿筐，遵彼微行，爰求柔桑。”所以贤者招隐之说总不如采桑女呼伴同归之解来得直截，更合于诗旨。

诗仅两章六句，却勾勒出一派清新恬淡的田园风光。夕阳斜晖，透过碧绿的叶片照进桑林。忙碌了一天的采桑姑娘，准备回家了。她们唱着歌儿，互相呼唤，结伴同归。歌声中掺着一丝疲乏，但又充满了轻松感。人渐渐走远了，歌声却仿佛仍袅袅不绝地在林子里回转。这首诗同芣苢一样都是反映妇女采摘劳动的民歌，但芣苢表达的是忙碌的快乐，这首诗表达的是休息的轻松，情调并不相同。读这首诗，不禁想起陶渊明“晨兴理荒秽，带月荷锄归。道狭草木长，夕露沾我衣”的诗句。虽然作者身份各异，但诗中那股闲适自在的气韵，则令人有一脉相承之感。

十亩之间兮，桑者闲闲兮，行与子还兮。

十亩之间，指房屋墙边或附近种桑麻之处。十亩是约数，不是确数。

马瑞辰通释:“古者民各受公田十亩,又庐舍各二亩半,环庐舍种桑麻杂菜,孟子所谓‘五亩之宅,树墙下以桑’。……凡为田十二亩半,诗但言十亩者,举成数耳。”

桑者,诗经中写采桑的劳动多由妇女担任,桑者当是采桑女。 闲闲,宽闲貌。段玉裁说文解字注:“闲者,稍暇也,故曰闲暇。”

行,且、将要。汉书扬雄传“行睨陔下与彭城”,颜师古注:“行,且也,意且欲往睹也。” 子,王先谦集疏:“子谓同去之人。” 还,同“旋”,广雅:“还,归也。”

韵读:元部——间、闲、还。

十亩之外兮,桑者泄泄兮,行与子逝兮。

泄泄(yì),毛传:“泄泄,多人之貌。”按三家诗作詍或呭,皆训为多言。多言由于多人,故与多人之貌义相近。

逝,往。王引之经义述闻:“此诗‘行与子还’、‘行与子逝’,犹言且与子归、且与子往也。”

韵读:祭部——外(音月入声)、泄、逝(时例反,入声)。

伐　檀

【题　解】

这是一首讽刺剥削者不劳而获的诗。一群匠人在黄河边伐木,为当老爷的造车,他们边干边唱起了这首歌。诗中明确地提出了不劳而获和劳而不获的尖锐矛盾,对剥削者的寄生生活表达了强烈的憎恨和辛辣的嘲讽,是诗经中斗争性最强的现实主义作品。毛序:“伐檀,刺贪也。在位贪鄙,无功而食禄。君子不得进仕尔。”序说基本符合诗旨,只是把劳动者与剥削者的对立曲解成是贪鄙的在位者与不得进仕的君子之间的冲突。不过,这一点我们是无法苛求古人的。朱熹诗序辨说:“此诗专美君子不素餐。”他以反毛序为宗旨,但是对这首诗的解释却逊于前贤。

诗中“不稼不穑，胡取禾三百廛兮？不狩不猎，胡瞻尔庭有县貆兮？”这四句诗，毫不掩饰地表露了作者的情感。诗人以反诘式的设问手法，把他们心中的愤怒宣泄得更为强烈，所以方玉润评曰：“笔极喷薄有力。”而章末“彼君子兮，不素餐兮”两句，却又一转慷慨激昂为反语式的冷嘲峻刺，点明主旨。一正一反，一热一冷，这种前后迥异的艺术手法正适宜于表现阶级对立的思想内容。读着这样嘻笑怒骂的诗歌，我们会深感“温柔敦厚”四个字是无法概括诗风的。

坎坎伐檀兮，寘之河之干兮，河水清且涟猗。不稼不穑，胡取禾三百廛兮？不狩不猎，胡瞻尔庭有县貆兮？彼君子兮，不素餐兮！

坎坎，伐木声。鲁诗作欿欿，齐诗作簝簝，都是字异声同的摹声词。

寘，即“置”字，放置。　干，河岸。按干的本义是侵犯，这里假借为岸字。按这句齐诗“之”作“诸”，“诸”是“之于”的合音。

涟，水面的波纹。毛传：“风行水成文曰涟。”鲁诗作澜。说文：“大波为澜。澜或从连。”可见澜、涟本是一字。　猗，鲁诗作兮，语气词。猗、兮古通用。书秦誓“断断猗”，大学引作“兮”。按诗每章的前三句都是兴。前二句为即事起兴，第三句为即景起兴。

稼，耕种。　穑，收割。毛传：“种之曰稼，敛之曰穑。”按鲁诗穑作啬。

胡，为何。　廛（chán），农民住的房。周官地官遂人：“夫一廛，田百亩。”郑注：“廛，居也。”按此三百廛指三百夫所种田中的收获。三百言其多，并非确数。下章的“三百亿”、“三百囷”同。

狩，冬猎。　猎，夜里打猎。郑笺：“冬猎曰狩，宵田曰猎。”此处是泛指。

瞻，望见。　庭，院子。　县，同“悬”。　貆（huān），猪獾。一种小野兽。

君子，即上文的“尔”，指贪鄙的在位者。

素餐，白吃饭不干事。孟子尽心篇：“无功而食谓之素餐。”此处说君子不素餐,是诗人以反语冷嘲。

韵读:元部——檀、干、涟、廛、貆、餐。

坎坎伐辐兮,寘之河之侧兮,河水清且直猗。不稼不穑,胡取禾三百亿兮?不狩不猎,胡瞻尔庭有县特兮?彼君子兮,不素食兮!

辐,车轮中凑集于中心毂上的直木条。此处指伐檀木为辐,所以毛传云:“辐,檀辐也。”

直,水流平直。毛传:“直,直波也。”

亿,周代以十万为亿,此处指禾把的数目。郑笺:“禾秉之数。”

特,指大的野兽。毛传:“兽四岁曰特。”

素食,与“素餐”同义。

韵读:之部——辐、侧、直、亿、特、食。

坎坎伐轮兮,寘之河之漘兮,河水清且沦猗。不稼不穑,胡取禾三百囷兮?不狩不猎,胡瞻尔庭有县鹑兮?彼君子兮,不素飧兮!

轮,毛传:“檀可以为轮。”

漘(chún),水边。说文:“漘,水厓也。”

沦,水面的微波。尔雅:“小波为沦。”

囷(qūn),圆形粮仓,今称为囤。毛传:“圆者为囷。”

鹑(chún),鸟名,即今之鹌鹑。

飧(sūn),熟食。释文引字林云:“飧,水浇饭也。”鲁、齐诗作飡,是飧的或体字。素飧与“素餐”、“素食”同义,都是泛称。

韵读:文部——轮、漘、囷、鹑、飧。

硕　鼠

【题　解】

这是一首反对剥削过重,幻想美好社会的诗。鲁诗说:“履亩税而硕鼠作(王符潜夫论班禄篇)。”齐诗说:“周之末涂,德惠塞而耆欲众,君奢侈而上求多,民困于下,怠于公事,是以有履亩之税,硕鼠之诗是也(桓宽盐铁论取下篇)。”由此可见诗是为刺履亩税而作。所谓履亩税,春秋穀梁传宣公十五年:“初税亩者,非公之去公田,而履亩十取一也。”注:“徐邈以为除去公田之外,又税私田之十一。”就是说农民除了要出劳役为公田耕种之外,还要交纳私田所产的十分之一为实物税。这样的双重剥削,农民实在难以忍受,就幻想着去寻找一块理想的乐园。

诗中以借喻的手法,将贪婪的剥削者比作田间大老鼠;又以同硕鼠讲话的口气,再三呼告恳求,充满了一种无可奈何的怨恨,引起读者的共鸣与同情。章末忽发奇想,向往着去寻求一处无忧无虑的乐土。但末章最后又说:“乐郊乐郊,谁之永号!”对心目中的伊甸园又感到渺茫怅惘。一波三折,语尽意存,现实主义的题材与浪漫主义的创作方法结合在一起,使这首诗成为诗经中的名篇。

硕鼠硕鼠,无食我黍!三岁贯女,莫我肯顾。逝将去女,适彼乐土。乐土乐土,爰得我所!

硕,大。马瑞辰通释认为硕是鼫的假借字,硕鼠即鼫鼠,亦通。郭璞尔雅注云:“鼫鼠形大如鼠,头似兔,尾有毛青黄色,好在田中食粟豆。”

三岁,多年。“三”字不是确数。方玉润诗经原始:“三岁,言其久也。” 贯,鲁诗作宦,贯是宦的假借字。国语越语:“与范蠡入宦于吴。”韦昭注:“宦,为臣隶也。”这里引申为“事”,即侍奉、养活之意。 女,通“汝”,韩诗正作汝,指剥削者。

莫我肯顾,是“莫肯顾我”的倒文,下章“莫我肯德”、“莫我肯劳”均同。

逝,往。郑笺:“逝,往也。往矣将去女,与之诀别之辞。”裴学海认为逝假借为“誓”,表示坚决,亦通。

适，之、到。　乐土，是诗人想象中没有老鼠的幸福乐园，下章“乐国”、“乐郊”与此同意。

乐土乐土，韩诗重句仍作“适彼乐土”。下章“乐国乐国”、“乐郊乐郊”，韩诗均重句作“适彼乐国”、“适彼乐郊”。胡承珙毛诗后笺：“严缉云：‘连称乐土者，喜谈乐道于彼，以见其厌苦于此也。’今谓古人叠句乃长言嗟叹之意，只叠乐土二字，尤见悲歌促节，不必改毛从韩。”按胡说甚有理致。

爰，乃、就。　所，处所。按所的本义是伐木声，处所之义是假借为处字而得。

韵读：鱼部——鼠、黍、女、顾、女、土、土、所。

硕鼠硕鼠，无食我麦！三岁贯女，莫我肯德。逝将去女，适彼乐国。乐国乐国，爰得我直！

德，感德、感激。

直，值的假借字，价值。这句意为，我的劳动就能得到相应的报酬（从余冠英说）。

韵读：鱼部——鼠、女、女。　之部——麦、德、国、国、直。

硕鼠硕鼠，无食我苗！三岁贯女，莫我肯劳。逝将去女，适彼乐郊。乐郊乐郊，谁之永号！

劳，慰劳。

之，往。　永，长。　号，说文：“号，嘑（呼）也。”段注：“号嘑者，如今云高叫也。”永号，长声地呼号。这句意为，有谁去过乐土呢？只有失望地长声高叫罢了。

韵读：鱼部——鼠、女、女。　宵部——苗、劳、郊、郊、号。

唐　风

唐风就是晋风。周成王封他的季弟姬叔虞于唐，唐地有晋水，所以后来国号改称晋。

唐风共十二篇。扬之水写晋昭侯封他叔父成师于曲沃，成师的势力渐渐超过了晋侯,就有政变的阴谋。左传桓公二年:“惠公二十四年,晋始乱,故封桓叔于曲沃。”鲁惠公二十四年是公元前七四五年,这样看来,唐风可能产生于东周和春秋之际。

唐国在今山西中部太原一带,即翼城、曲沃、绛县、闻喜等地区。自从昭侯分封曲沃后,晋君和成师系统的斗争足足持续了六七十年,政局动荡,人民生活不安定,再加上土地贫瘠、物产匮乏,在文学作品上就自然地体现出消极颓唐、失望惆怅的色彩。如蟋蟀、山有枢、杕杜、鸨羽、葛生、采苓等诗,格调都很低沉,符合所谓“思深忧远”的评价。但也有像椒聊的贺多子,绸缪的贺新婚,情绪欢快明朗,属于另一种类型。

蟋　蟀

【题　解】

这是一首岁暮述怀的诗。作者可能是一位“士”,他感到光阴易逝,应当及时行乐;但另一方面,他又不愿彻底堕落,还想着自己的职责,觉得享乐毕竟还是适可而止的好。方玉润诗经原始:“其人素本勤俭,强作旷达,而又不敢过放其怀,恐耽逸乐,致荒本业。故方以日月之舍我而逝不复回者为乐不可缓,又更以职业之当修、勿忘其本业者为志不可荒。无已,则必如彼瞿瞿良士,好乐而无荒焉可也。”他这段分析,对作者的心情颇能体贴入微。这种矛盾的思想,反映了中国几千年来一部分知识分子典型的心理状态。

诗歌的逻辑性很强,如“好乐无荒”承“无已大康”而言,“良士瞿瞿”承“职思其居”而言,秩然有序,所以孙矿批评诗经赞曰:“构法最紧净。”吴闿生诗义会通赞曰:“诗意精湛之至,粹然有道君子之言。”的确，结构严谨，说理清楚，是此诗长处。但是在语言的形象生动方面，则逊于国风中一些精彩的民歌。

蟋蟀在堂，岁聿其莫。今我不乐，日月其除。无已大康，职思其居。好乐无荒，良士瞿瞿。

蟋蟀在堂，蟋蟀本在野外，但随着寒暑变化经常移动，所以古人将它当作候虫。豳风七月：“七月在野，八月在宇，九月在户，十月蟋蟀入我床下。”七月说的“在户”，即这里说的“在堂”。周代建子，以农历十月为岁暮，十一月即为次年正月，在堂指的是农历九月。

聿，同“曰”，语助词，含有“遂（就）”意。　莫，即暮。其暮犹言“将尽”。孔疏：“时当九月，岁末为暮，而言岁聿其暮者，言其过此月后，则岁遂将暮耳。”

乐，寻欢作乐。

日月，指光阴。　其，句中助词，无义。　除，逝去，去旧更新之意。按除的本义为“殿陛”。“去旧更新”是引申义。说文段注：“殿陛谓之除。因之凡去旧更新皆曰除，取拾级更易之义也。”

无，通“毋”。　已，过度。陈奂传疏：“已者，甚之词也。”　大，同“泰”。泰康，安乐。这句意为，不要过分地追求安乐。

职，尚、还要。马瑞辰通释：“尔雅释诂：‘职，常也。’常从尚声，故职又通作尚。秦誓‘亦职有利哉’，大学引作‘尚亦有利哉’，论衡引作‘亦尚有利哉’。……窃谓此当训尚。”　居，处，指自己担任的职位。这句意为，还要想到自己的职务。

好，爱好。　荒，荒废。郑笺：“荒，废乱也。”

良士，指作者心目中的榜样。郑笺：“良，善也。”　瞿瞿，惊顾貌，含有警惕之意。毛传：“瞿瞿然顾礼义也。”这二句意为，爱好娱乐而不荒废业务，该像良士那样时时警戒自己。

韵读：鱼部——莫、除、居、瞿。

蟋蟀在堂,岁聿其逝。今我不乐,日月其迈。无已大康,职思其外。好乐无荒,良士蹶蹶。

逝,流逝。

迈,与上章"日月其除"的"除"同义。毛传:"迈,行也。"

外,职务以外的事。苏辙诗集传:"既思其职,又思其职之外。"

蹶蹶(juě),动作敏捷貌。毛传:"蹶蹶,动而敏于事。"这句意为,该像良士那样敏捷勤快。

韵读:祭部——逝(时例反,入声)、迈(音蔑)、外(音月入声)、蹶。

蟋蟀在堂,役车其休。今我不乐,日月其慆。无已大康,职思其忧。好乐无荒,良士休休。

役车,服役的车辆。　其休,将要休息,指行役者将回家,这也是岁暮的事。马瑞辰通释:"古者役不逾时。月令:'孟秋乃命将帅。'则孟冬正当旋役之时。采薇诗:'曰归曰归,岁亦阳止。'杕杜诗:'日月阳止,女心伤止,征夫遑止。'皆古者岁莫还役之证。"

慆(tāo),滔的假借字。说文:"滔,水漫漫大貌。"马瑞辰通释:"大则易失之过,故过又大义之引申也。"这里的"过"也作"逝去"解。

忧,可忧的事。郑笺:"忧者,谓邻国侵伐之忧。"

休休,希望和平的心情。方玉润诗经原始:"季氏本曰:休休,以安为念,亦惧意也。"

韵读:幽部——休、慆(他愁反)、忧、休。

山有枢

【题　解】

这是一首讽刺守财奴、宣扬及时行乐的诗。毛序认为讽刺晋昭公"有财不能用,有钟鼓不能以自乐,有朝廷不能洒扫";三家诗认为"当周公、召公共和之时,成侯曾孙僖侯甚啬爱物,俭不中礼,国人闵之,唐之变风始作。”从诗的内容来看,确也是厌恶吝啬成性,提倡放荡恣纵的歌唱。但是在放浪形骸的外壳里,却蕴藏着很深的怅惘和空虚的心声。钟惺评点诗经云:“行乐之词,乃以斥(涩)苦之音出之,开后来诗人许多忧生惜日之感。末语促节,便可当一部挽歌。”确是评出了这首诗的特点。

此诗所反映的颓唐心理与前篇蟋蟀的节制心理颇不同,细细对读,便能体会词气抑扬之间,意旨迥别。方玉润谓蟋蟀为“谨守见道之人所作”,山有枢为“庄子委蜕、释氏本空一流人语”,很有见地。

山有枢,隰有榆。子有衣裳,弗曳弗娄。子有车马,弗驰弗驱。宛其死矣,他人是愉。

枢(樞),鲁诗作蓲,都是櫙(ōu)的假借字。今名刺榆。陆玑诗草木鸟兽虫鱼疏:“其针刺如柘,其叶如榆,瀹为茹,美滑于白榆。”

隰,低洼的地。　榆,落叶乔木,白色者谓之白枌。按这二句是兴句,诗人以山隰有木材不能自用,只供他人用,兴守财奴有财宝不知享用,等他死了却供别人享受。

曳(yè),拖。　娄,搂的假借,韩诗正作搂。释文引马云:“娄,牵也。”按曳、搂都是穿衣的动作,这里泛指穿衣。

驰、驱,按古代驰、驱二字有区别,走马(让马快跑)谓之驰,策马(用鞭子赶马)谓之驱。但这里是浑言不别,俱指乘车。

宛,苑的假借字。枯萎。淮南子俶真训:“形苑而神壮。”高诱注:“苑,枯病也。”　其,句中助词。

愉,快乐、享乐。这二句意为,你要是老病死了,这些东西还不都归别人享用?

韵读:侯部——枢(昌蓲反)、榆(喻蓲反)、娄、驱(音蓲 qiū)、愉(喻蓲反)。

山有栲，隰有杻。子有廷内，弗洒弗扫。子有钟鼓，弗鼓弗考。宛其死矣，他人是保。

栲，又名山樗，落叶小乔木，今名臭椿。

杻(niǔ)，又名檍，梓属，高大乔木，木材可作弓弩杆。

廷，通“庭”，院子。　内，指堂室。王引之经义述闻：“廷内，谓庭与堂室，非谓庭之内也。”

鼓，敲打。　考，攷的假借字。广雅：“攷，击也。”

保，占有。朱熹：“保，居有也。”

韵读：幽部——栲(苦叟反)、杻、扫(音叟)、考(罟叟反)、保(博叟反)。

山有漆，隰有栗。子有酒食，何不日鼓瑟？且以喜乐，且以永日。宛其死矣，他人入室。

漆，漆树。

且，姑且。　以，用。指上二句饮食作乐。

永，长。这里作动词用，是延长之意。朱熹诗集传：“人多忧，则觉日短，饮食作乐，可以永长此日也。”

韵读：脂部——漆、栗、瑟、日、室。

扬之水

【题　解】

这是一首揭发告密诗。据左传记载，晋昭侯元年(公元前七四五年)，昭侯封叔父成师于曲沃，号为桓叔。昭侯七年，晋大夫潘父与桓叔密谋，作为内应，发动政变。这次阴谋没有成功，桓叔败归曲沃，但昭侯已被杀死。这首诗可能作于潘父与桓叔策划政变之时。作者或许是个知情者，他跟从桓叔去了曲沃，但又身在曹营心在汉，于是通过诗歌的形式委婉地告了密。

此诗每章都以“扬之水”起兴，马瑞辰通释说：“此诗扬之水，盖以喻晋昭微弱不能制桓叔,而转封沃以使之强大。则有如水之激石,不能伤石而益使之鲜洁。故以'白石凿凿'喻沃之盛强耳。"他分析此诗兴义与诗旨合。它与王风扬之水、郑风扬之水同,但这三首诗的主题却各不同,王风扬之水是久戍思归之曲,郑风扬之水是叮咛劝勉之词,此诗是首鼠两端之言。在风格上,前二者表现缠绵难解和惶惑不安之情,后者表现矛盾抑郁的心曲。同是用"扬之水"起兴,便是借助这句民间诗歌习语的含义和在韵律节奏上的特点,造成一种沉闷哀怨的气氛,而引起读者的共鸣。诗经兴法的这种作用,随着乐谱的散佚而失去了它的艺术魅力,但读者若仔细吟味,还是能得其馀韵。

扬之水,白石凿凿。素衣朱襮,从子于沃。既见君子,云何不乐。

扬之水,悠扬缓慢的流水。

凿凿,鲜明貌。

素衣,白缯的内衣。　朱襮(bó),红边的衣领。陈奂传疏:"礼唯诸侯中衣则然,大夫用之则为僭。"潘父是大夫,却穿起诸侯的服饰,所以说他是"叛晋者"。

子,你,指潘父。陈奂传疏:"子,斥叛晋者也。"　于,往、到。　沃,曲沃。在今山西闻喜东,是恒叔的封地。这位诗人可能是潘父的随从之一。

君子,郑笺:"君子谓桓叔。"

云,语助词。这二句大意为,潘父见到桓叔,没有不快乐的。暗示两人结谋反叛。

韵读:宵部——凿、襮、沃(乌驳反)、乐。

扬之水,白石皓皓。素衣朱绣,从子于鹄。既见君子,云何其忧。

晧晧,洁白貌。他本作皓皓,是俗字。按晧的本义为"日出貌",说文段注:"谓光明之貌也。天下惟洁白者最光明,故引申为凡白之称。又改其字从白作皓矣。”

朱绣，红边领上画以五彩花纹。陈奂传疏：“诸侯冕服，其中衣之衣领，缘以丹朱，画以绣黼。”

鹄，齐诗作皋，即曲沃。马瑞辰通释：“鹄，古通作皋，泽也、皋也、沃也，盖析言则异，散言则通。三家诗从本字作皋，毛诗假借作鹄，非曲沃之旁别有邑名鹄也。”

云、其，都是语助词，镶字以足句。

韵读：幽部——皓（何瘦反）、绣、鹄（呼瘦反）、忧。

扬之水，白石粼粼。我闻有命，不敢以告人！

粼粼，清澈之貌。按各本作粼粼，盖与粼粼形近之讹。

命，成命。方玉润诗经原始：“闻其事已成，将有成命也。”即将有通告全国、发动政变的命令。

不敢以告人，这是以反话来隐晦地告密。严粲诗缉：“言不敢告人者，乃所以告昭公。”吴闿生诗义会通：“此巧于告密者，晋昭不悟，奈何！”陈奂认为：“前二章皆六句，此章四句，殊太短，恐汉初传之者有脱误。”按鲁诗末章第三句起作“国有大命，不可以告人，妨其躬身。”可证陈说近是。

韵读：真部——粼、命、人。

椒　聊

【题　解】

这是一首赞美妇女多子的诗。毛序和三家诗都说这是诗人写曲沃桓叔子孙盛大的诗。后代注家多承此说。但朱熹却认为“此不知其所指”，“此诗未见其必为沃而作也”，从此便引起后人的怀疑，多不信序说。诗以椒兴多子，这是事实。尔雅释木：“椒、椴、丑、莍。”郭注：“莍，萸（越椒）。子聚生成房貌。”椒多子，汉朝人就将皇后住的房屋称为椒房，取其多子吉祥之意。

应劭风俗通："汉官仪，皇后称椒房，取其蕃实之义也。诗曰：椒聊之实，蕃衍盈升。"后汉书第五伦传："窦宪椒房之亲。"注："后妃以椒涂壁，取其繁衍多子，故曰椒房。"闻一多风诗类钞："椒聊喻多子，欣妇女之宜子也。"从上述引证和诗的内容来看，似应从闻说。

诗二章，每章六句，上二句和末二句都是兴，只有中间二句是写人。诗经兴句多在章首，章末亦起兴者很少。诗章末又以椒香远长起兴，非但前后呼应，而且含蕴隽永，有馀音袅袅之感。

椒聊之实，蕃衍盈升。彼其之子，硕大无朋。椒聊且！远条且！

椒，花椒。果实暗红色，熟即裂开，味辛而香烈，可入药及调味。　聊，同莍，亦作朻、梂，草木结成的一串串果实。闻一多风诗类钞："草木实聚生成丛，古语叫作聊，今语叫作嘟噜。"释文训聊为语助词，是错误的。按椒聊为叠韵。

蕃衍，亦作蔓延。文选景福殿赋、曹子建求通亲亲表李善注都引诗作"蔓延盈升"。蕃衍与蔓延声同字通，都是叠韵。　盈，满。　升，量器名。这二句意为，花椒树结的一嘟噜的子繁盛起来可以装满一升。

其，句中语助词，音忌。

硕，大。陈奂传疏："蕃衍、硕大并两字同义。"　无朋，无比。说那位妇人身体肥硕强壮。古代以妇人丰硕为美。

且（jū），语末助词。

远条，条字古与修字同声通用，足利古本诗经作"远修且"。修是"长"的意思，指花椒的香气传得很远，即毛传所谓"言馨之远闻也"。

韵读：蒸部——升、朋。　幽部——聊（音流）、条（徒由反）。

椒聊之实，蕃衍盈匊。彼其之子，硕大且笃。椒聊且！远条且！

匊（jú），掬的古字，两手合捧。左传宣公十二年："舟中之指可掬矣。"杜预注："两手曰掬。"

笃，厚实。这里用来形容妇人肌体的丰满。

韵读:幽部——匊、笃、聊、条。

绸 缪

【题 解】

这是一首祝贺新婚的诗。毛序:"绸缪,刺晋乱也。国乱则昏姻不得其时焉。"生拉硬扯一个刺字,实在太牵强。方玉润说:"绸缪,贺新婚也。"庶几近之。不过它和周南桃夭等贺新婚诗有些不同,带有戏谑调侃的味道,可能是闹新房一类的歌唱。有人说诗是新郎自作,但细读诗句,语意不类。钱锺书管锥编云:"窃谓此诗首章托为女之词,称男'良人';次章托为男女和声合赋之词,故曰'邂逅',义兼彼此;末章托为男之词,称女'粲者'。单而双,双复单,乐府古题之'两头纤纤',可借以品目。譬之歌曲之'三章法':女先独唱,继以男女合唱,终以男独唱,似不必认定全诗出一人之口而斡旋'良人'之称也。"钱先生的说法可为定论。

全诗充满喜庆欢快的气氛,兴句以象征嫁娶的束薪、三星入景,章末以谐谑新妇新郎的呼告、设问作结,把婚礼上热闹的场面、贺客艳羡的神态描写得如在眼前。尤其是"今夕何夕"四字,虽出自旁人之口,却将一对新人羞怯怯、喜滋滋的仪容、心理刻画得细致入微,后人称赞它"是神来句",倒也不算虚誉。

绸缪束薪,三星在天。今夕何夕,见此良人?子兮子兮,如此良人何?

绸缪,缠绵,紧密缠缚之意。按绸缪为叠韵,是一个词。说文段注:"今人绸缪字不分用。" 束薪,一捆捆的柴草。"束薪"、"束刍"、"束楚"都用以象征结婚。见汉广注。

三星，三是虚数，不是实指。毛传："三星，参也。"认为是指参星，亦通。

在天，指星星出现的黄昏，这正是新人结婚、贺客闹房的时候。古代结婚，婿在黄昏时到女家亲迎，礼记经解疏曰："婿则昏时以迎，妇则因而随之。故云婿曰昏，妻曰因。"后人将"昏因"二字都添上"女"旁，失其原意。

今夕何夕，贺客闹新房时故意戏问新人："今夜是什么夜晚呀？"

良人，古代妇女称夫为良人。仪礼郑注："妇女称夫曰良。"后人称夫为郎，郎、良一声之转，仍承古义。

子兮，贺客闹新房时呼新人之词，犹今之"你啊"。一说"子"为"嗟嗞"的叹词，亦可通。

如……何，把……怎么样。孔疏："如何，犹奈何。"按这章是戏谑新娘喜见新郎之词。

韵读：真部——薪、天（铁因反）、人、人。

绸缪束刍，三星在隅。今夕何夕，见此邂逅？子兮子兮，如此邂逅何？

刍，结婚时用来喂亲迎马匹的草料。

隅，天空的东南方。朱熹诗集传："昏现之星至此，则夜久矣。"

邂逅，本义是会合，引申为"悦"，这里作名词用，指可爱的人。胡承珙毛诗后笺："邂逅，会合之意。淮南俶真训：'孰肯解构人间之事。'高注：'解构，犹会合也。'凡君臣、朋友、男女之会合皆可言之。传云'解悦之貌'，即因会合而心解意悦耳。"按这章是戏谑新婚夫妇喜悦相见之词。

韵读：侯部——刍（钗搜反）、隅（俄蓝反）、逅、逅。

绸缪束楚，三星在户。今夕何夕，见此粲者？子兮子兮，如此粲者何？

楚，荆条。

户，房门。朱熹诗集传："户必南出，昏现之星至此，则夜分矣。"

粲者，美人。粲，妫的假借字。说文："三女为妫。妫，美也。"按这章是戏谑新郎喜见新娘之词。

韵读：鱼部——楚、户、者（音渚）、者。

杕　杜

【题　解】

这是一个孤独的流浪者求助不得的感伤诗。他自伤失去了兄弟，路上虽有不少同行者，却谁也不肯援之以手。毛序："杕杜，刺时也。君不能亲其宗族，骨肉离散，独居而无兄弟，将为沃所并尔。"朱熹诗序辨说驳曰："此乃人无兄弟而自叹之词，未必如序之说也。况曲沃实晋之同姓，其服属又未远乎？"从诗意来看，朱熹是驳得允当的。集传说："此无兄弟者自伤其孤特，而求助于人之词。"他分析诗的主题比较正确。有人说这是一篇乞食者之歌，亦可通。闻一多风诗类钞："杕杜喻女之未嫁者。说文：'牡曰棠，牝曰杜。'"按他的说法，这个流浪者竟是一位女子了。

诗两章，每章末四句全同，是副歌式的复唱。世态炎凉，人情冷暖，使得诗人抚胸扼腕，仰天悲歌，连用两个激问：为什么没有人亲近？为什么没有人援助？激问是一种在知切情急情况下才使用的特殊修辞。刘勰文心雕龙情采篇说："昔诗人什篇，为情而造文。……盖风雅之兴，志思蓄愤，而吟咏情性，以讽其上，此为情而造文也。"诗人并没有铺采摛藻，镂章雕句，而只是为了宣泄心中难以抑制的孤凄怨愤之感。唯其如此，他的歌声更能产生震摄人心的魅力。

有杕之杜，其叶湑湑。独行踽踽，岂无他人？不如我同父！嗟行之人，胡不比焉？人无兄弟，胡不佽焉？

杕（dì），孤生独特貌。有杕即杕杕。　杜，即召南甘棠的甘棠，又名杜梨、棠梨。

湑湑(xǔ),树叶茂盛貌。这二句是反兴。诗人见到孤生独特的甘棠尚且有茂密的树叶保护它,不禁感慨自己的孤独无亲,还不如杕杜。

踽踽(jǔ),孤独貌。毛传:"踽踽,无所亲也。"

同父,朱熹诗集传:"同父,兄弟也。"

行,道路。

比,亲密。说文:"比,密也。"段玉裁注:"其本义谓相亲密也。"这二句意为,唉,路上的人为什么不同我亲近呢?

人,作者自指。

佽(cì),帮助。说文:"佽,便利也。一曰递也。"段玉裁注:"唐风'胡不佽焉',传曰:'佽,助也。'笺云:'何不相推次而助之。'皆递之意也。"这二句意为,我是没有兄弟的孤零之人,为什么你们不肯帮助我呢?

韵读:鱼部——杜、湑、踽、父。　脂部——比、佽。

有杕之杜,其叶菁菁。独行睘睘,岂无他人?不如我同姓!嗟行之人,胡不比焉?人无兄弟,胡不佽焉?

菁菁(jīng),树叶茂盛貌。毛传:"菁菁,叶盛也。"

睘睘(qióng),鲁诗作茕茕,睘、茕都是赹的假借字。说文:"赹,独行也。"毛传:"睘睘,无所依也。"

同姓,同胞兄弟。马瑞辰通释:"女生曰姓。此诗'同姓',对前章'同父'而言,又据下文'人无兄弟'而言。同姓,盖谓同母生者。"

韵读:耕部——菁、姓。　脂部——比、佽。

羔　裘

【题　解】

这首诗的主题颇难解。毛序:"羔裘,刺时也。晋人刺其在位,不恤其民也。"孔疏云:"北风刺虐,则云'携手同行';硕鼠刺贪,则云'适彼乐国',皆欲奋然而去,无顾恋之心。此则念其恩好,不忍归他人之国。其情笃厚如此,亦是唐之遗风,言犹有帝尧遗化，故风俗淳也。”照序、疏的说法，是人民虽然讥刺统治者的凶恶，却尚眷念旧情，不忍离去，反映了忠厚的民风。但是我们看诗的每章末二句，分明是反诘斥责之词，也是“无顾恋之心”的，所以毛、孔之说站不住脚。今人说此篇，有以为是贵族朋友反目所作，有以为奴隶讽刺奴隶主贵族的歌唱，有以为婢妾反抗主人之诗，都可以说得通。闻一多风诗类钞：“你羔裘豹袖的人，自是对我们傲慢。难道没有别人，非同你好不可？”他将诗译成散文，用的是女子的口吻。现姑从闻说，解为贵族婢妾对主人的反抗。

诗共二章，每章仅四句。前二句斥责对方的傲慢，后二句明白告诉对方不要自以为了不起。干净利落，毫不假以辞色，反映出作者爽朗泼辣的性格。

羔裘豹祛，自我人居居。岂无他人？维子之故！

豹祛(qū)，镶着豹皮的袖口。这是古代卿大夫的服饰。

自，用是、由是。毛传：“自，用也。”胡承珙毛诗后笺：“自者，词之用也。……云此羔裘而豹袪者，我人也。乃用是居居然怀恶不相亲比，何也？自我人居居犹言我人自居居，倒装句耳。” 我人，我的人，恐是婢妾对主人的称呼。 居居，倨倨的假借字，态度傲慢。

维，同“惟”，只有。 子，你，指这个“我人”。 之，语中助词。 故，婟的假借字。说文：“嫪，婟也。”段注：“声类云：婟、嫪，恋惜也。”此处作爱恋、相好解。这二句意为，难道没有别人，只能同你相好不成！

韵读：鱼部——祛、居、故。

羔裘豹褎，自我人究究。岂无他人？维子之好。

褎，同“袖”。

究究，心怀恶意不可亲近的样子，亦傲慢意。尔雅释训：“居居、究究，恶也。”郝懿行尔雅义疏：“此居居犹倨倨，不逊之意。故诗羔裘传：‘居居，怀恶不相亲比之貌。’”释文：“‘居又音据’，即倨字之音矣。究、居声转为义，故羔裘传：‘究究，犹居居也。’”

好，爱好。

韵读：幽部——褎、究、好（呼叟反）。

鸨 羽

【题 解】

这是一首农民反抗无休止的徭役制度的诗。毛序：“鸨羽，刺时也。昭公之后，大乱五世。君子下从征役，不得养其父母，而作是诗也。”分析得基本不错。朱熹诗集传：“民从征役而不得养其父母，故作此诗。”改君子为人民，比毛序更为准确。

方玉润诗经原始：“不得养亲，同此呼天吁地。人不伤心，何烦泣诉！始则痛居处之无定，继则念征役之何极，终则恨旧乐之难复。民情至此，咨怨极矣！……而诗但归之于天，不敢有懈王事，则忠厚之心又何切也！”他的前半段文字描绘诗各章的情调气氛，颇能领悟诗意。但结尾将呼天之句归于“忠厚之心”，却未免强作解人。史记屈原列传：“夫天者，人之始也；父母者，人之本也；人穷则反本。故劳苦倦极，未尝不呼天也；疾痛惨怛，未尝不呼父母也。”太史公的话，才能真正解释诗中“悠悠苍天，曷其有极”的惨痛呼告。而这种呼告带来的震颤人心的效果，几千年来也还不曾褪色。

肃肃鸨羽，集于苞栩。王事靡盬，不能蓺稷黍，父母何怙？悠悠苍天，曷其有所！

肃肃，鸟振翅声。毛传：“肃肃，鸨羽声也。” 鸨（bǎo），野雁。比一般的雁稍大，脚上无后趾，所以不能稳定地栖息在树上，多栖于平原或湖泊边。陆玑诗草木鸟兽虫鱼疏：“鸨连蹄，性不树止。”

集,栖息。说文:“集,群鸟在木上也。” 苞,草木丛生。尔雅释言:“苞,稹。”孙炎注:“物丛生曰苞,齐人名曰稹。” 栩(xǔ),栎树。按这二句是兴。郑笺:“兴者,喻君子当居安平之处,今下从征役,其为危苦如鸨之树止。”

王事,指征役。 靡,没有。 盬(gǔ),止息。马瑞辰通释:“尔雅释诂:‘栖、憩、休、苦,息也。’苦即盬之假借。”

蓺,种植。

怙(hù),依靠。说文:“怙,恃也。恃,赖也。”

曷,何。 所,处所。这句意为,何时才有安居的处所。

韵读:鱼部——羽、栩、盬、黍、怙、所。

肃肃鸨翼,集于苞棘。王事靡盬,不能蓺黍稷,父母何食?悠悠苍天,曷其有极!

棘,酸枣树。陈奂传疏:“苞棘,犹丛棘。”

极,尽头。郑笺:“极,已也。”这句意为,何时这种痛苦才算完呢?

韵读:之部——翼、棘、稷、食、极。

肃肃鸨行,集于苞桑。王事靡盬,不能蓺稻粱,父母何尝?悠悠苍天,曷其有常!

行,行列。马瑞辰通释:“鸨行,犹雁行也。雁之飞有行列,而鸨似之。”

常,正常。朱熹诗集传:“常,复其常也。”

韵读:阳部——行、桑、粱、尝、常。

无　衣

【题　解】

这是一首揽衣感旧的诗。古代制衣的工作多由妇女担任,这位被称为“子”的制衣者,恐是作者的妻子。她为什么不在了,是离散了,还是死了,从诗中看不出来。倘是故世,那便是伤逝的诗了。闻一多说:“此感旧或伤逝之作。”他体会诗意比较正确。毛序:

"无衣,美晋武公也。武公始并晋国,其大夫为之请命乎天子之使,而作是诗也。"朱熹诗集传也以为是晋武公向周天子要挟封侯之词。但我们细玩诗的内容和风格,总觉这类讲法之无稽,恐皆附会。

此诗二章,每章只有三句,是诗经中最短的诗。实际上这也只是几句随口而出的叹息,抒发着心中的思念和惆怅。诗情直露,并没有什么宛转的深意。但是姚际恒诗经通论评曰:"起得兀突飘忽。二句只一意,无他衬句,章法亦奇。"吴闿生诗义会通评曰:"起笔超。"这些旧学者脑子里总是脱不开"宗经"的观念,把三百篇看成诗的极致。他们的评论也每每刻意求深,把简朴的句子复杂化了。

岂曰无衣七兮?不如子之衣,安且吉兮!

七,指衣服之多,是虚指,并非实数。下章的"六"同义。这句意为,难道说我缺少衣服穿?毛传:"侯伯之礼七命,冕服七章。天子之卿六命,车旗衣服以六为节。"其意是晋武公向周天子索取侯伯的待遇。但一章曰七,一章曰六,前后索取的等级不同,岂非自相矛盾?显见得是望文生义。

安,安泰、舒适。　吉,美善。

韵读:脂部——七、吉。

岂曰无衣六兮?不如子之衣,安且燠兮!

燠,暖和。说文:"燠,热在中也。"亦作奥。

韵读:幽部——六、燠。

有杕之杜

【题　解】

这是一首女子向对方表示好感的诗,闻一多风诗类钞对诗的恋爱内容作了分析。朱熹诗集传则认为是求贤心切的诗。从诗的内容来看,两家都说得通。毛序以为是刺晋武公不求贤,非但牵扯晋武公全无根据,而且把诗意也搞颠倒了,所以朱熹批评它"全非诗意"。有人将此诗解为"乞食者之歌",认为,"因杕杜篇分化而来,可视为同一母题之歌谣"。但我们对看二诗,虽章首兴句相同,而全诗风格迥异,恐不能以同调视之。

此诗与杕杜篇同以"有杕之杜"起兴,一株孤零零的杜梨树,引起两位诗人的感伤,杕杜的作者孑然一身,孤立无援,心中充满了凄苦哀切的孤独感;本诗的作者情有所钟,又不知对方意下如何,不禁泛起一阵甜蜜而略带怅惘的落寞。这两条感情线索的趋向是不同的,只是在"孤单"这一个交叉点上它们会合了,然后又各奔东西,于是便产生了"有杕之杜"的相同兴句。但是"孤单"这一感情却包括了不少侧面,于是相同的兴句便提示了不同的主题。困学纪闻引李仲蒙解释兴义曰:"触物以起情谓之兴,物动情也。"因为触物起情,所以同一物可以引起不同的情。我们在欣赏这两首诗时是可以仔细体会出这种"物同情异"的兴法的。

有杕之杜,生于道左。彼君子兮,噬肯适我?中心好之,曷饮食之!

有杕之杜,见杕杜注。

道左,道路的左边,古人以东为左。

噬(shì),鲁诗作遾,韩诗作逝,噬、遾都是逝的假借字。语首助词,无义。　适,之、来到。这二句意为,那位君子可肯到我这里来。

中心,即"心中"的倒文。　好,爱好、爱恋。

曷,同"盍",何不。马瑞辰通释:"曷训何,亦为何不。尔雅:'曷,盍也。'郭注:'盍,何不也。'曷饮食之,谓何不饮食之也。"这句意为,何不请他喝酒。

韵读:歌部——左、我。　之、幽部通韵——好、食。

有杕之杜,生于道周。彼君子兮,噬肯来游?中心好之,曷饮食之!

周,右的假借字。韩诗:"周,右也。"

游,观看、看望。毛传:"游,观也。"陈奂传疏:"孟子梁惠王篇:齐景公曰:'吾何修而可以比于先王观也?'晏子引夏谚曰:'吾王不游,吾何以休?'是游、观义同也。"

韵读:幽部——周、游。　之、幽部通韵——好、食。

葛　生

【题　解】

这是一位妇女悼念丈夫的诗。毛序:"葛生,刺晋献公也。好攻战,则国人多丧矣。"郑笺:"夫从征役,弃亡不反,则其妻居家而怨思。"春秋时代,战争频繁,人民死于兵役是很可能的事。但从诗的内容看,却察不出有从征不归的痕迹。还是闻一多仅以"悼亡"二字释诗旨,反显得谨慎而切实。

这首诗也可为悼亡诗之祖。陈澧读诗日录云:"此诗甚悲,读之使人泪下。"的确,全诗悱恻伤痛的情调,感人至深。前三章抒写良人已逝,形单影只的悲哀,一唱三叹,无法排解。潘岳悼亡诗中"展转眄枕席,长簟竟床空"的意境,庶几近之。后二章忽然写到愿意死后共归一处。生前已茫然,相见在黄泉,这是诗人思念到极点的感情的延伸,也是哀痛到极点的心理的变态。我国古典文学作品中,多少有情人难成眷属、只能相逢于身后的浪漫主义描写,谁能说不是滥觞于此?此外,"夏之日"、"冬之夜"两句,不着一个情字,但我们倘若将元稹悼亡诗中"惟将终夜长开眼,报答平生未展眉"来作注脚,则会感到这六个字中包蕴的哀思悲情真不是千言万语所能道尽。张戒岁寒堂诗话引刘勰云:“情在词外曰隐。”欧阳修六一诗话引梅尧臣说:“含不尽之意,见于言外。”都是就这种修辞而言。

葛生蒙楚,蔹蔓于野。予美亡此,谁与独处!

葛,葛藤。　蒙,覆盖。　楚,荆树。

蔹(liǎn),草名。同葛藤一样都是蔓生植物,必须攀缘依附在其他树上才能生存。　蔓,蔓延。马瑞辰通释:“葛与蔹皆蔓草,延于松柏则得其所,犹妇人随夫荣贵。今诗言‘蒙楚’、‘蒙棘’、‘蔓野’、‘蔓域’,盖以喻妇人失其所依。”马氏是解释这二句的兴义。有人说这二句描写了郊外墓景,是即景起兴,说亦可通。

予美,犹今言“我的爱人”。陈奂传疏:“妇人称夫谓美,犹称夫谓良。”　亡,郑笺:“亡,无也。言我所美之人无于此。”马瑞辰通释:“亡此犹云去此,又如俗云不在此耳。”

谁与,谁和我同居?　独处,孤独地呆在家里。有人将这句译为“谁伴他孤独地长眠地下呢”,可备一说。

韵读:鱼部——楚、野(音宇)、处。

葛生蒙棘,蔹蔓于域。予美亡此,谁与独息!

域,墓地。毛传:“域,茔域也。”说文:“茔,墓地也。”

息,寝息。

韵读:之部——棘、域、息。

角枕粲兮,锦衾烂兮。予美亡此,谁与独旦!

角枕,兽骨做装饰的枕头。　粲,同“灿”,鲜丽华美貌。

锦衾,锦制的被子,用于敛尸。同角枕一样,都是丧具。　烂,灿烂,叠韵。与第一句的“粲”是互文。

独旦,严粲诗缉:“独旦,独宿至旦也。”

韵读:元部——粲、烂、旦。

夏之日,冬之夜。百岁之后,归于其居!

百岁之后,指死后。按“百岁”是借代的修辞。

居,郑笺:“居,坟墓也。”

韵读:鱼部——夜(音豫)、居。

冬之夜,夏之日。百岁之后,归于其室!

室,郑笺:“室犹冢圹。”也指坟墓。

韵读:脂部——日、室。

采 苓

【题 解】

这是劝人不要听信谗言的诗。毛序:“采苓,刺晋献公也。献公好听谗焉。”三家无异议。但是方玉润说:“序谓刺晋献公好听谗言,盖指骊姬事也。然诗旨未露其意,安知其必为骊姬发哉?”的确,从诗中看不出具体背景,毛序恐怕是牵附其事。

诗三章,每章之间实际上只换了三个字,是一种反复叮咛,不厌其烦的声口。它的特点在于兴句连用得很巧妙。一、二、三章的“采苓采苓(苦、葑),首阳之巅(下、东)”,从毛传以来均认为是兴句,但兴义何在,众说纷纭。马瑞辰通释曰:“三者(苓、苦、葑)皆非首阳山所宜有,而诗言采于首阳者,盖故设为不可信之言,以证谗言之不可听,即下所谓人之伪言也。……苓为甘草,而尔雅名为大苦,则甘者名苦矣。苦为苦荼,而诗言‘堇荼如饴’,则苦者实甘矣。谷风诗‘采葑采菲,无以下体’,笺云:‘其根有美时,有恶时。’是葑又美恶无定者。诗以三者取兴,正以见谗言似是而实非也。”据马氏说,这三种植物都非山上所应有,而又都具备名实相乖、美恶无定的特点,用来形容谗言的毫无根据和似是而非,可说是稳妥而贴切。诗人体物之细腻和取喻之巧妙,可见一斑。

采苓采苓，首阳之巅。人之为言，苟亦无信。舍旃舍旃，苟亦无然。人之为言，胡得焉！

苓，甘草，又名大苦。见简兮注。

首阳，山名，在今山西永济南，亦名雷首山，与伯夷、叔齐饿死于洛阳东北的首阳山同名而异地。

为，通“伪”。为言，即谗言。陈奂传疏：“古为、伪、讹三字同。毛诗本作为，读作‘伪’也。为言，即谗言，所谓小行无征之言也。”

苟，诚、确实。　无，不要。陈奂传疏：“苟亦无信，诚无信也。亦为语助。”

舍，丢开。　旃（zhān），指示代名词。广韵：“旃，之也。”按旃的本义是“旗曲柄”，这里是假借为虚词的“之”。

无然，不正确。陈奂传疏：“无然，无是也。无是者，无一是者也。”

胡，何。　得，取。闻一多风诗类钞：“得，取也，与‘舍’对，言人之伪言不足取也。”

韵读：真部——苓、苓、巅（德因反）、信。　元部——旃、旃、然、言、焉。

采苦采苦，首阳之下。人之为言，苟亦无与。舍旃舍旃，苟亦无然。人之为言，胡得焉！

苦，菜名，亦名荼。陆玑：“苦菜生山田及泽中，得霜甜脆而美。”

无与，即“毋以”，不要赞同。毛传：“无与，勿用也。”陈奂传疏：“无读为毋，与读为以，诂训毋、勿同义，毋谓之勿，无亦谓之勿矣。以、与同义，以谓之用，与亦谓之用矣。”

韵读：鱼部——苦、苦、下（音户上声）、与。　元部——旃、旃、然、言、焉。

采葑采葑，首阳之东。人之为言，苟亦无从。舍旃舍旃，苟亦无然。人之为言，胡得焉！

葑，菜名，见谷风注。

韵读：东部——葑、葑、东、从。　元部——旃、旃、然、言、焉。

秦　风

秦原来是周的附庸。周宣王时，大夫秦仲奉命诛西戎，兵败被杀。平王东迁，秦仲之孙襄公派兵护送有功，平王封襄公为诸侯，秦才正式成为诸侯国。

秦风共十篇。其中小戎一诗是写秦襄公伐戎的事。朱熹说："西戎者，秦之臣子所与不共戴天之仇也。襄公上承天子之命，率其国人往而征之。"这大约是在公元前八百年左右。黄鸟一诗写的是秦人揭露斥责秦穆公用人殉葬。左传文公六年："秦伯任好卒，以子车氏之三子奄息、仲行、针虎为殉，皆秦之良也。国人哀之，为之赋黄鸟。"这是公元前六二一年左右的事。可见秦风也是东周末至春秋时的作品。

秦原来只占有西犬丘（今甘肃天水）一带地方，平王东迁后，秦国就扩大到西周王畿和豳地，即今陕西省及甘肃东部。汉书地理志说："安定、北地、上郡、西河，皆迫近戎狄，修习战备，高尚气力，以射猎为先。故秦诗曰：'在其板屋。'又曰：'王于兴师，修我甲兵，与子偕行。'及车辚、四驖、小戎之篇，皆言车马田狩之事。"马瑞辰也说："秦以力战开国，其以力服人者猛，故其成功也速，其延祚也短；而其蔽也失于黩武而不能自安。是故秦诗车邻、驷驖、小戎诸篇，君臣相耀以武事，其所美者，不过车马音乐之好，兵戎田狩之事耳。"可见秦风的基调是充满尚武精神。

车　邻

【题　解】

这是一首反映秦君生活的诗。"寺人"是当时宫中的侍从，掌管国君出入的传令。据左传记载,春秋齐有寺人貂,晋有寺人披,都是担任这个官职的人。诗中的君子,可能即指秦君,因为别人不会有寺人的官。毛序:“车邻,美秦仲也。秦仲始大,有车马礼乐侍御之好焉。”郑笺:“君臣以闲暇燕饮相安乐也。”据此,后儒都认为这是“君臣相得”之诗。但是我们细味“阪有漆,隰有栗”的兴句,便觉得诗人似乎是一位女性。因为这类民歌习语,在国风中多用来表示男女双方的爱情,如简兮的“山有榛,隰有苓”、山有扶苏的“山有扶苏,隰有荷花”等都是。她可能是秦君宫中的一名婢妾。最初因为没有寺人的传令,她见不到秦君,只能看到国君的车马。后来居然见到了秦君,而这位国君又非常随和,同她并排坐着弹琴鼓瑟,还对他说:“现在不及时行乐,将来就要老死了。”诗的内容反映了秦君生活和思想的一个断面。

这首诗首章全用赋体,车盛马壮,侍御传令,是一派庄严气象。二、三章改用兴法,阪桑隰杨之好,鼓瑟鼓簧之乐,逝者其亡之叹,又别是一种及时行乐的欢愉氛围。两相对照,反映出秦君身上兼存着“君”的威严和“人”的情感的不同侧面。方玉润评曰:“未见时如此严肃,既见时如此简易。”颇能传这种对比手法之神。

有车邻邻,有马白颠。未见君子,寺人之令。

邻邻,鲁、齐诗邻(鄰)作辚。车行声。毛传:“邻邻,众车声也。”

颠,额头。白颠,马额正中有块白毛。毛传:“白颠,的顙也。”孔颖达正义引尔雅舍人注曰:“的,白也。顙,额也。额有白毛,今之戴星马也。”

寺人,官名,宫内的小臣。亦作侍人。毛传:“寺人,内小臣也。”郑笺:“欲见国君者,必先令寺人使传告之。”周官内小臣云:“掌王后之命。掌王之阴事阴令。”郑玄注:“阴事,群妃御见之事。”寺人云:“掌王之内人及女宫之戒令。”由此更可证明这位“未见君子”者是女性。这二句意为,没有见到秦君，因为还没有得到寺人的传令。

韵读：真部——邻、颠（德因反）、令。

阪有漆，隰有栗。既见君子，并坐鼓瑟。今者不乐，逝者其耋。

阪（bǎn），山坡。　漆，漆树。

隰（xí），低洼潮湿的地。

鼓，弹奏。这句意为，同秦君并坐弹瑟。何楷诗经世本古义认为是乐工鼓瑟者并坐，非诗人和秦君并坐。可备一说。

逝者，将来。对上句"今者"（现在）言。俞樾群经平议："今者谓此日，逝者谓他日也。逝，往也，谓过此以往也。"　耋（dié），八十岁。也有说耋是六十或七十岁。这里泛指老。

韵韵：脂部——漆、栗、瑟、耋（徒一反，入声）。

阪有桑，隰有杨。既见君子，并坐鼓簧。今者不乐，逝者其亡。

簧，古乐器名。见君子扬扬注。

亡，死亡。毛传："亡，丧弃也。"这二句也是来日无多，及时行乐的意思。

韵读：阳部——桑、杨、簧、亡。

驷　驖

【题　解】

这是一首描写秦君打猎的诗。陈子展诗经直解引马叙伦石鼓为秦文公时物考："吴人石中之'中囿孔□'，即秦风驷驖诗之北园，在汧，汧源乃秦襄公故都。"又引郭沫若古刻汇考序："阅秦风诗序：'驷驖，美襄公也。'则是与石鼓诗乃同时之作。诗云'游于北园，四马既闲'，盖即西畤之后苑矣。"证明这首诗确是秦襄公时（约公元前七七七年之后）的作品。服虔说驷驖和小戎、车邻都是秦仲时诗，恐不可靠。毛序："驷驖，美襄公也。始命，有田狩之事、园囿之乐焉。”郑笺：“始命，始命为诸侯也。秦始附庸也。”三家无异议。按秦襄公的祖父秦仲在宣王时为大夫，伐西戎不克，被杀。周幽王被犬戎所杀，周地大部沦陷。秦襄公以兵送平王东迁洛阳，因功被封为诸侯，遂拥有周西都畿内岐、丰八百里之地。这是诗的社会背景。

这首诗三章全用赋体，首章言将狩之时，二章言正狩之时，三章言狩毕之时，脉络很清楚。但文字上却不见有什么惊人的佳句。孙矿批评诗经曰：“‘载猃歇骄’，元美（王世贞）谓其太拙，余则善其古质饶态。”其实“载猃歇骄”一句，语尽而意亦尽，平淡无味，反映出诗歌发轫时期的简陋。孙矿赞其“古质”，未免溢美，还不如弇州山人评为“太拙”来得实在。

驷驖孔阜，六辔在手。公之媚子，从公于狩。

驷，陈奂传疏：“驷当作四。四马曰驷。若下一字为马名，则上一字作四，不作驷。……说文引诗作四驖，汉书地理志作四载，载乃戴之误，而其字皆作四可证。”　驖（tiě），毛黑色、毛尖略带红色的马。说文：“驖，马赤黑色。”　孔，甚、非常。　阜，肥大。说文：“阜，大陆也。”大陆即高大平正的土山，这是阜的本义。引申之，为凡大、凡厚、凡多之称。

辔，马缰绳。六辔，一马两辔，四匹驾车的马应该有八条辔绳，但两匹服马内侧的两条辔绳是系在御者前面的车身上。而御者手中只拿着两条服马的外辔及四条骖马的内外辔，所以称作“六辔在手”。

公，指秦君，也即秦襄公。　媚子，所宠爱的人，这里指驾车者。思齐传：“媚，爱也。”

于，往。　狩，毛传：“冬猎曰狩。”

韵读：幽部——阜、手、狩。

奉时辰牡，辰牡孔硕。公曰左之，舍拔则获。

奉，供给。　时，是、这个。黄侃经传释词批语：“时、实皆‘是’之借。”

辰,时、应时。毛传:“冬献狼,夏献麋,春秋献鹿豕群兽。” 牡,公兽。这句意为,兽官驱出应时的野兽以供秦君打猎。

硕,肥大。说文:“硕,头大也。”引申为凡大之称。

左之,胡承珙毛诗后笺:“兽自远奔突而来,公命御者旋当其左,以便于射耳。”这是说狩猎时野兽从对面奔来,秦君命驾车者将车子驶向兽的左侧,于是便可向左边发箭。

舍,放箭。说文:“舍,市居曰舍。”段玉裁注曰:“引申之,为凡止之称。凡止于是曰舍,止而不为亦曰舍,其义异而同也。”这里舍作放箭解,便是从“止而不为”再引申之义。 拔,亦作栝,箭尾。舍拔即放开手指钩住的箭尾,将箭射出。

韵读:鱼部——硕(音蜍入声)、获(音胡入声)。

游于北园,四马既闲。輶车鸾镳,载猃歇骄。

北园,即秦君狩猎之地。陈奂传疏:“古者田在园囿中,北园当即所田之地。”这句意为,狩猎既毕,便在北园游玩。

闲,熟练。毛传:“闲,习也。”

輶(yóu)车,田猎所用的轻便的车。郑笺:“轻车,驱逆之车也。”驱逆即驱赶堵截野兽,所以车辆必须轻便。 鸾,当作銮,车铃。 镳(biāo),马口衔的勒具,如今之马嚼。銮镳,将铃挂在马嚼两端。说文:“人君乘车,四马镳,八銮铃。像鸾鸟之声和则敬也。”

猃(xiǎn),长嘴巴的猎狗。 歇骄,鲁、齐诗作猲獢,短嘴巴的猎狗。张衡两京赋:“属车之箠,载猃猲獢。”张铣注:“猃、猲皆狗也。载之以车也。”朱熹诗集传:“以车载犬,盖以休其足力也。”

韵读:元部——园、闲。 宵部——镳、骄。

小　戎

【题　解】

这是一位妇女思念她丈夫远征西戎的诗。史记秦本纪:“襄公二年，戎围犬丘，世父击之，为戎人所虏。七年，西戎与申侯伐周，杀幽王，而襄公将兵救周，战甚力，有功。十二年，伐戎，而至岐卒。”由此推测，诗大约产生于秦襄公七年至十二年（公元前七七一至前七六六年）这段时间内。毛序：“小戎，美襄公也。备其兵甲以讨西戎，西戎方强而征伐不休。国人则矜其车甲，妇人能闵其君子焉。”序文很不通顺，意义也模棱两可，所以方玉润批评说：“一诗两义，中间并无递换，上下语气全不相贯，天下岂有此文义？”他的驳序很有道理。可是方氏又认为这是秦襄公怀念出征将士的诗，殊不知“言念君子”、“厌厌良人”等语均是女子口吻，与秦襄公是扯不到一起的。

此诗三章，每章前六句都用赋体，首章写战车，二章写战马，三章写兵器。笔意铺张，描绘细致，以见军容之盛壮，洋溢着阵阵阳刚之气。方玉润评曰：“刻画典奥瑰丽已极，西京诸赋迴不能及，况下此者乎？”虽然未免言过其实，但确道出了这种“铺采摛文”的特点和对汉赋的影响。同前六句截然相反，每章后四句写妻子的怀念，缠绵温和，以见相思之深，透露出丝丝阴柔之情。这样刚柔结合、浓淡互见地写来，恰如大羹之用盐梅，越能增加羹味之鲜美。

小戎俴收，五楘梁辀。游环胁驱，阴靷鋈续。文茵畅毂，驾我骐馵。言念君子，温其如玉；在其板屋，乱我心曲。

戎，兵车。小戎，小兵车，兵士所乘。孔疏引六月诗“元戎十乘，以先启行”，元，大也。先启行之车谓之大戎，后启行者谓之小戎。　俴（jiàn），浅。　收，车后横木，即轸（见说文、考工记郑注、尔雅郭注）。或以为车四面木，即舆。如陈奂传疏：“四面束舆之木谓之轸，诗则谓之收。收，聚也，谓聚众材而收束之也。”按古人登车，必自车后，此句似专指车后横木而言，它较其他三面的横木来得低，所以称为浅收。

楘(mù),有花纹的皮条,环形,今叫做箍。 梁辀(zhōu),车辕。其形状略带弯曲,像房屋上的栋梁,又像船,所以叫做梁辀。因为太长,容易折裂,所以五处用有花纹的皮条箍紧。

游,游移。游环,活动的皮环。骖马的套绳称为靳,靳绳在骖马背部接出一短带,带端系环,即游环。毛传:"游环,靳环也。游在背上,所以御出也。"郑笺:"游环在背上,无常处,贯骖之外辔,以禁其出。"秦始皇陵出土铜车马中骖马之外辔恰恰从此游环中穿过,与毛、郑之说若合符契。 胁驱,驾具名。装在服马胁下的环带上,是一种对外向两骖方向探出的棒状铜突棱物。其作用是防止骖马过分向里靠。毛传:"胁驱,慎驾具,所以止入也。"

阴,车轼前的横板。又名揜軓。 靷(yǐn),引车前进的皮条。前系于衡,向后经过车下,系在车轴上,引车前进。 鋈(wù)续,白铜制的环。广雅:"白铜谓之鋈。"胡承珙毛诗后笺:"盖靷从舆下而出于軓前,以系于衡,其革不能如此之长,必须为环以接续之,故曰鋈续。"

文茵,有花纹的虎皮制的车褥子。 畅,长。马瑞辰通释:"广雅:'暘,长也。'玉篇畅亦作暘。是知畅即暘字之隶变。说文昜字注:'一曰长也。'暘从昜得声,故有长义。" 毂(gǔ),车轮中心的圆木,周围与车辐的一端相接,中有圆孔,用以插轴。戴侗六书故:"轮之中为毂,空其中,轴所贯也。"长毂的作用是延长轮对轴的支撑面,行车时可更加稳定而避免倾覆。秦始皇陵出土的二号铜车马毂长三厘米,以二分之一的缩尺比例计算,实物毂长六十七厘米,确算得上是长毂。秦国车制当有相沿之处,故出土铜车马可为此诗"畅毂"的有力左证。

骐,青黑色花纹相间文如博棋的马。 馵(zhù),左后脚白色的马。

言,语词。 君子,陈奂传疏:"君子,谓乘小戎者也。"即指从军的丈夫。

温,昷的假借字。温柔,温和。说文:"昷,仁也。"郑笺:"念君子之性温然如玉。玉有五德"(指仁、智、礼、义、信)。说文:"玉,石之美。有五德:润泽以温,仁之方也。"

板屋,西戎民俗用木板盖房屋。诗人用来代指西戎,其地在今甘肃一带。汉书地理志:“天水郡陇西,山多林木,民以板为室屋。故秦诗曰:‘在其板屋。’”

心曲,心窝。马瑞辰通释:“说文:‘曲,像器受物之形。’心之受事,有如曲之受物,故称心曲。犹水涯之受水处,亦曰水曲也。”这句意为,对丈夫的思念搅乱了我的心。

韵读:幽部——收、辀。　侯部——驱(音蓲 qiū)、续、毂、馵(音烛入声)、玉、屋、曲。

四牡孔阜,六辔在手。骐駵是中,騧骊是骖。龙盾之合,鋈以觼軜。言念君子,温其在邑。方何为期?胡然我念之。

駵(liú),亦作骝,红黑色的马。　中,指驾车四马当中的两匹服马。郑笺:“中,中服也。”

騧(guā),黑嘴的黄马。　骊,黑色的马,亦称驖。　骖,驾车四马两边的两匹马。郑笺:“骖,两骖也。”

龙盾,画龙的盾牌。　合,两块盾合在一处置于车上。朱熹诗集传:“画龙于盾,合两载之,以为车上之卫。必载二者,备破毁也。”

觼(jué),有舌的环。　軜(nà),骖马靠里边的辔。这句意为,骖马内辔的环是用白铜装饰的。

邑,指西戎的县邑。毛传:“在敌邑也。”

方,将。马瑞辰通释:“方之言将也。‘方何为期’,犹云‘将何为期’也。”方、将音近而义同。这句意为,什么时候将是他的归期呢?

胡然,为什么。陈奂传疏:“何为、胡然皆疑问之词。”

韵读:幽部——阜、手。　中、侵部合韵——中、骖。　缉部——合、軜、邑。　之部——期、之。

俴驷孔群,厹矛鋈錞。蒙伐有苑,虎韔镂膺。交韔二弓,竹闭绲縢。言念君子,载寝载兴。厌厌良人,秩秩德音。

俴驷,不披甲的四匹马。马瑞辰通释:“释文:韩诗云:‘驷马不着甲曰俴驷。’韩说是也。管子参患篇曰:‘甲不坚密与俴者同实,将徒人与俴者同实。’注:‘俴谓无甲单衣者。’又云:‘俴,单也。人虽众,无兵甲则与单人同也。'今按，人无甲谓之俴，马无甲亦谓之俴，其义正同。"王先谦集疏："韩则训俴为单，谓马不着甲，以示其骁勇。"

厹（qiú）矛，武器名，亦作仇矛或酋矛。长一丈八尺，上有三棱锋刃。 錞（duì），亦作鐏，矛柄的下端。鋈錞，用白铜装饰的矛端。

蒙，在盾上刻杂羽的花纹。 伐，瞂的假借字，中等大小的盾。 有苑（yūn），即苑苑，花纹美丽的样子。毛传："苑，文貌。"

虎韔（chàng），虎皮制的弓袋。 膺，弓袋的正面。严粲诗缉："镂膺，镂饰弓室之膺。弓以后为背，则以前为膺。故弓室之前亦为膺耳。"

交韔二弓，将两把弓顺倒交叉地放在弓袋里。朱熹诗集传："交韔，交二弓于韔中，谓颠倒安置之。必二弓，以备坏也。"

闭，鲁诗作䩛，齐诗作柲。柲是正字。一种校正弓弩的工具，以竹制成，所以称竹闭。 绲（gǔn），绳。 縢（téng），捆扎。毛传："縢，约也。"这句意为，将竹闭用绳子捆扎在需要校正的弓上。

载，语助词。 兴，起身。这二句意为，心中想念丈夫，睡也不是，起也不是。

厌厌（yān），懕的古字。安静。这里形容君子的文雅娴静。 良人，好人，女子对丈夫的称谓。即前面所说的君子。

秩秩，有次序貌。指进退有礼节。说文："秩，积也。"秩的本义是积禾有次序的样子，引申为行为上的有节度。 德音，好声誉。

韵读：文部——群、錞（音纯）。 蒸、侵部通韵——膺、弓、縢、兴、音。

蒹 葭

【题 解】

这是一首抒写思慕、追求意中人而不得的诗。一个深秋的早晨，河边芦苇上的露水还没有干。诗人在这时候、这地方寻找那心中难向人说的"伊人"。伊人仿佛在那流水环绕的洲岛上，他左右上下求索，终于是可望而不可得。细玩诗味，好像是情诗,但作者是男是女却无法确定。这首诗的主题历来众说纷纭。毛序:“蒹葭,刺襄公也。未能用周礼,将无以固其国焉。”这样的解释,即使不算是谬说,至少是过分的曲折晦涩,从诗句中是无法找出“未能用周礼”的影子的。朱熹诗集传:“言秋水方盛之时,所谓彼人者,乃在水之一方,上下求之而皆不可得。然不知其何所指也。”就诗论诗,难解处则阙疑,非常平实。难怪王照圆诗说评论道:“蒹葭一篇最好之诗,却解作刺襄公不用周礼等语,此前儒之陋,而小序误之也。自朱子集传出,朗吟一过,如游武夷、天台,引人入胜。乃知朱子翼经之功不在孔子下。”自此之后,或以为襄公求贤尚德之作,或以为思贤招隐之词,或以为朋友想念之吟,或以为贤人肥遁之诗,大要是没有超出朱熹的范围。我们认为是情诗,也是从诗中那种难与人言的思慕情致而推测之。朱善诗解颐:“味其辞,有敬慕之意,而无亵慢之情。”以此来反驳这是思见情人之词。但是,难道情诗就一定要有“亵慢之情”么?这类说法虽属可笑,却反映了许多封建文人思想深处的阴影。

这首诗意境飘逸,神韵悠长,从文学角度来说实在是不可多得的佳作。王照圆云:“小戎一篇古奥雄深,蒹葭一篇夷犹潇洒。”方玉润云:“此诗在秦风中气味绝不相类,以好战乐斗之邦,忽遇高超远举之作,可谓鹤立鸡群,翛然自异者矣。”他们两位从整体上点出了此诗的风格和特点。诗以“蒹葭苍苍,白露为霜”起兴,这是诗人触景生情的歌唱,非但将深秋早晨凄清明净的景色写得很美,而且点明了诗的时间地点。其下“所谓伊人,在水一方”,是虚点其地,似乎近在眼前。古诗十九首:“河汉清且浅,相去复几许。”意境仿佛近之。然后转过一笔:“遡洄从之,道阻且长。遡游从之,宛在水中央。”诗人在上下左右地求索,然而远道阻隔,可望而不可即。真是“盈盈一水间,脉脉不得语”。一个

"宛"字,又将实在的处所一笔拎空,所以姚际恒称赞道:"遂觉点睛欲飞,入神之笔。"全诗不着一个思字、愁字,然而读者却可以体会到诗人那种深深的企慕和求之不得的惆怅。方玉润云:"三章只一意,特换韵耳。其实首章已成绝唱。古人作诗,多一意化为三叠,所谓一唱三叹,佳者多有馀音。此则兴尽首章,不可不知也。"方氏的评论,尚有未惬。首章"蒹葭苍苍,白露为霜",写的是秋晨露寒霜重之景,二章"蒹葭凄凄,白露未晞",写的是旭日初升,霜露渐融之状,三章"蒹葭采采,白露未已",则已是阳光普照,露珠将收的时刻了。三章兴句,兼刻画了诗人追求伊人的时地,渲染出三幅深秋早上河边不同时间的背景,生动地描写了等待伊人,由于时间推移而越来越迫切的心情,并非"兴尽首章"。细细吟哦,馀音是隽永的。

蒹葭苍苍,白露为霜。所谓伊人,在水一方。遡洄从之,道阻且长,遡游从之,宛在水中央。

蒹葭(jiān jiā),蒹又称荻,细长的水草,长成后又称萑。葭是初生的芦苇。　苍苍,淡青色。秋天的芦苇叶上凝聚着霜露,因此颜色显得苍老。

白露为霜,陈奂传疏:"白露为霜,乃在九月已后。"

伊,是,指示代词。陈奂传疏:"伊、维一声之转。伊其即维其,伊何即维何,伊人即维人。……维,是也,犹言'是人'也。"

方,旁。一方,犹云一边。马瑞辰通释:"方、旁古通用,一方即一旁也。"

遡洄,逆着河流向上游走。说文:"溯,逆流而上曰溯洄。溯,向也。水欲下违之而上也。"重文作遡,是异体字。但从下面"道阻且长"、"道阻且跻"二句看,诗人寻求伊人是沿着岸边陆路,而非河中水路。

阻,险阻,障碍。

遡游,沿着河流向下游走。尔雅释水:"顺流而下曰溯游。"

宛,好像、仿佛。

韵读:阳部——苍、霜、方、长、央。

蒹葭凄凄,白露未晞。所谓伊人,在水之湄。遡洄从之,道阻且跻。遡游从之,宛在水中坻。

凄凄,湿润貌。说文:"凄,云雨起也。"这句意为,霜露渐渐融化,沾湿了苇叶。

晞(xī),干。

湄,水与草交接之处,也就是岸边。

跻(jī),登高。毛传:"跻,升也。"

坻(chí),水中小沙洲。毛传:"坻,小渚也。"

韵读:脂部——凄、晞、湄、跻、坻。

蒹葭采采,白露未已。所谓伊人,在水之涘。遡洄从之,道阻且右。遡游从之,宛在水中沚。

采采,众多貌。蜉蝣传:"采采,众多也。"

已,止。这句意为,白露没有完全干。

涘(sì),水边。

右,毛传:"右,出其右也。"即道路弯曲之意。

沚(zhǐ),水中小沙滩。

韵读:之部——采(此止反)、已、涘、右(音以)、沚。

终　南

【题　解】

这是一首劝戒秦君的诗。秦襄公战退犬戎之后,平王东迁,将故都长安一部分土地赐给秦国。史记秦本纪:"平王封襄公为诸侯,赐之岐以西之地。其子文公,遂收周遗民有之。"这首诗可能就是周的遗民所写。严粲解释"其君也哉"一句道:

"其者,将然之辞。哉者,疑而未定之意。"方玉润解释"寿考不忘"一句道:"寿考不忘,则是劝戒也。……君此邦,则必德此民,如山之有木,然后成山之高。君其修德以副民望,百世勿忘周天子之赐也。"严、方二氏所析,颇合诗旨。

此诗二章,每章末都用一句非常含蓄的话来表达心中的意思。首章"其君也哉"是设问,意为"你将是我们的君主吗?"作为君主应该怎么样呢?那就要秦君自己去思索了。二章"寿考不忘",不忘什么呢?也没有说出来。这便是修辞学中的"婉曲格",用闪烁其词的话来透露意思。汪中述学释三九云:"周人尚文,君子之于言不径而致也,是以有曲焉。"从这首诗中可以约略看出这种特点。至于为何不直言劝戒而要转弯抹角呢?想来总有难言之隐吧。

终南何有?有条有梅。君子至止,锦衣狐裘。颜如渥丹,其君也哉!

终南,山名,亦名南山。主峰在陕西西安城南。

条,即楸树。朱熹诗集传:"条,山楸也。皮叶白,色亦白,材理好,宜为车版。" 梅,旧注为楠木。按下章"有堂"指棠树,这章可能指梅树。诗人以终南山宜有条、梅等佳树,兴国君宜有人民的爱戴。

锦衣狐裘,当时诸侯的礼服。陈奂传疏:"玉藻:'君衣狐白裘,锦衣以裼之。'锦衣狐裘,诸侯之服也。郑注云:'君衣狐白毛之裘,则以素锦为衣覆之。'"

渥,涂。 丹,韩诗作沰或赭,赤石制的红色颜料,今名朱砂。这句形容秦君脸色红润而有光泽,像涂上丹红一般。

其君也哉,毛序认为诗是秦大夫所作。方玉润反驳说:"秦臣颂君,何至作疑而未定之辞,曰'其君也哉'?此必不然之事。"所以他断定诗是"周之耆旧"所作。

韵读:之部——有(音以)、梅(谟其反)、止、裘(音其)、哉(音兹)。

终南何有?有纪有堂。君子至止,黻衣绣裳。佩玉将将,寿考不忘。

纪,杞的假借字。杞柳。　堂,棠的假借字。棠梨。三家诗正作杞、棠。

黻(fú)衣,青黑色花纹相间的上衣。　绣裳,五彩画成的下裳。这都是当时贵族穿的衣裳。毛传:"黑与青谓之黻。五色备谓之绣。"

将将,鲁诗作锵锵,是正字。佩玉相击的声音。

考,老。寿考不忘,意为到老也不要忘记。这是意含劝勉的话。有人训忘为止,无疆之意,亦通。

韵读:之部——有、止。　阳部——堂、裳、将、忘。

黄　鸟

【题　解】

这是秦国人民挽"三良"的诗。左传鲁文公六年:"秦伯任好卒(公元前六二一年),以子车氏之三子奄息、仲行、针虎为殉,皆秦之良也。国人哀之,为之赋黄鸟。"史记秦本纪:"武公卒……初以人从死,从死者六十六人。……缪公卒……从死者百七十七人,秦之良臣子舆氏三人名曰奄息、仲行、针虎,亦在从死之中。秦人哀之,为作歌黄鸟之诗。"据此,可以了解诗的产生年代与背景。从最近发掘的陕西凤翔雍城秦公一号墓的殉葬来看,被殉者竟多达一百八十二人。秦公一号墓的墓主是秦穆公的四世孙,春秋晚期的秦景公。由此可见殉人之制在秦国变本加厉,越演越烈。十五国风中唯秦风有控诉人殉制度的诗,恐怕不是偶然的。

此诗除了用双关词和呼告来渲染悲惨无告的气氛外,值得一提的是其夸张的修辞。"如可赎兮,人百其身!"人民痛惜好人死于残酷的殉葬制度,不禁呼天而表示情愿死一百次来赎回三良的性命。人只能死一次,决不能死一百次,事实上虽无此事,但感情上却可以有此设想,这正是夸张的特点。刘师培先生在美术与征实之学不同论一文中说:"唐人之诗,有所谓'白发三千丈'者,有所谓'白头搔更短'者,此出语之无稽者也,而后世不闻议其短。则以词章之文,不以凭虚为戒,此美术背于征实之学者二也。……盖美术以性灵为主,而实学则以考核为凭。"他这段话,指出了文艺和其他学科的差别,艺术的夸张是可以"言过其实"甚至"语出无稽"的。离骚:"亦余心之所善兮,虽九死其犹未悔。"显然是由"如可赎兮,人百其身"发展而来。

交交黄鸟,止于棘。谁从穆公?子车奄息。维此奄息,百夫之特。临其穴,惴惴其栗。彼苍者天,歼我良人!如可赎兮,人百其身!

交交,交是咬的省借字。咬咬,鸟叫声。　黄鸟,黄雀。

止,停落、栖止。　棘,酸枣树。黄雀落在棘、桑、楚等小树上是不得其所,以此兴三良的殉葬是不得其死。又一说,棘指紧急,桑指死丧,楚指痛楚,都是音近取义的双关词(见马瑞辰通释),亦通。

从,从死,即殉葬。　穆公,春秋秦国的君主,姓嬴,名任好,春秋五霸之一。

子车奄息,秦国大夫。子车是姓,史记作子舆。

特,匹敌。马瑞辰通释:"柏舟诗'实维我特',传:'特,匹也。'匹之言敌也,当也。"这句意为,奄息的才德,可以抵得上一百个人。

穴,墓穴。

惴惴(zhuì),恐惧貌。　栗,战栗、发抖。朱熹诗集传:"临穴而惴栗,盖生纳之圹中也。"即今所谓活埋。

歼,杀尽。　良人,善人、好人。

人百其身，愿意死一百次来赎他。郑笺：“如此奄息之死，可以他人赎之者，人皆百其身，谓一身百死犹为之，惜善人之甚。”马瑞辰通释解这句为“愿以百人之身代之”；俞樾诗经平议也解为“以百人从死亦所甘也”。比较之下，马、俞之说不及郑笺为妥。

韵读：之部——棘、息、息、特（徒力反，入声）。　脂部——穴、栗。　真部——天（铁因反）、人、身。

交交黄鸟，止于桑。谁从穆公？子车仲行。维此仲行，百夫之防。临其穴，惴惴其栗。彼苍者天，歼我良人！如可赎兮，人百其身！

仲行，奄息的兄弟。

防，陈奂传疏：“传读防为比方之方。徐邈云：毛音方，是也。”这句意为，仲行的才德比得上一百个人。

韵读：阳部——桑、行（音杭）、行、防。　脂部——穴、栗。　真部——天、人、身。

交交黄鸟，止于楚。谁从穆公？子车针虎。维此针虎，百夫之御。临其穴，惴惴其栗。彼苍者天，歼我良人！如可赎兮，人百其身！

针（qián）虎，也是奄息的兄弟。

御，抵挡。毛传：“御，当也。”陈奂传疏：“御乱当乱，御敌当敌，是御有‘当’义。百夫之当，言可当百夫耳。”

韵读：鱼部——楚、虎、虎、御。　脂部——穴、栗。　真部——天、人、身。

晨　风

【题　解】

这是一位妇女疑心丈夫遗弃她的诗。毛序：“晨风，刺康公也。忘穆公之业,始弃其贤臣焉。”毛传:“先君招贤人,贤人往之,驶疾如晨风之飞入北林。”郑笺:“先君谓穆公。言穆公始未见贤者之时,思望而忧之。”据毛、郑意,诗每章前四句言穆公思贤,后二句言康公弃贤。这样解释,总觉诗意跳跃太远,有割裂之感。朱熹诗集传:“此与扊扅(yǎn yí)之歌同意,盖秦俗也。”所谓扊扅之歌是这样的:“百里奚为秦相,堂上乐作。所赁浣妇自言知音。因援琴抚弦而歌曰:‘百里奚!五羊皮。忆别离,烹伏雌,炊扊扅。今富贵,忘我为?’问之,乃其故妻,遂还为夫妇。”(扊扅即今之门柱)据此,晨风便是妇人思念丈夫以至于怨恨的诗了。方玉润说:“男女情与君臣义原本相通,诗既不露其旨,人固难以意测。”他的话也有道理。不过从诗本身的情调来看,似乎还是朱熹的说法更切近一些。

吴闿生诗义会通说:“旧评:末句酝藉。”这是依毛序立论。其实,末句口吻是相当直露的,怨艾之气溢于言表,体现了这位妇女痛苦而无可奈何的心情。又,夫妻而至于淡然相忘,那这对夫妻也是名存实亡的了。从这一点来说,“忘我实多”一句包含了多少痛苦的回忆,也可以称得上“酝藉”二字了。

鴥彼晨风,郁彼北林。未见君子,忧心钦钦。如何如何?忘我实多!

鴥(yù),鸟疾飞貌。韩诗鴥作鷸。广韵:“鷸,鸟飞快也。”鴥、鷸声近通用。　晨风,说文作鷐风,即鹯鸟。陆玑诗草木鸟兽虫鱼疏:“鹯似鹞,青黄色,燕颔勾喙,向风摇翅,乃因风飞急,疾击鸠鸽燕雀食之。”

郁,茂密貌。齐诗作温,鲁诗作宛。这二句是诗人用鹯鸟尚知归林,反兴自己的丈夫不思归家,人不如鸟。

钦钦,忧而不忘之貌。

如何,陈奂传疏:“如,犹奈也。”如何,即奈何、怎么办的意思。

韵读:侵部——风、林、钦。　歌部——何、何、多。

山有苞栎,隰有六驳。未见君子,忧心靡乐。如何如何?忘我实多!

苞,鲁诗作枹,树木丛生貌。　栎(lì),树名。即唐风鸨羽的"栩",又称作栎。

六,蓼的借字。闻一多风诗类钞:"蓼,长貌。"　驳,梓榆,树皮斑驳。诗人用"山有××,隰有××"的民歌习语反兴自己和丈夫的关系不如山隰。

韵读:宵部——栎(音劳入声)、驳、乐。　歌部——何、何、多。

山有苞棣,隰有树檖。未见君子,忧心如醉。如何如何?忘我实多!

棣,亦名唐棣、郁李,结果红色如李。

树,直立貌。　檖,山梨。

韵读:脂部——棣、檖、醉。　歌部——何、何、多。

无　衣

【题　解】

这是一首秦国的军中战歌。王夫之诗经稗疏:"春秋申包胥乞师,秦哀公为之赋无衣。……'为之赋'云者,与卫人为之赋硕人、郑人为之赋清人,义例正同。则此诗哀公为申胥作也。若所赋为古诗,如子展赋草虫之类,但言赋,不言为之赋也。"若据王氏考订,此诗当为秦哀公出师救楚所作。但是我们且查检左传。文七年:"荀林父为赋板之三章。"若依王氏义例,则大雅板为荀林父所作。但在此前,左传僖五年士蒍曾引板诗。又如左传昭十二年:"宋华定来聘,通嗣君也。享之,为赋蓼萧。"若依王氏义例,则蓼萧为此时之作。但在此前,左传襄二十六年:"国景子相齐侯,赋蓼萧。”由此可见,王氏自立左传义例,证明无衣为哀公所作之说不能成立。从诗的内容看来,亦不似秦王口气,它应是流传在民间的战歌。

王先谦集疏:“汉书赵充国辛庆忌传赞:山西天水、陇西、安定、北地处势迫近羌胡,民俗修习战备,高上勇力鞍马骑射。故秦诗曰:王于兴师,修我甲兵,与子皆行。其风声气俗自古而然,今之歌谣慷慨,风流犹存耳。”班固之说,代表齐诗。王先谦又说:“王于兴师,于,往也。秦自襄公以来,受平王之命以伐戎。”“西戎杀幽王,于是周室诸侯为不共戴天之雠,秦民敌王所忾,故曰同雠也。”王氏不但指出了诗的背景、年代,并断为“秦民”所作,可供参考。

这首诗可说是反映了秦风的典型风格。同袍同衣,同仇敌忾,慷慨从军,奋勇杀敌的精神充溢全诗。正如钟惺所云“有吞六国气象”。吴闿生认为此诗“英壮迈往,非唐人出塞诸诗所能及”。虽然不免言过其实,但我们试看唐人“相看白刃血纷纷,死节从来岂顾勋”(高适燕歌行)、“四边伐鼓雪海涌,三军大呼阴山动”(岑参轮台歌奉送封大夫出师西征)等诗句,确会产生一脉相承的感觉。因此,称无衣为边塞诗之祖,倒是不过分的。

岂曰无衣?与子同袍。王于兴师,修我戈矛,与子同仇!

袍,长衣。形如斗篷,行军时白天当衣穿,夜里当被盖。同袍,表示友爱互助的意思。

王,秦人对秦君的称呼。　于,语助词。其作用和曰、聿同。或训“往”,亦通。　兴师,起兵。

修,整治。　戈、矛,二者都是古代长柄武器。

同仇,韩诗作同雠。王先谦集疏:“秦民敌王所忾,故曰同雠也。”

韵读:脂部——衣、师。　幽部——袍(蒲愁反)、矛、仇。

岂曰无衣？与子同泽。王于兴师，修我矛戟，与子偕作。

泽，齐诗作襗。泽是襗的假借字。贴身的内衣。郑笺："泽，亵衣，近污垢。"

戟，也是古代的长柄武器。

作，行动起来。毛传："作，起也。"

韵读：脂部——衣、师。　鱼部——泽（音徒入声）、戟（音居入声）、作（音租入声）。

岂曰无衣？与子同裳。王于兴师，修我甲兵，与子偕行。

裳，下衣、战裙。

甲，铠甲。　兵，总指武器。

偕行，陈奂传疏："言奉王命而偕往征之也。"

韵读：脂部——衣、师。　阳部——裳、兵（音榜平声）、行（音杭）。

渭　阳

【题　解】

这是外甥送舅父的送别诗。诗中写外甥赠舅父的礼物，有"路车、乘黄"，这都是当时诸侯所用的车马。毛序认为，这是秦穆公的儿子康公送晋文公重耳回国时所作（康公的母亲是重耳的姊姊，嫁给秦穆公，时人称她为秦穆夫人）。王先谦集疏引刘向列女传（鲁诗）和后汉书马援传注引韩诗，确认此诗为康公送晋文公之作，与毛诗合。

此诗方玉润评为"诗格老当，情致缠绵，为后世送别之祖，令人想见携手河梁时也。"的确，二章"悠悠我思"一句，置于送别的氛围中，更显得情真意挚。往复读之，悱恻动人，体现出作者的无限情怀。杜甫诗："寒空巫峡曙，落日渭阳情。"储光羲诗："停车渭阳暮，望望入秦京。”杜牧诗：“寒空金锡响，欲过渭阳津。”都用此诗典故，可见此诗之动人处，并不在舅甥之谊重，而在于送别之情深。方玉润列此为“送别之祖”，是颇有眼力的。

我送舅氏，曰至渭阳。何以赠之？路车乘黄。

舅氏，舅父。因为舅和甥的姓氏不同，所以称作舅氏。

渭阳，渭水北岸。渭水流经陕西西安。陈奂传疏：“水北曰阳。渭阳在渭水北。送舅氏至渭阳，不渡渭也。”

路车，古代诸侯所乘车。　乘黄，四匹黄马。

韵读：阳部——阳、黄。

我送舅氏，悠悠我思。何以赠之？琼瑰玉佩。

悠悠我思，因送舅父而引起对死去的母亲的深深思念。毛序：“康公时为大子，赠送文公于渭之阳，念母之不见也。我见舅氏，如母存焉。”

琼，形容玉石的美。段玉裁说文解字注：“盖琼支为玉之最美者，故广雅言‘玉首琼支’。因而引申，凡玉石之美皆谓之琼。”　瑰，美石。　玉佩，即佩玉。严粲诗缉：“曹氏曰：‘玉佩，珩、璜、琚、瑀之属。’”

韵读：之部——思、之、佩（音邳）。

权　舆

【题　解】

这是一首没落贵族回想当年生活而自伤的诗。春秋时代，私田渐多，各国纷纷实行按亩税田。领主没落，生活下降。这首诗就是当时社会变革的一种反映。毛序：“权舆，刺康公也。忘先君之旧臣，与贤者有始而无终也。”序所谓刺义皆属附会，惟“有始而无终”一语颇能领略诗中的情绪。魏源诗古微云：“长铗归来乎？食无鱼，出无车。权舆诗人其冯谖之流乎？”他将权舆同弹铗之歌相比。但权舆诗人是昔有而叹今无，冯谖是昔无而求今有，升沉之感迥异，如何能一体视之？

方玉润评曰："起似居食双题，下乃单承侧重食一面，局法变换不测，于此可悟文法化板为活之妙。"他的评论虽然有八股气，但由此我们领会到两章之间结构的变化，确实能使诗意低徊深长而不呆板。

於，我乎！夏屋渠渠，今也每食无馀。于嗟乎！不承权舆！

於(wū)，同乌，叹词。说文："乌，孝乌也。象形。孔子曰：'乌，盱呼也'，取其助气，故以为乌呼。"按乌本为鸟名，因此鸟善舒气自叫，故假借为于，小篆作𢀒(於)。颜师古匡谬正俗云："'乌呼'，叹词。古文尚书悉为'於戏'字，今文尚书悉为'乌呼'字，而诗皆云'於乎'字，中古以来文籍皆为'呜呼'字。"按古短言曰"於"，长言曰"乌乎"，皆取其助气之意。下文"于嗟乎"，也是加重语气的叹词。这句意为：唉，我呀！

夏屋，大屋。毛传："夏，大也。"方言："自关而西，秦晋之间，凡物之壮大者而爱伟之，谓之夏。" 渠渠，鲁诗作蘧蘧。高大貌。王延寿鲁灵光殿赋云："揭蘧蘧而腾凑。"注："崔骃七依曰：夏屋蘧蘧。高也。音渠。"

承，继承。 权舆，始初。按权舆是虇蕍的假借字。尔雅释草："葭，华。蒹，蒹。菼，薍。其萌虇蕍。"虇蕍本义为草木初生的萌芽，如大戴礼："孟春，百草权舆。"引申为始初。这句意为，再不能继承当初那样的享受了。

韵读：鱼部——乎、渠、馀、乎、舆。

於，我乎！每食四簋，今也每食不饱。于嗟乎！不承权舆！

簋(guǐ)，古代盛饭的食器。圆形，用木制成，或用竹、铜。

韵读：幽部——簋(音九)、饱(博叟反)。 鱼部——乎、舆。

陈　风

陈风共十篇，可能多是东周以后的作品。其中有年代可考者仅株林一篇。据左传鲁宣公九年和十年的记载，知诗中的夏南是夏姬的儿子。夏姬是陈国大夫夏御叔的妻子，生子夏征舒，字南。陈灵公因夏姬貌美而同她私通，结果被夏南杀死，所以诗人讥刺这个荒淫的君主。宣公十年是公元前五九九年，当春秋中叶。

陈地在今河南省淮阳、柘城及安徽省亳县一带，土地广平，无名山大川。陈风多半是关于恋爱婚姻的诗，这和该地人民崇信巫鬼的风俗有密切关系。汉书地理志说："周武王封舜后妫满于陈，是为胡公，妻以元女大姬。妇人尊贵，好祭祀，用史巫，故其俗巫鬼。陈诗曰：'坎其击鼓，宛丘之下。亡冬亡夏，值其鹭羽。'又曰：'东门之枌，宛丘之栩。子仲之子，婆娑其下。'此其风也。"崔述读风偶识："今陈风首二篇（指宛丘、东门之枌）即以奢荡为事，则其政事可知已矣。且三百篇之中亦有言佚乐者矣——还之言夸矣，然不过好田猎耳；山有枢言及时行乐矣，然不过酒食衣服以自适耳——未有若陈俗之专以游荡为事者也。"以上二说，均可说明陈地的诗风。

宛　丘

【题　解】

这首诗写一个以巫为职业的舞女。说文："巫，祝也。女能事无形，以舞降神者也。"诗中的"子"就是这样一个巫女。郑玄诗谱云："大姬无子，好巫觋祷祈、鬼神歌舞之乐，民俗化而为之。”说明陈国民间风俗爱好跳舞，巫风盛行，所以她不论天冷天热都在街上为人们祝祷跳舞。巫舞的形式是羽舞，亦称翳舞、翿舞。用鸟羽制成伞形的翳（亦名翿），拿在手里，舞时盖在头上，像鸟一般。同时敲击鼓或瓦盆来打拍子，以调节舞步。毛序：“宛丘，刺幽公也。淫荒昏乱，游荡无度焉。”朱熹诗序辨说：“幽公但以谥恶，故得游荡无度之诗，未敢信也。”由此他解释为“国人见此人常游荡于宛丘之上，故叙其事以刺之”。他的意见显然比毛序的随意牵合要慎重一些。

此诗三章，首章感情奔放，无论说诗者认为是讥刺还是爱慕，“洵有情兮，而无望兮”两句是直截了当地表达了情感，略无微言婉曲之意。而二三章却全用白描手法，不着一情语。似乎诗人顿时收敛了奔流的感情，反过来用冷静的眼光观察起这个巫女来。宋书谢灵运传论：“欲使宫羽相变，低昂互节，若前有浮声，则后须切响。”此诗首章可谓曼声长咏，而二三章一变为切响低徊，抑扬顿挫，将感情的起伏表达得很尽致。如果配上诗经原来的乐调，诗、声相彰，一定更加动听吧！

子之汤兮，宛丘之上兮。洵有情兮，而无望兮！

子，指跳舞的巫女。　汤，音义同荡，楚辞离骚注引诗正作荡。形容舞姿摇动的样子。吕览音初“感于心则荡乎音”，高诱注：“荡，动也。”

宛丘，陈国丘名。在陈国都城（今河南淮阳）东南。陈奂传疏：“陈有宛丘，犹之郑有溱洧，皆是国人游观之所。”

洵，信、确实。

无望，没有希望。按这二句的大意，历来认为是讽刺那个“子”有淫荒之情，却无威仪可瞻望。而余冠英先生诗经选解释为“诗人自谓对彼女有情而不敢抱任何希望”。二说均可通，以余说为胜。马瑞辰解为“望祀”，恐非是。

韵读:阳部——汤、上、望。

坎其击鼓,宛丘之下。无冬无夏,值其鹭羽。

坎其,即坎坎。击鼓声和击缶声。

值,通植,手持。毛传:“值,持也。”又可以作“插”或“戴”解。颜师古汉书注:“值,立也。” 鹭羽,用鹭鸶鸟羽毛制成扇形或伞形的舞具。舞者有时拿在手中,有时插在头上。

韵读:鱼部——鼓、下(音户上声)、夏(音户上声)、羽。

坎其击缶,宛丘之道。无冬无夏,值其鹭翿。

缶(fǒu),瓦盆。用作打拍的乐器。朱熹诗集传:“缶,瓦器,可以击乐。”

翿(dào),即鹭羽。见君子扬扬注。

韵读:幽部——缶、道(徒叟反)、翿(徒叟反)。

东门之枌

【题　解】

这是一首描写男女相爱、聚会歌舞的情歌。朱熹诗集传:“此男女聚会歌舞,而赋其事以相乐也。”切合诗意。诗人爱慕子仲家的姑娘。这是一位纺麻的女子,因为爱好歌舞,甚至放弃了纺麻的日常工作,同情人一起到热闹的城市去跳舞。他们由于屡次相会而互相爱慕,最后,诗人用“视尔如荍”的赠语表示热恋,姑娘也以赠花椒表结恩情。诗不但表现了青年的爱情生活,也反映了陈国男女聚会,歌舞相乐,巫风盛行的特殊风俗。

刘勰文心雕龙体性云:“夫情动而言形,理发而文见,盖沿隐以至显,因内而符外者也。”他认为表现在外的文辞是作者性情的自然流露,而作者的文化教养和环境影响,又陶染了其作品的风格。他将作品的风格分为八体,即典雅、远奥、精约、显附、繁缛、壮丽、新奇、轻靡。东门之枌这首诗,是可以归入轻靡一类的。三章所写,俱是轻歌曼舞,男欢女乐的场面。“市也婆娑”、“越以鬷迈”等句子,又给人一种轻浮的感觉。借助刘勰“情性所铄,陶染所凝”,“各师成心,其异如面”的观点,我们透过诗句可以看到陈国民风浮荡的一面。孔子说“诗可以观”,恐怕也是这个道理。

东门之枌,宛丘之栩。子仲之子,婆娑其下。

东门,陈国的城门,地近宛丘。　枌,白榆树。

栩(xǔ),柞树。这二句叙述东门、宛丘一带树木繁茂,宜于游人休息、相会。

子仲,当时的一个姓氏。　子,女儿。王先谦集疏:“黄山云:诗‘婆娑其下’与‘市也婆娑’即是一人。下章言‘不绩其麻’,则‘子仲之子’亦犹‘齐侯之子’、‘蹶父之子’,明是女子子。”

婆娑,婆本作媻。跳舞盘旋摇摆的样子。

韵读:鱼部——栩、下(音户上声)。

穀旦于差,南方之原。不绩其麻,市也婆娑。

穀,善。穀旦,吉日,好日子。　于,语助词,无义。　差(chāi),选择。郑笺:“差,择也。”

原,高而平坦之地。这二句意为,选一个好日子,同到南边的平原上去欢聚。

绩,纺。

市,街市。朱熹诗集传:“既差择善旦以会于南方之原,于是弃其业以舞于市而往会也。”

韵读:歌、元部借韵——差(音磋)、原、麻(音摩)、娑。

穀旦于逝,越以鬷迈。视尔如荍,贻我握椒。

逝,往。这句意为,趁好日子前往欢聚。

越以，发语词。陈奂传疏："越读同粤。尔雅：'粤，于也。'采蘩、采蘋、击鼓皆云'于以'，此云'越以'，皆合二字为发语之词。" 鬷(zōng)，数，屡次。迈，往、去。毛传："鬷，数(shuò)。迈，行也。"这句意为，屡次去聚会处游玩。

荍(qiáo)，植物名，亦名锦葵。花紫红色或白色，带深紫色条纹。这句是作者对女子表示爱慕，说"你美得像一朵锦葵花"。

贻，赠送。 握椒，一把花椒。这是女子对情人表示恩情的赠物。屈原离骚："巫咸将夕降兮，怀椒糈而要之。"王逸注："椒，香物，所以降神。"据此，这位子仲家的姑娘可能兼作巫女。她跳舞时带着花椒降神，顺便就用这当作赠送情人的礼物。

韵读：祭部——逝(时例反，入声)、迈(音蔑)。 幽部——荍(音求)、椒(音啾)。

衡 门

【题 解】

这是一首没落贵族以安于贫贱自慰的诗。毛序："衡门，诱僖公也。愿而无立志，故作是诗以诱掖其君也。"朱熹诗序辨说反驳说："僖者，小心畏忌之名，故以为愿无立志，而配以此诗。不知其为贤者自乐而无求之意也。"方玉润诗经原始反驳说："僖公，君临万民者也。纵愿而无立志，诱之以夫焉而进于道也可，奈何以无求世之志劝之？岂非所诱反其所望乎？"朱、方已将毛序的错误分析得很透彻，无需词费了。郭沫若中国古代社会研究说："这首诗也是一位饿饭的破落贵族作的。他食鱼本来有吃河鲂河鲤的资格，……但是贫穷了，吃不起了。他娶妻本来有娶齐姜、宋子的资格，但是贫穷了，娶不起了。娶不起、吃不起，偏偏要说两句漂亮话，这正是破落贵族的根性。"他从社会发展的角度分析诗的主题，非常精辟。

这首诗同卫风考槃一样，是所谓"隐逸诗"。但两者的风格又有所不同。考槃诗人自道其乐，清新脱俗；比之陶渊明的"采菊东篱下，悠然见南山"，差可仿佛。衡门诗人降格求次，称心易足；比之陶渊明的"谷风转凄薄，春醪解饥劬。弱女虽非男，慰情聊胜无"，亦称同调。不过五柳先生从正面着笔，给人淡泊敦厚之感；衡门诗人则以设问成章，在知足长乐的口气中，总难免透露出一丝酸意。诗序说："诗者，志之所之也。在心为志，发言为诗。"岂虚言哉！

衡门之下，可以栖迟。泌之洋洋，可以乐饥。

衡门，毛传："横木为门，言浅陋也。"衡是横的假借。王引之经义述闻："门之为象，纵而不横。……窃疑衡门、墓门亦是城门之名。"亦通。

栖迟，叠韵，又作西迟、栖遲，游逛休息之意。按西的本义为"鸟在巢上，象形"。引申为西方之西，栖为西之或体。说文："日在西方而鸟栖，故因以为东西方之西。"故汉严发碑曰："西迟衡门。"王先谦集疏："此贤人栖迟泌丘之上，居室不蔽风雨，横木为门，若汉申屠蟠之因树为屋，箪食瓢饮，不改其乐，自道如此。"

泌(bì)，本义是泉水疾流之貌。泉水传："泉水始出，毖然流也。"后来作为陈国泌邱地方的泉水名。　洋洋，泉水盛大貌。

乐饥，鲁、韩诗乐作疗。郑笺："饥者见之可饮以瘵饥。"瘵、疗同字。说文："瘵，治也。或作疗。"疗饥即充饥的意思。按毛传训乐饥为"乐道忘饥"。孔疏申郑笺，谓："饥久则为渴，得水则亦小瘵。"黄焯先生诗疏平议宗毛，认为"非惟水不可以瘵饥，即诗意本无谓贤者饮之之事也"。因斥孔疏为"强申其义"。钱锺书先生管锥编则引宋书江湛传："家甚贫约。……牛饿，驭人求草，湛良久曰：'可与饮！'"以为颇类衡门诗意，而赞孔疏为"平实近人"。黄先生从经学角度治诗，不忘诗经"美教化移风俗"的作用。钱先生以文学尺度谈诗，着眼于人情物理、诗意深浅。我们今天把诗经作为中国第一部诗歌总集来欣赏，自然应持文学的眼光，就诗论诗。这是怎样读诗经的一个重要方法，在此略加阐述。

韵读：脂部——迟、饥。

岂其食鱼，必河之鲂？岂其取妻，必齐之姜？

鲂，即鳊鱼。当时人认为它和鲤鱼是最上等的鱼。埤雅："里语曰：洛鲤伊鲂，贵于牛羊。"

取，古"娶"字。

姜，齐国贵族的姓。齐姜，齐国姓姜的贵族女子，这里是代称。下章"宋子"同。

韵读：阳部——鲂、姜。

岂其食鱼，必河之鲤？岂其取妻，必宋之子？

子，宋国贵族的姓。这二章是诗人用食鱼不必选择鲂鲤，比娶妻不必选择贵族。是聊以自慰的话。

韵读：之部——鲤、子。

东门之池

【题　解】

这是一首男女相会的情歌。作者是男的，他所追求的可能是一位在东门外护城河中浸麻织布的女子。毛序："东门之池，刺时也。疾其君子淫昏，而思贤女以配君子也。"崔述读风偶识驳曰："沤麻沤苎，绝不见有淫昏之意。即使君果淫昏，亦当思得贤臣以匡正之，何至望之女子？"他正确地指出了毛序窒碍不通的地方。朱熹诗序辨说解此诗为"淫奔之诗"，当然是出于卫道者的陈腐。但他在诗集传中定此诗为"男女会遇之词"，则是颇实事求是的。

关于此诗的艺术特点，吴闿生说：“愈淡愈妙。”方玉润说：“辞意浅率，终非佳构。”这首诗三章一意，写得很平淡，这是很明显的。但这样的平淡到底好不好呢？刘衍文、刘永翔文学的艺术认为：“淡有淡的美，淡有淡的情趣；但淡而仍须有妆，淡而无妆，就浅露、枯瘠，变成淡而无味了……总之，浓淡之笔，总在‘相宜’二字，相宜的话，淡固可，浓亦可，浓淡配合调匀亦未始不可；不相宜的话，浓固不可，淡亦何尝就可，浓淡配合不匀更其不可。”他们的意见，是对重淡轻浓的传统美学观点的修正，但却是极为公允的修正。就这首诗而论，便是淡得不相宜，淡得没有馀味，经不得咀嚼。风诗多半是朴质平淡的，但淡得工致、淡得隽永的诗不在少数。两相比较，自可得其高下。所谓“愈淡愈妙”，实在是误人不浅的偏见。

东门之池，可以沤麻。彼美淑姬，可与晤歌。

池，毛传：“池，城池也。”马瑞辰通释：“古者有城必有池，孟子‘凿斯池也，筑斯城也’是也。池皆设于城外，所以护城。”

沤，浸泡。说文：“沤，久渍也。”这二句是诗人以他们相聚之地和所见之物起兴。

淑姬，据陈奂传疏考订，淑字是叔字之误。叔，排行第三。姬，姓。“彼美叔姬”，犹有女同车称“彼美孟姜”。孔疏：“美女而谓之姬者，以黄帝姓姬，炎帝姓姜，二姓之后，子孙昌盛。其家之女美者尤多，遂以姬、姜为妇人之美称。成九年左传引逸诗云：‘虽有姬、姜，无弃蕉萃’，是以姬、姜为妇人之美称也。”闻一多风诗类钞申之云：“姬姜二姓是当时最上层的贵族，二姓的女子必最美丽而华贵，所以时人称美女为叔姬、孟姜。”可见此诗的“叔姬”是美女的代称，不是诗人所追求的女子的真名，好像后世称美女为“西子”一样。

晤，相对。毛传：“晤，遇也。”孔疏：“传以晤为遇，亦为对偶之义。”按晤是遻的假借字。说文:“遻,相遇惊也。”晤歌,即对唱。

韵读:歌部——池(音沱)、麻(音摩)、歌。

东门之池,可以沤纻。彼美淑姬,可与晤语。

纻(zhù),又名苎麻,其纤维采制为麻,精者可以织为夏布,在我国种植极广。

晤语,对话,相对讨论。大雅公刘:“于时言言,于时语语。”毛传:“直言曰言,论难曰语。”这里的“语”即指“论难”而言。

韵读:鱼部——纻、语。

东门之池,可以沤菅。彼美淑姬,可与晤言。

菅(jiān),芦荻一类的草。其茎浸渍剥取后可以搓绳,用来编草鞋。

晤言,这里的“言”指“直言”而言,谈天的意思。

韵读:元部——菅、言。

东门之杨

【题　解】

这是写男女约会久候不至的诗。毛序:“东门之杨,刺时也。昏姻失时,男女多违。亲迎,女犹有不至者也。”士昏礼有“婿亲迎,俟于门外。从车二乘,执烛前马”的记载,恐即毛序所本。但诗中看不出爽约的是男子还是女子,何以见得一定是亲迎而女不至呢?朱熹对毛序略加改造地说:“此亦男女期会而有负约不至者,故因其所见以起兴也。”这样解释就比较圆通了。也有人认为这是“朋友之间负约不至”,“不必为男女期会”。所论当然也不能说错,不过我们看欧阳修的生查子:“去年元夜时,花市灯如昼。月上柳梢头,人约黄昏后。　今年元夜时,月与灯依旧。不见去年人,泪湿春衫袖。”词中亦无一字涉及男女,但又有谁解释为朋友爽约,又有谁怀疑这写的不是男女恋情呢?东门之杨所表现的情调虽不及生查子那样明显，但还是能够体会得出的。解释为男女约会而久候不至，并不至离题太远。

此诗以写景为主，前二句写所约之地，后二句写所约之时，借景物烘托感情，表现出一种焦急不安的心理。启明星闪烁着，长夜将尽，可是约好黄昏来的情人却连影儿都不见。“明星煌煌”、“明星晢晢”二句，正是很自然地映衬出这种感情。杜甫醉时歌：“清夜沉沉动春酌，灯前细雨檐花落。但觉高歌有鬼神，焉知饿死填沟壑。”后人评为“清夜以下，神来气来”。“神”和“气”主要便是来自这种高超的映衬的描写，特别是“灯前细雨檐花落”这一句话的妙语传神，使人既生沉郁悲愤之情，又起纵荡淋漓之感（见刘衍文、刘永翔文学的艺术）。东门之杨当然不能同杜甫诗相比，但其对景物的映衬写法则有相同之处。

东门之杨，其叶牂牂。昏以为期，明星煌煌。

牂牂（zāng），枝叶茂盛貌。齐诗作将将，牂是将的假借字。尔雅：“将，大也。”大、盛义近，所以毛传说：“牂牂然盛貌。”

昏，黄昏。　期，约会。说文：“期，会也。”段玉裁注：“会者，合也。期者，要约之意，所以为会合也。”

明星，指启明星。天快亮时出现于东方天空。　煌煌，亦作皇皇，明亮貌。

韵读：阳部——杨、牂、煌。

东门之杨，其叶肺肺。昏以为期，明星晢晢。

肺肺（pèi），枝叶茂盛貌。按肺是巿的假借字。说文：“巿，草木盛巿巿然。读若辈。”诗经中还有小雅的“淠淠”（小弁、采菽）、大雅的“旆旆”（生民），都是巿的假借字。

晢晢（zhé），毛传：“晢晢犹煌煌也。”说文：“晢，昭晢，明也。”段玉裁注：“昭、晢皆从日，本谓日之光。引申之为人之明晢。”此处还是用本义，不过借指星光。

韵读:祭部——肺(丕吠反)、晢(音折去声)。

墓 门

【题 解】

这是一首讽刺不良统治者的诗。毛序:“墓门,刺陈佗也。陈佗无良师傅,以至于不义,恶加于万民焉。”据左传桓公五年记载,陈桓公生病时,陈佗杀太子免。桓公死后,他自立为君,陈国大乱,国人离散。后来蔡国出兵杀死陈佗,总算把乱子平息下来。这便是诗的背景。但毛序也还有不正确的地方。苏辙诗集传:“桓公之世,陈人知佗之不臣矣,而桓公不去,以及于乱。是以国人追咎桓公,以为桓公之智不能及其后,故以墓门刺焉。”方玉润由此得出结论:“诗非刺佗无良师傅,乃刺桓公不能去佗耳。”这样解释就比毛序更符合诗意了。刘向列女传、王逸楚辞注都记载了春秋时陈国人民引用这首诗的事实,可见它在当时民间颇为流行。

诗经中的兴法,还兼起比喻衬托的作用。此诗以荆棘恶木和鸮鸟恶禽起兴,但又很明显地用来比喻“夫也不良”的那个“夫”。荆棘应该斫去,鸮鸟必须警惕,诗人以此来讽刺无行的陈佗,含蓄而不晦涩,使人了然于心。陈奂传疏说:“比者,比方于物,盖言兴而比已寓焉矣。”就是说明这种兴兼比的手法。

墓门有棘,斧以斯之。夫也不良,国人知之。知而不已,谁昔然矣?

墓门,毛传:“墓门,墓道之门。”朱熹阐发道:“墓门凶僻之地,多生荆棘。”马瑞辰通释:“天问王逸注曰:‘晋大夫解居父聘吴,过陈之墓门。’墓门,盖陈之城门。”也可通。 棘,酸枣树,有刺。

斯,劈斫。毛传:“斯,析也。”

夫,那个人。即指陈佗。

不已,不制止、不纠正。陈奂传疏:“已,止也。国人皆知之,知之而不能救止也。”

谁昔,为“昔谁”的倒文。 然,这样。这四句的大意,苏辙解释道:“夫指佗也。佗之不良,国人莫不知之者。知而不之去,昔者谁为此乎?”按此句的“谁”,指桓公。三家诗训谁昔为“畴昔”,亦通。

韵读:支部——斯、知。 之部——已、矣。

墓门有梅,有鸮萃止。夫也不良,歌以讯之。讯予不顾,颠倒思予。

梅,楚辞王逸注引作“棘”。马瑞辰通释:“棘、梅二木,美恶大小不相类,非诗取兴之旨。古梅杏之梅,古文作槑。与棘形相近,盖棘讹作槑。”是这句“梅”字应订正作“棘”。鲁诗正作棘。

鸮(xiāo),亦作枭,猫头鹰。鸣声很难听,古人以为不祥之鸟。 萃,集、停息。说文:“萃,草貌。”段玉裁注:“易彖传曰:‘萃,聚也。’此引申之义。” 止,语尾助词。

讯(suì),告诫、警告。鲁、韩诗讯亦作谇。尔雅释诂:“谇,告也。”王念孙广雅疏证:“讯字古读若谇,故经传二字通用。” 之,“止”的讹字,鲁、韩诗之作止。戴震毛诗声韵考:“广韵六至引诗‘歌以谇止’,然则此句止字与上句止字相应为语词。”

讯予,即“予讯”,倒文成义。

颠倒,指国家纷乱。陈奂传疏:“颠倒,乱也。”这二句意为,我作诗警告你,你却不理睬;等到国家出了乱子,再想起我的忠告,就来不及了。

韵读:脂、文部借韵——萃、讯。 鱼部——顾、予。

防有鹊巢

【题　解】

这是担忧有人离间自己情人的诗。毛序："防有鹊巢，忧谗贼也。宣公多信谗，君子忧惧焉。"他第一句说对了诗的主题，但又把"陈宣公信谗"附会上去，没有什么根据，似不可从。朱熹诗集传说："此男女之有私，而忧或间之之辞。"从诗意来体会，胜于毛说。

吴闿生诗义会通引旧评："非必真有侜之者，写柔肠曲尽。"这是从心理描写的角度来评论这首诗，确实颇有眼光。诗经的心理描写是很原始、很粗糙的，但毕竟是一种创造。"心焉惕惕"一句，将猜疑、嫉妒、焦虑、思念等感情交织在短短的四个字中，内涵是十分丰富的，馀味也十分绵长。

防有鹊巢，邛有旨苕。谁侜予美？心焉忉忉！

防，堤坝。

邛(qióng)，土丘。　旨，甘美。　苕(tiáo)，蔓生植物，一名鼠尾、凌霄，生在低湿的地上。马瑞辰通释："鹊巢宜于林木，今言防有，非其所应有也。不应有而以为有，所以为谗言也。苕生于下湿，今诗言邛有者，亦以喻谗言之不可信。"他这样解释首二句的兴意是正确的。

侜(zhōu)，欺诳、挑拨。古时称作"侜张"，即今天所谓"胡诌"。　美，所美之人，指作者的情人。韩诗美作娓，释文："娓，美也。"字异而义同。

忉忉，忧愁貌。

韵读：宵部——巢、苕、忉。

中唐有甓，邛有旨鹝。谁侜予美？心焉惕惕！

唐，古时朝堂前或宗庙内的甬道。中唐即唐中，也就是庭中之路。

甓(pì)，砖瓦。

鹝(yì),韩诗作虉,鲁诗、齐诗作鷊。鹝和虉都是鷊的假借。杂色小草,美如锦绶,故又名绶草。今名铺地锦。按这二句也是兴,平坦的甬道不宜有砖瓦、土丘不宜生铺地锦,均喻谗言之不可信。

惕惕,担心忧惧貌。又尔雅:"惕惕,爱也。"郭璞注云:"诗云'心焉惕惕',韩诗以为说人,故言爱也。"

韵读:支部——甓、鹝、惕。

月 出

【题 解】

这是一首月下怀人的诗。毛序:"月出,刺好色也。在位不好德,而说美色焉。"这首诗"好色"的意味当然是明显的,但说是讥刺就很勉强了。朱熹诗集传:"此亦男女相悦而相念之辞。"他的分析就比较平实。

这首诗在句法、用词和韵律三方面都颇有特点。句法上每章四句,前后三句都是上二字双,下一字单;第三句上一字单,下二字双,错综变化,节奏抑扬,脱尽板滞之感。用词上除了"月"、"人"、"心"三个名词、"出"一个动词和"兮"一个语气词之外,其馀都是形容词,而且这些形容词在诗经中多不经见,可能是较多地保留了陈国方言的痕迹。通过这些词的应用,活脱地描绘出一个月下美人的形象,风神摇曳,绰约多姿;而且抒发了诗人幽思牢愁,固结莫解的情怀。韵律上是通篇句句押韵,而且一韵到底(幽、宵部通韵),加上叠韵词汇的运用,委婉概括的丽词美和繁音促节的韵律美相得益彰,读起来真有赏心悦目的感受,难怪被后人推为三百篇中情诗的杰构。

月出皎兮,佼人僚兮,舒窈纠兮,劳心悄兮。

皎,形容月光洁白明亮。说文:"皎,月之白也。"

佼，又作姣，佼是姣的假借字。美好。佼人，美人。段玉裁说文解字注："姣谓容体壮大之好也。史记：'长姣美人。'" 僚，嫽的假借字。美丽。古代方言叫"钊"，现代汉语称"俏"，都是异字同义。

舒，舒缓、迟慢。形容女子举止娴雅婀娜。毛传："舒，迟也。"马瑞辰通释解释舒为发声字，亦通。 窈纠（yǎo jiǎo），叠韵，形容女子体态的苗条。胡承珙毛诗后笺："史记司马相如传：'青虬蚴蟉于东箱。'正义云：'蚴蟉，行动之貌也。'又'骖赤螭青虬之蠖蟉蜿蜒。'蚴蟉、蠖蟉皆与窈纠同。即洛神赋所谓'矫若游龙'者也。"

劳心，也就是忧心。 悄，深忧貌。陈奂传疏："邶柏舟、出车篇皆云'忧心悄悄'。重言曰悄悄，单言之则曰悄也。"

韵读：幽、宵部通韵——皎、僚、纠、悄。

月出皓兮，佼人懰兮，舒懮受兮，劳心慅兮。

皓，本义是形容日光，此处借以形容月光的明亮。说文："晧，日出貌。"经文作皓，是俗字。

懰（liú），妖媚。按懰是嬼的假借字。埤苍："嬼，妖也。"广韵："嬼，美好。"马瑞辰通释："妖亦好也。"

懮（yōu）受，叠韵，形容女子行步舒徐婀娜。玉篇："懮受，舒迟之貌。"

慅（cǎo），忧愁不安貌。说文："慅，动也。"段玉裁注："月出'劳心慅兮'，常武'徐方绎骚'，传曰：'骚，动也。'此谓骚即慅之假借字也。二字义相近，骚行而慅废矣。"

韵读：幽部——皓（何叟反）、懰、受、慅（此叟反）。

月出照兮，佼人燎兮，舒夭绍兮，劳心惨兮。

照，这里当形容词用，光明貌。

燎，漂亮貌。朱熹诗集传："燎，明也。"

夭绍，叠韵，也是形容女子体态轻盈。胡承珙毛诗后笺："文选西京赋：'要绍修态。'注：'要绍，谓婵娟作姿容也。'南都赋：'要绍便娟。'要绍皆与夭绍同。"

惨，据戴震毛郑诗考正，惨字是懆字之讹。今字作躁。忧愁而烦躁不安貌。说文:"懆,愁不安也。"按此诗三章,每章都是前三句描绘月下美人的妩媚,最后一句抒发作者个人的心情,句法奇妙。

韵读:宵部——照、燎、绍、惨。

株　林

【题　解】

这是讽刺陈灵公和夏姬淫乱的诗。毛序:"株林,刺灵公也。淫乎夏姬,驱驰而往,朝夕不休息焉。"据左传宣公九年、十年记载,夏姬是郑穆公的女儿,嫁给陈国大夫夏御叔,生子夏征舒,字南。夏姬貌美,陈灵公和陈大夫孔宁、仪行父都和她私通。后来陈灵公被夏征舒杀死,陈国也为楚所灭。史记陈世家亦详述此事。序说与史传记载合,所以是可信的。陈灵公于鲁宣公十年被杀,此诗当作于他被杀之前,大约公元前六〇〇年至前五九九年。

刘勰文心雕龙谐隐曰:"讔者,隐也。通辞以隐意,谲譬以指事也。"有些事情不便直言,需要隐约其辞地表示,绕着弯子来说话。这在修辞学上称为婉转。陈灵公到株林去找夏姬,诗人却说他是去找夏南;但紧接着又说他不是去找夏南。去找谁呢?始终没有明说,不过读者从这种闪烁其辞中足够明白诗人之所指了。方玉润有一段分析:"盖公卿行淫,朝夕往从所私,必有从旁指而疑之者。即行淫之人亦自觉忸怩难安,故多隐约其辞,故作疑信言以答讯者,而饰其私。诗人即体此情为之写照,不必更露淫字而宣淫无忌之情已跃然纸上,毫无遁形,可谓神化之笔。"方氏所云"神化之笔",即指"隐约其辞"而言。

胡为乎株林?从夏南?匪适株林,从夏南。

株,陈国邑名,在今河南西华西南,夏亭镇北。是夏姬儿子夏征舒的封邑。　林，郊外。株林与下章株野对文。古代林、野有别，林较野离邑更远些。说文："邑外谓之郊，郊外谓之野，野外谓之林。"

从，跟从、追逐。夏南，夏征舒字南。马瑞辰通释："上二句诗人故设为问辞，若不知其淫于夏姬者，以为从夏南游耳。"

匪，非、不是。　适，往、去。马瑞辰通释："下二句当连读，谓其非适株林从夏南也。言外见其实淫于夏姬，此诗人立言之妙。"

韵读：侵部——林、南(奴森反)、林、南。

驾我乘马，说于株野。乘我乘驹，朝食于株。

我，陈奂传疏："我，我灵公也。"这是诗人假托陈灵公口气。　乘(shèng)，古代一车四马为一乘。

说(shuì)，后作税，停息。

乘，前一"乘"字是动词，驾车。　驹，陈奂传疏："驹当依释文作骄。乘骄，四马皆骄也。汉广传云：'五尺以上曰骄。'"

朝食，吃早饭。王先谦集疏："灵公初往夏氏，必托为游株林。自株林至株野，乃税其驾。(舍马乘驹。传'大夫乘驹'，笺'变易车乘'。)然后微服入株邑，朝食于株邑。此诗乃实赋其事也。"

韵读：鱼部——马(音姥 mǔ)、野(音宇)。　侯部——驹(音钩)、株(知蓲反)。

泽　陂

【题　解】

这是一首怀人的诗。毛序："泽陂，刺时也。言灵公君臣淫于其国，男女相说，忧思感伤焉。"序说的最后两句颇能体会诗意。至于前面几句的牵合美刺、附会时事，那是毛序的老毛病，也毋须多析。朱熹认为"此诗大旨与月出相类"，闻一多认为"荷塘有遇，悦之无因，作诗自伤"。他们两位的分析有助于我们更细致地理解诗的意境。

诗中“有美一人，硕大且卷。……硕大且俨”等句，描写出一个丰肌高大的女子形象。钱锺书先生管锥编云：“按太平御览卷三六八引韩诗作‘硕大且𪘲’，薛君曰：‘𪘲，重颐也。’‘硕大’得‘重颐’而更亲切着实。大招之状美人曰：‘丰肉微骨，调以娱只’；再曰：‘丰肉微骨，体便娟只’；复曰：‘曾颊倚耳’，王逸注：‘曾，重也。’诗之言‘𪘲’，正如楚辞之言‘曾颊’。唐宋画仕女及唐墓中女俑皆曾颊重颐，丰硕如诗、骚所云。刘过浣溪纱云：‘骨细肌丰周昉画，肉多韵胜子瞻书，琵琶弦索尚能无？’徐渭青藤书屋文集卷十三眼儿媚云：‘粉肥雪重，燕赵秦娥。’古人审美嗜尚，此数语可以包举。”在我国古代，存在着以丰满壮硕为美和以婀娜苗条为美的两种不同的审美观，而在诗经时代，显然是前一种审美观占上风，如卫风以“硕人”称庄姜，小雅车舝以“硕女”称季女，这种现象倒是颇令人感兴趣的。

彼泽之陂，有蒲与荷。有美一人，伤如之何？寤寐无为，涕泗滂沱。

泽，池塘。　陂（bēi），池塘边的堤岸。

蒲，蒲草，可以编席。　荷，这里指荷叶，与下文的“莲”指莲蓬、“菡萏”指荷花各有不同。后来这三个名称和“芙蕖”、“夫容”都可通用。诗人在池塘边见蒲草有荷相伴，适遇一位女子，因以起兴。蒲喻男，荷喻女（从郑笺说）。

伤，鲁、韩诗作阳，伤是阳的假借字。尔雅：“阳，予也。”是第一人称代词。　如之何，即奈他何。韩诗如作若。这二句意为，这位漂亮的姑娘，叫我怎么办才好？

寤寐，醒着和睡着，指不断思念。　无为，没有办法达到目的。

涕，眼泪。　泗，鼻涕。涕泗，叠韵。　滂沱，一时涕泗俱下貌。按滂沱本义是多雨貌，这里是引申义。

韵读：歌部——陂（音波）、荷、何、为（音讹）、沱。

彼泽之陂，有蒲与蕳。有美一人，硕大且卷。寤寐无为，中心悁悁。

蕳，鲁诗作莲，莲蓬。郑笺："蕳，当作莲。莲，芙蕖实也。"

卷，婘的省借字，释文："卷，本又作婘。"漂亮、美好。毛传："卷，好貌。"

悁悁（yuān），忧郁貌。王先谦集疏："悁悁，盖悲哀不舒之意。"

韵读：元部——蕳、卷、悁。

彼泽之陂，有蒲菡萏。有美一人，硕大且俨。寤寐无为，辗转伏枕。

菡萏（hàn dàn），荷花。

俨，韩诗作㜬。俨是㜬的假借字。薛君韩诗章句："㜬，重颐也。"重颐即今所谓"双下巴"。

辗，鲁诗、韩诗作展。辗转，翻来覆去。见关雎注。朱熹诗集传："辗转伏枕，卧而不寐，思之深且久也。"

韵读：侵、谈部通韵——萏、俨、枕。

桧　风

桧，左传、国语作郐，汉书地理志作会。桧风只有四篇。

桧地在今河南密县东北，与郑国为近邻。朱熹诗集传："其君妘姓。"据史记记载，桧国在东周初年（公元前七六九年）为郑桓公所灭。韩非子和刘向说苑都有记述郑桓公伐桧的事。可见桧风全为西周时作品。

桧国很小，历史上的记载也很少。左传襄公二十九年记述吴公子季札论诗，有"自郐以下无讥焉"的话，可见桧风在春秋时便不受重视。从现存的四首诗中，看不出桧风有什么特点。隰有苌楚表现着浓重的悲观厌世的色彩，匪风情调也十分低沉，可能都是亡国之音吧。

羔　裘

【题　解】

这是一首怀人的诗。作者很想念那位穿着羊皮袍、狐皮袍的大夫，但由于某种原因又无法达到目的，心中很忧伤，便唱出了这首诗。毛序："羔裘，大夫以道去其君也。国小而迫，君不用道，好洁其衣服，逍遥游燕，而不能自强于政治，故作是诗也。"语属傅会，似不可从。闻一多风诗类钞认为羔裘是"女欲奔男之辞"。"中心是悼"即王风大车"畏子不敢"之意。但大车明言"畏子不奔"，当然可据此确定诗的主题。此诗"中心是悼"，只反映一种伤感的情怀，何以见其必有欲奔之心？闻说未免联想得太过分了一点。

怀人之诗，多有即景起兴者，而此诗全用赋体。每章首二句通过鲜洁光润的羔裘狐袍，逍遥遨游的自在态度，将作者心目中的大夫描写得英俊潇洒。就是为了这样一个人，作者想念得忧伤不已。经前二句的铺垫，后二句就有了着落。这种诗虽出于自然，非刻意雕凿，但也可以看出语句间的呼应颇具构思之巧。蔡绦西清诗话："欧公语人曰：'修在三峡赋诗云：春风疑不到天涯，二月山城未见花。若无下句，则上句不见佳处，并读之，便觉精神顿出。'"欧阳永叔这几句自评的话，于这首诗也颇适用的。

羔裘逍遥，狐裘以朝。岂不尔思？劳心忉忉。

羔裘、狐裘，都是大夫的服装。平时穿羔裘，进朝穿狐裘。毛传："羔裘以游燕,狐裘以适朝。" 逍遥,任意游逛之意。陈奂传疏:"燕者,安也。传以游燕释逍遥,序云逍遥游燕,此四字同义。"楚辞九章王逸注:"逍遥,游戏也。"

忉忉,心情忧劳貌。见甫田注。

韵读:宵部——遥、朝、忉。

羔裘翱翔,狐裘在堂。岂不尔思?我心忧伤!

翱翔,与"逍遥"同意。按翱翔的本义为鸟的回飞,引申为人的遨游。

堂,公堂。大夫朝见君主的地方。这首诗中"在堂"就是"在朝"的意思。

韵读:阳部——翔、堂、伤。

羔裘如膏,日出有曜。岂不尔思?中心是悼!

膏,油脂。

有曜,即曜曜。形容日光。古代的皮袍,毛向外,太阳光照在上面,闪闪发亮,像涂了油一样。这两句是倒句。

悼,哀痛。毛传:"悼,动也。"陈奂传疏:"动,古恸字。"

韵读:宵部——膏、曜、悼。

素　冠

【题　解】

这是一首悼亡诗。一位妇女,见到丈夫遗容憔悴,心为之碎,表示宁可伴着他一起死。毛序:"素冠,刺不能三年也。"这是因见到"素冠"、"素衣"等字眼而傅会到守丧三年上去。但素衣是当时人的常服,论语云:"素衣麑裘素韠。"孟子云:"许子冠素。"士冠礼云:"主人玄冠朝服缁带素韠。"而士丧礼却无素冠、素衣、素韠的记载。由此可证毛序的望文生义。

此诗悼亡,正值抚尸而恸之际,与葛生的悼亡已在墓草青青之时不同。这是迸发的、肝肠俱裂的伤痛,而非那种深长的、绵绵难绝的哀思,所以感情显得非常强烈。体现在文字上,每章三句,短促而激烈。章章递进，始而心情忧伤，继而愿与同归，终而誓同生死。一种难以抑止的悲怆之情使人为之动容。

庶见素冠兮，棘人栾栾兮。劳心慱慱兮！

庶，庶几，幸而。按庶的本义是"屋下众"，这里是引申义。　素冠，白帽子。素冠与下章的素衣、素韠都是死者穿戴的服饰。

棘，古"瘠"字，瘦削。吕览任地："棘者欲肥，肥者欲棘。"高诱注："棘，羸瘠也。"　栾栾(luán)，鲁诗作脔脔，是正字。说文："脔，臞也。"毛传："栾栾，瘠貌。"都是形容体枯肌瘦的样子。

慱慱(tuán)，忧苦不安貌。毛传："慱慱，忧劳也。"

韵读：元部——冠、栾、慱。

庶见素衣兮，我心伤悲兮。聊与子同归兮！

聊，愿。　子，你，指死者。　同归，这里是同死的意思。

韵读：脂部——衣、悲、归。

庶见素韠兮，我心蕴结兮。聊与子如一兮！

韠(bì)，亦名韨或蔽膝，古人的服饰。用皮制成，长方形，上窄下宽，似今之围裙。

蕴结，双声，忧郁不解。说文："蕴，积也。"唐石经初刻即作薀，蕴是俗字。

如一，即同生同死之意。朱熹诗集传："与子如一，甚于'同归'也。"

韵读：脂部——韠、结、一。

隰有苌楚

【题　解】

这是一首没落贵族悲观厌世的诗。桧国在东周初年被郑国所灭，此诗大约是桧将亡时的作品。方玉润诗经原始："此必桧破民逃，自公族子姓以及小民之有室有家者，莫不扶老携幼，挈妻抱子，相与号泣路歧，故有家不如无家之好，有知不如无知之安也。而公族子姓之为室家累者则尤甚。”郭沫若中国古代社会研究：“这种极端的厌世思想在当时非贵族不能有，所以这诗也是破落贵族的大作。自己这样有知识挂虑，倒不如无知的草木！自己这样有妻儿牵连，倒不如无家无室的草木！做人的羡慕起草木的自由来，这怀疑厌世的程度真有点样子了。”方氏分析了诗的社会背景，郭氏分析了诗的内容和作者的身份，均合诗旨。而毛序云：“隰有苌楚，疾恣也。国人疾其君之淫恣，而思无情欲者也。”这实在有点牛头不对马嘴了。

隰有苌楚所反映的这种情调，对后代的诗文影响很大。钱锺书先生管锥编举出许多例子，如元结系乐府寿翁兴：“借问多寿翁，何方自修育？唯云顺自然，忘情学草木。”姜夔长亭怨：“树若有情时，不会得青青如许。”杜甫哀江头：“人生有情泪沾臆，江水江花岂终极。”鲍溶秋思之三：“我忧长于生，安得及草木。”韦庄台城：“无情最是台城柳，依旧烟笼十里堤。”戴敦元饯春：“春与莺花都作达，人如木石定长生。”这种忧生之嗟延续了几千年，在诗歌的意境中别具一种低徊暗淡的美。但是“天若有情天亦老，人间正道是沧桑”，人生总应该是前进的。欣赏三百篇时，我们还是不要受这首诗感染的好。

隰有苌楚，猗傩其枝。夭之沃沃，乐子之无知！

苌楚，即羊桃、猕猴桃。攀援藤本植物，果实可食。

猗傩，双声，音义同“婀娜”，鲁诗作“旖旎”，一语之转。柔美貌。

夭，少好、嫩美。按夭的本义是变曲。说文：“夭，屈也。从大，象形。”这是象植物萌芽初生、尚未挺直之形，引申为植物少壮之貌，如周南桃夭

"桃之夭夭"。 之,语气词,作用同"兮"。 沃沃,少嫩漂亮貌。毛传:"沃沃,壮佼也。"孔疏:"言其少壮而佼好也。"

乐,欢喜。此处作动词用,含有"羡慕"之意。 子,指苌楚。 无知,没有知觉、没有感情。毛序云:"思无情欲者也。"解"知"为"情欲"。郑笺申之,解"知"为"妃匹"之"匹"。都是拘执于二、三章的"无室"、"无家"而言,不可从。这句大意是忧患太深,反而羡慕草木的无知无觉。

韵读:支部——枝、知。

隰有苌楚,猗傩其华。夭之沃沃,乐子之无家!

无家,与下章的"无室",都是没有妻儿拖累之意。钱锺书管锥编:"室家之累,于身最切,举示以概忧生之嗟耳。"

韵读:鱼部——华(音乎)、家(音姑)。

隰有苌楚,猗傩其实。夭之沃沃,乐子之无室。

实,果实。胡承珙后笺:"华实皆附于枝,枝既柔顺,则华实亦必从风而靡,虽概称猗傩不妨。"

韵读:脂部——实、室。

匪　风

【题　解】

这是一位游子思乡的诗。有人说,作者是从西方流落到东方桧国的人。有人说,作者是离开桧国到东方去的人。现在无从考证,只得存疑。毛序:"匪风,思周道也。国小政乱,忧及祸难,而思周道焉。"序说周道为周之政令,但从"顾瞻周道"一句来看,序说未免牵强。朱熹诗集传:"周道,适周之路也。"比毛序来得通顺。

前人评此诗,都赞它"起得飘忽"、"起势超忽",这是说前两句赋体突兀而起,渲染出一幅画图:风起尘扬,车马疾驰,飘零异乡,难抑归思。而末章反用兴法,将思归之情衬托得淋漓透彻,风致极胜。岑参逢入京使:“故园东望路漫漫,双袖龙钟泪不干。马上相逢无纸笔,凭君传语报平安。”其情其景,真有与匪风如出一辙者。由此可以看出诗经在创造诗的意境方面确有发轫开源的作用。

匪风发兮,匪车偈兮。顾瞻周道,中心怛兮。

匪,彼、那个。王念孙广雅疏证:“匪当为彼。‘匪风发兮,匪车偈兮’,犹言彼风之动发发然,彼车之驱偈偈然。”按匪的本义是一种竹制的盛器。训匪为彼是音近而假借。　发,即发发,风声。

偈(jié),即偈偈,韩诗外传作揭揭,车马疾驶貌。韩诗伯兮传:“偈,疾驱貌。”

周道,大路。马瑞辰通释:“周之言䢠。广雅:‘䢠,大也。’周道又为通道,亦大道也。凡诗周道,皆谓大路。”

怛(dá),忧伤。这二句意为,望着那条平坦的大路,使我心中十分忧伤。

韵读:祭、元部通韵——发(音废入声)、偈、怛。

匪风飘兮,匪车嘌兮。顾瞻周道,中心吊兮。

飘,飘风,即旋风,毛传:“回风为飘。”这里用来形容风势迅猛旋转。

嘌(piāo),快速。说文:“嘌,疾也。”

吊,悲伤。按吊的本义是“有死丧而问之”,悲伤是引申义。

韵读:宵部——飘、嘌、吊。

谁能亨鱼?溉之釜鬵。谁将西归?怀之好音。

亨,古与“烹”通用。

溉,本字应作摡,洗涤。说文:“摡,涤也。”　釜,锅子。　鬵(xún),大锅。这二句意为,谁能烧鱼,我愿意替他洗锅子。这是兴句,以兴起下二句。

怀，遗、送。毛传："怀，归也。"归有馈义，即送的意思。这二句意为，谁将向西回故乡去，我想托他送个平安的好消息给家里。

韵读：侵部——鬵、音。

曹风

曹风共四篇。其中候人一诗，毛序、朱熹、严粲、方玉润都认为是刺曹共公的。左传僖二十八年春，晋文公伐曹。"三月丙午，入曹。叛之，以其不用僖负羁而乘轩者三百人也。"这同毛序的"共公远君子而好近小人"以及诗中的"三百赤芾"都可以互相印证。如此推测，候人当作于晋文公入曹，即公元前六三二年以前。下泉一诗，王先谦集疏引齐诗："下泉苞稂，十年无王。荀伯遇时，忧念周京（易林）。"他断为诗是美荀跞之作。何楷诗经世本古义："左传鲁昭公三十二年，天王使告于晋：'天降祸于周，俾我兄弟并有乱心，以为伯父忧。我一二亲昵甥舅，不皇启处，于今十年。'自春秋昭二十二年王子朝作乱，至三十二年城成周为十年，与易林'十年无王'合。荀伯即荀跞也。"他们的考证都有可信之处。晋师统帅荀跞纳周敬王于成周，在鲁昭公时。可见曹风产生于春秋时期。

曹地在今山东省西南部菏泽、定陶、曹县一带地方，位于齐晋之间，是一个小国。春秋时代，群雄纷争，小国的地位朝不保夕。蜉蝣的叹人生之须臾，下泉的感今昔之盛衰，恐怕便是曹国朝野的共同心理。

蜉蝣

【题　解】

这是一首叹息人生短促的诗。蜉蝣是一种小昆虫，它虽然有“衣裳楚楚”、“采采衣服”的华丽外表，但朝生而暮死。诗人用它比喻人生虽然可爱，其实是很短促的。毛序：“蜉蝣，刺奢也。昭公国小而迫，无法以自守，好奢而任小人，将无所依焉。”毛序是将“衣裳楚楚”、“采采衣服”等解释为比喻曹昭公的奢侈。方玉润驳曰：“盖蜉蝣为物，其细已甚，何奢之有？取以为比，大不相类。天下刺奢之物甚多，诗人岂独有取于掘土而出、朝生暮死之微虫耶？”从方氏之说我们可以看出，毛序是将诗的兴意理解错了。蜉蝣的朝生暮死，好似人们的“生年不满百”，都逃不出死亡的归宿，所以诗人感到忧伤。至于这是没落贵族的哀叹，还是知识分子的感慨，没有明确的史料依据，也难以臆断。

困学记闻引李仲蒙对诗经兴法的解释云：“触物以起情谓之兴，物动情也。”这种解释是比较确切的。触物起情，或者说触景生情，这是作者的心理活动。这种心理活动的信息能否通过兴句准确地传达给读者，是没有一定把握的，因为相同的景物可以引起不同的情感。即如这首诗，毛序的理解与我们的理解便明显不同，朱熹诗集传：“此诗盖以时人有玩细娱而忘远虑者，故以蜉蝣为比而刺之。”他将兴句解释为比，当然是错的，但他对这两句喻意的理解，则提供了第三种解释。前人有“诗无达诂”之说，在某种意义上也可以说是“兴无达诂”。钟嵘诗品序云：“文已尽而意有馀，兴也；……若专用比兴，患在意深，意深则词踬。”便是说兴意的难解。

蜉蝣之羽，衣裳楚楚。心之忧矣，于我归处。

蜉蝣，古作浮游，叠韵，小昆虫名。形似天牛而小，翅薄而透明，在空中飞舞，但朝生而暮死，生命极短促。

楚楚，鲜明貌。这里是形容蜉蝣的羽翼。三家诗楚作䟎，说文：“䟎，会五采鲜貌。”这是本字,楚是假借字。

于,即“与”。　归处,指死去。与葛生篇“归于其居”、“归于其室”同义。下章的“归息”、“归说(shuì)”也是此意。马瑞辰通释:“于之言与也,凡相于者,犹相与也,如孟子:‘麒麟之于走兽’之类,于,即与也。忧蜉蝣之于我归处,以言我将与浮游同归也。”

韵读:鱼部——羽、楚、处。

蜉蝣之翼,采采衣服。心之忧矣,于我归息。

采采,犹粲粲,华丽貌。陈奂传疏:“传‘采采众多’,谓文采之众多也。”

韵读:之部——翼、服(扶逼反,入声)、息。

蜉蝣掘阅,麻衣如雪。心之忧矣,于我归说。

掘,穿。三家诗掘作堀。说文:“堀,突也。”突与穿义近。　阅,通“穴”。宋玉风赋“空穴来风”,庄子作“空阅来风”。掘阅,穿穴。据陆玑诗草木鸟兽虫鱼疏,蜉蝣的幼虫在阴雨中穿穴而出地面,变为成虫。

麻衣,指蜉蝣的羽翼。这是借代的手法。　如雪,形容蜉蝣羽翼的鲜洁。

韵读:祭部——阅、雪、说。

候　人

【题　解】

这是一首讥刺新贵的诗。郭沫若中国古代社会研究:“这当然是讥诮那暴发户才做了贵族的人。这些由奴民伸出头来的人,在旧社会的耆旧眼里看来,当然说他不配的。”毛序:“候人,刺近小人也。共公远君子,而好近小人焉。”郭先生和毛序的说法从正反两面基本点明了诗旨。左传僖公二十八年,晋文公“入曹,数之以不用僖负羁而乘轩者三百人也”。诗说“三百赤芾”,与左传记载相合。晋文公入曹,在周襄王二十年,即公元前六三二年。候人一诗当作于这以前。闻一多高唐神女传说之分析一文认为候人说的是“一个少女派人去迎接她所私恋的人，没有迎着”。闻先生的见解非常新颖，尤其对第四章的解释颇为通顺。不过，如果一个少女想与她的情人幽会，却派了肩扛着戈殳武器的汉子去迎接，岂不要把情人吓跑了么？所以我们对闻先生的诗旨分析还是期期以为不可。录之以供读者诸君参考。

国风一般皆以兴句发端，以引起所咏之词。此诗首章用赋体，将作者同情和讥诮的人物对比地表达出来。二、三章反而改用兴法，以鹈鹕之不捕鱼，喻那些暴发户之不称职。末章又改用比法，以虹霓来比喻新官儿颐指气使的气焰。章法灵活多变，无重叠之感，这是候人的特点。

彼候人兮，何戈与祋。彼其之子，三百赤芾。

候人，掌管迎送宾客的小官。周礼候人：“若有方治，则帅而致于朝。及归，送之于竟（境）。”国语周语：“敌国宾至，关尹以告，行理以节逆之，候人为导。”这里似以候人为屈居下位的贤者。

何，齐诗作荷。举起。毛传：“何，揭也。” 戈、祋（duì），都是古代的武器。戈长六尺六寸。祋亦作殳，长八尺四寸，竹制的杖器，上端装有八棱的觚，用以击人。

其（jì），韩诗作己，语助词，无义。 之子，指下句戴赤芾的那些新贵。

赤芾（fú），韩诗芾作绂，又通作韨，亦名韠。红皮制的蔽膝。毛传：“大夫以上，赤芾乘轩。”是古代大夫以上的官，才能戴红皮蔽膝和坐轩车。曹共公时，任命了三百个新大夫，作者就是讽刺这些人。

韵读：祭部——祋（丁吠反）、芾（方吠反）。

维鹈在梁，不濡其翼。彼其之子，不称其服。

维，发语词。下章首同。　鹈（tí），鹈鹕，水鸟，身高，白色，嘴极长大，捕鱼为食。孔疏引陆玑义疏云："鹈，水鸟，形如鹗而极大，喙长尺馀，直而广，口中正赤，颔下胡大如数升囊。"　梁，捕鱼筑的坝。

濡（rú），沾湿。这二句意为，鹈鹕栖在鱼梁上，但却不沾湿翅膀，这是不正常的。这二句含比作用的兴句，旨在引起下二句，以比喻小人在位，也是不正常的。

称（chèn），适合。按称的本义是衡器，俗作秤。称意、适合是后起义。郑笺："不称者，言德薄而服尊。"

韵读：之部——翼、服（扶逼反，入声）。

维鹈在梁，不濡其咮。彼其之子，不遂其媾。

咮（zhòu），韩诗作噣，古咮、噣声同。鸟嘴。鹈鹕以长嘴捕鱼，不可能不沾湿嘴，所以"不濡其咮"也是反常的，兴意与上章同。

遂，终于、久长。　媾（gòu），厚遇。毛传："媾，厚也。"媾、厚叠韵。这句意为不能久享国君优厚的待遇。按媾的本义是"重婚"（按重婚意思是重叠交互为婚姻，犹今言亲上加亲，不是再婚的意思），厚是引申义。郑笺："遂犹久也。不久其厚，言终将薄于君也。"

韵读：侯部——咮、媾。

荟兮蔚兮，南山朝隮。婉兮娈兮，季女斯饥。

荟、蔚，双声，本义是草木茂盛貌，这里用来形容虹云升腾的景色。毛传："荟、蔚，云兴貌。"

南山，曹国山名。在山东曹州济阴东二十里。　隮（jī），虹。朝隮，释名："虹……朝日始升而出见也。"

婉、娈，叠韵，年少美好貌。毛传："婉，少貌。娈，好貌。"

季女，少女。以季女喻贤者，即上文候人之属。一说以季女指候人之女。可通。　斯，语助词。

韵读：脂、祭部通韵——荟、蔚、隮、饥。　元部——婉、娈。

鸤　鸠

【题　解】

这是赞美在位的统治者的诗。毛序:“鸤鸠,刺不壹也。在位无君子,用心之不壹也。”毛序解释此诗是“以美为刺”,或按陈启源毛诗稽古编的说法是“援古刺今”。但是诗中毫无刺意,反多溢美之词,所以朱熹说这是“美诗”,陈乔枞诗三家遗说考也说:“鲁诗说尸鸠之义,词无讥刺。”方玉润由此推测是赞美曹国创始者振铎之诗,陈子展由此推测是候人诗中那批“三百赤芾”的人歌功颂德之诗。两相比较,似乎陈先生的话更有情致一些。

复叠的修辞是诗经艺术手法最突出的一个特征,其表现的形式,有叠字、叠词、叠句、叠章的变化。叠字如“桃之夭夭,灼灼其华”。叠词如“委蛇委蛇”、“采薇采薇”。叠句如本诗的各章都重复歌唱“其仪一兮”、“其带伊丝”、“其仪不忒”、“正是国人”,将“淑人君子”的形象渲染得更加鲜明,他是有言行一致、服饰端正、仪态不差、领导国人的风度。四个叠句紧接在“淑人君子”句下,是每章中的关键所在,使歌功颂德的意味更为强烈,给读者的印象也更为深刻。如果配上亡佚的乐谱歌唱起来,想必效果更佳。

鸤鸠在桑,其子七兮。淑人君子,其仪一兮。其仪一兮,心如结兮。

鸤(shī)鸠,即布谷鸟。春秋时有鸤鸠养子平均的传说。左传昭公十七年:“鸤鸠氏,司空也。”杜预注:“鸤鸠平均,故为司空,平水土。”毛传:“鸤鸠之养其子,朝从上下,莫(暮)从下上,平均如一。”

七,七是虚数,言其多。诗人以鸤鸠平均抚养其幼鸟,兴“淑人君子”的德行专一。

淑，善。　君子，这里指在位的人。

仪，言行。胡承珙毛诗后笺："礼记缁衣：'子曰：下之事上也，身不正，言不信，则义不壹，行无类也。'……其末引诗云：'淑人君子，其仪一也。'然则仪一谓执义如一。"

结，固结。毛传："言执义一则用心固。"这二句意为，君子的言行是一致的，他的用心又是很坚定的。

韵读：脂部——七、一、一、结。

鸤鸠在桑，其子在梅。淑人君子，其带伊丝。其带伊丝，其弁伊骐。

梅，梅树。马瑞辰通释："梅当为梅杏之梅，以下'在棘'、'在榛'类之，知皆小树，不得为梅枏也。"作者以鸤鸠的小鸟长大后飞到梅树上，兴"淑人君子"的德泽广被。

带，大带。　伊，是。　丝，白丝。郑笺："大带用素丝，有杂色饰焉。"

弁，皮帽。　骐，有黑色条纹的白马。这里是以骐的花纹来形容皮帽的饰色，所以毛传云："骐，骐文也。"按这一章是赞美"君子"的服饰。

韵读：之部——梅（谟其反）、丝、丝、骐。

鸤鸠在桑，其子在棘。淑人君子，其仪不忒。其仪不忒，正是四国。

忒（tè），偏差。说文："忒，更也。"段玉裁注："凡人有过失改革谓之忒。"

正，领导。毛传："正，长也。"　四国，各国。

韵读：之部——棘、忒（他力反，入声）、忒、国（古逼反，入声）。

鸤鸠在桑，其子在榛。淑人君子，正是国人。正是国人，胡不万年！

国人，全国的老百姓。

胡，何。朱熹诗集传："胡不万年，愿其寿考之辞也。"

韵读：真部——榛、人、人、年（奴因反）。

下　泉

【题　解】

这是曹人赞美晋国荀跞纳周敬王于成周的诗。何楷诗经世本古义根据易林蛊之归妹云："下泉苞稂，十年无王。荀伯遇时，忧念周京。"认为"此诗当为曹人美晋荀跞纳敬王于成周而作"。他又据春秋鲁昭公二十二年王子朝作乱，至三十二年城成周为十年，与易林"十年无王"相合，证明易林的话是可靠的。魏源诗古微以"诗迄于陈灵"的旧说为依据，否定何楷说。但这一旧说本不可靠，魏默深以此为推论的前提，逻辑上就站不住脚。据左传及史记记载，鲁昭公二十二年，周景王死，太子寿先卒，王子猛立。王子朝作乱，攻杀猛，尹氏立王子朝。王子丐居于狄泉，即诗之下泉(亦名翟泉，在今洛阳东郊)。后来晋文公派大夫荀跞攻子朝而立猛弟丐，是为敬王。诗当作于周敬王入成周以后，即在公元前五一六年后。这是诗经中时间最晚的一首诗。至于赞美晋荀伯，为什么诗列在曹风呢？马瑞辰说："美荀跞而诗列曹风者，(左传)昭二十五年：'晋人为黄父之会，谋王室，具成人。'二十七年：'会扈，令戍周。'三十二年：'城成周。'曹人盖皆与焉。故曹人歌其事也。"

这首诗一唱三叹，格调十分低沉，寒泉浸稂，叹念周京，真有不胜今昔盛衰之感。末章却将笔调一转，阴雨膏苗，芃芃其盛，写出一派生气勃勃的景象。这种欲扬先抑、欲张先弛的布局，将作者的感情表现得详略分明，隐显得当。反面的衬托和正面的渲染都恰到好处，收到了"善附者异旨如肝胆"(刘勰文心雕龙附会)的效果。

洌彼下泉，浸彼苞稂。忾我寤叹，念彼周京。

洌(liè)，寒冷。按洌应作冽。严粲诗缉："列旁三点者，从水也，清也、洁也。旁二点者，从冰也，寒也。"按七月"二之日凓冽"，大东"有冽氿泉"，皆作冽，无作洌者。　下泉，出自地下的泉水。亦名狄泉。

苞，丛生。　稂(láng)，生而不结实的粱，莠一类的草。这二句意为，地下流出寒冷的泉水，淹泡着稂根，使它湿腐而死。诗人用它兴王子朝作乱，周京受害。

忾(kài)，鲁诗作慨，韩诗作嘅。叹息貌。　寤，醒着。

周京，周天子的都城。公羊传："京师者何？天子之所居也。京者何？大也。师者何？众也。"下章的"京周"、"京师"和"周京"同义，倒文以协韵。这二句意为，醒过来就叹气，怀念着周天子的都城。这是诗人感伤周京曾被王子朝占据。

韵读：元部——泉、叹。　阳部——稂、京。

洌彼下泉，浸彼苞萧。忾我寤叹，念彼京周。

萧，蒿草。尔雅："萧、萩。"郝懿行义疏："今人所谓荻蒿也。或云牛尾蒿。"

韵读：元部——泉、叹。　幽部——萧(音修)、周。

洌彼下泉，浸彼苞蓍。忾我寤叹，念彼京师。

蓍(shī)，蒿一类的草。陈奂传疏："淮南子说山篇：'上有丛蓍，下有伏龟。'是蓍为丛生之草矣。"

韵读：元部——泉、叹。　脂部——蓍、师。

芃芃黍苗，阴雨膏之。四国有王，郇伯劳之。

芃芃(péng)，茂盛貌。

膏，本义是油，这里作动词，滋润。

郇，与"荀"通。郇伯指晋大夫荀跞。　劳，勤劳、努力。　之，指纳周敬王于京师的事。闻一多风诗类钞："四方诸侯之所以有王者，以郇伯勤劳之之故也。"

韵读：宵部——苗、膏、劳。

豳　风

豳（bīn），亦作邠。豳风共七篇。破斧说“周公东征”，东山说“我徂东山，慆慆不归”，“自我不见，于今三年”，这可能是随周公东征的士卒在归途中的歌唱。平王东迁，豳地为秦所有，可见豳风全部都产生于西周，是国风中最早的诗。最早的诗却置于国风的最末，这是什么缘故呢？左传襄公二十九年，有吴公子札观周乐的记载。其中豳风的排列次序在齐风之后，秦风之前。这显然是因为豳地后为秦有，两国之风在音乐声调上有渊源相承之故。襄公二十九年当公元前五四四年，在孔子正乐之前。论语子罕：“子曰：吾自卫反鲁，然后乐正，雅颂各得其所。”这是鲁哀公十一年（公元前四八四年）的事，距公子札观乐已经有六十年了。孔子正乐，调整了诗的篇章次序。将豳风压国风之卷，当出于孔子之手。为什么要作这样的调整？古乐已失，我们无从作进一步论证，但周礼某些记载倒提供了一些信息。周礼籥章：“掌土鼓豳籥。中春，昼击土鼓，歈豳诗以逆暑。……凡国祈年于田祖，歈豳雅，击土鼓以乐田畯。国祭蜡，则歈豳颂，击土鼓以息老物。”郑玄注：“豳诗，豳风七月也。豳雅亦七月也。豳颂亦七月也。”七月是风诗而周礼却并称之为雅、颂，胡承珙毛诗后笺解释道：“籥章言豳诗者，正谓豳风以其诗固风体也。其谓豳雅、豳颂者，则又以诗入乐，各歌其类，合乎雅颂故也。”据此，可知七月虽属风诗，但它又可以在不同的场合配上雅、颂的乐调来歌唱。这种“全篇备风、雅、颂之义，籥章歈之以一时而共三用”的特殊作用，或许正是孔子将豳风置于国风之末的原因。让这样的诗歌在风与雅、颂之间起承上启下的桥梁作用，实在是很相宜的。

豳地在今陕西栒邑、邠县一带地方，为周人祖先公刘首先开发。周人是重视农业的民族，所以豳诗多带有务农的地方色彩。除七月外，东山等诗中也有明显的痕迹。汉书地理志："昔后稷封斄，公刘处豳，太王徙岐，文王作酆，武王治镐，其民有先王遗风，好稼穑，务本业，故豳诗言农桑衣食之本甚备。"这几句话，说出了豳诗的特点。

七 月

【题 解】

这是一首农事诗，描写农民一年四季的劳动过程和生活情况。毛序："七月，陈王业也。周公遭变，故陈后稷先公风化之所由，致王业之艰难也。"据此，后人多认为这是周公所作。但崔述丰镐考信录说："玩此诗醇古朴茂，与成、康时诗皆不类。……然则此诗当为大王以前豳之旧诗，盖周公述之以戒成王而后世因误为周公所作耳。"方玉润诗经原始："豳仅七月一篇所言皆农桑稼穑之事。非躬亲陇亩，久于其道者，不能言之亲切有味也如是。周公生长世胄，位居冢宰，岂暇为此？且公刘世远，亦难代言。此必古有其诗，自公始陈王前，俾知稼穑艰难，并王业所自始，而后人遂以为公作也。"崔、方二位的分析颇为中肯。这样一篇规模宏大的农事诗，决不是哪一个天才所能成就。其中有古代的农谣，有豳地的民歌，应是集腋成裘的作品。而且决非一朝一夕所能成就，必然有一个积年累月的流传过程。至于最后由谁将它整理成现在这个样子，是周公，还是其他的人，倒是无关宏旨的。

七月的伟大，在于其史料价值。研究古代社会性质的，研究古代农业发展状况的，甚而至于研究古代气候的众多学者，都可以从中挖掘出许多宝贵的材料。尽管对这些史料的认识有见仁见智之异，而其真实性则是无可置疑的。在这方面的价值，十五国风中无出其右者。但是，从文学艺术的角度来看，七月并不见得有什么强烈的迷人魅力。前人对七月称颂备至，说它"无体不备，有美必臻。晋唐后陶谢王孟韦柳田家诸诗从未见臻此境界"。说它"神妙奇伟，殆有非言语形容所能曲尽者"。说它"洵天下之至文"、"真是无上神品"。这些赞词，未免过分，显得缺少发展的眼光。我们觉得倒是崔述一段话值得注意。他说："读七月，如入桃源之中，衣冠朴古，天真烂漫，熙熙乎太古也。"的确，不着意构筑，信口而出，天真纯朴，这便是七月的特点。至于它的章法，不少前贤苦心孤诣地加以探寻，却始终未能归于一说。这个事实，不正能从反面证明，它其实并没有什么奇妙的章法吗？如果我们明白，七月起于古代诗歌发展的萌芽期，中经民间口头流传，最后由太师整理成篇，就不难理解这种各章参差错互、头绪不易捉摸的现象了。总之，七月是一首杰出的农事诗，但也仅仅是一首农事诗。

七月流火，九月授衣。一之日觱发，二之日栗烈。无衣无褐，何以卒岁？三之日于耜，四之日举趾。同我妇子，馌彼南亩，田畯至喜。

七月，夏历七月。　流，这里指行星在天空的位置向下移动。毛传："流，下也。"　火，星名，即心宿二，亦称大火。每年夏历五月的黄昏，此星出现在天空南方，方向最正，位置最高。六月以后，就偏西向下行了。这诗说明，早在上古，我国人民对行星移动和季节变化的相互关系便有所认识。

九月，夏历九月。　授衣，把裁制冬衣的工作交给妇女们去做。毛传："九月霜始降，妇功成，可以授冬衣矣。"马瑞辰通释："凡言'授衣'者，皆授使为之也。此诗授衣，亦授冬衣使为之。盖九月妇功成，丝麻之事已毕，始可为衣。非谓九月冬衣已成，遂以授人也。"

一之日，指周历正月的日子，即夏历的十一月。周代建子，夏代建寅，所以周历正月当夏历的十一月。下文"二之日"、"三之日"、"四之日"均指周历而言，分别当夏历的十二月、正月和二月。夏历三月则不作"五之日"，只称为"春"。从诗中夏、周两种历法并用的现象，可以看出全诗在民间经过长时期的流传过程。　觱(bì)发，叠韵，寒风触物的声音。

栗烈，双声，说文引诗作凓冽，是正字。寒气刺骨貌。

褐(hè)，本义是麻编织的袜子。这里泛指粗布衣服，即所谓"贱者之服"。说文："褐，编枲袜。一曰粗衣。"

卒，终。这句意为，靠什么来度过寒冬呢？

于，为。这里指修理。毛传："于耜，始修耒耜也。"　耜(sì)，金属的犁头。

举趾，齐诗作止，是正字。举足下田，开始春耕。毛传："民无不举足耕矣。"

同，会合、邀约之意。　我，农夫自称。

馌(yè)，送饭。毛传："馌，馈也。"　南亩，胡承珙毛诗后笺："古之治田者，大抵因地势水势而为之。其在南者，谓之南亩。"这里泛指田地。

田畯(jùn)，亦称田大夫，奴隶主派设的监工农官。由此可见当时还处于奴隶社会阶段。　喜，通饎，吃饭菜。郑笺："喜，读为饎。"

韵读：脂部——火(音毁)、衣。　祭部——发(音废入声)、烈、褐、岁(音雪入声)。　之部——耜、趾、子、亩(满以反)、喜。

七月流火，九月授衣。春日载阳，有鸣仓庚。女执懿筐，遵彼微行，爰求柔桑。春日迟迟，采蘩祁祁。女心伤悲，殆及公子同归。

春日，指夏历三月。　载，则。有人训"始"，亦通。　阳，天气暖和。

郑笺:“阳,温也。”

有,词头,无义。　仓庚,黄莺。以上二句写物候。

懿,深。说文:“懿,嫥久而美也。”深是引申义,故朱熹诗集传训为“深美”。

遵,沿着。　微行(háng),小路。孟子尽心篇:“五亩之宅,树墙下以桑,匹妇蚕之。”所以毛传释微行为“墙下径”。

爰,于是。　柔桑,嫩桑叶。

迟迟,形容春日舒长貌。广雅:“迟迟,长也。”

蘩,草名,又名白蒿。一说蘩可饲幼蚕;一说蘩可制蚕箔;一说以蘩水洗蚕子,使之易出。以上三说,未知孰是。　祁祁,形容采蘩的女子众多。

殆,怕。　公子,指豳公的儿子。这句意为,怕被公子带回家去。这便是“女心伤悲”的原因。反映了奴隶社会奴隶人身不自由的现象。郑笺:“悲则始有与公子同归之志,欲嫁焉。”训公子为豳公的女儿,归为嫁,亦通。

韵读:脂部——火、衣。　阳部——阳、庚(音冈)、筐、行(音杭)、桑。

　　脂部——迟、祁、悲、归。

七月流火,八月萑苇。蚕月条桑,取彼斧斨,以伐远扬,猗彼女桑。七月鸣鵙,八月载绩。载玄载黄,我朱孔阳,为公子裳。

萑(huán)苇,荻草和芦苇,可以制蚕箔。这句省略动词割取和收藏。毛传:“豫畜萑苇,可以为曲也。”

蚕月,养蚕的月份,指夏历三月。　条,韩诗作挑,条是挑的假借字。修剪。

斨(qiāng),柄孔方形的斧。陈奂传疏:“传:‘斨,方銎。’斧孔曰銎,方孔者则曰斨也。”

远扬,指过长过高的桑树枝。

猗(yī),掎的假借字。牵拉。　女桑,嫩桑叶。　古以“女”代“小”,如称小墙为“女墙”,小桑为“女桑”。胡承珙毛诗后笺:“盖女桑枝弱,不伐其条,但牵引使曲而采之。”

鵙(jú),唐石经作鶪,是本字。鸟名,又名伯劳。

绩，纺织。

载，语助词，无义。　玄，黑中带红。这句意为，纺织品所染的颜色有玄有黄。

朱，深红色。　孔，非常。　阳，鲜明。毛传："阳，明也。"

韵读：脂部——火、苇。　阳部——桑、斨、扬、桑、黄、阳、裳。　支部——鵙、绩。

四月秀葽，五月鸣蜩。八月其获，十月陨萚。一之日于貉，取彼狐狸，为公子裘。二之日其同，载缵武功。言私其豵，献豜于公。

秀，不开花而结实。　葽（yāo），草本植物，今名远志，可入药。

蜩（tiáo），蝉。

其，将要。这句意为，八月里各种农作物将要收获了。

陨，坠落。　萚（tuò），落叶。说文："草木凡皮叶落陊地为萚。"

于，往。　貉（hè），兽名。似狐而尾较短。这句意为，十一月就去打貉子。这与下二句"取彼狐狸，为公子裘"是写私人打猎。

同，会合。马瑞辰通释："同之言会合也，谓冬田大合众也。"

缵，继续。毛传："缵，继功事也。"　武功，指田猎之事。以上二句写大规模的集体打猎。

言，语首助词，无义。　私，用如动词，指私人占有。　豵，本义是一岁的小猪，此处疑泛指小兽。

豜（jiān），三岁的大猪，此处疑泛指大兽。　公，公家。从这章可以看出当时的生产和分配方式。

韵读：幽、宵部通韵——葽、蜩。　鱼部——获（音胡入声）、萚（音兔入声）。　之部——狸、裘（音其）。　东部——同、功、豵、公。

五月斯螽动股，六月莎鸡振羽。七月在野，八月在宇，九月在户，十月蟋蟀入我床下。穹窒熏鼠，塞向墐户。嗟我妇子，曰为改岁，入此室处。

斯螽（zhōng），亦名螽斯，今名蚱蜢。　动股，斯螽以翅摩擦发声，古人误以为以腿摩擦。

莎鸡，虫名，即纺织娘。　振羽，以翅摩擦发声。

宇，屋檐。此处指屋檐下。

蟋蟀入我床下，这四句都是写蟋蟀，但是直到第四句才出现主语蟋蟀，这在修辞上称为"探下省略法"。描写蟋蟀的鸣声由远而近，以见天气逐渐寒冷。方玉润评曰："其体物微妙，又何精致乃尔。"

穹，打扫。　窒，堵塞。这里借指堵塞在房屋角落里的灰尘垃圾。熏鼠，用烟熏赶老鼠。

向，朝北的窗。冬天要把它塞起来。说文："向，北出牖也。"　墐(jìn)，用泥涂抹。古代北方农户多编柴竹为门，冬天需涂泥塞缝，以御寒风。毛传："墐，涂也。庶人筚户。"礼记儒行注："筚门，荆竹织门也。"

嗟，感叹词。

曰，韩诗作聿，发语词。　改岁，更改年岁，指过年。这章继十月之后便说到过年，因为夏历十一月当周历正月，改岁是指周历而言。

处，居住。这二句意为，为的快要过年了，都进那屋子里去住吧。马瑞辰通释："聿为改岁，犹言岁之将改，乃先时教戒之语，非谓改岁然后入室也。……汉书食货志：'春令民毕出于野，冬则毕入于邑。'引豳诗为证。盖以诗'同我妇子，馌彼南亩'，此春毕出在野也。'嗟我妇子，曰为改岁，入此室处'，此冬则毕入于邑也。"

韵读：鱼部——股、羽、野(音宇)、宇、户、下(音户上声)、鼠、户、处。

六月食郁及薁，七月亨葵及菽。八月剥枣，十月获稻，为此春酒，以介眉寿。七月食瓜，八月断壶，九月叔苴。采荼薪樗，食我农夫。

郁，即唐棣，又名郁李，小枝纤细的小灌木。果实酸甜可食。　薁(yù)，野葡萄。结紫黑色浆果，可食。

亨，同"烹"，煮。　葵，蔬菜名，今名苋菜。李时珍本草纲目："古者葵为五菜之主……古人种为常食。"　菽，大豆。

剥，扑的假借字。敲打。杜甫又呈吴郎："堂前扑枣任西邻，无食无儿一妇人。”即与此“剥枣”同意。

获稻，割稻。枣和稻都是酿酒的原料。

春酒，冬天酿酒，经春始成，故称春酒。

介，帮助。郑笺：“介，助也。” 眉寿，人老了，眉毛会变长，叫做秀眉，所以称长寿为眉寿。酒能活血，所以诗人认为有助于长寿。

断，采摘。 壶，瓠的借字，葫芦。

叔，拾取。 苴（jū），麻籽。

荼，苦菜。 薪，这里作动词“烧”用。 樗（chū），臭椿。吃苦菜，烧臭椿，以见农夫生活之艰难。

食（sì），养活。

韵读：幽部——薁、菽、枣（子叟反）、稻（徒叟反）、酒、寿。 鱼部——瓜（音孤）、壶、苴、樗、夫。

九月筑场圃，十月纳禾稼。黍稷重穋，禾麻菽麦，嗟我农夫，我稼既同，上入执宫功，昼尔于茅，宵尔索绹。亟其乘屋，其始播百谷。

场，打谷场。 圃，菜圃。古人一地两用，春夏为圃，秋冬为场。

纳，收藏。

黍，糜子，今名小米。 稷，高粱。均见黍离注。 重（tóng），三家诗作种（穜），即穜字，先种后熟的谷。 穋（lù），三家诗作稑，后种早熟的谷。

禾，粟。

同，聚拢、集中。

上，同“尚”，还需要。 执，服役。 功，事。宫功指为贵族修建宫室。

昼，白天。 尔，语助词。 于，取。这句意为，白天就去拾取茅草。

宵，夜晚。 索，这里作动词“搓”用。 绹，绳。王引之经义述闻：“索者，纠绳之名。绹即绳也。索绹犹言纠绳。”

亟，同“急”，赶快。 乘，登上。

其始，将要开始。这二句意为，赶快爬上屋顶去修理一下，一到春天，就又要开始播种各类谷物了。

韵读:鱼部——圃、稼(音故)。 之、幽部通韵——穋、麦。 东部——同、功。 幽部——茅、绹。 侯部——屋、谷。

二之日凿冰冲冲,三之日纳于凌阴。四之日其蚤,献羔祭韭。九月肃霜,十月涤场。朋酒斯飨,曰杀羔羊。跻彼公堂,称彼兕觥,万寿无疆!

冲冲,凿冰的声音。毛传:“冰盛水复,则命取冰于山林。”

凌阴,藏冰的地窖。毛传:“凌阴,冰室也。”这二句意为,严冬到山谷中去凿冰,取来藏在冰窖里(以备夏天用)。

蚤,同“早”,齐诗、鲁诗均作早。这里指早朝,是古代一种祭礼仪式。

羔,小羊。献上羔羊和韭菜以祭祖,这是古代开窖取冰前的仪式。礼记月令:“仲春,天子乃鲜(献)羔开冰,先荐寝庙。”

肃霜,即肃爽,双声,形容秋天气候清朗(见王国维观堂集林肃霜涤场说)。

涤场,即涤荡,双声,形容深秋树木萧瑟状(亦从王国维说)。

朋酒,两壶酒。毛传:“两樽曰朋。” 斯,句中助词。 飨,在一起饮酒。

曰,同“聿”,发语词。

跻,登。 公堂,毛传:“公堂,学校也。”古代的学校又称乡学,不但用于教育,也是公众集会、举行仪式的场所。

称,偁的假借字。举起。 兕觥,古代一种犀牛角的酒杯。

万寿,齐诗作受福。 无疆,无限。按这句是饮酒的乡人互相祝贺的词。陈启源毛诗稽古编:“盖七月诗历言豳民农桑之事,于其毕也,终岁勤动,乃得斗酒相劳。”又引刘瑾曰:“古器物铭所谓‘用蕲万年’、‘用蕲眉寿’、‘万年无疆’之类,皆为自祝之辞。”

韵读:中、侵部合韵——冲、阴。 幽部——蚤(子叟反)、韭。 阳部——霜、场、飨、羊、堂、觥(音光)、疆。

鸱鸮

【题　解】

这是一首禽言诗。全诗以一只母鸟的口气，诉说她过去被猫头鹰抓走小鸟，但依然经营巢窝，抵御外侮，并抒写她育子修巢的辛勤劳瘁和目前处境的困苦危险。这当然是一首有寄托的诗，但所指何人何事，不得而知。毛序："鸱鸮，周公救乱也。成王未知周公之志，公乃为诗以遗王，名之曰鸱鸮焉。"这显然是根据尚书金縢的记载。金縢云："周公居东二年，则罪人斯得。于后，公乃为诗以贻王，名之曰鸱鸮。王亦未敢诮公。"史记鲁世家也有类似的记载，再加上孔子、孟子都提到此诗，所以后人深信不疑。但是金縢经近人考证已定为伪作，因此周公作鸱鸮之说未必可信。诗的具体喻意，还是阙疑为好。

此诗通篇用兴法，并含有寄托的意义，这种手法在诗经中是罕见的。只有小雅鹤鸣一篇，其象征手法，和此诗相仿。此后，从屈原美人香草开始，这种"文小指大"、"类迩义远"的寄托的表现手法，在诗歌中是越来越常见了。汉乐府的雉子班、乌生、蛱蝶行、枯鱼过河泣等，以及贾谊的鹏鸟赋、祢衡的鹦鹉赋，都以禽言诗的形式，反映了压迫者的残酷与被压迫者的悲愤。其后曹植的美女篇、吁嗟篇、野田黄雀行、七步诗等，也都是通首寄托的。到了唐代，最典型的是杜甫的佳人："绝代有佳人，幽居在空谷。自云良家子，零落依草木。……但见新人笑，那闻旧人哭？在山泉水清，出山泉水浊。……摘花不插发，采柏动盈掬。天寒翠袖薄，日暮倚修竹。"这首诗写空谷佳人的悲惨命运和高洁品格，实际是寄托自己的身世之感。这种比兴手法，在后代诗歌中蔚为大观，溯其源流，似可将鸱鸮作为滥觞。由此可见这首诗在诗歌发展史上的重要地位。

鸱鸮鸱鸮，既取我子，无毁我室。恩斯勤斯，鬻子之闵斯！

鸱鸮(chī xiāo)，鸟名，今名猫头鹰。王逸楚辞注："鸱鸮，贪鸟也。"诗人以它比喻坏人。

室，居室，这里指鸟巢。

恩，鲁诗作殷。郑笺："殷勤于稚子。"是恩勤即殷勤，辛苦之意。　斯，语助词。

鬻，通"鞠"，尔雅释言："鞠，稚也。"故鬻子即稚子，小孩子。有人训鬻为育，亦通。　闵，病困。这二句意为，我辛辛苦苦地抚养孩子，可这孩子还是遭到病困(指被鸱鸮抓走)。

韵读：文部——恩、勤、闵。

迨天之未阴雨，彻彼桑土，绸缪牖户。今女下民，或敢侮予！

迨，及、趁着。

彻，撤的假借字，剥取。　土，韩诗作杜，是正字。桑杜，桑根。

绸缪，缠缚。　牖户，窗门。这里指鸟巢的破洞。这二句意为，趁着天还没有下雨，剥下桑皮桑根来修缮鸟巢。

女，即"汝"。　下民，鸟栖树上，指树下的人类为下民。

或敢侮予，谁还敢来欺侮我。

韵读：鱼部——雨、土、户、予。

予手拮据，予所捋荼，予所蓄租，予口卒瘏。曰予未有室家！

捋，用手勒取。　荼，芦、茅的穗。

蓄，积聚。　租，蒩的假借字。说文："蒩，茅藉也。""捋荼"和"蓄租"相对成文，意为捋取茅穗，积聚起来垫鸟巢。

卒，音义同"悴"。悴瘏(tú)，口病。马瑞辰通释："卒瘏与拮据相对成文。卒当读为顇，字通作悴。卒瘏皆为病。"

曰，同“聿”，发语词。这句意为，巢还没有修好。

韵读：鱼部——据、荼、租、瘏、家（音姑）。

予羽谯谯，予尾翛翛。予室翘翘，风雨所漂摇。予维音哓哓！

谯谯（qiáo），释文：“字或作燋。”羽毛枯焦貌。马瑞辰通释：“人面之焦枯曰醮顇，鸟羽之焦杀曰谯谯，其义一也。”

翛翛（xiāo），“修修”字之讹，唐石经作修。鸟羽干缩貌。毛传：“翛翛，敝也。”

翘翘，高耸危险貌。毛传：“翘翘，危也。”

漂摇，叠韵，指巢被风吹雨打而摇晃。

予维，当作“维予”。维，发声词。　哓哓（xiāo），恐惧的叫声。毛传：“哓哓，惧也。”

韵读：幽、宵部通韵——谯、翛、翘、摇、哓。

东　山

【题　解】

这是一位久从征役的士兵在归途中思家的诗。毛序：“东山，周公东征也。周公东征三年而归，劳归士，大夫美之，故作是诗也。”但从诗的内容来看，“劳归士”和“大夫美之”的说法均不可信。正如崔述丰镐考信录所说：“此篇毫无称美周公一语，其非大夫所作显然；然亦非周公劳士之诗也。细玩其词，乃归士自叙其离合之情耳。”唯诗的背景同周公东征确有联系，诗人可能就是这次东征的参加者。马瑞辰通释认为这位士兵参加的是周公伐奄的战争，证据比较充足（因文长不录）。

这首诗叙室家离合之情诚挚深切，最足感人。通篇表现的是归途中征夫的绵绵思绪，情感的跳跃和递进构成了联系整部作品的中心线索。回首征役的凄苦——思念家乡的田园——想象妻子的洒扫待归——追忆新婚的幸福,仿佛由四支情调各异的曲子汇成一首抑扬顿挫的乐章,思绪渐趋具体,感情渐趋激烈。曲曲道来,情波叠起,音调铿锵。尤其是“我徂东山,慆慆不归。我来自东,零雨其蒙”,这四句诗在每一章的章首重复出现,形成了感伤主题的反复咏叹,为诗人感情的起伏、思绪的游荡设置了特定的氛围。而每章末尾的收勒之笔,也牢牢地驾驭了感情的潮流,把现实与想象,感情与理智交织在一起。一颗饱经沧桑的心就在这收纵开阖、反复嗟叹中呈现在读者面前,使我们和他一起辛酸、感慨。这首诗绘景如画,抒情如见,悲喜怅惧,浮想联翩,错综歌唱得天衣无缝,实在是三百篇中的佳构。后世许多名句,如“近乡情更怯,不敢问来人”,“遥怜小儿女,未解忆长安”,“夜阑更秉烛,相对如梦寐”,“晓镜但愁云鬓改,夜吟应觉月光寒”,都可以从东山中找到影子。王渔洋推崇它“写闺阁之致,远归之情,遂为六朝唐人之祖”(渔洋诗话),诚非虚语。

我徂东山,慆慆不归。我来自东,零雨其蒙。我东曰归,我心西悲。制彼裳衣,勿士行枚。蜎蜎者蠋,烝在桑野。敦彼独宿,亦在车下。

徂(cú),往。　东山,亦名蒙山,在今山东曲阜。殷商时在奄国境内,是诗人远征之地。

慆慆(tāo),三家诗作滔滔,亦作悠悠。长久。陈奂传疏:“三年,故云言久也。”

零,齐、韩诗作霝,鲁诗作蘦,落。说文:“霝,雨零(落)也,诗曰:‘霝雨其蒙。’”按霝、零古今字,蘦,借字。　其蒙,即蒙蒙,微雨貌。

西悲,想起西方而悲伤。西方是诗人的家乡,他在东方战地刚听说要回家,心里便不免怀念家乡而悲伤。

制,缝制。　裳衣,马瑞辰通释:“盖制其归途所服之衣,非谓兵服。”

士，同“事”，从事。　行，行阵，指打仗。　枚，一根像筷子一样的短棍。行军时人和马都将它衔在口中，以免说话或嘶鸣而暴露行踪。郑笺：“无行阵衔枚之事。”

蜎蜎（yuān），软体动物蠕动之貌。　蠋，蜀的俗字，三家诗正作蜀，虫名。青色，形似蚕。司马彪庄子注：“蠋，豆藿中大青虫。”

烝，久。郑笺：“久在桑野，有似劳苦者。”这是诗人触物起兴，不免产生三年征战劳苦的感慨。

敦（duī），身体蜷缩成团貌。

车下，指睡在兵车下。这二句以典型的例子，极言从军之苦。

韵读：元部（与下三章遥韵）——山。　脂部（与下三章遥韵）——归。东部——东、蒙。　脂部——归、悲、衣、枚。　鱼部——野（音宇）、下（音户上声）。

我徂东山，慆慆不归。我来自东，零雨其蒙。果臝之实，亦施于宇。伊威在室，蠨蛸在户。町畽鹿场，熠燿宵行。亦可畏也？伊可怀也。

果臝（luǒ），迭韵。亦名栝楼、瓜蒌，蔓生葫芦科植物。

施（yì），蔓延。　宇，屋檐。

伊威，亦作蛜蝛，今名地鳖虫。陆玑毛诗草木鸟兽虫鱼疏：“在壁根下，瓮底土中生，似白鱼者。”

蠨蛸（xiāo shāo），迭韵。一名喜蛛，一种长脚的小蜘蛛。陆玑云：“此虫来着人衣，当有亲客至，有喜也。”唐权德舆诗云：“昨夜裙带解，今朝蟢子飞。铅华不可弃，莫是藁砧归？”与此诗同意。诗人想象家中喜蛛出现，曲折而细腻地表达了归心如箭的心情。

町畽（tǐng tuǎn），双声。有禽兽践迹痕迹的空地。　鹿场，鹿群栖息之地。

熠燿（yì yào），双声。闪闪发光貌。说文：“熠，盛光也。燿，照也。”宵行，萤火虫。李时珍本草纲目：“萤火有一种长如蚕，尾后有光，无翼……亦名宵行。”马瑞辰通释：“熠燿为荧光，与町畽为鹿迹相对成文……宵行与鹿场对文。”这二句是诗人想象家乡田园荒芜的景象。

伊，是、这。这二句意为，这样荒凉的景象，难道不可怕吗？但这毕竟是自己的家园，还是可怀念的呵！

韵读：元部（与上章遥韵）——山。　脂部（与上章遥韵）——归。
东部——东、蒙。　脂部——实、室。　鱼部——宇、户。　阳部——场、行（音杭）。　脂部——畏、怀（音回）。

我徂东山，慆慆不归。我来自东，零雨其蒙。鹳鸣于垤，妇叹于室。洒扫穹窒，我征聿至。有敦瓜苦，烝在栗薪。自我不见，于今三年。

鹳（guàn），水鸟，形似鹭，又似鹤。　垤（dié），土堆。文选注引韩诗：“鹳，水鸟也。巢处知风，穴处知雨，天将雨而蚁出壅土，鹳鸟见之，长鸣而喜。”

妇，指诗人的妻子。从这句到章末“于今三年”，都是诗人想象妻子深闺盼夫归的情景。

洒扫，打扫房间。　穹窒，见七月注。

我征，我的征人。这是借用妻子的口吻。　聿，语助词。

有敦，即敦敦，团团。音义与首章“敦彼独宿”的“敦”相同。　瓜苦，即苦瓜。

栗，韩诗作蓼（liǎo），即“蓼”字。苦菜。苦菜的薪柴上久久地结着苦瓜，象征着征人的妻子三年来苦苦地支撑着家庭，又苦苦地盼望着夫归。所以毛传说：“言我心苦，事又苦也。”

自我不见，征人之妻自谓不见夫君。“不见”下省略宾语。

韵读：元部（与上章遥韵）——山。　脂部（与上章遥韵）——归。
东部——东、蒙。　脂部——垤、室、窒、至。　真部——薪、年（奴因反）。

我徂东山，慆慆不归。我来自东，零雨其蒙。仓庚于飞，熠耀其羽。之子于归，皇驳其马。亲结其缡，九十其仪。其新孔嘉，其旧如之何？

仓庚，黄莺。

于归，出嫁。以下四句是诗人回想当初同妻子结婚的情景。

皇，鲁诗作騜，毛色黄白的马。　驳，毛色红白的马。这都指当年亲迎的马。

亲，指妻子的母亲。　缡（lí），女子的佩巾。古代风俗，母亲要亲自给出嫁的女儿结缡。毛传："母戒女，施衿结帨。"结缡即结帨。

九十，虚数，形容结婚时礼节繁多。　仪，仪式、礼节。

新，指新婚。　孔，很、非常。　嘉，美满。

旧，长久，指久别之后。崔述读风偶识："此当写夫妇重逢之乐矣，然此乐最难写，故借新婚以形容之。……凡其极力写新婚之美者，皆非为新婚言之也，正以极力形容旧人重逢之可乐耳。新者犹且如此，况于其旧者乎！一句点破，使前三章之意至此醒出，真善于行文者。"

韵读：元部（与上章遥韵）——山。　脂部（与上章遥韵）——归。　东部——东、蒙。　脂部——飞、归。　鱼部——羽、马（音姥 mǔ）。歌部——缡（音罗）、仪（音俄）、嘉（音歌）、何。

破　斧

【题　解】

这是随周公东征的士卒喜获生还的诗。周灭殷后，武王将殷地分为三部，命自己的兄弟管叔、蔡叔、霍叔各领一部。封纣子武庚为诸侯，受三叔的监视。武王死，子成王立，年幼，由武王同母弟周公摄政。后来武庚纠合管、蔡和东方殷商旧属国奄、姑蒲及徐夷、淮夷起兵反周。周公率兵东征，杀武庚和管叔，放蔡叔，灭熊、盈等十七国，迁殷遗民至洛阳。这便是破斧诗的背景。毛序以为是"美周公"之作，但细玩全诗，看不出赞美周公之意。闻一多风诗类钞："破斧，东征士卒喜生还也。"于诗意较合，今从之。周公东征在周成王三年（公元前一一一三年），此诗当作于这以后不久。

此诗三章，每章只换三个字，是重章叠唱式的诗篇。章法比较简单,但情绪比较激昂。那些士兵跟着周公去打仗,兵器都打缺损了,可见战争之激烈。而最后总算敌国平定了,总算从死神的阴影下逃脱出来了,其欢快庆幸的心情,非一唱三叹的形式是不能尽情宣泄的。毛诗序云:"情动于中而形于言,言之不足,故嗟叹之;嗟叹之不足,故永歌之;永歌之不足,不知手之舞之、足之蹈之也。"这些士兵,可以说是到了"手舞足蹈"的地步了。我们读着诗,不难想象他们在班师路上边走边唱的情景。粗犷、率直、欢快,是破斧的特点,与前一篇东山的细腻、委婉、惆怅恰成鲜明的对比。同是战争题材,却能反映出迥异的情调,更使人感到诗经的绚丽多彩。

既破我斧,又缺我斨。周公东征,四国是皇。哀我人斯,亦孔之将。

缺,打缺了口。 斨,方孔的斧。见七月注。破斧缺斨,表现了战争的激烈。

周公,即姬旦,周武王的弟弟。

四国,毛传释四国为管、蔡、商、奄,但当时周公所征服的小国有十数个之多,诗恐是举大者而言。朱熹诗集传训为"四方之国",泛指天下,亦通。 皇,同"惶",恐惧。这句意为,天下诸侯都摄于军威而感到恐惧。

哀,可怜。诗人回忆残酷的战争,阵亡的同伴,久别的家人,都是可哀可怜的。 我人,兵士们自称。从诗意玩味,这是一首集体的歌唱。 斯,语尾助词。

孔,很、非常。 将,大、好。毛传:"将,大也。"前人都解释这句为歌颂周公之大德,但联系上句,这里应解释为庆幸生还之词,即今日所谓"命大福大得很"(见燕京学报黎锦熙诗经之字研究)。

韵读:阳部——斨、皇、将。

既破我斧，又缺我锜。周公东征，四国是吪。哀我人斯，亦孔之嘉。

锜(qí)，有三齿的锄。陈乔枞诗三家遗说考："釜之有足者名锜，铧之有齿者亦名锜。今世所用锄犹有三齿、五齿者，盖即是物。"

吪(é)，鲁诗作讹。感化。毛传："吪，化也。"

嘉，美好。与下章"亦孔之休"的"休"同义。这二句意为，可怜我们这些人，运气还算是好的。下章末二句也是此意。

韵读：歌部——锜(渠何反)、吪、嘉(音歌)。

既破我斧，又缺我銶。周公东征，四国是遒。哀我人斯，亦孔之休。

銶(qiú)，木柄的锹。胡承珙毛诗后笺："銶亦臿类，盖起土之物……臿锹不殊。"

遒，揫的假借字。收束、约束。说文："揫，束也。"

韵读：幽部——銶、遒、休。

伐　柯

【题　解】

这是一首写求婚方法的诗。诗人以伐柯比喻娶妻。毛序认为此诗是"美周公也"，实在牵强得太过分。无论后人怎样曲为解释，没有哪一说是令人信服的。此诗首章四句与齐风南山全同，由此看来，很可能是民间的歌谣，经文人加工后选入国风。

此诗在比喻的运用上颇为形象。要砍出一根斧柄，必须用斧头；要娶一个妻子，必须请媒人。按"媒"是女之为人求女者。使媒求妇，同执柯伐柯，都是以同类求同类，所以诗人以它作比。这个比喻非但贴切，而且生动，所以后世人们便称为人做媒为"伐柯"或"作伐"。诗经创立的新意，一直流传了两千多年，可见其生命力之强。

伐柯如何？匪斧不克。取妻如何？匪媒不得。

柯，斧柄。

匪，通“非”。　克，能够。郑笺：“伐柯之道，唯斧乃能之。此以类求其类也。”

取，通“娶”。

媒，媒人。古代设有“媒氏”的官职，由妇女担任。

韵读：之部——克（枯力反，入声）、得（丁力反，入声）。

伐柯伐柯，其则不远。我觏之子，笾豆有践。

则，法则、标准。这二句意为，要砍一根制斧柄的木头，它的样子就是手中的斧柄，不必远求。

觏，遇见。　之子，朱熹诗集传：“指其妻而言。”

笾（biān），竹制的独足碗，古人用来盛果品。　豆，篆文作豆，象形字，木制的独足碗，上有盖，古人用来盛肉类。笾和豆都是古人宴会和祭祀用的器皿。　有践，即践践，排列整齐貌。毛传：“践，行列貌。”这二句意为，我遇见称心的姑娘，就摆设宴会娶她过来。

韵读：元部——远、践。

九　罭

【题　解】

这是一首主人留客的诗。毛序：“九罭，美周公也。周大夫刺朝廷之不知也。”有什么根据呢？什么根据也没有。豳风七篇，毛序把它们统统归到周公名下。不是周公所作，便是称美周公，也不管诗意有没有同周公相联系的可能。由于毛序的影响深远，害得后世崇毛者曲意回护，反毛者竭力攻讦，纷纷扬扬，不亦乐乎。以致许多对诗经极有研究的学者把精力徒然花在这种无谓的争论上，实在可惜。鉴于毛序去古未远，我们虽不能全然不顾。但“就诗论诗”总是最基本的原则。讨论诗旨毕竟还得从诗篇本文着眼，没有必要过多地在毛序上兜圈子。闻一多风诗类钞：“这是燕饮时，主人所赋留客的诗。”极合诗旨。

诗人以“九罭”自况，以“鳟鲂”、“鸿飞”兴客人，既形象生动，又不失幽默之感，为全诗增色不少。尤其末章连用三个“兮”字句，曼声长咏，依依惜别之情和殷殷攀留之状如在目前，使人深感主客间的真挚情意。唐人送别诗有“劝君更尽一杯酒，西出阳关无故人”之句，与此诗有异曲同工之妙。

九罭之鱼，鳟鲂。我觏之子，衮衣绣裳。

九罭(yù)，网眼细密的鱼网。九是虚数，言网眼之多。毛传：“九罭，緵(zōng)罟小鱼之网也。”

鳟，细鳞赤眼，属鲤科。　鲂，鳊鱼。鳟、鲂都是较大的鱼，用细密的网去捕大鱼，它们就逃不脱了。主人以此表示留客之殷勤。

之子，指客人。

衮(gǔn)衣，画着龙的图案的上衣。毛传：“衮衣，卷龙也。”孙诒让周礼正义：“卷龙者，谓画龙于衣，其行卷曲。”　绣裳，画五彩的裙。按这身衣服是古代贵族的礼服。

韵读：阳部——鲂、裳。

鸿飞遵渚，公归无所。于女信处！

鸿，鸿鹄。段玉裁毛诗小笺：“鸿鹄即黄鹄也。黄鹄一举知山川之纡曲，再举知天地之圜方，最为大鸟。”　遵，沿着。　渚，水中小洲。毛传：“鸿不宜遵渚也。”这是以大鸟不宜沿着小沙洲飞，兴下句“公归无所”。

公，指客人。　无所，没有一定的处所。

女，此地。陈奂传疏：“女，犹尔也。尔，此也。”此地即指主人的家。

信，两个晚上叫做信。毛传："再宿曰信。"信处，住两夜。下章"信宿"同。这二句意为，您回去也没有地方住，还是在我家再住两夜吧。

韵读：脂部——飞、归。 鱼部——渚、所、处。

鸿飞遵陆，公归不复。于女信宿！

陆，陆地。毛传："陆非鸿所宜止。"

不复，不再回来。

韵读：脂部——飞、归。 幽部——陆、复、宿。

是以有衮衣兮，无以我公归兮，无使我心悲兮！

有，藏。闻一多风诗类钞："有，藏之也。"这句意为，（因为要留客）所以藏起了您的衮衣。汉书陈遵传："遵嗜酒，每大饮，宾客满堂，辄关门，取客车辖投井中，虽有急，终不得去。"此诗的藏衮与陈遵的投辖同一机杼，都是殷勤留客之举。

以，使。战国策秦策："向欲以齐事王。"以齐即使齐。无以，犹今言"不让"。

韵读：之部——以、以、使。 脂部——衣、归、悲。

狼　跋

【题　解】

这是讽刺贵族公孙的诗。这位公孙到底是谁？毛序认为是周公，毛传认为是成王，最早的两种解释便有矛盾，后人更是歧说纷出。我们认为，诗虽有史料价值，但终究不是史。公孙的具体指谓，无关宏旨。更何况前人之说，多据尚书金縢。金縢伪书，何足为凭？问题倒是这首诗究竟是刺还是美。毛序以为"美周公"，但后人觉得章首以老狼跋胡疐尾的窘丑之态起兴，紧接着却歌颂周公的进退得宜，未免不伦不类，于是想方设法为之弥合。如陈启源毛诗稽古编："诗以狼为兴，但取其跋胡疐尾，为进退两难之喻,初不计其物之善恶也。”孙矿批评诗经:“反兴正承,意旨与他篇稍有不同。然跋胡疐尾,周公之迹固近之。第狼非佳物,所以人多致疑。……总是反意为比,要自无害耳。”反兴正承,是美诗说的主要论据。但我们遍观国风诸篇,虽有反兴之法,如鹑之奔奔以鹑鹊尚居有常匹,反兴卫君荒淫乱伦,鹑鹊之不如;又如相鼠以相鼠尚且有皮,反兴统治者无耻苟得,相鼠之不如。所谓反兴,皆如此类,从未见有以丑兴美者,狼跋何得例外?所以我们细玩诗意,定此为刺诗。高亨先生诗经今注认为“硕肤”即“石甫”,是讽刺幽王时的虢石甫。此说颇新奇,但没有其他证据,我们还是不敢赞同。

这首诗的艺术手法,有些近乎召南羔羊,是比较隐蔽的冷嘲。也有些近乎鄘风君子偕老,末句以设问点出刺意。均有形象、幽默之妙。

狼跋其胡,载疐其尾。公孙硕肤,赤舄几几。

跋,践踏、踩着。　胡,老狼颔下垂着的肉袋。朱熹诗集传:“胡,颔下悬肉也。”

载,同“再”,又。　疐(zhì),韩诗作踬,二字相通。脚踩。说文:“疐,碍不行也。”毛传:“老狼有胡,进则躐其胡,退则跲其尾。进退有难,然而不失其猛。”诗人以老狼走路的姿态兴公孙进退维谷的狼狈处境。

公孙,当时对贵族的称呼,与七月诗中的“公子”性质略同,当也是豳公的后代。　硕,大。　肤,肥胖。马瑞辰通释:“肤当读如‘肤革充盈’之肤。硕肤者,心广体胖之象。”

赤舄(xì),以金为饰的红鞋,亦称金舄,是贵族配衮衣礼服穿的鞋,与平日穿的履不同。　几几,鞋尖弯曲貌。陈奂传疏:“传云‘几几,绚貌’者,屦人注云:‘绚谓之拘,箸舄屦之头,以为行戒。’士冠礼注云:‘绚之言拘也,以为行戒。状如刀衣鼻,在屦头。’……衮冕赤舄之绚以金为饰,其状则几几然也。”

韵读:鱼部——胡、肤。　脂部——尾、几。

狼疐其尾,载跋其胡。公孙硕肤,德音不瑕?

德音,这里指品德名誉。　瑕,瑕疵。这句是设问,意为“他的品德名誉难道没有毛病吗?”

韵读:鱼部——胡、肤、瑕(音胡)。

二 雅

雅是周首都镐京一带地区的乐调名，左传鲁昭公二十年："天子之乐曰雅。"雅本为一种乐器名，孳乳而为乐调之名。故程大昌曰："雅，乐歌名也。"雅有大小之别，正如孔颖达正义所说："诗体既异，音乐亦殊。"郑樵六经奥论指出："律有小吕、大吕，则歌有大雅、小雅，宜有别也。"惠周惕诗说："大小二雅，当以音乐别之，不以政之大小论也，如律有大小吕。"他们都以音乐的观点来说明大雅和小雅的区别，比较正确。由此可见：风、雅之别，就像现在地方调和京调一样，非常明显。大雅共三十一篇，都是西周盛时之作。小雅共七十四篇（除去笙诗有目无诗六篇），它产生的时间最长，从西周到东周都有，以厉、宣、幽时代为最多。它们的作者，多数是周王朝上层人物，少数是人民作品。这些民歌，可能由于产生于首都，且用雅乐谱曲，故列于雅。雅诗的产生地，在镐京、雒邑。雅诗的内容比较复杂，其中有周族史诗、种族战争诗、讽刺诗、民歌、恋歌、农事诗、贵族宴会享乐等生活诗、祭祀诗、歌功颂德诗和其他，是周代社会、家庭的一面镜子。

小　雅

鹿　鸣

【题　解】

这是贵族宴会宾客的诗。毛序:“燕群臣嘉宾也。既饮食之,又实币帛筐篚以将其厚意,然后忠臣嘉宾得尽其心矣。”他认为是周王燕群臣的诗,可备参考。郑玄、孔颖达、朱熹均从序说。史记十二诸侯年表:“仁义陵迟,鹿鸣刺焉。”太平御览五百七十八引蔡邕琴操:“鹿鸣者,周大臣之所作也。王道衰,君志倾,留心声色,内顾妃后,设酒食嘉肴,不能厚养贤者,尽礼极欢,形见于色。大臣昭然独见,必知贤士幽隐,小人在位,周道陵迟自以是始。故弹琴以风谏,歌以感之,庶几可复。”鲁诗和御览均以鹿鸣为刺诗,但与全诗气氛不合,今不取。至于诗的确切写作年代则不可考。或曰作于周成王时,或曰作于康王时,都是没有根据的。当时诗皆入乐,后来将鹿鸣等篇的乐调在举行乡饮酒礼、燕礼等宴会上歌唱。据臧琳经义杂记考证,鹿鸣的乐调,在魏武帝(曹操)时,有杜夔者,还能歌唱此调。

全诗三章,首章言奏乐,二章言饮酒,末章则并奏乐、饮酒而言之。从情绪上说,是一章比一章亲近;从气氛上说,是一章比一章热烈,至末章则达到“和乐且湛”的高潮,层次十分清晰。王夫之姜斋诗话:“始而欲得其欢,已而称颂之,终乃有所求焉,细人必出于此。鹿鸣之一章曰‘示我周行’,二章曰‘视民不恌,君子是则是效’,三章曰‘以燕乐嘉宾之心’,异于彼矣。此之谓大音希声。希声，不如其始之勤勤也。”他虽然是评论诗的精神境界，但我们亦可从中悟出诗人结构布局的妙处。

呦呦鹿鸣，食野之苹。我有嘉宾，鼓瑟吹笙。吹笙鼓簧，承筐是将。人之好我，示我周行。

呦呦(yōu)，字亦作嗷、欨，鹿叫的声音。说文：“呦，鹿鸣声也。”

苹，藾蒿。尔雅释草：“苹，藾萧。”郭注：“今藾蒿也，初生亦可食。”陆玑疏：“叶青白色，茎似箸而轻脆，始生香可生食，又可蒸食。”毛传训苹为蓱。据尔雅，蓱是水中浮蓱。鹿不食浮蓱，毛传误，故郑笺易为藾萧。按这二句为起兴，陈奂传疏：“鹿鸣食野草，以兴君燕群臣。”

嘉，善。嘉宾，佳客。

鼓，动词，弹。鼓瑟，弹瑟。　笙，乐器名，用竹和匏制成。王先谦集疏：“鲁说曰：笙长四寸，十三簧，像凤之身也。”

簧，笙中的舌片。楚辞九叹王逸注：“笙中有舌曰簧。”按笙为管乐，共十三管，每管有簧，故或谓笙为簧。毛传：“簧，笙也，吹笙而(则)鼓簧矣。”

承，捧上。郑笺：“承犹奉也。”奉即捧之古体。　筐，盛币帛的竹器，亦称作篚，不同于采蘋中盛菜的筐。毛传：“筐，篚属，所以行币帛也。”　将，送。这句意为，捧着盛币帛的筐赠送宾客。

人，指客人。　好我，爱我。

示，告。　周行，正道。按卷耳“寘彼周行”的周行指大路，是本义。此处引申为处事所应遵循的正道。孔疏引王肃云：“夫饮食以飨之，琴瑟以乐之，币帛以将之，则能好爱我。好爱我，则示我以至美之道矣。”这几句话说明了本章的大意。

韵读：耕部——鸣、苹、笙。　阳部——簧、将、行(音杭)。

呦呦鹿鸣，食野之蒿。我有嘉宾，德音孔昭。视民不恌，君子是则是效。我有旨酒，嘉宾式燕以敖。

蒿，菊科植物，亦名青蒿、香蒿。尔雅：“蒿，菣。”陆玑云：“蒿，青蒿也。

荆豫之间、汝南、汝阴皆云蔽。”

德音,于省吾泽螺居诗经新证谓此处本应作“德言”,“即人内在之德性与外在之言语”。其说可从。郑注乡饮酒礼释作“明德”,旧注多从之,实则未当。 昭,明。这句是赞美客人有光明的品德和言语。

视,郑笺:“古示字也。”三家诗正作示。 恌(tiāo),鲁诗作偷,左传昭十年及说文引诗皆作佻。偷薄,不厚道的意思。孔疏引左传服注:“示民不愉薄也。”佻、愉正字,恌、偷俗字。

君子,指一般贵族。 是,代词,指嘉宾。 则,则法,榜样。 效,效法,学习。朱熹诗集传:“言嘉宾之德音甚明,足以示民使不偷薄,而君子所当则效。”

式,语助词,无义。 燕,安适。末章末句“以燕乐嘉宾之心”毛传:“燕,安也。”有人训燕为宴,指宴会,亦通。 敖,舒畅快乐。马瑞辰通释:“尔雅舍人注云:‘敖,意舒也。’凡人乐则意舒,是知敖有乐意。‘嘉宾式燕以敖’,犹南有嘉鱼诗‘嘉宾式燕以乐’,车舝诗‘式燕且喜’、‘式燕且誉’也。”

韵读:宵部——蒿、昭、恌、效、敖。

呦呦鹿鸣,食野之芩。我有嘉宾,鼓瑟鼓琴。鼓瑟鼓琴,和乐且湛。我有旨酒,以燕乐嘉宾之心。

芩,蒿类。孔疏引陆玑云:“茎如钗股,叶如竹蔓,生泽中下地咸处,为草贞实,牛马亦喜食之。”马瑞辰通释:“传:‘芩,草也。’释文引说文云:‘芩,蒿也。’按:今本说文亦作‘芩,草也’。当从释文所引训蒿为是。首章‘食野之苹’为藾萧,即藾蒿。三章‘食野之芩’,亦蒿属。正与二章‘食野之蒿’相类。足证古人因物起兴每多以类相从。”

湛(dān),本字为媅,说文:“媅,乐也。”尽兴的意思。或假借作耽。常棣七章末句释文引韩诗:“耽,乐之甚也。”按湛、耽都是媅的假借字。

燕,安。马瑞辰通释:“燕乐,犹上言式燕以敖耳。”他又说:“此诗三章,文法参差,而义实相承。首章前六句言我之敬宾,后二句言宾之善我。二章前六句即承首章人之好我言,后二句乃言我之乐宾。三章即接言宾之乐,后二句又申我之乐宾,以明宾之乐实我有以致之也。”他概括地说明了各章的大意。

韵读:侵部——芩、琴、琴、湛(都森反)、心。

四　牡

【题　解】

这是出使官吏思归的诗。毛序:“劳使臣之来也。”姚际恒诗经通论说:“试将此诗平心读去,作使臣自咏极顺,作代使臣咏极不顺。亦因‘作歌’句横隔其间也。”按诗中明言“是用作歌”,表明诗的作者即使臣自己,不是慰劳使臣的君主。毛序的附会,盖由于左传襄公四年所载穆叔的话:“四牡,君所以劳使臣也。”不知这里所谓使臣,乃穆叔自称。大约当时采集此诗后,配乐作谱,遂用于慰劳使臣,而仪礼中燕礼、乡饮酒礼亦歌此诗。

王夫之姜斋诗话云:“无论诗歌与长行文字,俱以意为主。意犹帅也。无帅之兵,谓之乌合。……烟云泉石,花鸟苔林,金铺锦帐,寓意则灵。”后来诗人,多苦心炼意,而诗经则因为处于文学的早期,几乎篇篇都是创意之作。如此诗五章,反复感叹“岂不怀归,王事靡盬”,“不遑将父,不遑将母”。思归不得养之意既立,“四牡騑騑”的赋句和“翩翩者鵻”的兴句便都能含情蓄义,充满了诗人风尘仆仆的辛劳和进退维谷的矛盾心理。毛传云:“思归者,私恩也。靡盬者,公义也。”郑笺:“无私恩,非孝子也。无公义,非忠臣也。”阐发诗意很透彻。而后世“忠孝不能两全”之意,或以此诗为滥觞。

四牡騑騑,周道倭迟。岂不怀归?王事靡盬,我心伤悲。

四牡,驾车的四匹公马。　騑騑(fēi),马疲貌。毛传:“行不止之貌。”

广雅:“疲也。”行不止则必疲。

周道,大路(从朱熹说)。毛传谓“岐周之道也。”亦通。　倭迟,即逶迤,易林旅之渐用此句作逶迤,叠韵。道路曲折遥远貌。说文:“逶迤,衺去貌。”此是本义。毛传:“历远之貌。”此是引申义。释文引韩诗作“逶夷”。文选西征赋注引韩诗又作“威夷”。汉书地理志注引作“郁夷”。按倭迟、倭夷、逶迤、威夷、郁夷古音都相近,故通用。

韵读:幽部——牡、道(徒叟反)。　脂部——騑、迟、归、悲。

四牡騑騑,啴啴骆马。岂不怀归?王事靡盬,不遑启处。

啴啴(tān),毛传:“喘息之貌。马劳则喘息。”说文云:“啴,喘息也。诗曰:啴啴骆马。”又云:“痑,马病也。诗曰痑痑骆马。”是三家诗亦作“痑”。　骆马,身白、尾黑的马。说文:“骆,马白色黑鬣尾也。”

不遑,没有闲暇。毛传:“遑,暇。”　启处,犹言在家休息。毛传:“启,跪。处,居也。”启是跽之假借,小跪。居为凥之假借,说文:“凥,处也,从尸得几而止。”亦安坐之义。古人席地,坐时两膝着地,臀部贴于足跟;臀部不着足跟为跪;跪而耸身直腰为跽。

韵读:脂部——騑、归。　鱼部——马(音姥 mǔ)、盬、处。

翩翩者鵻,载飞载下,集于苞栩。王事靡盬,不遑将父。

翩,说文:“翩,疾飞也。”　鵻(zhuī),鸽。陆玑:“今小鸠也。”毛传称为“夫不”,今名勃姑。皆取其鸣声为名。

载,句首为发语词,句中载训“又”。此句意为飞上又飞下。

集于句,见鸨羽注。

将,毛传:“将,养也。”按将与养古同声,桑柔郑笺:“将,犹养也。”

韵读:鱼部——下(音户上声)、栩、盬、父。

翩翩者鵻,载飞载止,集于苞杞。王事靡盬,不遑将母。

止,停止。按这章和上章首三句都是起兴,马瑞辰通释:“左氏昭十七年传:‘祝鸠氏,司徒也。’孔疏引樊光曰:‘祝鸠,夫不,孝,故为司徒。’是知诗以鵻取兴者,正取其为孝鸟,故以兴使臣之不遑将父、不遑将母,为鵻之不若耳。”

杞，尔雅郭注：“今枸杞也。”茎、叶及子均可入药。

韵读：之部——止、杞、母（满以反）。

驾彼四骆，载骤骎骎。岂不怀归？是用作歌，将母来谂。

四骆，陈奂传疏：“四骆，四马皆骆也。”

载，语首助词，这里含有勉力之义。 骤，奔跑。说文：“马疾步也。”骎骎（qīn），马疾驰貌。说文：“马行疾也。”

是用，为“用是”的倒文。用，因。是，此。用是，即因此。

来，语中助词，作用同“是”。王引之经义述闻：“来，犹是也。” 谂，念之假借，古谂和念同音。想。王先谦集疏：“言我惟养母是念。”

韵读：侵部——骎、谂。

皇皇者华

【题　解】

这是一位使者外出调查情况、采访意见的诗。诗是使者所作，诗中之“我”是使者的自称。旧说认为送征夫之词，毛序：“君遣使臣也。送之以礼乐，言远而有光华也。”这一解释可能是由于对左传襄公四年“皇皇者华，君教使臣”一语的附会，其错误与解四牡为“劳使臣之来”相同。春秋时代统治者常于宴会时使乐工歌唱鹿鸣、四牡、皇皇者华三诗，如仪礼乡饮酒礼、燕礼所载及左传襄公四年“晋侯飨叔孙穆叔”等。但这只是取其音乐，或赋诗断章取义表达自己外交意见及态度而已，与诗之本义无关。陈廷杰说：“此为使臣之词，博咨民隐，欲以达下情。”他分析此诗的主题，大致不错。

这首诗同召南小星一样，都是使臣在外出途中所作，但两者反映的情绪不同，前者充满信心，后者怨嗟不已。而前者这种自信是通过重章叠唱的形式表现出来的,二至五章每章只换三四个字,反复吟咏,歌唱马儿的高骏,歌唱缰绳的称手,对自己出访民间的任务,充满了自信和责任感。叠章在诗经中屡见不鲜,而以一唱三叹式的低调居多。惟此诗叠章用词明丽,格调高朗,回环反复的叠唱向读者展示了一幅意气风发的出使图卷。

皇皇者华,于彼原隰。駪駪征夫,每怀靡及。

皇皇,色彩鲜明貌。皇、煌,古今字。毛传:"皇皇,犹煌煌也。"说文:"煌煌,辉也。"　华,古花字。

原,高的平原。　隰,低湿之地。毛传:"高平曰原,下湿曰隰。"按诗首二句为兴,毛传:"忠臣奉使,能光君命,无远无近,如华不以高下易其色。"

駪駪(shēn),毛传:"駪駪,众多之貌。"说文:"駪,马众多貌。"此为本义。引申为形容人众多之貌。楚辞招魂王逸注引诗作"侁侁",是鲁诗作"侁"。国语晋语、列女传、说苑引作"莘莘",是韩诗作"莘"。　征夫,使者。毛传:"征夫,行人也。"按春秋时临时派遣出使者称"使人"、"行人"。此句言使者随从甚众。陈奂传疏:"言从使臣者众多,所谓卿行师从也。"

每,经常。一切经音义廿五引三苍:"每,数也。"　怀,思,担心。靡及,不及。朱熹诗集传:"怀,思也。其所怀思,常若有所不及矣。"和烝民"每怀靡及"同义。

韵读:鱼部——华(音乎)、夫。　缉部——隰、及。

我马维驹,六辔如濡。载驰载驱,周爰咨诹。

驹,小马。释文:"驹本亦作骄。"说文:"马高六尺为骄。诗曰:'我马维骄。'"马瑞辰通释:"骄与驹双声,古盖读骄如驹,以与濡、驱、诹合韵。后人据音以改字,遂作驹耳。"

如,而。　濡,润泽。见羔裘注。

周,普遍、广泛。朱熹:"周,遍。"　爰,于。　咨,访问。左传襄公四年:"访问于善为咨。"　诹(zōu),了解事物的情况。左传:"咨事为诹。"国语:“咨才为诹。”才即事的假借。内传、外传意思是一样的。

韵读:侯部——驹(音钩)、濡(汝蓲反)、驱(音蓲 qiū)、诹。

我马维骐,六辔如丝。载驰载驱,周爰咨谋。

骐,青黑色花纹的马。见小戎注。

如丝,形容四马六辔的调匀。淮南子修务训高诱注:“六辔四马如丝,言调匀也。”

谋,商讨。左传:“咨难为谋。”国语:“咨事为谋。”

韵读:之部——骐、丝、谋(谟其反)。

我马维骆,六辔沃若。载驰载驱,周爰咨度。

骆,见四牡注。

沃,柔润。　若,同然,语词。沃若,见氓注。

度(duó),斟酌,指某事如何做方合宜。国语:“咨义为度。”

韵读:鱼部——骆(音卢入声)、若(音如入声)、度。

我马维骃,六辔既均。载驰载驱,周爰咨询。

骃,毛色黑白相间的马。毛传:“阴白杂毛曰骃。”按“阴”古与“幽”通,隰桑传:“幽,黑色也。”

均,调匀。毛传:“均,调也。”

询,究问,含有调查研究之意。左传、国语并云:“咨亲为询。”究问于亲戚。按后四章“咨”与“诹”、“谋”、“度”、“询”连用,虽各有专义,但浑言之,只是使臣遍到各处访问商讨的意思。

韵读:真部——骃、均、询。

常　棣

【题　解】

这是宴会兄弟的诗。方玉润诗经原始:“良朋、妻孥未尝无助于己,然终不若兄弟之情深而相爱也。故曰‘凡今之人,莫如兄弟'。"此即本诗的中心思想。关于诗的作者,旧说有二:一、成王时周公所作。国语:"周文公之诗曰:'兄弟阋于墙,外御其侮。'"二、厉王时召穆公虎所作。左传僖二十四年:"召穆公思周德之不类,故纠合宗族于成周,而作诗曰:'常棣之华,鄂不韡韡。凡今之人,莫如兄弟。'"毛序谓"闵管、蔡之失道,故作常棣也。"亦以为周公所作。汉书杜邺传:"夫戚而不见殊,孰能无怨?此棠棣、角弓之诗所为作也。"杜以棠棣与角弓均为刺诗,是西汉亦有以为召穆公所作者。其后韦昭、孔颖达等以为是周公作诗,召公歌诗。都是调和之论。崔述洙泗考信录:"诗云:'死丧之威,兄弟孔怀。'又云:'丧乱既平,既安且宁。'皆似中衰之后,不类初定鼎时语。况作乱者,管、蔡兄弟也。以殷畔者,管、蔡兄弟之亲其所疏而疏其所亲也。而此诗反云'兄弟急难,良朋永叹','兄弟外御其侮,良朋烝也无戎',语语与其事相反,何邪?"崔氏据诗的内容证明其非周公时代作品,语甚有理。左传认为厉王时代召虎的创作,这很可能。

此诗歌唱兄弟之间的感情,首章以棠棣之花起兴,形象鲜明。"凡今之人,莫如兄弟"二句,直接点明主题。二、三、四章说明在危难关头惟兄弟最可信赖,以强烈的对比给人深刻的印象。第五章忽然反跌一层,感叹和平环境中兄弟反不如朋友。末三章笔调又重新扬起,大写兄弟和睦的快乐。全诗笔意抑扬曲折,前五章繁弦促节,多慷慨激昂之音;后三章轻拢慢捻,有洋洋盈耳之趣。在风格上也是变化多姿的。

常棣之华,鄂不韡韡。凡今之人,莫如兄弟。

常棣,亦作棠棣、唐棣,古训为夫移,亦单称移,即今之郁李。蔷薇科,落叶小灌木,果实比李小,可食。有红、白两种。何彼襛矣之唐棣和晨风之棣即赤棣。采薇“维常之华”之常、此篇之常棣即白棣。马瑞辰、陈奂等人均有考释。余冠英曰:“诗人以常棣的花比兄弟,或许因其每两三朵彼此相依,所以联想。”

鄂,盛貌。毛传:“鄂犹鄂鄂然华外发也。”说文引作萼,段玉裁注谓当作咢。 不,语词,无义。王引之经传释词:“鄂不韡韡,犹言夭之沃沃。” 韡韡,鲜明貌。毛传:“韡韡,光明也。”韡是炜的假借字,艺文类聚引韩诗正作炜。玄应一切经音义引说文:“炜,盛明皃也。”又于省吾新证:“鄂不,犹言胡不、遐不。鄂、胡、遐三字,就声言之并属浅喉,就韵言之并属鱼部。‘常棣之华,鄂不韡韡’犹出车的‘彼旟旐斯,胡不旆旆’。”可备一说。

韵读:脂部——韡、弟。

死丧之威,兄弟孔怀。原隰裒矣,兄弟求矣。

威,通畏。毛传:“威,畏。”

孔,甚、最。 怀,思念,关怀。刘向列女传:“君子谓聂政姊仁而有勇,不怯死以灭名。诗云:‘死丧之威,兄弟孔怀。’言死可畏之事,唯兄弟甚相怀也。”

原隰,见皇皇者华注。 裒(póu),鲁诗作捊,玉篇:“捊,引聚也。”

求,毛传:“言求兄弟。”按这两句意为,人们因灾难之事聚于原隰,只有兄弟在患难之中,就会关怀寻觅。

韵读:脂部——威、怀(音回)。 幽部——裒、求。

脊令在原,兄弟急难。每有良朋,况也永叹。

脊令,水鸟,亦名鹡鸰、雝渠。大如燕雀,毛色黑白相间。常在水边觅食昆虫。朱熹诗集传:“脊令飞则鸣,行则摇,有急难之意,故以起兴。” 在原,水鸟在原,失其常处,比兄弟有患难。

急。抢救,动词。 难,患难。急难,毛传:“言兄弟之相救于急难。”

每,尔雅:“每,虽。”

况,本作兄,后作况,意为增益。毛传:“况,兹。”陈奂传疏:“兄、况,古今字。兹、滋亦古今字。”此二句意为,人在患难之中,虽有好友,亦不过增加他们长叹一声罢了。含有只有同情没有行动的意思。

韵读:元部——原、难、叹。

兄弟阋于墙，外御其务。每有良朋，烝也无戎。

阋(xì)，争吵。左传僖二十四年杜注："阋，讼争貌。" 于墙，在墙内。

外，指对外。 御，同禦，抵抗。 务，侮之假借。左传僖公二十四年和国语周语引诗御作禦，务作侮。

烝，终久。 戎，帮助。毛传："戎，相。"相即助。这二句意为，虽有好友，终久没有什么实际帮助。

韵读：无韵。

丧乱既平，既安且宁。虽有兄弟，不如友生。

丧乱，死丧祸乱。

友生，即友人。马瑞辰通释："生，语词也。唐人诗'太瘦生'及凡诗'何似生'、'作么生'、'可怜生'之类，皆以'生'为语助词，实此诗及伐木诗'友生'倡之也。"录以备考。陈奂传疏："上三章曰死丧，曰急难，曰外务，朋友不如兄弟。此章言丧乱既平之后兄弟不如朋友者，愈以见兄弟之当亲。丧乱既平，既安且宁，即行燕兄弟内相亲之礼，以下三章皆是也。第五章为承上起下之词。"

韵读：耕部——平、宁、生。

傧尔笾豆，饮酒之饫。兄弟既具，和乐且孺。

傧，陈列。韩诗作宾，经典中两字常互用。 尔，你。 笾(biān)，古祭祀、燕享盛果品、干肉等器皿，形如豆，用竹编成。 豆，象形字。古盛肉器，高脚有盖，木制成。见东门之墠注。

之，犹是。语中助词。 饫，韩诗作醧(yù)，是本字。饫为醧之假借

字。马瑞辰通释："以古音读之，醧与豆、具、孺韵正协，作饫则声入萧宵部。"毛传训为"私"，指家宴。说文："醧，宴私之饮也。"宴私，即私宴，大抵是宗族间一种比较不拘礼节的燕饮。

具，通俱。既具，已经都来齐。

和乐，是一个词。皇侃论语义疏："和即乐也。"王先谦集疏："诗言和乐，即兄弟怡怡和顺而乐之义。" 孺，相亲。尔雅："孺，属也。"李巡注："骨

肉相亲属也。”这章写燕饮兄弟之乐。

韵读:宵、侯部通韵——豆、饫、具(渠昼反)、孺(汝昼反)。

妻子好合,如鼓瑟琴。兄弟既翕,和乐且湛。

好合,好读去声。和妻子相亲爱相配合。郑笺:“好合,志意合也。合者,如鼓琴瑟之声相应和也。”

翕(xī),毛传:“翕,合也。”和睦的意思。

湛(dān),亦作耽,皆媅之假借。释文引韩诗作沈:“乐之甚也。”尽欢之义。见鹿鸣注。 这章以妻子之相亲衬托兄弟亦应相亲。含有二者不可偏废的意思。

韵读:缉部——合、翕。 侵部——琴、湛(都森反)。

宜尔室家,乐尔妻帑。是究是图,亶其然乎?

宜尔室家,见桃夭注。 尔,指兄弟。 室家,指夫妇。

乐(lē),喜欢。 帑,鲁诗作孥,俗字。子女。毛传:“帑,子也。”

究,深思。 图,考虑。毛传:“究,深。图,谋。”

亶(dǎn),确实。毛传:“亶,信也。” 其,指“宜室家,乐妻帑”。 然,如此。这章为宴会兄弟时的祝辞。

韵读:鱼部——家(音姑)、帑、图、乎。

伐 木

【题 解】

这是一首宴享朋友故旧的诗。毛序:“伐木,燕朋友故旧也。”黄柏诗疑辨证:“细玩此诗,专言友生之不可求,求字乃一篇大主脑。”他指出了诗的中心思想。三家诗认为这是刺诗,文选李善注引韩诗:“伐木废,朋友之道缺,劳者歌其事。诗人伐木自苦其事,故以为文。”蔡邕正交论:“周德始衰,颂声既寝,伐木有鸟鸣之刺。”但从诗文看来,并无怨刺之意。

至于诗的作者和写作年代均无可考。郑笺以为是周王之诗，孔疏申郑，认为是咏文王之事。后代竟有人断诗为文王所自作，都没有根据。焦循毛诗补疏说得好："文王幼时何曾为农？又何伐木之有？"的确，由诗中所用伐木、鸟鸣的比兴来看，疑此诗含有民歌的成分，而为贵族所修改和采用。

诗中"伐木丁丁，鸟鸣嘤嘤"、"出自幽谷，迁于乔木"等对偶句，结构整齐，变化和谐，虽然处于对偶的初级阶段，但是由此也显得更加朴实自然。李翱答朱载言书说："古人能极于工而已，不知其辞之对与否也。"很中肯地说出了诗经对偶句情趣天然、不假雕琢的优点。此外，诗中还使用了排比的手法，三章"有酒湑我，无酒酤我。坎坎鼓我，蹲蹲舞我"，两句一排，一共两排，在整齐中又有参差错落之致，将亲朋欢宴的气氛渲染得很热闹。汉代辞赋家贾谊的鹏鸟赋、祢衡的鹦鹉赋便运用这种手法，不过表现得更加精致了。

伐木丁丁，鸟鸣嘤嘤。出自幽谷，迁于乔木。嘤其鸣矣，求其友声。相彼鸟矣，犹求友声；矧伊人矣，不求友生？神之听之，终和且平。

丁丁(zhēng)，象声词。亦作朾。毛传："丁丁，伐木声也。"按这句是诗人当前所作的事，是含赋义的兴。

嘤嘤，鸟鸣声。郑笺："嘤嘤，两鸟声也。"

幽谷，深谷。毛传："幽，深。"

迁，升。说文："迁，登也。"　乔，高。乔木，高树。毛传："乔，高也。"

嘤其，即嘤嘤。按首六句都是兴，言鸟自低处飞上高处寻求伙伴。陈奂传疏："伐木丁丁，一兴也。鸟鸣嘤嘤以下，又一兴也。鸟迁乔木而不忘幽谷之鸟，以兴君子居高位而不忘下位之朋友。"

相，看。

矧(shěn),何况。 伊,是,这。

神之,之字为语助词,无义。

终,既。这二句意为,神明听到此事,会赐给你和平的幸福。辞意与小明“神之听之,式穀以女(汝)”、“神之听之,介尔景福”略同。马瑞辰通释:“尔雅释诂:‘神,慎也。慎,诫也。’神之,即慎之也。听之,谓能听从是言也。”可备一说。这章写鸟求友声,比人必需求朋友。

韵读:耕部——丁、嘤、鸣、声、声、生、听、平。 侯部——谷、木。

伐木许许,釃酒有藇。既有肥羜,以速诸父。宁适不来,微我弗顾。於粲洒扫,陈馈八簋。既有肥牡,以速诸舅。宁适不来,微我有咎。

许许(hǔ),象声词。或作浒浒,皆“所”之假借。说文:“所,伐木声也,从斤,户声。诗曰:‘伐木所所’。”毛传:“许许,柿(fèi)貌。”说文:“柿,削木朴也。朴,木皮也。”可见许许是锯树皮的声音。说文段注:“丁丁,刀斧声。所所,锯声。”

釃(shī),滤,做酒时用筐滤酒去其糟。毛传:“以筐曰釃。” 有藇(xù),即藇藇,三家诗亦作醑醑。形容酒味美。玉篇:“藇,酒之美也。”

羜(zhù),出生不久的小羊。毛传:“羜,未成羊也。”

速,召,邀请。 诸父,对同姓长辈的通称。

宁,宁可。 适,凑巧。这句意为,宁可诸父凑巧有他事不能来。

微,无,不要。毛传:“微,无也。” 顾,念。郑笺:“宁召之适自不来,无使言我不顾念也。”

於(wū),叹词。 粲,毛传:“粲,鲜明貌。”陈奂传疏:“鲜明,犹言清净也。”此句言把宴会厅堂打扫得干干净净。

陈,陈列。 馈,食物。 簋(guǐ),圆形的盛食器。按八簋是贵族宴会很隆重的礼节。据仪礼聘礼公食大夫礼,诸侯燕群臣及他国的使臣皆八簋。毛传:“天子八簋。”是周王的宴会也用八簋。

牡,此处指公羊。

诸舅,对异姓长辈的通称。

咎，过错。毛传："咎，过也。"这章写宴长辈。

韵读：鱼部——许、萸、羜、父、顾。　幽部——扫（音叟）、簋（音韭）、牡、舅、咎。

伐木于阪，酾酒有衍。笾豆有践，兄弟无远。民之失德，干糇以愆。有酒湑我，无酒酤我。坎坎鼓我，蹲蹲舞我。迨我暇矣，饮此湑矣。

阪，山坡。说文："坡者曰阪。"

有衍，即衍衍，丰满貌。陈奂传疏："衍谓多溢之美也。"

笾豆有践，见伐柯注。

兄弟，指同辈的亲友。　无远，不要疏远。

失德，丧失朋友的交谊。有人训为丧失恩德，如汉书宣帝纪引诗，颜注："人无恩德不相饮食。"亦通。

糇（hóu），说文："糇，干食也。"干糇即干粮，如今之饽饽、饼干。　愆，过错。朱熹诗集传："干糇，食之薄者也。言人之所以失朋友之义者非必有大故，或但以干糇之薄不以分人，而至于有愆耳。"

湑，用溲箕过滤酒。毛传："以薮曰湑。"薮即籔之借字，今人叫做溲箕。酾酒是用盛饭的筐滤糟，其器较细；湑酒用洗米的溲箕滤糟，其器较粗。籔和筐都是用竹片编成的。

酤，毛传："一宿酒也。"指一宿即熟的酒，如今之酒酿，是有渣的酒。说文："一曰买酒也。"但不知小雅时代是否有卖酒的商贾。按此二句为倒装，湑我即"我湑"，酤我即"我酤"。

坎坎，有节奏的击鼓声。王先谦集疏："坎坎者，击鼓之声。与舞之节奏相应，故释文引说文云：'舞曲也。'说文引诗作竷。"按坎为竷之假借，古音读若逢。坎，古音读若空，同部。

蹲蹲（cún），舞步合乐的姿态。毛传："舞貌。"鲁诗作壿。按此二句亦倒装。即我为之击鼓坎坎然，我为之兴舞蹲蹲然。闻一多歌与诗认为："我"同兮，读如啊，语气词。亦通。

迨，及、趁。郑笺："及（趁）我今之闲暇，共饮此湑酒。欲其无不醉之意。”这章写宴兄弟。

韵读:元部——阪、衍、践、远、愆。　鱼部——湑、酤、鼓、舞、暇(音户)、湑。

天　保

【题　解】

这是一首臣子祝颂君主的诗。毛序:“天保,下报上也,君能下下以成其政,臣能归美以报其上焉。”序以此诗为臣下所作,当然不错;如果一定认为君先有赐于臣,臣然后以此作报,则未免主观。郑笺:“下下,谓鹿鸣至伐木皆君所以下臣也。臣亦宜归美于王,以崇君之尊而福禄之,以答其歌。”这种说法更不正确,孔疏已提出异议,他说:“诗者,志也。各有吟咏。六篇之作,非是一人,而已(以)此为答上篇之歌者,但圣人示法,义取相成。比鹿鸣至伐木于前,此篇继之于后以着义,非故答上篇也。”姚际恒诗经通论说这是“臣致祝于君之词”,似可从。至于诗的写作时代,朱熹说:“文王时周未有先王者,此必武王以后所作也。”颇有见地。

钟惺评点诗经云:“前后九‘如’字,笔端鼓舞,奇妙。”诗人为了歌功颂德,连用九个比喻,这种用多种喻体来形容、说明本体的方法,称为博喻。广泛的连续的取譬形式,说明了诗人想象、联想的丰富。以高山大川、日月松柏为喻体,也显得极有气象。后世以“天保九如”为祝颂之辞,可见其艺术效果。

天保定尔,亦孔之固。俾尔单厚,何福不除。俾尔多益,以莫不庶。

保定,安定。郑笺:“保,安。”　尔,您,指君主。陈奂传疏:“通篇十

‘尔’字，皆指君上也。”

亦、之，皆语助词，无义。　孔，甚。　固，毛传：“固，坚也。”这句意为“王位坚固得很”。

俾，使。　单，毛传：“厚也。”陈奂传疏：“单厚与下文多益皆合二字成义，谓受福之厚益。”鲁诗作亶，亶本字，单假借字。

除(zhù)，赐予。马瑞辰通释：“除、余古通用。尔雅‘四月为余’，小明诗笺作‘四月为除’，是其证也。余、予古今字，余通为予我之予，即可通为赐予之予。‘何福不除’，犹云何福不予。”

多益，益亦为多，二字同义，指多福。

以，语助词，无义。　庶，众多、富庶。毛传：“庶，众也。”莫不庶，指物产丰富。孔疏：“每物众多，是安定汝，王位甚坚固也。”

韵读：鱼部——固、除、庶。

天保定尔，俾尔戬穀。罄无不宜，受天百禄。降尔遐福，维日不足。

戬(jiǎn)穀，幸福。毛传：“戬，福。穀，禄。”禄亦是福。郝懿行尔雅义疏：“福禄二字，若散文，禄即是福。”

罄，毛传：“尽也。”所有。　宜，原义为安。说文：“宜，所安也。”引申为合适。这句意为你的所有一切，没有不好、不合适的。

百禄，百是虚数，许多。禄，说文：“禄，福也。”

遐福，长远的幸福。郑笺：“遐，远也。”

维，同惟。惟的本义为思、考虑。此处有惟恐义。　日，日日、每天。维日不足，每天惟恐降福不够。王先谦集疏：“此章承上‘何福不除’言。”

韵读：侯部——穀、禄、足。

天保定尔，以莫不兴。如山如阜，如冈如陵，如川之方至，以莫不增。

兴，郑笺：“兴，盛也。无不盛者，使万物皆盛，草木畅茂，禽兽硕大。”

阜，土山。

陵，山岭。尔雅释地：“高平曰陆，大陆曰阜，大阜曰陵。”李巡注：“高平谓土地丰,正名为陆,土地独高大名曰阜,最大名为陵。”这四个比喻形容物产的委积丰盛,山、冈为一类;言其高;阜、陵为一类,言其大。

川之方至,谓涨水时节。郑笺:“川之方至,谓其水纵长之时也。万物之收皆增多也。”王先谦集疏:“此章承上‘以莫不庶’言。”

韵读:蒸部——兴、陵、增。

吉蠲为饎,是用孝享。禴祠烝尝,于公先王。君曰卜尔,万寿无疆。

吉,毛传:“吉,善。”此处指选择好日子。 蠲(juān),圭之借,鲁诗作圭,清洁。此处指祭祀前斋戒沐浴使之清洁。 饎,或作喜、糦、羑,皆异体字。毛传:“饎,酒食也。”

是,这,指饎。是用,倒文,用这。 孝享,献祭。说文:“享,献也,象进熟物形。”尔雅:“享,孝也。”孝、享双声,二字同义。

禴(yuè)、祠、烝、尝,四时宗庙的祭名。毛传:“春曰祠,夏曰禴,秋曰尝,冬曰烝。”董仲舒春秋繁露四祭篇:“古者岁四祭。四祭者,因四时所生熟而祭其先祖父母也。”

公,郑笺:“公,先公,谓后稷至诸盩。”诸盩,太王之父。 先王,指太王以下的周祖先。按周自文王始称王,追尊古公亶父为太王,季历为王季,故自诸盩以上称先公。

君,毛传:“君,先君也。”按古代祭祀,以生人扮神象,名为“尸”,作为祭祀的具体神象,可代神讲话。“君曰”即尸传达神的话。 卜,给。卜尔,给你。毛传:“卜,予也。”马瑞辰通释:“释诂:‘畀,予也。’畀与卜双声,卜训予者,或即畀之假借。”

韵读:阳部——享、尝、王、疆。

神之吊矣,诒尔多福。民之质矣,日用饮食。群黎百姓,遍为尔德。

吊,降临。毛传:“吊,至。”马瑞辰通释:“按说文:‘迅,至也。’吊(弔)即迅之省借字。”

诒,通贻,遗、送。

质,朱熹诗集传:“质,实也。言其质实无伪,日用饮食而已。”

日，日日。　用，以。以上二句意为，人民诚实，只是每日以饮食为满足罢了。

群黎，众民。尚书尧典传："黎，黑也。民首皆黑，故曰黎民。"　百姓，百官。国语楚语观射父曰："民之彻官百。王公之子弟之质能言能听彻其官者，而物赐之姓，以监其官，是为百姓。"（韦昭注："百姓，百官，受氏姓也。"）意谓：治理人民的官有百。贵族的子弟有好的质量，又称职的，国王就照他的职务而赐他姓，以守其官，这就是百姓。此诗百姓与群黎对举，正指人民和贵族而言。到孔子的时候，论语说："修己以安百姓。"他所说的百姓，才指人民大众而言。

为，音义同讹，感化。马瑞辰通释："为当读如'式讹尔心'之讹。讹，化也。遍为尔德，犹云遍化尔德也。为与化古皆读如讹，故为、讹、化古并通用。"此二句意为，人民和贵族都被你的美德所感化。

韵读：之部——福（方逼反，入声）、食、德（丁力反，入声）。

如月之恒，如日之升，如南山之寿，不骞不崩。如松柏之茂，无不尔或承。

恒（gēng），本义为粗绳。按恒是緪的省借。释文："恒亦作緪。"说文："緪，大索也。一曰急也。"緪亦省作縆。九歌王逸注："縆，急张弦也。"此处引申为"月上弦之貌"。故毛传曰："恒，弦。"郑笺："月上弦而就盈，日始出而就明。"郑氏说明了首二句的喻义。

骞（qiān），山的亏损。毛传："骞，亏也。"　崩，山的崩坏。

或，助词，无义，用于宾语的提前。无不尔或承，即无不承尔。　承，继承。郑笺："如松柏之枝叶常茂盛，青青相承无衰落也。"郑氏说明了末二句的喻义。

韵读：蒸部——恒、升、崩、承。　幽部——寿、茂。

采　薇

【题　解】

这是一位戍边兵士，在返乡途中所作的诗。毛序以为是文王遣戍役之诗。序云:"采薇,遣戍役也。文王之时,西有昆夷之患,北有猃狁之难,以天子之命,命将率,遣戍役,以守卫中国。故歌采薇以遣之。出车以劳还,杕杜以勤归也。"清人崔述、姚际恒、方玉润等都反对此说。从诗的语言风格来看,确不似周初作品,很像国风中的民歌。至于诗的写作年代,三家诗认为是周懿王时诗,史记周本纪:"懿王之时王室遂衰,诗人作刺。"汉书匈奴传:"周懿王时王室遂衰,戎狄交侵,暴虐中国,中国被其苦。诗人始作,疾而歌之曰:'靡室靡家,猃允之故。''岂不日戒,猃允孔棘。'"崔述丰镐考信录云:"汉书以为懿王之世'诗人疾而歌之',史记称懿王时'诗人作刺',似亦指此而言。则是汉时齐、鲁诸家说诗皆如此也。今玩其词,但有伤感之情,绝无慰藉之语,非惟不似盛世之音,亦无一言及天子之命者,正与史、汉之言相符。然则齐、鲁说此篇者必有所传而然,非妄撰也。但谓为懿王之世,则经传皆无明文。"方玉润亦谓诗"以戍役归者自作为近是。至作诗世代,或以为文王时,或以为宣王时,更或谓季历时,都不可考。大抵遣戍时世难以臆断,诗中情景不啻目前,又何必强不知以为知耶!"方说近是。

诗的前三章回忆久戍不归的思家之苦。四、五两章回忆疆场奔走战斗之劳。末章杨柳雨雪数句,以景物烘托情感,使情感融化于景物之中。王夫之姜斋诗话说:"'昔我往矣,杨柳依依。今我来思,雨雪霏霏。'以乐景写哀,以哀景写乐,一倍增其哀乐。"杨柳依依是春光明媚之景,但值此大好时光却要从军远戍,越觉百般凄凉。雨雪霏霏是冬日肃杀之象,而历尽艰难生死终能安然归来,更生无限欣慰。这种以相反的景物来衬托感情的写法,往往能收到更强的艺术效果。这几句诗所以能千古传诵,道理也就在此。

采薇采薇，薇亦作止。曰归曰归，岁亦莫止。靡室靡家，猃狁之故。不遑启居，玁狁之故。

薇，豆科植物，今名野豌豆苗，见草虫注。士兵采它充饥。

作，毛传："作，生也。"指薇菜冒出地面。　止，语气词，无义。按这二句是兴，诗人见薇又生，触动他回忆往事的心情。

莫，暮的本字。岁暮，一年将尽之时，指岁末。这二句意为，说要回家了要回家了，但已岁暮而仍不能实现。岁暮之感由上句"薇作"引出。诗人运用迭词，表示思归心情迫切和思归不得的苦闷。

靡，无。　室、家，指妻子。诗人终年远戍，与妻子远离，有家等于无家。

玁狁(xiǎn yǔn)，亦作猃狁。我国古代北方的少数民族。毛传："北狄也。"郑笺："北狄，今匈奴也。"按猃狁殷商称为"荤粥"，秦汉称匈奴，隋唐为突厥。总谓之北狄。

不遑，无暇。　启，跪。　居，坐。"不遑启居"与四牡和本诗第三章之"不遑启处"同义。末四句将不能安居休息的原因归于猃狁的侵陵，表现了诗人同仇敌忾的精神。

韵读：脂部——薇、薇、归、归。　鱼部——作（音租入声）、莫（音模入声）、家（音姑）、故、居、故。

采薇采薇，薇亦柔止。曰归曰归，心亦忧止。忧心烈烈，载饥载渴。我戍未定，靡使归聘。

柔，指薇菜的柔嫩。郑笺："柔谓脆脕之时。"

烈烈，说文："烈，火猛也。"此处形容忧心如焚。

戍，驻守。　定，安定。说文："定，安也。"这句指驻守的地点还未安定。

使，指使，委托的意思。　聘，探问。毛传："聘，问也。"孔疏："言我方戍于北狄，未得止定，无人使归问家安否。所以忧也。"孔颖达释这二句诗的含义，比较正确。

韵读：脂部——薇、薇、归、归。　幽部——柔、忧。　祭部——烈、渴

(音竭入声)。　耕部——定、聘。

采薇采薇,薇亦刚止。曰归曰归,岁亦阳止。王事靡盬,不遑启处。忧心孔疚,我行不来。

刚,硬,指薇菜茎叶由柔嫩变得老了。

阳,阳月,指夏历四月以后。　汉书五行志引左氏说,谓周六月、夏四月为正阳纯乾之月。豳风七月云"春日载阳",即夏三月始阳,四、五月亦属于阳月。又尔雅云:"十月为阳",旧说多从之。但北方十月已入冬季,薇菜亦已枯萎;自首章之薇作至二章之薇柔,历时并不太久,自二章之柔至三章之刚似亦不至有半年之久。且下章提到常华之盛,则此章似非咏孟冬之事。从汉书引左氏说为是。

盬(gǔ),休止。靡盬,无休止。见鸨羽注。

疚(jiù),痛苦。毛传:"疚,病。"　孔,甚。孔疚,非常痛苦。

来,回家。不来,不归。毛传:"来,至。"按来为倈之省借。尔雅:"不倈,不来也。"即释此诗。朱骏声说文通训定声:"古本当作倈,阙其右半。诗凡'来'字,传皆不著训,独此训至,是毛本作倈无疑。"这二句与下杕杜"匪载匪来,忧心孔疚。期逝不至,而多为恤"义同。以上三章皆言思归之情。

韵读:脂部——薇、薇、归、归。　阳部——刚、阳。　鱼部——盬、处。　之部——疚(音记)、来(音吏)。

彼尔维何?维常之华。彼路斯何?君子之车。戎车既驾,四牡业业。岂敢定居,一月三捷。

彼,那些。　尔(爾),薾的假借字,三家诗正作薾。花盛开貌。说文:"薾,华盛貌。诗曰:彼薾维何。"　维,是。维何,是什么。

常,常棣,详常棣注。郑笺:"此言彼尔者乃常棣之华,以兴将率(帅)车马服饰之盛。"

路,同辂。高大的车,将帅作战时用的车,亦名戎车。书疏引尔雅舍人注:"路,车之大也。"朱熹诗集传:"路,戎车也。"　斯,语词,含有"是"意。马瑞辰通释:"斯何,犹维何也。"

君子,指将帅。

戎车，兵车。周代战争用车战。按司马法：兵车一乘，马四匹，甲士十人，步兵十五人。甲士身穿戴盔甲，三人立车上，称为甲首。其馀甲士七人，在车旁步行。步兵十五人随在车后。另有步兵五人保护辎重车。计一辆兵车共有三十人。

四牡，驾兵车的四匹雄马。　业业，高大雄壮貌。毛传："业业然壮也。"

三捷，三，虚数，指多次。捷，胜利。毛传："捷，胜也。"

韵读：鱼部——华（音呼）、车。　叶部——业、捷。

驾彼四牡，四牡骙骙。君子所依，小人所腓。四牡翼翼，象弭鱼服。岂不日戒？猃狁孔棘。

骙骙（kuí），马强壮貌。毛传："骙骙，强也。"

依，凭靠。这里指乘立在车上。陈奂传疏："君子所依，谓依于车中者也。依犹倚也。"

小人，指兵士。　腓（fēi），隐蔽。郑笺："腓当作芘。此言戎车者戍役之所芘倚。"按芘、腓为庇之借，古腓、芘、庇音相近。陈乔枞三家诗遗说考："尔雅释言：'庇，荫也。'舍人曰：'庇，蔽也。'（左传文公十七年正义引）芘、庇字通，桑柔笺'人庇荫其下者'释文云'本亦作芘荫'，云汉笺'我无所庇荫处'释文云'本亦作芘荫'，是字通之验。释言庇荫之训正释此诗芘字，鲁文作芘，笺盖据以改毛。"小人所腓，兵士以车为掩护。

翼翼，行止整齐熟练貌。毛传："翼翼，闲也。"尔雅："闲，习也。"谓训练有素。这句虽写马，实写战阵整齐。

象弭（mǐ），两端用象骨装饰的弓。尔雅释器："弓有缘者谓之弓，无缘者谓之弭。"仪礼既夕礼疏引孙炎注："缘谓繁束而漆之，弭谓不以繁束，骨饰两头者也。"盖古代弓的两端用丝线缠绕，然后用漆涂上，叫做缘。不缠丝线，只用象骨装饰的弓叫做弭。　鱼服，用鲨鱼皮制的箭袋。服，箙之省借。周礼司弓矢郑注："箙，盛矢器也。"胡承珙后笺："按今刀鞘诸饰，多以其皮为之，斑驳如沙石，最坚。此所称沙鱼是也。"

日戒，每天戒备。

孔棘，非常紧急。棘，急的借字。郑笺："戒，警敕军事也。孔，甚。棘，急也。言君子小人岂不日相警戒乎？诚日相警戒也。猃狁之难甚急。”

韵读:脂部——骙、依、腓。 之部——翼、服(扶逼反,入声)、戒(音棘入声)、棘。

昔我往矣,杨柳依依。今我来思,雨雪霏霏。行道迟迟,载渴载饥。我心伤悲,莫知我哀。

往,指从军。

杨柳,蒲柳。尔雅:“杨,蒲柳。”胡承珙后笺:“尔雅只以柳为大名,曰柽,曰旄,曰杨,其种各异。古人言杨柳者,谓名杨之柳。其通称为杨柳者,乃后世辞章家之言耳。” 依依,柳枝茂盛而随风飘拂貌。马瑞辰通释:“韩诗薛君章句曰:‘依依,盛貌。’毛诗无传。据车舝诗‘依彼平林’传:‘依,茂木貌。’则依依亦当训盛,与韩诗同。依、殷古同声,依依犹殷殷,殷亦盛也。”

来,归来。 思,语助词,无义。“来思”与首句“往矣”对文。

雨雪,下雪。雨,作动词用。 霏霏,雪花纷飞貌。按诗人以杨柳代春,雨雪代冬,以具体代抽象,不自觉地运用了借代修辞,加上摹形叠词依依、霏霏,使读者产生形象逼真的美的感受。

行道,道路。 迟迟,毛传:“迟迟,长远也。”指道路的长远。或释作缓慢,亦通。参看邶风谷风“行道迟迟”注。

韵读:之部——矣、思。 脂部——依、霏、迟、饥、悲、哀(音衣)。

出 车

【题 解】

这是一位出征将士凯旋归来所作的诗。毛序以为是周文王劳还帅之作,当然不可信。汉书匈奴传:“宣王兴师,命将以征伐之(指匈奴),诗人美大其功,曰‘薄伐猃狁,至于太原’,‘出车彭彭,城彼朔方’。”汉书古今人表又将南中列于宣王世。王先谦集疏认为此诗与六月同为宣王时诗,三家诗说是有根据的。王国维观堂集林鬼方昆夷猃狁考云:“出车咏南仲伐猃狁之事,南仲亦见大雅常武篇……今焦山所藏鄦惠鼎云‘司徒南中入右鄦惠’,其器称‘九月既望甲戌’,有月日而无年,无由知其为何时之器。然文字不类周初,而与召伯虎敦相似,则南仲自是宣王时人,出车亦宣王时诗也。征之古器,则凡纪猃狁事者,亦皆宣王时器。……周时用兵猃狁事,其见于书器者,大抵在宣王之世,而宣王以后即不见有猃狁事。”王氏证以钟鼎文,更可信。至于诗的作者,从诗中看来,可能是一位随从南仲出征的将士。

诗的后三章,采用了不少民歌的句子。如:“昔我往矣,黍稷方华。今我来思,雨雪载涂。”是袭用采薇末章的。“喓喓草虫,趯趯阜螽。未见君子,忧心忡忡。既见君子,我心则降。”是袭用国风草虫的。“春日迟迟,卉木萋萋。仓庚喈喈,采蘩祁祁。”是节取国风七月的。由此可以看出,贵族文人向民歌汲取营养,丰富提高自己创作的这一历史事实,实开后世集句之风。晋傅咸作集经诗——集论语、集毛诗、集周易、集左传(见汉魏六朝百三名家集),清黄唐堂的香屑集等,皆从此出。

我出我车,于彼牧矣。自天子所,谓我来矣。召彼仆夫,谓之载矣。王事多难,维其棘矣。

出,推出。

于,往。　牧,远郊。尔雅:“邑外谓之郊,郊外谓之牧。”此二句大意是,我推出兵车,到养马的远郊把马套到车上。毛传:“出车就马于牧地。”

自,从。　天子,指周王。　所,处所。

谓,使。马瑞辰通释:“广雅:‘谓,使也。’谓我来,即使我来。下文‘谓之载’,即使之载也。”此二句大意是,从天子那里传下命令,使我前来出征。

仆夫,毛传:“御夫也。”即驾车的人。

谓之载矣,使他们载上将士、辎重。

维，发声词。陈奂传疏：“维，发声。凡言维其，其也。维以，以也。维此，此也。维彼，彼也。维何，何也。维皆发声。” 其，指猃狁。 棘，同急，紧急。

韵读：鱼部——车、所、夫。 之部——牧（明逼反，入声）、来（音吏）、载（音稷入声）、棘。

我出我车，于彼郊矣。设此旐矣，建彼旄矣。彼旟旐斯，胡不旆旆？忧心悄悄，仆夫况瘁。

郊，近郊，亦指放牧地。国语周语：“国有郊牧”，韦昭注：“国外曰郊牧，放牧之地。”

设，陈列。 旐（zhào），画有龟蛇图案的旗。

建，树立。 旄，干旄，一种饰有牦牛尾的旗竿。见干旄注。

旟（yú），画有鹰隼图案的旗。毛传：“鸟隼曰旟。” 斯，语气词。

胡，何。 不，语中助词，无义。 旆旆（pèi），旗下饰帛下垂貌。毛传：“旆旆，旒垂貌。”朱熹诗集传释为旗帜飞扬貌，亦通。

悄悄，忧貌。见邶风柏舟注。

况瘁，痛苦憔悴。马瑞辰通释：“说文：‘况，寒水也。’因通为寒苦之称。苦亦病也。况、瘁皆为病。”朱熹诗集传：“彼旗帜者，岂不旆旆而飞扬乎？但将帅方以任大责重为忧，而仆夫亦为之恐惧而憔悴耳。”按以上两章，为诗人假设南仲的口气歌唱的。

韵读：宵部——郊、旐、旄、旐、悄。 脂、祭部通韵——旆、瘁。

王命南仲，往城于方。出车彭彭，旂旐央央。天子命我，城彼朔方。赫赫南仲，猃狁于襄。

南仲，亦作南中、张仲，宣王时大将。六月郑笺：“张仲，吉甫之友，其性孝友。”

城，筑城，作动词用。 方，当时朔方的一个地名。陈奂传疏：“在今甘肃平凉附近。”方即六月“侵镐及方”之方，镐、方皆地名。此处是确指，下句“城彼朔方”是泛指。毛传：“方，朔方近猃狁之国也。”六月郑笺：“镐也方也，皆北方地名。”

出车，鲁诗作出舆。 彭彭，说文段注谓彭即“騯”之假借，四马壮盛貌。

旗，画有双龙图案的旗。毛传："交龙为旗。" 央央，音义同英英，毛传："央央，鲜明也。"

朔方，毛传："朔方，北方也。"

赫，本义为火赤貌，引申为形容威名显赫貌。朱熹诗集传："赫赫，威名光显也。"

襄，除，消灭。毛传："襄，除也。"释文："本或作攘。"按襄为攘之假借字。齐诗、鲁诗均作攘。以上两章，也是诗人假设南仲的口气抒述的。

韵读：阳部——方、彭（音旁）、央、方、襄。

昔我往矣，黍稷方华。今我来思，雨雪载涂。王事多难，不遑启居。岂不怀归，畏此简书。

华，古花字，指秀穗。陈奂传疏："黍稷不荣而实，不为华。华犹秀也。"按黍稷方华为借代修辞，代初夏季节。

雨雪载涂，雪下满了路涂。 载，满。与大雅生民"厥声载路"之载同义。 涂即途之假借，指征途。陈奂传疏："'黍稷方华'著城方之始，'雨雪载涂'著伐戎之始。"按这句代岁暮严冬，亦借代修辞。

简书，盟书。左传闵公元年狄人伐邢，管仲引此二句诗云："简书，同恶相恤之谓也。请救邢以从简书。"据此，疑宣王时诸侯之间有关于抵御猃狁的盟书，称为简书。刘熙释名："盟，明也，告其事于神明也。有不信者，神降之祸，诸国将共伐之。"所以诗人说，"畏此简书"。按以上两章是诗人自己叙述的。

韵读：鱼部——华（音乎）、涂、居、书。

喓喓草虫，趯趯阜螽。未见君子，忧心忡忡。既见君子，我心则降。赫赫南仲，薄伐西戎。

喓喓草虫六句，见草虫注。郑笺："草虫鸣，阜螽跃而从之，天性也。"按这二句是兴，诗人见此，触动了她思夫之情。

薄伐西戎，虢季子白盘："䙶伐猃狁。"薄即䙶之借，䙶从干，亦含伐义。或训"薄"为发语词，亦通。此句言南仲在伐北方猃狁胜利以后，又乘胜进攻西戎。此为晚秋季节。

韵读：中部——虫、螽、忡、降（户冬反）、仲、戎。

春日迟迟，卉木萋萋。仓庚喈喈，采蘩祁祁。执讯获丑，薄言还归。赫赫南仲，玁狁于夷。

迟迟，白天日长貌。七月毛传："迟迟，舒缓也。"

卉（huì），草。扬雄方言："东越杨州之间，名草为卉也。" 萋萋，茂盛貌。

仓庚，见七月注。 喈喈，见葛覃注。

祁祁，众多貌，见采蘩注。陈奂传疏："仓庚、采蘩，二月时也。"

执讯获丑，虢季盘："执嗾五十"，不嬰毁："折首执嗾"，讯即嗾之今字，嗾字形象系缚之人，故为俘虏义。 丑（醜），说文："可恶也，从鬼，酉声。"引申以指敌众。陈奂以此句获字为馘（guó）之假借，他说："此篇'获'字无传，盖义见皇矣也。皇矣传云：'馘，获也。不服者杀而献其左耳曰馘。'彼传释馘为获，则此诗获字即为馘之假借。"按执、获均为动词，执讯言俘生，获丑言杀死。陈说近是。

薄言，发语词。 还，音义同旋。陈奂传疏："还归，与上文怀归两归字相应。"

夷，平定。毛传："夷，平也。"按以上两章，是诗人假设南仲妻口气歌唱的。朱熹诗集传："此言将帅之出征也，其室家感时物之变而念之，以为未见忧之如此，必既见然后心可降耳。然此南仲，今何在乎？方往伐西戎而未归也。"朱氏分析末二章的章旨最为确切。

韵读：脂部——迟、萋、喈（音饥）、祁、归、夷。

杕 杜

【题 解】

这是一位妇女思念久役丈夫的诗。方玉润说："此诗本室家思其夫归而未即归之词。"毛序以为是文王劳还役之诗，恐不可信。疑杕杜原来是一首民歌，后为统治者所采，配以雅乐，作为慰劳出征归来的将士时弹奏的乐章，后来编诗者将它列于小雅一类，这是可能的。桓宽盐铁论繇役篇："古者无过年之繇，无逾时之役。今近者数千里，远者过万里，历二期长子不还，父母忧愁，妻子咏叹，愤懑之恨，发动于心；慕思之积，痛于骨髓。此杕杜、采薇之所为作也。"三家诗说还是比较接近事实。

诗共四章，前三章都是思妇想象之词。首章由季节的变迁，想象战事应该结束。二章想象暮春丈夫应在归途。三章想象丈夫离家已近，不日可归。然丈夫终于久期而不至。四章叙述诗人在无可奈何中而询问卜筮，得到吉兆。她一天天地盼望丈夫归来，只是在想象、卜筮中追求美的生活。诗仅短短的四章，将作者思夫而久待不归的心情，曲折而淋漓尽致地表达了出来。钟惺云："诗以物纪时，妙笔，后人不能。"足见诗人不仅富于想象，形象思维也很丰富。

有杕之杜，有睆其实。王事靡盬，继嗣我日。日月阳止，女心伤止，征夫遑止。

杕(dì)杜，特立孤生的棠梨树。见国风杕杜注。

有睆(huǎn)，即睆睆，结实众多漂亮貌。按说文无睆字，疑为睍之讹。毛传："睆，实貌。"大东"睆彼牵牛"传："明星貌。"此处形容果实众多漂亮之状。　实，果实。按这二句是兴，是反兴役夫在外不如杕杜。陈奂传疏："有睆其实，喻子孙众多也。其叶萋萋，喻室家盛也。皆天性之事。今役夫在外，不得尽天性，是杕杜之不如也。"

靡盬，无休止。见鸨羽注。

嗣，续。继嗣，此处有延长归期之义。马瑞辰通释："此诗戍役，盖以春行，至杕杜成实，已近秋时。过期不返，故曰继嗣我日。"

日月阳止，旧说以为指十月，但北方夏历十月，树木亦当凋零，与杕杜结实时节不合,疑指夏秋之间。

遑,暇。　止,语气词。此句意为,战事该结束,征夫可能闲暇了。

韵读:鱼部——杜、盬。　脂部——实、日。　阳部——阳、伤、遑。

有杕之杜,其叶萋萋。王事靡盬,我心伤悲。卉木萋止,女心悲止,征夫归止。

萋萋,枝叶茂盛貌。指次年春时。

萋,同萋萋。作者由甘棠枝叶茂盛而见到百草众木的萋萋,引起了她思夫之情。

归止,应该归来了。希望之词。

韵读:鱼部——杜、盬。　脂部——萋、悲、萋、悲、归。

陟彼北山,言采其杞。王事靡盬,忧我父母。檀车幝幝,四牡痯痯,征夫不远。

陟,登。

言,发语词。　杞,枸杞。朱熹诗集传:"登山采杞,则春已暮,而杞可食矣。盖托以望其君子,而念其以王事诒父母之忧也。"

檀车,毛传:"檀车,役车也。"征夫所乘之车。檀木坚,古人用它制轮,故称。　幝幝(chǎn),破旧貌,毛传:"幝幝,敝貌。"释文引韩诗作窦窦,音同。广雅:"窦窦,缓也。"马瑞辰通释:"物敝则缓,义正相通。"

痯痯(guǎn),疲病貌。毛传:"罢(疲)貌。"

征夫不远,这句是思妇猜测之辞,车敝马疲,征夫服役日久,他或许归期不远了。姚际恒诗经通论:"末三句,想象甚妙。"

韵读:之部——杞、母(满以反)。　元部——幝、痯、远。

匪载匪来,忧心孔疚。期逝不至,而多为恤。卜筮偕止,会言近止,征夫迩止。

匪载匪来,匪,通非。言征夫不载于车,亦不归来。

疚,病。这说我忧愁的心很难过。

期,指归期。　逝,往,已过。　不至,不到来。鲁诗期作胡,逝作誓。

期逝不至,言思妇计算归期已过而征夫犹不归来。

恤,忧思。毛传:“恤,忧也。”而多为恤,是倒装句,即“而恤为多”,以忧愁为多。

卜筮,以甲骨占吉凶叫做卜,以蓍草占吉凶叫做筮。　偕,俱,指卜筮俱用。朱熹诗集传引范氏曰:“以卜筮终之,言思之切而无所不为也。”　止,语气词。

会言近止,综合卜、筮的结果,都说征夫已近。郑笺:“会,合。合言于繇为近。”

迩,近。　征夫迩止,是作者的话,诗人见卜筮的卦兆都吉,那么,丈夫的归期确实不远了。

韵读:之部——载(音稷)、来(音吏)、疚(音记)。　脂部——至、恤、偕(音几)、迩。

鱼　丽

【题　解】

这是贵族宴会的诗。毛序:“鱼丽,美万物盛多能备礼也。文武以天保以上治内,采薇以下治外。始于忧勤,终于逸乐。故美万物盛多可以告于神明矣。”序认为这是文王、武王时的诗歌,没有什么根据。从诗的语言看来,并不像周初的作品。诗反映了当时统治者不劳而食及物质享受的情况。仪礼乡饮酒礼和燕礼都唱这诗。它的乐章,被后人所袭用。

诗经多四字句,每章句数亦多相同。但此诗在句式、章法上颇有特点,前三章每章四句,且四句中集二字、三字、四字三种句式;后三章又一变为每章二句。这可能同所配的乐曲有关。我们现在虽然不复看到乐谱,但上口吟诵起来,仍能体会前三章的文字参差错落,其间似跳跃着一股感谢主人盛宴款待的欢乐气息。后三章节奏放慢，曼声骀荡，又仿佛洋溢着酒醉饭饱、鼓腹而歌的满意心情。再配上华丽的旋律，真可说将贵族生活的豪华渲染得淋漓尽致了。

鱼丽于罶，鲿鲨。君子有酒，旨且多。

丽，毛传："丽，丽历。"（今本"历"上无"丽"字，据陈奂传疏补。）丽历双声，状鱼的跳动。陈奂传疏："言鱼在罶录录历历然也。" 罶（liǔ），捕鱼的竹笼，亦名笱，口大颈狭，腹宽而长。捕鱼时放在水中鱼梁上，鱼能入而不能出。

鲿（cháng），孔疏引陆玑云："一名黄颊鱼。"释文引陆玑云："今江东呼黄鲿鱼。"按黄颊鱼形状很像黄鱼，惟肉较老。 鲨，尔雅："鲨，鮀。"郭注："今吹沙小鱼，体圆而有黑点文。"孔疏引陆玑云："鱼狭而小，常张口吹沙。"这可能即今所谓泥鳅。

君子，指主人。 旨，味美。按前三章都是前二句言鱼，后二句言酒。马瑞辰通释："'旨且多'，'多且旨'，'旨且有'，自专指酒言之。"

韵读：幽部——罶、酒。 歌部——鲨（音娑）、多。

鱼丽于罶，鲂鳢。君子有酒，多且旨。

鲂，今名鳊鱼。 鳢（lǐ），今名黑鱼。毛传："鳢，鲩也。"陈藏器本草拾遗："鲩鱼似鲤，生江湖间。"

韵读：幽部——罶、酒。 脂部——鳢、旨。

鱼丽于罶，鰋鲤。君子有酒，旨且有。

鰋（yǎn），今名鲶鱼。毛传："鰋，鲇也。"

有，朱熹诗集传："有，犹多也。"旨且有犹旨且多，变文以协韵。

韵读：幽部——罶、酒。 之部——鲤、有（音以）。

物其多矣，维其嘉矣。

物，指宴会席上所陈列的山珍海味等食物。 其，那样。下同。

维，发语词，此处含有"是"意。 嘉，善、美好。

韵读：歌部——多、嘉（音歌）。

物其旨矣，维其偕矣。

偕，齐备。周颂丰年毛传："偕，遍也。"遍与俱意同。说文："偕，俱也。"

韵读：脂部——旨、偕（音几）。

物其有矣，维其时矣。

有，与三章"旨且有"的"有"同义。

时，时鲜，指每个季节新出的新鲜食物。郑笺："得其时。"按胡承珙毛诗后笺认为时与嘉、偕同义。頍弁"尔酒既旨，尔殽既时"，传云："时，善也。"王引之经义述闻："广雅曰：'皆，嘉也。'皆与偕古字通。"他们将嘉、偕、时都训为"善"，可备一说。

韵读：之部——有、时。

南有嘉鱼

【题　解】

这也是一首贵族宴飨的诗，与鱼丽性质略同。不过鱼丽全篇都是称颂主人酒殽的丰盛，此篇则主要歌唱宾客的欢乐。诗称"君子"、"嘉宾"，作者可能是主、宾以外的第三人，古者宴会多奏乐，此诗疑为当时乐工的作品。

此诗前两章用赋法，后两章改用兴体。从文字上来看是变格，从乐调上来听便可能是变奏。据仪礼乡饮酒礼，这首诗是在宴会上歌唱的，可见其音乐的意义更甚于文学的意义，所以方玉润说它的文词"无甚深意"。

南有嘉鱼，烝然罩罩。君子有酒，嘉宾式燕以乐。

南，指南方长江、汉水一带大川。毛传："江汉一带鱼所产也。"　嘉鱼，好鱼。郑笺："言南方水中有善鱼。"有人说，嘉鱼，是一种鱼名。恐非诗意。

烝，众，多。　罩罩，韩诗作淖，鱼群游貌。下章汕汕义略同。毛传训为捕鱼器。马瑞辰通释："罩罩、汕汕皆叠字形容之词，不得训为捕鱼器。说文引诗'烝然鯙鯙'，不言其义。据说文：'汕，鱼游水貌。'引诗'烝然汕汕'。则罩罩亦当同义。释文引王肃云：'烝，众也。'罩罩、汕汕盖皆众鱼游水之貌。"林义光诗经通解训烝为进、罩为摇，亦通。

式，语助词。　燕，鸟名，此处为宴的假借字，指宴饮。　以，同而，且的意思。

韵读：宵部——罩、乐。

南有嘉鱼，烝然汕汕。君子有酒，嘉宾式燕以衎。

汕汕，鱼游貌。解见上章。古文或作𧼮。石鼓文："澫（濑）有小鱼，其游𧼮𧼮。"

衎（kàn），毛传："衎，乐也。"

韵读：元部——汕、衎。

南有樛木，甘瓠累之。君子有酒，嘉宾式燕绥之。

樛（jiū）木，弯曲的树。毛传："木下曲曰樛。"见樛木注。

甘瓠（hù），甜葫芦，可供食用，蔓生植物。　累，缠绕。毛传："累，蔓也。"以上二句是兴，诗人见甘瓠缠绕在曲木上，联想宾主的团结。这是含有比义的兴。

绥，郑笺："绥，安也。"　之，语气词，其作用和下章"思"字同。

韵读：脂部——累、绥。

翩翩者鵻，烝然来思。君子有酒，嘉宾式燕又思。

翩翩，鸟飞翔貌。　鵻，鸟名。见四牡注。

烝，众。　思，语气词，无义。下句同。以上二句是兴，诗人见成群的鵻鸟飞翔而来，联想宴会中众多嘉宾来参加。

又，即右，亦作侑、宥，劝酒。马瑞辰通释："又，即今之右字。古右与侑、宥并通用。彤弓诗毛传：'右，劝也。'……此诗'嘉宾式燕又思'，'又'当即侑之假借，犹侑可通作右与宥耳。"　思，语气词。

韵读:之部——来(音吏)、又(音异)。

南山有台

【题 解】

这是为统治者颂德祝寿的诗。朱熹诗集传:“此亦燕飨通用之乐歌。……所以道达主人尊贵之意,美其德而祝其寿也。”旧说这是周王乐得贤人的诗。毛序:“南山有台,乐得贤也。得贤则能为邦家立太平之基矣。”但从诗的内容看来,并不见有“得贤”之意。第三章云:“民之父母”,它可能是歌颂周王的诗,但不知所指何王。今从朱说。

诗共五章,每章首两句都是含比义的兴。郑笺:“兴者,山之有草木以自覆盖,成其高大。喻人君有贤臣以自尊显。”他正确地说明了五章的兴义。每章后四句都是歌功颂德和祝寿之词,只有末章的末句“保艾尔后”为祝其后继有人。诗经中这些下祝上之诗,开后世文人所作的庆祝权贵的诗文和谀墓的碑铭文体。无庸讳言,这是诗经所起的消极作用。

南山有台,北山有莱。乐只君子,邦家之基。乐只君子,万寿无期。

台,通苔,一种多年生草本植物,今名蓑衣草。尔雅释草:“台,夫须。”孔疏引陆玑义疏云:“旧说夫须,莎草也,可为蓑笠。”都人士有“台笠缁撮”,可见台确是用来编织蓑笠的草。

莱,今名米苋。一种草本植物,古亦名厘、藜。马瑞辰通释:“莱、厘、藜三字古同声通用……莱草多生荒地,后遂言莱以概诸草。”孔疏引陆玑云:“莱,草名,其叶可食,今兖州人蒸以为茹。”

乐,开心。 只,语气词,无义。按襄二十四年及昭十三年左传引这句诗，皆作“乐旨君子”，“旨”和“只”都是语气词，其作用如“哉”。 君子，此处指被颂祝的周王。

基，毛传：“基，本也。”邦家之基，国家的根本。

韵读：之部——台（徒其反）、莱（音厘）、基、期。

南山有桑，北山有杨。乐只君子，邦家之光。乐只君子，万寿无疆。

光，光荣。

万寿无疆，见七月注。

韵读：阳部——桑、杨、光、疆。

南山有杞，北山有李。乐只君子，民之父母。乐只君子，德音不已。

杞，陈奂传疏以为即枸杞，而非杞柳。他说：“本草注谓枸杞有高一、二丈者，疑即此也。”

民之父母，这是作者对周王的阿谀之词。鲁诗作“恺悌君子，民之父母”。这可能是当时媚上的习语。泂酌亦有“岂弟君子，民之父母”之句。礼记大学：“诗云：‘乐只君子，民之父母。’民之所好好之，民之所恶恶之，此之谓民之父母。”后人多沿用这句谀词。

德音，好名誉。于省吾训为德言，亦通。 已，止。不已，不绝。

韵读：之部——杞、李、子、母（满以反）、子、已。

南山有栲，北山有杻。乐只君子，遐不眉寿？乐只君子，德音是茂。

栲，山樗。

杻，檍树。均见山有枢注。

遐，何，怎么。王引之经传释词：“遐，何也。遐不，何不也。” 眉寿，长寿。老人眉中有豪毛秀出，叫做秀眉。毛传：“眉寿，秀眉也。”秀眉是老人的表征。秀眉亦称豪眉。七月传：“眉寿，豪眉也。”

茂，美丽。还毛传：“茂，美也。”

韵读:幽部——栲(苦叟反)、杻、寿、茂。

南山有枸,北山有楰。乐只君子,遐不黄耇?乐只君子,保艾尔后。

枸(jǔ),又名枳枸。果实古名木蜜,今名羊桃。孔疏引陆玑义疏云:“枸树高大似白杨,有子着枝端,大如指,长数寸,啖之甘美如饴,八月熟。”

楰(yú),苦楸,今名女贞。孔疏引陆玑云:“其树叶木理如楸,山楸之异者,今人谓之苦楸是也。”

黄耇(gǒu),长寿。毛传:“黄,黄发也。”尔雅释诂舍人注:“老人发白复黄也。” 耇,说文:“耇,老人面冻黎若垢。”谓脸上生黑色老皮如浮垢。黄发和老皮都是老人的寿征,故引申为长寿。

保艾尔后,毛传:“艾,养。保,安也。”后,后人,指子孙后代。马瑞辰通释:“据毛传先艾后保,似经文原作‘艾保尔后’。”疑是。这句意为抚养、保护你的子孙后代。

韵读:侯部——枸、楰(余沤反)、耇、后。

蓼　萧

【题　解】

这是诸侯在宴会中祝颂周王的诗。诗序:“蓼萧,泽及四海也。”后人批评它“有序若无序,何若无序之为妙”。因为毛序的说明实在太空洞了。朱熹诗集传说:“诸侯朝于天子,天子与之燕,以示慈惠,故歌此诗。”严粲诗辑说:“蓼萧,诸侯答湛露、彤弓之歌。”二说均无确据。吴闿生诗义会通说:“据词当是诸侯颂美天子之作。”他根据诗的内容分析主题,比较正确。孔疏及陈启源毛诗稽古编认为是周公辅成王时的诗,乃根据序语而附会其说,恐不足信。

此诗实际上是一种谀词,但它在四章中的结构倒值得借鉴。首章“燕笑语兮,有誉处兮”是实写宴会情景,先渲染出一片和睦亲密的气氛。二、三章“为龙为光”、“宜兄宜弟”则是虚写，既称颂周天子的令德，又自占了身份，可谓恰到好处。末章拓开一笔，又以实写描绘天子车乘，场面弘大，把歌颂的意义又提高了一层。似有“九天阊阖开宫殿，万国衣冠拜冕旒”的气象。这种虚实相间的写法同主题配合得很默契。

蓼彼萧斯，零露湑兮。既见君子，我心写兮。燕笑语兮，是以有誉处兮。

蓼(lù)，本义为辛菜，此处为又长又大貌。蓼彼，即蓼蓼。毛传：“蓼，长大貌。” 萧，香蒿。见采葛注。 斯，语气词。

零，霝的借字。定之方中毛传：“零，落也。”零露见野有蔓草注。 湑，本义为滤过的酒，引申为形容清莹貌。

君子，指周天子。

写，俗作泻，倾吐。说文段注：“按凡倾吐曰写，故作字、作画皆曰写。”我心写兮，毛传：“输写其心也。”意谓心中的话都倾吐了。陈奂传疏：“经言写，传言输写，此以双字释单字，输亦写也。”

燕，燕饮。郑笺：“天子与之燕而笑语。”

誉处，安乐。苏辙诗集传曰：“誉、豫通。凡诗之誉皆言乐也。”按孙子兵法“优游暇誉”，誉亦作乐用。 处，安。礼记檀弓：“何以处我？”郑注：“处，安也。”这二句意为，大家在宴会中有说有笑，所以会场里含有安乐的气氛。一说誉即“与”之借，“与处”乃古人常语。于省吾诗经新证：“二诗皆言相见之后，情孚意惬，无寂寞之忧，故云‘是以有与处兮’。”亦通。

韵读：鱼部——湑、写(音湑)、语、处。

蓼彼萧斯，零露瀼瀼。既见君子，为龙为光。其德不爽，寿考不忘。

瀼瀼(ráng)，露水盛多貌。毛传：“露蕃貌。”

为，是。 龙，毛传：“龙，宠也。”说文段注：“毛诗蓼萧传曰：龙，宠也。

谓龙即宠之假借也。”为宠为光,即为宠光,光荣的意思。第二个“为”是衬字。此歌颂天子的煊赫。易林恒之蹇:“蓼萧露瀼,君子龙光。鸣鸾噰噰,福禄来同。”可证。

爽,差错。说文段注:“爽本训明,明之至而差生焉,故引申训差也。”见氓注。

忘,亡之假借。不忘,没有止期。这句即长寿无期之意。

韵读:阳部——瀼、光、爽、忘。

蓼彼萧斯,零露泥泥。既见君子,孔燕岂弟。宜兄宜弟,令德寿岂。

泥泥,读去声,露湿貌。毛传:“泥泥,沾濡也。”

孔燕岂弟,郑笺:“孔,甚。燕,安也。” 岂弟,同恺悌,和乐平易。说文段注:“岂、恺二字互相假借。”见载驱注。

宜,适合。宜兄宜弟,形容君子对来朝诸侯之间的关系融洽,故毛传训为“为兄亦宜,为弟亦宜”。

令德,美德。 岂同恺,乐。寿岂,长寿快乐。此句颂君子既有美德,又长寿快乐。

韵读:脂部——泥、弟、弟、岂。

蓼彼萧斯,零露浓浓。既见君子,鞗革冲冲,和鸾雝雝,万福攸同。

浓浓,毛传:“浓浓,厚貌。”

鞗(tiáo)革,鞗,鋚之假借,铜制马勒的装饰。革,勒的省借,即马勒。陈奂传疏:“鞗当作鋚。革古文勒。说文云:‘鋚,辔首铜也。’‘勒,马头络衔也。’‘衔,马勒口中也。’是辔之络马首者谓之勒,勒关马口者谓之衔。勒,以革为之,故字从革。勒络马首所垂之辔其上饰谓之鋚。鋚以金为之。说文曰铜,铜即金也。”按石鼓文作鋚勒,颂鼎作攸革。 冲冲,鋚下垂貌。毛传:“冲冲,垂饰貌。”说文段注:“此涌摇之义。”

和、鸾,都是铃。挂在车轼(车前横木)上的称“和”,挂在镳(马衔的两端,马口的两旁)上的称“鸾”。毛传:“在轼曰和,在镳曰鸾。” 雝雝,本为鸟鸣的摹声词,此处形容铃声的和谐。

攸,所。　同,聚。贾谊新书容经篇:“登车则马行,马行则鸾鸣,鸾鸣而和应。声曰和,和则敬。故诗曰‘和鸾噰噰,万福攸同’。言动有纪度则万福之所聚也。”贾氏叙述了这二句的诗义。

韵读:东、中部通韵——浓、冲、雝、同。

湛露

【题　解】

这是周王宴请诸侯的诗。毛序:“湛露,天子燕诸侯也。”是正确的。左传鲁文公四年记宁武子说:“昔诸侯朝正于王,王宴乐之,于是赋湛露,则天子当阳,诸侯用命也。”左传的记载可能是毛序所本。

诗共四章,前二章写劝酒,后二章为褒美。语气和善,尤其是“不醉无归”一句,毫无朝廷君臣间庄严肃穆的气氛,给人一种亲切感。这类诗的创作,无非是为了增添一点宴会的热烈情调,并没有什么深意。后人释诗,却偏要强索寓意,大谈“君恩愈宽,臣心愈谨,乃可免愆尤而昭忠敬,讵可恃宠而失仪乎”!这种腐朽的说教,是封建文人的大弊,必须彻底扬弃的。

湛湛露斯,匪阳不晞。厌厌夜饮,不醉无归。

湛湛,今作沈,俗作沉。露水浓厚貌。毛传:“湛湛,露茂盛貌。”陈奂传疏:“湛从甚声,茂盛与甚义相近。”　斯,语气词。

阳,通旸。说文:“旸,日出也。”　晞,干。按这首诗上二句都是兴。这章以湛露非阳不晞兴夜饮不醉不归(从朱熹说)。

厌厌,安乐貌。鲁诗作懕,厌为懕之省借。说文:“懕,安也。诗曰:‘懕懕夜饮。’”释文:“韩诗作愔愔,和悦之貌。”　夜饮,晚上喝酒,古人称为

"燕私"。孔疏:"楚茨:'备言燕私',传曰:'燕而尽其私恩。'明夜饮者,亦君留而尽私恩之义,故言燕私也。"

不醉无归,这是劝酒之词。

韵读:脂部——晞、归。

湛湛露斯,在彼丰草。厌厌夜饮,在宗载考。

丰草,茂盛的草。毛传:"丰,茂也。"诗人以湛露落在丰草上,兴夜饮在宗庙祭享之时。

宗,姚际恒诗经通论:"宗,宗庙也。大雅凫鹥亦云'既燕于宗'。聘、享皆于庙,则燕亦在庙也。" 载,则。 考,祭享。郑笺:"载之言则也。考,成也。"按"考"在此处训成,总觉语法不顺。林义光诗经通解:"考,祭享也。彝器言享孝者亦作享考。如仲殷父敦:'朝夕享考宗室。'叔皮父敦:'用享考于叔皮父。'迟盨:'用享考于姑公。'是也。亦有单言考者,如师奎父鼎:'追考于烈仲。'是也。此诗'在宗载考',即享考宗室之义。"林氏根据金文,考训祭享,最得诗旨。

韵读:幽部——草(此叟反)、考(苦叟反)。

湛湛露斯,在彼杞棘。显允君子,莫不令德。

杞棘,枸杞和酸枣树。按此章"杞棘"无传,陈奂传疏:"四月'隰有杞桋'传:'杞,枸檵也。桋,赤棘也。'杞棘犹杞桋矣。"诗人以湛露落在杞棘好树上,兴君子之有好酒德。

显允,显,光明;允,诚信。孔疏:"显允,明信之君子。"于省吾诗经新证:"允应读作骏,训大。骏从夋声,夋从允声,故通借。凡典籍中的骏字,金文通作畯。"于氏据金文训允为伟大,亦通。 君子,指诸侯。

令德,好品德,此处指酒德。见蓼萧注。

韵读:之部——棘、德(丁力反,入声)。

其桐其椅,其实离离。岂弟君子,莫不令仪。

桐、椅,皆树木名。见定之方中注。

离离,果实多而下垂貌。犹今言累累。毛传:"离离,垂也。"诗人以桐椅果实离离之美盛，兴君子之令仪。

令仪，美好的举止。朱熹诗集传："令仪，言醉而不丧其威仪也。"

韵读：歌部——椅（音阿）、离（音罗）、仪（音俄）。

彤　弓

【题　解】

这是周王赏赐有功诸侯后举行宴会时所唱的诗。毛序："彤弓，天子锡有功诸侯也。"左传文公四年载卫宁武子聘鲁，文公与之宴，为赋彤弓。武子曰："诸侯敌王所忾而献其功，王于是乎赐之彤弓一，彤矢百，玈弓矢千，以觉（明）报宴。今陪臣来继旧好，君辱贶之，其敢干大礼以自取戾？"左传之文或为毛序所本。天子赐诸侯弓矢之事亦数见于铜器铭文，如宜侯夨簋记康王赐宜侯夨"彤弜一，彤矢百，旅弓十，旅矢千。"可证武子之语不虚。左传僖二十八年载"晋侯献楚俘于王，赐之彤弓一，彤矢百，旅弓矢千。"又襄八年："季武子赋彤弓，宣子曰：'我先公文公，献功于衡雍，受彤弓于襄王，以为子孙藏。'"昭十年："彤弓虎贲，文公受之。"周王以弓矢等物赏赐有功诸侯，这可能是西周到春秋时代的一种制度。

此诗语言简炼而准确，故能表达出主人赏赐功臣礼节的隆重，受赏者应该重视珍惜这份礼物，将弓矢保藏起来，因为这份礼物不是轻易赏赐人的。主人由衷真挚地赏赐和喜爱为国效劳的功臣，在一个早上很快地就举行盛大宴会招待他。这些，都只用几个字就绘声绘色地描摹出主人热爱功臣的心情。朱熹诗集传引东莱吕氏曰（见吕祖谦吕氏家塾读诗记）："'受言藏之'，言其重也。弓人所献，藏之王府以待有功，不敢轻与人也。'中心贶之'，言其诚也。中心实欲贶之，非由外也。'一朝飨之'，言其速也。以王府宝藏之弓，一朝举以畀人，未尝有迟留顾惜之意也。”他的分析，指出了此诗的语言能将主人心理活动都衬托出来，使读者留有深刻的感受。

彤弓弨兮，受言藏之。我有嘉宾，中心贶之。钟鼓既设，一朝飨之。

彤(tóng)弓，用红色漆成的弓。毛传训为“朱弓”。荀子大略：“天子雕弓，诸侯彤弓，大夫黑弓，礼也。” 弨(chāo)，放松的弓弦。毛传训为：“弛貌。”严粲诗缉：“赐弓不张。”意为天子赐功臣的弓，是没有张开的。

言，语中助词。 藏，藏于祖庙。

贶，赏赐。毛传：“贶，赐也。”按说文无贶字，古通况。尔雅释诂：“况，赐也。”马瑞辰通释认为：广韵：“况，喜也。”“中心贶之”，贶亦训喜，与下文“中心喜之”、“中心好之”同义。亦通。

钟鼓，古代大宴会必奏乐。 设，陈列。

一朝，整个上午。陈奂传疏：“一朝，犹终朝也。” 飨，一种隆重盛大招待宾客的宴会。郑笺：“大饮宾曰飨。”

韵读：阳部——藏、贶、飨。

彤弓弨兮，受言载之。我有嘉宾，中心喜之。钟鼓既设，一朝右之。

载，装在车上，此处作动词用。郑笺：“出载之车也。”

喜，欢喜。毛传：“喜，乐也。”

右，通侑，劝酒，或以为以礼物助欢。胡承珙后笺：“上言钟鼓既设，则右、酬明是飨时之事。右之、酬之，当主侑币、酬币为义。左传庄十八年：‘虢公、晋侯朝王，王飨醴，命之侑，皆赐玉五瑴、马三匹。’僖二十五年：‘晋侯朝王，王飨醴，命之侑。’僖二十八年：‘晋侯献楚俘于王，王飨醴，命晋侯宥。’是则飨醴本有侑币，王礼或更有玉与马。”说亦可通。

韵读：之部——载(音稷)、喜、右(音以)。

彤弓弨兮，受言櫜之。我有嘉宾，中心好之。钟鼓既设，一朝酬之。

櫜（gāo），放入弓袋，作动词用。毛传："櫜，韬也。"

好，读去声。喜爱。

酬，同醻，敬酒。朱熹诗集传："醻，报也。饮酒之礼，主人献宾，宾酢主人，主人又酌自饮，而遂酌而饮宾，谓之醻。"

韵读：幽部——櫜（姑愁反）、好（呼叟反）、酬。

菁菁者莪

【题　解】

这是一位作者深受贵族的培植与赏赐，写这首诗来表示学有榜样和喜悦的心情。毛序："菁菁者莪，乐育才也。君子能长育人材，则天下喜乐之矣。"徐幹中论艺纪篇："先王之欲人之为君子也，故立保氏，掌教六艺。……诗曰：'菁菁者莪，在彼中阿。既见君子，乐且有仪。'美育人才，其犹人之于艺乎。"后代一直以"菁莪"作为育贤才的典故。王先谦集疏："徐用鲁诗，所说诗义乃鲁训也。古者育材之法备于此矣。齐、韩无异议。"是三家诗和毛序同。按尚书泰誓："天佑下民，作之君，作之师。"周礼地官："保氏掌谏王恶而养国子以道，乃教以六艺。"是古代君师不分、官师不分之证。诗中的"君子"，可能指国王或保氏之类的贵族。这位君子，能有百朋之赐，而且有仪，诗义自明。按铜器铭文中多记赐贝之事，如何尊记成王赐宗小子何贝卅朋。此诗第三章的锡朋，亦系贵族对下属的赏赐。至于朱熹诗集传认为"此亦燕饮宾客之诗"。陈启源毛诗稽古编批评他说："朱子释子衿、菁菁者莪二诗皆不从小序，而自立新说。及作白鹿洞赋，中有曰：'广青衿之疑问。'又曰：'乐菁莪之长育。'门人问其故。答曰：'旧说亦不可废。'……今人奉集传为绳尺，束注疏而不观，此末学之陋，非朱子之本怀也。"陈氏指出朱熹定此诗主题和白鹿洞赋用典的矛盾，这是对的。至于认为子衿亦为教育性质的诗，是错误的。因为他没有掌握"就诗论诗"和对序"择善而从"的原则。近人有以此诗为恋爱诗歌者，则相去远矣。

诗前三章皆以菁莪起兴，以表达对"君子"栽培的感激。末章忽然换以杨舟浮沉起兴，初不得其解。后见范处义诗补传云："自谓多士之材，如以杨为舟，可用以济。始者未见君子，惧其不见用；今既见君子，我心不复有私忧过计也。"方觉其兴义之确切。兴法是触物起情，作者原有"惧不见用"的想法，所以会导致起兴之物的改变。细细体会，可以看出其心情的微妙变化。

菁菁者莪，在彼中阿。既见君子，乐且有仪。

菁菁，毛传："盛貌。"韩诗作蓁蓁。文选灵台诗李注："韩诗曰：蓁蓁者莪。薛君曰：蓁蓁，盛貌。"马瑞辰通释："据说文：'菁，韭华也。''蓁，草盛貌。'则当以蓁为正字，菁为假借字。"　莪，萝蒿。尔雅："莪，萝。"陆玑义疏："莪，蒿也。一名萝蒿。生泽田渐洳之处，叶似邪蒿而细科，生三月中。茎可生食，又可蒸，香美，味颇似蒌蒿。"李时珍本草纲目称为抱娘蒿，今名因陈。

中阿，毛传："阿中也。大陵曰阿。"阿即大土山。按这二句是兴，毛传："君子能长育人材，如阿之长莪菁菁然。"下二章同。

仪，法式，榜样。说文："仪，度也。"段注："度，法制也。"按大雅文王："仪刑文王"，刑今作型，训式。仪刑，法式。意与此同。乐且有仪，觉得开心而且有了榜样。主语是作者。严粲诗缉："诗中'既见君子'二十有二，见于九诗，其接句皆述喜之情，谓见君子者喜，非所见者喜也。"

韵读：歌部——莪、阿、仪（音俄）。

菁菁者莪，在彼中沚。既见君子，我心则喜。

沚，水中小洲。中沚，毛传："中沚，沚中也。"

韵读:之部——沚、子、喜。

菁菁者莪,在彼中陵。既见君子,锡我百朋。

陵,大土山。中陵,毛传:“中陵,陵中也。”陈奂传疏:“中阿,阿中。中沚,沚中。中陵,陵中。皆倒句以就韵。”

锡,赐。 朋,上古人以贝壳作货币,五贝为一串,两串为一朋。说见王国维观堂集林说珏朋。

韵读:蒸部——陵、朋。

汎汎杨舟,载沉载浮。既见君子,我心则休。

汎汎,即泛泛。船飘流貌。见柏舟注。 杨舟,杨木制的船。

载,通再,又。载沉载浮,船起伏漂流貌。陈奂传疏:“末章又以舟之载物,兴君子之用人材。”

休,喜。朱骏声说文通训定声:“休,假借为喜,休、喜一声之转。尔雅释言:‘休,庆也。’广雅释诂:‘休,喜也。’”按国语周语:“为晋休戚”,韦昭注:“休,喜也。”亦训休为喜。

韵读:幽部——舟、浮、休。

六 月

【题 解】

这是叙述、赞美宣王时代尹吉甫北伐猃狁获得胜利的诗。毛序:“六月,宣王北伐也。”他简要正确地叙述了诗的主题。汉书韦元成传刘歆曰:“周室既衰,四夷并侵,猃狁最强,于今匈奴是也。至宣王而伐之,诗人美而颂之曰:‘薄伐猃狁,至于太原。’”可见三家诗亦无异议。至于诗的作者,可能是吉甫班师回来后,宴请诸友时在座者即兴之作。姚际恒诗经通论云:“此篇则系吉甫有功而归,燕饮诸友,诗人美之而作也。”方玉润诗经原始云:“盖吉甫成功凯还归燕私第,幕府宾客歌功颂烈,追述其事如此。故末以孝友之张仲陪笔作收，与上文武字相应，且以见宾客之贤，是私燕作法。”他们的见解是正确的。

作者塑造了能文能武的吉甫形象。描写他抵抗六月入侵的猃狁，表现了紧张着急的神态；对待这次战事，表现认真严肃的心理；每日行军三十里，积极抗拒外侮；表现他是为了帮助领袖匡救、安定祖国。这种爱国主义的精神，是写“能文”。四牡、比物，写马。戎车、轩轾，写车。织文，写徽。央央，写旗。常服、我服，写军服。元戎，写先启行的敢死队——都是写军容之盛。焦获、镐、方、泾阳，写猃狁深入侵略之地和气焰之盛。吉甫带领兵士居然把敌人逐出大原，取得胜利。是写“能武”。故被诗人歌颂为万国诸侯的模范。吴闿生诗义会通引旧评云：“通篇俱摹写‘文武’二字，至末始行点出。‘吉甫燕喜’以下，馀霞成绮，变卓荦为纡馀。末赞张仲，正为吉甫添豪。”所谓添豪，正是描摹了吉甫团结“诸友”的性格。

六月栖栖，戎车既饬。四牡骙骙，载是常服。猃狁孔炽，我是用急。王于出征，以匡王国。

六月，古代兵法惯例，夏天不出兵。但因猃狁侵边事急，故于六月出兵。郑笺：“记六月者，盛夏出兵，明其急也。” 栖栖（xī），往来不停而匆忙貌。论语宪问：“微生亩谓孔子曰：丘何为是栖栖者与？”文选班固答宾戏：“栖栖遑遑，孔席不暖。”李注：“栖遑，不安居之意也。”

戎车，兵车。 饬（chì），整治，修理。毛传：“饬，正也。”

四牡，见四牡注。 骙骙（kuí），马强壮貌。

载，装载。 常服，将领作战时通常穿的衣服。郑笺：“戎车之常服，韦弁服也。”左传闵公二年梁馀子养曰：“帅师者有常服矣。”杜注：“韦弁服，军之常也。”所谓韦弁服，据孔颖达诗疏考证，认为将帅的上衣和帽都以浅赤兽皮制成，下裳和鞋都是白色的。他据周礼：“司服云：‘凡兵事韦弁服。’

注云：‘韦弁，皮弁。以靺韦为弁，又以为衣。’周礼又云：‘韦弁，皮弁，服皆素裳白舄’。”

炽，本义为火烈，引申为势盛。毛传：“炽，盛也。”

是，此、这。　用，因。是用，倒文，因此。　急，紧急出兵。按桓宽盐铁论引这句诗作“我是用戒”。谢灵运征赋作“我是用棘”。尔雅释言：“悈，急也。”淮南子高注：“亟，急也。”马瑞辰通释云：“亟、急、戒、悈、棘等字皆同声，故通用。棘又通革。”

于，同曰、聿，语助词。尔雅释诂：“于，曰也。”

匡，救助。马瑞辰通释：“匡当读为‘匡抚寡君’之匡。匡者助也。‘以匡王国’犹云以佐天子也。”按匡的本义为筥，说文：“匡，饭器，筥也。”段注：“匡之引申假借为匡正。小雅‘王于出征，以匡王国’传曰：‘匡，正也。’盖正其不正曰匡。”毛传训正，亦含救助之义。

韵读：脂部——栖、骙。　缉、之部通韵——饬、服（扶逼反，入声）、炽、急、国（古逼反，入声）。

比物四骊，闲之维则。维此六月，既成我服。我服既成，于三十里。王于出征，以佐天子。

比，读去声。同、统一。　物，指马。比物，统一马的力气和毛色。毛传：“物，毛物也。”周礼夏官校人郑注：“毛，马齐其色。物，马齐其力。”　四骊，四匹纯黑驾兵车的马。说明齐色齐力。

闲，训练。　维，是。　则，法则。本义为“等划物”，说文段注：“等划物者，定其差等而各为介画也。今云科则是也。介画之，故从刀，引申之为法则，假借之语词。”此句言将士驯马，使之合于法则，为行军前作准备。毛传：“则，法也。言先教战然后用师。”

服，戎服，军衣。

于，往。古时师行一日三十里。毛传：“师行三十里。”陈奂传疏：“汉书贾捐之、陈汤、王吉传及白虎通义丧服篇并云师行三十里，与传同。”

韵读：之部——则（音稷入声）、服、里、子。　耕部——成、征。

四牡修广，其大有颙。薄伐猃狁，以奏肤公。有严有翼，共武之服。共武之服，以定王国。

修广，高大。毛传："修，长。广，大也。"

颙（yóng），大头大脑貌。说文："颙，大头也。"引申凡大皆称颙，故毛传云："颙，大貌。""其大有颙"犹"颙颙其大"，与"有蕡其实"、"有睆其实"句法相同，特倒装以协韵。

以奏肤公，以成大功。毛传："奏，为。肤，大。公，功也。"

有严有翼，即严严翼翼，威严而谨慎貌。毛传："严，威严也。翼，敬也。"朱熹诗集传："言将帅皆严敬以共武事也。"

共，释文："王、徐音恭。"共、恭古通用。　服，郑笺："事也。"说文亦训事。马瑞辰通释："军事以敬为主。左氏传所谓'不共是惧也'。共武之服即言敬武之事，正承上'有严有翼'言之。严、翼皆恭也。"

定，安定。郑笺："定，安也。"

韵读：东部——颙、公。　之部——翼、服、服、国。

猃狁匪茹，整居焦获。侵镐及方，至于泾阳。织文鸟章，白旆央央。元戎十乘，以先启行。

匪，非。　茹，柔弱。广雅："茹，柔也。"这句意为，猃狁不是柔弱的。

整，整队。　居，处，居住。孔疏："整齐而处者，言其居周之地，无所畏惮也。"　焦获，鲁诗作焦护，古泽名。尔雅郭注："今扶风池阳县瓠中是也。"故地在今陕西泾阳西北。

镐（hào），孔疏引王肃以为即周之镐京，在今陕西省西安西南。又引王基以为非镐京，而是北方别一地。据末章"来归自镐"及汉书陈汤传刘向谓"千里之镐犹以为远"，似以后说为长。　方，亦地名。见出车注。

泾阳，泾水北岸。郑笺："来侵至泾水之北。"水北曰阳。陈奂传疏："甘肃省平凉西南有汉泾阳故城，或即此地。"朱熹诗集传："言其深入为寇也。"

织，本义是"作布帛的总名"。织为识之假借。据马瑞辰通释考证："按周官司常贾疏两引诗皆作'识文鸟章'，识为正字，今作织者，假借字。或通作帜。"织文，标识、徽号。指兵士衣服背后缝有红布的徽记。郑笺："织，徽织也。” 鸟章,将帅的旗,上面画有鸟隼的图案。毛传:“鸟章,错革鸟为章也。”尔雅释天孙炎注:“错,置也。革,急也。画急疾之鸟于縿也。” 文、章,皆指花纹。

白,帛的假借,鲁诗正作帛。 旆(pèi),旗下端的飘带。毛传:“白旆,继旐者也。” 央央,鲁诗作英英,毛传:“央央,鲜明貌。”见出车注。

元戎,大战车。毛传:“元,大也。夏后氏曰钩车,殷曰寅车,周曰元戎。”毛用司马法文。陈奂传疏:“司马法:‘兵车一乘,甲士十人。’然则甲士二五为一乘,十乘百人,即甲士百人。”

启,开,指冲开敌阵。 行(háng),行伍,指敌人的队伍。以先启行,史记三王世家裴骃集解引韩诗章句:“元戎……名曰陷军之车,所以冒突,先启敌家之行伍也。”按如今之前锋敢死队。

韵读:鱼部——茹、获。 阳部——方、阳、章、央、行(音杭)。

戎车既安,如轾如轩。四牡既佶,既佶且闲。薄伐猃狁,至于大原。文武吉甫,万邦为宪。

安,安稳。指驾御兵车适调安稳。

轾,车顶前低后高如轾之貌。 轩,车顶前高后低如轩之貌。郑笺:“戎车既安,从后视之如挚(通輊、轾),从前视之如轩,然后适调也。”诗人用轩轾二字写兵车的高低俯仰自如,并未因战争而损坏。

佶,整齐貌。毛传:“佶,正也。”

闲,驯习。胡承珙后笺:“上二句言车之善,下二句言马之善。车以平均适调为善,马以整齐驯习为善。佶者,整齐;闲者,驯习。”

大原,地名。顾炎武日知录谓在今甘肃平凉,胡渭禹贡锥指谓在今宁夏固原附近,陈奂谓在平凉北、固原东。三人所说的地相差不远。但决非山西的太原。这句指出驱逐敌人而不穷追。

文武吉甫,毛传:“吉甫,尹吉甫也。有文有武。”

万邦,非确数,指众多的诸侯国。 宪,本义为敏,引申为法,榜样。朱熹诗集传:“吉甫,尹吉甫,此时大将也。宪,法也。非文无以附众,非武无以威敌。能文能武,则万邦以之为法矣。”

韵读：元部——安、轩、闲、原、宪。

吉甫燕喜，既多受祉。来归自镐，我行永久。饮御诸友，炰鳖脍鲤。侯谁在矣，张仲孝友。

燕，宴饮。　喜，欢喜。郑笺："吉甫既伐猃狁而归，天子以燕礼乐之，则欢喜矣。"

祉，毛传："福也。"指受天子赏赐之福。按这两句写吉甫曾为周王所燕。姚际恒诗经通论曰："末章云：'吉甫燕喜，既多受祉。'则是前此已行之矣。"

我行永久，指在归途上走了很久。故刘向谓"千里之镐犹以为远"。

御，进。毛传："御，进也。"饮御，倒文，指进酒。

炰(páo)鳖，清蒸甲鱼。炰，缹之假借。大雅韩奕孔疏："案字书：'炰，毛烧肉也。''缹，烝也。'服虔通俗文曰：'燥煮曰缹。'然则炰与缹别。而此及六月云炰鳖者，音皆作缹。"陈奂以为孔所引字书即说文，今说文佚缹字。马瑞辰认为："缹当即焣字之变体，说文：'焣，烝也。'与孔疏引字书正合。"鳖无毛，故知炰为缹之借。　脍鲤，细切的鲤鱼。按这章后四句写吉甫宴请诸友。炰鳖脍鲤都是进御于诸友的佳殽。

侯，发语词。毛传："侯，维也。"

张仲，人名，当时的大臣，吉甫的朋友。毛传："张仲，贤臣也。善父母为孝，善兄弟为友。"孔疏引李巡云："张，姓。仲，字。其人孝，故称孝友。"孝友是对张仲的称颂。按欧阳修集古录和薛氏钟鼎款识并载有张仲簠铭。易林小过之未济："六月、采芑，征伐无道。张仲季叔，孝友饮酒。"是参加这次宴会的诸友，还有张仲之弟，老三、老四。

韵读：之部——喜、祉、久（音己）、友（音以）、鲤、矣、友。

采　芑

【题　解】

这是叙述、赞美宣王时方叔南征荆蛮的诗。毛序："采芑，宣王南征也。”三家无异议。汉书韦元成传刘歆议文、陈汤传刘向上疏都引末章“啴啴焞焞”以下数句，谓记宣王时事。关于诗的时代没有异议。此诗与出车、六月、江汉、常武都反映了宣王时代的民族战争。冯沅君诗史将这几篇和生民、公刘、绵、皇矣、大明共十篇合称为“周的史诗”。诗史说：“此诗叙宣王时方叔伐蛮荆之事。方叔是一个很有谋画的大将，带着三十万的兵士，征伐荆州一带的蛮民。那时北方的猃狁已经平复，故南方的蛮民也震于其威而畏服了。”她扼要地介绍了诗的内容。

此诗与前篇六月为班师凯歌不同，是一篇出师前的檄文。诗四章，前三章皆言王师军容之盛，大将节制之严，无一字及荆蛮，但为后面文字起了铺垫作用。末章方入正题，针对荆蛮，令其归服。方玉润诗经原始说：“全篇前路闲闲，后乃警策动人，然制胜全在先为不可胜以待敌之可胜，故不战而已屈人之师。”他指出了诗篇布局的效果。

薄言采芑，于彼新田，于此菑亩。方叔莅止，其车三千，师干之试。方叔率止，乘其四骐，四骐翼翼。路车有奭，簟茀鱼服，钩膺鞗革。

芑（qǐ），一种野菜。今名苦藚菜。孔疏引陆玑义疏云：“芑，似苦菜也。茎青白色，摘其叶白汁出，肥，可生食，亦可蒸为茹。”朱熹诗集传：“芑，宜马食，军行采之，人马皆可食也。”

新田，休耕二年的田地。毛传：“田一岁曰菑，二岁曰新田，三岁曰畬。”

菑（zī），休耕一年的田地。　亩，同田。以上三句是兴。陈奂传疏：“案新、菑为休耕之田，至畬而出耕。新田菑亩中得有芑菜可采，以喻国家人材养蓄之以待足用。凡军士起于田亩，故诗人假以为兴。下章同。”

方叔，人名，周宣王的大臣，出征荆蛮的主帅。毛传：“方叔，卿士也，受命而为将也。”按卿士是古代三公中之执政者。　莅，来到。说文：“竦，临也。”竦、莅通。毛传:“莅,临。” 止,语气词。下同。

其车三千,描写出征将士之多。朱熹诗集传:“法当用三十万众。盖兵车一乘,甲士三人,步兵七十二人,又二十五人将重车在后,凡百人也。然此亦极其盛而言,未必实有数也。”

师,众,指兵士。 干,盾。指武器。马瑞辰通释:“此诗干,当读干戈之干,谓盾也。” 之,是。 试,用。指练习。

率,衛的借字,今作帅,统帅。郑笺:“率此戎车士卒而行也。”

翼翼,见采薇注。

路车,将帅所坐的大兵车。见采薇注。 奭(shì),毛传:“赤貌。”陈奂传疏、王先谦集疏及段玉裁说文注都认为奭是赫之假借。说文:“赫,火赤貌。”有赫即赫赫。载驱传:“诸侯之路车有朱革之质而羽饰。”是路车有赤饰。

簟茀(diàn fú),遮蔽车箱后面的竹席。见载驱注。 鱼服,服亦作箙,鲨鱼皮制的箭袋。见采薇注。王夫之诗经稗疏认为鱼服是用鲛鱼或沙鱼皮蒙的车箱,因为这几句诗都是写方叔的车马。说亦可通。

钩膺,指马胸前的皮带,有丝绦下垂为饰(即樊缨),其上又有青铜饰物。钩,一种青铜饰物。膺,胸。革带在马胸前,故谓之膺。毛传:“钩膺,樊缨也。”陈奂传疏:“人之缨结颔下,马之缨结胸前。小戎传:‘膺,马带也。’缨即马带,以革为之,緐下垂,其上有钩金以为饰。” 鞗革,见蓼萧注。

韵读:之部——芑、亩(满以反)、止、试、止、骐、翼、奭、服(扶逼反,入声)、革(音棘)。 真部——田(徒人反)、千(音亲)。

薄言采芑,于彼新田,于此中乡。方叔莅止,其车三千,旂旐央央。方叔率止,约軝错衡,八鸾玱玱。服其命服,朱芾斯皇,有玱葱珩。

乡,处所。中乡,即乡中。毛传:“乡,所也。”马瑞辰通释:“广雅:‘所,居也。’古者公田为居,庐舍在内,环庐舍种桑麻杂菜。小雅所云‘中田有庐’也。中乡当指中田有庐言之。传训乡为所,亦以所为居也。”

旂旐央央,见出车注。

约,缠束。 軝(qí),车毂(车轮中心套在轴上的部分)。约軝,用皮革缠束兵车的长毂,并涂以红漆。毛传:"軝,长毂之軝也,朱而约之。"可参阅周礼考工记轮人。 错,涂上金色花纹。 衡,车辕前端的横木。错衡,涂上金色花纹的辕端横木。

鸾,车铃,见驷驖注。八鸾,一马二鸾,四马八鸾。 玱玱,铃声。摹声词。释文:"玱,本作鎗。"

服,穿。动词。 命服,周王所赐的礼服,随爵位的高低而不同,分为九等。

朱芾(fú),朱色的蔽膝。芾,通韨,鲁诗作绋。蔽膝,约似今之围裙,但较窄,用皮制成。毛传:"朱芾,黄朱芾也。"意谓方叔之芾,其色浅于天子的纯朱。斯干郑笺:"天子纯朱,诸侯黄朱。" 斯,语助词。 皇,通煌。斯皇,即煌煌,光辉貌。毛传:"皇犹煌煌也。"

有玱,即玱玱,佩玉声。毛传:"玱,珩声也。" 葱珩(héng),葱绿色的佩玉。传:"葱,苍也。"古代玉佩,上端为珩,长方形,因其形横,横、衡古通,故三家诗作衡。珩下左右各系璜一、中系冲牙一;璜、冲牙之上珩之下又贯以瓆珠、琚、瑀等物。说文:"珩,佩上玉也。"朱熹诗集传:"礼,三命赤芾葱珩。"这种装饰,是官位高的标识。

韵读:之部——芑、止、止、服。 真部——田、千。 阳部——乡、央、
　　衡(音杭)、玱、皇、珩(音杭)。

鴥彼飞隼,其飞戾天,亦集爰止。方叔莅止,其车三千,师干之试。方叔率止,钲人伐鼓,陈师鞠旅。显允方叔,伐鼓渊渊,振旅阗阗。

鴥(yù),疾飞貌。 隼(sǔn),鹞鹰一类的鸟。 尔雅舍人注:"隼,鹞之属也。"

戾,传:"至也。"

集,说文:"群鸟在木上。"引申为聚集。 爰,而。 止,止息,休息。以上三句是兴,诗人以鹰隼的飞翔集息,喻方叔军队的进攻、止息有方。

钲人伐鼓,这是互文,即钲人击钲、鼓人伐鼓。古代练兵,击钲则动,击鼓则静。毛传:"伐,击也。钲以静之,鼓以动之。"郑笺:"钲也,鼓也,各有

人焉。言钲人伐鼓，互言尔。”钲，说文：“铙也。似铃，柄中，上下通。”形状很像现在的钟。钲人，疑为古代官名。

陈师鞠旅，这句也是互文。郑笺：“二千五百人为师，五百人为旅。”此处师旅并举泛指军队。陈，陈列。鞠，毛传：“告也。”向军队誓师。

显允，见湛露注。

渊渊，毛传：“鼓声也。”打鼓表示进军。

振旅，毛传：“入曰振旅，复长幼也。”按郑玄等释为战事止息而归，疑非是。古代练兵亦有振旅之事。左传隐公五年臧僖伯曰：“春搜夏苗，秋狝冬狩，皆于农隙以讲事也。三年而治兵，入而振旅，归而饮至，以数军实，昭文章，明贵贱，辨等列，顺少长，习威仪也。”又春秋庄公八年：“甲午治兵。”左传：“治兵于庙，礼也。”公羊传：“出曰祠兵，入曰振旅，其礼一也，皆习战也。”左传杜注：“入曰振旅，治兵礼毕，整众而还。振，整也。旅，众也。”大约振旅时有排列长幼之事，故毛传云“复长幼也”。 阗阗（tián），鼓声。韩诗作嗔，齐诗作鞠，字异音同，都是摹声词。

韵读：真部——天（铁因反）、千。 之部——止、止、试、止。 鱼部——鼓、旅、鼓、旅。 真部——渊（一均反）、阗（徒人反）。

蠢尔蛮荆，大邦为雠。方叔元老，克壮其犹。方叔率止，执讯获丑。戎车啴啴，啴啴焞焞，如霆如雷。显允方叔，征伐猃狁，蛮荆来威。

蠢，愚蠢，无知的举动。朱熹诗集传：“蠢者，动而无知之貌。” 蛮荆，对南方楚人的蔑称。陈奂、王先谦等都认为此章两“蛮荆”是“荆蛮”之误倒。古书引诗皆作荆蛮。毛传释为“荆州之蛮”。可见毛诗亦原作“荆蛮”。

大邦，大国，指周王朝。

元老，对周王朝三公、卿士的称呼。玉篇一部引韩诗：“元，长也。”毛传：“五官之长出于诸侯，曰天子之老。”

克，能。 壮，宏大。 犹，同猷，韩诗、鲁诗均作猷。谋略。郑笺：“犹，谋也。谋，兵谋也。”

执讯获丑，见出车注。

啴啴（tān），兵车行军声。

焞焞（tūn），原意为光明，引申为车盛貌。传："焞焞，盛也。"鲁诗作推推，汉书韦玄成传载刘歆议引诗"啴啴推推"。段玉裁说文注以汉书推字为輴字之误。玉篇："輴，车盛貌。"

征伐猃狁，陈奂传疏："案诗章末正言方叔率师南征荆蛮而因及征伐猃狁者，六月伐猃狁，其时方叔为上公，折冲御侮，虽遣贤臣尹吉甫，而帷幄主谋，总在方叔运筹之内，故守卫中国，功必归焉。易林离之大过并云：'六月、采芑，征伐无道。张仲、方叔，克胜饮酒。'据焦（延寿）说，方叔与张仲类列，则六月所云'饮御诸友'中有方叔矣。方叔未尝北伐，此为得其实。"

蛮荆来威，即威服荆蛮。来，语中助词，含有"是"义，用于动宾倒装句。这种句法诗经中常见，如邶风谷风"伊余来塈"、小雅四牡"将母来谂"等都是。

韵读：幽部——雠、犹、丑。　脂部——雷、威。

车　攻

【题　解】

这是叙述周宣王朝会诸侯于东都举行田猎的诗。毛序："宣王内修政事，外攘夷狄，复文、武之境土；修车马，备器械，复会诸侯于东都，因田猎而选车徒马。"古代天子田猎，是一种军事演习，往往含有向诸侯显示武力的意义。墨子明鬼篇："周宣王合诸侯而田于圃，车数万乘。"与序说合。王先谦集疏："易林履之夬云：'吉日、车攻，田弋获禽。宣王饮酒，以告嘉功。'班固东都赋：'嘉车攻'，用此经文。皆齐诗说。鲁韩无异义。"可见三家诗亦同序说。

此诗的特点，是叙述描写贵族大规模的打猎场面，言简意赅。首先叙述准备工作：修整车马，打猎的目的地。次述清点随从的人，参加会同的诸侯。他们的服饰位次，射箭的工具、射御的技术，射毕的收获和严肃气象，都描绘出来了。最后赞美宣王会同的成功。内容复杂,仅仅用四句八章歌唱,运用概括而浓缩的语言,绘声绘色地复现于眼前。作者确是一位大手笔。春秋时候,秦献公十一年至汧游猎,作石鼓文(据唐兰先生石鼓年代考),其中词句多因袭车攻,如"吾马既工,吾马既同"等。方玉润诗经原始也说:"马鸣二语,写出大营严肃气象,是猎后光景。杜诗'落日照大旗,马鸣风萧萧'本此。"可见此诗的魅力。

我车既攻,我马既同。四牡庞庞,驾言徂东。

车,指田车。　攻,修理巩固。说文:"攻,击也。"这是本义。尔雅:"攻,善也。"善读如缮,修理的意思。攻又通巩,故毛传训"坚"。陈奂传疏:"瞻卬传:'巩,固也。'攻、巩声义相近。"

同,搞整齐。毛传:"同,齐也。……田猎齐足尚疾也。"指选择、调配好每乘车的马匹。

庞庞,马强盛高大貌。说文:"庞,高屋也。"段注:"谓屋之高者也,故字从广。引申之为凡高大之称。小雅:'四牡庞庞',传曰:'庞庞,充实也。'"按充实即强盛高大之意。

言,助词,作用略同"而"。　徂东,往东。毛传:"东,雒邑也。"王先谦集疏:"雒在镐东。成王作邑于雒,谓之王城,大会诸侯。宣王中兴,复往会焉。"按雒今作洛,在今河南洛阳。这章叙述将往东都。

韵读:东部——攻、同、庞(音龙)、东。

田车既好,四牡孔阜。东有甫草,驾言行狩。

田车,猎车。田通畋,打猎。　好,指修理准备好。

阜,强壮高大。

甫草,有二说:一训广大丰茂的草地。传:"甫,大也。"文选东都赋注引韩诗:"东有圃草",薛君章句:"圃,博也。有博大之茂草也。"是韩、毛字异而义同。一训为地名,郑笺:"甫草者,甫田之草也。郑有甫田。"周礼职方氏:"河南曰豫州,其泽薮曰圃田。"宣王的时候,没有郑国,圃田属东都畿内，所以宣王到那里打猎。以上二说，似以郑笺为长。盖其地或本名甫，因周王之田，而遂名圃田。旧址在今河南中牟西。

狩，烧草打猎。尔雅："火田为狩"，郭注："放火烧草猎亦为狩。"按冬猎亦曰狩。下章："之子于苗"，苗为夏猎，据毛传及陈奂考证，认为宣王这次会同诸侯，可能是在夏天。这句的狩，当依尔雅及郭注为是。这章叙述将往狩于圃田。

韵读：幽部——好（呼叟反）、阜、草（此叟反）、狩。

之子于苗，选徒嚣嚣。建旐设旄，薄狩于敖。

之子，指周王。　于，往。　苗，夏天打猎。毛传："夏猎曰苗。"

选，通算，数、清点的意思。　徒，士卒。　嚣嚣（áo），形容声音嘈杂，摹声词。毛传："嚣嚣，声也。维数车徒者为有声也。"陈奂传疏："至天子出田猎无欢哗之声，传意固以有声对章末无声言，作相应法也。"有人训为"闲暇之貌"，似非诗旨。

旐，画着龟蛇的旗。见采芑注。　旄，饰有旄牛尾的旗。见干旄注。

薄，发语词。　敖，山名，在圃田泽西，今河南荥阳东北。按薄狩有作"搏兽"者，误。文选东京赋、水经济水注、后汉书安帝纪注等引诗皆作薄狩。这章叙述清点士卒到敖山打猎。

韵读：宵部——苗、嚣、旄、敖。

驾彼四牡，四牡奕奕。赤芾金舄，会同有绎。

奕奕，马行迅疾而从容貌。说文："驿，马行徐而疾。诗曰：四牡驿驿。"奕和驿古音相近，奕是驿的假借。又巧言"奕奕寝庙"传："奕奕，大貌。"韩奕"奕奕梁山"传同。若训大，则与上两章"四牡庞庞"、"四牡孔阜"同义，亦通。按这二句写诸侯来会。

赤芾，红色蔽膝。见候人注。　舄（xì），底子特别厚的鞋。释名："复其下曰舄。舄，腊也。行礼久立，地或泥湿，故复其末下使干腊也。"金舄，用铜做装饰的鞋。孔疏："加金为饰，故谓之金舄。"按赤芾金舄都是诸侯的制服。

会同，会合诸侯，是古代诸侯朝见天子的专称，亦见论语。周礼大宗伯、毛传皆云:“时见曰会,殷见曰同。”孔疏:“会、同对文则别,散则义通。会者交会,同者同聚。理既是一,故论语及此连言之。” 有绎,绎绎,陈列有次序貌。陈奂传疏:“案大会同,于宫坛之上,皆有陈列之位。正义云:‘有陈于会同之位,言各以爵之尊卑,陈列于其位次者’是也。”这章叙述诸侯来会,朝于东都。

韵读:鱼部——奕(音余入声)、舄(音胥入声)、绎(音余入声)。

决拾既佽,弓矢既调。射夫既同,助我举柴。

决,射箭拉弦时所用的扳指,套在右手大拇指上,用象牙或兽骨制成。 拾,射箭时的护臂,套在左臂上,用皮制成,又称臂韝。周礼缮人郑玄注:“诗家说,或谓决谓引弦彄也。拾谓韝捍也。玄谓:决,挟矢时所以持弦饰也,着右手巨指。韝扞,着左臂里,以韦为之。” 佽,毛传:“利也。”便利、顺手。三家诗作次,故郑笺以相次比释佽。或谓佽即齐之假借,佽、齐古音同部,谓决、拾已齐备。亦通。

调,调和。郑笺:“谓弓强弱与矢轻重相得。”

射夫,指参加会同的诸侯。 同,合拢、成对,指比赛射箭者找到对手。陈奂传疏:“同,犹合也。既同,言已合耦也。”

举,取。 柴,鲁诗作胔。齐诗、韩诗作骴。柴是骴之误字。说文、玉篇、广韵引诗皆作骴。堆积的死禽兽。这章叙述诸侯既会而打猎。

韵读:支、脂部通韵——佽、柴。 东部——调(音同)、同。

四黄既驾,两骖不猗。不失其驰,舍矢如破。

四黄,四匹黄色的马。

两骖,古用四匹马驾车,中间两匹叫做服马,两边两匹叫做骖马。猗,通倚,偏斜。毛传:“言御者之良也。”

不失其驰,孟子滕文公引此句,赵注:“言御者不失其驰驱之法。”

舍矢,放箭。 如,而。王引之经传释词:“如破,而破也。” 破,中、射穿。陈奂传疏:“言其中之速也。”这章赞美诸侯射御的才能。

韵读:歌部——驾(音过)、猗(音阿)、驰(音佗)、破。

萧萧马鸣，悠悠旆旌。徒御不惊，大庖不盈。

萧萧，马鸣声。

悠悠，旌旗轻飘慢动貌。毛传："言不欢哗也。"孔疏："言王之田猎，非直射良御善，又军旅齐肃，唯闻萧萧然马鸣之声，见悠悠然旆旌之状，无敢有欢哗者。"

徒御，是一个词汇，指徒步拉车的士卒，亦名辇。说文："辇，人挽车也。"王念孙广雅疏证："辇之言连也。连者，引也。引之而行曰辇。以其徒行而引车，故亦曰徒御。"　不，语助词。下句同。　惊，警之假借，机警。孔疏："相警戒也。"

庖，厨房。大庖，指宣王的厨房。　盈，满。这章叙述猎毕和收获。

韵读：幽部——萧（音修）、悠。　耕部——鸣、旌、惊、盈。

之子于征，有闻无声。允矣君子，展也大成。

之子，指周王。　于，往。　征，行。此处指周王田猎归来。

有闻无声，但闻车马之行而无欢哗之声。朱熹诗集传："闻师之行不闻其声，言至肃也。"

允矣两句，允、展同义，真，确实。尔雅释诂："允、展，信也。"又"展、允，诚也。"君子，指周王。大成，成大功。这两句是对周王的赞颂，说周王确实能成其大功。这章赞美宣王此次会同诸侯的成功。

韵读：耕部——征、声、成。

吉　日

【题　解】

这是叙写周宣王田猎的诗。毛序："吉日，美宣王田也。"按车攻是田于东都，这首诗是田于西都。场面、气象都不及车攻那样宏大瑰丽。陈奂传疏说："昭三年左传：'郑伯如楚，子产相。楚子享之，赋吉日。既享，子产乃具田备。'案此吉日为出田之证。车攻会诸侯而遂田猎,吉日则专美宣王田也。一在东都,一在西都。”陈氏扼要地叙述了诗的主题、田猎地点、产生时间,并指出和车攻的异同。

诗共四章,一、二两章叙写猎前,三、四两章叙写打猎。末章末二句叙写猎后。结构严整,井井有条。诗经中不论哪一类歌曲,不论作者是贵族或人民,作品的内容,总是来源于人们现实生活的。本诗的作者,可能又是田猎的参加者,他真实地描述了这次打猎现实生活的过程,才会形成如此完整的结构,这决不是偶然的。

吉日维戊,既伯既祷。田车既好,四牡孔阜。升彼大阜,从其群丑。

维,是。　戊,古人以天干、地支相配计日。这里指戊辰日。朱熹诗集传:“以下章(吉日庚午)推之,是日也,其为戊辰与?”古人迷信,认为戊辰是师祭和马祭的吉利日子。

伯,本作百,祃(mà)之假借。师祭。说文:“师行所止,恐有慢其神,下而祀之曰祃。”说文系传引诗作“既祃既禂”。　祷和禂声近通用。说文:“禂,祷牲,马祭也。”这句意为,已经举行军神祭和马祖祭了。

从,追逐。　群丑,指群兽。

韵读:幽部——戊、祷(多叟反)、好(呼叟反)、阜、阜、丑。

吉日庚午,既差我马。兽之所同,麀鹿麌麌。漆沮之从,天子之所。

庚午,戊辰的次日为己巳,第三天为庚午。

差,毛传:“择也。”选择。说文:“差,贰也,左不相值也。”这是本义。段注:“吉日传曰:‘差,择也。’其引申之义也。”

同,郑笺:“同,犹聚也。”

麀(yōu)鹿,母鹿。亦泛称母兽。毛传:“鹿牝曰麀。麌麌(yǔ),众多也。”说文：“麀，牝鹿也。”段注：“按引申为凡牝之称，大雅灵台传曰：‘麀，牝也’。”按牝指母兽。

漆、沮，古二水名，属于西都，在今陕西省境内。　从，驱逐，指驱逐禽兽。

所，处所，地方。毛传：“漆、沮之水，麀鹿所生也。从漆、沮驱禽而致天子之所。”

韵读：鱼部——午、马（音姥 mǔ）、麌、所。　东部——同、从。

瞻彼中原，其祁孔有。儦儦俟俟，或群或友。悉率左右，以燕天子。

中原，原中，指原野。

祁，毛传：“祁，大也。”指原野广大。　有，丰富。指鹿群之多。

儦儦俟俟，儦儦，疾走貌。俟俟，缓行貌。毛传：“趋则儦儦，行则俟俟。”文选西京赋李善注引韩诗薛君章句作“駓駓騃騃”。说文：“俟，大也。”引诗作“伾伾俟俟”。马瑞辰通释：“盖韩诗作駓駓者，假借字。作騃騃者正字。毛传作儦儦者正字，作俟俟者假借字也。”

或群或友，三三两两地结伴。毛传：“兽三曰群，二曰友。”

悉，尽，完全。　率，驱逐。胡承珙后笺：“率有驱义，六朝人每以驱率连文。”林义光诗经通解：“率犹驱也。东京赋：‘悉率百禽，鸠诸灵囿。’悉率二字即本毛诗。”　左右，指从宣王的左边右边。

燕，通宴，乐。朱熹诗集传：“以乐天子。”这二句意为，从左从右完全驱逐兽群以娱乐天子，等待他的射箭。

韵读：之部——有（音以）、俟、友（音以），右（音以）、子。

既张我弓，既挟我矢。发彼小豝，殪此大兕。以御宾客，且以酌醴。

张弓，拉开弓弦。

挟，挟持。挟矢，左拇指拓弓，右拇指钩弦，而以两手的食指和中指挟持箭。仪礼乡射：“凡挟矢，于二指之间横之。”郑注：“二指谓左右手之第二指，此以食指、将指挟之。”

发，发箭。　豝（bā），母猪。说文：“豝，牝豕也。”

殪(yí),射死。 兕(sì),形如野牛的动物。说文:“如野牛,青色,其皮坚厚可制铠。”按发彼二句是互文。发而殪彼小豝,发而殪此大兕。皆谓一发即死,文字上形成一联工整的对偶。

御,进。指将豝兕烹好进献宾客。 宾客,郑笺:“谓诸侯也。”

且,姑且。 以,用来。 酌,饮。酌醴,下酒。醴,甜酒。说文段注:“如今江东人家之白酒。”

韵读:脂部——矢、兕、醴。

鸿 雁

【题 解】

这是流民自叙悲苦的诗,可能是一首民歌。旧说以为是周宣王安抚流民的诗。毛序:“鸿雁,美宣王也。万民离散,不安其居,而能劳来还定安集之,至于矜寡,无不得其所焉。”分析原文,说颇牵强。朱熹诗集传:“流民以鸿雁哀鸣自比而作此歌也。”又说:“今亦未有以见其为宣王之诗。”他认为诗的产生时代也不能确定。朱氏的见解是正确的。

此诗以鸿雁起兴,很切合流民的身份。我们不妨设想一下,在贫瘠的旷野上,一群流民茫然无目的地徘徊着,贫穷困苦的生活折磨得他们几乎麻木了。忽然,灰蒙蒙的天际飞来一群大雁,拍打着翅膀,急急地降落在沼泽中,像在寻找着栖身之地。一声声哀哀的雁叫引起了流民们凄苦的共鸣,于是情不自禁地唱出了这首歌。“哀鸿”二字从此便成为流民的代词,沿用了二千年。可见准确、形象的语言,其生命力是无穷的。

鸿雁于飞,肃肃其羽。之子于征,劬劳于野。爰及矜人,哀此鳏寡。

鸿,大雁。见说文段注。 雁,经传多作“鴈”,为“雁”之假借。说文:

“雁，雁鸟也。鴈，鹅也。”鴈、雁二字本义不同。

肃肃，鸟飞时拍羽声。按这二句是兴，诗人以鸿雁肃羽而飞，兴流民远行的劬劳。

之子，朱熹诗集传：“流民自相谓也。” 征，远行。

劬劳，劳累、辛苦。说文：“劬，劳也。”

爰，发语词。 矜，本作矜。矜人，穷苦的人。尔雅释言：“矜，苦也。”此句实即哀及矜人之义。

哀，可怜。 鳏寡，双声。指男女老而无配偶者，在穷民中尤为可怜。孟子：“老而无妻曰鳏，老而无夫曰寡。”

韵读：鱼部——羽、野（音宇）、寡（音古）。

鸿雁于飞，集于中泽。之子于垣，百堵皆作。虽则劬劳，其究安宅。

中泽，泽中。

于，为、做。 垣，墙。于垣，筑墙。

百，指其多，非确数。 堵，墙。古代筑墙用夹板，中实以土。板长一丈（或曰八尺、六尺），宽二尺。用板向上筑，共五板，则成长一丈、高一丈的墙，称为一堵。 作，起，指建筑。这句意为，许多座墙一齐建筑起来。

究，终。 宅，说文：“宅，人所托居也。”这里作动词居住用。朱熹说：“流民自言鸿雁集于中泽，以兴己之得其所止而筑室以居，今虽劳苦而终获安定也。”他说明了这章的大意和兴义。

韵读：鱼部——泽（音徒入声）、作（音租入声）、宅（音徒入声）。

鸿雁于飞，哀鸣嗸嗸。维此哲人，谓我劬劳。维彼愚人，谓我宣骄。

嗸嗸（áo），亦作嗷、謷，鸟哀鸣声。诗人以鸿雁之哀鸣嗸嗸，兴自己的不平而作歌。

维，同惟，只有。 哲人，智者，通情达理的人。

宣骄，骄奢。王引之经义述闻：“宣骄与劬劳相对成文。劬，亦劳也。宣，亦骄也。……宣为侈大之意，宣骄，犹言骄奢。非谓宣示其骄也。”按毛传训宣为"示",恐非诗意。朱熹说:"流民以鸿雁哀鸣自比而作此歌也。知者闻我歌,知其出于劬劳。不知者谓我闲暇而宣骄也。"

韵读:宵部——嗸、劳、骄。

庭 燎

【题 解】

这是描写诸侯早朝于天子的诗。旧说以为是宣王时代的作品,毛序:"庭燎,美宣王也,因以箴之。"王先谦集疏:"易林颐之损:'庭燎夜明,追古伤今。阳弱不制,阴雄坐戾。'此齐说。陈乔枞云:'列女传,宣王尝夜卧晏起,后夫人不出房。姜后脱簪珥待罪于永巷。使其傅母通言于王曰:妾之不才,至使君王失礼而晏朝,以见君王乐色而忘德也,敢请婢子之罪。宣王曰:寡人不德,实自生过,非夫人之罪。遂复姜后,而勤于政事。早朝晏退,卒成中兴之名。宣王中年怠政,而庭燎诗作。脱簪之谏,当在此际。'愚按:陈氏引列女传姜后事,以证易林之说,是鲁、齐说合。所谓阴雄罪戾者,殆即不出房之后夫人。宣王能纳谏改过,所以为贤。而庭燎之诗,亦不为徒作矣。"可见三家诗说与毛序同。方玉润认为此诗乃周王所自作,并无确据。郑笺:"诸侯将朝,宣王以夜未央之时问夜早晚。"他以为来朝者是诸侯,盖据三章"言观其旂"之语,周礼谓旂是诸侯所建,郑说甚是。作者可能是宫庭中的一员。

这首诗通篇赋体,全用白描手法。尤其是每章均用设问句起首,突兀而起,将读者一下子带进早起视朝的氛围中去。方玉润评曰:"起得超妙。"指出它起笔新颖的特点。

夜如何其？夜未央。庭燎之光。君子至止，鸾声将将。

夜，指夜色。　如何，什么时候的意思。　其（jī），语尾助词，亦作己。夜如何其，这是作者的设问，意谓夜色如何，是什么时辰了。

央，尽。楚辞离骚“时亦犹其未央”王逸注：“央，尽也。”或训中，亦通。

燎，毛传：“大烛。”用麻、秸等扎成。庭燎，在宫庭中燃起的火炬。

君子，指诸侯等大臣。　止，语气词。

鸾，亦作銮，铃，此当为旗上之铃。尔雅释天：“有铃曰旗。”林义光：“金文如无叀鼎、颂敦、豆闭敦、扬敦，皆言锡鸾旗。此诗三章云‘言观其旗’，而采菽、泮水亦皆以鸾声与旗并言，则鸾为旗上之鸾，非车上之鸾也。毛以鸾为鸾镳，失之。”　将将，铃声。释文：“本或作锵。”

韵读：阳部——央、光、将。

夜如何其？夜未艾。庭燎晣晣。君子至止，鸾声哕哕。

艾，尽，与央同义。王念孙广雅疏证：“夜未艾犹言夜未央耳。襄九年左传‘大劳未艾’杜注云：‘艾，息也。’哀二年传‘忧未艾也’，宣十二年传‘忧未歇也’，歇、息、艾者皆已也。”

晣晣（zhì），鲁诗作晢。明亮貌。毛传：“晣晣，明也。”

哕哕（huì），铃声。三家诗作钺钺。

韵读：祭部——艾、晣、哕。

夜如何其？夜乡晨。庭燎有辉，君子至止，言观其旗。

乡，向的假借字。朱骏声说文通训定声：“说文：‘乡，国离邑民所封乡也。’假借为向。”乡晨，即近晨。

有辉，即辉辉。明貌。说文：“光也。”段注：“析言之，则辉、光有别。朝旦为辉，日中为光。”按辉指较暗淡之光。礼记玉藻：“揖私朝，辉如也。登车则有光。”此句指夜近晨烛将尽的时候。

言，语助词。　观，看见。　旗，见出车注。按上两章写大臣自远而来，唯闻其铃声，此章则写已见其旗，表示天色已明，是早朝的时候。

韵读：文部——晨、辉（音熏）、旗（音芹）。

沔　水

【题　解】

这是忧乱畏谗而诫友的诗。关于此诗的主题，后代诗家，说各不一。有以史事证实的，有涉及鬼魅的，臆测附会，恐不足信。毛序："规宣王也。"王先谦集疏："三家未闻。"朱熹不采序说，诗集传说："此忧乱之诗。"颇合诗旨。因为他是依据诗的内容去分析的。至于诗的产生时代，亦不可考。高亨诗经今注："这首诗似作于东周初年，平王东迁以后，王朝衰弱，诸侯不再拥护。镐京一带，危机四伏。作者忧之，因作此诗。"高说可供参考。

吴闿生诗义会通引旧评云："暮鼓晨钟，发人深省。"寺院钟鼓声，悠远深长，庄严肃穆，但同时又是周而复始，单调划一，在情调上同这首诗实在相去甚远，不知何以会有此比喻。此诗三章，初因乱不止而忧父母，继以国事不安而忧不止，终以忧谗畏讥而告诸友，笔端跳跃不停，无迹可寻，反映了作者因祸乱而心绪不宁的心理状态。如果要用一句话来形容它，还是乐记所谓"其哀心感者，其声噍以杀"来得恰当。

沔彼流水，朝宗于海。鴥彼飞隼，载飞载止。嗟我兄弟，邦人诸友。莫肯念乱，谁无父母？

沔（miǎn），水满貌。沔彼，即沔沔。毛传："沔，水流满也。"按沔本为水名，说文段注："诗之沔，为'溺'之假借。"

朝宗，本义是诸侯朝见天子。周礼大宗伯："春见曰朝，夏见曰宗。"后来借指百川入海。尚书禹贡："江汉朝宗于海。"

鴥彼飞隼，鴥（yù），鸟疾飞貌。隼，鹰属。见采芑注。

载，再。载飞载止，又飞翔又停止。按以上四句都是兴，诗人见流水尚可朝宗于海，飞隼尚有所止，兴自己的处境不如水、隼。

兄弟，指周王同姓的诸侯。

邦，本义是诸侯受封的地域，引申为国。邦人，国人。指周王异姓的诸侯。按兄弟和邦人诸友都是嗟叹同情的对象。旧说认为是“莫肯念乱”的主语，恐非诗意。

念，止。马瑞辰通释：“念与尼双声，尼，止也。故念亦有止义。莫肯念乱，犹言莫肯止乱也。”莫肯念乱，指执政者不肯止乱。

谁无父母，言乱之既生，有父母的人，更加忧愁，他们将受到颠沛流离之苦。潜夫论释难篇：“且夫一国尽乱，无有安身。诗云：‘莫肯念乱，谁无父母？’言将皆为害。然有亲者，忧将深也。”王符解释这两句诗，最得诗旨。

韵读：脂部——水、隼（音玺）、弟。 之部——海（音喜）、止、友（音以）、母（满以反）。

沔彼流水，其流汤汤。鴥彼飞隼，载飞载扬。念彼不迹，载起载行。心之忧矣，不可弭忘。

汤汤（shāng），郑笺：“波流盛貌。”

扬，高飞貌。毛传：“言无所定止也。”陈奂传疏：“高注淮南子精神篇云：‘飞扬不从轨度也。’与传言‘无所定止’义合。”以上四句是诗人以流水动荡、隼飞无止，兴自己忧愁祸乱而坐立不安的心情。

不迹，不循法度。尔雅释训：“不迹，不道也。”郭注：“言不循轨迹也。”迹即迹之异体，说文：“迹，步处也。”本义为足迹，引申为循。

载起载行，坐立不安貌。朱熹诗集传：“言忧念之深，不遑宁处也。”

弭，毛传：“弭，止也。” 忘，借为亡，已。按“弭忘”是一个词，不可弭忘，即不能压住忧愁的意思。陈奂传疏：“国语周语：‘至于今未弭。’贾逵注云：‘弭，忘也。’是忘亦弭也。”

韵读：脂部——水、隼。 阳部——汤、扬、行（音杭）、忘。

鴥彼飞隼，率彼中陵。民之讹言，宁莫之惩！我友敬矣，谗言其兴。

率，沿。郑笺：“率，循也。” 中陵，陵中。诗人以飞隼循陵，兴己不自由，不如飞隼。朱熹诗集传：“疑当作三章，章八句。卒章脱前两句耳。”朱说近是。

讹言，诈伪之言，谣言。郑笺：“讹，伪也。”说文无讹字，引诗作讹。

宁，乃（用杨树达词诠说）。　惩，毛传：“惩，止也。”

敬，警的借字。警惕的意思。此句犹言：提高警惕吧，我的朋友。

谗言，挑拨离间的话。　其兴，将起。其，时间副词，将。兴，起。这二句是作者劝诫朋友的话。

韵读：蒸部——陵、惩、兴。

鹤　鸣

【题　解】

此诗通篇用比兴的手法，抒写招致人才为国所用的主张。荀子儒效篇：“君子隐而显，微而明，辞让而胜。诗云：‘鹤鸣于九皋，声闻于天’，此之谓也。”是先秦时代对诗的喻意已作了解说。毛序：“鹤鸣，诲宣王也。”郑笺：“教宣王求贤人之未仕者。”序与笺均认为是宣王时代的作品，未知何据。

陈奂传疏说：“诗全篇皆兴也，鹤、鱼、檀、石，皆以喻贤人。”按国风豳风鸱鸮，是一首民歌。诗人以鸱鸮（猫头鹰）象征统治者，以小鸟象征被统治被压迫者。全诗都运用比兴手法，小鸟对凶恶的猫头鹰讲话，统治者、被统治者和诗人都没有出场。鹤鸣诗人吸取民歌鸱鸮的营养，加以发展，用四种东西象征隐士。这种通篇比兴的艺术手法，在诗经中虽只有两篇，但对后世的诗坛，影响特别大。屈原的橘颂，汉乐府中的枯鱼过河泣、禽言诗；曹植的七步诗；左思的咏史；郭璞的游仙；李白的蜀道难；杜甫的佳人；李商隐的无题。都是通篇运用比兴，继承诗经鸱鸮、鹤鸣的创作方法，托以寓意。但在具体运用上，又前进发展了一步。

鹤鸣于九皋，声闻于野。鱼潜在渊，或在于渚。乐彼之园，爰有树檀，其下维萚。它山之石，可以为错。

鹤，此处喻隐居的贤人。　皋，泽之假借。九皋，曲折的水泽。释文引韩诗："九皋，九折之泽。"九是虚数，泛言其多，并非实指。　按古书引此句诗多无"于"字。

野，郊外。声闻于野，比喻他的品德、学问的名声，人们都会了解的。毛传："言身隐而名著也。"郑笺："九，喻深远也。鹤在中鸣焉，而野闻其鸣声。兴者，喻贤人虽隐居，人咸知之。"

潜，深藏。　渊，深水。

渚，水中小洲。这里与渊对举，指小洲旁的浅水。诗人以鱼之或在渊或在渚，喻贤者的或隐或仕。孔疏："以鱼之出没，喻贤者之进退。"孔训最中旨。

乐，喜爱。　园，有墙，种树的场所。将仲子传："园，所以种木也。"这里象征国家。

爰，发声词。　檀，坚韧珍贵的树木，可以制车。树檀，即檀树，倒文协韵。这里比贤人。

其，指檀树。　萚，樗的假借，又名梬（yǐng）枣、软枣，一种矮树，比喻小人。马瑞辰通释："下章榖为木名，则此章萚亦木名，不得泛指落木。王尚书（王引之）经义述闻：'萚，疑当读为樗。广雅：梬枣，樗也。……夏官缮人释文：樗一音徒落反，与萚相近，故借萚为樗。'其说甚确。"

它山之石，指别国的贤人。郑笺："它山，喻异国。"

错，厝的假借字，说文及淮南子引诗均作厝。刻玉的硬质石。毛传："错，石也，可以琢玉。"说文段注："玉至坚，厝石如今之金刚钻之类，非砺石也。"以上二句比喻别国的在野贤人，也可以琢磨国事，搞好时政。

韵读：鱼部——野（音宇）、渚、萚（音徒入声）、石（音蜍入声）、错（音粗入声）。　元部——园、檀。

鹤鸣于九皋，声闻于天。鱼在于渚，或潜在渊。乐彼之园，爰有树檀，其下维榖。它山之石，可以攻玉。

榖，木名。孔疏引陆玑云："荆杨人谓之榖，中州人谓之楮。"古人用它的树皮作纸。毛传:“穀,恶木也。”这里喻小人。

攻,治。攻玉,治玉。琢磨玉器的意思。

韵读:真部——天(铁因反)、渊(一均反)。 元部——园、檀。 侯部——榖、玉。

祈 父

【题 解】

这是一位王都卫士斥责司马的诗。毛序:“祈父,刺宣王也。”郑笺:“此勇力之士责司马之辞也。”序与笺都认为是宣王时代的作品,朱熹不信序说,诗集传说:“序以为刺宣王之诗,说者又以为宣王三十九年,战于千亩,王师败绩于姜氏之戎,故军士怨而作此诗。……但今考之诗文,未有以见其必为宣王耳。”朱氏按诗的内容看不出它是宣王时代的创作,确有见地。

诗共三章,每章开首都呼祈父,抒写诗人不平之气。姚际恒诗经通论说:“三呼而责之,末始露情。”钟惺古诗归说:“三呼祈父,已见其不聪矣。”姚、钟二氏都指出了此诗呼告修辞的作用。

祈父!予王之爪牙。胡转予于恤?靡所止居。

祈,圻之假借,尚书酒诰:“圻父薄违。”左传引诗亦作圻父。圻为边境,亦作畿。祈、圻、畿三字通。 父,鲁诗作甫,古男子的尊称。祈父,官名,亦称司马。掌管保卫边境的军队。

予王之爪牙,郑笺:“我乃王之爪牙。”爪牙喻守卫之士。予,韩诗作“维”,训“是”。爪牙,本是鸟兽借它示威保卫自己的。诗人借爪牙代卫士,是“借代”的修辞。

胡,何、为什么。 转,移、调动。 恤,毛传:“忧也。”指忧患的处所。

所,处所。　止居,居住。这二句意为,你为什么调动我到那可忧的境地,使我没有安身的住所。

韵读:鱼部——父、牙(音吾)、居。

祈父!予王之爪士。胡转予于恤?靡所厎止。

爪士,虎士、卫士。马瑞辰通释:"按爪士犹言虎士,周官:'虎贲氏属有虎士八百人',即此。说苑杂事篇曰:'虎豹爱爪',故虎士亦云爪士。虎贲为宿卫之臣,故以移于战争为怨耳。传训士为事,失之。"

厎(zhǐ),止、至、终了的意思。尔雅释诂:"厎,止也。"郝懿行义疏:"释言云:'厎,致也。'致亦为至。书:'乃言厎可绩',马融注:'厎,定也。'定亦为止。诗:'靡所厎止,伊于胡厎',传、笺并云:'厎,至也。'"

韵读:之部——士、止。

祈父!亶不聪。胡转予于恤?有母之尸饔。

亶,毛传:"诚也。"确实。　不聪,犹不闻,不了解下情。林义光诗经通解:"不聪,谓不闻人民疾苦。"

有母,指离家时母亲还有。　之,则,就。　尸,陈列。　饔,同飧,韩诗作雍,熟饭。指回家时母亲已死,就陈列熟饭祭祀。陈奂传疏:"有母之尸饔,有母二字当逗读,'之'犹则也。言我从军以出,有母不得终养,归则惟陈饔以祭,是可忧也。"韩诗外传:"往而不可还者,亲也。至而不可加者,年也。是故孝子欲养而亲不待也。木欲直而时不待也。是故椎牛而祭墓,不如鸡豚逮亲存也。"下引诗曰:"有母之尸饔。"孔疏引许慎五经异义:"'有母之尸饔',谓陈饔以祭,志养不及亲。"此是古义,比较可信。

韵读:东部——聪、饔。

白　驹

【题　解】

这是一首别友思贤的诗。蔡邕琴操:"白驹者,失朋友之所作也。”曹植释思赋：“彼朋友之离别，犹求思乎白驹。”蔡、曹都指出了这是一首别诗。余冠英诗经选：“这是留客惜别的诗。前三章是客未去而挽留，后一章是客已去而相忆。”他分析的章旨，似可从。毛序：“白驹，大夫刺宣王也。”谓作于宣王时代。蔡邕琴操说：“衰乱之世，君无道，不可匡辅，依违成风，谏不见受。国士咏而思之，援琴而长歌。”按宣王为中兴之主，晚年虽然昏庸，但社会并未衰乱。此诗可能产生于厉、幽时代。毛序说是刺宣王，恐不可从。

此诗的艺术特点，是形象鲜明。诗中有两个形象：一位是主人，一位是客人。这位客人，品德如玉般的纯洁高贵，才能宜为公为侯。可是，他生于衰乱之世，君无道，既不可匡辅，又不肯依违。所以产生了遁世之心。这位主人，待客热情，把客人骑的马拴住，希望能在他家逍遥一天。并且劝他不要产生独善其身的享乐、避世思想。别后还希望这位如玉的客人再回来，或和他通讯，表现着依依不舍的心情。这使我们几千年后的读者，觉得人物栩栩如生。

皎皎白驹，食我场苗。絷之维之，以永今朝。所谓伊人，于焉逍遥。

皎皎，洁白貌。　驹，小马。朱熹诗集传：“驹，马之未壮者。谓贤者所乘也。”

场，菜园。陈奂传疏：“场、圃同地，场即圃也。”见七月注。　苗，据下文藿，此处或指豆苗。

絷，用绳子拴住马足。说文：“馽，绊马足也。”絷、馽古同字。　维，把马缰绳系在树上。毛传：“维，系也。”

永，尽。姚际恒注山有枢“且以永日”句：“犹云尽此一日也。”释永为尽。按永有终、尽之义，如易讼初六：“不永所事”。以永今朝，以尽今朝，留客之辞。下章“以永今夕”同。

伊人,这人。指朋友,白驹的主人。

于,在。于焉,在此,在这里,指在主人家。玉篇:“焉,犹是也。” 逍遥,亦作消摇,优游自得貌。郑笺:“逍遥,游息。”

韵读:宵部——苗、朝、遥。

皎皎白驹,食我场藿。絷之维之,以永今夕。所谓伊人,于焉嘉客。

藿,豆叶。

嘉客,快乐地作客。尔雅释诂:“嘉,乐也。”

韵读:鱼部——藿(音呼入声)、夕(音徐入声)、客(音枯入声)。

皎皎白驹,贲然来思。尔公尔侯,逸豫无期。慎尔优游,勉尔遁思。

贲,通奔,马快跑貌。贲然来思,奔得来了。马瑞辰通释:“释文:‘贲,徐音奔。’奔、贲古通用。诗‘鹑之奔奔’表记、吕氏春秋引诗俱作贲贲是也。考工记弓人郑注:‘奔犹疾也。’贲然,盖状马来疾行之貌。”按马说是也。近年出土汉简中亦多借贲作奔之例。 思,语气词。末句同。

尔,你,指诗人的朋友,即“伊人”。 公、侯,古爵位名。尔公尔侯,胡承珙后笺:“谓尔宜为公也,尔宜为侯也,何为逸乐无期以反也。如此,于爱贤留贤之意乃合。”

豫,说文:“豫,象之大者。”这是本义。段注:“引申之,凡大皆称豫。故淮南子云‘市不豫价’。大必宽豫,故事先而备谓之豫。宽大则乐,故释诂曰:‘豫,乐也。’”逸豫,安乐。 无期,没有期限。

慎,谨慎。说文谨和慎二字互训。 优,本义为饶、为倡,引申为优游、遨游之意。慎尔优游,慎重考虑你的出游。

勉,免的假借字。 遁,逃,逃避现实生活。说文:“遁,迁也;一曰逃也。”此句意为,打消你遁世的念头。

韵读:之部——思、期、思。

皎皎白驹，在彼空谷。生刍一束，其人如玉。毋金玉尔音，而有遐心。

空，穹的假借。空谷，深大的山谷。文选班固西都赋、陆玑苦寒行注引韩诗作“在彼穹谷”。尔雅释诂：“穹，大也。”指伊人已去，隐于空谷。

生刍，喂马的青草。这句是诗人表示等待朋友回来。

其人，指骑白驹的伊人。　如玉，形容友人的品德像玉那样的纯洁美丽。

金玉，是贵重之物，这里作“珍惜”动词用。毋金玉尔音，意为别珍惜你的音讯。王先谦集疏：“金玉者，珍重爱惜之意，恐其别后不通音问。”

遐，远。遐心，疏远我的心。

韵读：侯部——驹、谷、束、玉。　侵部——音、心。

黄　鸟

【题　解】

这是一位流亡异国者思归的诗。朱熹诗集传：“民适异国，不得其所，故作此诗。”这是正确的。当时人民言论不自由，故诗人托黄鸟以起兴，其作用和魏风硕鼠同。语言质朴，感情充沛，可能是一首民歌。龚橙诗本谊将黄鸟、我行其野、谷风、蓼莪、都人士、采绿、隰桑、绵蛮、瓠叶、渐渐之石、苕之华、何草不黄十二篇列为“西周民风”，这是对的。还有采薇、大东等诗也是民歌，他漏掉了。毛传在经“此邦之人，不可与明”下，释为“不可与明夫妇之道”。在“复我诸兄”下，释为“妇人有归宗之义”。易林乾之坎亦有“黄鸟来集，既嫁不答。念我父母，思复邦国”之文。是毛传和齐诗都认为妇人所作，不知有何根据？或因下篇我行其野为弃妇之辞而附会其说吧。郭沫若在中国古代社会研究中说：“黄鸟就是瓦雀，这和耗子是一样，也就和坐食阶级是一样，没有一个地方是没有的。痛恨本国的硕鼠逃走了出来,逃到外国来又遇着有一样的黄鸟。天地间哪里有乐土呢?倦于追求的人,他又想逃回他本国去了。”他的分析,最合诗旨。

诗每章首三句是兴,借黄鸟代剥削者。和魏风硕鼠借硕鼠代剥削者一样。借代形式很多,这是以具体代抽象的修辞。诗人以具体的黄鸟,代抽象的剥削者,所谓抽象,指剥削者的性质、状态、关系、作用等而言。黄鸟性质是好吃粮食的鸟,其状态是偷吃,贪而畏人。它是农民最讨厌的鸟,这些都是剥削者的特征。用它代剥削者,在诗中起了形象而使人憎恨的作用。

黄鸟黄鸟,无集于穀,无啄我粟。此邦之人,不我肯穀。言旋言归,复我邦族。

黄鸟,黄雀,好吃粮食。喻剥削者。

穀,木名,亦名楮。见鹤鸣注。

不我肯穀,“不肯穀我”的倒文。即不肯养我。广雅:“穀,养。”甫田诗“以穀我士女”郑笺亦训穀为养。

言旋言归,二“言”字都是语助词。旋和还通,回转。

复,返。郑笺:“言我复反也。” 邦,国。 族,农村家名。周礼秋官大司寇:“四闾为族”,注:“百家也。”

韵读:侯部——穀、粟、穀、族。

黄鸟黄鸟,无集于桑,无啄我粱。此邦之人,不可与明。言旋言归,复我诸兄。

粱,高粱。

明,音义同盟,信用。郑笺:“明当为盟,信也。”这句连上句说:这个国家的人,不可和他们讲信用。

诸兄,诸位同辈。

韵读:阳部——桑、粱、明(音芒)、兄(虚王反)。

黄鸟黄鸟,无集于栩,无啄我黍。此邦之人,不可与处。言旋言归,复我诸父。

栩(xǔ),柞树,又名栎。结子名橡,可制皂。

黍,黄米,又名小米。见黍离注。

处,相处。这句意为,不可和他们相处。

诸父,本指伯父叔父,这里泛称诸位长辈。

韵读:鱼部——栩、黍、处、父。

我行其野

【题　解】

这是一位远嫁异国而被遗弃的妇女的诗。易林巽之豫:"黄鸟采蓄,既嫁不答。念吾父兄,思复邦国。"郑笺:"男女失道,以求外昏,弃其旧姻而相怨。"是汉人多认为这是弃妇诗。诗中"不思旧姻,求尔新特"也是妇人口吻。朱熹诗集传:"民适异国,依其婚姻而不见收恤,故作此诗。"按婚姻古有二义:一为夫、妇之父相称为婚姻,如尔雅:"婿之父为姻,妇之父为婚。"一为男女嫁娶之事,如白虎通嫁娶篇:"婚者,昏时行礼,故曰婚。姻者,妇人因夫而成,故曰姻。"朱熹依前一说释诗之"昏姻",恐非诗旨。

这是一首民歌,诗人是一位劳动妇女,她走到野外,遇着野地上长着茂盛的恶木臭椿,恶菜僻蓝、葍茅,想到自己嫁人不淑,而作此诗。孔疏引王肃云:"行遇恶木,言己适人遇恶人也。"他指出了这诗的艺术特点。诗人以遇恶木象征遇恶人,不自觉地运用了象征的艺术手法。象征是和诗人的意和情相融合,它隐藏着作者的思想感情,通过作者的想象来表现的。刘勰文心雕龙神思篇所谓"神与物游",物色篇说:"写气图貌,既随物而宛转;属采附声,亦与心而徘徊。”他指出了物和神、物和心的关系，也就是说，象征和诗人思想感情想象三者是不可分割的。我行其野每章的首二句，正起了这种作用。

我行其野，蔽芾其樗。昏姻之故，言就尔居。尔不我畜，复我邦家。

蔽芾（fèi），树木初生枝叶茂盛貌。见甘棠注。　樗，臭椿，见七月注。毛传训樗为恶木，下章训蓫为恶菜，末章训葍为恶菜，其义同。

昏姻，即婚姻，详题解。

言，发语词，无义。　就，从，跟。　尔，指丈夫。

畜，毛传：“畜，养也。”按畜亦训爱，孟子：“畜君者，好君也。”见谷风注。二训均可通。这句是倒文，即“尔不畜我”。下同。

复，返。　邦家，家乡。

韵读：鱼部——野（音宇）、樗、居、家（音姑）。

我行其野，言采其蓫。昏姻之故，言就尔宿。尔不我畜，言归斯复。

蓫（zhú），齐诗作蓄，蓫之别名。一种多年生草本植物，下有根，如萝卜，今名僻蓝，可食。齐民要术引陆玑云：“蓫，今人谓之羊蹄，似芦菔，茎赤。煮为茹，滑而不美，多啖令人下痢。扬州谓之羊蹄，幽州谓之蓫，一名蓨。”

言、斯，皆语助词。这句和上章“复我邦家”同义。

韵读：幽部——蓫、宿、畜、复。

我行其野，言采其葍。不思旧姻，求尔新特。成不以富，亦只以异。

葍（fú），一种多年野生蔓草，亦名葍茅。齐民要术引陆玑云：“河东、关内谓之葍，幽兖谓之燕葍，一名爵弁，一名葍，根正白，着热灰中温啖之。饥荒可蒸以御饥。汉祭甘泉或用之。其华有两种，一种茎叶细而香，一种茎赤有臭气。”按这句的蓄,指有臭气的一种,毛传所谓恶菜。

思,鲁诗作惟,义同。　旧姻,鲁诗姻作因,诗人自称。马瑞辰通释:“旧姻,即弃妇,自称其家旧为夫所因也。”

特,配偶。鄘风柏舟传:“特,匹。”马瑞辰:“新特,谓新妇。特,当读‘实维我特’之特,毛传训匹是也。新特,犹新昏也。”

成,诚的假借字,确实。论语颜渊篇引诗正作诚。这句意为,你确实不是因为她有钱。

异,喜新厌旧,对我有异心的意思。朱熹诗集传:“言尔不思旧姻而求新匹也,虽实不以彼之富而厌我之贫,亦只以其新而异于故耳。”

韵读:之部——蓄(方逼反,入声)、特(徒力反,入声)、富(方备反)、异。

斯　干

【题　解】

这是歌颂周王宫室落成的诗。毛序:“斯干,宣王考室也。”汉书刘向传载向上疏云:“宣王贤而中兴,更为俭宫室,小寝庙。诗人美之,斯干之诗是也。”扬雄将作大匠箴:“诗咏宣王,由俭改奢。”是汉代今古文学者都认为诗是宣王时代的作品,或有所据。

这首诗的语言,多用叠字。古人又称之为重言。诗人以秩秩写涧,以幽幽写山,描绘了新居的地势。阁阁摹束板声,橐橐摹夯土声,喤喤摹儿哭声。殖殖形容庭院的平正,哙哙形容白天室内的明亮,哕哕形容夜间室内的阴暗。用得都很准确、生动、形象,有声有色,使诗歌增加了魅力。王筠著毛诗重言一书,认为诗经诗人运用重言极多,不限于二字的重叠,凡和“其”、“彼”、“有”、“斯”等虚词结合者,其作用和重言相同。如“静女其姝”,即“静女姝姝”;“嘒彼小星”,即“嘒嘒小星”;“有觉其楹”,即“觉觉其楹”;“朱芾斯皇”,即“朱芾皇皇”。他的分析是正确的。一般叠字,都是由单音变过来的,单音节的一个“依”字,如“依彼平林”,拖长了声音念,就变成了依依,如“杨柳依依”。单音节的一个“坎”字,如“坎其击鼓”,拖长了声音念,就变成了“坎坎鼓我”。斯干诗人不自觉地运用叠字修辞手法,加上第四章的四个连比句,以物象屋,被后人推为“古丽生动,孟坚(班固)两都赋所祖”。诚非过誉。

秩秩斯干,幽幽南山。如竹苞矣,如松茂矣。兄及弟矣,式相好矣,无相犹矣。

秩秩,水流貌。秩,本义为积。说文段注:“积之必有次序成文理,是曰秩,斯干传曰:‘秩秩,流行也。’引申之义也。” 斯,语中助词,兼有“之(的)”的作用。 干,涧之假借。采蘩传:“山夹水曰涧。”按这二句是写建筑的地势,毛传标曰“兴也”。这是错误的。故朱熹标为赋。

幽幽,毛传:“深远也。” 南山,即今陕西境内之终南山。

如,含有“有”的意思,不是比喻。姚际恒诗经通论:“如竹苞二句,因其地所有而咏之。王雪山曰:‘如,非喻,乃枚举焉尔。’此善于解虚字也。”王说是。 苞,与茂同义。

式,发语词。

犹,欺诈。犹与猷古通用。方言:“猷,诈也。”广雅:“犹,欺也。”这章叙述宫室地势风景的美好,目的在于家族的和睦共处。

韵读:元部——干、山。 幽部——苞(布瘦反)、茂、好(呼叟反)、犹。

似续妣祖,筑室百堵,西南其户。爰居爰处,爰笑爰语。

似,本义为像。这里是嗣之假借。毛传:“似,嗣也。”似续,继承。妣,本义为亡母,礼记曲礼:“生曰父、曰母、曰妻;死曰考、曰妣、曰嫔。”此处是泛指女性祖先。妣祖,先祖先妣。

百堵,见鸿雁注。此处形容建筑房室的众多。

西南其户，毛传："西乡（向）户南乡户也。"指东边的室有向西开的门，北边的室有向南开的门。当然也有西室的东向户，文不具。

爰，于是、在这里。爰居爰处，在这里居住。下句同。郑笺："爰，于也。于是居，于是处，于是笑，于是语，言诸寝之中皆可安乐。"这章叙述建筑新居是为了继承先人之志。

韵读：鱼部——祖、堵、户、处、语。

约之阁阁，椓之橐橐。风雨攸除，鸟鼠攸去，君子攸芋。

约，捆扎。毛传："约，束也。" 阁阁，象声词，用绳索缚筑板发出声。考工记匠人郑注引诗作格格，郑据韩诗。

椓（zhuó），说文："椓，击也。"这里指用杵夯土，筑墙时用湿土填进夹板里。 橐橐（tuó），鲁诗作橐，是本字。广雅："橐橐，声也。"这里指夯土声。

攸，助词，含有于是的意思。 除和去同义，蟋蟀传："除，去也。"这句连上句说：风雨鸟鼠之害都可除去。朱熹诗集传："言其上下四旁皆牢密也。"

芋，宇之假借，鲁诗作宇。周礼大司徒郑注引诗作宇。说文："宇，屋边也。"引申为庇覆、居住。

韵读：鱼部——阁（音孤入声）、橐（音吐入声）、除、去、芋。

如跂斯翼，如矢斯棘，如鸟斯革，如翚斯飞。君子攸跻。

跂，同企，玉篇企字下引诗作企。举踵而立。 翼，端正貌。论语："趋进，翼如也。"孔注："言端好。" 斯，语助词。这句意为，像人踮起脚跟站着那样的端正严肃。

棘，棱角。毛传："棘，棱廉也。"释文："韩棘作朸，云：朸，隅也。"字异而义同。如矢斯棘，宫室的屋檐四角像矢头那样正直而有棱角。

革，鞠之假借，翅膀。毛传："革，翼也。"释文："韩革作鞠，云：鞠，翅也。"说文段注："毛用古文，假借字；韩用正字，而训正同。"如鸟斯革，屋宇的高扬像大鸟的翅膀那样广阔。

翚（huī），雉，野鸡，羽毛有彩色，故亦名锦鸡。如翚斯飞，宫室的檐阿华丽高峻,像锦鸡那样展翅高飞。按以上四“如”,都是诗人以物象取喻,形容宫室建筑的特色和美丽。

君子,指周王。 跻(jī),登上。毛传:“跻,升也。”这句指宫室地基高而有阶,故用“跻”字形容。但君子尚未入室。

韵读:之部——翼、棘、革(音棘)。 脂部——飞、跻。

殖殖其庭,有觉其楹。哙哙其正,哕哕其冥。君子攸宁。

殖殖,平正貌。毛传:“殖殖,言平正也。” 庭,泛指庭院。古庭分前庭、中庭、后庭,说文:“庭,宫中也。”段注:“宫者,室也。室之中曰庭。”这指中庭。玉篇:“庭,堂阶前也。”这指前庭。伯兮:“焉得谖草,言树之背”,“背”指后庭。

有觉,即觉觉。高大而直貌。 楹,说文:“楹,柱也。”指堂前的两楹。

哙哙(kuài),明亮貌。 正,白天。郑笺:“哙哙,犹快快也。正,昼也。”

哕哕(huì),幽暗貌。 冥,黑夜。郑笺:“哕哕,犹熠熠也。冥,夜也。”以上二句言建成的宫室昼则明亮,夜则幽暗,日夜都很合适。

宁,安,安居。写君子已经入室。以上三章写建筑宫室,都是为了君子舒适居住。

韵读:耕部——庭、楹、正、冥、宁。

下莞上簟,乃安斯寝。乃寝乃兴,乃占我梦。吉梦维何?维熊维罴,维虺维蛇。

莞(guān),通萑,一种多年生草本植物,茎圆,广雅称为葱蒲,可织席。说文:“莞,草也,可以作席。”段注:“莞,盖即今席子草。”此处指莞草编的席。 簟(diàn),竹苇制的席。说文:“簟,竹席也。”古人席地而坐,宫室落成之后,下铺蒲席,上铺竹苇席。礼记内则注:“簟,席之亲身也。”

乃,于是。

兴,早起。郑笺:“兴,夙兴也。”

维,是。下二句同。维何,是什么。

罴(pí),兽名。似熊而高大,猛而多力。

虺(huǐ),毒蛇。细颈大头,身有花纹,长约七八尺的大蛇。

韵读:侵部——簟(徒稔反)、寝。 蒸部——兴、梦。 歌部——何、罴(音波)、蛇(音陀)。

大人占之:维熊维罴,男子之祥。维虺维蛇,女子之祥。

大人,对占卜官吏的敬称。周礼春官有"太卜"之官,掌卜筮与占梦之事。

祥,本义为福。这里指吉兆。朱熹诗集传:"熊罴,阳物在山,强力壮毅,男子之祥也。虺蛇,阴物穴处,柔弱隐伏,女子之祥也。"

韵读:歌部——罴、蛇。 阳部——祥、祥。

乃生男子,载寝之床,载衣之裳,载弄之璋。其泣喤喤,朱芾斯皇,室家君王。

载,则,就。 床,像现在的小矮桌,长方形。郑笺:"男子生而卧于床,尊之也。"盖古人席地,坐睡都在地上,惟尊者得卧于床。

衣,穿。 裳,围裙。古人服饰,上曰衣,下曰裳。用大人的裳将孩子裹起来。

弄,玩。给男孩玩璋。 璋,古代贵族朝聘、祭祀等典礼所用玉制的礼器。毛传:"半珪为璋。"

喤喤,小儿洪亮的哭声。

朱芾,鲁诗芾作绂,朱红色的蔽膝,这是天子、诸侯的礼服。见采芑注。 斯皇,煌煌,光明貌。郑笺:"皇,犹煌煌也。芾者,天子纯朱,诸侯黄朱。室家,一家之内。宣王将生之子,或且为诸侯,或且为天子,皆将佩朱芾煌煌然。"

室家,指周室周家。 君,诸侯。王,天子。

韵读:阳部——床、裳、璋、喤、皇、王。

乃生女子,载寝之地,载衣之裼,载弄之瓦。无非无仪,唯酒食是议,无父母诒罹。

载寝之地,郑笺:"卧于地,卑之也。"

裼(tì),包小儿的被。毛传:"裼,褓也。"汉书宣帝纪孟康注:"緥,小儿被也。"緥为正字。褓,俗字。释文引韩诗作禘,云:"齐人名小儿被为禘。"说文引诗作褆。禘,即褆之或体。裼为褆之假借。

瓦,纺砖。古代纺线用的陶制纺锤。毛传:"瓦,纺砖也。"说苑杂言:"子不闻和氏之璧乎?价重千金,然以之间纺,曾不如瓦砖。"可见古代人用瓦砖卷线。给女孩玩纺砖,希望她长大后勤习纺绩的事。

无非无仪,非,说文:"非,韦(违)也。"无非,不违命,顺从公婆丈夫等家人的意旨。　仪,通议,度,计划。无仪,不要擅自计划事。马瑞辰通释:"仪又通作议,昭六年左传:'昔先王议事以制。'王引之曰:'议读为仪,仪,度也。制,断也。谓度事之轻重以为制断也。'今按妇人从人者也,不自度事以自专制,故曰无仪。"

议,商讨。这句意为妇女只要商量酒饭等家务事。

诒,通贻,说文:"贻,遗也。"留给。　罹(lí),忧愁。孔疏:"言能恭谨不遗父母忧也。"

韵读:歌、支部通韵——地(音惰)、裼(音唾)、瓦(音卧)、仪(音俄)、议(音俄)、罹(音罗)。

无　羊

【题　解】

这是歌颂贵族牲畜蕃盛的诗。毛序:"无羊,宣王考牧也。"这当然不足尽信。汉代今文学者对此诗的解释已不可考。诗共四章,首章言统治者牛羊之多。次章写牛羊动态及牧人形象。三章写牧人及牛羊的夕归。四章叙牧人的梦境及占卜。

此诗的艺术特点,在于状物之妙。王士祯渔洋诗话云:"小雅无羊之'或降于阿,或饮于池,或寝或讹。尔牧来思,何蓑何笠,或负其糇。''麾之以肱,毕来既升。'字字写生,恐史道硕、戴嵩画手擅场,未能如此极妍尽态也。"姚际恒评中间两章云:"此两章是群牧图,或写物态,或写人情,深得人物两忘之妙。”方玉润说:“其体物入微处,有画手所不能到。”此诗体物之工,为清代批评家所推崇,认为它是诗经中杰作之一。

谁谓尔无羊?三百维群。谁谓尔无牛?九十其犉。尔羊来思,其角濈濈。尔牛来思,其耳湿湿。

维,是、为。郑笺:“谁谓汝无羊?今乃三百头为一群。”按三百是虚数,犹言数百。

九十,亦虚数,泛言其多。　犉,肥大的牛。尔雅:“牛七尺为犉。”毛传训“黄牛黑唇为犉”,亦通。

来思,思为语气词,无义。下同。

濈濈(jí),众多聚集貌。毛传:“聚其角而息濈濈然。”说文:“濈,和也。”段注:“毛意言角之多,盖言聚而和也。如辑之训聚兼训和。”释文:“濈本亦作戢。”御览引诗正作戢。尔雅:“戢,聚也。”

湿湿,牛反刍时耳扇动貌。毛传:“呞而动其耳湿湿然。”释文:“呞,本又作飍,亦作齝。”郭注尔雅“牛曰齝”云:“食已复出嚼之也。”

韵读:文部——群、犉。　缉部——濈、湿。

或降于阿,或饮于池,或寝或讹。尔牧来思,何蓑何笠,或负其糇。三十维物,尔牲则具。

或,有的。下同。　降,下来。　阿,丘陵。

讹,通吪,毛传:“讹,动也。”释文:“韩诗作讹,讹,觉也。”按讹当作吪,通讹。讹,同寤。韩诗释觉,是对“寝”字而言。动则见觉醒,韩、毛字异而意同。

牧,牧畜的奴隶。

何,通荷,担负,此处引申为披戴。毛传训揭,见候人注。　蓑,蓑衣。按蓑是俗字,本字为衰。说文:“衰,草雨衣,秦谓之萆。萆,雨衣,曰衰衣。”

笠,斗笠,所以避暑。

糇，干粮。

三十维物，三十，虚数，泛言多。物，指牲畜的毛色。毛传："异毛色者三十也。"陈奂传疏："郑司农注犬人云：'物，色也。'穆天子传：'收皮效物'，郭注云：'物，谓毛色也。'即引此诗。"

具，具备。尔牲则具，各种毛色的牲口你就具备。据说古代不同的祭祀要用不同毛色的牲畜，见周礼地官牧人。

韵读：歌部——阿、池（音沱）、讹。　侯部——糇、具（渠昼反）。

尔牧来思，以薪以蒸，以雌以雄。尔羊来思，矜矜兢兢，不骞不崩。麾之以肱，毕来既升。

以，取。　薪，粗柴。　蒸，细柴。或以薪蒸为牧草，但于古书中无据。

以雌以雄，雌、雄都指禽兽。牧畜之奴隶还须兼做采薪、捕猎之事。郑笺："此言牧人有馀力则取薪蒸、搏禽兽以来归也。"

矜矜、兢兢，坚持恐走失之貌。

骞，亏损，零星走失。马瑞辰通释："骞本马腹垫陷之称，引申通为亏损之称。"　崩，本义为"山坏"，引申为散群。林义光诗经通解："骞，亏也。崩，坏散也。小失曰骞，全失曰崩。不骞不崩，言群羊驯谨相随，无走失之患也。"

麾，假借作挥。　肱，手臂。毛传："肱，臂也。"

毕、既二字同义，尽、完全。　升，登。毛传："升，升入牢也。"毕来既升，指羊群完全回来入圈。

韵读：蒸部——蒸、雄、兢、崩、肱、升。

牧人乃梦：众维鱼矣，旐维旟矣。大人占之：众维鱼矣，实维丰年。旐维旟矣，室家溱溱。

维，与。见杨树达词诠。下句同。

旐，于省吾新证认为旐字应读作兆。金文吴方彝"䵼旃"，孙诒让古籀拾遗称"此旃字当即所谓大白之旗也"。说文旝字下引诗"其旝如林"，今本大明旝作会。然则旐之通兆与此同例。古籍谓十亿或万亿曰兆，引申之则为众多之泛称。楚辞惜诵"众兆之所雠"，王注谓："兆，众也。"众、兆双声叠义。古之叠义连语往往分用。此诗“维”为句中助词,本谓所梦的是鱼之众与旟之多。众鱼为丰年之征,兆旟为室家繁盛之验。按,于说甚有理。　旟,画鹰隼的旗。说文:“旟,错革鸟其上,所以进士众。”

大人,指掌占梦的官,见斯干注。

实,是、这。陈奂传疏:“实当作寔,寔,是也。”　维,为。

溱溱,鲁诗作蓁蓁,溱与蓁通,又通增。毛传:“溱溱,众也。”郑笺:“子孙众多也。”

韵读:鱼部——鱼、旟、鱼、旟。　真部——年(奴因反)、溱。

节南山

【题　解】

这是周大夫家父斥责执政者尹氏的诗。左传昭公二年:“季武子赋节之卒章。”十月之交郑笺:“节刺师尹不平。”大戴记卫将军文子卢辩注:“小雅节之四章。”是古代只以“节”名篇。毛序:“节南山,家父刺幽王也。”序认为诗是幽王时代的作品。或因正月、十月之交等作于幽王时代,故推而及之。此诗可能产生于西周,有首句“节彼南山”为证。姚际恒谓南山即终南山,东迁以后不可能咏终南山,姚氏这一推断是对的。宋欧阳修诗本义、明季明德诗说解颐、何楷诗经世本古义等都说此诗为东周桓王时代的作品,其主要根据是春秋鲁桓公十五年(周桓王二十三年)有“家父来求车”一语。但这一可能孔颖达已于正义中提出不同意见,他认为春秋之前古人同名者甚多,如左传文公十一年有富父终甥,哀公三年有富父槐;吴子寿梦之后又有太子寿梦;公子光之父名诸樊,光之子亦名诸樊。郑有两子孔,晋有两士匄,卫、宋俱有公孙朝,郑、卫俱有公孙挥等等。证明此诗之家父与桓王时之家父亦为两人。可见欧阳修等人之说不能成立。家父,汉书古今人表作"嘉父",列于宣王时代,盖汉代今文学者以此诗为宣王时代之作,亦可备一说。至于诗的主题,胡承珙毛诗后笺说:"许白云诗钞曰:此诗刺王用尹氏,前九章惟极言尹氏之罪,而卒章以言归之王心,则轻重本末自见。其所以刺尹氏者,大要有二事,为政不平而委任小人也。"他又说:"诗词专责尹氏,而刺王之旨自在言外。"今从胡说。

陈乔枞云:"笺释'不吊昊天,不宜空我师'云:'不善乎昊天,愬之也。'此诗屡言昊天,如'昊天不庸'、'昊天不惠'。又'不吊昊天,乱靡有定',及此'昊天不平',皆呼天而愬之词。"他这段话,正指出了此诗的艺术特点。诗人撇了对话的听者或读者,突然直呼话中的天或物来说话的,叫做呼告。它产生于诗人情感激烈的时候,不知不觉对不在面前的意象,当作有生命的东西,以呼告的形式和它说话。诗歌中常见呼天呼父母的词句,司马迁史记屈原列传说:"夫天者,人之始也。父母者,人之本也。人穷则反本,故劳苦倦极,未尝不呼天也。疾痛惨怛,未尝不呼父母也。"他指出呼告中呼天产生的原因,是切合人们生活中的实际情况。从老天爷啊老天爷大声疾呼中,我们不是强烈地感受到了诗人走投无路而愤怒到快要爆发的情绪吗?

节彼南山,维石岩岩。赫赫师尹,民具尔瞻。忧心如惔,不敢戏谈。国既卒斩,何用不监。

节,巀之假借,节彼,即节节。高峻貌。释文:"节,又音截。"说文:"巀,巀嶭山也。"段注:"巀嶭、嵯峨语音之转,本为山峻貌,因以为山名也。" 南山,终南山。见阎若璩四书释地南山。

岩岩,毛传:"积石貌。"马瑞辰通释:"据说文:'岩,崖也。''礹,石山也。'则岩岩乃礹礹之假借。"按首二句是起兴,喻师尹地位的高贵显赫。

赫赫,毛传:"显盛貌。" 师尹,毛传:"师,大师,周之三公也。尹,尹氏，为大师。”陈奂传疏：“尹氏本官名，武王时尹佚为之，有功，后子孙因以官族。”他又说：“周公以冢宰兼大师，大公以司马兼大师，皇父以司徒兼大师，是大师为三公之兼官矣。”

民具尔瞻，人民都看着你。毛传：“具，俱。瞻，视。”

惔(tán)，烧，毛传：“惔，燔也。”释文：“韩诗作炎。”说文于惔下引诗亦作炎，于羙下引诗作羙。马瑞辰谓作羙者毛诗，此惔字当为羙之误。因惔的本义训忧，“忧心如忧，为不词矣”。马说是。

戏谈，戏谑谈论。郑笺：“畏汝之威，不敢相戏而言语，疾其贪暴，胁下以刑辟也。”

国，指国运。　卒，尽，完全。　斩，断绝。国既卒斩，国运已到完全断绝的地步。

何用，何以。　监，瞷的假借，看。说文：“瞷，视也。”释文：“监，又作瞷。”这句意为，何以看不见呢？这章言尹氏之失民望。

韵读：谈部——岩、瞻、惔、谈、斩、监。

节彼南山，有实其猗。赫赫师尹，不平谓何？天方荐瘥，丧乱弘多。民言无嘉，憯莫惩嗟。

有实其猗，形容山坡广大。王引之经义述闻：“诗常例，凡言有蕡其实、有莺其羽、有略其耜、有捄其角，末一字皆实指其物。有实其猗文义亦然也，猗疑当读为阿。猗、阿二字通用。”又曰：“实，广大貌。閟宫篇‘实实枚枚’，传曰：‘实实，广大也。’有实其阿者，言南山之阿实然广大也。”按阿，山坡。诗人以山上有广大不平的山坡，以兴师尹的不平。马瑞辰通释：“尔雅：‘偏高曰阿丘。’阿为偏高不平之地，故诗以兴师尹之不平耳。”

谓何，云何。这句是倒文，言尹氏为政为什么不均平？

荐，屡次。　瘥(cuó)，本义为病愈。引申为瘟疫疾病。三家诗作嵯。陈奂传疏：“说文：嵯，残薉田也。引诗作荐嵯，与争田之讼说合。”

弘，大。此句意为，死亡乱离的事又广又多。

嘉，善。此句意为，人民对师尹没有一句好话。

憯(cǎn)，本义为痛，这里是朁的假借。说文：“朁，曾也。”曾，还。　惩，警戒。　嗟，句末语助词（从王引之经传释词说）。这句意为，尹氏还不知警戒啊。这章言尹氏为政不平，不顾天怒民怨。

韵读：歌部——猗（音阿）、何、瘥、多、嘉（音歌）、嗟（子何反）。

尹氏大师，维周之氐。秉国之均，四方是维，天子是毗，俾民不迷。不吊昊天，不宜空我师。

维，是。　氐，通柢，鲁诗作底，树木的根。尔雅："柢，本也。"郭注："谓根本。"按这句是隐喻的修辞。

秉，掌握。　均，钧之假借，汉书律历志引作钧。本义为量名，说文："钧三十斤也。"后遂通以为"平均"之称。故郑笺云："持国政之平。"

四方，指全国。　是，这，指四方。　维，系，引申为维持。

毗，荀子宥坐引诗作庳，皆埤之假借。释文："王作埤。"说文："埤，增也。增，益也。"辅助的意思。天子是毗，言尹氏职在辅助天子。

俾，使。　迷，迷惑。郑笺："使民无迷惑之忧。"以上四句是诗人对尹氏的希望。

不吊，不淑，不善。林义光通解："不吊，不淑也。金文叔字皆借吊字为之。叔、吊双声旁转，故淑亦通作吊。襄十六年左传'旻天不吊'郑众注周礼大祝引作'闵天不淑'。书费誓'无敢不吊'，史记鲁世家作'无敢不善'。"　昊天，泛指上天。这句意为，不善的上天。郑笺："不善乎昊天，愬之也。"是呼告的修辞。

空，困穷。毛传："空，穷也。"　师，众民。郑笺："不宜使此人居尊官困穷我之众民也。"这章言太师是周王朝的根本，为政当均平，责任重大。

韵读：脂部——师、氐、维、毗、迷、师。　真部——均、天（铁因反）。

弗躬弗亲，庶民弗信。弗问弗仕，勿罔君子。式夷式已，无小人殆。琐琐姻亚，则无膴仕。

躬、亲二字同义，言尹氏不亲自管理政事。

庶民弗信，陈奂传疏："今君子不能躬率庶民，则庶民于上之言不肯信从矣。"

问，咨询。　仕，事，此处指任之以事。

罔，欺罔。　君子，指在位贵族中之贤者。与上句庶民相对。姚际恒通论："以君子而弗咨询之，弗仕使之，是诬罔君子也，故戒其'勿'。"

式，语助词。　夷，平，消除。　已，止，制止。指消除、制止上面不合理的事。马瑞辰通释："夷谓平其心，即下章'君子如夷'也。已谓知所止，即下章'君子如届'也。"

殆，危。毛传："无以小人之言至于危殆。"

琐琐，渺小浅薄貌。　姻，婿之父曰姻。　亚，两婿相谓曰亚。即后代所谓连襟。姻亚，这里指裙带关系。

膴(wǔ)，厚。膴仕，指高官厚禄。郑笺："琐琐婚姻妻党之小人，无厚任用之置之大位。"这章言尹氏任用小人及有裙带关系者。

韵读：真部——亲、信。　之部——仕、子、已、殆(徒里反)、仕。

昊天不佣，降此鞠讻。昊天不惠，降此大戾。君子如届，俾民心阕。君子如夷，恶怒是违。

佣，公平。毛传："佣，均。"释文："韩诗作庸，庸，易也。"按庸为佣之省借，易为平易，义与毛同。

鞠，簐之假借，穷、极。　讻，凶之假借，凶咎。这句意为，降此极大祸乱。马瑞辰通释："鞠者簐之假借，说文：'簐，穷也。'又'趜，穷也。'并以双声取义。说文：'穷，极也。'讻当读如'日月告凶'之凶，谓凶咎也。鞠凶犹言极凶，与大戾同义，故皆为天所降。"

惠，仁爱。

戾，恶，郑笺："戾，乖也。"大戾和上句鞠讻同义。

君子，指师尹。　如，如果。　届，止。　指停止暴虐之政。

民心，即指下句恶怒之心。为互文。　阕(què)，平息。言师尹如果能停止其暴政，则人民愤怒之心即可平息。马瑞辰通释："尔雅释诂：'艐，至也。'孙炎曰：'艐古届字。'释言：'届，极也。'极、至同义，至亦为止。诗言'君子如届'，届谓得所止，犹上章'式已'也。上得所止，则民之心亦知所息矣。"

夷，平。指为政公平。

恶怒，指人民憎恶和愤怒的情绪。　违，消除。毛传："违，去也。"这是说尹氏如果为政公平，人民对他的憎恶愤怒就会消除了。这章言尹氏如果为政公平，可消天变人怒。

韵读：东部——佣、讻。　脂部——惠、戾、届（音既）、阕（苦穴反）、夷、违。

不吊昊天，乱靡有定。式月斯生，俾民不宁。忧心如酲，谁秉国成？不自为政，卒劳百姓。

靡，无。　定，止。这句意为，祸乱并没有止息。

式，语助词。　斯，是、这，指祸乱。此承上句言，每月都有祸乱发生。故下句云"俾民不宁"。

酲（chéng），酒醉而不醒。毛传："病酒曰酲。"

成，平治。国成，指平治国政。毛传："成，平也。"马瑞辰通释："秉国成即执国政也。"按"国成"与三章之"国均"同义。齐诗"谁"下有"能"字。此句意为，谁能掌握国政的平治呢？

政，齐诗作正，义同。不自为政，言尹氏委政小人，有执政之名，无为政之实。

卒，瘁的借字，瘁劳，劳苦。这章言尹氏不但不能消除天变，且生祸乱，使人民不宁。

韵读：耕部——定、生、宁、酲、成、政、姓。

驾彼四牡，四牡项领。我瞻四方，蹙蹙靡所骋。

项，雍之假借，肥大。　领，颈。项领，指马久驾不行，马颈有肥大的病。

蹙蹙，局缩不伸貌。　靡所骋，无处驰骋。这章以马喻己怀才不得用的苦闷。又胡承珙后笺引诗钞谓此章"言欲遁无所往"，则是离骚"欲远集而无所止"之意，亦通。

韵读：真、耕部通韵——领、骋。

方茂尔恶，相尔矛矣。既夷既怿，如相酬矣。

方，正。时间副词。　茂，盛、强烈。　尔，指尹氏之流。　恶（wù），憎恶,指统治者内部彼此意见有矛盾。

相,读去声,郑笺:“相,视也。”以上二句意为,当你们互相憎恶正强烈的时候,他看你就像一枝杀人的长矛。

夷,平,指心平气和。 怿,悦。

酬,同酬,劝酒。郑笺:“言大臣之乖争本无大雠,其已相和顺而悦怿,则如宾主饮酒相酬酢也。”这章写小人之交,实刺尹氏。

韵读:鱼部——恶、怿(音余入声)。 幽部——矛、酬。

昊天不平,我王不宁。不惩其心,覆怨其正。

覆,反。 正,正谏他的人。末二句言尹氏不惩改其邪心,反而怨恨谏正他的人。朱熹诗集传:“尹氏之不平,若天使之,故曰‘昊天不平’。若是,则我王亦不得宁矣。然尹氏犹不自惩创其心,乃反怨人之正己者,则其为恶,何时而已哉!”这章言尹氏拒谏。

韵读:耕部——平、宁、正。

家父作诵,以究王讻。式讹尔心,以畜万邦。

家父,三家诗家作嘉,作诗者的自称。毛传:“家父,大夫也。”陈奂传疏:“食采于家,以邑为氏者也。十月之交篇有家伯,或是家父之族;春秋周桓王时有家父,或即家父之后欤?何注公羊传云:‘家,采地。父,字。’是也。” 诵,讽谏。说文:“讽,诵也。诵,讽也。”此处泛指作诗以为讽谏。

究,追究。 王讻,王朝凶恶的根源,指尹氏。

式,发语词。 讹,吪的假借,改变。尔雅释言:“讹,化也。” 尔,指国王。诗人希望国王能改变任用尹氏的心。

畜,养,安抚的意思。 万邦,指四方各诸侯国。朱熹诗集传引东莱吕氏(吕祖谦)曰:“篇终矣,故穷其乱本,而归之王心焉。致乱者虽尹氏,而用尹氏者,则王之心蔽也。”这章言任用尹氏祸国殃民的责任应归于国王。

韵读:东部——诵、讻、邦(博工反)。

正　月

【题　解】

这是周大夫怨刺幽王、忧国忧民、自伤孤立无援的诗。毛序："正月，大夫刺幽王也。"三家无异议。诗中有"赫赫宗周，褒姒威之"二语。朱熹诗集传："时宗周未灭，以褒姒淫妒谗谄而王惑之，知其必灭周也。"陈启源稽古编："国语：幽王三年三川震，伯阳父料周之亡不过十年；又郑桓公为周司徒，谋逃死之所；史伯引檿弧之谣、龙漦之谶，决周之必弊，其期不及三稔。然则周之必亡，而亡周之必为褒姒，当时有识之士固已明知之，且明言之矣。……篇中所云具曰予圣，及旨酒、嘉肴、有屋、有谷等语，显是荒君乱臣奢纵淫佚、燕雀处堂之态。若犬戎一乱，玉石俱焚，此辈已血化青磷，身膏白刃，尚得以富贵骄人哉！"朱、陈二氏据诗的内容及有关史料，断其作于幽王后期、西周将亡之时，说似可从。

正月诗人生于幽王丧乱时代，君主荒淫，小人居位，犬戎侵陵，民生凋敝。作者可能是一位大夫，但不被重用。孔颖达评曰："诗人明得失之迹，见微知著，以褒姒淫妒，知其必灭周也。"明得失、见微知著二语，指出了他有先见之明。王引之说："言弃辅则尔载必输，不弃则绝险可济；商事如是，治国可知。"他指出了诗人的政治才能。他处于是非不明、贤不肖不分、虺蜴当道、谣言四起的险恶环境中，他同情人民，看出了社会上贫富的悬殊，小人生活的腐化和人民的不幸，嗟叹生之不辰，孤独无援，谨慎小心，忧伤苦闷。不自觉地塑造了一位忧国忧民、畏谗畏讥的失意官吏形象。他善于运用比喻的艺术手法，歌唱胸中的郁结。

以乌鸦落在谁屋，比人们将流离失所。以丛林中都是不成材的小木，比小人充满朝廷。以说高冈大陵是卑小的，比小人颠倒是非。以在高山厚地上不敢不弯腰小步走路，比在虐政下人们不得不谨慎小心。以虺蜴比害人的统治者，以特苗比贤才的自己。以野火方扬尚不易扑灭，反比赫赫宗周会被褒姒所灭。以车喻国，以载物喻治国，以辅喻贤臣，以顾仆喻政治措施。诗人多譬善喻，是本诗的艺术特征。李仲蒙说："索物以托情谓之比，情附物也。"正月诗人所索之物，都很确切恰当，将其复杂的思想感情附于物上，使此诗生动而富于说服力。

正月繁霜，我心忧伤。民之讹言，亦孔之将。念我独兮，忧心京京。哀我小心，瘋忧以痒。

正月，周之正月即夏历十一月，此时降霜，乃属正常。旧说以正月为夏历四月。毛传："正月，夏之四月。"郑笺："夏之四月，建巳之月，纯阳用事，而霜多急恒寒若之异，伤害万物，故心为之忧伤。"此是汉代阴阳家言，不足为据。古书无以正月为四月者。孔疏引左传昭公十七年文以证成传说，那是对原文的曲解。近人高亨诗经今注认为："经文与传文'正'均当作'四'，形似而误。"按四古作亖，因形似而误作正，这是很可能的。　繁，毛传："繁，多也。"

讹言，伪言，谣言。讹，訛之俗字。说文引诗作訛。

亦，助词，无义。　孔，很。　之，用如今"得"。　将，大。亦孔之将，犹言"大得很"，形容谣言之盛。

独，孤独。郑笺："言我独忧此政也。"

京京，忧愁无法解除貌。

瘋，亦作鼠，雨无正曰："鼠思泣血。"鼠忧，郁闷。　以，而。　痒，创伤。说文："痒，疡也。疡，创也。"这句意为，郁闷而受了创伤。这章言天时失常谣言流行，引起诗人的忧愁苦闷。

韵读：阳部——霜、伤、将、京（音姜）、痒。

父母生我，胡俾我瘉？不自我先，不自我后。好言自口，莠言自口。忧心愈愈，是以有侮。

胡，何、为什么。　俾，使。　瘉（yù），痛苦。

自，在。这二句意为，乱政为何不出于我之前，或居于我之后，而偏发生于我的时代。朱熹诗集传：“疾痛故呼父母，而伤己适丁是时也。”

莠，毛传：“丑也。”马瑞辰通释谓莠即丑之假借。莠言，坏话。这二句意为，好话坏话都从人的口中说出，没有一定的是非。

愈愈，烦闷貌。亦作瘐。

以，因。是以，因此。这句意为，因我之忧而受小人欺侮。这章言生不逢时，谣言可畏。

韵读：侯部——瘉（余掫反）、后、口、口、愈（余掫反）、侮（无掫反）。

忧心茕茕，念我无禄。民之无辜，并其臣仆。哀我人斯，于何从禄？瞻乌爰止，于谁之屋？

茕茕，毛传：“忧意也。”

禄，说文：“禄，福也。”朱熹诗集传：“无禄，犹言不幸尔。”

无辜，无罪。

并，读去声，俱、都。　臣、仆，奴隶。马瑞辰通释：“古以罪人为臣仆。诗云‘并其臣仆’，谓使无罪者并为臣仆，在罪人之列。”

哀，可怜。　我人，我们。　斯，语气词。

何，指何人。这句意为，我们将从什么人接受爵禄？

瞻，视。　乌，乌鸦。　爰，助词。　止，栖止。诗人以乌鸦不知栖止在谁家屋上，比喻自己不知结局如何。钱锺书管锥编引张穆㐆斋文集云：“二语深切著明，乌者，周家受命之祥：春秋繁露同类相动篇引尚书传言：‘周将兴之时，有大赤乌衔谷之种而集王屋之上者，武王喜，诸大夫皆喜。’凡此皆古文泰誓之言，周之臣民，相传以熟。幽王时天变叠见，讹言朋兴，诗人忧大命将坠，故为是语。”是诗人以乌象征周王朝，可备一说。这章是诗人自伤不幸，忧民忧国。

韵读:侯部——禄、仆、禄、屋。

瞻彼中林,侯薪侯蒸。民今方殆,视天梦梦。既克有定,靡人弗胜。有皇上帝,伊谁云憎?

中林,林中。

侯,维、是。　薪,粗柴。　蒸,细柴。指林中没有大材。郑笺:“林中大木之处而唯有薪蒸,喻朝廷宜有贤者而但聚小人。”

方殆,指人民正处于生活危险的困境。

天,指周幽王。　梦梦,昏暗胡涂貌。说文:“梦,不明也。”齐诗作芒芒,梦与芒一音之转。

既,终。　克,能够。　定,止。指能止乱。

有皇,即皇皇,伟大。

伊、云,都是语助词。　谁憎,即“憎谁”,倒文协韵。按以上四句的主语是“有皇上帝”。马瑞辰通释:“言天如有止乱之心,则此讹言之小人无不能胜之者。乃天能胜人而不肯止乱,不知天意果谁憎乎?”这章言幽王昏暗,人民危殆,只有呼天以泄愤。

韵读:蒸部——蒸、梦、胜、憎。

谓山盖卑,为冈为陵。民之讹言,宁莫之惩。召彼故老,讯之占梦,具曰“予圣”,谁知乌之雌雄?

盖,盍之假借,何、怎么。下章同。陈奂传疏:“盖读同盍。郑注檀弓‘盖,皆当为盍’,群经音辨‘盖音盍’是也。尔雅:‘曷,盍也。’广雅:‘曷、盍,何也。’‘谓山盖卑’,言山何卑也。‘谓天盖高,谓地盖厚’,言天何高地何厚也。三‘盖’字并与‘何’字同义。”这二句意为,小人颠倒黑白,说“山怎么那样低啊”,其实却是高冈大陵,证明谣言之不实。马瑞辰通释:“(尔雅)释山曰:‘山脊,冈。’释地曰:‘大陵曰阜。’天保诗‘如冈如陵’、易‘升其高陵’皆以冈陵喻高。诗意盖谓讹言以山为卑,而其实乃为高冈,为高陵。以证其言之不实。故继以‘民之讹言,宁莫之惩’。”

宁,乃、却。　惩,止、制止。

召,召集。　故老,元老、老前辈。

讯，询问。　占梦，朱熹诗集传："占梦，官名，掌占梦者也。"按召与讯是互文。意谓召集元老与占梦之官而询问之。

圣，精明。说文："圣，通也。"尚书洪范传："于事无不通谓之圣。"与"圣人"义异。这句意为故老、占梦都说自己最精明，但有谁真能辨别谣言的是非呢？乌之雌雄是比喻，以乌鸦的外貌相似，很难辨别他到底是公是母，比谣言的是非难辨。这章言谣言不止，是非不辨，无人制止。

韵读：蒸部——陵、惩、梦、雄。

谓天盖高，不敢不局。谓地盖厚，不敢不蹐。维号斯言，有伦有脊。哀今之人，胡为虺蜴。

盖，见上章注。

局，释文："本又作局。"伛偻，弯着腰走，惟恐天坠之貌。

蹐，轻轻下脚地小步走路。说文："蹐，小步也。"并引此句诗。三家诗作趚，说文走部："趚，侧行也。"引诗作趚。

维，发语词。　号，呼号，叫喊。　斯，此。斯言，指前两句。胡承珙后笺："按斯言紧承上两谓字。"

伦，道理。毛传："伦，道也。"　脊，迹之假借。春秋繁露深察名号篇引诗作迹。按伦、迹同义，有伦有脊，很有道理的意思。

虺（huǐ）蜴，此有两释。一以虺蜴为一物。孔疏引陆玑云："虺蜴一名蝾螈，水蜴也，或谓之蛇医，如蜥蜴，青绿色，大如指。"一以虺蜴为二物。虺，蛇类。蜴，亦作蜥，今名蝎子。都是有毒的动物。朱熹诗集传："哀今之人，胡为肆毒以害人，而使之至此乎？"按"此"字即指前四句。这章言处于乱世，权贵害人，不得不谨慎小心。

韵读：支部——蹐、脊、蜴。

瞻彼阪田，有菀其特。天之扤我，如不我克。彼求我则，如不我得。执我仇仇，亦不我力。

阪（bǎn）田，崎岖不平山坡上的田，贫瘠之田。

菀，郁之假借，茂盛貌。有菀，即菀菀。　特，特出，指特出的苗。诗人以阪田中特出的苗，比自己是特出的人才。

抈(yuè),抈之假借。挫折。说文:"抈,折也。"

克,制胜。这二句意为,上天折磨我,好像唯恐不能制伏我。

彼,指周王。　则,语末助词。郑笺:"王之始征求我,如恐不得我。"

执,执持,掌握。　仇仇,执执的假借。缓,执物不坚固貌。

力,力用,重用。亦不我力,即不重用我。礼记缁衣引此章后四句,郑注:"言君始求我,如恐不得。既得我,执我仇仇然不坚固,亦不力用我,是不亲信我也。"这章言怀才不遇,不被重用。

韵读:之部——特(徒力反,入声)、克(枯力反,入声)、则(音稷入声)、得(丁力反,入声)、力。

心之忧矣,如或结之。今兹之正,胡然厉矣。燎之方扬,宁或灭之。赫赫宗周,褒姒威之!

或,有人。　结,绳索打的疙瘩,今名结子。孔疏:"言我心之忧矣,如有结之者,言忧不离心,如物之缠结也。"

兹,此。　正,政、政治。

胡然,为什么这样。　厉,疠之假借,恶、坏。桑柔、瞻印传并云:"厉,恶也。"朱熹诗集传:"正,政也。厉,暴恶也。言我心之忧如结者,为国政之暴恶也。"

燎,放火烧野地的草木。说文:"燎,放火也。"　扬,盛。方扬,正在旺盛。

宁,乃、岂、难道。这二句意为,当野火正扬盛的时候,难道会有人能用水扑灭它。毛传:"灭之以水也。"

赫赫,显盛貌。见节南山注。　宗周,指周的都城镐京。宗,主。镐京为天下所宗,故称宗周。

褒姒,褒国女子,幽王宠妃。　威,古灭(滅)字。左传昭元年引这句诗正作灭。毛传:"褒,国也。姒,姓也。有褒国之女,幽王惑焉而以为后,诗人知其必灭周也。"马瑞辰通释:"诗人盖谓燎之方扬,似无有灭之者,而乃或以水灭之;以喻赫赫宗周似无有威之者,而一褒姒竟威之也。"这章言幽王荒淫,惑于褒姒,宗周必将灭亡。

韵读:脂、祭部通韵——结、厉、灭、威。

终其永怀,又窘阴雨。其车既载,乃弃尔辅。载输尔载,将伯助予。

终,既。　其,语助词。　永,深长。　怀,忧。永怀,深忧。

窘,毛传:"困也。"　阴雨,是比喻。陈奂传疏:"阴雨,以喻所遭多难。"二句意为,既已忧伤又困于阴雨。

车,载货物的大车。　既,已经。　载,装载货物。

辅,车箱两旁的板。陈奂传疏:"辅者掩舆之版。大东传:'箱,大车之箱也。'方言:'箱谓之輫。'尔雅:'棐,辅也。'棐与輫通。大车掩版置诸两旁可以任载。今大车既重载矣,而又弃其两旁之版则所载必堕。此其显喻也。……车之有辅,兴国之有辅臣。"

载,语首助词,含有"则"意。和上"其车既载"读去声者音义不同。输,堕,掉下来。

将(qiāng),请。　伯,长、大哥。古代对男子的敬称,这里指贤人。郑笺:"输,堕也。弃汝车辅则堕汝之载,乃请长者见助。以言国危而求贤者已晚矣。"这章诗人以行车的安危比喻求贤辅国应该及时。

韵读:鱼部——雨、辅、予。

无弃尔辅,员于尔辐。屡顾尔仆,不输尔载。终逾绝险,曾是不意。

员(yún),益、增加。　辐,车轮上的直木。这句意为,加粗你的车辐。有人说,辐即车箱下面钩着车轴的木头,名伏兔。亦通。

屡,数、一再地。　顾,照顾。　仆,驾车的仆夫。

逾,越过。这句意为,如遵照以上办法去做,终究能够越过最危险的境地。

曾,乃、竟。　是,代词,指上述办法。　不意,不放在心上。郑笺:"汝曾不以是为意乎?以商事喻治国也。"这章以商业行车比喻治国,要依靠贤臣辅佐,始能渡过险境。

韵读:之部——辐(方逼反,入声)、载(音稷入声)、意。

鱼在于沼，亦匪克乐。潜虽伏矣，亦孔之照。忧心惨惨，念国之为虐。

沼，池。

匪，非。　克，能。这二句意为，鱼在池里，也不能快乐。

潜，深藏。　潜虽伏矣，倒文，犹"虽潜伏矣"。陈奂传疏："潜，深也。伏，伏于渊也。"

孔，甚。　照，明。礼记中庸引诗作昭。此二句意为，鱼虽深藏地伏在渊中，仍旧很明显地被人所见。比喻自己难逃祸乱。

惨惨，懆懆的假借，犹戚戚，忧虑不欢貌。

念，想到。这句意为，想到国里有人搞暴虐的政治。　这章言国政暴虐，自己难逃祸患。

韵读：宵部——沼、乐、照、虐。

彼有旨酒，又有嘉殽。洽比其邻，昏姻孔云。念我独兮，忧心殷殷。

洽，协之假借。洽、协双声。左传僖公二十二年、襄公二十九年引这二句诗皆作协。说文："协，同众之和也。"融洽的意思。　比，亲密。　邻，近，指和他亲近的人。

昏姻，姻亲，裙带关系。　云，周旋。说文："云，象回转之形。"毛传训云为旋，是引申之义。

殷(yīn)，疾痛貌。说文："殷，痛也。"这章写当权者花天酒地、朋比为奸，而我独以国事为忧。

韵读：幽、宵部通韵——酒、殽。　文、真部通韵——邻、云、殷。

佌佌彼有屋，蔌蔌方有谷。民今之无禄，天夭是椓。哿矣富人，哀此茕独。

佌佌(cǐ)，毛传："佌佌，小也。"小人卑小猥琐貌。说文引这句诗作佌佌，云："小貌。"字异而义同。

蔌蔌，毛传："蔌蔌，陋也。"小人鄙陋丑恶貌。　方有谷，释文："方谷，本或作方有谷，非也。”戴震毛郑诗考正、陈奂传疏、马瑞辰通释皆以为当从释文作方谷，无“有”字。马瑞辰：“诗盖以‘佌佌彼有屋’，与‘民今之无禄’相对。以‘蔌蔌方谷’，与‘天夭是椓’相对。”方，正、正有。谷，谷物、粮食。此二句意为，彼猥琐鄙陋的小人有屋有谷，正享富贵。

无禄，无福，不幸。

天夭，天灾。后汉书蔡邕传章怀注引诗作“夭夭”，蜀石经亦作“夭夭”。形似天而误，训为美盛貌，义较胜。　椓，说文：“椓，击也。”言人民不幸，虽夭夭美盛而不免受谗言的打击。

哿（kě），毛传训可，嘉、快乐。王引之经义述闻：“哿与哀相对为文，哀者忧悲，哿者欢乐也。言乐矣，彼有屋之富人；悲哉，此无禄之茕独也。”

茕，和独同义。茕独，指孤独者。这章以在位的小人、富人的生活和人民、孤独者的不幸命运作对比，表现了诗人哀矜的心情。

韵读：侯部——屋、谷、禄、椓、独。

十月之交

【题　解】

这是西周一位没落贵族讽刺朝政的诗。毛序：“十月之交，大夫刺幽王也。”他讽刺幽王宠褒姒，用小人，致有天灾人祸。自述自己与皇父的矛盾及不平。诗反映了西周末年的政治情况与自然灾异，可作中国古代史、天文学史的资料来读。汉书古今人表将皇父、家伯等数人列于幽王之后，孔疏认为韩诗此篇亦次于正月与雨无正之间，是汉代今文学家对此诗的产生时代亦无异议。但郑笺云：“当为刺厉王。”郑氏所据大约是中候擿雒贰等纬书，似不足信。诗首章有关于日食的记载，梁虞劆首次推定此次日食在幽王六年（公元前七七六年），据清代和现代一些学者，如阮元、陈遵妫等推算，发现幽王六年即公元前七七六年九月六日的一次日食，正与诗所载日期相符。这已被世界上多数天文学家所承认，且断为是世界上有年代可考的最早一次的日食记载，由此可证诗产生于幽王六年无疑，郑说误。

据诗的内容，作者可能是一位没落贵族。他颇具才华，以第三章而言，写得很出色。国语周语说："西周三川皆震。"汉书翼奉传："十月之交篇，知日蚀地震之效。"这是用散文叙述这次地震事件的。诗人如何描写"地震"这一抽象概念呢？他用"百川沸腾，山冢崒崩。高岸为谷，深谷为陵"四句来形容，使人感到具体、准确、鲜明、生动，说明了诗人形象思维的丰富。姚际恒说："写得直是怕人。"简短的一句评语，确实指出了作者艺术手腕的高明和读者的感受。

十月之交，朔月辛卯，日有食之，亦孔之丑。彼月而微，此日而微。今此下民，亦孔之哀。

十月，郑笺："周之十月，夏之八月也。" 交，日与月相会，指日食或月食。毛传："之交，日月之交会。"

朔月，"月朔"的倒文，初一日。幽王六年周历十月初一，即辛卯日。有的本子作"朔日"者误。

有，又。阮元揅经室一集诗十月之交四篇属幽王说："梁虞劆，隋张胄元，唐傅仁均、一行，元郭守敬并推定此日食在周幽王六年，十月建酉，辛卯朔日入食限，载在史志。今以雍正癸卯上推之，幽王六年十月辛卯朔正入食限。"

孔，很。 之，得。 丑，凶恶。毛传："恶也。"这二句意为，太阳又食了，凶恶得很。与末句"亦孔之哀"谓可怜得很句法相同。

微，昏暗不明。郑笺："微，谓不明也。彼月则有微，今此日反微，非其常，为异尤大也。"

下民，指天空下面的人民。郑笺："君臣失道，灾害将起，故下民亦甚可哀。”这章说日月食是不祥之兆，是人民的悲哀。

韵读：幽部——卯、丑。　脂部——微、微、哀（音衣）。

日月告凶，不用其行。四国无政，不用其良。彼月而食，则维其常。此日而食，于何不臧！

告凶，指日月食。郑笺：“告天下以凶亡之征也。”鲁诗告作鞠，古鞠、告通。

用，由。　行，轨道。这句意为，日月没有循着正常的轨道运行。

四国，四方之国，指诸侯。　无政，没有善政。

良，贤良的官吏。郑笺：“四方之国无政者，由天子不用善人也。”

而，犹“之”。　食，鲁诗作蚀。食是蚀的假借。刘熙释名：“日月亏曰蚀，稍小侵亏，如虫食草木之叶也。”

维，齐诗作惟，是。　常，平常。古人以为月食是平常之事。马瑞辰通释：“考春秋经书日食三十有六，而月食则不书，此古人重日食而轻月食之证。”

于何，如何。　臧，善、吉利。孔疏：“犹言一何不善，为不善之大。”俞樾群经评议：“于即吁字。于何不臧，犹云吁嗟乎何其不臧。”俞训于为吁，可备一说。这章说日月食是由于国无善政不用贤人。日食尤为不祥。

韵读：阳部——行（音杭）、良、常、臧。

烨烨震电，不宁不令。百川沸腾，山冢崒崩。高岸为谷，深谷为陵。哀今之人，胡憯莫惩。

烨烨（yè），闪闪，电光盛貌。说文段注：“凡光之盛曰烨。”　震电，雷电。毛传：“震，雷也。”

宁，安。　令，善。郑笺：“雷电过常，天下不安，政教不善之征。”

沸腾，河水涌起溢出。毛传：“沸，出。腾，乘也。”

冢，山顶。　崒，碎的假借。马瑞辰通释：“碎崩与沸腾相对成文，即碎崩之假借。”

高岸二句，谓高岸崩陷而成深谷，深谷隆起而成丘陵，形容地震的强烈。国语周语：“幽王二年西周三川皆震。是岁也，三川（泾、渭、洛）竭，岐山崩。”与诗所言相符,二年疑为六年之误。

胡,何。 憯(cǎn),朁之假借,曾、怎。胡憯,怎么。 惩,止。莫惩,不止。这句连上句说:今之执政者怎么不制止恶政。这章言地震的产生起于恶政。

韵读:真部——电(杜信反)、令。 蒸部——腾、崩、陵、惩。

皇父卿士,番维司徒,家伯维宰,仲允膳夫,棸子内史,蹶维趣马,楀维师氏。艳妻煽方处。

皇父,人名。陈奂据国语郑语,疑皇父即周幽王所宠之大臣虢石父。父,同“甫” 卿士,官名。六卿之长,总管政事,类似后代的宰相。

番,姓。齐诗作皮,韩诗作繁。释文:“本或作潘。”古代番音波,与皮(古读如婆)、繁、潘音近,故通用,后作樊。广韵:“周宣王封仲山甫于樊,后因代焉。” 维,是。下句同。 司徒,官名,掌管土地、人口的长官。

家伯,人名。 宰,官名,掌管国家的典籍。

仲允,人名。齐诗作中术。 膳夫,官名,掌管国王饮食的长官。

棸(zōu),姓,齐诗作掫。 子,尊称。 内史,掌管司法、人事的长官。

蹶,姓。齐诗作蹷,可能是周宣王时蹶父之后,以字为氏。 趣马,掌管王的马。

楀(jǔ),姓,齐诗作万,鲁诗作踽,皆同音假借字。 师氏,官名,掌管教育,教导国王和贵族子弟。

艳,美色,鲁诗作阎,齐诗作剡。马瑞辰通释:“阎、剡皆艳字之同音假借。”艳妻,指褒姒。 煽,炽盛,火热。鲁诗作扇,韩诗作偏。 方,正。处,居。言褒姒受宠甚盛正居于王之左右。或以“方处”训“并居”,言褒姒与上七人都是红人,并居显位。亦通。这章说小人居位,艳妻受宠,他们主宰国家的大事。

韵读:之部——士、宰(音梓)、史。 鱼部——徒、夫、马(音姥mǔ)、处。

抑此皇父,岂曰不时?胡为我作,不即我谋?彻我墙屋,田卒污莱。曰“予不戕,礼则然矣”。

抑,叹词,同噫。郑笺:“抑之言噫。”

岂,难道。 曰,语中助词。 时,适时。指不在农隙的时候役使人民。马瑞辰通释:"时当读为'使民以时'之时。下言'田卒污莱',是夺其民时之证。岂曰不时,言其使民役作不自以为不时也。"

胡为,"为胡"的倒文,为何、为什么。 作,役作。我作,亦倒文,即"作我",役使我工作。

即,就、接近。 谋,商量。我谋,和我商量。郑笺:"女何为役作我,不先就与我谋?"

彻,通撤,拆掉。

卒,尽、完全。 污,洿的假借,积水。说文:"洿,浊水不流也。" 莱,荒芜。陈奂传疏:"此谓田尽不治则下者积水,高者薉草矣。"这是皇父强迫诗人服役的后果。

曰,说。 予,皇父自称。 戕,伤害。郑笺:"戕,残也。我不残败女田业。礼,下供上役,其道当然,言文过也。"

礼,指奴隶社会的礼法,其中最主要的为等级制度。奴隶主有支配农奴的特权,即郑玄所说的"下供上役"。 则然,就是这样。这二句是记皇父语。这章责皇父建设自己的采邑,役使作者,毁拆诗人的房屋,还强词夺理,文过饰非。

韵读:之部——时、谋(谟其反)、莱(音厘)、矣。

皇父孔圣,作都于向。择三有事,亶侯多藏。不慭遗一老,俾守我王。择有车马,以居徂向。

孔,很。 圣,聪明。这是反语讽刺。

都,公卿的采地。周礼载师郑注:"家邑,大夫之采地。小都,卿之采地。大都,公之采地。"作,建设。作都,建设采地。 向,地名。据左传,东周畿内有二向,一为隐公十一年桓王与郑之邑,在今河南济源西南。一为襄公十一年诸侯伐郑师于向,在今河南尉氏西南。济源之向,周初为苏子邑,桓王与郑,尚系之苏忿生,其前不得别封他人。则皇父所都当为尉氏之向。详王先谦集疏。

择,选择。 三有事,三个有司,指三卿。孔疏:"三卿者,依周制而言,谓立司徒兼冢宰之事，立司马兼宗伯之事，立司空兼司寇之事。”

亶（dǎn），信、确实。　侯，维、是。　藏，蓄。多藏，多财产，指有粮食有奴隶的人。顾炎武日知录云：“王室方骚，人心危惧。皇父以柄国之大臣而营邑于向，于是三有事之多藏者随之而去矣，庶民之有车马者随之而去矣。盖亦知西戎之已偪，而王室之将倾也。”

慭（yìn），愿、肯。　遗，留下。　一老，一个老臣，指作者自己。

俾，使。　守，守卫。这二句意为，皇父选择朝廷三卿同往向邑，不愿留下一个老臣，使他守卫国王。

以居徂向，居，语助词，无义（用马瑞辰通释、杨树达词诠说）。徂，往。又于省吾新证：“以居徂向即徂向以居，特倒文以与藏、王为韵耳。”此二句，郑笺亦训居为居住，他说：“择民之富有车马者以往居于向也。”均可通。这章说皇父因镐京不安，经营向邑，选择位高财富的官吏同往。

韵读：阳部——向、藏、王、向。

黾勉从事，不敢告劳。无罪无辜，谗口嚣嚣。下民之孽，匪降自天。噂沓背憎，职竞由人。

黾（mǐn）勉，鲁诗作密勿，陈奂传疏：“黾勉、密勿一声之转。”努力。见谷风注。

告劳，自诉劳苦。

嚣嚣（áo），众口毁谤攻击貌。陈奂传疏：“释文引韩诗作嗸嗸，（汉书）刘向传作嗷嗷，潜夫论贤难篇作敖敖，字并通。”

下民，苍天下的人们。　孽，灾害。

噂（zǔn），聚。　沓（tà），合。　背，背后。　憎，憎恨。朱彬经传考证：“屈原天问：‘天何所沓’，王逸注：‘沓，合也。’诗言小人之情，聚则相合，背则相憎。”

职，只。毛传：“职，主也。”　竞，争。陈奂传疏：“由，从也。‘由人’与‘自天’对文。职竞由人，言不从天降，而主从人之竞为恶也。”这章说自己勤于王事，无罪受谗。人们灾害，是恶人所造成。

韵读：宵部——劳、嚣。　真部——天（铁因反）、人。

悠悠我里，亦孔之痗。四方有羡，我独居忧。民莫不逸，我独不敢休。天命不彻，我不敢效我友自逸。

悠悠，忧思深长貌。　里，忧思。尔雅释诂："悝，忧也。"郭注引诗"悠悠我悝"。玉篇："瘇，病也。"引诗作"悠悠我瘇"。按瘇同里都是悝的假借。

亦，发语词。　痗（mèi），痛苦。孔之痗，痛苦得很。

羡，馀，指有馀于财。

居，语助词。这句意为，我一人单独发愁。

逸，安逸。和下句"休"字对文。

不彻，毛传："彻，道也。"陈奂传疏："尔雅释训：'不遹、不迹、不彻，不道也。'传释彻为道正本尔雅。天命不道，谓天之令不循道而行，遂有日食震电之变。"

效，效法，学习。　我友，指皇父等七人。姚际恒通论："我友自逸，皆指七子辈也。"　自逸，自求安逸。这章以自己的忧国、劳累和七子的自求安逸作对比，坚持勤勉为国以应天变。

韵读：之部——里、痗（满备反）。　幽部——忧、休。　脂、祭部通韵——彻、逸。

雨无正

【题　解】

这是一位暬御大夫讽刺幽王及群臣误国的诗。胡承珙后笺根据诗中"曾我暬御"之句，毛传以"侍御"训暬御，断此诗作者为侍御，周王亲近之臣，不是小官。至于诗的写作时代，向有三说：一、认为是幽王时代的作品，毛序："雨无正，大夫刺幽王也。"二、认为是东周时代的作品，朱熹诗集传："或曰，疑此亦东迁后诗也。"三、认为是厉王时代的作品，郑笺："亦当为刺厉王，王之所下政令甚多而无正也。”经后世学者研究探讨，断为它是幽王时代的创作。其理由大致如下：一、周宗既灭，宗周为天下所宗，有可宗之道，幽王昏乱，弃其可宗之道，诸侯不朝，谓之既灭，非谓周已灭亡。二、“正大夫离居”，指那时的官吏为自己打算，纷纷逃亡，如皇父出居于向。三、“谓尔迁于王都”，上古迁字有二义：一个指迁出，一个指迁回。这句是诗人希望逃亡者迁回王都。以上解释，可纠正后二说之误。诗的篇名为什么叫做“雨无正”呢？归纳起来，约有四说：一、毛序：“雨，自上下者也，众多如雨，而非所以为政也。”郑笺、孔疏从之。二、朱熹诗集传引刘元城云：“尝读韩诗有雨无极篇，序云：‘雨无极，正大夫刺幽王也。’至其诗之文，则比毛诗篇首多‘雨无其极，伤我稼穑’八字。”朱熹又说：“愚按刘说似有理，然第一、二章本皆十句，今遽增之，则长短不齐，非诗之例。”三、吕祖谦东塾读诗记引董氏曰：“韩诗作雨无极，正大夫刺幽王也。（韩诗）章句曰：无，众也。书曰：‘庶草繁芜。’说文曰：‘芜，丰也。’则雨众多者，其为政令不得一也。故为正大夫之刺。”韩诗章句以无为芜之假借，训众，盖谓政治如雨之芜。四、欧阳修诗本义说：“古之人于诗多不命题，而篇名往往无义例。其或有命名者，则必述诗之意，如巷伯、常武之类是也。今雨无正之名，据序所言，与诗绝异，当阙其所疑。”姚际恒通论亦云：“此篇名雨无正，或误，不必强论。”按以上四说，毛序、韩诗都很牵强，年代久远，史无旁证，欧、姚二氏的阙疑态度，是可取的。

此诗起句闳壮而又奇峻，末章收语陡峭，暗藏机锋。一起一收十分醒目，全诗的精神便被提起来了。

浩浩昊天，不骏其德。降丧饥馑，斩伐四国。旻天疾威，弗虑弗图。舍彼有罪，既伏其辜。若此无罪，沦胥以铺。

浩浩，广大貌。　昊天，皇天。

骏，同峻，毛传："骏，长也。"经常的意思。　德，恩惠。这句意为，上天对人恩惠不经常。

丧，死亡。　饥馑，毛传："谷不熟曰饥，蔬不熟曰馑。"这句意为，上天降下死亡饥荒的灾难。

斩伐，摧残。　四国，四方之国，泛指天下。

旻天，当作昊天。陈奂传疏："旻天当依定本作昊天。此篇三言皆作昊天，作旻者因小旻、召旻致误。逸周书祭公篇亦云'昊天疾威'，可证。"　疾威，暴虐。马瑞辰通释："广雅：'暴，疾也。'疾、威二字平列。朱子集传云：'疾威犹言暴虐。'是也。"按诗人以昊天代周王，是言论不自由的反映。

弗，鲁诗作"不"。　虑、图，同义，考虑。指周王不考虑臣民的有罪无罪。

舍，弃。此处指放过。

伏，隐匿。　辜，罪。指周王隐瞒有罪者的罪状。王引之经义述闻："伏者，藏也，隐也。凡戮有罪者，当声其罪而诛之。今王之舍彼有罪也，则既隐藏其罪而不之发矣。盖惟其欲舍有罪之人，是以匿其罪状耳。"

沦，陷（从朱熹说）。三家诗作勋或薰。　胥，郑笺："胥，相。"　铺，痛之假借，韩诗作痛，后汉书蔡邕传李注引诗亦作痛。病，痛苦。这句意为，无罪的人相陷于痛苦之中。这章言上天降灾，国王刑罚不平。指出周王朝天灾人祸的形势。

韵读：之部——德（丁力反，入声）、国（古逼反，入声）。　脂部——威、罪、罪。　鱼部——图、辜、铺。

周宗既灭，靡所止戾。正大夫离居，莫知我勩。三事大夫，莫肯夙夜。邦君诸侯，莫肯朝夕。庶曰式臧，覆出为恶。

周宗，马瑞辰通释认为："周宗"当是"宗周"之误倒。宗周指王室言之，周宗则指周之同姓。左传昭公十六年引诗正作宗周。宗周，指西周镐京。　既，就要。孔疏引王肃云："其道已灭，将无所止定。"

戾，定。靡所止戾，无处定居。

正，长官。　正大夫，指天子六卿，即冢宰、司徒、宗伯、司马、司寇、司空。 离居，离群索居，言大官们都离开王都而散居各处。

勚(yì)，亦作肄，左传昭十六年引诗作肄。杜注："肄，劳也。"肄是勚的同音假借。劳苦。

三事大夫，指天子的三公。陈奂传疏："十月之交及常武所云三事，诸侯三卿也。此云三事，天子三公也。"按周以太师、太傅、太保为三公。

夙夜，早晚。言不肯早起晚睡地操劳国事。

邦君，即诸侯。陈奂传疏："三公大夫，言内也。邦君诸侯，言外也。"

朝夕，郑笺："不肯晨夜朝暮省王也。"马瑞辰通释："按朝夕与夙夜对言。成十二年左传：'百官承事，朝而不夕。'谓朝朝于君而不夕见也。故笺言'朝暮省王'，非泛言朝夕也。"

庶，庶几。尔雅释言："庶，幸也。"表示希望。 曰，语中助词。 式，用。 臧，善。

覆，反。这二句意为，我本希望他们能改过为善，谁知反而出去为恶。这是斥责离居的诸臣。这章言幽王处于众叛亲离境地，大臣避祸，多离开都城。

韵读：脂、祭部通韵——灭、戾、勚。 鱼部——夜(音豫)、夕(音徐入声)、恶。

如何昊天，辟言不信。如彼行迈，则靡所臻。凡百君子，各敬尔身。胡不相畏？不畏于天？

如何，怎么办。如何昊天，呼天之词。郑笺："如何乎昊天，痛而愬之也。"

辟言，合于法度的话。毛传："辟，法也。" 不信，不被国王所听信。

行迈，远行。

臻，至。靡所臻，不知走到什么地方去，指没有目的地。郑笺："我之言不见信，如行而无所至也。"这是诗人以此比喻幽王不听正言。

凡百君子，指在位者，如正大夫、三事大夫、邦君诸侯等。

敬，戒慎，儆惕。言大官们各人都为自己打算。

胡，为什么。 不相畏，言不相畏祸。方玉润诗经原始："百尔君子虽各洁其身，不相畏祸，而独不畏于天乎？”这章责王不听正言，大臣不畏天命。

韵读：真部——天（铁因反）、信、臻、身、天。

戎成不退，饥成不遂。曾我暬御，憯憯日瘁。凡百君子，莫肯用讯。听言则答，谮言则退。

戎，兵、战争。　成，指战争已成；下句的成，指饥馑已成。　不退，犬戎还未退出镐京。

遂，终止。广雅释诂：“遂，竟也。”

曾，则、只有。　暬（xiè）御，近侍之臣。如后世侍中、常侍之类的大官。陈奂传疏：“暬当从唐石经作䙝，从埶声。楚语‘居寝有暬御之箴’韦注云：‘暬，近也。’嵩高‘王命傅御’传：‘御，治事之官也。’然则此暬御当是近臣之治事者。毛以侍御训暬御，则当为左右亲近之臣。故末章传云：‘遭乱世，义不得去。’其非小官可知。”

憯憯（cǎn），唐石经作惨惨。忧伤貌。　瘁，释文：“或作悴。”憔悴。此句意为，因国事而日益憔悴。

讯，当作谇（suì），戴震毛郑诗考正：“讯乃谇字转写之讹。谇，告；讯，问。声义不相通借。”鲁诗正作谇。郑笺：“讯，告也。众在位者无肯用此相告语者。”谓众在位者皆不肯以戎、饥之事告王。

听言，顺从动听的话。　答，汉书贾山传、新序杂事篇引诗皆作“对”，对、答双声义通。传以“进”释答字，与下文退字对言，进用的意思。

谮言，谏言。马瑞辰通释：“广韵：‘谮，毁也。’毁犹谤也。古以谏言为诽谤，故尧有诽谤之木。谮言即谏言也。”这二句意为，众在位者之所以不肯以真情告诉国王，在于王对顺耳的话就进纳，对直谏的话就斥退。这章言外患与饥馑日甚，诸臣不敢谏诤，己独忧伤憔悴。

韵读：脂、文部通韵——退、遂、瘁、讯、退。

哀哉不能言，匪舌是出，维躬是瘁。哿矣能言，巧言如流，俾躬处休。

不能言，指不能说话者，即诗人自己。与下“能言”者对文。

匪，不是。　是，这，表示动宾倒置，与下章“巧言如流”对文。　出，疑为拙的省借，拙劣。

维，是。　躬，自身。　瘁，郑笺：“病也。”与下章“俾躬处休”对文。以上三句意为，可怜啊，不能言的人，这不是口舌笨拙，而是忠言逆耳，使我陷于忧病的处境。为诗人愤激之词。

哿，可、嘉、乐。哿矣，开心呀。见正月注。与上“哀哉不能言”对文。　能言，指能言者，谄媚的小人。

巧言如流，毛传：“巧言从俗，如水流转。”

俾，使。　休，美，美好的处境，如赏赐爵禄等。这章诗人以不能言者与能言者对比，讽刺昏主厌恶忠臣喜欢谀佞。

韵读：脂部——出、瘁。　幽部——流、休。

维曰于仕，孔棘且殆。云不可使，得罪于天子。亦云可使，怨及朋友。

维，发语词。　于，往。　仕，做官。

棘，通急，紧张。郑笺：“急也。”　殆，危险。这二句意为，说起去做官，真是太紧张而且危险。

云，所谓。　使，尔雅释诂：“从也。”

朋友，指贤者。王引之经义述闻：“此言王之出令不正，我言‘不可从’则得罪于天子。言‘可从’则是助君为恶，必怨及朋友矣。”这章言做官和谏诤之难。

韵读：之部——仕、殆（徒里反）、使、子、使、友（音以）。

谓尔迁于王都，曰予未有室家。鼠思泣血，无言不疾。昔尔出居，谁从作尔室？

谓，说。　尔，指正大夫等离居者。　迁，搬回。　于，到。　王都，镐京。

曰，这是诗人叙述离居者不愿迁回王都的答辞。他们推托王都没有室家。　室家，此指房屋家业。

鼠，癙的省借，忧伤。见正月注。　思，语中助词。　泣血，形容极度忧伤。马瑞辰通释：“说苑权谋篇曰：‘下蔡成公闭门而哭，三日三夜，泣尽而继以血。’是泣而泪尽真有流血者。因通言泣之甚者为泣血。”

无言，每句话。 疾，通嫉。这句意为，每句话没有不引起离开王都的人的嫉恨。

作室，造房。因为出居者以没有房屋为理由，不肯迁回，诗人便责问他们，从前你出居的时候，谁跟着你去造房屋呢？这章诗人劝说出居者迁回王都，仍被拒绝。

韵读：鱼部——都、家（音姑）。 脂部——血、疾、室。

小　旻

【题　解】

这是讽刺周王不能采纳善谋（好政策）的诗。朱熹诗集传：“大夫以王惑于邪谋不能断以从善，而作此诗。”吴闿生诗义会通：“此篇以谋犹回遹为主，而剀切反复言之，最见志士忧国忠悃勃郁之忱。所谓回遹者，非必有奸邪不轨之行，第谋臧不用，不臧覆用，臧则具违，不臧具依，发言盈庭而莫执其咎，迩言是争，筑室道谋，斯则诗之所谓回遹矣。”此诗毛序谓刺幽王，郑笺谓刺厉王。按它次于正月、十月之交、雨无正之后，十月之交确实是写幽王六年日食的事，可证此诗或为幽王时代的作品。至于诗题小旻之义，朱熹诗集传引苏氏（苏辙诗经传）曰：“小旻、小宛、小弁、小明四诗皆以‘小’名篇，所以别其为小雅也。其在小雅者谓之小，故其在大雅者谓之召旻、大明，独宛、弁阙焉，意者孔子删之矣。虽去其大而其小者犹谓之小，盖即用其旧也。”苏氏之言似属有理，然孔子删诗之说，经后人考证，已经否定，因此这个问题还是阙疑吧。

首章“谋犹回遹”一句贯串全篇，主题鲜明，结构完整。末章全用比喻，以暴虎、冯河仅危及一身，比喻政策邪僻将祸及全国。

以临深渊、履薄冰比喻自己战战兢兢恐怕国家败亡的心理。感情真挚，语言形象，为此诗生色不少。

旻天疾威，敷于下土。谋犹回遹，何日斯沮！谋臧不从，不臧覆用。我视谋犹，亦孔之邛。

旻(mín)天，上天。尔雅释文："秋为旻天。"郭璞注："旻，犹愍也，愍万物雕落。" 疾威，暴虐，见雨无正注。

敷，毛传："敷，布也。" 下土，人间，与"旻天"对文。

谋犹，犹、猷古通。尔雅释诂："猷，谋也。"谋、犹二字同义，都是"政策"的意思。 回遹，邪僻不正。毛传："回，邪；遹，僻。"齐诗遹作穴，韩诗作𩣡或泬。古音遹读如穴，它和𩣡、泬都是同音通假。

沮，停止。

臧，善。谋臧，好的政策。

覆，反，反而。

邛(qióng)，毛传："邛，病也。"这二句意为，我看现在的政策弊病大得很。

韵读：鱼部——土、沮。 东部——从、用、邛。

潝潝訿訿，亦孔之哀。谋之其臧，则具是违。谋之不臧，则具是依。我视谋犹，伊于胡底。

潝潝(xì)，当面互相附和貌。 訿訿(zǐ)，背后互相诋毁貌。方玉润诗经原始引曹氏粹中曰："潝潝然相和者，党同而无公是；訿訿然相毁者，伐异而无公非。"按韩诗潝作翕，鲁诗作翕或歙。盖翕为正字，潝、歙为假借字。鲁诗訿作呰，呰为正字。

具，今作俱，完全。 是，这，指谋。 违，反对。

伊，发语词。 胡，何。 底，至。这句意为，将使国家走到什么地步？郑笺："谋之善者，俱背违之。其不善者，依就之。我视今君臣之谋道，往行之将何所至乎？言必至于乱。"

韵读：脂部——哀（音衣）、违、依、底。

我龟既厌，不我告犹。谋夫孔多，是用不集。发言盈庭，谁敢执其咎？如匪行迈谋，是用不得于道。

厌，厌烦。

不我告，即"不告我"的倒文。 犹，郑笺："犹，图也。卜筮数而渎龟，龟灵厌之，不复告其所图之吉凶。"按笺训犹为图，图即谋。古人认为卜筮不可反复多次。易蒙卦辞："初筮告，再三渎，渎则不告。"

谋夫，谋士。这句说参加献谋的人员很多。

是用，"用是"的倒文，因此。末句同。 集，韩诗作"就"，成就。陈奂传疏："韩诗外传引诗'是用不就'，就、集一声之转。传训集为就者，正以集为就之假借，即读音如就也。"

发言，指对政策提意见。 盈庭，充满朝廷。

执，持，负的意思。 咎，罪，这里指责任。郑笺："谋事者众，讻讻满庭而无敢决当是非。事若不成，谁云己当其咎责者。"

匪，彼。 行，道路。 迈，远行。 谋，商量、请教。

是用，用是，因此。这句意为，因此不能问得所应走的道路。按左传襄公八年引此二句，杜注："匪，彼也。行迈谋，谋于路人也。不得于道，众无适从也。"

韵读：幽部——犹、咎、道（徒叟反）。

哀哉为犹，匪先民是程，匪大犹是经。维迩言是听，维迩言是争。如彼筑室于道谋，是用不溃于成。

匪，非。下句同。 先民，古人。毛传："古曰在昔，昔曰先民。" 程，效法。

大犹，大道，正确的道理。 经，行、遵循。马瑞辰通释："经，朱彬谓当训行，是也。孟子'经德不回'赵注：'经，行也。'匪大猷是经，犹云匪大道是遵循耳。"

迩言，浅近的话。 是，语中助词。 听，听取。

争，争论。就浅近的话而争论。

筑室，建筑房屋。　于道谋，在道路上向过往的人请教。

溃，遂、达到。马瑞辰通释："溃即遂之假借，溃、遂古声近通用。"　成，成功。

韵读：耕部——程、经、听、争、成。

国虽靡止，或圣或否。民虽靡膴，或哲或谋，或肃或艾。如彼泉流，无沦胥以败。

靡止，不大。毛传："靡止，言小也。"马瑞辰通释："传以靡止为小，则止宜训大矣。抑诗'淑慎尔止'传：'止，至也。'尔雅：'晊，大也。'释文：'晊本又作至。'易'至哉坤元'犹言'大哉乾元'也。止与至同义，至为大，则止亦为大矣。"

或，有的。下同。　圣，通达。说文："圣，通也。"这二句意为，国虽不大，有通达事理的，有不达事理的。

膴（wǔ），本义为大脔，引申为大、多。释文引韩诗作"靡腜，犹无几何"。按腜即膴之假借，腜、膴古音相近。

哲，聪明。齐诗作悊。　谋，智谋，指善于谋画。

肃，恭敬严肃。　艾，治理。按艾即乂之假借，乂古文作嬖。说文："嬖，治也。"此三句意为，人民虽不多，但有明哲的，有善谋的，有恭肃的，有善治的。书洪范："五事：一曰貌，二曰言，三曰视，四曰听，五曰思。貌曰恭，言曰从，视曰明，听曰聪，思曰睿。恭作肃，从作乂，明作哲，聪作谋，睿作圣。"诗辞或由此而来。

如彼泉流，诗人用泉水滔滔流逝，比喻周王不用贤才，国运无可挽回。

沦胥，相率。见雨无正注。这二句意为，不要像泉水滔滔流而不返，无论贤愚，大家都相率而入于败亡。

韵读：之部——止、否（方鄙反）、谋（谟其反）。　祭部——艾、败。

不敢暴虎，不敢冯河。人知其一，莫知其他。战战兢兢，如临深渊，如履薄冰。

暴虎，空手打虎。毛传："徒搏曰暴虎。"

冯（píng）河，徒步渡河。毛传："徒涉曰冯河。"

"人知其一"二句意为,人们都知暴虎冯河的危险,而不知更有危于暴虎冯河的。言外之意,指暴虎冯河仅危及一身,而谋犹回遹则祸及全国,人们反而不知。

战战兢兢,恐惧戒慎貌。

临,面对着。毛传:"如临深渊,恐坠也。"

履,踏着。毛传:"如履薄冰,恐陷也。"以上三句,是诗人看见朝廷的谋犹回遹,恐怕国将败亡,产生了如临深履薄之感。

韵读:歌部——河、他(音佗)。 蒸部——兢、冰。

小 宛

【题 解】

这是没落贵族处于乱世,和兄弟相戒,希望免祸的诗。朱熹诗集传曰:"此大夫遭时之乱,而兄弟相戒以免祸之诗。"他正确地叙述了诗的主题。毛序:"小宛,大夫刺幽王也。"既笼统而又无据。朱熹评之曰:"此诗之词最为明白,而意极恳至。说者必欲为刺王之言,故其说穿凿破碎,无理尤甚。"可谓一针见血之论。国语晋语:"秦伯(穆公)赋鸠飞。"韦注认为"鸠飞"即小宛。是此诗在春秋时代又名鸠飞。

此诗多用比兴:第一章诗人见鸣鸠尾短形小,但能高飞摩天,兴自己位低志大,愿继祖先父母的德业。第三章采取双兴的形式,以原中有菽,庶民皆可任意采摘;螟蛉有子,亦可被蜾蠃抱持而去,兴权势财富皆无常主,只有谨慎有德的子孙才能继承保有它。第四章以鹡鸰之载飞载鸣,兴兄弟之远行。第五章以桑扈之循场啄粟自活,兴穷苦寡财的自己将陷于牢狱的失所。是反义的兴。末章连用三个比喻,以鸟之集木、如临深谷、如履薄冰,写自己处乱世惧祸的心情。姚际恒说:"中原二句,螟蛉二句，此双比法，亦奇。”其实，他章的比兴，也都如实地反映了作者复杂的心理活动，均奇。

宛彼鸣鸠，翰飞戾天。我心忧伤，念昔先人。明发不寐，有怀二人。

宛，小貌。马瑞辰通释：“考工记函人‘视其鸣孔，欲其惌也’郑司农注：‘惌，小孔貌。’惌与宛义亦同。” 鸣鸠，又名鹘雕、鹧鸠、鹘鸼。尔雅郭注：“似山雀而小，短尾，青黑色，多声。今江东亦呼为鹘鸼。”陈奂传疏：“旧说及广雅云斑鸠，非也。斑鸠，鸠之大者。”

翰，高。 戾，厉的假借字，附。马瑞辰通释：“戾者，厉之假借，文选卷一李善注引韩诗作翰飞厉天，云：‘厉，附也。’厉天，犹俗云摩天耳。”按以上二句是兴，比喻自己位虽低而志向高大。

先人，祖先。

明发，二字同义，醒。贾谊新书先醒篇：“辟犹俱醉而独先发也。”汉书邹阳传：“发悟于心。”晏子谏篇：“景公饮酒三日而后发。”广雅释诂：“明，觉，发也。”是发亦训为醒。

二人，朱熹诗集传：“二人，父母也。”

韵读：真部——天（铁因反）、人、人。

人之齐圣，饮酒温克。彼昏不知，壹醉日富。各敬尔仪，天命不又。

齐，敏捷。 圣，明智。尔雅释言：“疾，齐，壮也。”郭注：“壮，壮事，谓速也。”王引之经义述闻：“齐圣，聪明睿智之称，与下文‘彼昏不知’相对。齐者，知虑之敏也。史记五帝纪‘幼而循齐’，索隐引大戴礼作叡齐，一作慧齐，皆明智之称也。”

饮酒温克，郑笺：“饮酒虽醉，犹能温（蕴）藉自持以胜。”温，蕴之假借，蕴藉、含蓄。克，胜、自我克制。

昏，愚昧。 不知，指愚昧无知的人。

壹,鲁诗作一,语首助词,无义。 富,甚,指饮食更多。朱熹诗集传:“彼昏然而不知者,则一于醉而日甚矣。”

敬,警的假借,戒慎。 仪,威仪。

又,复、再。朱熹诗集传:“言各敬谨尔之威仪,天命已去,将不复来,不可以不恐惧也。时王以酒败德,臣下化之,故此兄弟相戒,首以为说。”

韵读:之部——克(枯力反,入声)、富(方备反)、又(音异)。

中原有菽,庶民采之。螟蛉有子,蜾蠃负之。教诲尔子,式穀似之。

中原,原中、田野中。 菽,大豆,此处训藿,豆叶。毛传:“菽,藿也。”马瑞辰通释:“战国策言韩地民之所食,大抵豆饭藿羹。藿对豆言是为豆叶。文选李善注引说文:‘藿,豆之叶也。’诗但言菽,传知其不为豆而为藿者,盖因豆皆有主,惟叶任人采,其主不禁。”

螟蛉(míng líng),说文作螟蠕,桑虫。

蜾蠃(guǒ luǒ),说文作蠣蠃,叠韵。细腰蜂。 负,持、抱。郑笺:“蒲卢取桑虫之子负持而去,煦妪养之以成其子。”这是旧时传说,故后世称养子为螟蛉子。经近世昆虫学家研究,认为螟蛉即螟虫,以植物为食料的害虫。蜾蠃,小黄蜂,今名寄生蜂。蜾蠃取螟虫等的幼虫贮于己巢,用尾刺注毒液于螟蛉体内,使之昏迷,作为自己幼虫的食料。

式,语助词。 穀,善。 似,嗣之假借,继承。以上二句意为,教诲你的孩子们,好好继承祖德。

韵读:之部——采(此止反)、负(房以反)、似。

题彼脊令,载飞载鸣。我日斯迈,而月斯征。夙兴夜寐,毋忝尔所生。

题,题的假借,视、看。见广雅。鲁诗作相,也是看的意思。 脊令,鲁诗作鹏鸰,一种小鸟名,见常棣注。盖古代以脊令比兄弟,故常棣以脊令之在原,喻兄弟之在急难;此诗以脊令之飞鸣,喻兄弟之远行。

日,日日、每天。 斯,语助词。 迈,远行,指行役。

而,你,指兄弟。 月,月月。 征,远行。

夙兴夜寐，早起晚睡，言无时不在操劳。

忝，辱没。毛传："忝，辱也。" 尔所生，指父母。朱熹诗集传："我既日斯迈，则汝亦月斯征矣。言当各务努力，不可暇逸取祸，恐不及相救恤也。夙兴夜寐，各求无辱于父母而已。"

韵读：耕部——鸣、征、生。

交交桑扈，率场啄粟。哀我填寡，宜岸宜狱。握粟出卜，自何能穀？

交交，毛传："小貌。" 桑扈，一种小鸟。尔雅作桑鳸，亦名窃脂，似鸽而小，今名斑鸽。

率，循，沿着。 场，农场。马瑞辰通释："诗意以桑扈之率场啄粟为有以自活，兴填寡之身罹岸狱为失其所。"

填寡，穷苦寡财的人。填，释文引"韩诗作疹。疹，苦也。"王先谦集疏："韩盖以疹为瘨之借字。说文：'瘨，病也。'云汉释文：'瘨，韩诗亦作疹。'古以病苦互训。广雅释诂：'病，苦也。苦，穷也。'然则韩诗疹、苦之训，其义当为穷苦。"寡，寡财之人。

宜，殆，大概、恐怕。杨树达词诠谓"宜"为语首助词，无义。马瑞辰通释谓宜是"且"之误。窃疑此二宜字当训"殆"，有将然之义。左传成公二年："异哉，夫子有三军之惧，又有桑中之喜，宜将窃妻以逃者也。"又成公六年："士贞伯曰：郑伯其死乎！视流而行速，不安其位，宜不能久。"此诗之宜字当与左传上二句之宜字同训为大概。 岸，犴之假借，地方上的牢狱。释文："韩诗作犴，云：乡亭之系曰犴，朝廷曰狱。"这二句意为，可哀呀，我们这些穷苦寡财的人，大概将陷于刑狱。故下句接言占卜以求自免。

握粟出卜，马瑞辰通释："此有二义：一谓以粟祀神。说文：'稰，祭具也。'系传曰：'楚辞，怀椒糈而要之。糈，祭神之精米也，故字从米。祭神，故从示。'……一谓以粟酬卜。说文：'贞，卜问也，从卜，贝以为贽。'系传引诗'握粟出卜'，云：'古者求卜必用贝，握粟其至微者也。'……今按二义本自相通，盖始用糈米以享神，继即以之酬卜。"

自，从。有人训为语词，亦通。 何，什么方法。 穀，善。此处指能得到吉利而摆脱困境。

韵读:鱼部——扈、寡(音古)。 侯部——粟、狱、卜、穀。

温温恭人,如集于木。惴惴小心,如临于谷。战战兢兢,如履薄冰。

温温,毛传:"温温,和柔貌。" 恭人,恭谨守礼的人。

如集于木,如鸟之栖于树,恐怕掉下来。毛传:"恐队(坠)也。"

惴惴,恐惧戒慎貌。 小心,当心。

如临于谷,好像面临着深谷。毛传:"恐陨也。"

战战二句,郑笺:"衰乱之世,贤人君子虽无罪犹恐惧。"他总结了全章的大意。

韵读:侯部——木、谷。 蒸部——兢、冰。

小 弁

【题 解】

这是被父放逐的儿子诉苦的诗。孟子告子下:"小弁之怨,亲亲也。亲亲,仁也。"又说:"小弁,亲之过大者也。亲之过大而不怨,是愈疏也。愈疏,不孝也。"孟子距诗经时代较近,其言当可信。关于诗的作者,汉代却有古、今文学的不同。毛序:"小弁,刺幽王也。大子之傅作焉。"毛传:"幽王取申女生大子宜咎,又说褒姒,生子伯服,立以为后,而放宜咎,将杀之。"毛序认为宜臼傅作,毛传认为太子自作。今文学则以为是宣王时代,尹吉甫之子伯奇为后母所谮,遭父放逐而作。班固汉书冯奉世传赞:"谗邪交乱,贞良被害,自古而然。故伯奇放流,屈原赴湘;小弁之诗作,离骚之辞兴。"赵岐孟子章句亦云:"小弁,小雅之篇,伯奇之诗也。伯奇仁人而父虐之,故作小弁之诗。"汉代文献中言及伯奇之事者甚多,如汉书武五子传载武帝时壶关三老茂上书曰:"孝已被谤,伯奇放流,骨肉至亲,父子相疑。"易林讼之大有:

"尹氏伯奇,父子生离。"巽之观:"伯奇流离,恭子忧哀。"今文家以此诗为伯奇所作,另有所据。胡承珙后笺:"孟子'亲之过大'一语,可断其为幽王太子宜臼之诗。"今从胡说。毛序认为是太子傅作,姚际恒通论:"诗可代作,哀怨出于中情,岂可代乎?况此诗尤哀怨痛切之甚,异于他诗者。"姚的驳斥,非常中肯。闻一多诗经通义认为:"小弁篇本妻不见答之诗。"可参阅,以备一说。

这首诗哀怨痛切,令读者为之动容,所以前人称赞它是"情来之调",是"情文兼到之作"。它能产生如此强的艺术魅力,主要得力于两方面的原因。其一是全诗布局的精巧。第三章是全诗中心,点明了失去双亲而无所归依的哀痛主题。前面的一二两章先以呼天自诉总起,接写去国景象的触目惊心,为第三章入题渲染了气氛。第四五六七共四章反复申言被放逐的原因和由此造成的痛苦,但四五两章用兴和比正面抒写心中的忧苦,六七两章却用兴和比反跌形容父亲的寡恩,用意虽同而章法却有变化,可谓整中有散,正中寓奇。方玉润赞它"离奇变幻,令人莫测",虽然未免过誉,但流动的章法使全诗更显得郁勃顿挫则是肯定的。其二是诗人炼字的警拔。即如"我心忧伤,惄焉如捣"的"惄"和"捣"两个字,将无法形容的忧伤形容得细致入微。我们仔细玩味,会觉得这两个字实在无可移易,难怪钱锺书先生以"惊心动魄,一字千金"赞之。

弁彼鸒斯,归飞提提。民莫不穀,我独于罹。何辜于天,我罪伊何?心之忧矣,云如之何!

弁(pán),快乐貌。弁彼,即弁弁。按弁为昪之假借。说文:"昪,喜乐貌。" 鸒(yù),鸟名,又名卑居,比乌鸦小而下白。尔雅:"鸒,鹎居。"郭注:"雅鸟也,小而多群,腹下白。" 斯,语气词。

提提(shí),翍翍的假借。毛传:"群飞貌。"按这二句是兴,诗人以乌鸦不祥之鸟,还能快乐地归飞,而自己却无罪见逐,连乌鸦都不如。

民,人们。 穀,善。指生活得好。

于,在。 罹(lí),忧患。朱熹诗集传:"民莫不善,而我独于忧,则鷽斯之不如也。"

辜,罪。 天,指君父。

伊,是。这句意为,我是什么罪?

云,发语词。 如之何,怎么办。

韵读:支部——斯、提。 歌部——罹(音罗)、何、何。

踧踧周道,鞫为茂草。我心忧伤,惄焉如捣。假寐永叹,维忧用老。心之忧矣,疢如疾首。

踧踧(dì),平坦貌。说文:"踧踧,行平易也。" 周道,大道。

鞫(jū),塞住。 为,被。 茂草,茂盛的草。陈奂传疏:"通达之大道,其平易踧踧然,今为茂草所塞。"

惄(nì),忧虑。 焉,同然。 如捣,像杵般在舂捣。韩诗作疛,吕氏春秋尽数篇高诱注:"疛,跳动也。"

假寐,打瞌睡。郑笺:"不脱冠衣而寐曰假寐。" 永叹,长叹。

维,发语词。 用,因。维忧用老,因忧而衰老。

疢(chèn),本义为热病,此处泛指烦忧。 如,而。 疾首,即首疾,头痛病。这句意为,因忧伤而头痛。

韵读:幽部——道(徒叟反)、草(此叟反)、捣(多叟反)、老(音柳)、首。

维桑与梓,必恭敬止。靡瞻匪父,靡依匪母。不属于毛,不罹于里。天之生我,我辰安在?

维,发语词。 桑与梓,指桑树和梓树,是古人宅旁常种的树。马瑞辰通释:"怀父母,睹其树因思其人也。至后世,以桑梓为故里之称。"

恭敬,桑梓是父母所种,见物而思及亲人,故必对它尊敬。毛传:"父之所树,已尚不敢不恭敬。" 止,语气词。

靡,无。 瞻,敬仰。 匪,非。

依，依恋。这二句意为，做儿子的没有不敬仰父亲、依恋母亲的。

属，连。　毛，表。指衣外，此处诗人以表比父。

罹，唐石经作离。阮元校勘记谓作罹者误，当依唐石经。离，丽之假借，附。　里，指衣内，此处以里比母。这二句意为，己既被逐于父，母亲申后又被弃，是不得依靠父母。

辰，时，命运。朱熹诗集传："无所归咎，则推之于天曰：岂我生时不善哉，何不祥至是也？"

韵读：之部——梓、止、母（满以反）、里、在（才里反）。

菀彼柳斯，鸣蜩嘒嘒。有漼者渊，萑苇淠淠。譬彼舟流，不知所届。心之忧矣，不遑假寐。

菀（wǎn，又 yù），菀彼，即菀菀。菀柳传："菀，茂木貌。"说文段注："假借为郁字也。"　斯，语气词。

蜩（tiáo），蝉。　嘒嘒（huì），蝉鸣声。

有漼（cuǐ），即漼漼，毛传："漼，深貌。"

萑苇，芦苇，见七月注。　淠淠（pèi），朮朮的假借，草木繁密茂盛貌。郑笺："柳木茂盛则多蝉，渊深则旁生萑苇。言大者之旁无所不容。"

舟流，陈奂传疏："喻太子放逐。"

届，至。见节南山注。诗人以舟流不知所至，比自己不知流落到什么地方去。

遑，暇。不遑，顾不得。

韵读：脂、祭部通韵——嘒、淠、届（音既）、寐。

鹿斯之奔，维足伎伎。雉之朝雊，尚求其雌。譬彼坏木，疾用无枝。心之忧矣，宁莫之知。

斯，语助词。　奔，指奔从其偶。

伎伎，四足速行貌。马瑞辰通释："伎伎实速行之貌。诗言维足伎伎，盖言鹿善从其群，见前有鹿，则飞行以奔之。与雉求其雌取兴正同。"

雉，野鸡。　雊（gòu），雉鸣声。以上四句是诗人以鹿奔求群雉鸣求雌，比自己不如鹿雉。

坏木，病木。毛传："坏，瘣也。谓伤病也。"说文引诗作瘣木，坏为瘣之假借。

用，因。疾用无枝，因病而无枝。

宁，曾、却。　之，语中助词。　知，了解。指君父却不了解。王先谦集疏："言鹿、雉尚有群侣，已病自内发，无人相助，犹伤病之木无枝叶相扶。故虽心忧而曾无知我者，徒自伤耳。"

韵读：支部——伎、雌、枝、知。

相彼投兔，尚或先之。行有死人，尚或墐之。君子秉心，维其忍之。心之忧矣，涕既陨之。

相，视。　投，掩捕。郑笺："视彼人将掩兔，尚有先驱走之者。"

行，道路。

墐，齐诗、韩诗作殣，为本字。埋葬。

君子，指父。　秉心，居心。

维，是。　其，那样。　忍，残忍，狠毒。　之，语气词。

陨（yǔn），坠，落下。

韵读：文部——先（思刃反）、墐、忍、陨。

君子信谗，如或酬之。君子不惠，不舒究之。伐木掎矣，析薪扡矣。舍彼有罪，予之佗矣。

或，有人。　酬，敬酒。孔疏："如有人以酒相酬，得即饮之。"

惠，爱护。

舒，徐、慢慢。　究，考察。朱熹诗集传："曾不加惠爱，舒缓而究察之。"

掎（jǐ），用绳拉住树梢，使树砍完后慢慢倒下来。马瑞辰通释："今伐木者惧其猝踣，其木杪多用绳以牵曳之，即伐木掎巅之遗制。"

析薪，劈柴。　扡（chǐ），唐石经作杝。阮元校勘记谓当依唐石经。顺着木柴的纹理劈。郑笺："杝谓观其理也。必随其理者，不欲妄挫折之。以言今王之遇太子，不如伐木析薪也。"

予，我。　佗（tuó），加。言舍彼有罪的谗人而唯加罪于我。

韵读：幽部——酬、究。　歌部——掎（音哿）、扡（音佗）、佗。

莫高匪山，莫浚匪泉。君子无易由言，耳属于垣。无逝我梁，无发我笱。我躬不阅，遑恤我后？

浚，深。

由，于。尔雅释诂："繇，于也。"繇、由古通用。无易由言，不要轻易于发言。

属（zhǔ），贴着。 垣，墙。这句指贴耳在墙上的窃听者。胡承珙后笺："诗言无高而非山，无浚而非泉，山高泉深莫能穷测也，以喻人心之险犹山川。君子苟轻易其言，耳属者必将迎合风旨而交构其间矣。"

无逝我梁四句：见邶风谷风注。按末四句可能是民间习语，故亦被诗人所采用。

韵读：元部——山、泉、言、垣。 侯部——笱、后。

巧 言

【题 解】

这是讽刺周王听信谗言，放任谗人祸国的诗。毛序："巧言，刺幽王也。大夫伤于谗，故作是诗也。"作者可能是一位受压抑不得志的官吏。胡承珙后笺云："诗以'悠悠昊天'发端，而取五章之'巧言'名篇。盖谗人之言非巧不入，诗人所深恶也。大夫伤于谗者，非独一己伤困于谗，谓大夫伤听谗言之乱政，故其词屡言'乱'，而深望君子能察而止之。"按此诗共六章，前三章刺王，后三章刺谗人。言"乱"者十，言"君子"者七，可见其中心思想所在。

巧言诗人喜用"对喻"，这种比喻虽其实质与作用和明喻一样，但在形式上却不用"如"、"若"等字，是明喻的略式。它有两种情形：一种是比喻在前，一种是比喻在后。比喻在前的，如诗的第五章的前四句："荏染柔木，君子树之。往来行言，心焉数之。”王先谦认为前两句是比喻下两句。比喻在后的，如第四章的后四句：“他人有心，予忖度之。跃跃毚兔，遇犬获之。”高诱认为后二句是比喻上二句。句式整齐，喻意明显，既有说服力，又给人以美的感受。

悠悠昊天，曰父母且！无罪无辜，乱如此幠。昊天已威，予慎无罪。昊天泰幠，予慎无辜。

悠悠，遥远貌。　昊天，泛指上天。

曰，发语词，同聿。　且（jū），语气词。按这二句是诗人在极悲伤中呼告天和父母之词。

幠（hū），本义为覆，引申为大。朱熹诗集传：“悠悠昊天，为人之父母，胡为使无罪之人遭乱如此其大也。”

昊天，指周王。　已，太、甚。郑笺：“已、大皆言甚也。”　威，暴虐。

慎，诚、确实。下句同。列女传王章妻传引此二句云：“言王为威虐之政，则无罪而遘咎也。”

泰，同太，释文作太。　幠又引申为傲慢，泰幠，太傲慢。

韵读：鱼部——且、辜、幠、幠、辜。　脂部——威、罪。

乱之初生，僭始既涵。乱之又生，君子信谗。君子如怒，乱庶遄沮。君子如祉，乱庶遄已。

僭（jiàn），一切经音义引作谮，谮是正字，僭为假借字。说文：“谮，愬也。”诉说别人的坏话。　既，已经。　涵，容纳，接受。朱熹诗集传释此章前四句云：“言乱之所以生者，由谗人以不信之言始入而王涵容不察其真伪也。乱之又生者，则既信其谗言而用之矣。”

如，如果。　怒，指怒斥谗言。

庶，庶几，差不多。　遄，疾、很快。　沮，制止。郑笺：“君子见谗人，如怒责之，则此乱庶几可疾止也。”

祉，喜。毛传：“祉，福。”陈奂传疏：“福亦喜也。遄已犹遄沮也。宣十七年左传:'范武子曰:吾闻之,喜怒以类者鲜,易者实多。诗曰:君子如怒,乱庶遄沮。君子如祉,乱庶遄已。君子之喜怒,以已乱也。'左传喜诂祉与毛传福诂祉义同。"

已,停止。朱熹诗集传:"见贤者之言,若喜而纳之,则乱庶几遄已矣。"

韵读:谈部——涵、谗。 鱼部——怒、沮。 之部——祉、已。

君子屡盟,乱是用长。君子信盗,乱是用暴。盗言孔甘,乱是用餤。匪其止共,维王之邛。

屡盟,指周王与诸侯间屡次达成盟约。盟多则无信。左传桓公十二年引君子曰:"苟信不继,盟无益也。诗云:'君子屡盟,乱是用长。'无信也。"

是用,是以,因此。 长,增长。

盗,此处将谗人比作盗贼。

暴,猛烈。

孔甘,甚美、很甜。

餤(tán),本义为进食,引申为加剧。

止,达到。 共,音义同供,指供职。朱熹诗集传:"然此谗人不能供其职事,徒以为王之病而已。"

维,为,造成。 邛(qióng),毛病、过失。

韵读:部——盟(音芒)、长。 宵部——盗、暴。 谈部——甘、餤。
东部——共、邛。

奕奕寝庙,君子作之。秩秩大猷,圣人莫之。他人有心,予忖度之。跃跃毚兔,遇犬获之。

奕奕,高大貌。 寝,宫室。 庙,宗庙。礼记月令"寝庙毕备"郑注:"凡庙,前曰庙,后曰寝。"孔疏:"庙是接神之处,其处尊,故在前。寝,衣冠所藏之处,对庙而卑,故在后。"

君子,此处指周初建国的君主武王、成王。 作,造、兴建。

秩秩,远大明智貌。三家诗作戴戴,说文:"戴,大也。从大,戥声,读若诗'戴戴大猷'。" 猷,谋略,此处指国家的政策。

圣人,创作的人,此处指周公等辅佐之臣。 莫,谟之假借,齐诗正作谟。毛传："莫，谋也。"计划。

他人，指谗人。　有心，指别有居心。

忖(cùn)度，测度、推测。陈奂传疏："释文：'忖本又作寸。'寸古刌字。说文：'刌，切也。'刌度言案切测度也。"

跃跃(tì)，狡兔往来跳跃逃匿其迹貌。三家诗作趯趯，音义均同。　毚(chán)兔，毛传："狡兔也。"战国策楚策引这二句诗，高注："跃跃，跳走也。毚，狡也。喻狡兔腾跃以为难得也。或时遇犬获之，喻谗人如毁伤人，遇明君则治女罪也。"朱熹诗集传认为犬是诗人自喻："反复比兴，以见谗人之心我皆得之，不能隐其情也。"亦备一说。

韵读：鱼部——作(音租入声)、莫(音模入声)、度、获(音胡入声)。

荏染柔木，君子树之。往来行言，心焉数之。蛇蛇硕言，出自口矣。巧言如簧，颜之厚矣。

荏染，柔弱貌。毛传："柔意也。"说文："栠，弱貌。婅，弱长貌。"荏染即栠婅。　柔，善。柔木指善木。故毛传以椅、桐、梓、漆释善木。

往来，无定貌。　行，道路。　言，指谣言。此句犹今云道路上的流言蜚语。

心，此处指诗人的心。　数，说文："计也。"引申作审，辨别的意思。王先谦集疏："树木必由我心择而取之，行言亦必由我心审而出之，非可苟也。"

蛇蛇(yí)，夸夸其谈地欺人貌。马瑞辰通释："蛇蛇，即訑訑之假借。广雅：'訑，欺也。'玉篇：'訑，诡言也。'蛇蛇盖大言欺世之貌。"　硕言，说大话。郑笺："硕，大也。大言者，言不顾其行，徒从口出，非由心也。"

簧，乐器名。巧言如簧，花言巧语像吹笙簧那样动听。

颜，脸皮。此句是讥刺谗人脸皮太厚了。

韵读：侯部——树(殊掫反)、数(音薮)、口、厚。

彼何人斯，居河之麋。无拳无勇，职为乱阶。既微且尰，尔勇伊何？为犹将多，尔居徒几何？

何人，什么人。郑笺："斥谗人也。"　斯，语气词。

麋,湄之假借,鲁诗正作湄,水边。毛传:“水草交谓之麋。”尔雅:“水草交为湄。”为传所本。

拳,卷之假借,勇力,和下勇字同义。马瑞辰通释:“卷亦为勇,古人不嫌语复,犹之‘无罪无辜’,辜亦为罪耳。”

职,只。　阶,阶梯。

微,癥之假借。小腿生疮。　尰,三家诗作瘇,今作肿。脚上浮肿。郑笺:“此人居下湿之地,故生微尰之疾。人憎恶之,故言女勇伊何,何所能也?”

犹,通猷,欺诈。方言:“猷,诈也。”　将,且。马瑞辰通释:“为犹将多,言其为欺诈且多也。”

居,语助词。　徒,党徒,指同伙。　几何,多少。这句意为,你能有多少同伙呢?

韵读:脂部——麋、阶(音饥)。　东部——勇、尰。　歌部——何、多、何。

何人斯

【题　解】

这是一首同事绝交诗。毛序:“何人斯,苏公刺暴公也。暴公为卿士而谮苏公焉,故苏公作是诗以绝之。”这是古文说。淮南子精神训:“延陵季子不受吴国而讼间田者惭矣。”高注:“讼间田者,虞、芮及暴桓公、苏信公是也。”这是今文说。他们都以此诗为苏公刺暴公之作。后世研究诗经者多从此说。如孔疏:“苏公,苏忿生之后。成十一年左传曰:‘昔周克商,使诸侯抚封,苏忿生以温为司寇。’则苏国在温。杜预曰:今河内温县。”胡承珙后笺:“路史,暴辛公采地,郑邑也。一云隧。成十七年左传云‘楚侵郑及暴隧’,是暴一名暴隧,春秋时郑地也。其地在今怀庆府原武县境,与温接壤。”朱熹诗集传虽依此意解释,但又说:“旧说于诗无明文可考,未敢信其必然耳。”这种阙疑态度是可取的。

诗人和“何人”的矛盾及绝交的原因,毛序、郑笺以为何人在周王前进谗言,使他失职。三家诗以为二人因争田而争吵。从诗的内容看来,它确是一首表示绝交的诗。前四章指出何人其心孔艰,谁为此祸?不入我门,不入唁我,不见其身,其为飘风,行踪诡秘,怪其不来见。五六两章责其从朝廷还时亦过门不入。第七章诗人作了今昔的对比,从前是兄弟般的知交,现在要出三物诅咒。第八章叙作诗的原因。尚书舜典说:“诗言志,歌永言。”诗是抒写人们的思想感情的,歌是歌咏其义而长其言(尚书传语)。有人评末二章云:“此是极恨处。”诗人如何泄恨呢?诅咒、作歌。愤怒之情,溢于言表。昭明文选所录之嵇康与山巨源绝交书、刘峻广绝交论,可能受此诗影响,但都不够坦率。

彼何人斯,其心孔艰。胡逝我梁,不入我门?伊谁云从?维暴之云。

彼,那,指诗人所绝交的人。 何人,诗人故作设问之词。 斯,语气词。王先谦集疏:“人即下章‘二人从行’之一人。明知其人而言彼何人者,深恶之。”

艰,难。孔艰,很难测。王先谦集疏:“谓其心深而甚难察。”

胡,为什么。 逝,往、经过。郑笺:“逝,之也。” 梁,鱼梁。

伊,发语词。 云,助词。 谁从,他听从谁的话。

维,是。 暴,指暴公。 云,话。毛传:“云,言也。”这句意为,这人是听从暴公的话。

韵读:文部——艰(音根)、门、云。

二人从行,谁为此祸?胡逝我梁,不入唁我?始者不如今,云不我可。

二人,指暴公和他的朋友。郑笺:“二人者谓暴公与其侣也。” 从行,互相跟随地走。指去见周王。

为,造成。　祸,指作者被周王责备。　郑笺:“谁作我是祸乎?时苏公以得谴让也。”

唁,慰问,此处指慰问遭王谴责事。孔疏:“疑其谗己而内惭。”

始者,往日。

云,说。　可,同哿,嘉、好的意思。不我可,不以我为可,指不称职。朱熹诗集传:“女始者与我亲厚之时,岂尝如今不以我为可乎?”

韵读:歌部——祸、我、可。

彼何人斯,胡逝我陈?我闻其声,不见其身。不愧于人?不畏于天?

陈,正房到庭院门的甬道。尔雅释宫:“堂涂(途)谓之陈。”孙炎注:“堂下至门之径。”

声,指诗人听见暴公来访的声音。胡承珙后笺:“凡通问皆可谓之声,闻其声不见其身者,盖通问而不请见也。”这是一种敷衍的礼节,不是诚意的拜访。

于人,对人。这句意为,“对人你不感到惭愧吗?”下句“于天”意同。王先谦集疏:“尔行踪如此诡秘,不愧于人之指目乎?不畏于天之监察乎?所以深责之也。”

韵读:真部——人、陈、身、人、天(铁因反)。

彼何人斯,其为飘风。胡不自北?胡不自南?胡逝我梁?祇搅我心。

飘风,暴风。毛传:“飘风,暴起之风。”诗人用它比暴公。

自,在。这二句指暴风为什么不在北方,也不在南方,而偏在我家刮呢?

祇,适、恰好。朱熹诗集传:“自北自南,则与我不相值也。今则逝我之梁,则适所以搅乱我心而已。”

韵读:侵部——风、南(奴森反)、心。

尔之安行，亦不遑舍。尔之亟行，遑脂尔车。壹者之来，云何其盱。

尔，指暴公。　安行，徐行、慢走。

不遑，顾不得。　舍，停下车休息。

亟，通急。

脂，膏、车油。此处作动词用，加油。陈奂传疏："安徐而行，不暇舍息。亟疾而行，又暇脂车。言何人之行疾徐莫测。"

壹者，往日、从前。陈奂传疏："壹者犹言乃者。高诱注吕氏春秋知节篇云：一犹乃也。乃者谓曩日也。"　来，指前逝梁逝陈的事。

云，发语词。　盱（xū），忧伤。胡承珙后笺："曰忧曰病，皆承上文搅我心而言。"

韵读：鱼部——舍（音舒）、车、盱。

尔还而入，我心易也。还而不入，否难知也。壹者之来，俾我祇也。

还，指暴公从周王朝庭回来。　入，进，指进诗人的家门。

易，通怿，喜悦。陈奂传疏："释文引韩诗作施。施，善也。毛、韩字异而意同。"

否，语助词。陈奂传疏："否，古作不。（王引之）释词云：'不，语词。'否难知，难知也。言其心孔艰，不可测也。"

俾，使。　祇，疷的假借，痛苦。毛传："祇，病也。"

韵读：支部——易、知、祇。

伯氏吹埙，仲氏吹篪。及尔如贯，谅不我知。出此三物，以诅尔斯。

伯，大哥。　仲，二哥。　埙（xūn）、篪（chí），皆古乐器名。毛传："土曰埙，竹曰篪。"埙为陶器，尔雅释乐郭注："埙烧土为之，大如鹅子，锐上平底，形如称锤，六孔。小者如鸡子。"篪是竹管，形如笛。尔雅郭注："篪以竹为之，长尺四寸，围三寸，一孔上出，径三分，横吹之。小者尺二寸。"郑笺：

“伯、仲，喻兄弟也。我与女（汝）恩如兄弟，其相应和如埙篪，以言俱为王臣，宜相亲爱。”

及，与、和。　如贯，像一条绳子穿在两个钱上那样的亲密。郑笺：“我与女俱为王臣，其相比次如物之在绳索之贯也。”

谅，信、真。　知，友好。不我知，“不知我”的倒文，待我不友好。

三物，猪、犬、鸡。左传隐公十一年：“郑伯使卒出豭，行出犬、鸡以诅射颍考叔者。”

诅（zǔ），诅咒。求神降祸于仇人。　斯，语气词。

韵读：支部——篪、知、斯。

为鬼为蜮，则不可得。有靦面目，视人罔极。作此好歌，以极反侧。

蜮（yù），一名短狐。古代传说中一种能含沙射影使人生病的动物。说文：“蜮，短狐也，似鳖，三足，以气射害人。”

不可得，指鬼和蜮都是无形的，不可得见的怪物。

靦（tiǎn），人面可见貌。有靦，即靦靦。郑笺：“姡然有面目，女乃人也。”

视，示之假借，表示。　罔极，没有准则。见氓注。这二句意为，你俨然是人的面目，显示于人的却是行为没有准则。

好，善。好歌，善意的诗歌。

极，穷、深究。　反侧，指反复无常者。毛传：“反侧，不正直也。”陈奂传疏：“书洪范云：‘无反无侧，王道正直。’无反侧谓之正直，反侧谓之不正直，此传义之所本也。”

韵读：之部——蜮、得（丁力反，入声）、极、侧（音淄入声）。

巷　伯

【题　解】

这是寺人孟子因谗受刑，发泄愤怒的诗。毛序：“巷伯，刺幽王也。寺人伤于谗，故作是诗也。巷伯，奄官也。”序说当可信。诗以“巷伯”名篇，而篇中无巷伯之名，陈奂传疏云：“周礼无巷伯之官，唯襄九年左传‘令司宫、巷伯儆宫’与此诗巷伯同。左传以巷伯次司宫，犹周礼之寺人次内小臣。杜预云‘巷伯即寺人’，当是贾、服旧注。巷伯即经所谓寺人孟子也。”由此可见，巷伯即寺人孟子的官名，故篇名巷伯。

“示现”的艺术手法是将实际上不见不闻的事物，写得如闻如见。所谓不见不闻，或者已经过去，或者还在未来，或者是作者想象的景象。都是作家想象活动表现得最活跃的。示现有三种形式：一是追求过去的，即再造的想象，如桑中，诗人追述昔日和情人的恋爱，甜蜜的回忆使他沉浸在幸福之中，似乎情人的邀约、期会、送行的情景又出现在面前了。二是预言未来的，即创造的想象，如东山。“鹳鸣于垤，妇叹于室。洒扫穹室，我征聿至。”一位久役甫归的战士，他人还在归途中，但心早已到了家里。他想象着鹳鸟在土堆上叫唤，妻子在房里叹息，做好一切打扫房子等的准备，正焦急地等待丈夫归来。三是纯属悬想的，即现实生活中并不存在的，如本诗的第六章。作者对一向造谣诬陷的谗人愤恨异常，他设想这坏人一定会得到恶报，那个坏蛋坏到连豺狼老虎都不愿意吃他，坏到连极北的不毛之地都不肯接受他，只好把他交给老天爷去治了。这种悬想是奇特罕见的。虽然现实生活中不可能有这种情况，但无比强烈的憎恨，使诗人产生了这样的奇想，而读者的印象也更加深刻了。

萋兮斐兮，成是贝锦。彼谮人者，亦已大甚。

萋，韩诗作緀，错杂貌。　斐，花纹。毛传：“萋斐，文章相错也。”陈奂传疏：“文章为斐，文章相错为萋斐。萋、错双声为训。说文：‘緀，帛文貌。’

引诗'緀兮斐兮'。緀本字,萋假借字。"萋、斐叠韵。

贝,贝壳。此处指贝形的花纹。　锦,锦缎。织成贝形花纹的锦缎。以上二句是兴,比喻谗人罗织别人的罪状。

谮人者,诽谤人的坏蛋。

亦,发语词。　已,太。　大,今作太。已、大、甚三字同义,加重语气。这二句意为,诽谤者坏得太过分了。

韵读:侵部——锦、甚。

哆兮侈兮,成是南箕。彼谮人者,谁适与谋?

哆(chǐ),通誃,鲁诗正作誃。张口貌。　侈,张大貌。哆、侈叠韵。

箕,星名。南箕,南方的箕星。箕有四星成梯形,底小口大。诗人用它起兴,象征谮人。

适,悦。马瑞辰通释:"适,悦也。此诗盖极言谗人之可恶,谁悦与之谋耳。"

韵读:之部——箕、谋(谟其反)。

缉缉翩翩,谋欲谮人。慎尔言也,谓尔不信。

缉缉(qī),三家诗作咠咠,本字。窃窃耳语貌。　翩翩,花言巧语貌。马瑞辰通释:"说文:'咠,聂语也。聂,附耳私小语也。'缉缉即咠咠之假借。说文:'谝,便,巧言也。'翩翩即谝谝之假借。诗言缉缉者,言之密也。翩翩者,言之巧也。"

慎,谨慎。说文:"慎,谨也。"　尔,指谗人。

信,真实。朱熹诗集传:"谮人者自以为得意矣,然不慎尔言,听者有时而悟,且将以尔为不信矣。"

韵读:真部——翩(音缤)、人、信。

捷捷幡幡,谋欲谮言。岂不尔受?既其女迁。

捷捷,三家诗作啑啑,通倢。便倢多言貌。　幡幡,反复翻动貌。

受,接受。

既,既而、终于。　女,汝。　迁,转移,指听者把憎恶被谗者的心,终于转移到憎恶造谣诽谤的你身上。王先谦集疏:“言仓卒之间岂不受尔之谗言而憎恶他人,既而知汝言不诚,亦将迁憎恶他人之心,转而憎恶汝矣。”

韵读:元部——幡、言、迁。

骄人好好,劳人草草。苍天苍天!视彼骄人,矜此劳人!

骄人,指得意的谗人。　好好,鲁诗作旭旭,快乐貌。陈奂传疏:“尔雅:‘旭旭,憍也。’释文郭音呼老反,是旭旭即好好之异文。”

劳人,失意的人,指被谗者。　草草,即慅慅之假借,鲁诗作慅慅,忧愁貌。陈奂传疏:“草读为慅,假借字也。月出:‘劳心慅兮’,重言曰慅慅。”

视,察看。

矜,怜悯。王先谦集释:“呼天即诉王也。欲其视察彼骄人,而矜悯此劳人。”

韵读:宵部——骄、劳。　幽部——好(呼叟反)、草(此叟反)。　真部——天(铁因反)、天、人、人。

彼谮人者,谁适与谋?取彼谮人,投畀豺虎。豺虎不食,投畀有北。有北不受,投畀有昊。

这章首二句,是重复第二章的后二句,表达其憎恨的心情。

投,丢弃。　畀(bì),给予。

有,名词词头。下“有昊”同。　有北,毛传:“北方寒凉而不毛。”指沙漠地带。

有昊,指昊天。郑笺:“付与昊天,制其罪也。”

韵读:鱼部——者(音渚)、虎。　之部——谋(谟其反)、食、北(音逼入声)。　幽部——受、昊(呼叟反)。

杨园之道,猗于亩丘。寺人孟子,作为此诗。凡百君子,敬而听之。

杨园,园名,在王都之侧,其地低下。

猗,加、靠在、连接。　亩丘,丘名,其地高。指往杨园的道路,靠在亩丘上。按这二句是兴,朱熹诗集传:“杨园,下地也。亩丘,高地也。以兴贱者之言,或有补于君子也。”

寺人,阉人、宦官。　孟子,寺人的名。

为,陈奂传疏:“为亦作也。作为此诗,言作此诗也。”

凡,一切。　百,虚数,众多的意思。　君子,指当时的执政大官。

敬,儆的假借,儆惕。　听,听取、采纳。

韵读:之部——丘(音欺)、子、诗、子、之。

谷　风

【题　解】

旧说多认为谷风是怨朋友相弃之诗。毛序:“天下俗薄,朋友道绝焉。”后世诗经研究者观其与邶风谷风诗题相同,用语亦相近,疑其为弃妇之诗,且引后汉书阴皇后纪为证。光武诏书云:“吾微贱之时,娶于阴氏。因将兵征伐,遂各别离,幸得安全,俱脱虎口。‘将恐将惧,维予与女。将安将乐,女转弃予。’风人之戒,可不慎乎!”汉代距古较近,光武以谷风为弃妇词,当可信。此诗风格绝类国风,故龚橙诗本谊以为谷风与黄鸟、我行其野、蓼莪、都人士、采绿、隰桑、绵蛮、瓠叶、渐渐之石、苕之华、何草不黄等篇皆西周民风。其实,小雅中之民风,岂止这几篇,采薇、大东难道不是吗?大雅、颂里何尝没有含有民风的成分呢?

此诗艺术特色,在于运用层递的修辞。由于丈夫可与共祸难、不可共安乐的事变发展,愈演愈甚,诗人的情绪波动也随之递深。故诗共三章,虽只一意,而有层层递进之妙。什么叫层递?陈望道修辞学发凡说:“层递是将语言由浅及深,由低及高,由小及大,由轻及重,逐层递进地排列起来的一种辞格。”严粲诗辑说:“首章,兴也。来自大谷之风,大风也。又习习然连续不断,继之以雨,喻连变恐惧之时,犹后人以震风凌雨喻不安也。

当处变之时,且恐且惧,维予与女,同其忧患。及得志之后,且安且乐,女反弃我,交道薄矣。次章,颓,暴风也。不断之风,又加以暴风,喻事变愈甚。恐惧之时,则置我于心而不忘;安乐之时,则弃我如遗物,不复省存也。末章,大风摧物,维戴土之石山崔嵬独存,而其山之草木无不萎死矣。喻大患难也。此时赖朋友以济,今岂可忘我共患难之大德而思我小怨乎?"严氏虽以此诗的主题为讽刺可与共祸患难、不可与共安乐者,但却指出了它的递进艺术特色。

习习谷风,维风及雨。将恐将惧,维予与女。将安将乐,女转弃予。

习习,连续不断的风声。　谷风,来自山谷的大风。

维,是。按以上二句是兴,诗人见风雨交加,联想自己生活的突变。

将,方、当。第二个"将"字是衬字。陈奂传疏:"将犹方也。"　恐惧,指患难不安定的年月。

维,独。　与,本义为"党与",引申为好、爱的意思。马瑞辰通释:"'与'与'弃'对言。恐惧时独我好汝,以见昔之厚。安乐时汝转弃予,以见今之薄。"

转,反而。

韵读:鱼部——雨、女、予。

习习谷风,维风及颓。将恐将惧,寘予于怀。将安将乐,弃予如遗。

颓,从空中而下的旋风,又名焚轮。尔雅释天:"焚轮谓之颓。"孙炎注:"回风从上下曰颓。"

寘,同置,放。郑笺:"寘,置也。置我于怀,言至亲己也。"

遗,忘记。郑笺:"如遗者,如人行道,遗忘物,忽然不省存也。"

韵读:脂部——颓、怀(音回)、遗。

习习谷风,维山崔嵬。无草不死,无木不萎。忘我大德,思我小怨。

维,独。　崔嵬,山高峻貌。陈奂传疏:"崔嵬,山颠巉岩之状。"

无草二句,言草木都受风的摧残,没有不死或枯萎的。比喻受丈夫的摧残。

大德,大好处,指能与丈夫共患难。

小怨,小缺点。

韵读:脂、元部合韵——嵬、萎、怨。

蓼　莪

【题　解】

这是一首人民苦于兵役,悼念父母的诗。作者深痛自己久役贫困,不能在父母生前尽孝养之责。毛序:"民人劳苦,孝子不得终养尔。"郑笺:"二亲病亡之时,时在役所,不得见也。"王先谦集疏:"释训:'哀哀、凄凄,怀报德也。'郭注:'悲苦征役,思所生也。'尔雅正释此诗之旨。是鲁说以蓼莪为困于征役,不得终养而作。"可见三家诗说与毛序、郑笺同。

诗共六章。首二章前二句是兴,诗人自恨不如抱娘蒿,而是散生无用的蒿、蔚。因而联想父母生己的劬劳、劳瘁。第三章指出人子不能终养父母的罪魁祸首。第四章用了"生"、"鞠"、"拊"、"畜"、"长"、"育"、"顾"、"复"、"腹"九个形象的动词,来形容九个"我"字。极概括的短短六句诗,便将父母爱子之情勾勒得活龙活现。第五、六两章,首二句是含赋作用的兴,诗人生活在南山险峻、暴风呼啸的艰苦行役中,联想别人都生活得很好,而自己独行役而不能终养父母的不幸。渲染了一幅孤子思亲、无可挽回的悲惨图。这种生动意象语言,感动了后世无数的读者。朱熹诗集传:“晋王裒以父死非罪(裒父王仪被司马昭所杀),每读诗至‘哀哀父母,生我劬劳’,未尝不三复流涕,受业者为废此篇。诗之感人如此。”胡承珙后笺:“晋王裒,齐顾欢,并以孤露读诗至蓼莪哀痛流涕。唐太宗生日,亦以生日承欢膝下,永不可得,因引‘哀哀父母,生我劬劳’之诗。”可见此诗感人之深。严粲诗辑:“呜呼!读此诗而不感动者,非人子也。”文学即人学,即使几千年后之读者,也可能产生同样感受的。

蓼蓼者莪,匪莪伊蒿。哀哀父母,生我劬劳。

蓼蓼(lù),长大貌。　莪(é),蒿类,俗名抱娘蒿。

匪,非,不是。　伊,是。马瑞辰通释:“莪蒿即茵陈蒿之类,常抱宿根而生,有子依母之象,故诗人借以取兴。李时珍云‘莪抱根丛生,俗谓之抱娘蒿’是也。蒿与蔚皆散生,故诗以喻不能终养。”

哀哀,悲伤悔恨的叹词。

劬劳,辛勤劳苦。见凯风注。

韵读:宵部——蒿、劳。

蓼蓼者莪,匪莪伊蔚。哀哀父母,生我劳瘁。

蔚,一种散生的蒿,又名牡蒿。

劳瘁,劳累憔悴。

韵读:脂部——蔚、瘁。

缾之罄矣,维罍之耻。鲜民之生,不如死之久矣!无父何怙?无母何恃?出则衔恤,入则靡至。

缾,亦作瓶,盛水或酒的器皿。　罄(qìng),尽、空的意思。

维,是。　罍,大肚小口的酒坛。诗人以缾喻父母,罍喻子,缾罄罍耻喻父母死而己独生为可耻。左传昭公二十四年载子大叔对范献子曰:“诗曰:‘缾之罄矣,惟罍之耻。’王室之不宁,晋之耻也。”亦从此意阐发。

鲜(xiǎn)民,寡民、孤子。

怙、恃，都是依靠的意思。

出，出门，指离家服役。　衔，含。　恤，忧愁。

入，进门，指回家。　靡，无。　至，亲人。说文：“亲，至也。”

韵读：之部——耻、久（音己）、恃。　脂部——恤、至。

父兮生我，母兮鞠我。拊我畜我，长我育我，顾我复我，出入腹我。欲报之德，昊天罔极！

鞠，育之假借，养。

拊，与抚通，抚摸。说文：“拊，揗也。”段注：“揗者，摩也。”　畜，嬸之假借，好、爱。孟子：“畜君者，好君也。”

长，读上声。作动词“喂大”用。　育，教育。

顾，说文：“还视也。”引申为看视、照顾。　复，覆的假借，庇护的意思。

腹，抱在怀里。于省吾新证：“古声有重唇无轻唇，故古读腹为抱。书召诰：‘夫知保抱携持厥妇子。’抑：‘借曰未知，亦既抱子。’这是西周典籍对于子言保抱或抱之证。”

之，代词，指父母。

罔极，无常，没有准则。这是诗人呼天怨恨不得终养父母之词。

韵读：幽部——鞠、畜、育、复、腹。　之部——德（丁力反，入声）、极。

南山烈烈，飘风发发。民莫不穀，我独何害！

烈烈，厉或峛之假借，山高峻貌。毛传：“烈烈然至难也。”胡承珙后笺：“至难者，义当如行路难、蜀道难之难。礼祭法注：‘厉山氏，炎帝也，起于厉山。或曰烈山氏。’然则烈烈为山之高峻。”

飘风，暴起之风。见何人斯注。　发发，毛传：“疾貌。”郑笺：“发发然寒且疾也。”

穀，善、幸福，指能养父母。

害，灾害。朱熹诗集传：“民莫不善，而我独何为遭此害也哉！”

韵读：祭部——烈、发（音废入声）、害（胡例反，入声）。

南山律律，飘风弗弗。民莫不穀，我独不卒！

律律，为硉硉之借字，山势突起高耸貌。陈奂传疏：“玉篇有硉字，云

‘硉矶,危石’。文选七发‘上击下律’注云:‘律当为硉。’是律、硉同字,故传云律律犹烈烈也。”

弗弗,大风急促扬尘貌。犹今云“呼呼”。

卒,终。郑笺:“卒,终也。我独不得终养父母。”

韵读:脂部——律、弗、卒。

大 东

【题 解】

这是东方诸侯国臣民讽刺西周王室剥削、奴役的诗。毛序:“大东,刺乱也。东国困于役而伤于财,谭大夫作是诗以告病焉。”他认此诗为谭大夫作,或有所据。汉书古今人表有谭大夫,周时谭国,在今山东历城东南。公元前六四八年为齐国所灭。有人说,诗产生于幽王时,有待考证。从诗的内容看来,作者可能是一位精通星象的文人。他过去原是东方的贵族,因此,他较一般劳动人民更富有文化知识。后来遭受西周王室的压迫盘剥,实质上已沦为西方人的奴隶。由于地位的转变,他思想感情也随着转变了,借着歌唱来揭露、批判统治者的罪恶,提出沉痛的控诉,发泄其怨愤之情。

诗经中赋、比、兴的艺术手法,这首诗都用到了。首章首二句“有饛簋飧,有捄棘匕”,是兴,诗人看见当贵族时用的碗勺,不禁联想今日沦为小人后生活的痛苦。陈奂称它做陈古而言今的兴法,巧妙地烘托出诗人“今不如昔”的情绪,也反映了他原是一位贵族的身份。“如砥”与“如矢”是比,以具体的砥比周道平坦,具体的矢比周道笔直,使之更为形象化了。其它地方,赋、比、兴错综运用,说明诗人对这些手法已经是得心应手,非常熟练。从第五章后四句起至末,是他面临社会上“君子”与“小人”两种生活的悬殊,不禁有感于怀,仰观天象,展开了幻想的翅膀:天汉闪闪发光,但照不到人影,不能起水镜作用。启明、长庚有助日之名,而无实光。一天更位七次的织女,看不到织出什么布帛出来。牵牛不能供我驾车之用,毕星不能助我猎兔之劳。箕星不能扬糠粃,斗星不能舀酒浆。它们高高在上有名无实,都不能解除东方人们所受的痛苦。这些天上的繁星,都变成了地上剥削者的投影,是象征、拟人的,幻想式的,浪漫主义的,来自诗人深厚的现实生活的基础。不仅如此,这些繁星,简直是嗜血成性的吃人者的形象:箕星拖着它的舌头,好像张嘴吃人。斗星高举其柄,好像榨取东人的血汗。引导我们进入"环譬以托讽"的艺术境界,好像言有尽而意无穷,耐人寻味。所以我们说:大东已经含有现实主义与浪漫主义相结合的创作方法的因素。不过,他是不自觉罢了。屈原离骚、李白歌行、杜甫长篇,多受其影响。

有饛簋飧,有捄棘匕。周道如砥,其直如矢。君子所履,小人所视。睠言顾之,潸焉出涕。

有饛(méng),即饛饛,满貌。毛传:"饛,满簋貌。" 簋,圆形食器。 飧(sūn),泡饭。说文:"飧,水浇饭也。"

有捄(qiú),捄捄,曲而长貌。 棘,酸枣树。棘匕,酸枣木制的饭匙。可取饭,亦可取肉或羹。这二句是兴。诗人看见家中当贵族时的旧物,不禁联想过去饮食是那样丰足,而现在是被搜括得杼柚其空。

周道,大道,可通西周之道。 砥(dǐ),磨刀石。如砥,指道路的平坦。

君子,指西周贵族。 履,行走。

小人,指东方人民。 视,看。

睠(juàn),回头貌。 顾,看。

潸(shān),流泪貌。按上句"言"、这句"焉",均与"然"字通用。朱熹诗集传:"今乃顾之而出涕者,则以东方之赋役,莫不由是(周道)而西输于周也。”

韵读：脂部——匕、砥、矢、履、视、涕。

小东大东，杼柚其空。纠纠葛屦，可以履霜。佻佻公子，行彼周行。既往既来，使我心疚。

小东大东，指东方各诸侯国。离周京远的称大东，稍近的称小东。惠周惕诗说：“小东大东，言东国之远近也。鲁颂‘逐荒大东’，笺：‘大东，极东也。’远言大，则近言小可知矣。”

杼（zhù），布机上的梭子。说文：“杼，机持纬者。” 柚，轴的假借。释文：“本又作轴。”置经线的部件。说文：“滕，机持经者。”段注：“滕即轴也。谓之轴者，如车轴也。”这里用杼柚代织布机上的布帛。意谓东国的布帛被西人搜刮空空。 其空，即空空。

纠纠，绳索缠绕貌。 葛屦，夏布制的鞋，夏季所穿。言东人贫困，深秋还穿夏天的破葛鞋。

可，“何”的假借。 履，踩。

佻佻，轻佻貌。 公子，指西周的贵族。

行，走。 周行（háng），大道，即上章的周道，通往西周那条公路。

既，又。马瑞辰通释：“既往既来，谓数数往来，疲于道路。”

疚，忧虑不安。

韵读：东部——东、东、空。 阳部——霜、行（音杭）。 之部——来（音吏）、疚（音记）。

有冽氿泉，无浸获薪。契契寤叹，哀我惮人。薪是获薪，尚可载也。哀我惮人，亦可息也。

有冽，即冽冽，寒凉的样子。毛传：“冽，寒意也。” 氿（guǐ）泉，从旁侧流出的泉水。刘熙释名：“氿，轨也，狭而长如车轨也。”

浸，湿。无浸，不要弄湿。 获，收割。毛传：“获，艾（刈）也。”获薪，已经砍下的薪柴。这二句是兴，严粲诗辑：“获薪以供爨，必曝而干之，然后可用；若浸之于寒冽之泉，则湿腐而不可爨矣。喻民当抚恤之，然后可用；若用之以暴虐之政，则穷悴而不能胜矣。”

契契,忧苦貌。　寤叹,不能入睡而叹息。

惮,瘅的假借。释文:“字亦作瘅。”劳苦。

薪是获薪,上一“薪”字,郑笺训“析”,作动词用,劈砍的意思。　是,此、这。

载,装载,指装在车上,把它运走,避免被水浸湿。按这二句是比喻,比下二句“可怜我们劳苦的人,也该可以休息啊”。

韵读:元部——泉、叹。　真部——薪、人、薪、人。　之部——载(音稷入声)、息。

东人之子,职劳不来;西人之子,粲粲衣服。舟人之子,熊罴是裘;私人之子,百僚是试。

子,子弟、青年。东人之子,东方诸侯的子弟们。

职,主、只。　劳,服劳役。　来,勑的假借,慰问。

西人,指周人。陈奂传疏:“周在西,故以西人为京师人。”

粲粲,鲜明华丽貌。

舟人,周人。郑笺:“舟当作周。”按古书周与舟有互借例,如说苑立节之华舟,左传襄二十三年作华周,考工记总目“作舟以行水”,郑注:“故书舟作周。”皆音近互借。

裘,郑笺:“裘当作求。”熊罴是求,指打猎。古书裘、求有互借例,如孟子万章乐正裘,汉书古今人表作乐正求。羔裘序,释文谓“裘字或作求。”于省吾新证:“周人之子,熊罴是求,系指田猎言之。”

私人,小人,指下层的人。扬雄方言:“私,小也。”

僚,执劳役者。百僚,各种奴隶。左传昭公七年:“大夫臣士,士臣皂,皂臣舆,舆臣僚,僚臣仆,仆臣台。”杜注:“僚,劳也,供劳事也。”　试,任用。

韵读:之部——子、来(音吏)、子、服(扶逼反,入声)、子、裘(音忌)、子、试。

或以其酒,不以其浆。鞙鞙佩璲,不以其长。维天有汉,监亦有光。跂彼织女,终日七襄。

或,有人,指东人。第三句“鞙鞙佩璲”蒙上省略“或以”二字,亦指东人。

浆，浇薄的酒。

鞙，琄之假借。释文："字或作琄。"琄琄状玉之美。马瑞辰通释："容之好曰娟娟，佩之美曰琄琄，其义一也。" 璲，瑞玉，可以为佩。朱熹诗集传："言东人或馈之以酒，而西人曾不以为浆。东人或与之以鞙然之佩，而西人曾不以为长。"

维，发语词。 汉，毛传："天河也。"后世亦称云汉、银河。

监，鉴的古字，今作镜，古人用大盆盛水，以照人影。如书酒诰所谓"人无于水监"，到战国始用青铜制镜。这句意为天河虽有光，但不能照见人影。

跂，忮之假借。说文："忮，顷也。诗曰：忮彼织女。"段注："顷者，头不正也。隅者，陬隅不正而角。织女三星成三角，言不正也。" 织女，星宿名，共有三星。孔疏："三星鼎足而成三角，望之跂然，故（毛传）云'隅貌'。"

终日，指从朝至暮。 襄，移动。一昼夜共有十二时辰，织女星每个时辰移位一次。七襄，指织女星自卯至酉移动七次位置。毛传："襄，反也。"胡承珙后笺："反即更也。此传言反者，亦谓从旦至暮七更其次。"

韵读：阳部——浆、长、光、襄。

虽则七襄，不成报章。睆彼牵牛，不以服箱。东有启明，西有长庚。有捄天毕，载施之行。

报，反复。指梭引线反复织布。 章，文章，指布上的花纹，此处用它代布帛。毛传："不能反报成章也。"陈奂传疏："报亦反也，反报犹反复。"诗人以天上星星之有名无实，刺剥削者徒居高位，虚有其名而无同情人民之实。此章及下章，皆本此意。

睆（huǎn），明亮貌。 牵牛，星名，又名何鼓。非后世二十八宿之牛宿。尔雅："何鼓谓之牵牛。"何鼓三星在天河北，织女三星在天河南，隔河相对。

服，负，指牛驾车。易系辞："服牛乘马。" 箱，车箱。毛传："大车之箱也。"此处指大车。

启明、长庚，皆指金星。金星在日旁，唯朝日将升或夕阳初下时能见。朝称启明，夕称长庚。毛传："日旦出谓明星为启明，日既入谓明星为长庚。"

有捄，即捄捄，弯而长貌。　毕，毕星，八星组成，形状像捕兔的长柄网。毛传："毕所以掩兔也。何尝见其可用乎？"

载，则。　施，置。　行，道路。这句意为，就设置在道路上面。

韵读：阳部——襄、章、箱、明（音芒）、庚（音冈）、行（杭）。

维南有箕，不可以簸扬。维北有斗，不可以挹酒浆。维南有箕，载翕其舌。维北有斗，西柄之揭。

箕，箕宿四星成梯，形如簸箕。

簸扬，说文："簸，扬米去康（糠）也。"

北斗，星名，共六星组成斗形，因它在箕星之北，故称北斗，非极星附近之北斗。孔疏："箕、斗并在南方之时，箕在南而斗在北，故言南箕、北斗也。"

挹，用勺舀酒。韩诗外传："言有其位无其事也。"

翕，吸。马瑞辰通释："翕、吸音同通用，故笺训为引。玉篇引诗正作'载吸其舌'。箕四星，二为踵二为舌，其形踵狭而舌广，故曰载翕其舌，以见其主于收敛也。"

揭，高举。朱熹诗集传："言南箕既不可以簸扬糠秕，北斗既不可以挹酌酒浆，而箕引其舌，反若有所吞噬，斗西揭其柄，反若有所挹取于东。"王先谦集疏："下四句与上四句虽同言箕斗，自分两义。上刺虚位，下刺敛民也。"

韵读：阳部——扬、浆。　祭部——舌、揭。

四　月

【题　解】

这是一位大夫在外行役，过时不得归祭，抒述其悲愤忧乱心情的诗。毛序："四月，大夫刺幽王也。在位贪残，下国构祸，怨乱并兴焉。”语意含糊，不切诗旨。徐幹中论谴交：“古者行役，过时不反，犹作诗怨刺，故四月之篇称‘先祖匪人，胡宁忍予’。”按诗述及夏、秋、冬三个时序，又有江汉、南国之语，可见其行役之久，历地之广。朱善诗解颐：“或以为行役，或以为忧乱。以诗考之，由夏而秋，由秋而冬，则见其经历之久。由西周而南国，由丰镐而江汉，则见其跋涉之远。此行役之证也。‘先祖匪人，胡宁忍予？’则无所归咎之辞。‘乱离瘼矣，爰其适归？’则无所逃避之辞。此忧乱之证也。……然则是诗也，盖大夫行役而忧时之乱，惧及其祸之辞也。”朱说近是。

诗人长期行役，备受寒气暴风的侵袭，再加江汉泉水等景物的触动，使他不免起了伤时伤己之感，所以形成每章首二句都是比兴的风格。陈奂说：“诗凡八章，各自为兴。（传）不言兴者，略也。”这是正确的。其中有含赋作用的兴，如“秋日凄凄，百卉俱腓”，萧瑟的秋景，与乱离中的悲凉心情颇为融洽。也有含反义的兴，如“滔滔江汉，南国之纪”，看到长江、汉水尚且能够统领制约南方的众多小河流，而朝廷却只能听任天下混乱，真是比江河还不如，更觉感慨系之。这些比兴，都运用自如，可见诗人有较高的文化修养。

四月维夏，六月徂暑。先祖匪人，胡宁忍予！

四月，此诗所说的四月、六月皆指夏历。 维，是。

徂，往，到。徂暑，是“暑徂”的倒文。二句意为四月已是夏季，至六月就到盛暑。按以上二句是兴，郑笺：“四月立夏矣，至六月乃始盛暑。兴人为恶亦有渐，非一朝一夕。”

匪，非。匪人，不是外人。王夫之稗疏：“其云‘匪人’者，犹非他人也。頍弁之诗曰：‘兄弟匪他。’义与此同。犹言‘父母生我，胡俾我愈’也。”

胡宁，何为、为什么。 忍予，忍心让我在外受苦难。

韵读:鱼部——夏(音户)、暑、予。

秋日凄凄,百卉具腓。乱离瘼矣,爰其适归。

凄凄,秋风寒凉貌。

卉,草。　腓,痱之假借。毛传:"病也。"指草木枯萎。按以上二句是兴,郑笺:"凉风用事而百草皆病,兴贪残之政行,而万民困病。"

乱离,丧乱离散。　瘼,毛传:"病。"痛苦。谓丧乱离散使人痛苦。按"瘼矣"韩诗作"斯莫",鲁诗作"斯瘼"。

爰,于何,在什么地方。　其,语助词。　适,往。这句谓何处可往归?

韵读:脂部——凄、腓、归。

冬日烈烈,飘风发发。民莫不穀,我独何害?

烈烈,冽冽的假借,寒冷刺骨貌。郑笺:"烈烈,犹栗烈也。"鲁诗作栗栗。

飘风,暴风。　发发,风疾貌。按以上二句是兴,郑笺:"言王为酷虐惨毒之政,如冬日之烈烈矣。其亟急行于天下,如飘风之疾也。"

民莫二句,见蓼莪注。

韵读:祭部——烈、发(音废入声)、害(胡例反,入声)。

山有嘉卉,侯梅侯栗。废为残贼,莫知其尤。

嘉,善。　卉,此处泛指草木。嘉卉,好的草木。文选思玄赋李注:"卉,草木凡名也。"

侯,毛传:"维也。"是。三家诗正作维。按以上二句是兴。郑笺:"山有美善之草,生于梅栗之下,人取其实蹂践而害之,令不得蕃茂。喻上多赋敛,富人财尽,而弱民与受困穷。"

废,尔雅释诂:"大也。"马瑞辰认为废即奓之假借,说文:"奓,大也。"残贼,指做摧残损害别人的事。

尤,过错。郑笺:"言在位者贪残,为民之害,无自知其行之过者。"

韵读:之部——梅(谟丕反)、尤(音怡)。

相彼泉水,载清载浊。我日构祸,曷云能穀?

相,看。

载，又。按以上二句是兴，王先谦集疏："泉水本清，受染则浊。喻行役构祸，不能自洁也。"

日，每天。　构祸，遇祸。马瑞辰通释："尔雅释诂、说文并曰：'遘，遇也。'构者遘之假借。构祸犹云遇祸也。"

曷，何，指何时。　云，语中助词。　穀，善。以上二句意为，我每天在遭害，什么时候才能得到好生活？

韵读：侯部——浊、穀。

滔滔江汉，南国之纪。尽瘁以仕，宁莫我有。

滔滔，大水貌。　江汉，长江与汉水。

南国，指南方各条河流。　纪，纲纪。这二句意为，长江汉水所容纳的南国各条河流，它们都受江汉的制约。这是起兴，王先谦集疏："诗人行役至江汉合流之地，即水兴怀，言江汉为南国之纲纪，王朝反不能为天下之纲纪也。"

尽瘁，憔悴。马瑞辰通释引王引之谓尽瘁双声字，与憔悴同义，劳病的意思。　以，同而。　仕，通事，从事王朝的职务。

宁，乃。　有，通友，亲善。这二句意为，我虽尽力劳苦国事，却得不到上级的亲信。

韵读：之部——纪、仕、有（音以）。

匪鹑匪鸢，翰飞戾天。匪鳣匪鲔，潜逃于渊。

匪，彼。下同。　鹑（tuán），或作鷻。说文："鷻，雕也。"　鸢（yuān），老鹰。

翰，高。　戾，至。按这章诗人全用比兴手法。陈奂传疏"传云'雕鸢，贪残之鸟也'者，以喻贪残之人处于高位。"

鳣（zhān），鲤鱼。鲔（wěi），鲟鱼。都是大鱼。陈奂传疏："鳣、鲔大鱼，能逃处渊者，以喻今民不能逃避祸害，是大鱼之不如矣。"

韵读：真部——天（铁因反）、渊（一均反）。

山有蕨薇，隰有杞桋。君子作歌，维以告哀。

蕨、薇，两种野菜名。见草虫注。

杞,枸杞。木名。　桋,赤楝。木名。尔雅"白者楝"郭注:"赤楝树叶细而岐锐,皮理错戾,好丛生山中。"按以上二句是兴,陈奂传疏:"蕨薇之菜,杞桋之木,山隰足以覆养而有之。以喻在位之人不能恩育,万民病困,草木之不如。"

君子,作者自称。

维,是。　以,用,指利用这首诗。　告哀,诉说自己行役、忧乱的悲哀。

韵读:脂部——薇、桋、哀(音衣)。

北　山

【题　解】

这是一位士子怨恨大夫分配工作劳逸不均的诗。毛序:"北山,大夫刺幽王也。役使不均,己劳于从事,而不得养其父母焉。"序谓诗旨为刺役使不均则确,谓大夫所作则不确。姚际恒通论:"此为为士者所作以怨大夫也,故曰'偕偕士子',曰'大夫不均',有明文矣。"姚说是。按当时人分十等,左传:"天有十日,人有十等。王臣公,公臣大夫,大夫臣士……"这是统治阶级内部的等级,大夫是士的顶头上司。这首诗,正反映当时统治阶级的内部矛盾。

这首诗末三章连用六个对比,把大夫与士之间苦乐不等、劳逸不均的情况,充分显示出来了,富于说服力。对比是把两种相反的事物,并列在一起,使彼此的特点更加突出。这种辞格,诗经中是常见的。对比和排比、对偶有交错的现象,如排比中的"表反正",对偶中的"反对",都包含着对比的内容。不过排比以字同意同为经常情况,不一定有矛盾的内容,对偶在字面上更讲究两两相对,避免重复,没有对比这样可以自由伸缩,也不要求两两相对。诗的作者是一位受压抑的士,胸中充满了愤慨不平之气,一定要把这苦乐不均的现象发泄出来,便不觉地运用了对比的方法。沈德潜说诗晬语云:“鸱鸮诗连下十‘予’字,蓼莪诗连下九‘我’字,北山诗连下十二‘或’字。情至,不觉音之繁、辞之复也。”他指出了构成这种艺术形式的感情因素。尤其是六个对比之后,全诗戛然煞住,结束在情感爆发的最高点上,更具有强烈的震撼力和不尽的馀音。

陟彼北山,言采其杞。偕偕士子,朝夕从事。王事靡盬,忧我父母。

陟,登。

言,发语词。　杞,枸杞。按这二句是兴,诗人以登山采杞,以喻劳于从事。

偕偕,强壮貌。说文:“偕,强也。”　士子,诗人自称。

靡盬,无休止。见鸨羽注。

韵读:之部——杞、子、事、母(满以反)。

溥天之下,莫非王土。率土之滨,莫非王臣。大夫不均,我从事独贤。

溥,通普。先秦古书引此句诗皆作普。孟子赵注:“普,遍。”首二句的大意是:天下所有的地域,没有不是周王的领土。

率,沿。毛传:“率,循。”或训“自”,亦通。　滨,涯、水边。孔疏:“古先圣人谓中国为九州。其有瀛海环之。滨是四畔近水之处。言率土之滨,举其四方所至之内,见其广也。”以上二句大意是:四海之内所居住的人,没有不是周王的臣民。

贤,本义为“多财”,引申为多。王夫之诗经稗疏:“小尔雅云:我从事独贤,劳事独多也。贤之训多,与射礼某贤于某若干纯之贤同义。”

韵读:鱼部——下(音户上声)、土。　真部——滨、臣、均、贤。

四牡彭彭，王事傍傍。嘉我未老，鲜我方将。旅力方刚，经营四方。

彭彭，亦作騯騯，马不得休息貌。毛传："彭彭然不得息，傍傍然不得已。"

傍傍，旁旁之假借，人不得休息貌。广雅："彭彭旁旁，盛也。"

嘉，嘉许、称赞。

鲜，善、称许。郑笺："嘉、鲜皆善也。" 将，毛传："壮也。"郑笺："王善我年未老乎？善我方壮乎？何独久使我也？"

旅，膂之省借，筋力。王念孙广雅疏证云："大雅桑柔云'靡有旅力'，秦誓云'旅力既愆'，周语云'四军之众，旅力方刚'，义并与膂同。膂、力一声之转，今人犹呼力为膂力，古之遗语也。" 方，正。 刚，强。

经营，奔走劳作的意思。这二句意为，大夫说我体力正强，可以奔走四方。

韵读：阳部——彭（音旁）、傍、将、刚、方。

或燕燕居息，或尽瘁事国。或息偃在床，或不已于行。

或，有的人。 燕燕，鲁诗作宴宴，安闲貌。 居息，居家休息。

尽瘁，憔悴、劳病。见四月注。

偃，躺卧。

已，止。不已，不停。 行，道路。按末三章皆言役使之不均。

韵读：之部——息、国（古逼反，入声）。 阳部——床、行（音杭）。

或不知叫号，或惨惨劬劳。或栖迟偃仰，或王事鞅掌。

叫号，毛传："叫，呼。号，召也。"孔疏："不知叫号者，居家用逸，不知上有征发呼召。"这说执政者过着安闲舒适生活，不知下层人民被奴役呼召的痛苦。

惨惨，忧虑不安貌。释文："字又作懆懆，忧虑貌。"

栖迟，陈风衡门传："游息也。" 偃仰，僵卧。马瑞辰通释："偃仰犹息偃、媅乐之类。二字同义，偃亦仰也。"

鞅掌，勤于王事、仓皇忙碌貌（用胡承珙毛诗后笺、马叙伦庄子义疏说）。

韵读:宵部——号、劳。　阳部——仰、掌。

或湛乐饮酒,或惨惨畏咎。或出入风议,或靡事不为。

湛(dān)乐,沉溺、过度享乐。湛,亦作媅、耽,皆酖之假借。说文:“酖,乐酒也。”

咎,罪过。畏咎,怕犯错误。

风,放。风议,发议论。马瑞辰通释:“释名:风,放也。言放散也。广雅亦曰:风,放也。放议犹放言也。”出入风议,谓光发议论不作事。

为,作、干。靡事不为,指什么劳苦的事都要做。

韵读:幽部——酒、咎。　歌部——议(音俄)、为(音讹)。

无将大车

【题　解】

这是一位没落贵族感时伤乱之作。他很旷达,认为忧能伤人,很不值得,便唱出了这首短歌。毛序:“无将大车,大夫悔将小人也。”荀子大略引此诗云:“言无与小人处也。”易林井之大有:“大舆多尘,小人伤贤。皇父司徒,使君失家。”他们都认为是后悔推荐小人的诗。从诗的内容看来,不见有悔“所树非人”之意,百忧的内容,亦未明说。姚际恒通论云:“此贤者伤乱世,忧思百出,既而欲暂已,虑其甚病,无聊之至也。”陈廷杰诗序解云:“殆诗人感时伤乱之作。”姚、陈二家之说近是。易林提到皇父,他是幽王时人,见十月之交,此诗当产生于幽王时。故王先谦集疏说:“笺以为厉王,非也。”

这首短诗只三章,每章中只换几个字,和国风相似。但这几个字的变化很有层次,第一章“尘”,指推大车会惹尘土。“疧”,指多忧会生病。都是笼统地形容。第二章的“冥冥”,形容尘土遮蔽上空,使人看不清。“颎”,形容忧愁使人心烦意乱,会患心脏病。比上章更具体。第三章的“雝”，形容尘土蔽塞路途，比上章遮空来得更大。“重”，指忧愁会使人发浮肿病，比上章心脏病更重。尘、冥冥、雝，疷、颎、重，章章递进，以见推大车、多忧愁后果的严重。使人感到层递艺术手法之妙。

无将大车，只自尘兮。无思百忧，只自疷兮。

将，牂之假借，用手扶车。郑笺：“将，犹扶进也。” 大车，牛拉的货车。孔疏：“冬官车人为车有大车，郑云：大车，平地任载之车，其车驾牛。”它与王风大车中大夫所乘的大车不同。

尘，此处作动词用，谓沾上尘土。

百，虚数。百忧，指许多可忧之事。

疷(zhěn)，应从唐石经作疧。痛苦。

韵读：真、支部通韵——尘、疷。

无将大车，维尘冥冥。无思百忧，不出于颎。

冥冥，昏暗不明貌，此处指尘土蔽空。郑笺：“冥冥者，蔽人目明，令无所见也。”

颎(gěng)，同耿。不出于颎，指心中戒惧不安，无法排除。即心脏病。马瑞辰通释：“颎音义与耿正同。邶柏舟‘耿耿不寐’传：‘耿耿犹儆儆也。’礼少仪注：‘颎，警枕也。’儆、警说文并训‘戒’。不出于颎即谓不出于儆戒之中。”

韵读：耕部——冥、颎。

无将大车，维尘雝兮。无思百忧，只自重兮。

雝，通壅。释文：“字又作壅。”指遮蔽路途。郑笺：“雍犹蔽也。”

重，同肿(腫)，浮肿病。左传成六年：“于是有沉溺重膇之疾。”杜注：“重膇，足肿。”

韵读：东部——雝、重。

小　明

【题　解】

这是一位官吏自述久役思归及念友的诗。毛序:“小明,大夫悔仕于乱世也。”陈廷杰驳之云:“顾自悔其出仕,乃反勉人以‘靖共’,恐诗人之意不若是之矛盾焉。”陈说甚是。篇名“小明”,郑笺:“名篇曰小明者,言幽王日小其明,损其政事,以至于乱。”苏辙诗经传认为区别于大雅之大明,故名小。众说纷纭,莫衷一是,只得阙疑。

小明诗人原是一位贵族,可他已沦为到“艽野”的荒凉边疆服役,吃尽苦头,唱出了这首诗。在字里行间,诗人描绘了他在役所所表现的复杂心理活动。他苦于久役,感到政事多,很劳累,生活受了毒害,但毫无办法,只是心忧罢了。他很想回家,但又怕统治者给他“罪罟”、“谴怒”、“反覆”,只得忍耐留在那里。他思念朋友,想得“涕零如雨”、“睠睠怀顾”、“兴言出宿”,但无办法能和他一起安居,只得告以处世之道。以上三种心理活动,描写了一个牢骚满腹而又谨小慎微的官吏形象。但这种心理描写还是很初级的,只是直接地抒写,缺少动作、语言、景物等的刻画。尤其是末二章,遣词枯燥,像在打官腔。不但与后世的诗歌不可同日而语,便是与小雅中其他名篇如采薇等相比,也逊色不少。读者细细玩味,自能辨出高低。

明明上天,照临下土。我征徂西,至于艽野。二月初吉,载离寒暑。心之忧矣,其毒大苦。念彼共人,涕零如雨。岂不怀归,畏此罪罟。

明明,叠词,加重语气,指上天是光明的,能照察人间的事。

照临,居高临下地照察。按以上二句是诗人向天控诉的话。朱熹诗集传:"大夫以二月西征,至于岁暮,而未得归,故呼天而诉之。"

征,行,指行役。　徂,往。徂西,往镐京的西方。

艽(qiú)野,毛传:"远荒之地。"不是地名。说文:"艽,远荒也。"段注:"艽之言究也,穷也。"

二月,马瑞辰认为当是周正二月,即夏历十二月。诗作于岁暮,故云"载离寒暑",马说为是。　初吉,王引之经义述闻认为初吉是泛指上旬的吉日。较他说为长。

载,语首助词。　离,遭,经历。　寒暑,因押韵而倒文,应为"暑寒",夏天和冬天。

毒,害,指行役的毒害。　大,音义同太。王先谦集疏:"我心甚忧,如毒药之苦。"

共,通恭。恭人,谦逊恭谨的人,指他的朋友。即四章和五章的"君子"。

涕,泪。　零,落。

怀,思。

罪罟(gǔ),罗网,指刑罚。马瑞辰通释:"说文:'罪,捕鱼竹网。''罟,网也。'秦始以罪易辠。惟此诗罪罟二字平列,犹云网罟,与下章'畏此谴怒'、'畏此反覆'语同。盖罪字本义。大雅'天降罪罟'义同。"

韵读:鱼部——土、野(音宇)、暑、苦、雨、罟。

昔我往矣,日月方除。曷云其还?岁聿云莫。念我独兮,我事孔庶。心之忧矣,惮我不暇。念彼共人,睠睠怀顾。岂不怀归?畏此谴怒。

除,毛传:"除陈生新也。"日月方除,指夏历十二月,即上章之二月。马瑞辰通释:"除即尔雅'十二月为涂'之涂。戴震曰:'广韵:涂,直鱼切。与除同音通用。'方以智曰:'谓岁将除也。'"

曷,何时。　云,语中助词。　其,将。

聿,同曰,皆语中助词。　莫,今作暮。岁暮,指一年将尽。

独,单独,指己单独地服役在荒凉遥远的地方。

孔庶，很多。郑笺："我事独甚众，劳我不暇，皆言王政不均，臣事不同也。"

惮，瘅的假借。释文："亦作瘅。"毛传："惮，劳也。"这句意为，使我劳苦而无闲暇的时候。

睠睠，文选李注引诗作眷眷。深切思念、依恋不舍貌。　怀顾，怀念朋友而反顾。

此，这，指统治者。　谴，谴责。　怒，恼怒。这句意为，畏惧统治者的谴责恼怒。

韵读：鱼部——除、莫、庶、暇（音胡）、顾、怒。

昔我往矣，日月方奥。曷云其还？政事愈蹙。岁聿云莫，采萧获菽。心之忧矣，自诒伊戚。念彼共人，兴言出宿。岂不怀归？畏此反覆。

奥（yù），燠的假借，暖。日月方奥，指周正二月。

蹙（cù），急促。指王事更加急促，至岁暮而不得归。

萧，艾蒿。见采葛注。　菽，大豆。郑笺："岁晚乃至采萧获菽尚不得归。"

诒，通贻，留下。　伊，同繄，这。　戚，忧伤，指行役不愉快的事。见雄雉注。

兴言，起来。　出宿，不能安眠，到外面过夜。郑笺："兴，起也。夜卧起宿于外，忧不能宿于内也。"

反覆，反复无常，随便加罪于人。郑笺："反覆谓不以正罪见罪。"

韵读：幽部——奥、蹙、菽、戚（粗育反，入声）、宿、覆。

嗟尔君子，无恒安处。靖共尔位，正直是与。神之听之，式榖以女。

嗟，叹词。

恒，常。朱熹诗集传："无以安处为常，言当有劳时勿怀安也。"

靖，认真。　共，恭之省借，礼记缁衣、韩诗外传引诗皆作恭。敬、负责。这句意为，应当认真负责地对待你的职位。

与，接近，谓当接近正直之人。

神之听之，前“之”字是衬词，后“之”字是代词，代上四句话。

式，用。　穀，善，指福禄。　以，与之假借，给予。谓神将用福禄赐给你。

韵读：鱼部——处、与、女。

嗟尔君子，无恒安息。靖共尔位，好是正直。神之听之，介尔景福。

嗟尔四句，与上章前四句同义。毛传：“息犹处也。”安居休息之意。

好，爱好。　是，此、这。　正直，指正直的人。

介，助。　景，大。指神会帮助你得到大福气。

韵读：之部——息、直、福（方逼反，入声）。

鼓　钟

【题　解】

这是一位诗人在淮水上重观周乐，不禁欣慕古代圣贤创造音乐者的功德。至于此诗作于何代，为何事所作，今已不可考。毛序：“鼓钟，刺幽王也。”这是古文说。孔疏引郑玄中候握河注：“昭王时鼓钟之诗所为作。”这是今文说。二者均无确据，所以朱熹说：“此诗之义未详。”方玉润诗经原始：“此诗循文案义，自是作乐淮上，然不知其为何时、何代、何王、何事。小序漫谓刺幽王，已属臆断。欧阳氏云‘旁考诗、书、史记皆无幽王东巡之事。当阙其所未详。’玩其词意，极为叹美周乐之盛，不禁有怀在昔淑人君子德不可忘，而至于忧心且伤也。此非淮、徐诗人重观周乐以志欣慕之作，而谁作哉？特史无征，诗更失考，姑释其文如此。”兹姑从方氏之说，并据诗的内容，释其主题如上。

此诗末章写一次演奏音乐的场面，画出各种乐器声音来。

有钟、琴、瑟、笙、磬、雅、南、籥八种的合奏，好像一支乐队。古人云“金声玉振”，金指钟，表示乐始。玉指磬，用以节乐或表示乐止。弹的有琴、瑟；吹的有笙、籥；敲的有钟、雅、磬；摇的有南。使我们读后好像参加一次古代交响音乐会，叮叮当当，醉入心弦。不怪诗人听后要歌颂制乐者的功德了。

鼓钟将将，淮水汤汤，忧心且伤。淑人君子，怀允不忘。

鼓，敲，动词。　将将，鎗鎗的借字。钟声，象声词。

淮水，今名淮河，发源于河南桐柏山，经安徽、江苏两省入海。　汤汤，同荡荡，大水急流貌。

淑，善。淑人，美德之人。淑人君子，指前代的创造者，疑指乐师或制乐器者。

怀，思念。　允，王引之经传释词：“允，语词。”

韵读：阳部——将、汤、伤、忘。

鼓钟喈喈，淮水湝湝，忧心且悲。淑人君子，其德不回。

喈喈，象声词。形容钟声和谐。王先谦集疏：“说文：‘龤，乐和龤也。’此喈即龤之假借。”

湝湝，水流貌。说文：“湝，水流湝湝也。”

回，邪。

韵读：脂部——喈（音饥）、湝（音饥）、悲、回。

鼓钟伐鼛，淮有三洲，忧心且妯。淑人君子，其德不犹。

鼛（gāo），毛传：“大鼓也。”淮南子主术训：“尧舜禹汤文武鼛鼓而食。”高诱注：“鼛鼓，王者之食乐也。”

三洲，三个小岛。据后人考证，在历次大水中，淮河上三个小岛，都被淹没。这可能是贵族奏乐的地点。王先谦集疏：“朱右曾云：‘水经注：淮水又东为安丰津，淮东有洲，俗号关洲，通校全淮，惟此有洲，在今霍邱县北。’陈奂云：‘（霍邱）县东北十五里有大业陂，周二十馀里，人呼水门塘，相传古名镇淮洲,陷为陂。'愚案大水中洲坍涨不常,淮水三洲最古,据朱、陈二说,二洲一已为陂,另一洲更无可考,古南江并于中江亦其比也。"

妯(chōu),怞之假借。说文:"怞,恨也。诗曰忧心且怞。"悲伤的意思。韩诗作"忧心且陶"。

犹,瘉之假借。郑笺:"犹当作瘉。瘉,病也。"缺点。不犹,没有缺点。

韵读:幽部——鼛(古愁反)、洲、妯、犹。

鼓钟钦钦,鼓瑟鼓琴,笙磬同音。以雅以南,以籥不僭。

钦钦,象声词。

笙,竹制乐器。见君子扬扬注。　磬,玉或石制成的乐器,敲打它表示乐止。　同音,马瑞辰通释:"磬以止乐,而乐中之众声,皆随声而止,故曰同音。"

以,为、奏。玉篇:"以,为也。"下句"以籥"同。　雅,乐器名,周官春官笙师郑司农注:"雅,状如漆筩而弇口,大二围,长五尺六寸,以羊韦鞔之,有两纽疏画。"这是用手拍打节乐的乐器。见章炳麟大雅小雅说。　南,乐器名,形似铃。见郭沫若甲骨文字研究释南。这两种乐器名,后来都孳乳为乐调之名,即二雅与二南。

籥(yuè),乐器名,似排箫,见简兮注。　僭,差失、混乱。大雅抑传:"僭,差也。"按这句应与上句连接,即奏雅、奏南、奏籥,不乱。这章纯写演奏钟瑟等各种乐器,表现创造乐器者淑人君子的功德。

韵读:侵部——钦、琴、音、南(奴森反)、僭(音祲)。

楚　茨

【题　解】

这是周王祭祀祖先的乐歌。诗中的"我"、"孝孙",都是指周王。它所叙述的典章制度,也都是天子用的。毛序:"楚茨,刺幽王也。政烦赋重,田莱多荒,饥馑降丧,民卒流亡,祭祀不飨,故君子思古焉。"朱熹诗序辨说驳之云:"自此篇至车舝凡十篇……

词气和平，称述详雅，无讽刺之意。序以其在变雅中，故皆以为伤今思古之作，诗固有如此者。然不应十篇相属，而绝无一言以见衰世之意也。窃恐正雅之篇有错脱在此者耳。序皆失之。”吕祖谦东塾读诗记：“楚茨极言祭祀事神受福之节，观其威仪之盛，物品之丰，所以交神明，逮群下至于受福无疆者，非德盛政修何以致之！”朱、吕二氏的分析，很有道理。结合诗的内容看来，它可能是西周昭、穆时代的作品，不是厉、幽衰世的诗。何楷诗经世本古义、范家相诗渖、姚际恒诗经通论、胡承珙毛诗后笺皆持朱、吕之说。

楚茨虽为祭祀祖先的乐歌，但描写景物颇为形象。写助祭的厨司，容貌恭敬严肃，手持着牛羊。有的宰割，有的烹饪，有的烧肉，有的烤肝，有的摆牲，有的捧进。写参祭的主妇容貌清静恭敬，将菜肴装进许多碗里。等神尸吃完酒菜后，迅速敏捷地撤去席上酒杯残菜。第五章写神醉尸起，送尸归神的一幕。末章写同姓私宴的场面，有声有色，都很生动。孙矿说：“气格闳丽，结构严密。写祀事如仪注，庄敬诚孝之意俨然。有景有态，而精语险句，更层见错出，极情文条理之妙。”孙氏的评论，道出了以祭祀为主题的雅诗的共同特点，它们同清新秀丽的风诗在格调上是有明显区别的。同雅诗中所谓“变雅”的怨愤峻刻也不相同，从而我们可以体会诗经风格的丰富多彩。

楚楚者茨，言抽其棘。自昔何为？我蓺黍稷。我黍与与，我稷翼翼。我仓既盈，我庾维亿。以为酒食，以享以祀，以妥以侑，以介景福。

楚楚，繁密丛生貌。　茨，蒺藜。王先谦集疏：“（尔雅）释草郭注：‘布地蔓生，细叶，子有三角刺。’说文‘茨’下云：‘以茅苇盖屋。’‘荠’下云：‘蒺藜也。'玉篇:'蒉,蒺藜也。'是茨正字,鲁、毛借字。"

言,发语词。 抽,拔除。毛传:"除也。" 棘,刺。此处指蒺藜上的刺。马瑞辰通释:"尔雅释草:'茦,刺。'方言:'凡草木刺人,北燕、朝鲜之间谓之茦,自关而西谓之刺,江淮之间谓之棘。'棘为草名,又为凡草刺人之通称。'楚楚者茨,言抽其棘',棘即茨上之棘,犹'翘翘错薪,言刈其楚',楚即薪中之楚也。"

自昔,从古,指从古以来就是这样开辟田地。 何为,这是为什么呢?

我,主祭者自称。 蓺,今作艺(藝),种植。 黍、稷,粮食名。见黍离注。按这句是答上句的设问。

与与、翼翼,繁盛貌。郑笺:"黍与与、稷翼翼,蕃庑貌。"

庾,用草席制的圆形露天谷囤。毛传:"露积曰庾。" 维,是。 亿,满。马瑞辰通释:"亿,说文作意,云:'意,满也。一曰十万曰意。'是亿之本义训满,与盈同义。王尚书经义述闻曰:'亿亦盈也,语之转耳,此盈字但取盈满之义,非纪其数,与万亿及秭之意不同。'其说是也。"

以,用。下同。

享,献。指献神。以享以祀,用它(酒食)来献神祭祀。

妥,安坐。见尔雅释诂。 侑,劝,指劝进酒食。古代以"尸"代神,在祭祀的时候,主人迎尸,请他安坐在神位上,献上酒食,请尸吃喝。

以介景福,见小明注。郑笺:"以黍稷为酒食,献之以祀先祖。既又迎尸使处神坐而食之。为其嫌不饱,祝以主人之辞劝之,所以助孝子受大福也。"方玉润诗经原始:"首章总冒,先从稼穑言起,由垦辟而有收成,有收成而得享祀,由享祀而获福禄。盖力于农事者,所以为神飨,致其诚也。是祭前一段文字。"

韵读:之部——棘、稷、翼、亿、食、祀、侑(音翼)、福(方逼反,入声)。

济济跄跄,絜尔牛羊,以往烝尝。或剥或亨,或肆或将。祝祭于祊,祀事孔明。先祖是皇,神保是飨。孝孙有庆,报以介福,万寿无疆。

济济,庄严恭敬貌。 跄跄(qiāng),走路有节奏貌。都是形容助祭者。济、跄双声。

絜,挈之假借,说文:“挈,县(悬)持也。”此处指拿着。有人训絜为洁,亦通。

以,用。　往,去。　烝、尝,秋祭祖先曰尝,冬祭祖先曰烝。这里是泛指祭祀。

或,有的人。下同。　剥,支解宰割。郑笺:“解剥其皮。”　亨,今作烹。烹调。毛传:“亨,饪之也。”

肆,陈列。　将,捧进。郑笺:“有肆其骨体于俎者,或奉持而进之者。”

祝,太祝,司仪,掌管祭礼的官员。　祊(bēng),宗庙门内旁边设祭坛的地方。说文作鬃,云:“门内祭,先祖所以彷徨。”

孔,很。　明,郑笺:“犹备也。”指祭祀的礼节很完备。

是,代词,指祊。　皇,通廷,往。信南山郑笺:“皇之言往也。”

神保,祖先神名。朱熹诗集传:“神保,盖尸之嘉号,楚辞所谓灵保。”飨,享受祭祀所献的酒食。说文段注:“献于神曰享,神食其所享曰飨。”

孝孙,指周王。　庆,说文:“行贺人也。”引申为有可贺之事,指福祥。方玉润诗经原始:“二、三章备言牲醴之洁,俎豆之盛,以及从事之人莫不敬谨将事,是以神降之福。是初祭二大段。”

韵读:阳部——跄、羊、尝、亨(音滂)、将、祊、明(音芒)、皇、飨、庆(音羌)、疆。

执爨踖踖,为俎孔硕。或燔或炙。君妇莫莫,为豆孔庶。为宾为客,献酬交错。礼仪卒度,笑语卒获。神保是格,报以介福,万寿攸酢。

爨(cuàn),灶。执爨,掌灶的人,如今之厨师。　踖踖(jí),敏捷恭谨貌。马瑞辰通释:“尔雅:‘踖踖,敏也。’踖踖,盖执爨恭敏之貌。”

俎,古代祭祀时用来盛生肉的礼器。　硕,大。孔疏:“其为俎之牲体甚博大。”

燔,烧肉。　炙,烤肉。

君妇,天子诸侯妻,嫡妇的意思。郑笺:“君妇,谓后也。”　莫莫,慎慎的假借,清静恭敬貌。

豆,盛肉器,这里用它代菜肴。　庶,多,指菜肴品种之多。

宾,指宾尸。　客,宾客。

献酬,主人向客人敬酒为献,主人自饮一杯,然后敬客为酬。

卒,尽、完全。卒度,全合法度。

卒获,尽得宜、完全恰到好处。于省吾新证谓获为矱之假借,矩矱,法度。亦通。

格,与佫通。来到。方言:“佫,来也。”

攸,语助词。　酢,本义为客人还敬主人酒。此处引申为神对主人的报答。毛传:“酢,报也。”

韵读:鱼部——踖(音蛆入声)、硕(音蜍入声)、炙(音诸入声)、莫(音模入声)、庶、客(音枯入声)、错(音粗入声)、度、获(音胡入声)、格(音孤入声)、酢(音徂入声)。

我孔熯矣,式礼莫愆。工祝致告:“徂赉孝孙。苾芬孝祀,神嗜饮食。卜尔百福,如几如式。既齐既稷,既匡既敕。永锡尔极,时万时亿。”

熯,同谨,恭谨。于省吾新证:“熯即谨之本字。金文觐不从见,勤不从力。女夒毁觐作熯,宗周钟勤作熯。熯、熯同字,今楷作堇。”

式,发语词。　愆,过失。以上二句意为,我很恭谨了,但愿礼仪没有差失。

工祝,官祝。马瑞辰通释:“少牢馈食礼:‘皇尸命工祝。’郑注:‘工,官也。’周颂‘嗟嗟臣工’毛传:‘工,官也。’皋陶谟百工即百官。工祝正对皇尸为君尸言之,犹书言官占也。”　致告,转致告示。孔疏:“致神之意以告主人。”以下九句皆太祝将神的意思告诉周王。

徂,往。　赉(lài),赐予。　孝孙,指主祭者周王。这句谓去赐福给周王。

苾芬,犹今云芬芳。说文:“苾,馨香也。芬,草初生香分布也。”　孝,享。孝祀,享祀。尔雅释诂:“享,孝也。”指祖神享受祭祀。

卜，赐予。毛传："卜，予也。"　尔，你，指孝孙。

如，合。　几(幾)，期之假借。毛传："几，期。"如几，祭祀合乎你所期望的。　式，法度。毛传："式，法也。"如式，祭祀合乎法度。

齐，同斋。恭敬严肃貌。有人训速，亦通。　稷，毛传："疾。"敏捷。马瑞辰谓稷是亟的假借。

匡，匡正。　敕，谨饬。陈奂传疏："齐、稷、匡、敕皆祭祀肃敬之意。"

锡，赐。　极，至，指最好的福气。

时，是，指福。　万、亿，虚数，皆极言其多。方玉润诗经原始："四章祝致神语。"是写正祭。

韵读：元、文部通韵——熯、愆、孙。　之部——祀、食、福(方逼反，入声)、式、稷、敕、极、亿。

礼仪既备，钟鼓既戒。孝孙徂位，工祝致告："神具醉止"，皇尸载起。鼓钟送尸，神保聿归。诸宰君妇，废彻不迟。诸父兄弟，备言燕私。

戒，告。指奏钟鼓以告礼成。郑笺："戒诸在庙中者以祭礼毕。"

徂位，指主人回到原来的西面的位子上。郑笺："孝孙往位，堂下西面位。"

具，皆。　醉，这里指尸醉。　止，语尾助词。

皇，伟大。　尸，祭祀时代祖先受祭，象征祖先神灵的人。　载，则、就。　起，起来告辞。

聿，语助词。　归，指神也随着尸回去了。

宰，官名，指冢宰。膳夫是他的属官。周礼膳夫："凡王祭祀、宾客食，则彻王之胙俎。"孔疏："言诸宰者，以膳夫是宰之属官。"

废，去。　彻，今作撤，退。废彻，将席上的祭品收去。　不迟，郑笺："以疾为敬也。"

诸父，同姓长辈的泛称。　兄弟，同姓同辈的泛称。

备，尽、完全。　言，语助词。　燕，通宴。燕私，私宴。郑笺："祭祀毕，归(馈)宾客豆俎。同姓则留与之燕。所以尊宾客亲骨肉也。"方玉润诗经原始:“五章神醉尸起,送尸归神,一往肃穆,敬谨之至。”

韵读:之、幽部通韵——备、戒(音记)、告、止、起。　脂部——尸、归、迟、弟、私。

乐具入奏,以绥后禄。尔殽既将,莫怨具庆。既醉既饱,小大稽首:“神嗜饮食,使君寿考。孔惠孔时,维其尽之。子子孙孙,勿替引之。”

具,俱、完全。孔疏:“祭时在庙燕当在寝,故言祭时之乐皆复来入于寝而奏之。”

绥,安。指安逸享受福禄。　后禄,郑笺:“后日之福禄。”

将,美。指菜味美好。马瑞辰通释:“广雅释诂:‘将,美也。’尔殽既将,犹頍弁诗尔殽既嘉。”

莫怨,指参加宴会者没有说抱怨的话。　庆,庆贺。郑笺:“同姓之臣无有怨者而皆庆君。是其欢也。”

既,已。言已经喝醉吃饱。

小大,长幼。　稽首,叩头。表示向主人告辞。以下六句为同姓之臣告辞时的颂辞。依郑笺说。

孔惠,很顺利。陈奂传疏:“孔,甚。惠,顺。甚顺者,无不顺。”　时,善。孔时,很好。皆指祭祀。

维,同唯,只有。　其,代词,指主人。孔疏:“唯君德能尽此顺时之美。”

勿,不要。　替,废止。　引,延长。　之,指祭祀礼节。孔疏:“欲使长行此礼,长得福禄。”方玉润诗经原始:“卒章入燕族,是祭后一层文字。”

韵读:侯部——奏、禄。　阳部——将、庆(音羌)。　幽部——饱(博叟反)、首、考(苦叟反)。　真部——尽、引。

信南山

【题　解】

这是周王祭祖祈福的乐歌。毛序:“信南山,刺幽王也。不能修成王之业，疆理天下，以奉禹功，故君子思古焉。”按诗中不见有讽刺、思古之意，毛序的话似与主题无涉。姚际恒诗经通论：“此篇与楚茨略同。但彼篇言烝尝，此独言烝，盖言王者烝祭岁也。”姚氏认为楚茨是周王秋祭和冬祭的乐歌，信南山是冬祭的乐歌。因为楚茨有“以往烝尝”一句，信南山有“以烝以享”一句。按诗次章云“雨雪雰雰”，正是冬祭时节。姚说似可信。

这首诗与前一篇楚茨一样是祭祀诗，但结构上并不相同。孙矿批评诗经说：“是纪祀事诗，却乃远从田事说来。首章田，次章雨雪，三章乃及尸宾。”整齐的田亩，调匀的风雨，显示出一派生气勃勃的丰收兆头，而丰收正是祭祀祖宗、祈求保佑的目的。因此虽“远从田事说来”，看似闲笔，但与祭祀正题却依然关脉紧扣。而且先从写景入手，在祭祖的肃穆中掺进一丝灵动，反而显得不那么板滞。姚际恒便看出了这一点，他说：“上篇铺叙闳整，叙事详密；此篇则稍略而加以跌荡，多闲情别致，格调又自不同。”这种布局，可视为祭祀诗的变格。

信彼南山，维禹甸之。畇畇原隰，曾孙田之。我疆我理，南东其亩。

信，伸的假借，延伸貌。马瑞辰通释：“‘信彼南山’与‘节彼南山’‘倬彼甫田’句法相类。节、倬皆为貌，则信亦南山貌也。古伸字借作信。” 南山，终南山，在今陕西省西安市南。

维，是。 甸，治理。毛传：“甸，治也。”韩诗作陈，陈与甸通。 之，它，指南山四周的田野。

畇畇(yún)，田地平坦整齐貌。 原、隰，指高地和低地。

曾孙，周王主祭者对祖神的自称，与孝孙同。于省吾新证：“孙对先祖言，皆可称曾孙。” 田，与上句甸字同义。马瑞辰：“经必上甸下田者，变文以协韵也。”

疆，划定田的大界。　理，划定田的小界。朱熹诗集传：“疆者，为之大界也。理者，定其沟涂也。”

南，南北向。　东，东西向。泛指四方。孔疏：“于土之宜须纵须横，故或南或东也。”

韵读：真部——甸（徒人反）、田（徒人反）。　之部——理、亩（满以反）。

上天同云，雨雪雰雰。益之以霡霂，既优既渥，既霑既足，生我百谷。

上天，冬天的天空。尔雅：“冬曰上天。”　同云，密聚阴云。说文：“同，合会也。”

雨，作动词“下”用。　雰雰，雪花飘落貌。毛传：“雰雰，雪貌。丰年之冬必有积雪。”白帖两引此句作纷纷。

益，加上。　霡霂（mài mù），小雨。郑笺：“阴阳和，风雨时。冬有积雪，春而益之以小雨。”按霡霂为双声。

既，已经。　优，瀀之假借，雨水多。　渥，润泽。说文：“瀀，泽多也。诗曰：既瀀既渥。渥，沾也。”按优、渥为双声。

霑，沾的异体字，沾润。　足，浞的假借，湿润。马瑞辰通释：“说文：‘霑，雨𩂣也。’‘𩂣，濡也。’足者浞之省借。说文：‘浞，小濡貌也。’诗言瀀、渥、霑、足，四者义皆相近，均以言雨泽之霑濡耳。”

韵读：文部——云、雰。　侯部——霂、渥、足、谷。

疆埸翼翼，黍稷彧彧。曾孙之穑，以为酒食。畀我尸宾，寿考万年。

埸（yì），田界。说文：“大界曰疆，小界曰埸。”　翼翼，朱熹诗集传：“整饬貌。”

彧彧（yù），茂盛貌。

穑（sè），收获的庄稼。伐檀毛传：“敛之曰穑。”

畀（bì），给予。　尸，神尸。　宾，客人。指用酒食献给神尸和宾客。

寿考万年，这句是主祭者希望神保佑的话。郑笺：“尊尸与宾所以敬神也。敬神则得寿考万年。”

韵读:之部——翼、彧、穡、食。　真部——宾、年(奴因反)。

中田有庐,疆埸有瓜,是剥是菹。献之皇祖。曾孙寿考,受天之祜。

庐,农民临时住的房子,建筑在公田中。郑笺:“中田,田中也。农人作庐焉,以便其田事。”

是,这,指瓜。　剥,削。指削瓜皮。　菹(zū),腌制。

皇祖,君祖。尚书五子之歌传:“皇,君也。”

祜(hù),福。

韵读:鱼部——庐、瓜(音孤)、菹、祖、祜。

祭以清酒,从以骍牡,享于祖考。执其鸾刀,以启其毛,取其血膋。

清酒,清澄的酒。周礼酒正郑司农注:“清酒,祭祀之酒也。”

从,随后献上。　骍,赤黄色。　牡,公牛。　周人尚赤,因此祭祀以骍牡为牺牲。

鸾,铃。毛传:“鸾刀,刀有鸾者。”

以,用它。　启,割开。　毛,牲口的皮毛。

膋(liáo),脂。膋又作膫。说文:“膫,牛肠脂也。诗曰取其血膫。”郑笺:“血以告杀。膋以升臭,合之黍稷,实之于萧,合馨香也。”按周代祭祀之礼,献牲血以示新杀。又取脂膏合上黍稷放在艾蒿上燔烧,使香气上升。

韵读:幽部——酒、牡、考(苦叟反)。　宵部——刀、毛、膋。

是烝是享,苾苾芬芬。祀事孔明,先祖是皇。报以介福,万寿无疆。

是,(用)这,代上章的酒、牛等。　烝,冬祭。　享,献、上供。

苾苾芬芬,即“苾芬”的叠词,形容用脂膏合上黍稷艾蒿烧的香气。按鲁诗苾作馥。

“祀事孔明”下四句,均见楚茨注。

韵读:阳部——享、明(音芒)、皇、疆。

甫 田

【题 解】

这是周王祭祀土地神、四方神和农神的乐歌。毛序:“刺幽王也,君子伤今而思古焉。”诗中不见有讽刺和思古之意,朱熹诗序辩说云:“此序专以‘自古有年’生说,而不察其下文‘今适南亩’以下,亦未尝不有年也。”朱评甚是。郑笺:“刺者,刺其仓廪空虚,政烦赋重,农人失职。”王先谦集疏引黄山云:“以社者,蔡邕所谓春藉田祈社稷也。以方者,亦邕所谓春夏祈谷于上帝也。御田祖者,班固所谓享先农也。祈甘雨者,皇甫谧所谓时雩旱祷也。皆春夏王者重农所有事。诗历言之,不必如笺说。”黄说似可从。

这首诗是祭神的乐歌,但除了第三章之外,其他几章都大谈耕作的勤快、主奴的和谐和收获的丰盛而不及祭祀,然而这些看似外骛的内容实际都是围绕着祀神这一中心展开的。方玉润诗经原始评曰:“全篇章法一线,妥贴周密,神不外散。”的确,形式分散而精神内聚,正是这首诗的特点。

倬彼甫田,岁取十千。我取其陈,食我农人。自古有年。今适南亩,或耘或耔,黍稷薿薿。攸介攸止,烝我髦士。

倬(zhuō),广阔貌。说文:“倬,大也。” 甫田,大田。指公田。齐风甫田传:“甫,大也。”

十千,虚数,指生产多。毛传:“十千,言多也。”

我,诗人自称。他可能是周王的农官。 陈,陈旧的粮食。

食(sì),拿东西给人吃。 农人,指耕种公田的农奴。

有年,丰年。郑笺:“自古丰年之法如此。”

适，往。　南亩，向阳的田，见七月注。这句言周王到南亩去视察。

或，有的人。　耘，除草。　耔，在苗根上培土。按此句与下句皆周王适南亩时所见。

薿薿，茂盛貌。

攸，语助词。　介、止，皆休息义，指周王在田间休息。林义光通解："介读为愒。说文：'愒，息也。'介古作匄，愒从匄得声，则介、愒古同音。书酒诰云：尔乃自介用逸。又云：不惟自息乃逸。自介即自息，介亦愒之假借也。"

烝，进，召集的意思。　髦士，俊士、才能过人者，指田畯。王先谦集疏引黄山云："田畯之畯，释文'本文作俊'，是传之以'俊'训髦，即以髦士为田畯之官。"按田畯即在田间监督农奴耕种的官。

韵读：真部——田（徒人反）、千（音亲）、陈、人、年（奴因反）。　之部——亩（满以反）、耔、薿、止、士。

以我齐明，与我牺羊，以社以方。我田既臧，农夫之庆。琴瑟击鼓，以御田祖，以祈甘雨，以介我稷黍，以穀我士女。

以，用。　齐明，即齍盛。释文："齐，本又作齍。"祭器中盛的黍稷，用以祭祀。马瑞辰通释："尔雅释诂：明，成也。释名：成，盛也。明为成即为盛。传、笺皆以齐盛释齐明，正以明为盛之假借。"

牺羊，牛羊。马瑞辰通释："牺与牲、牷字皆从牛，盖本专为牛称。此诗以牺羊与齐明对，齐明即齍盛，则牺亦当指牛言。"

以，用它。　社，祭土地神。　方，祭四方之神。

庆，赏赐。郑笺："臧，善也。我田事已善，则庆赐农夫，谓大蜡之时，劳农以休息之也。"

御（yà），迎祭。　田祖，农神，指神农。

介，助。

穀，养。　士女，男女，此处泛指人民。

韵读：阳部——明（音芒）、羊、方、臧、庆（音羌）。　鱼部——鼓、祖、雨、黍、女。

曾孙来止。以其妇子,馌彼南亩,田畯至喜。攘其左右,尝其旨否。禾易长亩,终善且有。曾孙不怒,农夫克敏。

曾孙,周王。　止,语气词。孔疏引王肃曰:"曾孙来止,亲循畎亩,劝稼穑也。"

以,带领。　妇子,指农人的妇、子。王肃云:"农夫务事使其妇、子并馌馈也。"按郑笺认为妇、子,指周王的皇后和世子,王肃反对此说,他说:"妇人无阃外之事。又帝王乃躬自食农人,周则力不供,不遍则为惠不普。"王说甚有理。

馌,送饭。指农妇给丈夫送饭到南亩。

攘,让(讓)。马瑞辰通释:"攘古让字。此诗攘即揖让字,谓田畯将尝其酒食而先让左右从行之人,示有礼也。"

易,禾苗茂盛貌。马瑞辰通释:"易与移一声之转。说文:'移,禾相倚移也。'倚移读若阿那,为禾盛之貌。"　长亩,竟亩、满田。

终,既。　有,多、丰。陈奂传疏:"有读'岁其有'之有。"

克,能。　敏,敏捷,指农夫干得又好又快。陈奂传疏:"言农夫能疾除其田则曾孙不怒也。不怒者,不待趋其耕耨。"

韵读:之部——止、子、亩、喜、右(音以)、否(方鄙反)、亩、有(音以)、敏(满以反)。

曾孙之稼,如茨如梁。曾孙之庾,如坻如京。乃求千斯仓,乃求万斯箱。黍稷稻粱,农夫之庆。报以介福,万寿无疆。

茨,蒺藜。梁,荆木。于省吾新证:"如梁之梁本应作荆。荆与梁、粱并从刅声,字本相通。茨本蒺藜,系蔓生密集之草,荆为丛生之木。诗人咏曾孙之稼,以茨之密集与荆之丛生为比,系形容禾稼之多。其言曾孙之庾,如坻如京,系形容庾囤之高。"

庾,露天粮囤。见楚茨注。

坻,通阺,山坡。说文:"秦谓陵阪曰阺。"　京,高丘。

乃,于是。　求,寻找。　千斯,即千千,下句同。许多的意思。　仓,装粮的仓库。

箱,车箱,这里指车,用它运输粮食。按以上两句都是形容周王公田收获之多。

庆,赐。言用黍稷稻粱赐给农夫。

介,大。这句言社神、方神、田祖等报周王以大福。

韵读:阳部——梁、京(音姜)、仓、箱、粱、庆(音羌)、疆。

大 田

【题 解】

这是周王祭祀田祖而祈年的诗。是研究古代土地制度、农业生产、生产关系等的重要史料。如公田与私田的关系,曾孙与农夫的关系,生产果实分配问题等。小雅中楚茨、信南山、甫田、大田虽为祭祀乐歌,但内容多写农业生产,后人将这几首和颂中之载芟、良耜等称为农事诗。毛序:"刺幽王也。言矜寡不能自存焉。"朱熹驳得好:"此序专以'寡妇之利'一句生说。"甚当。

此诗虽为祭祀乐歌,但其内容主要是描写农业生产中的选种、修械、播种、除草、去虫,描摹云雨景致,煊染丰收景象,纯用白描手法,生动地刻画了公田生产场面。其中人物有农人、妇子、寡妇;有曾孙、田畯,他们的动作,跃跃纸上。方玉润说:"描摹多稼,纯从旁面烘托。闲情别致,令人想见田家乐趣,有画图所不能到者。"他确切地指出了本诗的艺术特征。

大田多稼,既种既戒,既备乃事。以我覃耜,俶载南亩。播厥百谷,既庭且硕,曾孙是若。

大田,义同甫田,即公田。　多稼,多种庄稼。

种,选种。　戒,音义同械,准备农具。郑笺:"将稼者必相地之宜而择其种,季冬命民出五种,计耦耕事,修耒耜,具田器,此之谓戒。"

乃事，这些事，指上述准备工作。

覃（yǎn），剡的假借。锐利。　耜，犁头。

俶，开始。　载，从事、工作。释文："俶，始也。载，事也。"

庭，挺直。俞樾群经平议："庭读为挺。"　硕，大。

是，这，指上句庄稼生得好。　若，顺。这句意为这顺了曾孙的心愿。

韵读：之部——戒（音记）、事、耜、亩（满以反）。　鱼部——硕（音蛉入声）、若（音如入声）。

既方既皁，既坚既好，不稂不莠。去其螟螣，及其蟊贼，无害我田稺。田祖有神，秉畀炎火。

方，通房，指谷粒初生嫩壳。郑笺："方，房也，谓孚甲始生而未合时也。"　皁（zào），谷粒初生而未坚实。毛传："实未坚者曰皁。"

稂（láng），又名童粱，不结实的高粱，形似莠草。尔雅："稂，童粱。"　莠（yǒu），似苗的杂草，郑志谓即狗尾草。

螟（míng）、螣（tè）、蟊（máo）、贼，都是害虫名。毛传："食心曰螟，食叶曰螣，食根曰蟊，食节曰贼。"

稺，今作稚。嫩禾。说文："幼禾也。"这句意为不要伤害我田里的嫩禾。

秉，拿。　畀，给。按韩诗作卜，卜畀，亦"付与"的意思。郑笺："持之付与炎火，使自消亡。"以上二句为诗人希望田祖有灵，助其消灭害虫。

韵读：幽部——皁（徂叟反）、好（呼叟反）、莠。　之部——螣、贼。　脂部——稺、火（音毁）。

有渰萋萋，兴雨祁祁。雨我公田，遂及我私。彼有不获稺，此有不敛穧；彼有遗秉，此有滞穗：伊寡妇之利。

有渰（yǎn），即渰渰。毛传："渰，云兴貌。"　萋萋，齐诗作凄凄。毛传："萋萋，云行貌。"

兴雨，吕氏春秋、韩诗外传等引诗皆作兴云。释文："兴雨本或作兴云。"按作云是对的。　祁祁，盛多貌。或训为徐密貌，亦通。

雨，作动词用，指下雨。

遂，遍。　私，私田。郑笺："古者天主雨于公田，因及私田尔。此言民怙君德，蒙其馀惠。"郑认为私田，是指井田中农民的私田。郭沫若中国史稿："所谓公田，就是周王分赐给诸侯和百官的井田。诸侯百官得到公田，驱使大批奴隶为他们耕种。……开辟井田外的荒田，便是所谓私田。"郭认为私田也是贵族所有的田。二说孰是，有待研究。

彼，代词，指田的那边。　获，收割。这句意为那边有不曾收割的嫩谷。

此，这边。　敛，收起。　穧(jì)，禾捆。

遗，遗失。遗秉，掉在地上的禾把。

滞，留下。滞穗，留下来的禾穗。

伊，是。　利，好处。

韵读：脂部——萋、祁、私、穉、穧、穗、利。

曾孙来止，以其妇子，馌彼南亩，田畯至喜。来方禋祀，以其骍黑，与其黍稷。以享以祀，以介景福。

曾孙来止四句，见甫田注。

来，指曾孙来。　方，正在。毛奇龄毛诗写官记："曾孙之来，本劝农也。然馌食之馀，方且以禋祀为事。"　禋，洁敬的祭祀。说文："禋，絜(洁)祀也。"左传隐十一年杜注："絜斋以享，谓之禋祀。"

骍，赤黄色的牛。　黑，黑色的猪、羊。这里用祭牲的毛色，代表牛羊豕三牲。

韵读：之部——止、子、亩、喜、祀、黑(呼力反，入声)、稷、祀、福(方逼反，入声)。

瞻彼洛矣

【题　解】

这是赞美"君子"的诗。这位君子，似为周王。他会诸侯于洛水一带，作诗者可能是诸侯中之一。朱熹集传："此天子会诸侯于东部以讲武事，而诸侯美天子之诗。”按诗中叙洛水，作六师，穿韎韐军服，挂鞞琫佩刀，他可能是东周时代的周王。朱说近是。毛序认为是刺幽王的诗，郑笺说是诸侯世子朝见天子，天子让他担任军将卿士，带领六军而出。毛、郑之说，似与诗旨不合。

诗人用“瞻彼洛矣，维水泱泱”，抒写周王聚会诸侯的地点。用“韎韐有奭”、“鞞琫有珌”，描绘君子的身份形态。用“以作六师”、“保其家邦”，说明聚会的目的。寥寥数语，极形象概括之致。孙矿云：“姿态乃在韎韐、琫珌两语上。”确指出了此诗艺术特点。

瞻彼洛矣，维水泱泱。君子至止，福禄如茨。韎韐有奭，以作六师。

洛，按洛河有两处：一、毛传：“洛，宗周浸溉水也。”此指起源于陕西西北部而流入于渭之洛河。即山海经西山经所谓“白于之山，洛水出于其阳而东流至于渭。”二、朱熹认为此诗所咏是天子会诸侯于东部的事，则似洛为源出陕西南部流经河南洛阳附近入黄河的洛河。按古伊、洛字作雒，这诗所谓洛水，当指东部的洛河。

维，其。　泱泱，毛传：“深广貌。”

茨，茅草屋顶。郑笺：“茨，屋盖也。如屋盖，喻多也。”

韎（mèi），仅染一次而成的赤黄色的兽皮。　韐（gé），蔽膝。这是天子有兵事时所穿的礼服。周礼司服：“凡兵事，韦弁服。”韎韐属于韦弁服。奭，通赩，赤色。有奭，即奭奭，鲜红貌。

作，起、奋起。　六师，六军。周礼夏官：“凡制军，万有二千五百人为军。王六军。”穀梁襄十一年传：“古者天子六师。”是六师即六军。

韵读：之部——矣、止。　脂部——茨、师。

瞻彼洛矣，维水泱泱。君子至止，鞞琫有珌。君子万年，保其家室。

鞞（bǐ），刀鞘。说文：“鞞，刀室也。”　琫（běng），刀鞘的上饰。毛传：

“上饰也。天子玉琫。” 有珌(bì),即珌珌,玉饰花纹美丽貌。戴震毛郑诗考正:“鞞琫有珌,犹上章‘韎韐有奭’。奭,赤貌。珌,文貌。”

家室,犹下章“家邦”,国家的意思。

韵读:之部——矣、止。 脂部——珌、室。

瞻彼洛矣,维水泱泱。君子至止,福禄既同。君子万年,保其家邦。

既,尽、完全。 同,说文:“合会也。”指福禄的集聚。

韵读:之部——矣、止。 东部——同、邦(博工反)。

裳裳者华

【题 解】

这是周王赞美诸侯的诗。朱熹诗集传:“此天子美诸侯之辞。”其说或是。魏源诗古微:“裳裳者华,亦诸侯嗣位初朝见之诗,故与瞻洛相次。孔子曰:‘于裳裳者华,见贤者世保其禄也。’次瞻洛后,盖朝于东都所作。”魏氏指出了诗的产生年代。

诗共四章,每章均用叠句表示强调。第一章“我心写兮”,表示见到“之子”的欢愉,寓有欢迎之意。第二章“维其有章矣”,赞美他们有才华,是主人对客人的口吻。第三章“乘其四骆”,指出赏赐他们以车马,表示庆祝。末章“维其有之”,鼓励他们能取用贤人为左右辅弼,继承君位。运用四个叠句,不但每章的章旨更加鲜明,主题更为突出,且带有诚恳感情的色彩。尤其值得一提的是末章,叠词叠句层出,有长声曼咏,一唱三叹之致。方玉润说这一章“似歌非歌,似谣非谣,理莹笔妙,自是名言”,他指出了全诗的精华所在。

裳裳者华，其叶湑兮。我觏之子，我心写兮。我心写兮，是以有誉处兮。

裳，同常。鲁诗、韩诗正作常。裳裳，堂堂之假借，花鲜明貌。孔疏："言彼堂堂然光明者华也。" 华，今作花。

湑（xǔ），毛传："盛貌。"按似上二句是兴，陈奂传疏："兴者，以华叶之盛，喻贤者功臣其世泽之茂盛，亦如华叶之裳裳湑湑然。"

我，天子自称。 觏，见。 之子，盖指前来朝见的诸侯。

写，犹泻，忧愁消除，舒畅的意思。

是以，"以是"的倒文，因此。下同。 誉，通豫，安乐。誉处，安乐相处。

韵读：鱼部——华（音呼）、湑、写（音湑）、写、处。

裳裳者华，芸其黄矣。我觏之子，维其有章矣。维其有章矣，是以有庆矣。

芸其，即芸芸，黄盛貌。 黄，指花色黄。按这二句也是兴，陈奂传疏："首章言华又言叶，下章不言叶，略也。"

维，是。 其，代词，他，指诸侯。末章同。 章，文章，指有才华。

庆，喜庆，指有赏赐的喜庆。

韵读：阳部——黄、章、章、庆（音羌）。

裳裳者华，或黄或白。我觏之子，乘其四骆。乘其四骆，六辔沃若。

或，有的。这二句，诗人以兴人才多种多样。

骆，黑鬃黑尾的白马。

六辔，见皇皇者华注。 沃若，沃然、光泽貌。

韵读：鱼部——白（音蒲入声）、骆（音卢入声）、骆、若（音如入声）。

左之左之，君子宜之。右之右之，君子有之。维其有之，是以似之。

左，和下句的右，指左右辅弼，君子的帮手。马瑞辰通释："左之右之，宜从钱澄之说（田间诗学）谓左辅右弼。" 之，语气词。

宜,安定。说文:“宜,所安也。” 之,指左右辅弼。

君子,有人说,即上三章的“之子”。有人说是古之明王。均可通。 有,取。广雅:“有,取也。”有之,言取用他们。

似,嗣的假借,继承。这是周王鼓励诸侯,能取用左右辅弼的贤人,所以诸侯才能继承其先祖的君位。

韵读:歌部——左、宜(音俄)。 之部——右(音以)、有(音以)、有、似。

桑扈

【题 解】

这是周王宴会诸侯的诗。朱熹诗集传:“此亦天子燕诸侯之诗。”王质诗总闻:“当是诸侯来朝,而归国饯送之际,美戒兼同。”说与朱同。朱鹤龄诗经通义:“今按‘之屏之翰,百辟为宪’,即‘维周之翰,四国于蕃’(崧高),‘文武吉甫,万邦为宪’(六月)也。从朱说甚安。”他们都是根据诗的内容立说,不像毛序之望文生义。毛说:“刺幽王也。君臣上下,动无礼文焉。”朱熹驳得好:“此序只用‘彼交匪敖’一句生说。”甚切。

陈奂传疏:“言桑扈之羽翼、首领皆有文采可观,以喻臣下举动有礼文。”按诗首章是以桑扈有文采的羽毛,比君子的才华足以受福。次章以桑扈有文采的颈毛,比君子的才华足以安邦。陈氏对两章内容的理解,与我们虽有出入,但都指出了它是含比义的兴的特点。从而抒写了主人周王对诸侯客人的劝勉之情。突出了诗的主题。第三章,诗人以屏藩、楹柱象征诸侯保卫、建设国家的重任,语言具体形象,概括隽永,值得后人学习。

交交桑扈,有莺其羽。君子乐胥,受天之祜。

交交,鸟鸣声。亦训为“小貌”,均通。 桑扈,鸟名,亦名布谷、窃脂。

均见小宛注。

莺,文采貌。有莺,即莺莺。毛传:"莺然有文章。"按以上二句是兴,诗人见布谷鸟的羽毛有文采,联想诸侯的有才华。

君子,周王对诸侯的称呼。　乐胥,快乐。毛传:"胥,皆也。"马瑞辰通释:"皆、嘉一声之转,广雅释言:'皆,嘉也。'乐胥犹言乐嘉,嘉亦乐也。"又朱熹诗集传:"胥,语词。"杨树达词诠亦持此说。按二训均可通。

祜,郑笺:"福也。"

韵读:鱼部——扈、羽、胥、祜。

交交桑扈,有莺其领。君子乐胥,万邦之屏。

领,鸟颈。

屏,当门的小墙,如今之屏风。尔雅释宫:"屏谓之树。"注:"小墙当门中。"这里借屏为屏障,言君子是万邦的屏障,即保卫国家的重臣。

韵读:鱼部——扈、胥。　真、耕部通韵——领、屏。

之屏之翰,百辟为宪。不戢不难,受福不那。

之,是、这。　翰,榦的假借。筑墙时支撑两侧的木柱。亦称桢榦。尔雅释诂:"桢,榦也。"郭注:"榦,所以当墙两边障土者也。"

辟,国君。百辟,指诸侯。　宪,法、典范。

不,语助词。　戢,通"辑",尔雅释诂:"辑,和也。"　难(nuó),傩的省借。说文、颜氏家训书证篇引诗皆作傩。说文:"傩,行有节也。"称赞诸侯既和气又遵守礼节。

不,语助词。　那(nuó),多。陈奂传疏:"说文:'齐谓多为夥。'方言:'大物盛多,齐宋之郊、楚魏之际曰伙。'史记陈胜世家:'楚人谓多为伙(夥)。'那与伙同。"

韵读:元、歌部通韵——翰、宪、难、那。

兕觥其觩,旨酒思柔。彼交匪敖,万福来求。

兕觥,古酒器名,见卷耳注。　其觩(qiú),即觩觩,弯曲貌。释文:"本或作斛。"

旨酒，美酒。　思柔，即柔柔。陈奂传疏：“思柔与其觩对文，则其与思皆为语词。”柔，嘉、好。马瑞辰通释：“柔之义为嘉。抑之诗曰：‘无不柔嘉’，柔亦嘉也。”

彼，通匪，非。　交，儌的假借，言语直而无礼貌，激动的意思。　敖，倨傲。汉书五行志引诗作“匪交匪傲”，应劭注：“言在位者不儌讦不倨傲也。”

求，聚。王引之经义述闻：“求，读与逑同。逑，聚也，谓福禄来聚。”

韵读：幽部——觩、柔、求。

鸳　鸯

【题　解】

这是祝贺贵族新婚的诗。鸳鸯匹鸟，秣马为古亲迎之礼，诗的起兴都和新婚有关。何楷诗经世本古义：“以白华之诗证之，其第七章曰：‘鸳鸯在梁，戢其左翼，之子无良，二三其德。’是诗亦有‘在梁’二语，词旨昭然。诗人追美其初婚。凡诗言‘于飞’者六，其以雌雄连言者，惟‘凤凰于飞’及此‘鸳鸯于飞’耳。‘乘马’二章，皆咏亲迎之事而因以致其祷颂之意。汉广之诗曰‘之子于归，言秣其马’亦同。”姚际恒、方玉润亦从何说。唯何疑诗为幽王娶申后而作，证据尚嫌不足。毛序：“刺幽王也。思古明王交于万物有道，自奉养有节焉。”朱熹斥之为“穿凿无理”，甚是。

此诗一、二章以鸳鸯匹鸟，兴夫妇爱慕之情。三、四章以摧秣乘马，兴结婚亲迎之礼。这种带有象征意味的兴句，它和贺婚诗绸缪的“绸缪束薪，三星在天”的作用是一样的。这使读者一望而知其与婚姻主题有关，艺术效果是好的。每章下二句“君子万年，福禄宜之”是祝辞，其中虽有“遐福”、“艾”、“绥”换字的变化，但皆祝者阿谀权贵之辞。流风所及，后世文人多沿袭之，产生了一些祝颂的干瘪肉麻的诗文。这不能不说是此诗所起的消极作用。

鸳鸯于飞，毕之罗之。君子万年，福禄宜之。

鸳鸯，据崔豹古今注，此鸟雌雄相守，偶居不离，人得其一，另一则相思而死。故古人把它比作恩爱夫妻。

毕，有长柄的捕鸟小网。 罗，张在地上无柄的捕鸟大网。毕、罗此处皆作动词捕字用。 之，指鸳鸯。

宜，安。马瑞辰通释："按说文：'宜，所安也。'福禄宜之，犹言'福禄绥之'，宜、绥皆安也。二章宜其遐福同义。"按每章后二句皆诗人祝贺君子之辞。

韵读：歌部——罗、宜（音俄）。

鸳鸯在梁，戢其左翼。君子万年，宜其遐福。

梁，石坝。见谷风注。

戢，捷的假借，插。释文引韩诗曰："戢，捷也，捷其噣于左也。"谓鸳鸯止息时将喙插在左翅下。

遐，长远。

韵读：之部——翼、福（方逼反，入声）。

乘马在厩，摧之秣之。君子万年，福禄艾之。

乘马，四匹马。 厩，马棚。

摧，莝（cuò）的假借，割草。郑笺："摧，今莝字。"说文："莝，斩刍。"此处指割草喂马。 秣，喂牲口的粮食，这里亦作动词用，指用谷物喂马。

艾，辅助。尔雅释诂："艾，相也。相，辅也。"

韵读：祭部——秣、艾。

乘马在厩，秣之摧之。君子万年，福禄绥之。

绥，郑笺："安也。"

韵读：脂部——摧、绥。

頍　弁

【题　解】

这是周王燕兄弟亲戚的诗。毛序:"頍弁,诸公刺幽王也。暴戾无亲,不能宴乐同姓,亲睦九族,孤危将亡,故作是诗也。"旧说多从之。陈廷杰诗序解:"此诗写王者燕兄弟亲戚,其情颇相通。而优柔纡舒,甚有悲凉之概。非涵泳浸渍,何能得其音哉?诸家多拘于大小序之说,刺幽刺厉,辄乖戾不当,以是知三百篇之厄于传疏。信然。"陈氏指出了诗旨,并批判毛序之误。

此诗虽为宴会诗,却描写了幽王时代国运难保,贵族们树倒猢狲散的悲观失望的心理活动。严粲诗辑说:"上二章言族人以未见王为忧,既见王为喜,其辞犹缓也。末章言周亡无日,族人纵得见王,其能几乎?当急与族人饮酒相乐于今夕,盖王今维宜宴而已。言'今夕',谓未保明日之存亡;言'维宴',谓天下之事亦无可为,惟须饮耳。其辞甚迫矣,岂真望王宴乐之哉!"郝敬毛诗原解:"今夕何夕?死丧近矣,而君子惟怡然宴乐。长夜之饮不辍,来朝之事亦可知矣。如后世敌兵四合而帐中夜饮,亡国之惨,千古一辙。……长歌可以当泣,其頍弁之谓乎!"从严、郝二氏的分析,可以窥见幽王时贵族们对国家前途的忧虑和及时行乐的灰暗心理。"长歌可以当泣"一语,指出了诗的感染力。

有頍者弁,实维伊何?尔酒既旨,尔殽既嘉。岂伊异人?兄弟匪他。茑与女萝,施于松柏。未见君子,忧心奕奕。既见君子,庶几说怿。

有頍(kuǐ),即頍頍,有棱角貌。林义光通解:"按毛大东传云:'跂',隅貌。頍犹跂也，谓弁顶尖锐，其上有隅也。弁篆作⿱，人象上有隅之形。”弁，帽。此处指皮弁。

实，同寔，这，代词。郑笺：“实，犹是也。” 维，是。判断词。 伊，语助词。伊何，为什么？郑笺：“服是皮弁之冠，是维何为乎？”按以上二句是兴，诗人以皮帽戴在人们头上，喻周王是全国的元首。陈奂传疏：“僖八年穀梁传曰：‘弁冕虽旧，必加于首；周室虽衰，必先诸侯。’然则王者之在上位，犹皮弁之在人首，故以为喻也。”

尔，指主人周王。

岂，难道。 伊，是。 异人，别人、外人。

匪，不是。 他，他人。这句意为我们是兄弟而非他人。

茑（niǎo），寄生草，攀缘植物。孔疏引陆玑义疏云：“叶似当卢，子如覆盆子，赤黑甜美。” 女萝，攀缘植物，附生在大树上。毛传：“女萝，菟丝、松萝也。”

施，攀延。以上二句是以寄生草和女萝攀缘松柏，比喻兄弟亲戚依赖周王而生存。

君子，指主人周王。

奕奕，心神不定貌。尔雅释训：“奕奕，忧也。”

庶几，差不多。 说，通悦。悦怿，欢喜。见静女注。

韵读：歌部——何、嘉（音歌）、他（音佗）。 鱼部——柏（音补入声）、奕（音余入声）、怿（音余入声）。

有頍者弁，实维何期？尔酒既旨，尔殽既时。岂伊异人？兄弟具来。茑与女萝，施于松上。未见君子，忧心怲怲。既见君子，庶几有臧。

期，同其（jī），语气词。何期，郑笺：“何其犹伊何也。期，辞也。”

时，善。

怲怲（bǐng），毛传：“忧盛满也。”

臧，善。有臧，有好处。

韵读：之部——期、时、来（音吏）。 阳部——上、怲（卜光反）、臧。

有頍者弁，实维在首。尔酒既旨，尔殽既阜。岂伊异人？兄弟甥舅。如彼雨雪，先集维霰。死丧无日，无几相见。乐酒今夕，君子维宴。

阜，多、丰富。

甥舅，此处泛指异姓亲戚。

雨雪，下雪。

集，密聚，含有"落"意。　维，是。　霰，鲁诗作霓，雪珠。林义光通解："按霰之言散，即消散之义。雨雪之先，寒气未盛，雪下即消，故谓之消雪。霄即消之借字。"以上二句意为霰是下雪的先兆，但它和雪终久必皆融化，比喻周都的危难，是逐渐形成的，大家都要像雪一样终必消亡。

无日，不知哪一天。

无几，没有多少时候。这二句意为不知道哪一天就死去，我们相见的时间不多了。

维，同惟，只有。　宴，安乐。以上二句意为姑且在今天晚上欢乐喝酒，君子们只有享受着安逸生活。这反映了当时贵族们人生几何及时行乐思想。

韵读：幽部——首、阜、舅。　元部——霰、见、宴。

车　舝

【题　解】

这是一位诗人在迎娶新娘途中的赋诗。他亲自驾着马车，没有仪仗和随从，可能是一位"士"。左传昭二十五年："叔孙婼如宋迎女，赋车舝。"可证它确是咏新婚的诗。全诗歌颂新娘季女的美，以德为主。第一章的"德音来括"，第二章的"令德来教"，第三章的"虽无德与女"，末章的"高山仰止，景行行止"，都是歌颂季女品德的美。他们二人的结合，是建筑在品德的基础上的。那时品德的内涵，虽和今天有本质的不同，但远在诗经时代,尚有娶妻以德,是难能可贵的。

车舝诗人驾车亲迎季女,心中充溢着喜悦,途中所见所闻,不论是往迎或归来,都染上了新婚的浓艳色彩。格格的车辖声也和往时异样,因为它是季女出阁要坐的车辆。见平原丛林中栖息着长长锦尾野鸡,诗人联想美丽季女现在仍旧住在父母家。见高岗上长着橡树,又联想析薪迎娶。见柔嫩茂密的柞叶,似乎象征着季女年青貌美。见高山大道,不免联想季女的品德"如高山之在望,景行之堪追"。接到了新娘,六辔如琴弦般调和。途中一切景物,都染上了新婚季女色彩。也触动了诗人对这位擅长歌舞的季女如饥如渴相思和敬仰令德的心弦。方玉润说:"全诗章法皆灵",是的,首二章写往迎,末二章写归来,每章首二句皆为比兴,第三章为诗人在途中想象举行新婚宴会的情景。结构严整而又灵动。

间关车之舝兮,思娈季女逝兮。匪饥匪渴,德音来括。虽无好友,式燕且喜。

间关,象声词,叠韵。车轮转动时车辖发出的格格声。　舝,同辖。车轴两端的金属键。周时多用青铜制成。

思,发语词。　娈,爱慕。按娈即恋字,说文:"娈,慕也。"段注:"在小篆为今之恋,慕也。娈、恋为古今字。"　季女,少女。　逝,往。指出嫁。

匪,无。这句意为从此没有如饥似渴般的相思。

德音,即德与言。初文音、言同字。　括,结合的意思。毛传:"括,会也。"于省吾新证:"精神上所以不饥不渴者,由于有德有言、德才兼备的美貌少女乘车来会的缘故。"

式,发语词。　燕,通宴,宴饮。

韵读:祭部——舝(胡例反,入声)、逝(时例反,入声)、渴(音朅入声)、括(音厥入声)。　之部——友(音以)、喜。

依彼平林，有集维鷮。辰彼硕女，令德来教。式燕且誉，好尔无射。

依彼，即依依，茂盛貌。　平林，平原上的树林。

有，词头。　集，栖息。　维，是。　鷮(jiāo)，野鸡类的鸟，其尾可用作装饰品。说文："鷮，长尾雉，走且鸣。"按以上二句是兴，陈奂传疏："平林之有鷮，以喻贤女之在父母家也。"

辰，善、美貌。　硕女，身材高大的女子，指季女。古代以身材高大为美。

令德，美德。这句指有美德的季女来教导我。

誉，通豫。欢乐。

好，爱。　射(yì)，通斁。厌足。见葛覃注。此句言爱你永不淡漠。

韵读：宵部——鷮、教。　鱼部——誉、射(音豫)。

虽无旨酒，式饮庶几。虽无嘉殽，式食庶几。虽无德与女，式歌且舞。

庶几，林义光通解："愿望之词。愿其饮食歌舞。"此四句谓虽无美酒嘉殽，但希望你在宴会上能吃喝些。

与，相与、相配。　女，你，指季女。此二句言我虽没有美德和你相配，但希望你在宴会上歌舞一番。按此章皆诗人在途中想象宴会时劝季女饮食歌舞之词。

韵读：幽、宵部通韵——酒、殽。　脂部——几、几。　鱼部——女、舞。

陟彼高冈，析其柞薪。析其柞薪，其叶湑兮。鲜我觏尔，我心写兮。

析，劈开。　柞，树名，亦名橡、栎。马瑞辰通释："按汉广有刈薪之言，南山有析薪之句，豳风之伐柯与娶妻同喻，诗中以析薪喻昏姻者不一而足。"

湑(xǔ)，枝叶茂盛貌。按上二句是兴，诗人以登高析薪，兴比娶妻，点明诗的主题。下一句以橡叶的柔嫩茂盛，比季女的年青貌美。

鲜，好。　觏，媾合。郑笺："鲜，善。觏，见也。"

写，同泻，宣泄。指心中的相思得以宣泄而感到舒畅。见竹竿注。

韵读:真、阳部通韵——冈、薪。 鱼部——湑、写(音湑)。

高山仰止,景行行止。四牡騑騑,六辔如琴。覯尔新昏,以慰我心。

仰,仰望。 止,释文:"仰止,本或作仰之。"于省吾新证诗经中止字的辨释谓此二止字皆之字之讹,良是。篆文"之"作"㞢",与止字形近而讹。

景行,大路。与高山对文。第二个行字是动词。这是诗人亲迎归来途中,仰望高山、走着大路而即景起兴,以高山大道比喻美德的季女,表示对她的敬仰爱慕。

騑騑,马走不停貌。

如琴,六辔像琴弦那样整齐调和。

昏,同婚。新婚指季女。

以,因而。 慰,安慰。这句意为因而使我的心得到安慰,不至如饥似渴般的相思了。

韵读:阳部——仰、行(音杭)。 侵部——琴、心。

青 蝇

【题 解】

这是斥责谗人害人祸国的诗。关于诗的时代与作者约有二说:一、何楷、王先谦根据焦延寿易林豫之困:"青蝇集藩,君子信谗,害贤伤忠,患生妇人"之语,认为此诗是刺幽王信褒姒之谗,而害忠良。所谓忠良,乃指太子宜臼等。二、王应麟困学纪闻引袁孝政释的刘子,谓此诗为卫武公信谗而作。王先谦反对此说,他说:"卫武公王朝卿士,诗又为幽王信谗而刺之,所以列于小雅。若武公信谗而他人刺之,其诗当入卫风矣。即此可证明其误。"这个反驳是颇有道理的。

陈子展先生诗经直解引罗愿尔雅翼云:"君子之于谗也初盖易之,至于乱之又生,而后君子信其谗。故首章但云'毋信谗言'。至其二章,则已交乱在外四国。至其三章,则虽同心如我二人者,亦不能相有(友)。其始轻之而不忌,皆如此蝇矣。"他这几句话,指出了诗人以青蝇起兴之意,层层递进,使人逐步感到信谗的后果,有由浅及深之妙。

营营青蝇,止于樊。岂弟君子,无信谗言。

营营,象声词。苍蝇来回飞的声音。

樊,篱笆。毛传:"藩也。"齐诗作藩。易林、汉书武五子传、论衡商虫皆引作藩。鲁诗作蕃,见史记滑稽列传。韩诗作楙,见说文引此句诗。

岂弟,平易近人。见载驱注。

韵读:元部——樊、言。

营营青蝇,止于棘。谗人罔极,交乱四国。

棘,酸枣树。

谗人,鲁诗"人"作"言"。 罔极,无止。郑笺:"极犹已也。"

交,俱、都。 四国,四方诸侯之国。以上二句意为谗人的为害没有止境,他把四方诸国都搅乱了。

韵读:之部——棘、极、国(古逼反,入声)。

营营青蝇,止于榛。谗人罔极,构我二人。

榛,一种丛生小灌木,果实如栗,名榛子,可食。

构,释文引韩诗:"乱也。"此处指离间。 二人,有人说,指诗人自己与听谗言者。有人说,指幽王与申后。

韵读:真部——榛、人。

宾之初筵

【题　解】

这是讽刺统治者饮酒无度失礼败德的诗。毛序:"宾之初筵,卫武公刺时也。”后汉书孔融传李注引韩诗：“卫武公饮酒悔过也。”易林大壮之家人：“举觞饮酒，未得至口，侧弁醉酗，拔剑斫怒。武公作悔。”是汉代古、今文皆以诗为卫武公所作，或有所根据。史载卫武公入相，在周平王世。毛序认为刺幽，恐非。方玉润说：“武公初入为王卿士，难免不预其宴。既见其如此无礼，而又未敢直陈君失，只好作悔过用以自警，使王闻之，或以稍正其失，未始非诗之力也。古人教人，以言教不如以身教；臣子事君，以言谏不如以身谏。武公立朝，正己以格君非，虽曰悔过，实以谲谏意耳。毛、韩二说，原未尝错。”方氏的分析，可供参考。

全诗采用前后对比的方法。前两章描写大射燕饮的场面，是以正面事物作为衬托。虽然在全诗来说是副线，但铺叙详备，落笔浓古，越是写得典雅庄重，同后面的对比作用也越显得强烈。尤其是开首四句，勾勒出井井有条的宴会场面，开局便有一种宏敞的气势。姚际恒评曰：“阅至后，方知此起四句之妙。”可见诗人布局的匠心。此外，诗人对醉态的描摹也是极其精彩的。三章“屡舞僊僊”是初醉之貌，四章“屡舞傲傲”是甚醉之状，“屡舞傞傞”则是极醉之态。三句“屡舞”，一层进一层，由浅入深；再加上“舍其坐迁”，“乱我笾豆”，“侧弁之俄”等点缀，真是活画出一幅醉客图来，可称得上“穷形尽相”了。

宾之初筵，左右秩秩。笾豆有楚，殽核维旅。酒既和旨，饮酒孔偕。钟鼓既设，举酬逸逸。大侯既抗，弓矢斯张。射夫既同，献尔发功。发彼有的，以祈尔爵。

筵，竹席。古代席地而坐，设筵于地，人坐在筵上。初筵，宾客初入坐的时候。此处筵，作动词用。

左、右，指筵席的东、西。堂上的宴，主人坐于东，客人坐于西。　秩秩,肃敬而有秩序貌。

笾、豆皆古代食器名。见东门之墠、常棣注。　有楚,即楚楚,行列整齐貌。

殽,盛于豆中的鱼肉蔬菜。　核,盛于笾里的干果。毛传:“殽,豆实也。”郑笺:“豆实,菹醢也。笾实有桃梅之属。”　维,是。　旅,胪的假借,陈列。

和旨,醇和甜美。

偕,齐一。孔偕,指礼节态度都很齐一。郑笺:“众宾之饮酒又威仪齐一,言主人敬其事而众宾肃慎。”

酬,敬酒。举酬,泛指举杯劝酒。　逸逸,同绎绎。敬酒往来不断貌。毛传:“往来次序也。”

侯,箭靶。古人射箭,以兽皮或布制成侯,张于木架,侯上加圆形或方形布块,叫做“的”、“质”、“鹄”或“正”,射者以中“的”为胜。仪礼乡射记:“凡侯,天子熊侯,白质。诸侯麋侯,赤质。大夫布侯,画以虎豹。士布侯,画以鹿豕。凡画者丹质。”大侯,亦名君侯,是最大的侯。　抗,举、竖起。

斯,语中助词。　张,指弓弦搭上箭。

射夫,射手,指参加射艺比赛者。　同,会齐。这是为了选择比赛的对手。

献,奏、表现。　尔,你。　发,射。　功,本领。郑笺:“献犹奏也。射者乃登射,各奏其发矢中的之功。”

发,发箭。　彼,那个。　有,词头。　的,即侯中的布块。

祈,求。　尔,指比赛对手。　爵,古代一种酒器名,此处代酒。按射礼,负者饮酒,即郑笺所谓“射之礼,胜者饮不胜”。相当于现在所谓罚酒。

姚际恒说:“此章言唯射乃饮酒也。”

韵读:鱼部——楚、旅。　脂部——旨、偕(音儿)。　脂、祭部通韵——设、逸。　阳部——抗、张。　东部——同、功。　宵部——的(音貂入声)、爵。

籥舞笙鼓，乐既和奏。烝衎烈祖，以洽百礼。百礼既至，有壬有林。锡尔纯嘏，子孙其湛。其湛曰乐，各奏尔能。宾载手仇，室人入又。酌彼康爵，以奏尔时。

籥，古管乐器名，似今之排箫。籥舞，文舞，执籥而舞。毛传："秉籥而舞，与笙鼓相应。"

乐，各种乐调。　和奏，指乐调和跳舞协和伴奏。

烝，进，指进乐。　衎（kàn），娱乐。　烈，功业。烈祖，指创业的先祖。郑笺："奏乐和，必进乐其先祖。"

以，用它。　洽，配合。　百礼，指祭祀的各种礼节仪式。

至，完备。

壬，大。　林，盛多而整齐。有壬、有林，即壬壬、林林，形容百礼盛大整齐貌。戴震毛郑诗考证："此以形容百礼既至，壬壬然盛大，林林然多而不乱。"

锡，赐。　尔，你，指主人，即主祭者。　纯嘏（gǔ），大福。郑笺："纯，大也。嘏谓尸与主人以福也。"

湛（dān），喜悦。

其、曰，语助词。　乐，欢乐。

奏，献。此句言子孙各献其射箭的技能。

载，则、就。　手，取、选择。　仇，匹偶，指比赛射箭的对手。

室人，主人。　入又，为"又入"之倒文，指又加入发射以陪来宾。毛传："手，取也。室人，主人也。主人请射于宾，宾许诺，自取其匹而射。主人亦入于次，又射以耦宾也。"陈奂传疏："宾与室人对称，故传以室人为主人。"

酌，斟。　康，大。康爵，大杯。贾谊吊屈原赋"斡弃周鼎而宝康瓠"史记集解曰："康瓠，大瓠。"义与此同。

奏，进、献。　时，善，指善射者。即向射中者致贺的意思。马瑞辰通释："诗何以云以奏尔时？盖饮不中者以致罚，正所以进中者以致庆耳。"姚际恒通论："此章言唯祭乃饮酒也。"按前二章以宾客之守礼与后二章写失礼相对照。

韵读：鱼部——鼓、祖。　脂部——礼、至。　侵部——林、湛（都森反）。　之部——能（奴吏反）、又（音异）、时。

宾之初筵，温温其恭。其未醉止，威仪反反。曰既醉止，威仪幡幡。舍其坐迁，屡舞仙仙。其未醉止，威仪抑抑。曰既醉止，威仪怭怭。是曰既醉，不知其秩。

温温，郑笺："柔和也。"　其，那样。　恭，恭敬谨慎。这两句是总结前两章的话。

止，语气词。下同。

威仪，态度举止。　反反（fān），昄昄的假借，举止谨慎庄重美好貌。释文引韩诗正作昄昄。毛传："反反，云重慎也。"

幡幡，轻佻无礼貌。

舍，弃。　坐、迁，指当坐当迁之礼。马瑞辰通释："古者饮酒之礼取觯、奠觯皆坐。又凡礼盛者坐卒爵，其馀则皆立饮，又有升降、兴拜、复席、复位诸礼，皆可以'迁'统之。舍其坐迁，盖谓舍其当坐当迁之礼耳。"

屡，多次。屡舞，屡次起舞。　仙仙，同跹跹，舞姿轻盈貌。

抑抑，懿懿的假借，美丽慎密貌。

怭怭（bì），三家诗作佖佖，轻薄媟慢貌。

秩，毛传："常也。"指常礼，宴会规矩的意思。姚际恒通论："以下三章皆言饮酒之失也。"

韵读：之部——止、止、止、止。　元部——反、幡、迁、僊。　脂部——抑、怭、秩。

宾既醉止，载号载呶。乱我笾豆，屡舞僛僛。是曰既醉，不知其邮。侧弁之俄，屡舞傞傞。既醉而出，并受其福。醉而不出，是谓伐德。饮酒孔嘉，维其令仪。

载，又。　号，号叫。　呶（náo），喧哗、吵闹的意思。

僛僛（qì），攲之假借，醉舞身体歪歪斜斜貌。毛传："舞不能自正也。"

邮，过失。郑笺："邮，过。"说文段注谓邮是"尤"的假借。

侧弁，歪戴着帽。　俄，歪斜貌。郑笺："倾貌。"

傞傞（suō），三家诗作姕姕，醉舞盘旋不停貌。

出，指离开宴会。

并，普、遍。王引之经义述闻：“其字指醉出之宾。并之言普也，遍也。谓众宾与主人普受此宾之福也。古声并、普相近。”

伐德，败德、缺德。说文：“伐，败也。”

孔嘉，很美。

令仪，好礼节。朱熹诗集传：“饮酒之所以甚美者，以其有令仪耳。”

韵读：之部——止、僛、邮（音怡）、福（方逼反，入声）、德（丁力反，入声）。

宵部——号、呶。　歌部——俄、傞、嘉（音歌）、仪（音俄）。

凡此饮酒，或醉或否。既立之监，或佐之史。彼醉不臧，不醉反耻。式勿从谓，无俾大怠。匪言勿言，匪由勿语。由醉之言，俾出童羖。三爵不识，矧敢多又！

监，酒监，亦名司正，在宴会上纠察礼仪的官。　仪礼乡射礼郑注：“为有解倦失礼，立司正以监之，察仪法也。”

佐，助。　史，记事记言的官。宴会时帮助记载酒醉失言的事。马瑞辰通释：“古者饮酒，皆立之监，以防失礼。惟老者有乞言之典，更佐以史，少者则否，故云‘或佐之史’。监以察仪，史以记言。下文‘式勿从谓，无俾大怠’，察仪之事也。‘匪言勿言，匪由勿语’，乞言于老者而勉以慎言之词也。”

臧，善。不臧，不好。朱熹诗集传：“彼醉者所为不善而不自知，使不醉者反为之羞愧也。”

式，发语词。　从，跟着。　谓，劝，指劝酒。马瑞辰通释：“尔雅释诂：‘谓，勤也。’勤为勤劳之勤，亦为相劝勉之勤。勿从谓者，勿从而劝勤之使更饮也。故即继之以‘无俾大怠’耳。”

俾，使。　大，同太。　怠，怠慢、失礼。

言，讯问。匪言勿言，不该问的不要说。马瑞辰通释：“尔雅释言：‘讯，言也。’广雅：‘言，问也。’匪言勿言，上言字当读为讯言之言，犹曾子事父母篇‘弗讯不言’也。”

由，式、法。匪由勿语，不合理的不要说。马瑞辰通释：“方言、广雅并曰:‘由,式也。’式犹法也。匪由勿语,犹孝经‘非法不道’也。”

由,从。　醉,醉者。

俾,使。　童,秃。指不生角。大雅抑传:“童,羊之无角者也。”　羖(gǔ),有角大公羊。说文:“夏羊牡曰羖。”皆有角。详见程瑶田通艺录释虫。这二句意为听从醉者荒唐之言,好像可使生出无角的羖羊。

三爵,古代君臣小宴会,以吃三杯酒为度。孔疏引春秋传曰:“臣侍君燕,过三爵,非礼也。”　不识,不知道。

矧,况且。　又,通侑,劝酒。姚际恒曰:“谓三爵之礼亦不识,况敢又多饮乎?”

韵读:之部——否(方鄙反)、史、耻、怠(徒里反)、识(音志)、又(音异)。　鱼部——语、羖。

鱼　藻

【题　解】

这是赞美周王建都镐京饮酒作乐的诗。云“王在镐”,当是西周的作品。方玉润诗经原始:“此镐民私幸周王都镐而祝其永远在兹之词也。”他认为诗是人民所作,故诗的风格带有“细民声口”。张廷杰诗序解:“是篇写鱼之乐,藻蒲相依,悠然自得。盖兴王之在镐,颇安所居。其体近乎风。”方、张之说,均颇有理,录以备考。

设问在诗经中是常见的一种修辞手法,如桑中:“云谁之思?美孟姜矣。”他思念谁?那美好的孟姜。这是有答案的。伐檀:“不稼不穑,胡取禾三百廛兮?”领主不种田,如何会有三百廛的禾?虽无答案,但人人都知道这是从剥削来的。不论有答案或无答案的设问,都需用二句诗加以渲染。鱼藻诗人所歌唱的“鱼在在藻”、“王在在镐”,却在一句中既提出问又作了答,这种设问形式，在诗经中实属创格。简短的四字句，却将“鱼”和“王”所在的地方——水藻、镐京速写出来，好像使人看见水底鱼游、首都王乐的一幅景象。

鱼在在藻，有颁其首。王在在镐，岂乐饮酒。

藻，水草名。生水底，叶狭长多皱。见采蘋注。按这句和第三句都是一问一答。郑笺：“鱼何所处乎？处于藻。王何所处乎？处于镐京。”

有颁（fén），即颁颁。鲁诗作贲，假借字。毛传：“颁，大首貌。”鱼首大，则其肥可知。

镐，镐京，西周都城，在今陕西省西安市西。都镐始自武王。

岂，今作恺。岂乐，欢乐。陈奂传疏：“岂，亦乐也。岂与乐无二义，故一章岂乐，二章乐岂，义并同也。”

韵读：宵部——藻、镐。　幽部——首、酒。

鱼在在藻，有莘其尾。王在在镐，饮酒乐岂。

有莘（shēn），即莘莘。䇐之异体。鱼尾长貌。

韵读：宵部——藻、镐。　脂部——尾、岂。

鱼在在藻，依于其蒲。王在在镐，有那其居。

蒲，一种水生植物。见扬之水注。

有那（nuó），即那那。盛大貌。桑扈、那传并云：“那，多也。”郑笺：“那，安貌。”安逸的意思，亦通。　居，居处。

韵读：宵部——藻、镐。　鱼部——蒲、居。

采　菽

【题　解】

这是赞美诸侯来朝，周王赏赐诸侯的诗。姚际恒通论：“大抵西周盛王，诸侯来朝，加以锡命之诗。”张廷杰诗序解：“此诗写王者锡诸侯命服颇谦虚，当是诸侯来朝，人君致礼。诗人睹此情景，慨然而赋，于以见盛世之象焉。”姚、张二氏都认此诗作于西周盛世，其说近是。

此诗共五章，除第三章外，其他四章都以山野之物起兴，如首章的方筐圆筥采菽忙，二章的槛泉之旁芹菜香，四章的柞树枝叶密蓬蓬，五章的杨木船儿河中漾，所咏都很清新淡雅，类乎国风；而接着记叙“君子来朝”、“天子所予”的场面，又极庄重华贵，确是雅诗声口。这种兴句和下文风格迥不相侔的形式，方玉润评为“事极典重而起极轻微”。他由此认为诗“非出自朝廷制作，乃草野歌咏其事而已”。虽然方说未必其然，但这种比兴手法的变格还是很新奇而有趣的。读者可将此诗与彤弓对看，更耐咀嚼。

采菽采菽，筐之筥之。君子来朝，何锡予之？虽无予之，路车乘马。又何予之？玄衮及黼。

菽（shū），大豆。此处指豆叶。释文：“菽，本亦作叔。”左传昭十七年“赋采叔”，叔为假借字，本字为尗，菽为今字。天子燕诸侯用牛、羊、豕三牲，皆杂蔬菜以为羹。牛用菽，羊用荼，豕用薇。

筐、筥，皆竹器。筐方筥圆。见采蘩注。此处皆作动词盛用。按以上二句是兴，诗人见厨司采菽，用筐筥来盛，联想用它招待来朝的君子。陈奂传疏：“芼大牢本以待君子之礼，而言兴者，因所事而兴也。”他指出了此诗即事起兴的特点。

君子，毛传：“谓诸侯也。”按全诗有九“君子”，皆指诸侯。

锡，赐。这句意为用什么东西赐给他。

虽无予之，虽然没有什么东西赐给他。这就是张廷杰所谓的谦虚。

路车，诸侯所坐的车。亦作辂车，公羊传昭二十五年：“乘大路。”何休注：“礼，天子大路，诸侯路车，大夫大车，士饰车。”　乘马，四匹马。

玄衮，绘有卷龙的黑色礼服。　黼（fǔ），刺着白黑相间斧形花纹的礼服。毛传："玄衮，卷龙也。白与黑谓之黼。"

韵读：鱼部——筥、予、予、马（音姥 mǔ）、予、黼。

觱沸槛泉，言采其芹。君子来朝，言观其旂。其旂淠淠，鸾声嘒嘒。载骖载驷，君子所届。

觱（bì）沸，泉水涌出翻腾貌。叠韵。　槛泉，尔雅作滥泉。滥，本字；槛，假借字。涌的意思。尔雅云："滥泉，正出。正出，涌出也。"李巡注："水泉从下上出曰涌泉。"

言，发语词。下句同。　芹，水芹菜。郑笺："可以为菹，亦所以待君子也。"这二句也是即事起兴。

旂，古时旗的一种，绘有交龙，上有铃。周礼司常："交龙为旂。"尔雅释天："有铃曰旂。"此处泛指旌旗。观旂可以了解诸侯的等级。马瑞辰通释："周官：'上公建旂九旒，侯、伯七旒，子、男五旒。'观其所建旌旗，则诸侯之尊卑等级判焉。故诗曰：'言观其旂。'"

淠淠（pèi），飘动貌。

鸾，同銮，车铃。　嘒嘒（huì），象声词，车铃声。

载，则、就。　骖，一车驾三马（从苏辙说，下句同）。　驷，一车驾四马。这句说诸侯乘此骖驷朝见周王。

届，至、来到。

韵读：文部——芹、旂（音芹）。　脂、祭部通韵——淠、嘒、驷、届（音既）。

赤芾在股，邪幅在下。彼交匪纾，天子所予。乐只君子，天子命之。乐只君子，福禄申之。

赤芾，赤色蔽膝，诸侯所服。见候人注。　股，大腿，指蔽膝在股之前，下过膝。

邪幅，又作邪偪，即今绑腿。用布条斜缠小腿自足至膝。郑笺："偪束其胫，自足至膝，故曰在下。"

彼交匪纾，荀子劝学篇引作"匪交匪纾"。匪，非、不。交，绞之省借，急躁。纾，缓、怠慢。这句描写君子礼恭辞顺的从容态度。

予，赐予。

只，语助词。

命，策命。古代帝王对臣下封土、授爵或赏赐，记命令于简策，然后宣读。如左传僖二十六年："王命尹氏及王子虎、内史叔兴父策命晋侯为侯伯。" 之，指诸侯。

申，一再的意思。古代官吏等级，有一命到九命的差别。功愈大者命愈多，故诗人祝其福上加福。毛传："申，重也。"

韵读：鱼部——股、下（音户上声）、纾、予。 真部——命、申。

维柞之枝，其叶蓬蓬。乐只君子，殿天子之邦。乐只君子，万福攸同。平平左右，亦是率从。

维，是。 柞，树名。见车舝注。

蓬蓬，同芃芃，毛传："（茂）盛貌。"按以上二句是兴，陈奂传疏："柞之枝，喻外诸侯。言此者，兴诸侯承顺天子，天子恩被优渥，如柞叶之蓬蓬然盛也。"

殿，镇、镇定安抚。

万福，指天子所赐的各种福禄。 攸，所。 同，聚。

平平（pián），释文引韩诗作便便，古平、便声同。辨别治理貌。平即尧典"平章"、"平秩"之平。毛传："平平，辩治也。" 左右，指诸侯的臣下。

亦，发声词。 是，此，指左右。 率从，顺从。郑笺："率，循也。诸侯之有贤才之德，能辩治其连属之国，使得其所，则连属之国亦循顺之。"

韵读：东部——蓬、邦（博工反）、同、从。

泛泛杨舟，绋纚维之。乐只君子，天子葵之。乐只君子，福禄膍之。优哉游哉，亦是戾矣。

泛泛，飘流貌。见柏舟注。 杨舟，杨木制的船。

绋（fú），麻制的大绳。 纚，通缡，竹制的大绳。马瑞辰通释："绋盖以麻为索，纚盖以竹为索，皆所以维舟也。" 维，系、拴。按以上二句是兴，诗人以大绳能拴舟，兴周王能维持挽留诸侯。

葵，揆的假借，度、估量。毛传："葵，揆也。"指天子能评价诸侯的才德。

膍（pí），释文引韩诗作肶，厚，指厚赐以福禄。

优游，闲暇自得貌。韩诗外传引这句诗作"优哉柔哉"。

亦，发语词。 是，这，指周京。 戾，安定。左传襄二十九年杜注："戾，定也。"这句意为，希望诸侯能安定生活于周京。这是留客之词，故章首以绋纚维系杨舟起兴。

韵读：脂部——维、葵、膍、戾。

角　弓

【题　解】

这是劝告周王朝贵族不要疏远兄弟亲戚而亲近小人的诗。汉书刘向传向上封事云："幽、厉之际，朝廷不和，转相非怨。诗人刺之曰：民之无良，相怨一方。"以此诗产生于幽、厉之世，录以备考。毛序："角弓，父兄刺幽王也。不亲九族而好谗佞，骨肉相怨，故作是诗也。"方玉润评云："诗中无刺谗语，唯疏远兄弟而亲近小人，是此诗大旨。"他正确地指出了诗的主题。

此诗共八章，前四章多虚写，后四章多实写，章法严整。方玉润说："前四章，疏远兄弟难保不相怨，而民且效尤，体多用赋。后四章，亲近小人，以至不顾其后而相残贼，诗纯用比。乃篇法变换处。中间以'民之无良'一句绾合上下。"方氏指出了此诗结构的特点。并说明前四章多用赋、后四章纯用比的艺术手法，是完全正确的。姚际恒评云："取喻多奇。"吴闿生诗义会通："旧评云：光怪陆离，眩人心目"，盖指"毋教猱升木，如涂涂附"等比喻句而言。

骍骍角弓，翩其反矣。兄弟昏姻，无胥远矣。

骍骍，说文作觲。调和貌。 角弓，两端镶牛角的弓。

翩其，即翩翩。翩，偏的假借。说文："偏，颇也。"段注："颇，头偏也。引申为凡偏之称。"角弓一旦卸下不用，弓弦就向反面弯曲。按这二句是兴，诗人以角弓不可松弛，比兄弟昏姻不可疏远。郑笺："喻九族不以恩礼御待之，则使之多怨也。"

兄弟，指同姓。　昏姻，指异姓亲戚。

胥，相。说文："胥，蟹醢也。"这是本义。段注："蟹者，多足之物，引申假借为相与之义。释诂曰：胥，皆也。又曰：胥，相也。"　远，疏远。

韵读：元部——反、远。

尔之远矣，民胥然矣。尔之教矣，民胥效矣。

尔，郑笺："尔，女。女，幽王也。"　远，指疏远兄弟。

胥，郑笺："皆也。"下句同。鲁诗作斯。　然，如此、这样。

效，仿效、模仿学习的意思。马瑞辰通释："诗以'教'与'远'对言，远为不善，则教当为善。上二句见民化于不善，下二句言民化于善也。"这章言上行下效。

韵读：元部——远、然。　宵部——教、效。

此令兄弟，绰绰有裕。不令兄弟，交相为瘉。

令，美、好。指友好。

绰绰，宽宏大量貌。　裕，饶馀。这句说友好的兄弟，就会宽宏有馀的相待。

交，互。　瘉，诟病、嫉恨。这句说不友好的兄弟，就会互相嫉恨。

韵读：侯部——裕（余昼反）、瘉（余昼反）。

民之无良，相怨一方。受爵不让，至于已斯亡。

民，人们。刘向说苑建本篇："人而无良，相怨一方。民怨其上，不遂亡者，未之有也。"后汉书章帝纪引亦作"人"。

一方，指一方面的人。马瑞辰通释："人之无良，一方之人皆怨之。"

爵，爵位。指接受爵位并不谦让。

斯，语助词。　亡，通忘。马瑞辰通释："至于已，受爵不让，亦为无良，则忘之也。”这章说不良的兄弟,责人而不责己。

韵读:阳部——良、方、让、亡。

老马反为驹,不顾其后。如食宜饇,如酌孔取。

驹,小马。这句是比喻,意为将老臣当小伙子用,让他挑重担。郑笺:“此喻见老人反侮慢之,遇之如幼稚。”

其,他,指老臣。 后,后果。指没有顾念到他的后果。

如,如果。 食(sì),给人饭食。 饇(yù),毛传:“饱也。”

酌,喝酒。 孔,多。 取,挹、舀。这章说如何对待老年兄弟,对宗族之老人不宜怠慢。

韵读:侯部——驹(音钩)、后、饇(于昼反)、取(趋昼反)。

毋教猱升木,如涂涂附。君子有徽猷,小人与属。

毋,同无,不要。 猱(náo),猿猴一类动物,长臂。 升,登。升木,上树。

如,而。 涂,泥浆。涂附,用泥浆涂着。毛传:“猱,猨属。涂,泥。附,着也。”以上二句意为不要既教猱上树,又用泥涂树不使升。按这是比喻,喻君子既欲人向善,又自作坏榜样。

君子,此处指在位者。 徽,美好。 猷,道,指兄弟相亲的美好政策。

小人,此处指不在位者。 与,从。 属,连、随。郑笺:“君子有美道以得声誉,则小人亦乐与之而自连属焉。”这章言周王应以善行善策教人。

韵读:侯部——木、附(浮昼反)、属。

雨雪瀌瀌,见晛曰消。莫肯下遗,式居娄骄。

雨雪,下雪。 瀌瀌,应作麃麃,鲁诗、韩诗正作麃。雪盛貌。

见晛(xiàn),合二字成义,叠韵。太阳初升,天气清明貌。释文引韩诗作曣晛,曰:“日出也。”荀子非相篇引诗作晏然,即曣𬀪之假借。鲁诗、韩诗正作曣𬀪。王应麟诗考作曣晛。皆见晛之异文。 曰,同聿,语助词。鲁诗、韩诗引作聿。 消,融化。以上二句是比喻,马瑞辰:“古者以雪喻小人,以雪之遇日气而消,喻小人之遇王政之清明而将败也。”

遗，荀子作隧，鲁诗作遂，古遗、隧、遂音同通假。加、待的意思。下遗，谦虚卑下对待人。

式，语助词。　居，倨之省借，傲慢。　娄，古屡字，屡次。陈奂传疏："北门传云：'遗，加也。'此遗字当亦训加。娄，数也。莫肯下遗，式居娄骄，言小人之行不肯卑下加礼于人，唯数数骄慢好自用也。"这章和下章是诗人用日出雪消作比，指小人骄慢难于制服。

韵读：宵部——瀌、消、骄。

雨雪浮浮，见晛曰流。如蛮如髦，我是用忧。

浮浮，毛传："犹瀌瀌也。"

流，消化。马瑞辰："流与消同义。广雅：'流，匕也。'匕即化字，谓消化也。"

蛮，毛传："南蛮也。"　髦，毛传："夷髦也。"古书或作髳。蛮、髦皆为对少数民族的蔑称，诗人用它比喻无良的小人。

是用，因是、因此。郑笺："今小人之行如夷狄而王不能变化之，我用是为大忧也。"

韵读：幽部——浮、流、忧。

菀　柳

【题　解】

这是一位大臣有功而获罪所作的怨诗。他曾得周王信任，商议过国政，后被撤职流放，因此充满了不平。毛序："菀柳，刺幽王也。暴虐无亲而刑罚不中，诸侯皆不欲朝。言王者之不可朝事也。"吴闿生诗义会通说："此诗当为刺幽之作，序前三语得之，后二语则非。诗中并无不欲朝王及言王不可朝之义，不知作序者从何得此异说。此乃有功获罪之臣，作此以自伤悼。"吴氏驳序诸侯不欲朝的臆说，并据诗的内容说明主题，最合诗旨。

菀柳诗人善于运用比兴艺术手法，首章和次章以枯柳不可止息，兴在王朝做官的不可依靠。末章以鸟之高飞至天，尚可测度，兴周王变化无常，令人莫测。他曾被国王信任，参加治理国事，忽而被流放边疆，这种愤懑之情，在比兴句中都歌唱出来，发泄其不平之气。使后世读者亦掬同情之泪。

有菀者柳，不尚息焉。上帝甚蹈，无自昵焉。俾予靖之，后予极焉。

菀(yùn)，通苑，白帖引诗作苑。枯病。有菀，即菀菀。淮南子："形苑而神壮"，高注："苑，枯病也。"

尚，庶几、希望。　息，休息。以上二句是兴，马瑞辰通释："诗盖以枯柳之不可止息，兴王朝之不可依倚也。"

上帝，此处指周王。朱熹诗集传："上帝，指王也。"　蹈，变动。马瑞辰："动者，言其喜怒变动无常。"按众经音义引韩诗作"上帝甚陶"，陶，变也。

昵(nì)，亲近、接近。毛传："昵，近也。"这二句意为周王变化莫测，不要自己去接近他(以免取祸)。

俾，使。　靖，毛传："治。"　之，指国事。意为使我治理国事。

极(殛)，殛的假借，放逐。郑笺："王信谗不察功考绩，后反诛放我。"

韵读：幽部——柳、蹈(徒叟反)。　之部——息、昵、极。

有菀者柳，不尚愒焉。上帝甚蹈，无自瘵焉。俾予靖之，后予迈焉。

愒(qì)，休息。

瘵(zhài)，祸害。毛传："瘵，病也。"

迈，行。郑笺："迈，行也。行亦放也。春秋传曰：予将行之。"按此为左传昭公元年文："予(子产)将行之(子南)。"行，即流放之意。此句义同上章。

韵读:幽部——柳、蹈。　祭部——愒(音竭)、瘵(音折)、迈(音蔑)。

有鸟高飞,亦傅于天。彼人之心,于何其臻? 曷予靖之,居以凶矜?

傅,至、到。这二句是兴,意为鸟的高飞,最高不过飞到天,尚可测度。

彼人,指周王。

臻,至。不知变到什么地步。郑笺:“鸟之高飞,极至于天耳。王之心于何所至乎? 言其转侧无常,人不知其所届。”

曷,为什么。

居,处、动词。居以,处以。　矜,危。凶矜,凶危之地,指流放地。这二句意为,为什么既让我治理国家,又处我以凶危之地?

韵读:真部——天(铁因反)、臻、矜。

都人士

【题　解】

这是一首忆念意中人的诗。关于此诗的主题,历代学者说各不一,归纳起来,约有三说:一、认为是刺诗。毛序:“周人刺衣服无常也。”二、认为它是怀旧之作。朱熹诗集传:“乱离之后,人不复见昔日都邑之盛,人物仪容之美,而作此诗以叹惜之也。”三、认为首章是逸诗。王先谦集疏:“此诗毛氏五章,三家皆止四章。孔疏云:左襄十四年传引此诗‘行归于周,万民所望’二句,服虔曰:逸诗也。都人士首章有之。礼缁衣郑注云,毛诗有之,三家则亡。今韩诗实无此首章。细味全诗,二、三、四、五章士女对文,此章单言士,并不及女,其词不类。且首章言‘出言有章’,言‘行归于周,万民所望’,后四章无一语照应,是明明逸诗孤章。毛以首二句相类,强装篇首。观其取缁衣文作序亦无谓甚矣。”按前二说根据首章立说,似不可从。熹平石经鲁诗残石都人士篇亦无首章，王说可信。兹分析四章诗的内容，确定其主题如上。

此诗有两个意象：一个是都人士，一个是君子女。君子之女名尹吉，当然是贵族。都人士戴着莎草编的笠、黑布的帽。据士冠礼，缁撮是士所戴的冠，他可能是一位“士”。士和女是什么关系呢？我们认为诗中的“我”即都人士，即诗人自己。第二章“谓之尹吉”下，接着便唱“我不见兮，我心苑结”。第三章“我不见兮，言从之迈”。末章“我不见兮，云何盱矣”。从这几个句子里，便可体会诗人不见尹吉的苦闷悲伤情怀。他确是一位钟情的诗人。诗人如何写尹吉呢？重点是在她的头发上着墨。她的头发是密直的，两鬓像蝎尾似的往上翘，翘得自然闲雅。描绘了这位少女不加修饰的天然美。诗人如何写都人士呢？重点在他的笠帽和冠带上着墨。莎草的笠，黑布的冠，冠旁塞耳镶上宝石，冠带馀馀下垂，像绸条般在飘。描绘了这位年轻书生走路轻盈的美。方玉润评曰：“写带、发一层，风致翩然，令人神往。”“诗全篇只咏服饰之美，而其人之风度端凝、仪容秀丽自见。”的确，我们今天重读此诗，觉得这两位士、女，好像是美的象征。

彼都人士，狐裘黄黄。其容不改，出言有章。行归于周，万民所望。

都人，美人。马瑞辰通释：“逸周书大匡解：‘士惟都人，孝悌子孙。’是都人乃美士之称。郑风‘洵美且都’、‘不见子都’，都皆训美。美色谓之都，美德亦谓之都。都人犹言美人也。”

狐裘黄黄，古代贵族裘上通常都有罩衫，狐裘上罩黄衫，是诸侯之服。白虎通衣裳篇：“诸侯狐黄”，礼玉藻：“狐裘黄衣以裼之。”黄衣就是黄色罩衫，是诸侯穿的冬衣。黄黄，形容罩衫之色。

容，容貌态度。

章，有系统的辞藻。郑笺："其动作容貌既有常，吐口言语又有法度文章。"

行，将。　周，镐京。

望，仰望。按这章是逸诗，说见题解。它的内容，可能是写诸侯朝周。

韵读：阳部——黄、章、望。

彼都人士，台笠缁撮。彼君子女，绸直如发。我不见兮，我心不说。

台，通苔，莎草。台笠，莎草编的草帽。可御暑与雨。　缁，黑色的布。缁撮，黑布制成的束发小帽。毛传："缁撮，缁布冠也。"

绸，鬒的假借。说文："鬒，发多也。"　如，乃、其。此句犹云其发密直，形容头发的美丽。

韵读：祭部——撮（音绝入声）、发、说。

彼都人士，充耳琇实。彼君子女，谓之尹吉。我不见兮，我心苑结。

充耳，亦名瑱，塞耳。冠两旁玉石制成的饰物。　琇，毛传："美石也。"实，琇美貌。郑笺："言以美石为瑱。瑱，塞耳。"

君子，指贵族。君子女，贵族的女儿。

尹吉，郑笺："吉读为姞，尹氏、姞氏，周室昏姻之旧姓也。"这位尹吉姑娘，可能她的父亲姓尹，母家姓姞，如左传中之狐姬、孔姞。

苑（yù）结，音义同郁结。忧郁难解之意。

韵读：脂部——实、吉、结。

彼都人士，垂带而厉。彼君子女，卷发如虿。我不见兮，言从之迈。

垂带，下垂的冠带。　而，古而、如、若通用。郑笺："而亦如也。"礼记内则郑注引诗作"垂带如厉"。淮南子泛论训高注引诗作"若"。　厉，与"裂"同音通用。郑笺："厉字当作裂。"说文："裂，缯馀也。"绸布的残馀，即布条。此处是形容冠带的垂饰。

卷(quán)发,女子两鬓旁边卷曲的短发。 虿(chài),蝎类。通俗文:“长尾为虿,短尾为蝎。”蝎走时尾部向上翘,诗人用它比卷发。

言,发语词。 迈,行、走。以上二句意为,我见不到她了,如果得见,愿意跟随她一起走。

韵读:祭部——厉(音列)、虿(音彻)、迈(音蔑)。

匪伊垂之,带则有馀。匪伊卷之,发则有旟。我不见兮,云何盱矣。

匪,非。 伊,是。

有馀,即馀馀,冠带悠然下垂貌。

有旟(yú),即旟旟,翘起貌。毛传:“旟,扬也。”朱熹诗集传:“言其自然闲美,不假修饰也。”

云,发语词。 盱,吁的假借,忧伤。见卷耳注。

韵读:鱼部——馀、旟、盱。

采 绿

【题 解】

这是一位妇女思念她行役丈夫的诗。朱熹诗集传:“妇人思其君子。”诗序辩说:“此诗怨旷者所自作。”方玉润:“妇人思夫,期逝不至也。幽王之时,政烦赋重,征夫久劳于外,逾时不归,故其室思之如此。”朱、方二氏都简要地说明了诗旨,并指出作者是思妇。严粲诗辑:“去时约以五日而归,今六日而不见,时未久而怨,何也?古者新昏三月不从政。此新昏者之怨辞也。”严氏据“六日不至”句,疑诗人为新婚者,说颇有致。

诗共四章,前两章是诗人正在采绿采蓝时思夫的歌唱。她不说无心采草而说不盈一掬一襜;她不说丈夫逾期不归而说“予发曲局”、“六日不詹”。通过这些具体动作和形象的描写,来表达殷切的思夫之情。吴闿生诗义会通引旧评云:"'予发曲局'句接法不测。"我们可以这样想象:丈夫和她约好五天就回家,这位新婚少妇等了一天,第六天早上去采草,头发也无心梳洗。忽然,她记起来了,如醉如痴地奔回家洗头,生怕丈夫回来看了不像样。以这种心理活动为线索去理解"予发曲局"句,就不会觉得"接法不测"了。当然,思妇将自己的痴情是表现得非常委婉隐曲的。三四两章中,诗人带着凄惋的心情展开了想象的翅膀。她想象丈夫如果打猎,我就替他装弓袋;如果钓鱼,我就替他缠钓绳,永不分离。他钓了鳊鱼,又钓了鲢鱼,鱼真多呵!想象是空幻的,然而写得如闻如见。姚际恒说:"只承钓言,大有言不尽意之妙。"吴闿生说:"三四章归后着想,真乃肠一日而九回。结句馀音袅袅。"这些评语都道出了诗人想象的奇妙。

终朝采绿,不盈一匊。予发曲局,薄言归沐。

终朝,整个早上。见汉广注。　绿,菉的假借。楚辞王逸注引诗作菉。一名王刍。尔雅:"菉,王刍。"郭注:"今呼鸱脚莎。"马瑞辰据说文以为菉即可以染黄的荩草。

匊,古掬字。一匊,一捧。毛传:"两手曰匊。"以上二句是兴,陈奂传疏:"兴者,怨旷之人,自旦及食时以采王刍而不满两手,以喻忧思之深。"诗人思夫情深,无心采绿,即事起兴,是含赋的兴。

局,弯。毛传:"局,卷也。"曲局,弯曲。她因夫行役,而无心梳洗,致发卷曲蓬乱。

薄言,语助词。此句薄字含有急忙之意。　沐,洗发。朱熹诗集传:"言终朝采绿而不盈一匊者,思念之深,不专于事也。又念其发之曲局,于是舍之而归沐,以待其君子之还也。"

韵读:幽、侯部通韵——绿、匊、局、沐。

终朝采蓝，不盈一襜。五日为期，六日不詹。

蓝，草名。郑笺："染草也。"染青蓝色的草。孔疏："蓝可以染青，故淮南子云：青出于蓝。"

襜(chān)，系在衣服前的遮巾。毛传："衣蔽前谓之襜。"说文："襜，衣蔽前。"段注："此谓衣，非谓蔽膝也。"

詹，毛传："至也。"按五日六日并非确指，此二句泛言约定五天回家，却过期而不返。姚际恒通论："五日，成言也。六日，调笑之意。言本五日为期，今六日尚不瞻见，只是过期之意，不必定泥为六日而咏也。郑氏（玄）以其不近理，改为五月六月。吁！何其固也。"

韵读：谈部——蓝、襜，詹。

之子于狩，言韔其弓。之子于钓，言纶之绳。

之子，郑笺："之子，是子也，谓其君子也。"　狩，打猎。

言，语助词。　韔(chàng)，弓袋，此处作动词用，指装进弓袋。

纶，钓绳，用丝制成。这里作动词"缠绕"用。　之，其。朱熹诗集传："言君子若而欲往狩耶，我则为之韔其弓。欲往钓耶，我则为之纶其绳。望之切，思之深，欲无往而不与之俱也。"按这章和下章都是思妇设想之词，陈奂传疏："此妇人思夫之不在，而设想之如此。下章又因钓而申说之耳。"

韵读：蒸部——弓、绳。

其钓维何？维鲂及鱮。维鲂及鱮，薄言观者。

维，是。

鲂，鳊鱼。　鱮，鲢鱼。均见敝笱注。

观，多，指鱼众多。　者，犹"哉"，语气词。郑笺："观，多也。此美其君子之有技艺也。"按释文引韩诗作"睹"、陈乔枞韩诗遗说考："释诂：'观，多也。'郭注引诗'薄言观者'，笺说正本雅训。'睹'义亦得训多……诸从言者声义训为众，然则睹亦有众义，故与观之训多者同也。"此句犹言"钓的鱼好多啊"。

韵读：鱼部——鱮、鱮、者(音渚)。

黍　苗

【题　解】

这是随从召伯建设申国的人，于完成任务后在归途中的歌唱。周宣王封他的母舅于申，命召伯虎带领官兵、徒役，装载货物，经营申地，建筑谢城，作为国都。此诗即写这件事。朱熹诗集传："宣王封申伯于谢，命召穆公往营城邑，故将徒役南行，而行者作此。"刘玉汝诗缵绪："此行者归而作此诗。其曰我，故知为行者所作。曰归哉、归处，曰成之、有成，故知其归而作。黍苗为营谢方毕而归之诗，崧高为营谢既成，申伯出封之诗。"二说皆是。

此诗共五章。第二章、第三章写夫役、士卒因建谢事成而思归。诗人的语言很简洁，写夫役，只用任、辇、车、牛四字；写士卒，只用徒、御、师、旅四字。但又很形象，二、三章连用十个"我"字，使随从召伯建谢人员众多的气势，跃跃纸上，让人好像在朦胧中看见那浩大的工程。召伯营谢工程为什么这样快速成功呢？第四章就说由于有威武的南行群众，他是能够调动群众积极性的。第一章就说他慰劳群众，就像蓬勃的黍苗，得到阴雨滋润一般。他建谢是为了宣王报母舅申伯之恩，谢建成了，王心则宁。塑造了召伯忠君爱国、善于发挥群众力量的大臣形象。陈廷杰诗序解云："是篇叙召穆公营谢，词颇蕴藉，亦近乎风者，皆宣王全盛时诗。"我们从诗的作者及风格来看，陈氏"近乎风"的评语，是很恰当的。

芃芃黍苗，阴雨膏之。悠悠南行，召伯劳之。

芃芃（péng），草木茂盛貌。见载驰注。

膏，膏润。以上二句是兴，诗人以阴雨能膏润黍苗，兴召伯能慰劳建设申地的人员。

悠悠，长长，路遥远貌。　南行，陈奂传疏："谢在周南也。"

召伯，召穆公虎。　姓姬名虎，封于召国，周初召公奭之后。厉王、宣王、幽王时大臣。陈启源稽古编："穆公谏厉王亲兄弟，又脱宣王于难，而以子代之。及王立，复为平淮夷，城谢邑。上能宣布王德，下能慰安众心。穆公先朝旧臣，年高望重，尽瘁事国，不敢告劳。"见甘棠注。　劳，慰问。　之，指南行建谢人员。或训劳为建谢之劳，亦通。

韵读：宵部——苗、膏、劳。

我任我辇，我车我牛。我行既集，盖云归哉。

我，诗人自称，可能是随从召伯的士役。　任，背负者。　辇，人力拉的车。

车，大车，牛拉的车。　牛，指牵牛的人。这二句皆指人。郑笺："营谢转运之役，有负任者，有挽辇者，有将车者，有牵傍牛者。"

集，完成。郑笺："集犹成也。其所为南行之事既成。"

盖，通盍，何不。　云，语助词。　归，指回周。

韵读：之部——牛（音疑）、哉（音兹）。

我徒我御，我师我旅。我行既集，盖云归处。

徒，步行之人，指步兵。　御，驾车的人。毛传："徒行者、御车者。"

师、旅，郑笺："五百人为旅，五旅为师。"据王引之经义述闻的考证，认为郑氏的解释是错误的。他引了一些经书的例子，说明师和旅都是官名，旅卑于师，师又卑于正。姚际恒云："左传：君行师从、卿行旅从。则天子之卿与诸侯同，故有师旅也。"他申郑氏之说，理由充足。

归处，回去安居。

韵读：鱼部——御、旅、处。

肃肃谢功，召伯营之。烈烈征师，召伯成之。

肃肃，快速貌。小星传："肃肃，疾貌。"　谢，地名，在今河南信阳。

功,通工,工程。

烈烈,威武貌。 征,远行。 师,群众。

韵读:耕部——营、成。

原隰既平,泉流既清。召伯有成,王心则宁。

原,高平的地。 隰,低湿的地。 平,治。

清,此处作动词"疏通"用。毛传:"土治曰平,水治曰清。"

宁,安。郑笺:"召伯营谢邑,相其原隰之宜,通其水泉之利。此功既成,宣王之心则安也。"

韵读:耕部——平、清、成、宁。

隰 桑

【题 解】

这是一位妇女思念丈夫的诗。朱熹诗集传:"此喜见君子之诗。词意大概与菁莪相类。然所谓君子,则不知其何所指矣。"陈启源稽古编:"隰桑思君子,犹丘中有麻之思留子也。隰桑诗音节略与风雨同。使编入国风,朱子定以为淫诗也。"按丘中有麻和风雨都是情诗,可见陈氏是从诗的内容和形式去分析它的主题的。今人余冠英诗经选译认为此诗是一个女子的爱情自白。按诗用隰桑起兴,可能是妇女所作。刘向列女传引"既见君子,德音孔胶"两句诗云:"夫妇人以色亲,以德固。"可见他也认为诗是妇女的作品。

尚书尧典:"诗言志,歌永言。"诗大序:"诗者,志之所之也。在心为志,发言为诗。"刘勰文心雕龙明诗篇:"诗者,持也。持人性情。"他们所谓"志"、"性情",都指思想感情而言。感情是诗歌的要素之一,诗人心有所感触,便会歌唱起来。隰原诗人思念她外出的丈夫,在采桑的当儿,触动了她思夫之情,便歌唱起来。

她想象见到丈夫，说不尽怎样的快乐，丈夫的甜言蜜语、炽热的表爱，怎么不使她心醉啊！末章是她幻想向丈夫表爱，对自己说：既然我心在爱他，为什么不告诉他呢？我心中爱他，哪一天会忘记他呢？馀音绕梁，洋溢着真挚至诚的爱的气氛。使二千多年后的读者不禁为之动容。龚橙诗本谊将此诗列入风内，是有其深意的。

隰桑有阿，其叶有难。既见君子，其乐如何！

隰（xí）桑，生在低湿地上的桑。低湿的地宜于种桑。　有阿，即阿阿。阿通猗。美盛貌。王先谦集疏："案有阿即阿阿也。故笺读为阿阿。字亦变为猗猗，见淇奥传。经中凡累字多参用'有'字，与累字无异。"

有难，即难难。枝叶茂盛貌。陈奂传疏："难、傩通。难之为言那也。释文：'难，乃多反。'其读同那。桑扈、那传：'那，多也。'盛与多同义。阿难连绵字。苌楚曰猗傩，那曰猗那，声义皆同也。"按采桑养蚕是当时妇女工作之一，诗人即事以起兴。

君子，指丈夫。按下二句是诗人在采桑叶时设想之辞。何楷诗经世本古义："其乐如何，云何不乐，又皆未有是事而假设之语。"

韵读：歌部——阿、难、何。

隰桑有阿，其叶有沃。既见君子，云何不乐！

有沃，沃沃。传："沃，柔也。"柔润貌。

云，发语词

韵读：宵部——沃、乐。

隰桑有阿，其叶有幽。既见君子，德音孔胶。

幽，黝的假借。叶之肥者呈墨绿色。说文："黝，微青黑也。"有幽，即幽幽。

德音，于省吾新证诗德音解谓是"德言"之误，好话的意思。　胶（膠），马瑞辰通释："胶当为僇之省借。方言：'僇，盛也。陈、宋之间曰僇。’广雅：‘僇，盛也。’孔胶犹云甚盛耳。”这句意为君子的德言甚盛。有人训胶为牢固，亦通。

韵读：幽部——幽、胶（音樛）。

心乎爱矣，遐不谓矣？中心藏之，何日忘之！

遐不，何不、胡不。古遐与何、胡皆双声，故通用。　谓，告。朱熹诗集传：“言我心中诚爱君子，而既见之，则何不遂以告之。”

藏，臧之假借，善、爱。郑笺：“藏，善也。”

韵读：脂部——爱（音懿）、谓。　阳部——藏、忘。

白　华

【题　解】

这是一首贵族弃妇的怨诗。毛序：“白华，周人刺幽后也。幽王取申女以为后，又得褒姒而黜申后，周人为之作是诗也。”朱熹诗集传：“申后作此诗。”诗序辩说：“此事有据，序盖得之。但幽后字误，当为申后刺幽王也。”他认为诗的本事是幽王黜申后，不是周人所作，为申后自作。方玉润赞成朱说：“此诗情词凄惋，托恨幽深，非外人所能代。故集传以为申后作也。”申后作白华，在其他古籍中，均无旁证，只得存疑，姑定其主题如上。

诗共八章，每章前两句全用比兴，借喻寓怨，倾诉幽恨伤怀之情。姚际恒诗经通论说：“此诗八章，凡八比，甚奇。”方玉润诗经原始说：“全诗皆先比后赋，章法似复，然实创格。”按邶风凯风四章，也是每章用比。这种民歌形式为诗人吸收并加以发展，成为诗经中的创格。通过八比的运用，速写了诗人纯洁、痴情、善良、爽直而兼有歌咏才华的意象，也刻画了一个负心寡情的“硕人”意象。方玉润认为“至今读之，犹令人悲咽不能自已”，确是很有感染力的。

白华菅兮,白茅束兮。之子之远,俾我独兮。

华,同花。　菅(jiān),茅的一种,亦名芦芒。陆玑草木疏:“菅似茅而滑泽无毛,根下五寸,中有白粉者宜为索。”

束,捆。动词。按这二句是兴,诗人以菅喻自己,菅尚有白茅缠绵地相依,反衬自己还不如菅草。朱熹诗集传:“盖言白华与茅尚能相依,而我与子乃相去如此之远。”

之子,指丈夫。　之远,往远方,指弃己而去。

俾,使。　独,孤独无耦。

韵读:侯部——束、独。

英英白云,露彼菅茅。天步艰难,之子不犹。

英英,释文引韩诗作泱泱,云白貌。马瑞辰:“六月云‘白旆英英’,英英是白貌。则知此诗英英亦云之白貌。”

露,此处作动词滋润用。这二句是兴,诗人看到白云滋润菅茅,好像夫妇的相亲相爱。对照自己命运的不幸,觉得连菅茅还不如。

天步,犹言命运。

犹,可。不犹,不以我为可,即待我不好。孔疏引侯苞云:“天行艰难于我身,不我可也。”

韵读:幽部——茅(音谋)、犹。

滮池北流,浸彼稻田。啸歌伤怀,念彼硕人。

滮(biāo)池,水名。在今陕西西安市西北。水经注渭水:“镐水又北流,西北注与滮池水合,水出鄗池西而北流入于镐。”王夫之诗经稗疏:“渟者为池,行者为流,自非实有此池为滮水之源,则言滮不当谓之池,谓之池又不当言流矣。”王说可参考。郑笺:“池水之泽,浸润稻田,使之生殖。喻王无恩意于申后,滮池之不如也。”

啸,啸歌,号哭而歌。闻一多诗经通义:“白华篇曰‘啸歌伤怀’,谓号哭而歌,忧伤而思也。”

硕人,高大的人,此处指她的丈夫。按诗言“硕人”可指女子,如硕人;

亦可指男子,如简兮。

韵读:真部——田(徒因反)、人。

樵彼桑薪,卬烘于煁。维彼硕人,实劳我心。

樵,此处作动词,砍伐。　桑薪,桑树做的柴火,是较好的柴。

卬,我,女子的自称。见匏有苦叶注。　烘,燎、烤。　煁(shén),古灶名,不带锅而可移动的小灶,亦称"行灶"或"炷灶"。这句意为用桑柴烘烤东西而不烧饭菜。孔疏:"桑薪薪之善者,宜以炊爨而养人,今不以炊爨,反燎于煁灶,失其所也,以兴幽王聘纳彼申国之女,不以为后,反黜之使为卑贱之事而已。"

维,通惟,思、想念。

劳,忧、闷。

韵读:真部——薪、人。　侵部——煁、心。

鼓钟于宫,声闻于外。念子懆懆,视我迈迈。

鼓,此处作动词"敲"用。　宫,尔雅:"宫谓之室。"先秦贵族、庶人之居皆可称宫,秦代以后始为帝王居处的专称。林义光诗经通解:"钟有叩必闻,喻人之情意必相通感,此言妻之于夫忧念之甚,而夫恨恨然视之,曾不少为感动,如鼓钟而不相闻。"

懆懆,忧愁不安貌。亦作惨惨。释文引说文云:"懆,愁不申也。"今本说文作"愁不安也"。

视,对待。　迈迈,狠怒貌。释文:"韩诗及说文并作怖怖。韩诗云:'意不说好也。'许(说文)云:'很(狠)怒也。'"

韵读:祭部——外(音月)、迈(音蔑)。

有鹙在梁,有鹤在林。维彼硕人,实劳我心。

鹙(qiū),水鸟。毛传:"秃鹙也。"李时珍本草纲目:"秃鹙,水鸟之大者,其状如鹤而大,青苍色,长头赤目,项皆无毛,好啖鱼蛇及鸟雏。"　梁,鱼梁,拦鱼的水坝。郑笺:"鹙也、鹤也,皆以鱼为美食者也。鹙之性贪恶而今在梁,鹤絜白而反在林。兴王养褒姒而馁申后,近恶而远善。"

韵读：侵部——林、心。

鸳鸯在梁，戢其左翼。之子无良，二三其德。

鸳鸯，见鸳鸯注。

戢，收敛。指鸳鸯把嘴插在翅膀下休息。马瑞辰通释："诗盖以鸳鸯匹鸟得其所止，能不贰其偶，以兴幽王二三其德，为匹鸟之不若也。"

无良，指品德不好。

二三其德，前后行为不一致。见氓注。

韵读：阳部——梁、良。　之部——翼、德（丁力反，入声）。

有扁斯石，履之卑兮。之子之远，俾我疧兮。

有扁，即扁扁。毛传："扁扁，乘石貌。"按乘石是国王或贵族乘车时所踩的垫脚石。　斯，其、这。

履，踩。　卑，低下，指乘石。胡承珙后笺："卑字当属石言。何氏（楷）古义云：履之卑兮是倒文，言乘石卑下，犹得蒙王践履。"按这二句是诗人以乘石虽低，犹得丈夫踩踏，比自己不如乘石。

疧，忧病，指相思病。

韵读：支部——卑、疧。

绵　蛮

【题　解】

这是一位行役的人道遇一位大臣，他们二人对唱的诗。历来对此诗的主题说各不一，王质诗总闻："重臣出行，而下士冗役告劳者也。闻其告劳，而旋生悯心。亦必贤者，是管谢之流也。"据此，细玩诗的内容，断为行役者和大臣对唱的诗。有人认为每章后四句是诗人愿望之词，说亦可通。

此诗三章一意，每章只八句，还是两人的歌唱。却再现了行役者和大臣的形象。行役者在长途跋涉中的劳瘁，他不能快走，且深怕不能抵达目的地，又累又饿，竟羡慕起郊外的黄雀，能自在地停息在小丘上。它有时飞在曲陂上，有时飞在丘边上，是多么自由啊！在这四句歌唱中，我们好像看见一位被迫行役者面容忧郁，拖着疲惫不堪的身躯站立在眼前。他无意中遇见了一位大臣，这位大臣指手画脚地给他饮食教诲，解决了他饥饿和苦闷心情，又让他坐在副车上，解决了他生怕走不到目的地的问题。这位大臣，出行有后车，官位当然不小，却对行役者表示同情，这在诗经时代来说是不多的。当我们读了后四句诗，也好像有一位大臣形象站立在眼前。简短的八句，内容却这样丰富，再加上三章的重唱叠咏，在格调上很类似国风。

“绵蛮黄鸟，止于丘阿。道之云远，我劳如何！”“饮之食之，教之诲之。命彼后车，谓之载之。”

绵蛮，双声，文彩貌。文选景福殿赋李注引韩诗薛君章句：“绵蛮，文貌。”　黄鸟，黄雀。

丘阿，山坡弯曲处。以上二句是兴，陈廷杰诗序解：“殆写小臣栖栖不遑宁处，而叹其不若鸟之止于丘焉。”

云，句中语助词。

我，诗人自称。　劳，疲劳。以上四句是行役诗人所唱。

饮、食、教、诲四字都作动词用。　之，代词，代行役者。

后车，后边之车。亦名副车。

谓，告。　载，装载。前一“之”字，指后车的御者。后一“之”字，指行役者。这句意为叫驾后车的御夫装载这位行役者。以上四句是大臣所唱。

韵读：歌部——阿、何。　之部——食、诲（呼备反）、载（音稷）。

“绵蛮黄鸟，止于丘隅。岂敢惮行，畏不能趋。”“饮之食之，教之诲之。命彼后车，谓之载之。”

丘隅，郑笺：“丘角也。”

惮，怕的意思。郑笺："难也。"

趋，疾行。这二句意为，我哪里敢怕走路，而是怕不能快走。

韵读：侯部——隅（俄讴反）、趋（粗讴反）。　之部——食、诲、载。

"绵蛮黄鸟，止于丘侧。岂敢惮行，畏不能极。""饮之食之，教之诲之，命彼后车，谓之载之。"

丘侧，郑笺："丘旁也。"

极，达到目的地的意思。郑笺："至也。"

韵读：之部——侧（音淄入声）、极、食、诲、载。

瓠　叶

【题　解】

这是下层贵族宴会宾客的诗。毛序："大夫刺幽王也。上弃礼而不能行，虽有牲牢饔饩不肯用也。故思古之人不以微薄废礼焉。"朱熹诗序辨说云："序说非是，此亦燕饮之诗。"王质诗总闻："当为在野君子相见为礼。"结合诗的内容看来，朱、王之说是正确的。诗的作者可能是宴会中的一位客人。

诗首章写主人采瓠叶烧菜，下三章写烧烤兔肉下酒，每章末二句写宾主饮酒，由尝而献而酢而酬，菜肴虽甚简约，但酬酢却很热烈，表现了宾主之间情绪的快乐。张廷杰诗序解云："此诗初言瓠叶以为菹，又以兔侑酒，意虽简俭，有不任欣喜之状。""欣喜之状"四字，说明了此诗的弦外之音。

幡幡瓠叶，采之亨之。君子有酒，酌言尝之。

幡幡，风吹瓠叶反复翻动貌。　瓠（hù），葫芦。

亨，今作烹。煮熟。

君子，指主人。

酌,斟酒。　言,助词,略当于"而"。王先谦集疏:"主人未献于宾,先自尝之也。"

韵读:阳部——亨(音滂)、尝。

有兔斯首,炮之燔之。君子有酒,酌言献之。

斯,语中助词。　首,头、只。量词。朱熹诗集传:"有兔斯首,一兔也。犹数鱼以尾也。"有人释为兔头,不可通。

炮,亦作炰。带毛涂上泥在火上煨。见六月注。　燔,去毛在火上烧。见楚茨注。

献之,主人敬宾酒。

韵读:幽部——首、酒。　元部——燔、献。

有兔斯首,燔之炙之。君子有酒,酌言酢之。

炙,用叉子叉着兽肉在火上烤。孔疏:"以物贯之而举于火上以炙之。"

酢,宾既饮主人所献酒,又酌而还敬主人。毛传:"酢,报也。"

韵读:幽部——首、酒。　鱼部——炙(音诸入声)、酢(音组入声)。

有兔斯首,燔之炮之。君子有酒,酌言酬之。

酬,劝酒。郑笺:"主人既卒酢爵,又酌自饮,卒爵,复酌进宾。犹今俗之劝酒。"按古人以献、酢、酬合称为一献之礼,如礼记乐记郑注曰:"一献,士饮酒礼。"

韵读:幽部——首、炮(蒲愁反)、酒、酬。

渐渐之石

【题　解】

这是东征兵士慨叹征途劳苦的诗。毛序:"渐渐之石,下国刺幽王也。戎狄叛之,荆舒不至,乃命将率东征,役久病于外,故作是诗也。"郑笺:"役,谓兵士也。"序笺认为诗是兵士所作,结合诗的内容和风格看来,他们的话似可信。朱熹诗序辨说认为:

"序得诗意,但不知果为何时耳。"诗中所说的"东征"是否在幽王时,史乏确证,恐怕还难说。

此诗前二章全用赋体,无非山高路远、征途劳苦之意。第三章忽下"有豕白蹢,烝涉波矣。月离于毕,俾滂沱矣"四句(白蹄猪豕涉清波,月近毕星雨滂沱),造语奇峭,惊人耳目。于是注家蜂起,有的以为这四句写既雨之后,有的以为状将雨之前,有的以为描摹实境,有的以为虚拟起兴。方玉润分析道:"此必当日实事。月离毕而大雨滂沱,虽负涂曳泥之豕,亦烝然涉波而逝,则人民之被水灾而几为鱼鳖者可知,即武人之沾体涂足,冒险东征,而不遑他顾者更可见。四句只须倒说,则文理自顺,情景亦真。诗人造句结体与文家迥异,不可以辞而害意也。"方氏的话,不但对这二句诗,而且对整首诗的理解都是颇有启发的。

渐渐之石,维其高矣。山川悠远,维其劳矣。武人东征,不皇朝矣。

渐渐(zhǎn),崭崭的假借。释文:"亦作巉巉。"说文无崭字,通暂。系传引诗作暂暂之石。山石高峻貌。

维,是。下句同。　其高,即高高。

劳,辽之假借。其劳,即劳劳,广阔辽远貌。郑笺:"其道里长远,邦域又劳劳广阔。"孔疏:"广阔辽辽之字,当从辽远之辽。而作劳字,以古之字少,多相假借。"

武人,陈奂传疏:"武人,谓将率(帅)也。"

皇,遑的省借。闲暇。朱熹诗集传:"皇,暇也。言无朝旦之暇也。"朝(zhāo),早上。这句意为,没有闲暇时间,急着去打仗。马瑞辰:"古者战多以朝,诗言不遑朝者,甚言其东征急迫,言不暇至朝也。"

韵读:宵部——高、劳、朝。

渐渐之石，维其卒矣。山川悠远，曷其没矣。武人东征，不皇出矣。

卒，崒的假借。高峻危险貌。说文："崒，危高也。"

曷，何，指何时。　没，尽头。传："没，尽也。"朱熹诗集传："言所登历，何时而可尽也。"

出，出险。指只知深入敌阵，不计能否生还。朱熹诗集传："谓但知深入，不暇谋出也。"

韵读：脂部——卒、没（音密入声）、出。

有豕白蹢，烝涉波矣。月离于毕，俾滂沱矣。武人东征，不皇他矣。

蹢（dí），蹄。白蹄，猪本好泥，而今白蹄，可见水灾之大。

烝，进。毛传："进涉水波。"

离，丽的假借，靠近。论衡说日、明雩两篇引诗皆作丽。　毕，星名，二十八宿中的毕宿。

滂沱，大雨貌。按前二章皆诗人在征途所见之景，此章当亦写实，以见征人在途中的狼狈。故发于歌咏。

他，指他事，朱熹诗集传："此言久役又逢大雨，甚劳苦而不暇及他事也。"

韵读：歌部——波、沱、他（音佗）。

苕之华

【题　解】

这是一位饥民自伤不幸的诗。姚际恒通论："此遭时饥乱之作，深悲其不幸而生此时也。"语简意赅，最得诗旨。诗反映了当时饥馑人相食的惨况。

王照圆诗说云："尝读诗至苕之华'知我如此，不如无生'，二语极为深痛。盖与‘尚寐无讹’、‘尚寐无觉’之句(见王风兔爰),同其悲悼也。然苕华芸黄尚未写得十分深痛,至‘牂羊坟首,三星在罶’,真极为深痛矣,不忍卒读矣。”王氏的评语使我们可以看到诗的特点,即层层深入。首章只说心中忧伤,次章已感到“不如无生”的悲哀,末章更写出即使欲生,也无以为生的绝望。同是写悲惨,程度却一步一步地加深,读者的心也随着一步一步地收紧,终于“不忍卒读”,终于“太息弥日”,可见其感人之深。

苕之华,芸其黄矣。心之忧矣,维其伤矣。

苕(tiáo),植物名。又名陵苕、凌霄。陈奂传疏:“奂在杭州西湖葛林园中见陵苕花,藤本蔓生,依古柏树,直至树颠。五六月中花盛黄色,俗谓之即凌霄花。”

芸其,即芸芸,深黄貌。按以上二句是兴,诗人感于草花开得黄盛,叹人反憔悴。王引之经义述闻:“诗人之起兴,往往感物之盛而叹人之衰。”下章与此同义。

维,是。　伤,悲伤。

韵读:阳部——黄、伤。

苕之华,其叶青青。知我如此,不如无生。

青青,同菁菁,茂盛貌。

无生,不出生。郑笺:“己之生不如不生也。”

韵读:耕部——青、生。

牂羊坟首,三星在罶。人可以食,鲜可以饱。

牂羊,母羊。毛传:“牂羊,牝羊也。”　坟首,大头。朱熹诗集传:“羊瘠则首大也。”羊因饥饿身体瘦小而显得头大。

三星,亦名参星,二十八宿之一。这里泛指星光。　罶,鱼篓。见鱼丽注。朱熹诗集传:“罶中无鱼而水静,但见三星之光而已。言饥馑之馀,百物雕耗如此。”

鲜，少。王照圆诗说：“人可以食，食人也。鲜可以饱，人瘦也。此言绝痛。”

韵读：幽部——首、罶、饱（博叟反）。

何草不黄

【题　解】

这是一首征夫苦于行役的怨诗。朱熹诗集传：“周室将亡，征役不息，行者苦之，故作此诗。”是作者即诗中的征夫，服役的劳动人民。

这首诗的末章特别引人瞩目，似乎向读者展示了一组电影结尾的镜头：尾毛蓬松的狐狸出没在路旁深草丛中，征夫们坐着高高的役车，在漫长的大路上渐渐地远去……四句纯是写景，然而景中却渗透了无法掩盖的悲怆气氛。方玉润说：“纯是一种阴幽荒凉景象，写来可畏。所谓亡国之音哀以思，诗境至此，穷仄极矣。”景语亦是情语，诗人的思想感情和景物的形态融合在一起，比“哀我征夫”式的直诉胸臆似乎更能扣紧读者的心弦。

何草不黄？何日不行？何人不将？经营四方。

黄，枯黄。

将，行。诗人以草的枯黄兴比征夫的辛劳憔悴。马瑞辰通释：“周颂敬之篇‘日就月将’，毛传：‘将，行也。’此诗‘何人不将’与‘何日不行’同义。何日不行言日日行也，何人不将言人人行也。集传：‘将，亦行也。’是也。”

经营，往来。经营四方，往来于各地。

韵读：阳部——黄、行（音杭）、将、方。

何草不玄？何人不矜？哀我征夫，独为匪民。

玄，黑，草枯烂之色。马瑞辰通释："尔雅释诂：'玄黄，病也。'马病谓之玄黄，草病亦谓之玄黄，其义一也。"

矜（guān），通鳏，无妻者。征夫离家，等于无妻。郑笺："无妻曰矜，从役者皆过时不得归，故谓之矜。"

哀，可怜。

匪，非。匪民，不是人。

韵读：真部——玄（胡均反）、矜、民。

匪兕匪虎，率彼旷野。哀我征夫，朝夕不暇。

匪，非、不是。或释作"彼"，亦通。　兕，犀牛。见吉日注。

率，循、沿着。　旷野，空旷荒野。孔疏："言我役人非是兕，非是虎，何为久不得归，常循彼空野之中，与兕虎禽兽无异乎？"

韵读：鱼部——虎、野（音宇）、夫、暇（音胡）。

有芃者狐，率彼幽草。有栈之车，行彼周道。

有芃（péng），即芃芃，音义同蓬，狐毛蓬松貌。

幽草，深草，草的深处。

有栈（𡾟），即栈栈，𡾟之假借。高貌。马瑞辰通释："有栈之车与有芃者狐皆形容之词。据说文：'𡾟，尤高也。从山，栈声。'则栈当为车高之貌。"　车，指征夫坐的役车。

周道，大路。

韵读：鱼部——狐、车。　幽部——草（此叟反）、道（徒叟反）。

大　雅

文　王

【题　解】

这是追述周文王德业并告诫殷商旧臣的诗。毛序："文王受命作周也。"郑笺云："受天命而王天下，制立周邦。"王先谦根据今文家说，认为"文王受命"是指受天命而称王。陈奂则认为是指受天子(即殷纣王)之命而作西伯。这两种说法都有欠缺，原因在于毛序的含糊不清。朱熹诗集传云："周公追述文王之德，明周家所以受命而代商者，皆由于此。……文王既没，而其神在上，昭明于天。"清阮元大雅文王诗解云："指文王在天上，故曰'于昭于天'，非言初为西伯在民上时也。传、笺皆非。"朱、阮二氏根据诗的内容，认为这是对文王的追述称颂，比毛序、郑笺和王、陈的说法要来得贴切。至于诗的作者，吕氏春秋古乐篇和后汉书翼奉传都认为是周公旦。从诗的口吻来看，倒是可能的。但全诗词句调畅，用韵流利，尤其是已采用了"蝉联格"这样较成熟的修辞手法，同西周前期朴拙简陋的诗风(如周颂清庙、烈文等)迥不相类，所以很难想象是出于周公之手，恐是西周晚期的作品。

大雅皆庙堂祭祀乐章，因此总的格调是庄严肃穆有馀，灵秀清丽不足。就这首诗而言，孙矿批评诗经有一段话很能说明问题。他说："全只述事谈理，更不用景物点注，绝去风云月露之态。然词旨高妙，机轴浑化，中间转折变换略无痕迹，读之觉神采飞动，骨劲色苍，真是无上神品。"孙氏是从正面赞颂其述事谈理的"高妙”，但我们如果从反面着眼，便会觉得缺乏形象的说教是无论如何引不起读者多少美感的。这首诗的长处只在于“机轴浑化”，即布局颇严整。在歌颂文王的同时，以殷商的臣服为衬托，文势有曲折波澜；首尾以天命相呼应，将“万邦作孚”的气氛渲染得十分庄重。此外，在修辞上创造蝉联格，章与章、句与句之间，文字相互衔接，前后照应，产生了语意联贯和音调和谐的效果。这种手法对后世颇有影响，如汉乐府饮马长城窟行和曹植的赠白马王彪诗，都继承了这种修辞格，而且运用得更加纯熟和巧妙。

文王在上，於昭于天。周虽旧邦，其命维新。有周不显，帝命不时。文王陟降，在帝左右。

文王，周文王昌，姬姓。殷纣时为西伯，建国岐山之下。曾被殷纣囚于羑里。古书称他“益行仁政，诸侯多归之。”“三分天下有其二，以服事殷。”文王死后，其子武王发继位，率领诸侯征伐暴虐的殷纣，战于牧野，殷纣兵败自焚，武王取得政权。　在上，在天上。

於（wū），美叹声。　昭，显现。

旧邦，旧国。周从文王的祖父古公亶父由豳迁岐建国，故称周为旧邦。

命，指天命。　维，是。朱熹诗集传：“是以周邦虽自后稷始封，千有馀年，而其受天命则自今始也。”

有，词头，无义。下句同。　不，通“丕”，大。　显，光明。

帝，上帝。　时，美好而伟大。马瑞辰通释：“时当读为承，时、承一声之转。……承者，美大之词，当读‘文王烝哉’之烝。释文引韩诗曰：‘烝，美也。’”

陟，升。朱熹诗集传：“盖以文王之神在天，一升一降，无时不在上帝之左右，是以子孙蒙其福泽，而君有天下也。”

韵读：真部——天（铁因反）、新。　之部——时，右（音以）。

亹亹文王，令闻不已。陈锡哉周，侯文王孙子。文王孙子，本支百世。凡周之士，不显亦世。

亹亹（wěi），勤勉。毛传：“亹亹，勉也。”

令闻，好声誉。陈奂传疏："令闻不已，言善声闻之悠久也。"

陈，申的假借，重复、一再。　锡，赐。　哉，三家诗作"载"，通"在"。陈锡哉周即陈锡于周。朱熹诗集传："令闻不已，是以上帝敷锡于周。"

侯，维、是。这句意为，接受上帝赐予的是文王的子孙。

本，树木的根干，这里指周人的本宗。　支，枝的古字，树木的枝叶，这里指周人的支系。

士，指周王朝的贵族群臣。毛传："士，世禄也。"

不、亦，都是语助词。王引之经传释词："不显亦世，言其世之显也。不与亦皆语词耳。"

韵读：之部——已、子、子、士。　祭部——世、世。

世之不显，厥犹翼翼。思皇多士，生此王国。王国克生，维周之桢。济济多士，文王以宁。

不，语助词。世之不显，世世代代的显贵。

厥，其。　犹，通猷，谋略。　翼翼，谨慎小心貌。

思，发语词。　皇，美好。朱熹诗集传："美哉此众多之贤士，而生于此文王之国也。"

克，能。这句意为，王国能够产生众多贤士。

维，是。　桢，干、骨干。

济济，威仪光辉貌。

以，因、因此。　宁，安宁。

韵读：之部——翼、国（古逼反，入声）。　耕部——生、桢、宁。

穆穆文王，於缉熙敬止。假哉天命，有商孙子。商之孙子，其丽不亿。上帝既命，侯于周服。

穆穆，睦睦的假借，庄严和善貌。

於，美叹声。　缉熙，光明，形容文王品德之美。　敬，恭敬负责。止，语气词。

假，大。王先谦集疏："汉书刘向传引孔子读此诗而释之曰：'大哉天命。'则假宜从尔雅训大。"

有，臣有，指有殷商的子孙为臣子。

丽，数目。　不，语助词。马瑞辰通释："不亿即亿，犹云子孙千亿耳。"

侯，乃、就。　服，臣服。于周服，协韵而倒文，即"服于周"。

韵读：之部——止、子、子、亿、服（扶逼反，入声）。

侯服于周，天命靡常。殷士肤敏，祼将于京。厥作祼将，常服黼冔。王之荩臣，无念尔祖。

靡常，无常。

殷士，殷商的诸侯。据汉书刘向传和白虎通义三正篇，这位殷士是指纣王的庶兄微子。　肤敏，"黾勉"的转语，努力从事助祭的意思。于省吾泽螺居诗经新证："此诗是说殷士助祭于周，但兴亡之感，不能无动于衷，只有俯首就范，黾勉从事而已。……不难理解，当时殷士服殷之冠以助祭于周京，与周人相形之下，荣辱判然，与其誉之为肤美敏疾之不合乎情理，不如说他们黾勉从事之有符于实际。"

祼（guàn），灌祭，酌秬鬯（以郁金草合黍酿的酒）浇地以献神的祭祀仪式。　将，举行。祼将，"将祼"的倒文。　于，往。　京，周王朝的京师。

常，通"尚"，还是、仍然。　服，穿戴。　黼（fǔ），殷商礼服，上刺绣白黑相间的花纹。　冔（xǔ），殷商礼冠。

荩，进。荩臣，进用之臣，指周王所进用的殷商旧臣。

无念尔祖，这句是周人劝戒殷商旧臣弃旧图新，不要再怀念商人的先祖（参见于省吾新证）。

韵读：阳部——常、京（音姜）。　鱼部——冔、祖。

无念尔祖，聿修厥德。永言配命，自求多福。殷之未丧师，克配上帝。宜鉴于殷，骏命不易。

聿，述、遵行。

永，长、常。　言，语中助词。　配命，配合天命。

丧，失去。　师，众，指人民。

鉴，镜子。引申为借鉴。

骏，大。　不易，不容易。按此章及上章针对周王进用的殷商旧臣而言,要他们不要再眷恋自己的先祖,只有努力服事周朝,遵修品德,配合天命,才能求得众多福禄。要借鉴殷商的兴亡,认识到周朝的天命不是容易得来的。两章都是劝降戒叛之意。

韵读:之部——德(丁力反,入声)、福(方逼反,入声)。 支部——帝、易。

命之不易,无遏尔躬。宣昭义问,有虞殷自天。上天之载,无声无臭。仪刑文王,万邦作孚。

遏,停止、中断。这二句意为,天命是不容易长久保有的,只是不要在你们身上就中断了。

宣昭,宣明、发扬光大。 义,善。义问,即令闻,好声誉。

有,同“又”。 虞,度、揆度。 殷,依的假借,依从。于省吾新证:“‘有虞殷自天’,应读作‘又虞依自天’。这是说,应宣昭义问,而揆度之以依于天,言事事以天为准。”

载,事。马瑞辰通释:“载、事古音近通用。尧典‘有能奋庸熙帝之载’,史记五帝本纪载作事。”

臭,气息、气味。

仪,象、法式。 刑,古型字,模范。仪刑二字同义,引申为效法。

作,则、就。 孚,信、信服。这二句意为,只要好好效法文王,就能得到万国诸侯的信服。

韵读:侵、真部通韵——躬、天。 幽部——臭、孚(房谋反)。

大　明

【题　解】

大雅中有六首诗,叙述周人从始祖后稷创业至建国的历史,具有史诗的性质。这首诗便是其中之一。诗叙述王季和太任、文王和太姒结婚以及武王伐纣的事。毛序:“文王有明德,故天复命武王也。”郑笺:“二圣相承,其明德日以广大,故曰大明。”但马瑞辰不同意这样来解释篇名，他说："大明盖对小雅有小明篇而言。逸周书世俘解：'籥人奏武，王入进万，献明明三终。'孔晁注：'明明，诗篇名。'当即此诗。是此诗又以明明名篇，盖即取首句为篇名耳。"据马氏考证，此诗原名明明，应是武王灭殷后所作的乐歌。

本篇在写作上有两点是值得注意的。其一是首尾的紧密呼应突出了主旨。全诗的重点是武王伐商，首章却以天命难测和殷商失国领起，侧面着墨，隐含主题。二至六章转而叙述王季与文王的婚事，是铺叙闲文的笔法。七、八章始实叙伐商而有天下，照应首章之意，使全文神完意足。吴闿生诗义会通评曰："首章先凭虚慨叹，神理至为妙远。天位二句借殷事作指点，以喝起下文，而恰与后半收束处密合无间。"其二是记牧野之战不乏佳句。"其会如林"四字将殷军写得十分强大。而"洋洋"、"煌煌"、"彭彭"，连下三组叠词，则把周人的军威渲染得更加雄壮。尤其是以"鹰扬"形容统帅姜尚的神武气概，使人有难以增减一字之感。我们不禁想起著名的荷马史诗伊利亚特中描写特洛亚（今译特洛伊）城下希腊人与特洛亚人的战斗，洋洋万言，穷形尽相。而大明描写殷、周牧野决战却只有寥寥数语，粗笔勾画。风格是迥然不同的，效果也各有千秋。详尽的能供人细细咀嚼，简略的可引起联翩浮想，倒也未必能以详略来轩轻它们的高下。

明明在下，赫赫在上。天难忱斯，不易维王。天位殷適，使不挟四方。

明明，光明貌。　在下，指在人间。

赫赫，显盛貌。　在上，指在天上。陈奂传疏："明明、赫赫皆是形容文王之德。在上与在下对文,下为天之下,则上为天矣。”

天,指天命。　忱,三家诗作谌,或作訦。都是相信的意思。　斯,语气词。

维,是。韩诗外传:“言为王之不易也。”

位,即“立”字,古位、立同字。　適,通“嫡”,指殷王的嫡子纣。

挟,挟有、拥有。这二句意为,上天立起一个殷纣的敌人,使他不能再拥有天下(参见于省吾新证)。

韵读:阳部——上、王、方。

挚仲氏任,自彼殷商。来嫁于周,曰嫔于京。乃及王季,维德之行。大任有身,生此文王。

挚,殷商的属国名,在今河南汝宁。　仲氏,第二个女儿。毛传:“仲,中女也。”　任,姓。国语晋语:“黄帝之子二十五宗,其得姓者十四人,为十二姓,任其一也。”古代女子姓放在排行后面,与男子先姓后名有区别。

曰,发语词。　嫔,媳妇。这里作动词用。　京,周的京师。

王季,太王之子,文王之父。

行,行列、等列。朱彬经传考证:“行,列也。维德之行,犹言德与之齐等。”这二句意为,太任的品德能与王季相配。

大,同太。大任,即挚仲氏任。　有身,怀孕。按身字甲文作[甲文字形],金文作[金文字形],都像人怀孕而大腹之形。三家诗作娠。

韵读:阳部——商、京(音姜)、行(音杭)、王。

维此文王,小心翼翼。昭事上帝,聿怀多福。厥德不回,以受方国。

昭,光明。

聿,发语词。　怀,来,招来。

厥,其。　回,违反、违背。毛传:“回,违也。”

方国,周围各诸侯国。郑笺:“方国,四方来附者。”

韵读:之部——翼、福(方逼反,入声)、国(古逼反,入声)。

天监在下，有命既集。文王初载，天作之合。在洽之阳，在渭之涘。文王嘉止，大邦有子。

监，监视。　在下，指在天下面的人间。

有，词头。有命，指天命。　集，就，徙就。这句意为，天命已经从殷纣转移到文王身上。

载，年。初载，指文王即位初年。

作，作成。　合，配偶。尔雅："妃，合也。"配与妃通。

洽（hé），亦作合或郃，水名。源出陕西郃阳西北。　阳，河流的北岸。洽阳即古莘国所在地。

渭，渭水。　涘（sì），水边。

止，礼。相鼠毛传："止，礼也。"嘉止，嘉礼，即婚礼。

大邦，大国，指莘国。　子，女儿。指莘君的女儿，即太姒。

韵读：缉部——集、合（胡急反，入声）。　之部——涘、止、子。

大邦有子，俔天之妹。文定厥祥，亲迎于渭。造舟为梁，不显其光。

俔（qiàn），好比。说文："俔，譬谕也。"韩诗作磬，假借字，与俔双声通用。　妹，少女。这句是称颂太姒美丽得好似天女。

文，礼文，指"纳币"之礼。　祥，吉祥。朱熹诗集传："言卜得吉而以纳币之礼定其祥也。"

亲迎，陈奂传疏："亲迎者，重昏（婚）礼也。"古代婚礼之一。婚礼有六：纳采、问名、纳吉、纳征、请期、亲迎。

造舟，将船连接起来。尔雅释水："天子造舟。"邢昺疏："造舟者，比船于水，加版于上，即今之浮桥。"　梁，说文："梁，水桥也。"

不，发语词。　光，光辉，指显示婚礼的光辉。

韵读：脂部——妹、渭。　阳部——梁、光。

有命自天，命此文王，于周于京。缵女维莘，长子维行，笃生武王。保右命尔，燮伐大商。

于周，在周国。　于京，在周的京师。

缵(zuǎn),嫧的假借,美好。广韵:“嫧,好容貌。” 莘(shēn),古国名,太姒的家乡。马瑞辰通释:“嫧女谓好女,犹言淑女、硕女、静女,皆美德之称。诗言莘国有好女,倒其文则曰缵女维莘。”

长子,即长女,指太姒。 行,列、齐等。维行,义同第二章“维德之行”。马瑞辰通释:“上言维德之行者,言太任德配王季。此言长子维行,言太姒德等文王也。”

笃,语助词。毛传:“笃,厚也。”马瑞辰通释:“尚书凡言大者皆语辞,丕、诞、洪、宏皆大也,亦皆语词。诗生民‘诞弥厥月’,诞字八见,皆词也。按墨子经篇:‘厚有所大也。’是厚与大同义,故笃训厚,亦为语词。”

右,音义同“佑”。 命,命令。 尔,指武王。

燮,袭的假借。左传:“有钟鼓曰伐,无曰袭。”这里袭伐连用,是通称进攻。

韵读:真部——天(铁因反)、莘。 阳部——王、京、行、王、商。

殷商之旅,其会如林。矢于牧野:“维予侯兴,上帝临女,无贰尔心。”

旅,军队。

会(會),旝的假借,三家诗正作旝,旌旗。一说旝是以机械抛石击敌的武器(见说文)。但诗以“如林”二字形容旝,很难说是发石的机械。

矢,起誓、誓师。 牧野,殷商国都朝歌郊外的地名,在今河南淇县西南。

维,发语词。 予,我,周武王自称。 侯,是。 兴,兴起。这句意为,我周王朝是要兴起的。

临,下临、监视。 女,汝,指参加誓师的各路军队。

贰,有二心。按这三句是武王誓师时对将士说的话。

韵读:鱼部——旅、野(音宇)、女。 蒸、侵部通韵——林、兴、心。

牧野洋洋,檀车煌煌,驷騵彭彭。维师尚父,时维鹰扬。凉彼武王,肆伐大商,会朝清明。

洋洋,广阔貌。

檀车，檀木所制的坚固战车。　煌煌，鲜明貌。

驷，“四”字之误，齐诗作四。　騵，赤毛白腹的马。　彭彭，强健貌。

维，发语词。　师，太师，官名。　尚父，即吕尚，其祖先封于吕，姓姜，故后人又称姜太公。父，同甫，是古代男子的美称。

时，是、这。　维，语中助词。　鹰扬，形容师尚父的勇猛。毛传：“如鹰之飞扬也。”

凉，亮的假借，鲁、韩诗正作亮。辅佐。尔雅：“左右，亮也。”左右即佐佑。

肆，迅疾。肆伐与第六章“燮伐”义近，鲁诗肆作袭。

会，适逢、正好遇上。　清明，韩诗清作滰，滰是正字，即净的古字。净明指天气晴朗。林义光诗经通解：“会朝清明，言适会早晨清明之时也。牧誓云：‘时甲子昧爽，王朝至于商郊牧野乃誓。’周语泠州鸠言：‘武王伐殷，以二月癸亥夜陈未毕而雨。’然则夜陈而朝誓师者，必以遇雨未获毕陈，至朝而清明，乃复陈之也。”

韵读：阳部——洋、煌、彭（音旁）、扬、王、商、明（音芒）。

绵

【题　解】

这也是周民族的史诗之一。诗从古公亶父（即太王）迁到岐山叙起，描写他开国奠基的功业；一直写到文王能继承古公遗烈，修建宫室，平定夷狄，外结邻邦，内用贤臣，使周族日益强大。毛序：“绵，文王之兴，本由太王也。”他概括地叙述了诗的主题。孟子梁惠王下：“昔者大王居邠，狄人侵之。事之以皮币，不得免焉；事之以犬马，不得免焉；事之以珠玉，不得免焉。乃属其耆老而告之曰：‘狄人之所欲者，吾土地也。吾闻之也：君子不以其所以养人者害人。二三子何患乎无君？我将去之。’去邠，逾梁山，邑于岐山之下居焉。邠人曰：‘仁人也，不可失也。’从之者如归市。”孟子的话,同绵的叙述正可互相印证。

从评价叙事诗的角度来看,诗人的笔端可谓开阖自如。首章从周民初兴,直写到太王之世,寥寥数语,便勾勒出一幅历史长卷。以“绵绵瓜瓞”领起,以“陶复陶穴”作结,娓娓道来,好似漫不经心,却显得古趣盎然,带着疏逸的美。五、六、七章写建立宗庙宫室门社,着意渲染,甚至连夯土的动作、削墙的声音,都描绘得如闻如见,真可谓历历详备,紧凑细密。如此疏密相间,正如大羹之用盐梅,点缀得恰到好处。再加上第八章不着痕迹的转折和末章奇妙的结语,使全诗读来饶有姿态,顾盼快意。

绵绵瓜瓞,民之初生,自土沮漆。古公亶父,陶复陶穴,未有家室。

绵绵,连绵不绝貌。 瓞(dié),小瓜。说文:“瓞,瓝也。瓝,小瓜也。”这句诗人以瓜藤绵绵不绝兴周族由小而大,子孙众多。

民,指周民族。 初生,指周民族开始兴起的时候,即公刘之世。

自,从。 土,齐诗作杜,水名。 沮,徂的假借,到。旧说以沮为水名,误。 漆,水名。杜、漆二水均在豳地(今陕西旬邑西)。

古公亶(dǎn)父,文王的祖父,初居豳,后遭狄人侵略,迁至岐山之下,定国号曰周。武王伐纣定天下,追尊他为太王。古公是号,亶父是名。

陶,冶烧。史记邹阳列传:“独化于陶钧之上。”索隐引张晏云:“陶,冶也。”此处指用陶冶出来的红烧土筑穴,取其坚固防潮。 复,说文引作覆,是一种藏谷物的地窖。覆穴掘在住穴之内,大穴套小穴。此句应为“陶穴陶复”,为协韵而倒文(参见于省吾新证)。

家室,房屋。

韵读:脂部——瓞、漆、穴、室。

古公亶父,来朝走马。率西水浒,至于岐下。爰及姜女,聿来胥宇。

来朝,第二天早上。 走马,玉篇引诗作趣马,走是趣的假借。趣,疾,快。趣马，驰马。

率，循、沿着。　西，指豳之西。　浒(hǔ)，水边，指渭水岸边。

岐下，岐山之下。岐山在今陕西岐山东北。

爰，发语词，乃。　姜女，古公亶父之妻，姓姜，亦称太姜。

聿，发语词，与上句“爰”同义。　胥，相、视察。　宇，居处，指建房的地址。这二句意为，古公亶父与妻子一起视察新址。刘向新序：“太王爱厥妃，出入必与之偕。”

韵读：鱼部——父、马(音姥 mǔ)、浒、下(音户上声)、女、宇。

周原膴膴，堇荼如饴。爰始爰谋，爰契我龟：曰止曰时，筑室于兹。

周原，岐周的原野。　膴膴(wǔ)，肥沃貌。韩诗作腜腜，马瑞辰通释：“腜与饴、谋、龟、时、兹为韵。毛诗字虽作膴，其音亦当如腜字，音梅。”

堇(jǐn)，植物名，野生，亦名苦堇、堇葵，味苦。　荼，苦菜。　饴(yí)，麦芽糖。邵晋涵尔雅正义：“大雅言周原之美，虽堇荼亦甘如饴尔，非谓荼菜本作甘也。”

爰，乃。　始、谋，都是计划的意思。马瑞辰通释：“始亦谋也……尔雅基、肇皆训为始，又皆训为谋，则始与谋义正相成耳。”

契，以刀刻。　龟，龟甲。占卜时先刻开龟甲，然后放在火上灼烧，看龟甲的裂纹以定吉凶。

曰，发语词。　止，居住。　时，善、适宜。颉弁毛传：“时，善也。”

兹，此地。这二句是占卜的结果，意为在这里筑房居住是很适宜的。

韵读：之部——饴、始、谋(谟其反)、龟、止、时、兹。

乃慰乃止，乃左乃右。乃疆乃理，乃宣乃亩。自西徂东，周爰执事。

慰、止，都是居住的意思。方言：“慰，居也。”吕氏春秋慎大篇：“阱胝不居。”高诱注：“居，止也。”

左、右，谓划出东西的区域。

疆，划定疆界。　理，区分田亩的条理。

宣,以耒耜耕田。孔疏:“宣训为遍也,发也。天时已至,令民遍发土地,故谓之宣。” 亩,用作动词,开沟筑垄。马瑞辰通释:“梓材又曰:‘为厥疆亩。’传曰:‘为其疆畔亩垄,然后功成。’即此诗‘乃亩’也。上言疆理者,定其大界。此又别其亩垄。”

西,指周原的西端。 徂,到。 东,周原的东端。

周,普遍。 爰,语助词。 执事,执行工作。朱熹诗集传:“言靡事不为也。”

韵读:之部——止、右(音以)、理、亩(满以反)、事。

乃召司空,乃召司徒,俾立室家。其绳则直,缩版以载,作庙翼翼。

司空,掌管工程建筑的官。

司徒,掌管劳动力的官。

俾,使。 立,建立。 室家,指宫室。

绳,绳墨,筑墙前用来划正地基经界。

缩,直。 版,齐诗作板。缩版,筑墙用的两面直版。 以,因而。载,通栽,树立的意思。按这句是“以载缩版”的倒文,马瑞辰通释:“谓树立其筑墙长版也。”

作,造、建筑。 庙,宗庙。 翼翼,严正貌。

韵读:鱼部——徒、家(音姑)。 之部——直、载(音稷)、翼。

捄之陾陾,度之薨薨。筑之登登,削屡冯冯。百堵皆兴,鼛鼓弗胜!

捄(jiū),盛土的笼子。这里作动词“铲土入笼”用。 陾陾(réng),铲土声。

度(duó),投、填,谓投土在直版内。 薨薨(hōng),填土声。

筑,捣土使墙坚实。 登登,捣土声。

屡,应作“娄”,隆高,这里指土墙隆起之处。 冯冯(píng),削平土墙的声音。

百堵,许多土墙。百是虚数。 兴,动工。

鼛(gāo),大鼓,专用于在建筑工程中鼓动干劲,故毛传云:“言劝事乐功也。” 弗胜,形容参加建筑宫室的人员众多,声音鼎沸,鼛鼓声反不能胜过劳动声。俞樾群经平议:“百堵皆兴,则众声并作,鼛鼓之声转不足以胜之矣。”

韵读:蒸部——陾、薨、登、冯、兴、胜。

乃立皋门,皋门有伉。乃立应门,应门将将。乃立冢土,戎丑攸行。

皋门,韩诗作高门。毛传:“王之郭门曰皋门。”郭门,即城门。

有伉(kàng),即伉伉,城门高大貌。韩诗作阆阆。

应门,毛传:“王之正门曰应门。”正门,即宫室的大门。

将将(qiāng),鲁诗作锵锵,庄严正大貌。

冢,大。 土,通社。冢土,大土,指大社,祭祀土神的地方。

戎丑,戎狄丑虏。 攸,用、因而。 行,去、往。按此诗先言“作庙翼翼”,后言“乃立冢土”,宗庙与大社均系都邑中建设重点,为有大事祭告之所。重点建设既经完成,则统治力量愈益加强,故云“戎丑攸行”,言戎狄丑虏因而遁去。下章的“混夷駾矣,维其喙矣”即承此而言(用于省吾说)。

韵读:阳部——伉、将、行(音杭)。

肆不殄厥愠,亦不陨厥问。柞棫拔矣!行道兑矣,混夷駾矣,维其喙矣。

肆,故、所以。马瑞辰通释:“尔雅释诂:‘肆,故也。’又曰:‘肆,故,今也。’字各为义,言肆为语词之故,肆与故又皆为今,非以故今二字连读。传、笺并训为故今,失之。” 殄(tiǎn),杜绝,消灭。 厥,其,指狄人。愠(yùn),愤怒。

陨,坠、丧失。 厥,指文王。 问,声问、名誉。这二句意为,所以文王虽然不能杜绝狄人的愤怒,也并不因为以大事小而丧失了他的好声誉。

柞,柞树,灌木类,丛生有刺。 棫(yù),丛生小树,亦有刺。 拔,拔除干净。

兑,道路畅通。毛传:“兑,成蹊也。”

混(kūn)夷,古种族名,西戎之一,亦作昆夷。 駾(tuì),惊骇奔突。

毛传:“駾,突也。”

维其,何其。 喙(huì),同“瘃”,气短困顿貌。陈奂传疏:“文王伐昆夷,奉天子得专征伐之命,故与殷大臣共伐之。”

韵读:文部——殄(徒谨反)、愠、陨、问。 祭、元部通韵——拔、兑、駾、喙。

虞芮质厥成,文王蹶厥生。予曰有疏附,予曰有先后,予曰有奔奏,予曰有御侮。

虞、芮,二古国名。虞在今山西平陆东北。芮在今山西芮城西。 质,评断、平息。 成,平,和平结好。陈启源毛诗稽古编:“成乃邻国结好之称。”毛传:“虞、芮之君相与争田,久而不平,乃相谓曰:‘西伯,仁人也。盍往质焉。’乃相与朝周。入其竟(境),则耕者让畔,行者让路。入其邑,男女异路,班白不提挈。入其朝,士让为大夫,大夫让为卿。二国之君感而相谓曰:‘我等小人,不可以履君子之庭。’乃相让,以其所争田为间田而退。天下闻之而归者四十馀国。”

蹶(guì),动、感动。 生,通“性”。这句意为,文王感动了虞、芮二君的好争之性,使他们平息争吵。

予,文王自称,含“我周”之意。 曰,助词。 疏附,指亲近君主、团结同僚的臣子。毛传:“率下亲上曰疏附。”

先后,指在君主左右参谋政事的臣子。毛传:“相道(导)前后曰先后。”

奔奏,指为君主奔走效力宣传的臣子。毛传:“喻德宣誉曰奔奏。”

御侮,指抵御外侮的武将。毛传:“武臣折冲曰御侮。”这章叙文王外和邻国,内用贤臣。总结全诗“奠基于古公,强盛于文王”的主旨。

韵读:耕部——成、生。 侯部——附(浮昼反)、后、奏、侮(无昼反)。

棫 朴

【题 解】

这是一首歌颂文王任用贤人,故能郊祭天神后领兵伐崇的诗。毛序:“棫朴,文王能官人也。”王先谦集疏引齐诗说:“天子每将兴师,必先郊祭以告天,乃敢征伐,行子之道也。文王受天命而王天下,先郊乃敢行事,而兴师伐崇。”毛诗与三家诗的说法不同。我们看诗中“周王于迈,六师及之”等句,显然是述出征之事;而“髦士攸宜”、“遐不作人”等句,又显见得是称颂贤才之用。汪龙毛诗异义云:“国之大事在祀与戎,举此二者以明贤才之用。”可谓能调停今古文的异同,也符合诗的实际。王质诗总闻认为诗产生于文王在位的时候,恐为时过早。

这是一篇歌功颂德的作品,全是称美之词,没有什么生动的形象或精巧的布局。汪龙说:“经之设文,盖有次第矣。”恐怕这五章也惟有次序还算整齐。至于朱熹赞为“文章真个是盛美,资质真个是坚实”,方玉润评曰“以天文喻人文,光焰何止万丈长耶”,实在是过分的吹捧,是崇拜经典的思想在作祟而已。

芃芃棫朴,薪之槱之。济济辟王,左右趣之。

芃芃(péng),茂盛貌。　棫,见绵注。　朴(樸),木名,枣树的一种。说文作樸,云:“枣也。”

薪,这里作动词用,砍柴。　槱(yóu),堆积木柴并点火焚烧。说文:“槱,积火燎之也。”郑笺:“祭皇天上帝及三辰(日、月、星辰),则聚积以燎之。”

济济,仪容庄严貌。　辟(bì),君。辟王指周文王。

左右,指周王左右诸臣。　趣,趋的假借,齐诗作趋,快步地走。按这章写文王与群臣准备柴火祭祀天神。

韵读:幽、侯部通韵——槱、趣(粗讴反)。

济济辟王,左右奉璋。奉璋峨峨,髦士攸宜。

奉,捧。　璋,半珪。珪是玉中最为名贵者。上圆下方,古人称为瑞玉。半珪为璋。郑笺:“祭祀之礼,王祼,以圭瓒。诸侯助祭,亚祼,以璋瓒。”这里的璋即指璋瓒,是一种玉柄的祭祀用的酒器。

峨峨,盛服庄严貌。

髦士,英俊之士,指助祭的诸侯、卿士。　攸,所。　宜,适合。这章写文王和群臣祭祀天神。

韵读:阳部——王、璋。　歌部——峨、宜(音俄)。

淠彼泾舟,烝徒楫之。周王于迈,六师及之。

淠(pì)彼,即淠淠,船行水中声。　泾,水名。见谷风注。

烝,众。　徒,役夫,这里指船夫。　楫,桨,这里作动词,划船。王先谦集疏:“军舟浮泾而行,众徒鼓楫,水声淠淠然也。”

于,往。　迈,行。

六师,毛传:“天子六军。”古代二千五百人为一师。　及,随同、跟随。春秋繁露四祭篇:“周王于迈,六师及之,此文王之伐崇也。”这章写文王伐崇。

韵读:缉部——楫、及。

倬彼云汉,为章于天。周王寿考,遐不作人。

倬(zhuō)彼,倬倬,广大貌。　云汉,银河。

章,文章,错综华美的色彩。这里指天上银河星光灿烂。这二句是兴,象征周王如银河在天,受人敬仰。

寿考,长寿。

遐,长远。　不,语助词。　作人,培养、造就人材。左传成公八年引诗曰:“恺悌君子,遐不作人。”杜预注:“言文王能远用善人。不,语助。”这章写文王的德教。

韵读:真部——天(铁因反)、人。

追琢其章,金玉其相。勉勉我王,纲纪四方。

追(duī),雕的假借,鲁诗正作雕。　章,外表、气度。古人称之为“文”。

相,品德,本质。古人称之为“质”。陈启源毛诗稽古编:“追琢其章,金玉其相,皆言文王之圣德,正所谓勉勉也。章,周王之文也。相,周王之质也。追琢者其文，比其修饰也。金玉者其质，比其精纯也。”

勉勉，三家诗作亹亹（mén），是正字，勤勉不懈貌。文王毛传：“亹亹，勉也。”

纲，本义是鱼网上的大绳。　纪，本义是抽出蚕丝的头绪。纲举而目张，纪得而丝治，所以这里用来比喻治理国家。这章写文王文质之美及统治之才。

韵读：阳部——章、相、王、方。

旱　麓

【题　解】

这是歌颂周文王祭祀祖先而得福的诗。毛序：“旱麓，受祖也。周之先祖世修后稷、公刘之业。大王、王季申以百福干禄焉。”所谓“受祖”，即姚际恒所谓“祭祀而获福”之意。

这一类诗，无非是歌功颂德、祈求福佑之词，同周颂的内容颇相近。不过因为创作的时代迟于周颂，所以诗都分章，用韵整齐，也常用起兴，显示出形式上的进步。但是在兴句的应用上还很生疏笨拙，露出硬凑的痕迹。这首诗共六章，除第四章外，其馀五章首二句皆为起兴。但据我们看，只有四章“鸢飞戾天，鱼跃于渊”的兴句尚有意趣，其他都十分呆板，起兴与下文脱节。这种缺点，在小雅中已得到克服。而发展到国风时代，兴句的运用已经十分流利纯熟，创造的艺术形象也更优美了。

瞻彼旱麓，榛楛济济。岂弟君子，干禄岂弟。

旱，山名，在陕西南郑。王应麟诗地理考引汉书地理志：“汉中郡南郑县旱山，沱水所出，东北入汉。”　麓，山脚。

榛，树名，结实似栗而小。　楛（hù），树名，似荆而赤。　济济，众多貌。

岂(kǎi)弟,亦作恺悌,和易近人。荀子注:“乐易,欢乐平易也,所谓恺悌也。” 君子,指文王。

干,求。 禄,福。毛传:“言阴阳和、山薮殖,故君子得以干禄乐易。”郑笺:“旱山之足林木茂盛者,得山云雨之润泽也;喻周邦之民独丰乐者,被其君德教。”吕祖谦东莱读诗记引程氏曰:“瞻彼旱山之榛楛草木,得麓之气,济济茂盛,兴此周家之岂弟君子,承其先祖岂弟之道,所以兴盛受福也。”诸说对兴句的理解迥异,可见大雅这类兴句的兴义飘忽含糊,以致后人把握不定。

韵读:脂部——济、弟。

瑟彼玉瓒,黄流在中。岂弟君子,福禄攸降。

瑟,璱的省借,三家诗作邮,玉洁净鲜明貌。 玉瓒,即圭瓒,天子祭神时所用酒器,以珪为柄,区别于上篇棫朴以半珪为柄的璋瓒。

黄流,陈奂传疏:“黄即勺,流即酒,故传云:‘流,鬯也。’鬯,秬鬯。黄流在中,言秬鬯之酒自勺中流出也。”按秬鬯是用黑黍和郁金香草酿成的酒,用于祭祀降神。

攸,所。这二句意为,天赐给文王福禄。

韵读:中部——中、降(户冬反)。

鸢飞戾天,鱼跃于渊。岂弟君子,遐不作人。

鸢(yuān),鹞鹰。 戾,至。

渊,深潭。按这二句兴句是以鸢飞鱼跃的欢欣,喻君子培育人材的生动活泼。

遐不作人,见上篇棫朴注。

韵读:真部——天(铁因反)、渊(一均反)、人。

清酒既载,骍牡既备。以享以祀,以介景福。

既,已。 载,𢦏的假借,陈设。说文:“𢦏,设饪也。”

骍牡,红色的公牛。周人尚赤,故以毛色赤黄的牛祭祀。 备,具备。

以，用（清酒、骍牡为祭品）。　享，孝敬（祖先）。

介，求。　景，大。

韵读：之部——载（音稷）、备、祀、福（方逼反，入声）。

瑟彼柞棫，民所燎矣。岂弟君子，神所劳矣。

瑟，众多貌。　柞、棫，均树名。见绵注。

燎，同“寮”，烧柴祭神。说文：“寮，柴祭天也。”

劳（lào），劳来、保佑。

韵读：宵部——燎、劳。

莫莫葛藟，施于条枚。岂弟君子，求福不回。

莫莫，茂密貌。　葛藟，葛和藤，都是藤本蔓延植物。

施（yì），韩诗作延，蔓延。　条，树枝。　枚，树干。郑笺：“延蔓于木之条枚而茂盛，喻子孙依缘先人之功而起。”

回，违。郑笺：“不回者，不违先祖之道。”

韵读：脂部——藟、枚、回。

思　齐

【题　解】

这是歌颂文王善于修身、齐家、治国的诗。毛传：“思齐，文王所以圣也。”三家诗无异议，可见这确是一首颂圣阿谀的诗。

据江永古韵标准，认为此诗三、四、五章皆无韵。而且句式长短不一，文字简古。由此推测，诗的创作可能在周初，与周颂中早期的颂诗年代相近。雅颂中这类诗在艺术上无足取，其原因一方面是由于内容限制，所以达不到国风的清新和小雅的典丽；另一方面也由于诗经还处于诗歌萌芽时期，各种体裁的诗都很不成熟。同样是歌功颂德之作，发展到唐代便大不同。且看王维和贾至舍人早朝大明宫之作的颔、腹两联：“九天阊阖开宫殿，万国衣冠拜冕旒。日色才临仙掌动，香烟欲傍衮龙浮。”意境恢宏，词气雍和。与此诗“雝雝在宫，肃肃在庙”的句子比较，相去自不可以道里计。可见，时代的差距也是至为明显的。

思齐大任，文王之母。思媚周姜，京室之妇。大姒嗣徽音，则百斯男。

思，发语词。　齐，端庄。　大任，即太任，王季之妻，文王之母。

媚，美好，这里指德行美好。　周姜，即太姜，古公亶父之妻，王季之母。

京室，京师、王室。

大姒，即太姒，文王之妻。　嗣，继续。　徽音，美好的声誉。

则，必，一定的意思。　百，虚数，言其多。　斯，语助词。马瑞辰通释：“百男，特颂祷之词，犹假乐诗‘子孙千亿’耳。传谓‘众妾则宜百子’，失之。”

韵读：之部——母（满以反）、妇（芳鄙反）。　侵部——音、男（奴森反）。

惠于宗公，神罔时怨，神罔时恫。刑于寡妻，至于兄弟，以御于家邦。

惠，顺从。　宗公，宗庙中的先公，即祖宗。马瑞辰通释：“宗、尊双声。宗公即先公也。言其久则曰古公，言其尊则曰宗公。又宗、崇古通用。崇，高也。则宗公犹云高祖，与尊义亦正相近。”这句意为，文王为政顺从祖先的遗制。

神，指祖宗之神。　罔，无。　时，所（从王引之经义述闻说）。

恫（tōng），伤痛。说文：“恫，痛也。一曰呻吟也。”

刑，通型，法。这里作动词用，意为示范。　寡妻，嫡妻。胡承珙毛诗后笺：“適（嫡）与庶对，庶为众，则適为寡矣。诸侯一娶九女，八皆为妾，惟一为適。”

御,治理。王先谦集疏:“刑寡妻,至兄弟,以御家邦,即身修,家齐,国治之道也。”

韵读:东部——公、恫、邦(博工反)。　脂部——妻、弟。

雝雝在宫,肃肃在庙。不显亦临,无射亦保。

雝雝(yōng),和睦貌。　宫,宫室。朱熹诗集传:“言文王在闺门之内则极其和。”

肃肃,严肃恭敬貌。朱熹诗集传:“在宗庙之中则极其敬。”

不,语助词。不显即显,指文王的光明显德。　临,照临,指临视人民。

射,通“斁”,厌足。　保,保守,指安于现状。陈启源毛诗稽古编:“此二句承上雝肃言。雝雝肃肃,此显德也。然此显德岂独在宫庙乎?亦以临于民上矣。既以显德临民,民无猒者亦皆安之。上句言君临下,下句言民化上,意自相成也。”

韵读:幽、宵部通韵——庙、保。

肆戎疾不殄,烈假不瑕。不闻亦式,不谏亦入。

肆,故、所以。　戎疾,西戎的祸患。　不,语助词。下句同。　殄,断绝。

烈,厉的假借,说文作疠:“疠,恶疾也。”瘟疫。　假,瘕的假借,即蛊字。汉唐公房碑作“厉蛊不遐”。厉蛊,害人的瘟疫。　瑕,与遐同音通用。远去。王先谦集疏:“言凡如恶病害人者已遐远矣。”

不、亦,都是语助词。下句同。　闻,听。这里指听到善言。　式,用、采用。

谏,劝谏。　入,采纳、接受。王引之经传释词:“两不字、两亦字皆语词。式,用也。入,纳也。言闻善言则用之,进谏则纳之。”

韵读:缉、之部通韵——式、入。

肆成人有德,小子有造。古之人无斁,誉髦斯士。

成人,成年人。　有德,有好的品德。

小子,儿童。　有造,有造就。以上二句是赞美文王的教育。

古之人，指文王。 斁（yì），厌足。

誉，有声誉。 髦，俊，出类拔萃。 斯士，即指这些成人和小子。王先谦集疏："言古之人教士无厌斁，故能使斯士皆成为誉髦也。"于省吾新证认为誉是与的假借，髦是勉的假借。"誉髦斯士"应读作"与勉斯士"，应训为"以勉斯士"。这是说，古之人勤劳从事而无厌斁，可用以勉励斯士，即总结经验，告戒后生之义。按于说亦通。

韵读：之、幽部通韵——造、士。

皇 矣

【题 解】

这是周人叙述祖先开国历史的史诗之一。先写太王开辟岐山，使昆夷退去；次述王季德行美好，得以传位给文王。最后描写文王伐崇伐密的胜利。毛序："皇矣，美周也。天监代殷莫若周，周世世修德莫若文王。"三家诗无异说。汉代经师分析诗旨专主于文王，不够全面。清代学者如陈奂、马瑞辰、王先谦主张将第四章"维此王季"，依三家诗改为"维此文王"，恐怕也都受了毛序的影响。朱熹诗集传："此诗叙大王、大伯、王季之德，以及文王伐密伐崇之事也。"还是他的分析来得准确而扼要。

全诗八章，每章十二句，是诗经的周史诗中最长的一篇。文字虽长，叙事虽多，但却井然有序，布局也很见匠心。孙矿批评诗经曰："长篇繁叙，规模闳阔，笔力甚驰骋纵放。然却有精语为之骨，有浓语为之色，可谓兼终始条理。"他的评论很中肯。诗中如"皇矣上帝，临下有赫"，"乃眷西顾，此维与宅"，"维此王季，帝度其心"，"帝谓文王，予怀明德"等句，都是所谓"精语"，构成了全诗的主题和骨架，使得诗人歌颂的人物虽多，但"受天命而得天下"的精神始终不散。另外，如第二章的前六句，第六章的前七句，以及第八章的前十句等等，即孙氏所谓"浓语"。诗人以生动的排比，细致的叠词，将周人艰苦创业的场面写得如绘如见；将文王"一怒而安天下之民"的声势和周军的强大无敌渲染得如身历耳闻。精语立骨，浓语设色，交互参差，全诗的形象就分外丰满了。

皇矣上帝，临下有赫。监观四方，求民之莫。维此二国，其政不获。维彼四国，爰究爰度。上帝耆之，憎其式廓。乃眷西顾，此维与宅。

皇，光明、伟大。

临，从高处俯视。　有赫，即赫赫，明亮貌。

监，视察，与"观"同义。

莫，瘼的假借，鲁诗、齐诗作瘼。说文："瘼，病也。"这里引申为疾苦。

维，通惟，鲁诗正作惟，想到。　二国，指夏、商。周人多引夏、商的盛衰为教训，如尚书召诰："我不敢不监于有夏，亦不可不监于有殷。"

不获，指不得民心。

四国，四方的国家，指殷商时各诸侯国，包括周在内。

爰，于是。　究，谋、考虑。　度，审度，辨识。林义光诗经通解："究度四国，谓就四方之国而究度之，以求可作民主之人。其究度之者，天也。"

耆，通恉、指，王符潜夫论引作"指"，意向。林义光诗经通解："恉之言指，谓意之所向也。言上帝究度四国之后，意向于周，以为可作民主。"

憎，增的假借，增加、扩大。　式廓，规模。朱熹诗集传："苟上帝之所欲致者，则增大其疆境之规模。"

眷，鲁诗作睠，回头看的样子。陈奂传疏："眷，顾貌。"　西顾，指注意西方的岐周。毛传："西顾，顾西土也。"

此，此地，指岐周。　维，是。　与，鲁诗作予，我。这是诗人假托上帝自谓之词。　宅，居住。汉书郊祀志载匡衡奏议云："'乃眷西顾，此维与宅'，言天以文王之都为居也。"按这二句是表示天意在周，上帝福佑周王之意。

韵读:鱼部——赫(音呼入声)、莫(音模入声)、获(音胡入声)、度、廓(音枯入声)、宅(音徒入声)。

作之屏之,其菑其翳。修之平之,其灌其栵。启之辟之,其柽其椐。攘之剔之,其檿其柘。帝迁明德,串夷载路。天立厥配,受命既固。

作,槎的假借,砍伐。说文:"槎,衺斫也。" 之,指树木。 屏,同"摒",除去。

其,彼、那些。 菑(zì),直立的枯树。 翳,韩诗作殪,倒在地上的枯树。毛传:"木立死曰菑,自毙为翳。"

修,修剪。 平,芟平。

灌,灌木。毛传:"灌,丛生也。" 栵(lì),烈的假借,方言:"烈,枿馀也。"枿馀即在砍伐过的树桩上再长出的小枝。

启,开发。 辟,开辟。

柽(chēng),柽柳,又名河柳、三春柳,皮绛红色,枝叶似松。 椐,又名灵寿木,树节肿大,可作马鞭、手杖。

攘,除去。 剔,挑选。

檿(yǎn),又名山桑,可用来作弓干。 柘(zhè),又名黄桑,叶可以喂蚕。陈乔枞三家诗遗说考:"柽、椐易生之木,故其地则启之辟之。檿、柘有用之材,故其树则攘之剔之。如是者,土地既广,树木亦茂。"

帝,上帝。 迁,转移。 明德,品德光明的人,这里指太王。这句意为,上帝的心由殷王身上转移到周王身上。胡承珙后笺:"帝迁明德,言天去殷即周。"

串夷,昆夷,亦称犬戎。当时太王居豳,犬戎为患,因而迁到岐山。 载,则、就。 路,露的假借,失败。马瑞辰通释:"方言、广雅并云:'露,败也。'诗谓帝迁明德,串夷则瘠败罢(疲)惫而去,故曰载路。"

厥,其。 配,配天的君主。荀子大略篇:"配天而有天下者。"大雅文王:"殷之未丧师,克配上帝。"配上帝也就是配天。

受命，接受天命。　固，指国家巩固。

韵读：耕部——屏、平。　脂、祭部通韵——翳、栵。　支部——辟、剔。鱼部——椐、柘（音翥）、路、固。

帝省其山，柞棫斯拔，松柏斯兑。帝作邦作对，自大伯王季。维此王季，因心则友。则友其兄，则笃其庆，载锡之光。受禄无丧，奄有四方。

省，视察。　山，指岐山。

斯，语助词。这句见绵注。

兑，直立貌。毛传："兑，易直也。"朱熹诗集传："言帝省其山，而见其木拔道通，则知民之归之者益众矣。"

作，建立。　邦，指周国。　对，配，指配天的君主。

大伯，即太伯，古公亶父（太王）的长子。据传太王生三子：长子太伯，次子仲雍，少子季历（王季）。季历生子昌，有才德，太王想让他继承王位。太伯和仲雍知道父亲的意思，就逃往吴地，让位于季历。太王死后，季历为君，后传位给昌，便是文王。这句意为，周朝的基业自太伯、王季就开始了。

因，古姻字，亲热、仁爱。　友，友爱。毛传："善兄弟曰友。"故下句云，就对其兄友爱。

笃，厚、多。　庆，福。

载，乃、就。　锡，赐。　光，光荣。这里指王位。这三句意为，王季以友爱的心善待太伯，因而增多了周室的福禄，上天也赐给他光荣的王位。

丧，丧失。

奄，覆盖、包括。　四方，指天下。

韵读：祭部——拔、兑。　脂部——对、季。　阳部——兄（虚王反）、庆（音羌）、光、丧、方。

维此王季，帝度其心，貊其德音。其德克明，克明克类，克长克君。王此大邦，克顺克比。比于文王，其德靡悔。既受帝祉，施于孙子。

王季，三家诗作文王，非。

度，忖度。

貊（mò），韩诗作莫。古貊、莫通用。貊其，即貊貊。按莫为寞、漠之假借。文选西征赋注引韩诗章句曰：“寞，静也。”尔雅释言：“漠，清也。” 德音，好名声。这句意为，王季的声誉是清静无瑕的。

克，能够。 明，明辨是非。

类，能区别善恶的种类。

长，能作为人们的师长。 君，能作为人们的君主。毛传：“教诲不倦曰长，赏庆刑威曰君。”

王（wàng），称王统治的意思。 大邦，指周。

顺，和顺。 比，三家诗作俾，服从。这二句意为，王季当了周邦的君主，上下都能和顺团结，一心服从。于省吾新证：“‘王此大邦，克顺克比’，二句应有韵。古文字‘比’作[illegible]或[illegible]，‘从’作[illegible]或[illegible]，二字判然有别，但其构形之反正则无别。由于从、比二字形近，又均反正无别，故易混同。‘從’乃‘从’之孳乳字。又‘邦’与‘從’叠韵。则此诗本应作‘王此大邦，克顺克從’，属词与韵读无有不符。”按于说颇有据，录以备考。

比，及、到。

靡悔，无恨。陈奂传疏：“谓文王之德不为人恨。”

祉，福，指受天之福。

施（yì），延续。 孙子，即子孙。

韵读：侵部——心、音。 之部——悔（音喜）、祉、子。

帝谓文王，无然畔援，无然歆羡，诞先登于岸。密人不恭，敢距大邦，侵阮徂共。王赫斯怒，爰整其旅，以按徂旅，以笃于周祜，以对于天下。

无，毋、不要。 然，如此、这样。 畔援，齐诗作畔换，韩诗作伴换，字异而意同。专横暴虐。郑笺：“畔援，犹跋扈也。”

歆，通欣。歆羡，贪羡。指非分的侵吞别国的贪欲。

诞，发语词。 先，初。 岸，毛传：“岸，高位也。”孔疏：“岸是高地，故以喻高位。”

密,密须,古国名,在今甘肃灵台西。尚书大传:“文王受命三年,伐密须。” 恭,顺。

距,通拒,抗拒。 大邦,指周国。文王在殷末被封为西伯,三分天下有其二,故称大邦。

阮,古国名,在今甘肃泾川。 徂,往、到。 共,古国名,在今甘肃泾川北。毛传:“国有密须氏,侵阮,遂往侵共。”

赫怒,勃然大怒。 斯,语助词。

爰,于是。 旅,军队。

按,遏的假借,孟子引这句诗正作遏。阻止。毛传:“按,止也。”按、遏双声。 徂,往。 旅,莒的假借,古国名。孔疏引王肃云:“密人之来侵也,侵阮遂往侵共,遂往侵旅,故王赫斯怒,于是整其师以止徂旅之寇。侵阮徂共文次不便,不得复说旅,故于此而见焉。”

笃,巩固。 于,犹乎。孟子引诗无“于”字。 祜(hù),福。

对,遂、安定。陈奂传疏:“将为遂,遂又为安。孟子云:‘文王一怒而安天下之民。’即其义也。”

韵读:元部——援、羡、岸。 东部——共、邦(博工反)、共。 鱼部——怒、旅、旅、祜、下(音户上声)。

依其在京,侵自阮疆。陟我高冈,无矢我陵,我陵我阿;无饮我泉,我泉我池。度其鲜原,居岐之阳,在渭之将。万邦之方,下民之王。

依,依、殷二字双声通用。殷其形容殷殷然强盛之貌。 京,周京。

侵,寖的假借,息兵,停战。马瑞辰通释:“依其在京是已还兵于周京,则寖自阮疆是追述其息兵于阮疆之始。”

矢,陈,这里指陈兵。按“陟我高冈”至“我泉我池”五句意为,敌人不敢在我们周地陈兵吃喝。

度,规划。 鲜,通巘,小山。 原,平原。按周另有一地名鲜原。但据马瑞辰考证,该鲜原位于商、周边境,同本诗所说的“居岐之阳,在渭之将”,在地理位置上相去甚远,文王不可能在此处规划。

阳，山的南面。

渭，水名。见谷风注。 将，侧、旁边。陈奂传疏："将之为言墙也。尔雅：'毕，堂墙。'堂墙为山厓边侧之名，其水厓边侧亦如是也。"

方，法则、榜样。

王，归往。

韵读：阳部——京（音姜）、疆、冈。 歌部——阿、池（音陀）。 阳部——阳、将、方、王。

帝谓文王，予怀明德，不大声以色，不长夏以革；不识不知，顺帝之则。帝谓文王，询尔仇方，同尔弟兄；以尔钩援，与尔临冲，以伐崇墉。

予，上帝自称。 怀，归向、倾向。这里有赞成、赞赏的意思。 明德，品德高尚的人，指文王。

以，与。下句同。 色，指严厉的脸色。郑玄注礼记中庸云："言我归有明德者，以其不大声为严厉之色以威我也。"

长，崇，遵用。 夏，通榎，夏楚，即榎木和荆条，古人用作教学时的体罚工具。礼记学记："夏、楚二物，收其威也。" 革，鞭革，也是刑具。尚书舜典："鞭作官刑。"马瑞辰通释引汪德钺说："不长夏以革者，不齐之以刑也。夏谓夏楚，朴作教刑也。革谓鞭革，鞭作官刑也。"

不识不知，不知不觉，自然而然。陈奂传疏："言文王性与天合。"

顺，遵循。 则，法则。

询，谋，含有商量、征询的意思。 仇，匹。仇方，邻国。

同，会同。 弟兄，指同姓诸侯国。

钩援，以云梯攻城时所用的武器。马瑞辰通释："六韬军用篇有飞钩，长八寸，钩芒长四寸，梯长六尺以上千百二枚。盖即此诗之钩。传云'钩，钩梯'者，谓以钩钩梯而上，故又申言之曰'所以钩引上城者'，非谓钩即梯也。"

临，临车，可居高临下攻城的战车。 冲，冲车，可冲击城墙使溃破的战车。

崇，古国名。张守节史记正义引皇甫谧云："虞、夏、商、周皆有崇国，崇国盖在丰、镐之间。"伐崇事见尚书大传："西伯既戡耆，纣囚之牖里。散宜生陈宝于纣之庭。纣曰：'非子罪也，崇侯也。'遂遣西伯伐崇。" 墉，城。

韵读：之部——德（丁力反，入声）、色（音史入声）、革（音棘入声）、则（音稷入声）。 阳部——王、方、兄（虚王反）。 东部——冲、墉。

临冲闲闲，崇墉言言。执讯连连，攸馘安安。是类是祃，是致是附，四方以无侮。临冲茀茀，崇墉仡仡。是伐是肆，是绝是忽，四方以无拂。

闲闲，强盛貌。

言言，高大貌。

执，捉拿。 讯，俘虏。 连连，接连不断貌。

攸，所。 馘（guó），割下敌军尸体的左耳用以计功。毛传："馘，获也。不服者杀而献其左耳曰馘。" 安安，从容不迫貌。王先谦集疏："左僖十九年传：'文王闻崇德乱而伐之，军三旬而不降。退修教而复伐之，因垒而降。'三旬不降，必有拒者，故不能无讯馘也。"

是，于是。 类，禷的假借，出师前祭天。 祃（mà），出师后军中祭天。毛传："于内曰类，于野曰祃。"陈奂传疏："野是征国之野。先类后祃，依行师之次序也。"

致，送还。马瑞辰通释："致者，致人民土地。说文：'致，送诣也。'送而付之曰致。已克而不取之谓也。" 附，通拊，安抚。

四方，指四方之国。 以，因而。下同。 无侮，不敢欺侮（周国）。

茀茀，强盛貌。

仡仡，同屹屹。高大貌。

肆，突然攻击。毛传："肆，疾也。"

绝、忽，都是消灭、灭绝的意思。

拂，违命，抗拒。释文引王肃曰："拂，违也。"

韵读：元部——闲、言、连、安。 侯、鱼部通韵——祃、附（浮昼反）、侮

(燕昼反)。　脂部——茀、仡、肆、忽、拂。

灵　台

【题　解】

这是记述周文王建成灵台及游赏奏乐的诗。毛序:“灵台,民始附也。文王受命而民乐其灵德,以及鸟兽昆虫焉。”姚际恒驳他说:“小序谓‘民始附’,混谬语。文王以前,民不附乎?大王迁岐,何以从之如归市也?”毛序这样分析确实没有说到点子上。陈奂传疏:“皇矣言伐崇而灵台即言作丰。于伐崇观天命之归,而于作丰验民心之所归往,皆文王受命六年中事。”他分析了诗的时代背景,但仍没有触及主题。孟子梁惠王篇:“文王以民力为台为沼,而民欢乐之,谓其台曰灵台,谓其沼曰灵沼,乐其有麋鹿鱼鳖。古之人与民偕乐,故能乐也。”就诗论诗,孟子这几句话才是诗人的真正主旨。

为了突出“与民偕乐”的中心,诗人采用了正面着笔和侧面映衬的两种写法。第一章写人民踊跃为文王建台,以见民心欢乐,是正面写。第三、四、五章转而描绘鸟兽虫鱼的自由自在,形容钟鼓音乐的盛大美好,每章都洋溢着一股欢欢喜喜的气氛。虽然不着一个“民”字,但“与民偕乐”的景象却明白地展现出来了。全诗篇幅短小精练,造语生动活泼,同大雅中其他颂歌的谀词连篇、枯燥乏味相对照,还是比较好的。

经始灵台,经之营之。庶民攻之,不日成之。经始勿亟,庶民子来。

经,起,与始同义。经始,开始。　灵台,台名,将房子造在高地上,似后世瞭望台。当时亦名“观台”。三辅黄图：“灵囿在长安西北四十二里，灵台在长安西北四十里。”按其址在今陕西西安西北。马瑞辰通释：“说苑修文篇云：‘积恩为爱，积爱为仁，积仁为灵。灵台之所以为台者，积仁也。’广雅释诂：‘灵，善也。’积仁为灵，盖亦训灵为善，因有善德而名其台为灵台。”

经，度，测量地基。　上“之”字，是衬字足句。　营，表，建立标记。下“之”字，指灵台。

庶民，众民，普通百姓。　攻，建造。

不日，不限定完工日期。郑笺：“不设期日而成之，言说（悦）文王之德，劝其事，忘己劳也。”

亟，同急。这句意为，文王告诉百姓刚开始工作，不必太着急。

子来，像儿子似地来建筑灵台。朱熹诗集传：“虽文王心恐烦民，戒令勿急，而民心乐之，如子趣父事，不召自来也。”

韵读：耕东部通韵——经、营、攻、成。　之部——亟、来（音吏）。

王在灵囿，麀鹿攸伏。麀鹿濯濯，白鸟翯翯。王在灵沼，於牣鱼跃。

囿，古代帝王畜养禽兽以供游览的园林。马瑞辰通释：“古者囿盖有二：一是田猎之处，一是宴游之所。虽同是养禽兽，而地之大小不同。赵岐孟子注：‘雪宫，离宫之名。宫有苑囿台沼之饰，禽兽之乐。’所谓囿，皆养禽兽以供玩游也。此诗灵囿与台沼并言，其为玩游之囿无疑。”

麀（yōu），母鹿。　攸，语助词。

濯濯（zhuó），肥美貌。

翯翯（hè），鲁诗作皜皜，亦作鹤鹤，同音假借。洁白光泽貌。

沼，池塘。它和囿都在灵台下，故皆称曰灵。

於（wū），美叹声。下两章同。　牣（rèn），满。朱熹诗集传：“鱼满而跃，言多而得其所也。”

韵读：之部——囿（音异）、伏（扶备反）。　宵部——濯、翯、沼、跃。

虡业维枞，贲鼓维镛。於论鼓钟，於乐辟廱。

虡（jù），悬挂钟磬的木架的直柱子。　业，装在虡上的横的大版。

维,与、和。下句同。　枞,又称崇牙,业上的一排锯齿,以悬挂钟磬。孔疏:“悬钟磬之处,又以彩色为大牙,其状隆然,谓之崇牙。”

贲(fén)鼓,大鼓。　镛,大钟。

论,伦的假借,有条理,有次序。这句形容鼓和钟配合和谐。

乐,快乐,享乐。　辟(bì)廱,文王离宫名。辟即璧,一种正中有孔的圆形玉器。廱是水泽池沼。离宫中有圆的池沼如璧,因而将“辟廱”作为离宫的名字。这里的辟廱和汉儒所说的指皇家学校而言的辟雍不同。戴震毛郑诗考正对此有详细辨说,可参考。

韵读:东部——枞、镛、钟、廱。

於论鼓钟,於乐辟廱。鼍鼓逢逢,矇瞍奏公。

鼍(tuó),即扬子鳄,皮坚厚,可以制鼓面。鼍鼓,用扬子鳄鱼皮蒙的鼓。　逢逢(péng),鲁诗作韸韸,均象声词,鼓声。

矇、瞍,都是古代盲人的专称。古代乐师常以盲人充任。朱熹诗集传:“有眸子而无见曰矇,无眸子曰瞍。古者乐师皆以瞽者为之,以其善听而审于音也。”　公,通功,成功。这句意为,乐师们奏乐庆祝灵台落成。

韵读:东部——钟、廱、逢、公。

下　武

【题　解】

这是赞美周武王能继承先王德业的诗。毛序:“下武,继文也。武王有圣德,复受天命,能昭先人之功焉。”马瑞辰解释道:“按此诗序言‘继文’,与文王有声序言‘继伐’相对成文。继伐为继武功,则继文为继文德。诗中‘世德作求’、‘应侯顺德’,皆尚文德之事。”他们的分析是不错的。

这首诗纯粹歌功颂德,虽然袭用了顶真的修辞手法,但语言枯燥而呆板,毫无形象可言,只能算诗经中的下品。陈廷杰诗序解:“此颂武王之诗,而祝其万年受祜者,其体亦类诰。”诰是散文中的一种体裁,可见下武实在不像一首诗。

下武维周,世有哲王。三后在天,王配于京。

下,后,后人。　武,继承。郑笺:“后人能继先祖者,维有周家最大。”

哲,明智。哲王,指下句的“三后”。

后,王。三后,指太王、王季、文王。

王,指武王。　京,镐京,周的都城。郑笺:“此三后既没登遐,精气在天矣。武王又能配行其道于京,谓镐京也。”

韵读:阳部——王、京(音姜)。

王配于京,世德作求。永言配命,成王之孚。

世德,世代积德。　作,为。　求,逑的假借,匹配。马瑞辰通释:“求当读为逑。逑,匹也,配也。作求即作配耳。此言作配于周三王也。言王所以配于京者,由其可与世德作配耳。”

永言配命,见文王注。

成,完成。噫嘻毛传:“成王,成是王事也。”　孚,诚信、威信。按韩诗外传释“成王”为周成王(武王之子),亦通。

韵读:幽部——求、孚(房谋反)。

成王之孚,下土之式。永言孝思,孝思维则。

式,法式、榜样。

言、思,均为语助词。

则,以为法则,效法。毛传:“则其先人也。”这二句意为,武王是永远孝顺的,他的孝顺表现在学习先人所推行的王道。

韵读:之部——式、则(音稷入声)。

媚兹一人,应侯顺德。永言孝思,昭哉嗣服。

媚,爱。　兹,此。　一人,指武王。

应,当。　侯,维,语助词。　顺,鲁诗作慎,顺、慎古通用。郑笺:“能当此顺德，谓能成其祖考之功也。”

昭，光明。　嗣服，后进，即指武王。这句是赞美武王之词。

韵读：之部——德（丁力反，入声）、服（扶逼反，入声）。

昭兹来许，绳其祖武。於万斯年，受天之祜。

兹，同“哉”。三家诗正作哉。　来许，与上章“嗣服”同义，也是后进的意思。三家诗许作御。许、御古声义同，故通用。马瑞辰通释：“广雅许、御并训进。诗五章皆首尾相承，此特易字以协下韵。哉与兹声同。来犹后也。后犹嗣也。来许，犹云后进。”

绳，继承，三家诗作慎，绳、慎双声通用。　武，迹。祖武，祖先的足迹，指事业。

於，美叹声。　斯，语助词，其作用等于叠字。万斯年，即万万年。

祜，福。这二句是祝祷武王的话。

韵读：鱼部——许、武、祜。

受天之祜，四方来贺。於万斯年，不遐有佐。

四方，指诸侯。

不，语首助词，无义。　遐，远。这里指远方的少数民族。毛传：“远夷来佐也。”国语鲁语：“昔武王克商，通道于九夷、百蛮，使各以其方贿来贡，使无忘职业。”国语所载即所谓“远夷来佐”。

韵读：歌部——贺、佐。

文王有声

【题　解】

这是歌颂文王迁丰、武王迁镐的诗。毛序：“文王有声，继伐也。武王能广文王之声，卒其伐功也。”虽然也不算错，但却显得空泛。朱熹诗集传：“此诗言文王迁丰、武王迁镐之事。”方玉润诗经原始：“此诗专以迁都定鼎为言。”他们的分析简洁而又贴切。从诗经中几首史诗来看,生民记后稷居邰,公刘述公刘迁豳,绵叙太王迁岐。周人的数次迁徙,在民族日益强大的历史进程中均可称是重要的里程碑。此诗所颂的两次定都,都是周王朝极关键的大事,所以亦含有史诗的因素。不过它叙事的分量太轻,着重于称扬颂美,因此现在通常不将它列在周史诗之中;但反映了重大的历史事件,则是毫无疑问的。

全诗八章,每章末句都用"烝哉"的叹美词作结,这在雅、颂中别具一格。方玉润说:"皆以单句赞词煞脚,此两平骏板格也。然八句煞脚中,前两章言'文王',后两章言'武王';中间四章,二言'王后',二言'皇王',则又变矣。"他分析了末句重叠中有变化的妙处。我们设想,即便末句一无变化,但当初配以音乐时,每章末都出现众口合唱、曼声长咏的高潮,气氛一定显得庄严而热烈,未必会有骏板之感吧!

文王有声,遹骏有声。遹求厥宁,遹观厥成。文王烝哉!

声,令闻之声,好名声。

遹(yù),同聿、曰,发语词。陈奂传疏:"全诗多言曰、聿,唯此篇四言遹。说文:'欥,诠词也。'引诗'欥求厥宁'。欥字从欠曰,会意,是发声。当以欥为正字,曰、聿、遹三字皆假借字。" 骏,大。朱熹诗集传:"文王之有声也,甚大乎其有声也。"

厥,其,指人民。 宁,安宁。

厥,其,指周王朝政权。王先谦集疏:"在文王之意,只求庶民之安,至武王伐纣胜殷,始观厥成功。"

烝,美。陈奂传疏:"释文引韩诗云:'烝,美也。'烝哉,即君哉,美叹词。"

韵读:耕部——声、声、宁、成。 蒸部——烝(与以下各章遥韵)。

文王受命，有此武功。既伐于崇，作邑于丰。文王烝哉！

受命，受纣命而为西伯。三家诗以为受命是指文王受天命，亦通。

武功，郑笺："武功，谓伐四国及崇之功也。"

崇，见皇矣注。

丰（豐），亦作酆，在今陕西西安丰水西。史记周本纪："（文王）伐崇侯虎，而作丰邑，自岐下而徙都丰。"

韵读：东部——功、丰。

筑城伊淢，作丰伊匹。匪棘其欲，遹追来孝。王后烝哉！

伊，为。　淢（xù），洫的假借，鲁诗、韩诗正作洫，城沟，护城河。

匹，相配。郑笺："方十里曰成。淢，其沟也。广深各八尺。文王受命而犹不自足，筑丰邑之城，大小适与成偶，大于诸侯，小于天子之制。"

匪，非。　棘，三家诗作革，通用，都是急的意思。　欲，释文作慾，慾望。郑笺："此非以急成从己之欲。"

遹、来，语助词。　追孝，追思孝顺已死的祖先。即继承祖先美德的意思。

王后，君王，指文王。

韵读：幽、侯部通韵——欲、孝。

王公伊濯，维丰之垣。四方攸同，王后维翰。王后烝哉！

公，同功，王功即王事，指文王的事业。　伊，是。　濯，美大、显著。

维，是。　垣，墙。陈奂传疏："维丰之垣，百堵皆兴也。"

攸，语助词。　同，同心。郑笺："城之既成，又垣之立宫室，乃为天下所同心而归之。"

翰，干（榦）之假借，桢干，犹今言主心骨。这句意为，天下人都以文王为桢干。

韵读：元部——垣、翰。

丰水东注，维禹之绩。四方攸同，皇王维辟。皇王烝哉！

丰水，源出今陕西西安西南秦岭，东北流与渭水合，注入黄河。丰邑即在丰水西岸。

维,是。 绩,功绩。郑笺:"昔尧时洪水,而丰水亦泛滥为害。禹治之,使入渭东注于河,禹之功也。"

皇,大。皇王,指武王。 辟,法则。郑笺:"丰邑在丰水之西,镐京在丰水之东。变王后言大王者,武王之事又益大。"方玉润诗经原始:"以丰水作两京枢纽。丰水之东即镐,递下镐京无迹。"

韵读:支部——绩、辟。

镐京辟廱,自西自东,自南自北,无思不服。皇王烝哉!

镐京,西周的国都,在今陕西西安西,丰水东岸。武王既灭商,自丰迁都于此。 辟廱,离宫。见灵台注。

思,语助词。 无不服,指四方人民没有不归服武王的。

韵读:东部——廱、东。 之部——北(音逼入声)、服(扶逼反,入声)。

考卜维王,宅是镐京。维龟正之,武王成之。武王烝哉!

考卜维王,是"维王考卜"的倒文。考卜,用龟甲卜卦。尚书盘庚:"卜稽曰,其如台。"考卜即卜稽,所以郑笺曰:"考犹稽也。"

宅,齐诗作度,都是定居的意思。郑玄礼记注:"武王卜而谋居此镐邑。"

维龟正之,是"正之维龟"的倒文。正,贞的假借,卜问。参见于省吾新证。

成,完成(迁镐的决策)。这章是说武王用龟甲占卜,决定迁都,定居镐京。

韵读:阳部——王、京(音姜)。 耕部——正、成。

丰水有芑,武王岂不仕?诒厥孙谋,以燕翼子。武王烝哉!

芑(qǐ),水芹菜。

仕,事的假借,齐诗正作事。朱熹诗集传:"镐京犹在丰水下流,故取以起兴,言丰水犹有芑,武王岂无所事乎?"

诒,鲁诗作贻,正字。遗、遗留。 厥,其。 孙,训的假借。训谋,训教谋画,指武王遗戒后王的训典。

燕，齐诗一作宴，快乐，乐于。　翼，覆翼。　子，应读为慈，慈惠。这二句意为，武王遗其后王以训谋者，由于武王乐于覆翼慈惠之道（从于省吾新证说）。

韵读：之部——芑、仕、谋（谟其反）、子。

生　民

【题　解】

这是周史诗中非常有名的一篇，追述周人始祖后稷的事迹。毛序：“生民，尊祖也。后稷生于姜嫄，文武之功起于后稷，故推以配天焉。”这是不错的。从次序上来看，应置于周史诗之首。后稷生在上古传说中的尧舜时代，中国还是原始社会，处于母系氏族制。人们的婚姻关系不固定，孩子知其母而不知其父。儿女都从母亲得姓，如姬、姜、姚、姒等古姓都从女旁。由此产生了“感天而生”和“吞卵而生”的传说。本诗姜嫄“履帝武敏”而怀孕生子的描述，正是这种历史事实的反映。中华民族是开发农业极早的民族，周人以农立国，诗中描写后稷的神异主要表现在稼穑方面，可见当时农业的发达程度。

我们称生民等为史诗，只是某种角度的借用而已，这五篇诗毕竟有别于古希腊荷马时代的伊利亚特、奥德赛等长篇巨制的英雄史诗。在汉民族文学史上，我们还没有发现完全意义上的英雄史诗。这同我国古代的政治制度、诗歌的社会功效、民族的审美心理和语言习惯都有密切的关系。历史与社会的条件不同，所产生的文化艺术自然也不同，我们大可不必惶惶然，以为这点阙如会有损文化遗产的光辉。同样，生民等诗也决不因此而减退了它们的艺术魅力。

全诗八章，可分为三个部分。前三章描述后稷出生的灵异，充满神话色彩和浪漫情调。诗颂后稷，首章却以姜嫄领起，高唱而入，起势便觉轩敞，为后来文章留下广阔的地步。第四、五、六章记叙后稷善于稼穑及教会周人耕作。虽然着意于后稷的天生聪颖，但落墨处皆是诗人对生活的提炼，笔调转而为写实了。第七、八章铺陈祭祀场面的热烈隆重，将人的虔诚与神的感应揉捏在一起，同时闪烁着前两部分奇谲与平实的光彩。最后以"后稷肇祀"作收，结篇完整，意淳辞质。不但把后稷的英雄形象托到了完美的云端，而且有承前启后的作用。"以迄于今"一句几乎可以包孕周王朝近千年的历史，笔力之雄健，非同一般。

厥初生民，时维姜嫄。生民如何？克禋克祀，以弗无子。履帝武敏歆，攸介攸止。载震载夙，载生载育，时维后稷。

民，指周族人民。陈奂传疏："绵'民之初生'，传：'民，周民也。'此民亦为周民。"这句意为，其初诞生周民族的始祖。

时，是，这。　维，是。　姜嫄，韩诗作姜原，周民族尊为先妣，是周始祖后稷之母。毛传说她是古代高辛氏（帝喾）的妃子，不足信。她可能是原始社会有邰氏部落的一位女酋长。

克，能够，善于（第二个"克"字是衬字）。　禋（yīn）祀，古代祭祀上帝的一种礼仪。周礼郑玄注："禋之言烟，周人尚臭，烟气之臭闻者。积柴实牲体焉，或有玉帛，燔燎而升烟，所以报阳也。"

弗，祓的假借，三家诗正作祓，祛除灾难的祭祀。郑笺："弗之言祓也。以祓除其无子之疾而得其福也。"

履，践踏。　帝，上帝。武，足迹。　敏，拇的假借，大脚趾。　歆，心有所感貌。郑笺："时则有大神之迹，姜嫄履之，足不能满，履其拇指之处，心体歆歆然，如有人道感己者也，于是遂有身。"郑玄此笺从三家诗今文说，古文说则谓"帝"为帝喾，姜嫄之夫。历来学者聚讼纷纭，莫衷一是。闻一多姜嫄履大人迹考："上云禋祀，下云履迹，是履迹乃祭祀仪式之一部分，疑即一种象征的舞蹈。所谓‘帝’实即代表上帝之神尸。神舞于前，姜嫄尾随其后，践神尸之迹而舞。其事可乐，故曰‘履帝武敏歆’，犹言与尸伴舞而心甚悦喜也。舞毕而相携止息于幽闲之处，因而有孕也。诗所纪既为祭时所奏之象征舞，则其间情节去其本事之真相已远，自不待言。以意逆之，当时实情，只是耕时与人野合而有身，后人讳言野合，则曰履人之迹，更欲神异其事，乃曰履帝迹耳。”闻先生的分析，可为定论。

攸，语助词。　介，愒的假借，歇息。说文：“愒，息也。”（从林义光诗经通解说）　止，止息。

载，语助词。　震，娠的假借，怀孕。　夙，肃的假借，指生活严肃，不再和男子交往。

生，分娩。　育，哺育。

时维，这是。　后稷，姓姬，名弃，周人始祖。“后稷”原为官名，相传他是尧舜时负责农耕的官，教会百姓耕种稼穑。

韵读：元、真部通韵——民、嫄。　之部——祀、子、敏（满以反）、止。
之、幽部通韵——夙、育、稷。

诞弥厥月，先生如达。不坼不副，无菑无害。以赫厥灵，上帝不宁。不康禋祀，居然生子。

诞，发语词。　弥，满。这句意为，姜嫄怀孕足月。

先生，首生，即第一胎。　如，同“而”。　达，滑利，顺畅。胡承珙毛诗后笺：“说文：‘羍，滑也。滑，利也。’生民之达，当与羍同。”

坼（chè），裂开。　副（pì），破裂。这句似指产门未破裂。

菑，古“灾（災）”字。毛传：“不坼不副，无菑无害，言易也。凡人在母，母则病。生则坼副菑害其母，横逆人道。”王充论衡奇怪篇：“后稷顺生，不坼不副。不感动母体，故曰‘不坼不副’。”按以上三句皆极言后稷出生之顺利以见其灵异，带有传说的性质。

赫，显示。　灵，灵异。

宁，安。

康，安。

居然，徒然。朱熹诗集传："而使我无人道而徒然生是子也。"王先谦集疏："列女传言姜嫄履巨人迹，归而有娠。浸以益大，心怪恶之，卜筮禋祀以求无子。终生子，以为不祥而弃之云云。正此诗四句之义。盖姜嫄因赫然有娠以示灵怪之征，意上帝以己践其迹不安，而降之罚，故曰'以赫厥灵，上帝不宁'也。己意亦因之不安而禋祀求解。本求无子而终生子，故曰'不康禋祀，居然生子'也。前之洁祀（按即禋祀）求祓无子之疾，后之洁祀求获无子之庇。至居然生子，以为不祥而弃之。"

韵读：祭部——月、达（他折反，入声）、害（胡例反，入声）。 耕部——灵、宁。 之部——祀、子。

诞寘之隘巷，牛羊腓字之。诞寘之平林，会伐平林。诞寘之寒冰，鸟覆翼之。鸟乃去矣，后稷呱矣。实覃实吁，厥声载路。

寘，今作置，弃置。 隘巷，狭窄的小巷。

腓(féi)，通"庇"，庇护。 字，乳养、喂奶。说文："字，乳也。"

平林，平原上的树林。

会，适值、恰好碰上。这句意为，正好碰上有人在砍树，不便丢弃。

覆，覆盖和托垫。毛传："大鸟来，一翼覆之，一翼藉之。"

呱，婴儿哭声。

实，是，这样（第二个"实"是衬字）。下同。 覃(tán)，长。 吁(xū)，大。这句意为，后稷的哭声又长又响亮。

载，满。朱熹诗集传："满路，言其声之大也。"按这章写姜嫄无论怎样丢弃后稷，后稷总是受到各种保护。

韵读：之部——字、翼。 侵部——林、林。 鱼部——去、呱、吁、路。

诞实匍匐，克岐克嶷，以就口食。蓺之荏菽，荏菽旆旆。禾役穟穟，麻麦幪幪，瓜瓞唪唪。

匍匐，手足着地爬行。

克，能。 岐、嶷，都是有知识、懂事的意思。毛传："岐，知意也。嶷，识也。"说文段注："岐者，山之两岐也，心之开明似之。故曰知意。嶷，说文引诗作㠯。㠯者，心口间有所识也。"

就，求。这句意为，后稷自己能去找吃的东西。

蓺，同艺（蓺），种植。　荏菽，韩诗作戎菽，大豆、黄豆。

旆旆（pèi），盛长貌。

役，颖的假借，说文两引这句诗均作颖。禾颖，即禾穗。　穟穟（suì），禾穗沉甸下垂貌。

幪幪（měng），茂盛貌。

瓞（dié），小瓜。　唪唪（běng），菶的假借，果实丰硕貌。玉篇：“菶菶，多实也。”

韵读：之部——匐、嶷、食。　脂、祭部通韵——旆、穟。　东部——幪、唪。

诞后稷之穑，有相之道。茀厥丰草，种之黄茂。实方实苞，实种实褎，实发实秀，实坚实好，实颖实栗。即有邰家室。

穑，稼穑、种植五谷。

相，读去声，帮助。有相之道，谓有帮助它们长得更茂盛的方法。

茀，拂的假借，拔除。广雅：“拂，除也，拔也。”　丰草，长得很盛的野草。

黄茂，嘉谷。马瑞辰通释：“墨子明鬼篇：‘择五谷之芳黄以为酒醴粢盛。’是五谷通可谓之黄。”

方，通“放”，指萌芽刚出土。　苞，庄稼的苗丛生。孙炎尔雅注：“物丛生曰苞。”

种（zhǒng），谷种生出短苗。马瑞辰通释：“种当读如左传‘余发（髮）如此种种’之种。程氏（瑶田）曰‘种，出地短’是也。”　褎（yòu），禾苗渐渐长高。郑笺：“褎，枝叶长也。”

发（發），禾茎舒发拔节。郑笺：“发，发管时也。”　秀，禾初生穗结实。

坚，谷粒灌浆饱满。　好，谷粒均匀颜色美好。

颖，本义是禾穗，这里指禾穗饱满下垂。毛传：“颖，垂颖也。”　栗，犹言栗栗，收获众多。毛传：“栗，其实栗栗然。”郑笺：“栗，成就也。”以上七句都是描述后稷播种五谷后，庄稼由生长、成熟到收获的过程，以见其耕种方法的成功。

即,往。　有,词头,无义。　邰(tái),亦作台、斄,古代氏族名。其地在今陕西武功。　家室,意为居住。列女传母仪篇:"尧使弃居稷官,更国邰地,遂封弃于邰,号曰后稷。"这是后稷封邰的传说。

韵读:幽部——道(徒叟反)、草(此叟反)、茂、苞(布瘦反)、褎、秀、好(吁叟反)。　脂部——栗、室。

诞降嘉种:维秬维秠,维穈维芑。恒之秬秠,是获是亩;恒之穈芑,是任是负。以归肇祀。

降,赐予。孔丛子执节篇:"诗美后稷,能大教民,种嘉谷以利天下,故诗曰:诞降嘉种。"

维,是。　秬(jù),黑黍。　秠(pī),黍的一种,一个黍壳中含有两粒黍米。

穈(mén),谷子的一种,初生时叶纯赤,生三四叶后,赤青相间;生七八叶后色始纯青。　芑(qǐ),高粱的一种,初生时苗色微白。

恒,亘的假借,遍,遍地。恒之,遍地种它。

获,收割。　亩,堆在田里。

任,挑。　负,背。

肇,开始。毛传:"肇,始也,始归郊祀也。"陈奂传疏:"祈年以报今秋成熟,而祈来岁再丰也。"

韵读:之部——秠、芑、秠、亩(满以反)、芑、负(房以反)、祀。

诞我祀如何?或舂或揄,或簸或蹂。释之叟叟,烝之浮浮。载谋载惟,取萧祭脂。取羝以軷,载燔载烈。以兴嗣岁。

我,后稷自称。

舂(chōng),用杵在臼里捣米。　揄(yóu),舀的假借,从臼中将捣好的米舀出。

簸,扬弃糠皮。　蹂(róu),用两手反复揉搓米粒。

释,淘米。　叟叟,淘米声。

烝,同"蒸"。　浮浮,蒸饭时热气腾腾貌。

谋,计划。　惟,考虑。毛传:"谷熟而谋,陈祭而卜。"意为祭祀前对祀事作商议和卜问。

萧,香蒿,今名艾。　脂,牛肠脂油。古时祭祀将牛油涂在艾上,同黍稷一起点燃,取其香气。

羝(dǐ),公羊。　軷(bó),剥,剥羊的皮(从于省吾诗经新证说)。

燔(fán),将肉放在火里烧炙。毛传:"傅火曰燔。"　烈,将肉串起来架在火上烤。毛传:"贯之加于火曰烈。"

兴,使兴旺。　嗣岁,来年。胡承珙毛诗后笺:"古人谷熟而祭,遂更祈来岁之事。"

韵读:幽、侯部通韵——揄、蹂、叟、浮。　脂部——惟、脂。　祭部——軷、烈、岁。

卬盛于豆,于豆于登,其香始升。上帝居歆,胡臭亶时。后稷肇祀,庶无罪悔,以迄于今。

卬,仰的古字,上。　豆,古代盛肉的高脚器皿,有盖,木制,亦有铜制。于省吾新证:"古人祭祀时,设豆于俎几之上,祭者跪拜于神主之前,执燔烈之肉以上盛于豆,故曰'仰盛于豆'。"

登,盛汤的瓦制祭器,有盖,亦有铜制。

居,语助词。　歆,飨、享受祭祀。

胡,大。　臭(xiù),香气。马瑞辰通释:"胡臭,谓芳臭之大。"　亶,确实。郑笺:"亶,诚也。"　时,善好。这句意为,祭祀饭菜的浓烈香气确实好闻。

肇祀,开创祭祀之礼。

庶,幸而。这句意为,幸而没有得罪于天,遗憾于心的事。

迄,至。郑笺:"子孙蒙其福,以至于今。"

韵读:蒸、侵部通韵——登、升、歆、今。　之部——时、祀、悔(音喜)。

行　苇

【题　解】

这是写周统治者和族人宴会、比射的诗。毛序:"行苇,忠厚也。周家忠厚，仁及草木，故能内睦九族，外尊事黄耇，养老乞言，以成其福禄焉。"诗中写了比赛射箭的场面，但毛序没有提及；诗中不叙"乞言"（征求善言）之事，毛序却凭空增入，所以朱熹批评它"逐句生意，无复伦理"。但是据左传隐公三年"雅有行苇、泂酌，昭忠信也"的说法，毛序"周家忠厚"的分析在总体上并没有离谱。三家诗有不同的说法。鲁诗："君闻昔者公刘之行乎？牛羊践葭苇，恻然为痛之。"（刘向列女传）齐诗："慕公刘之遗德，及行苇之不伤。"（班彪北征赋）韩诗："公刘慈仁，行不履生草，运车以避葭苇。"（赵晔吴越春秋）他们都引用诗的首句"敦彼行苇，牛羊勿践履"，认为这是颂扬公刘的诗。方玉润说："众说虽非诗义，然公刘必有其事，而后人称之者众。观诗引此为兴，未必无因，特以为美公刘则臆测耳。"他的话颇有理，诗的兴句并不一定概括全诗的主旨，还是看作泛言"周家忠厚"的好。

诗中"敦弓既句，既挟四鍭，四鍭如树"几句，描写张弓搭箭，命中靶子的射事，具体而生动，显示出作者对这类生活素材的熟悉。再如以"黄耇台背"来描摹老人，以"以引以翼"来刻画敬老场面，笔触都很细腻形象。不过，这些佳句只是个别的，就全诗而言，并没有特别值得称道的地方。

敦彼行苇，牛羊勿践履。方苞方体，维叶泥泥。戚戚兄弟，莫远具尔。或肆之筵，或授之几。

敦（tuán）彼，即敦敦，苇草丛生貌。按王筠毛诗重言将"敦彼"、"依彼"、"郁彼"等一类词列入重言，即在形容词之前或后加一"彼"字，其作用等于叠字。如"嘒彼小星"即"嘒嘒小星"，"彼茁者葭"即"茁茁者葭"。行（háng）道路。　苇，芦苇。

践履，践踏。郑笺："敦敦然道旁之苇，牧牛羊者勿使躐履折伤之。"

方，方才，开始。　苞，芦苇初生如竹笋的含苞。　体，指芦苇的茎长成形，如人之有体。

维，发语词。　泥泥，鲁诗作柅柅，韩诗作苨苨。按苨为本字，泥、柅为假借字。苇叶柔嫩茂盛貌。

戚戚，亲热貌。

远，疏远。　具，通"俱"。　尔，迩的古字，亲近。汉书文三王传引诗"戚戚兄弟，莫远具尔"，颜师古注："戚戚，内相亲也。尔，近也。言王之族亲情无疏远，皆昵近也。"

肆，陈设。　筵，筵席。

几，矮脚小木桌，老人可用以凭靠身体。郑笺："年稚者为设筵而已，老者加之以几。"

韵读：脂部——苇、履、体、泥、弟、尔、几。

肆筵设席，授几有缉御。或献或酢，洗爵奠斝。醓醢以荐，或燔或炙。嘉殽脾臄，或歌或咢。

设席，古人席地而坐，在席上再加一层或几层席，以示尊重。毛传："设席，重席也。"礼记礼器："天子之席五重，诸侯之席三重，大夫再重。"

缉，续代，不断。　御，侍者，古名"敦史"。郑笺："兄弟之老者，既为设重席、授几，又有相续代而侍者，谓敦史也。"

献，主人向客人敬酒。　酢（zuò），客人回敬。

洗，主客献酢之后，主人再给客人敬酒叫酬；在酬之前，主人先将酒杯洗一洗。　爵，古代青铜制饮酒器，有柱、流、尾、腹、鋬（把手）、三足。　奠，置，指客人饮毕将酒杯放在筵席上。　斝（jiǎ），古代青铜制贮酒器，圆口，有鋬、两柱、三足（或四足）。其容量约为爵之十至二十馀倍。这二句是写主客互相敬酒。

醓（tǎn），拌和着肉酱、盐、酒等汁水。　醢（hǎi），肉酱。　以，用。　荐，进献。

燔，烧肉。　炙，烤肉。

殽，肉类食品。嘉殽，美菜。　脾，膍的假借，牛胃，亦称牛百叶。　臄(jué)，牛舌。

歌，配着琴瑟的歌唱。　咢(è)，只击鼓，不歌唱。毛传："歌者，比于琴瑟也。徒击鼓曰咢。"

韵读：鱼部——席(音徐入声)、御、酢(音徂入声)、斝(音古)、炙(音诸入声)、臄(音渠入声)、咢(音吾入声)。

敦弓既坚，四鍭既钧；舍矢既均，序宾以贤。敦弓既句，既挟四鍭。四鍭如树，序宾以不侮。

敦弓，即雕弓，在弓干上画五彩以为装饰。周代天子用敦弓。　既，尽、完全。　坚，指弓硬。

鍭，箭的一种。以金属为箭头，箭尾镶有羽毛。　钧，调和，指箭的首尾重量调和。

舍矢，发箭。　既，已经。　均，射中。

序，排列座位的次序。　贤，贤才，指比赛射箭时命中次数最多的人。

句(gōu)，彀的假借，张弓引满。

挟，接，指箭与弓弦相接，即俗所谓的"箭在弦上"。此处指参加比赛的四位射手已将箭加弦上待发。

树，竖立，指箭已命中，像竖立在靶上一样。

不侮，不怠慢，态度恭敬。指对射不中的人也不轻慢。朱熹诗集传："射以中多为隽，以不侮为德。"

韵读：真部——坚(居辛反)、钧、均、贤。　侯部——句(音钩)、鍭、树(殊昼反)、侮(无昼反)。

曾孙维主，酒醴维醹。酌以大斗，以祈黄耇。黄耇台背，以引以翼。"寿考维祺，以介景福。"

曾孙，贵族主人的称呼。毛传："曾孙，成王也。"王先谦集疏："三家以此篇为公刘之诗。"按二说均无确据。　维，是。下句同。　主，主人。

醴，如今之甜酒酿。酒醴，泛指酒。　醹(rú)，酒味醇厚。

酌，斟酒。　斗，枓的假借，取酒器。说文：“枓，勺也。”陈奂传疏：“酌以大斗者，言挹取酒醴用大枓以注尊中。”

祈，求。　黄耇(gǒu)，见南山有台注。这句指长寿。

台，亦作鲐，鲐鱼背有黑色花纹。老年人气衰，背部皮肤暗黑，故称老人为台背。

引，引导、指路。　翼，辅助、扶持。这句意为，宴罢告辞时，有人在老年人前面引路，有人在他身旁扶着走。

寿考，长寿。　祺，吉祥。

介，祈求。　景，大。这二句是主人颂祷老年人的话。

韵读：侯部——主(朱讴反)、醹(如讴反)、斗、耇。　之部——背(音逼入声)、翼、福(方逼反，入声)。

既　醉

【题　解】

这是祭祀祖先时，工祝代表神尸对主祭者周王所致的祝词。毛序：“既醉，大平也。醉酒饱德，人有士君子之行焉。”他没有理解诗的内容。林义光诗经通解说：“此诗为工祝奉尸命以致嘏于主人之辞。”分析得很对。什么叫嘏？礼记礼运注：“嘏，祝为尸致福于主人之辞也。”祝，也就是工祝，专门负责祭祀时传达神尸的祝福。这篇嘏辞反映出当时统治者最向往的“景福”所包含的内容，因此具有一定的史料价值。

这首诗运用了顶真的修辞手法，有章与章之间的连环式顶真，也有句与句之间的连珠式顶真。在配以乐调的当时，这些顶真句或许能造成一种上接下承、连绵不断的气氛；但在乐调已失的今天，顶真句并没有给这首平板乏味的嘏辞增添多少魅力。小雅楚茨是一首写祭祀的乐歌，其中不乏生动形象的描绘。但当诗人写到工祝致告的嘏辞时,同样也显出刻板枯燥的呆相来。可见统治者对于嘏辞,只看重赐福纳福的实惠,并不在乎语言表达的美感。

既醉以酒,既饱以德。君子万年,介尔景福。

既,已经。　以、其,二字古通用。下句同。

德,恩惠。

君子,指主祭者周王。下同。　万年,祝祷长寿之辞。

介尔景福,见上篇注。

韵读:之部——德(丁力反,入声)、福(方逼反,入声)。

既醉以酒,尔殽既将。君子万年,介尔昭明。

将,通臧,美。

昭明,光明。孔疏:"与之以昭明之道,谓使之政教常善,永作明君也。"

韵读:阳部——将、明(音芒)。

昭明有融,高朗令终。令终有俶,公尸嘉告。

有融,即融融,连绵不断貌。马瑞辰通释:"谓既已昭明,而又融融不绝,极言其明之长且盛也。"

朗,明。高朗,高明,指很好的名誉。　令,善。令终,好的结果。郑笺:"天既助女以光明之道,又使之长有高明之誉,而以善名终。"

俶,始。朱熹诗集传:"盖欲善其终者,必善其始。"

公,君。　尸,古人祭祀时,以一人扮作已故祖先或神的形象接受享献,叫做尸。后世改用画像而废尸。周王的祖先是君主,故称公尸。　嘉告,善言。以下各章都是工祝代表尸向主祭者致的嘏辞。

韵读:中部——融、终。　幽部——俶、告。

其告维何?笾豆静嘉。朋友攸摄,摄以威仪。

维,是。维何,是什么。下各章同。这句意为,公尸的善言是什么?

笾豆,食器。见东门之墠注。　静,靖的假借,善。静嘉,形容盛在笾豆中的祭品美好。

朋友，指一同参加祭祀的人。假乐毛传："朋友，谓群臣也。" 攸，语助词。 摄，佐、辅助。这里指助祭。

威仪，指祭祀时行事进退的仪式（从朱熹中庸"威仪三千"注）。

韵读：歌部——何、嘉（音歌）、仪（音俄）。

威仪孔时，君子有孝子。孝子不匮，永锡尔类。

孔，甚，非常。 时，善。

有，通"又"。马瑞辰通释："有者，又也。言君子又为孝子也。"

匮，应作遗，是坠的假借。据金文，"不坠"为周人常用语，意为不废坠。参见于省吾新证。

锡，赐。 类，善。国语周语："叔向曰：'类也者，不忝前哲之谓也。'"这二句意为，孝子奋勉不废坠，则祖先会长远地赐予他以不辱没先人的善道。

韵读：之部——时、子。 脂部——匮、类。

其类维何？室家之壸。君子万年，永锡祚胤。

壸（kǔn），本义是"宫中道"，宫中道的形状环绕而整齐，因此引申为"齐"。这里用作动词，意为齐家，治理家室。这句即礼记大学所谓"家齐而后国治，国治而后天下平"的意思。

祚，释文作胙，本义是"祭福肉"，引申为凡福之称。 胤，嗣，指子孙。陈奂传疏："胙胤，胤胙也。永锡胙胤，言长予子孙以福禄也。"

韵读：文部——壸、允。

其胤维何？天被尔禄。君子万年，景命有仆。

被，覆盖、加给。 禄，禄位，指王位。郑笺："天覆被女（汝）以禄位，使录临天下。"

景命，大命，指天命。 仆，奴仆、奴隶（从孔疏说）。

韵读：侯部——禄、仆。

其仆维何？厘尔女士。厘尔女士，从以孙子。

厘（lí），赉的假借，赐予。 女士，鲁诗作士女，男子和女子，都是指奴隶。按氓“女也不爽,士贰其行”,溱洧“维士与女,伊其相谑”,都是写青年男女的恋爱,这里的士女当亦指青年男女奴隶。因为只有青年男女能使之充当奴隶,老弱者则不堪驱使了。

从,跟随、延续。　孙子,即子孙。这二句意为,赐给你男女奴隶,直到他们的子子孙孙。

韵读:之部——士、子。

凫　鹥

【题　解】

这是周王绎祭宾尸时所唱的诗。古代天子诸侯祭祀,第一天为正祭,如既醉所叙。第二天称绎祭。穀梁传宣公八年:“绎者,祭之旦日之享宾也。”即为扮作祖先或神衹的尸设宴,又称宾尸。郑笺:“祭祀既毕,明日,又设礼而与尸燕。”他对诗的背景的分析简明而正确。这篇诗置于既醉之后,是因为它们的背景既有联系,又有前后次序的差别。

孙矿评这首诗为“满篇欢宴福禄”。全诗五章,确实充斥着一派大吃大喝、求福求禄的气氛。但是,这种笼罩在宗教仪式之下,而又靠酒肉调动起来的欢乐,无论如何不会有自然天成的情趣,更谈不上生动感人了。

凫鹥在泾,公尸来燕来宁。尔酒既清,尔殽既馨。公尸燕饮,福禄来成。

凫(fú),野鸭。陆玑义疏:“大小如鸭,青色,卑脚,短喙。”　鹥(yī),鸥鸟。又名水鸮。　泾(涇),径直,指径直向前的水流。尔雅:“水直波为徑。”徑、泾同。

公尸,见上篇注。　燕,通“宴”,宴饮。　宁,安宁,指安宁主人之心。

易林大有之夬："凫鹥游泾，君子以宁。"

尔，指主人周王。朱熹诗集传："尔，自歌工而指主人也。"

馨，香气。

成，成就、成全。郑笺："女酒殽清美，以与尸燕乐饮酒之，故祖考以福禄来成女。"

韵读：耕部——泾、宁、清、馨、成。

凫鹥在沙，公尸来燕来宜。尔酒既多，尔殽既嘉。公尸燕饮，福禄来为。

沙，水边沙滩。

宜，顺适。来宜，应顺主人的邀请。毛传："宜，宜其事也。"

为，帮助。孔疏："为，谓助为也。论语：'夫子为卫君乎？……夫子不为也。'并以'为'为'助'。"

韵读：歌部——沙（音娑）、宜（音俄）、多、嘉（音歌）、为（音讹）。

凫鹥在渚，公尸来燕来处。尔酒既湑，尔殽伊脯。公尸燕饮，福禄来下。

渚，水中沙洲。

处，安乐。林义光诗经通解："处字本义为依几而立，其引申义为安乐，故谓安乐为处。古人多以誉处连言，誉为豫之借字。尔雅：'豫，乐也。'又云：'豫，安也。'处即豫也。"

湑（xǔ），清。湑的本义是滤过的酒，清是引申义。　伊，是。　脯，干肉。

下，降临。

韵读：鱼部——渚、处、湑、脯、下（音户上声）。

凫鹥在潨，公尸来燕来宗。既燕于宗，福禄攸降。公尸燕饮，福禄来崇。

潨（cōng），众水交会之处。说文："小水入大水曰潨。"

宗，尊敬。郑笺："其来燕也，有尊主人之意。"

既燕于宗，宗指宗庙。

崇，重叠、积累。形容福禄之多。

韵读：中部——潨、宗、宗、降（户冬反）、崇。

凫鹥在亹，公尸来止熏熏。旨酒欣欣，燔炙芬芬。公尸燕饮，无有后艰。

亹（mén），山间通水之处，即峡口。汉书地理志颜师古注："亹者，水流夹山岸深若门也。"

来止，说文引诗作来燕，据上四章均云"来燕"，此句亦当作来燕。

欣欣，毛传："欣欣然乐也。"旨酒怎么会欣欣地快乐呢？说不可通。俞樾古书疑义举例："熏熏、欣欣字当互易。'公尸来止欣欣'，言公尸之和悦也。'旨酒熏熏'，此熏字乃薰之假借。说文：'薰，香草也。'盖因草之香而引申之，则见香者皆得言薰也。欣、薰字音相同，古书多口授，互倒其文耳。"

燔、炙，见行苇注。　芬芬，形容肉食香气芬芳。

艰，艰难，不幸。毛传："无有后艰，言不敢多祈也。"孔疏："无有后艰，守成而已。不敢更复望福，是所谓能持盈也。"

韵读：文部——亹、熏、欣、芬、艰（音根）。

假　乐

【题　解】

这是周王宴会群臣，群臣歌功颂德的诗。毛序以为"嘉成王"，鲁诗以为美宣王，何楷诗经世本古义认为美武王，朱熹又认为是答前篇凫鹥之诗。这纷纭的众说怎样评价呢？方玉润诗经原始说："其所用既无考证，诗意亦未显露，故不知其为何王，亦莫定其为何用矣。序云嘉成王，以其诗次成王之世而言也。集传疑即公尸之答凫鹥，又以其篇在凫鹥后而言也。至何玄子更以为祭武王之诗，则因中庸引诗以证舜，故疑为下章之武王咏也。皆臆测也，而何可以为据哉？”他的分析最为平实中肯，我们不必再添赘词了。

方氏又说：“此等诗无非奉上美词，若无‘不解于位’一语，则近谀矣。”其实即使有“不解于位”一语，也还是谀得厉害。全篇捧场，毫无足观。吴闿生诗义会通评末章：“戒王意，就朋友发之，妙远不测……古圣哲之微旨端在是也。”从露骨的媚意中偏要搜剔出委婉的讽规来，这等说诗，便近乎入魔了。

假乐君子，显显令德。宜民宜人，受禄于天。保右命之，自天申之。

假，嘉的假借，左传、礼记引诗均作嘉。嘉美，赞美。　乐，喜爱。　君子，指周王。

显显，齐诗作宪，假借字。光明貌。　令德，美德。

宜，适合。　民，庶民。　人，指在位的贵族。毛传：“宜民宜人，宜安民、宜官人也。”

右，齐诗作佑。　命，指天授命。　之，指周王。礼记中庸引此句并释之曰：“故大德者必受命。”

申，重复。陈奂传疏：“申之，言申之以福禄也。”

韵读：之部——子、德（丁力反，入声）。　真部——民、人、天（铁因反）、命、申。

干禄百福，子孙千亿。穆穆皇皇，宜君宜王。不愆不忘，率由旧章。

干，祈求。一说“干”字是“千”字之误，亦通。

千亿，虚数，极言其多，是夸张的修辞。王充论衡儒增篇：“百与千，数之大者也。实欲言十则言百，百则言千也。是与书言‘协和万邦’、诗曰‘子孙千亿’同一意也。”

穆穆,肃敬貌。 皇皇,齐诗作煌煌,光明貌。

君、王,都是动词,意为做天下的君王。

愆(qiān),过失。 忘,胡涂。说文:“忘,不识也。”

率,遵循。 旧章,先王的典章制度。孟子离娄篇引诗释之云:“遵先王之法而过者,未之有也。”即这二句诗意。

韵读:之部——福(方逼反,入声)、亿。 阳部——皇、王、忘、章。

威仪抑抑,德音秩秩。无怨无恶,率由群匹。受禄无疆,四方之纲。

威仪,仪容举止。 抑抑,懿懿的假借,庄美貌。

德音,这里指政教法令。 秩秩,有条不紊。毛传:“秩秩,有常也。”

无怨无恶,朱熹诗集传:“又能无私怨恶以任众贤。”

匹,类。群匹,群臣。马瑞辰通释:“此诗上章‘率由旧章’为法祖,此章‘率由群匹’为从众。”

纲,本义为网上大绳,这里引申为统领、总管,即指周王。

韵读:脂部——抑、秩、匹。 阳部——疆、纲。

之纲之纪,燕及朋友。百辟卿士,媚于天子。不解于位,民之攸塈。

之,这。 纪,本义为理出蚕丝的首端,引申为治理。棫朴郑笺:“以网罟喻为政,张之为纲,理之为纪。”这句承上章“四方之纲”言,亦指周王。

燕,宴请。 朋友,指群臣。

辟,君。百辟,众诸侯。 卿士,周王朝的高级官员。左传隐公三年:“郑武公、庄公为平王卿士。”杜预注:“卿士,王卿之执政者。”

媚,爱戴。

解,今作懈,怠惰。

攸,所。 塈(xì),愒的假借,休息。郑笺:“不解于其职位,民之所以休息由此也。”按这二句是对“百辟卿士”的赞颂,历来说诗者多有以为是规戒百官的话,非。

韵读:之部——纪、友(音以)、士、子。 脂部——位、塈。

公　刘

【题　解】

这是周人史诗之一，上承生民，下接绵，叙述周人祖先公刘带领周民由邰迁豳的史绩。史记周本纪："公刘虽在戎狄之间，复修后稷之业，务耕种，行地宜。自漆沮渡渭，取材用。行者有资，居者有蓄积。民赖其庆，百姓怀之，多徙而保归焉。周道之兴自此始，故诗人歌乐思其德。"司马迁用散文的形式概括了诗的内容。至于诗的创作年代，毛序认为是"召康公戒成王"而作，方玉润驳道："序以此为召康公作者，盖因七月既属之周公，则此诗不能不属诸召公矣。其有心附会周、召处，明白显然。"毛序的牵附之意，经方氏点明，昭然若揭。此外，金履祥认为公刘同七月一样是豳地旧诗。但根据全诗用韵的流畅，描写技巧的娴熟，决非早在殷商时期的豳人所能为。金履祥说公刘"下视商颂诸作，同一蹈厉"，而商颂恰恰都是春秋时的作品。我们认为，公刘同七月一样，都含有豳地旧咏的成分在内，但最后的成诗，至早要到西周后期。

诗人抓住公刘率周人由邰迁豳这一关键的历史事件，分迁徙（第一章）、择地（第二、三章）、定居（第四、五、六章）三个层次，一一道来，有条有理。对人物和场景的描写也十分精彩。如第二章"何以舟之？维玉及瑶，鞞琫容刀"，在叙述公刘忙于相地的当口，忽然转而描摹佩剑之华丽，所谓闲笔涉趣，轻轻一点，便使人物形象更加丰满鲜明。无怪乎孙矿赞曰："似涉无紧要，然风致正在此。"再如第三章"于时处处"四句，叠词与排比兼用，通过音节的紧凑和往复，将拓荒者热热闹闹，欢欢喜喜的气氛烘托得十分强烈。此外，五章的“度其夕阳，豳居允荒”，六章的“夹其皇涧，溯其过涧”，一叙新居之美好，一述人烟之繁密，都写得风雅疏朗，传神入画。这首史诗，与大雅中那些谄君媚神的谀词，确是不可同日而语的。

笃公刘，匪居匪康。乃埸乃疆，乃积乃仓。乃裹糇粮，于橐于囊。思辑用光，弓矢斯张，干戈戚扬，爰方启行。

笃，忠诚厚道。马瑞辰通释训笃为语词，亦通。　公刘，周人先祖。司马迁史记一云公刘为后稷四世孙（周本纪），一云为十馀世孙（刘敬列传），恐以后说为是。释文引尚书大传云：“公，爵。刘，名也。”

匪，非，不敢。　康，安乐。按第二个“匪”字是衬字，无义。“匪居康”即“匪康居”，为协韵而倒文。

乃，于是。　埸（yì），田界。　疆，田的大界。这里都用作动词。毛传：“乃埸乃疆，言修其疆埸也。”

积，亦名庾，露天积粮处。　仓，仓库。这里也都用作动词。王先谦集疏：“邰之民亦有老病而不能行者，则以积仓与之。”

裹，包装。　糇粮，干粮。

于，在。　橐（tuó），没底的口袋，装物后，用绳扎住两头。史记陆贾传索隐引埤仓曰：“有底曰囊，无底曰橐。”

思，发语词。　辑，团结和睦。　用，以。　光，光荣，显耀。毛传：“言民相与和睦以显于时也。”

斯，语助词。　张，设、准备。

干，盾。　戚，斧。　扬，亦名钺，大斧。郑笺：“公刘之去邰，整其师旅，设其兵器。”

爰，于是。　方，开始。　启行，动身，出发。

韵读：阳部——康、疆、仓、粮、囊、光、张、扬、行（音杭）。

笃公刘，于胥斯原。既庶既繁，既顺乃宣，而无永叹。陟则在𪩘，复降在原。何以舟之？维玉及瑶，鞞琫容刀。

于，在。　胥，相、视察。　斯，此、这。　原，指豳地的原野。

庶、繁，都是众多的意思。郑笺："民既众矣，既多矣。"

顺，民心归顺。　宣，民心舒畅。马瑞辰通释："言民心既顺其情，乃宣畅也，故下即言'而无永叹'矣。"

陟，登上。　巘(yǎn)，小山。王先谦集疏："公刘之相此原地也，由原而升巘，复下在原，言反复之，重居民也。"

舟，匊的假借，佩带。马瑞辰通释："说文：'匊，帀遍也。'字通作'周'。带周于身，故舟得训带。"

维，是。　瑶，华美的石头，和玉一样都是腰带上的饰物。

鞞(bǐng)，刀鞘。　琫(běng)，刀鞘上的装饰。见瞻彼洛矣注。　容刀，佩刀。陈奂传疏："佩刀以为容饰，故曰容刀。"

韵读：元部——原、繁、宣、叹、巘、原。　宵部——瑶、刀。

笃公刘，逝彼百泉，瞻彼溥原；乃陟南冈，乃觏于京。京师之野，于时处处，于时庐旅，于时言言，于时语语。

逝，往。　百泉，泉水众多之处。或以百泉为地名，恐非。

瞻，视、视察。　溥(pǔ)，广大。

南冈，陈奂传疏："山脊曰冈。冈即豳山之冈也。豳山在百泉之南，故曰南冈。"

觏(gòu)，看见，发现。　京，豳地名。

京师，京邑，后世遂以为帝王所居都城的专称。马瑞辰通释："吴斗南(宋吴仁杰著两汉刊误补遗)曰：'京者，地名。师者，都邑之称。如洛邑亦称洛师之类。'其说是也。京师连称始此，后遂以名天子居焉。"　野，郊外。

于时，于是。　处处，居住。

庐，房舍。公羊传宣公十五年何休注："在田曰庐。"这里用作动词，建房。　旅，众、大众。陈奂传疏："其时公刘在大地之野为大众定庐舍，行井田之法。"

言言、语语，均是重言以见言语之喧哗，犹言"人声鼎沸"。

韵读：元部——泉、原。　阳部——冈、京(音姜)。　鱼部——野(音宇)、处、旅、语。

笃公刘，于京斯依。跄跄济济，俾筵俾几。既登乃依，乃造其曹，执豕于牢。酌之用匏，食之饮之，君之宗之。

依，凭依。郑笺："公刘之居于此京，依而筑宫室。"

跄跄(qiāng)济济，举止有礼，从容端庄貌。礼记曲礼："凡行容，大夫济济，士跄跄。"

俾，使。　筵，铺在地上的坐席。这里用作动词，使他就席。　几，古代席地而坐时可依靠的小桌。这里指使他靠几。

既，已经。　登，指登上筵席。　依，指靠着几。

造，三家诗作告，均祰之假借。说文："祰，告祭也。"　曹，禮的假借，祭猪神。马瑞辰通释："据下云'执豕于牢'，知诗'乃造其曹'谓将用豕而先告祭于豕先。"

执，捉。　牢，猪圈。

酌，斟酒。　之，指宾客。　匏，葫芦。葫芦一剖为二作酒器，称匏爵。

君，为豳地的君主。　之，指公刘。　宗，为周人的族主。

韵读：脂部——依、济、几、依。　幽部——曹（音愁）、牢（卢愁反）、匏（蒲愁反）。　中、侵部通韵——饮、宗。

笃公刘，既溥既长，既景乃冈，相其阴阳，观其流泉。其军三单，度其隰原，彻田为粮。度其夕阳，豳居允荒。

既，已。　溥，广。这里指开垦的土地已经很广很长。

景，同"影"，靠日影以定方位。　冈，登上山冈。这里景、冈都作动词用。

相，看、视察。　其，指开垦的地区。　阴，山北。　阳，山南。朱熹诗集传："阴阳，向背寒暖之宜也。"

单，禅的假借，轮流代替。毛传："单，相袭也。"俞樾达斋诗说："三单则何以相袭？疑毛公读单为禅。禅者，禅代之义，故云相袭也。三军所以得相袭何也？为三军而用其一军，使之更番代，故曰三单。"

度(duó)，测量。　隰原，低平之地。

彻，治。彻田，指开垦田地。　为粮，生产粮食。

夕阳，山的西面。尔雅："山西曰夕阳。"

豳居，豳人居住的地方。　允，确实。　荒，广大。

韵读：阳部——长、冈、阳、粮、阳、荒。　元部——泉、单、原。

笃公刘，于豳斯馆。涉渭为乱，取厉取锻，止基乃理，爰众爰有。夹其皇涧，遡其过涧。止旅乃密，芮鞫之即。

馆，鲁诗作观，馆、观古通。此处作动词用，指建筑馆舍。

渭，渭水。　为，而。　乱，横流而渡。

厉，同"砺"，粗糙坚硬的磨刀石。　锻，捶物的大石。朱熹诗集传："言其始来未定居之时，涉渭取材，而为舟以来往，取厉取锻，以成宫室。"

止，"之"的讹字，金文"之"字作㞢，与止（止）易混。之，兹、此。下"止旅乃密"句同。参见于省吾新证。　基，基地。　理，治理。这句意为，这块基地于是便得到治理。

爰，于是。　众，人口众多。　有，财物富有。

夹，夹岸而住。　皇涧，豳地涧名。

遡，面对。　过涧，亦豳地涧名。

旅，大众。　密，安定。

芮，汭的假借，水边向内凹处。　鞫（jū），阸的假借，三家诗作阸。阸通坭、泥。水边向外凸处。胡承珙后笺："凡水相入之处皆曰汭，其会合襟带必有限曲，内曲即芮，外曲即鞫。"　之，这，指芮、鞫。　即，就，往就。孔疏："此则来者愈众，并水之内曲、外曲而皆居之。"

韵读：元部——馆、乱、锻、涧、涧。　之部——理、有（音以）。　脂部——密、即。

泂　酌

【题　解】

这是歌颂统治者能得民心的诗。毛序说这是"召康公戒成王"，姚际恒认为"未有以见其必然"。三家诗以为是赞美公刘的诗,可能是因为它次于公刘之后,但也没有确据。

方玉润说:"其体近乎风,匪独不类大雅,且并不似小雅之发扬蹈厉、剀切直陈者。"所谓"近乎风"者,即三章皆用兴句开头,且全诗篇章短小,三章一层意思,反复咏唱而已。这可能是作者仿效民歌的结果,也可能本是周地民歌,因其颂美之意浓厚而收入大雅。

泂酌彼行潦,挹彼注兹,可以餴饎。岂弟君子,民之父母。

泂(jiǒng),迥的假借,远。 酌,舀取。 行,道路。行潦(lǎo),路边积水。

挹,舀。 彼,指行潦。 注,灌。 兹,此,指盛水的器皿。按舀取路边积水,灌在盛器中澄清后用来蒸饭菜或洗涤器皿,这可能是古代干旱的西北地区人们的生活习惯,诗人撷取以为兴句。其兴意在于,以水在生活中的重要,象征君子"为民父母",在百姓心目中的崇高。

餴(fēn),蒸。 饎(chì),酒食。

岂弟(kǎi tì),亦作恺悌,德行高大。吕氏春秋不屈篇:"诗曰:'恺悌君子,民之父母。'恺者,大也。悌者,长也。君子之德长且大者,则为民父母。"

韵读:之部——兹、饎、子、母(满以反)。

泂酌彼行潦,挹彼注兹,可以濯罍。岂弟君子,民之攸归。

濯(zhuó),洗。 罍,古酒器,形似壶而大,青铜或陶制成。

攸,所。 归,归附。

韵读:之部——兹、子。 脂部——罍、归。

泂酌彼行潦,挹彼注兹,可以濯溉。岂弟君子,民之攸塈。

溉,概的假借字,古漆器酒尊。又,毛传:"溉,清也。"孔疏:"谓洗之使清洁。"亦通。

塈,休息。见假乐注。

韵读：之部——兹、子。　脂部——溉（音既）、塈。

卷　阿

【题　解】

这是周王与群臣出游卷阿，诗人陈诗颂王的歌。毛序以为是“召康公戒成王”，王质诗总闻以为是颂文王，都是推测之词。有人引竹书纪年“成王三十三年，游于卷阿，召康公从”的记载为证，但竹书纪年有作伪的成分在内，不足尽信。从内容看，这是歌颂周王礼贤求士无疑；至于时代等，只能存疑。

全诗十章，首章以“来游来歌，以矢其音”领起，末章以“矢诗不多，维以遂歌”收束，首尾呼应，神气完足。中间八章，叙出游则祝颂并起，叙求贤则赋兴兼用，布局匀称谐调。单凭这一点，亦可证明这不是周初的创作。从语言的运用上看，虽然以歌颂赞美的谀词为主，但也不乏佳句。如第七、八、九章以凤凰的飞鸣集止起兴，喻天子周围贤才荟萃，形象鲜明而壮美。尤其是第九章，全用比喻，写高冈朝阳，梧桐生焉，凤凰则栖于上而鸣，华丽的意境与“天子得人，野无遗贤”的盛况十分吻合；而且妙在“皆用镂空之笔，不着色”（姚际恒语），确为全诗添一段灵动飘逸之气。

有卷者阿，飘风自南。岂弟君子，来游来歌，以矢其音。

有卷（quán），即卷卷，曲折貌。　阿，大的丘陵。或疑“卷阿”为地名，恐非。

飘风，旋风。按这二句是兴，郑笺：“兴者，喻王当屈体以待贤者，贤者则猥来就之，如飘风之入曲阿然。”

岂弟，和气平易。　君子，指贤人。毛序：“言求贤用吉士也。”下同。

矢，陈献。　音，指诗歌。

韵读：歌部——阿、歌。　侵部——南（奴森反）、音。

伴奂尔游矣，优游尔休矣。岂弟君子，俾尔弥尔性，似先公遒矣。

伴奂，松弛、纵情的意思。形容“游”字。郑笺：“伴奂，自纵弛之意也。”尔，你，指周王。下同。

优游，闲暇自得貌。形容“休”字。

俾，使。　弥，终、尽。　性，同“生”，生命。

似，嗣的假借，鲁诗正作嗣，继承。　先公，先君，指周朝开国的君主文王、武王。　遒，鲁诗作酋，终、完成。尔雅释诂郭注引这句诗作“嗣先公尔酋矣”。据后文，似从郭注为是。这三句意为，和气平易的贤人能使你尽自己的一生，继承祖先的事业并且完成它。

韵读：幽部——游、休、遒。

尔土宇昄章，亦孔之厚矣。岂弟君子，俾尔弥尔性，百神尔主矣。

土宇，疆土。　昄，音义同“版”。昄章，犹版图。

孔，非常。　厚，广大辽阔。

百神，天地山川的众神。　主，主祭者。按主祭百神也就是当天子。孟子万章篇：“使之主祭，而百神享之，是天受之。”

韵读：侯部——厚、主（朱讴反）。

尔受命长矣，茀禄尔康矣。岂弟君子，俾尔弥尔性，纯嘏尔常矣。

受命，指周王受天命为天子。　长，久。

茀，通福。茀禄，福禄。　康，安康。

纯，大。　嘏（gǔ），福。郑笺：“使女（汝）大受神之福以为常。”

韵读：阳部——长、康、常。

有冯有翼，有孝有德，以引以翼。岂弟君子，四方为则。

冯（píng），辅佐。　翼，帮助。这里皆指贤臣，下句同。

孝，指美德。马瑞辰通释：“王尚书曰：‘尔雅：善父母为孝。推而言之，则为善德之通称。’此诗有孝有德亦泛言有善有德，不必专指孝亲言。”

引，引导。　翼，辅助。行苇郑笺："在前曰引，在旁曰翼。"

则，法则、榜样。按这章赞美贤人能辅导周王，因而为四方诸侯的学习榜样。

韵读：之部——翼、德（丁力反，入声）、翼、子、则（音稷入声）。

颙颙卬卬，如圭如璋，令闻令望。岂弟君子，四方为纲。

颙颙（yóng），温和恭敬貌。　卬卬（áng），气宇轩昂貌。

圭、璋，古代玉制礼器。见淇奥、斯干注。这句是诗人以圭、璋比君子品德的高贵。

令，善、好。　闻，声誉。　望，名望。这三句都是形容贤人。

纲，纲纪、法度。见假乐注。

韵读：阳部——卬、璋、望、纲。

凤皇于飞，翙翙其羽，亦集爰止。蔼蔼王多吉士，维君子使，媚于天子。

凤皇，即凤凰。传说中的神鸟。

翙翙（huì），众多貌。　羽，代指百鸟。

爰，于。　止，栖止，指凤凰停息之处。按以上三句是兴，郑笺："凤皇往飞翙翙然，亦与众鸟集于所止。众鸟慕凤皇而来，喻贤者所在，群士皆慕而往仕也。"

蔼蔼，众多貌。毛传："蔼蔼，犹济济也。"　吉士，善士，指周王的群臣。

维，同"惟"，只。　君子，指周王。　使，使用。这句意为，吉士只听周王的使用。

媚，爱戴。郑笺："王之朝多善士蔼蔼然，君子在上位者率化之，使之亲爱天子，奉职尽力。"陈启源毛诗稽古编："诗十章，凡十言君子，而其六则言岂弟。笺、疏皆目大臣，即叙所谓贤也。叙所谓吉士，则经文之蔼蔼吉士、蔼蔼吉人也。能信任大贤，处之尊位，则众贤满朝矣。"

韵读：之部——止、士、使、子。

凤皇于飞，翙翙其羽，亦傅于天。蔼蔼王多吉人，维君子命，媚于庶人。

傅，至。这句意为，众鸟亦随凤凰飞往天空。

吉人，犹“吉士”。

庶人，平民。

韵读：真部——天（铁因反）、人、命、人。

凤皇鸣矣，于彼高冈。梧桐生矣，于彼朝阳。菶菶萋萋，雝雝喈喈。

朝阳，山的东面。因早晨被太阳照亮，故称朝阳。姚际恒诗经通论：“诗意本是高冈朝阳，梧桐生其上，而凤凰栖于梧桐之上鸣焉；今凤凰言高冈，梧桐言朝阳，互见也。”

菶菶（běng）萋萋，形容梧桐枝叶的茂盛。

雝雝（鲁诗、齐诗作噰）喈喈，形容凤凰鸣声的和谐。

韵读：耕部——鸣、生。　阳部——冈、阳。　脂部——萋、喈（音饥）。

君子之车，既庶且多。君子之马，既闲且驰。矢诗不多，维以遂歌。

庶，众多。　多，侈的假借，车饰侈丽的意思（从俞樾说）。

闲，调顺、熟练。　驰，马疾行。按以上四句是诗人以车马的庶多闲驰，象征贤人众多。

不多，“不”是语词，无义。毛传：“不多，多也。”

维，只。或训为发语词，亦通。　以，为。　遂歌，遂为乐官谱成歌曲。毛传：“王使公卿献诗以陈其志，遂为工师之歌焉。”

韵读：鱼部——车、马（音姥 mǔ）。　歌部——多、驰（音沱）、多、歌。

民　劳

【题　解】

这是一首劝告厉王安民防奸的诗。毛序：“民劳，召穆公刺厉王也。”周厉王是一个暴虐的君主，在位时“赋敛重数，繇役繁多。人民劳苦，轻为奸宄。强陵弱，众暴寡，作寇害。故穆公以刺之。”（郑笺）但是厉王并没有接受召穆公的劝谏，他任用卫巫监谤，将有不满现实的言论的人都杀死。这种专制暴虐的行径虽然暂时堵住了人民的口，却征服不了人民的心。公元前八四二年，国人起来造反，袭厉王。厉王出奔于彘（今山西霍县）。民劳诗所反映的，就是厉王暴政的一个侧面，但用谏戒的语气出之。

陆德明经典释文云：“从此至桑柔五篇是厉王变大雅。”前人的正、变之说虽然不尽正确。但从诗的风格来说，变雅凄苦忧愁的低调与正雅雍容华贵的高调确实相去很远。就这首诗而论，全篇是重章叠唱，以“无纵诡随”（别听狡诈欺骗话）为一篇之主，每一章所变换的词如无良、惽怓、罔极、丑厉、缱绻，则描摹出诡随小人的种种情状，章法于整齐中见变化，渲染出一派“国将乱矣”的严峻气氛，充分表达了诗人言切意深的良苦用心。

民亦劳止，汔可小康。惠此中国，以绥四方。无纵诡随，以谨无良。式遏寇虐，憯不畏明。柔远能迩，以定我王。

亦、止，都是语助词。

汔（qì），气的假借，今省作乞，乞求。　康，安居。于省吾新证：“求可以小安，非有希于郅治之隆也，其意婉而讽矣。”

惠，爱。　中国，王畿，周天子直接统治的区域，与下句“四方”相对。

绥，安抚。　四方，指各诸侯国。

无，毋、不要。　纵，应作从，听从。陈奂传疏：“纵，当依左传作从。笺以‘听’释从，其字不误也。”　诡随，狡诈欺骗的人。王引之经义述闻：“诡随，叠韵字，不得分训。诡随，谓谲诈谩欺之人。”

谨，慎防、小心提防。　无良，不好的人，指诡随。

式，发语词。　遏，遏止、制止。　寇虐，掠夺暴虐的人，指当时的贪官酷吏。毛传：“慎小以惩大也。”马瑞辰通释：“此诗每章皆言‘诡随’，而但曰‘无纵’，可知其为小恶。下文云‘以谨’，曰‘式遏’，明其恶渐大矣。”按这几句是希望防微杜渐的意思。

憯(cǎn)，曾、乃。　明，礼法。陈奂传疏：“明犹法也。不畏明法即是寇虐。”

柔，怀柔、安抚。　远，住在远方的人们，即四方诸侯。　能，亲善，相善。王引之经义述闻：“古者谓相善为相能。”　迩，住在近处(即王畿之内)的人们。

定，安定。　王，王室，指周王朝政权。

韵读：阳部——康、方、良、明(音芒)、王。

民亦劳止，汔可小休。惠此中国，以为民逑。无纵诡随，以谨惛怓。式遏寇虐，无俾民忧。无弃尔劳，以为王休。

逑，聚合。指人民聚集安居之地。

惛怓(mèn náo)，当作惽怓，指朝政昏乱。说文：“惽，怓也。怓，乱也。”

无，不要。

尔，指当时在位者。　劳，功绩。

休，美，美政。郑笺：“劳犹功也。无废女(汝)始时勤政事之功，以为女(汝)王之美。述其始时者，诱掖之也。”

韵读：幽、宵部通韵——休、逑、怓、忧、休。

民亦劳止，汔可小息。惠此京师，以绥四国。无纵诡随，以谨罔极。式遏寇虐，无俾作慝。敬慎威仪，以近有德。

京师，即其他各章中的“中国”，免与下句“国”字重复而换字。

罔极，行为不正，没有准则。见氓注。

慝(tè)，邪恶。作慝，指做邪恶之事。

敬慎，严肃谨慎，此处作动词用。　威仪，容貌举止。

近，接近。　有德，有道德的人。姚际恒通论：“(三章)末二句，教之以近君子也。”

韵读：之部——息、国(古逼反，入声)、极、慝(他力反，入声)、德(丁力反，入声）。

民亦劳止，汔可小愒。惠此中国，俾民忧泄。无纵诡随，以谨丑厉。式遏寇虐，无俾正败。戎虽小子，而式弘大。

愒（qì），休息。

泄，发泄，消除。毛传："泄，去也。"这句意为，可以使人民的忧愤得到发泄。

丑厉，丑恶的人。郑笺："厉，恶也。"马瑞辰通释："丑、厉二字同义，丑亦恶也。"

正，政的假借，政事。　败，败坏。

戎，你。指周厉王。　小子，年轻人。

式，作用。郑笺："今王女（汝）虽小子自遇，而女（汝）用事于天下甚广大也。"方玉润诗经原始："言女（汝）身虽微而所系甚重，不可不谨，盖深责之之词也。"

韵读：祭部——愒（音揭）、泄、厉（音列）、败（音别去声）、大（徒例反）。

民亦劳止，汔可小安。惠此中国，国无有残。无纵诡随，以谨缱绻。式遏寇虐，无俾正反。王欲玉女，是用大谏。

有，语助词。　残，伤害。

缱绻，固结缭绕，这里指结帮营私。楚辞王逸章句："紧綣，纠缭也。一作缱绻。"

正反，政事颠覆。

玉，指金玉财富。　女，指美女。林义光诗经通解："玉女，谓财货与女色也。"又，阮元揅经室集云："说文金玉之玉无一点，其加一点者，解云：'朽王也。从王有点。读若畜牧之畜。'诗玉女，玉字当是加点之玉。玉女（汝，下同）者，畜女也。畜女者，好女也。好女者，臣说（悦）君也。召穆公言：王乎，我惟欲好女，不得不用大谏也。"按阮氏训玉为畜，爱护之意。训女为汝，亦通。

是用，因此。　大谏，深切劝告。

韵读：元部——安、残、绻、反、谏。

板

【题　解】

这是借批评同僚为名来劝告厉王的诗。毛序:“板,凡伯刺厉王也。”三家诗没有大的异议,只是补充说:“刺周王变祖法度,故使下民将尽病也。”(后汉书李固传)凡伯是周公的后裔,入为王朝卿士。据魏源诗古微考证,凡伯就是共伯和,当厉王流亡彘地时,诸侯立凡伯为王。后来厉王死,周宣王立,凡伯就让出政权,回到自己的封地凡邑去了。他向来被称颂是一个“有至德”的人,但事实上,政权的递嬗是否真的如此温良谦和,恐怕不见得。年代久远,史料匮乏,只能存疑。不过这首诗为凡伯所作,大概不会有什么问题。按古本诗经“板”皆作“版”,荀子杨倞注:“大雅版之诗”,可证。

作为主要的艺术手法之一,比喻在诗经中应用得也是很广泛的。即如这首诗的第六章,为了形容“天之牖民”,连用“如埙如篪,如璋如圭,如取如携”六个明喻,以埙篪乐器的相和,璋圭玉器的相合来说明上天诱导百姓的和谐自然,取喻奇特而喻意贴切。更妙者前二句四个喻体都是实物,后一句两个喻体“如取如携”转而用虚;虚实相间,将本体的形象刻画得更加鲜明生动。同样的,第七章“价人维藩”以下六句,也是在众多的隐喻中空一句,赋比相间,取譬切至,而行文不觉板滞。这位诗人用譬的手法可说是相当娴熟了。

上帝板板,下民卒瘅。出话不然,为犹不远。靡圣管管,不实于亶。犹之未远,是用大谏。

上帝,诗人不敢直称厉王,以上帝来暗喻他。　板板,鲁诗作版版,违反正道貌。

卒瘅(cuì dǎn),卒是悴的假借,又作瘁,韩诗外传引作瘁瘅,劳病。瘅,释文:"瘅,本又作亶,沈本作癉。"按瘅为正字,亶、癉皆假借字。与"悴"同义。

话,好话。毛传:"话,善言也。" 不然,并非如此。

犹,同"猷",谋,政策。 不远,没有远见。

靡圣,眼里没有圣人。 管管,无所依凭,自以为是貌。郑笺:"王无圣人之法度,管管然以心自恣。"

实,实行。 亶(dǎn),诚信。郑笺:"不能用实于诚信之言,言行相违也。"按这句正承上"出话不然"而言。

大谏,见上篇民劳注,方玉润诗经原始:"前'用大谏'在篇末,此亦'用大谏'在章首也。大旨不殊,而章法略异耳。"

韵读:元部——板、瘅、然、远、管、亶、谏。

天之方难,无然宪宪。天之方蹶,无然泄泄。辞之辑矣,民之洽矣。辞之怿矣,民之莫矣。

方,正在。 难,灾难,指上天正在降下灾难。

无然,不要这样。 宪宪,欣欣的假借,喜悦貌。

蹶,扰乱。毛传:"蹶,动也。"这里指上天正在降下社会动乱。

泄泄(yì),多嘴多舌貌。亦作呭,说文:"呭,多言也。"

辞,辥的假借,金文"辥"训"我",这里指作者与其同寮。 辑,和,指关系和顺。

洽,融洽团结。

怿(yì),悦,指关系和悦。

莫,慔的假借,勉力。这四句意为,我们之间和悦相处,百姓才能融洽勉力。即上行下效之意。这是作者劝戒同寮的话,由此可见他们之间关系并不和谐。见于省吾新证。

韵读:元部——难、宪。 祭部——蹶、泄。 缉部——辑、洽(胡急反,入声)。 鱼部——怿(音余入声)、莫(音模入声)。

我虽异事，及尔同寮。我即尔谋，听我嚣嚣。我言维服，勿以为笑。先民有言："询于刍荛。"

异事，职务不同。

及，与、和。　同寮，同事。左传文公七年："同官为寮。"

即，往就，接近。　谋，商议。

嚣嚣(áo)，謷謷的假借，释文引韩诗作嗸嗸，鲁诗作敖敖，亦假借字。傲慢而不愿接受人言貌。郑笺："謷謷然不肯受。"

维，是。　服，治，指合理的建议。

笑，嘲笑、戏笑。陈奂传疏："言我言有可说之道，无为笑也。"

先民，古人。

询，问，征求意见。　刍，草。　荛，柴。刍荛代指割草砍柴者，即樵夫。孔疏："我有疑事，当询谋于刍荛薪采者。以樵采之贱者犹当与之谋，况我与汝之同寮，不得弃其言也。"

韵读：之部——事、谋(谟其反)、服(扶逼反，入声)。　宵部——寮、嚣、笑、荛。

天之方虐，无然谑谑。老夫灌灌，小子蹻蹻。匪我言耄，尔用忧谑。多将熇熇，不可救药。

虐，暴虐。与二章"天之方难"同意。

谑谑，嬉笑快乐貌。

老夫，诗人自称。礼记曲礼："丈夫七十自称老夫。"　灌灌，欢之假借，鲁诗正作欢。犹款款，诚恳貌。

小子，即上章的"同寮"，实指厉王。　蹻蹻，骄傲貌。朱熹诗集传引苏氏曰："老者知其不可，而尽其款诚以告之，少者不信而骄之。"

匪，非。　言，说的话。　耄，年八十曰耄。这里有"老糊涂"之意。朱熹诗集传："耄，老而昏也。"

忧，优的假借。优谑，调笑。见俞樾群经平议。这二句意为，不是我说话老糊涂，可你用我的话来开玩笑。

将，实行。　熇熇(hè)，鲁诗作熇熇，火势炽盛貌。这里指惨酷毒害的恶事。

药，治。救药，指王政的腐败，如同病夫不可用药物来救治。郑笺："多行熇熇惨毒之恶，谁能止其祸？"

韵读：宵部——虐、谑、蹻、耄、谑、熇、药。

天之方懠，无为夸毗。威仪卒迷，善人载尸。民之方殿屎，则莫我敢葵。丧乱蔑资，曾莫惠我师。

懠(qí)，毛传："怒也。"

夸毗，卑躬屈膝，谄媚顺从。孔疏引孙炎曰："夸毗，屈己卑身以柔顺人也。"

威仪，指君臣之间的严肃仪态。　卒，尽、全。　迷，迷乱。

载，则。　尸，神主。孔疏："尸，谓祭时之尸，以为神象，故终祭不言。贤人君子则如尸不复言语，畏政故也。"

殿屎(xī)，念吚的假借，鲁诗作念吚，痛苦呻吟声。

葵，揆的假借，揆度，猜疑。莫我敢葵，是"莫敢葵我"的倒文。

蔑，无、未。　资，济的假借，止息。见于省吾新证。

曾，乃。　惠，施恩惠。　师，民众。

韵读：脂部——懠、毗、迷、尸、屎、葵、资、师。

天之牖民，如埙如篪，如璋如圭，如取如携。携无曰益，牖民孔易。民之多辟，无自立辟。

牖(yǒu)，通诱，孔疏："牖与诱古字通用。"韩诗外传引这句诗正作诱。诱导。

埙(xūn)，古代陶制的椭圆形吹奏乐器。　篪(chí)，古代竹制的管乐器。

圭、璋，都是玉制礼品。孔疏："半圭为璋，合二璋则成圭。"毛传："如埙如篪，言相和也。如圭如璋，言相合也。"

携，提。按这三句比喻都是形容只要君子善于诱导，人民是会很好地响应的。

曰，语助词，无义。　益，隘的假借，阻碍。无隘，即没有阻碍。

辟,同"僻",邪僻,坏事。

无自,无从。　辟,法。立辟,立法。郑笺:"民之行多为邪辟者,乃女君臣之过,无自谓所建为法也。"马瑞辰通释:"谓邪僻之世,不可执法以绳人。"

韵读:支部——篪、圭、携、益、易、辟、辟。

价人维藩,大师维垣,大邦维屏,大宗维翰。怀德维宁,宗子维城。无俾城坏,无独斯畏。

价,同"介",鲁诗正作介。善。介人,善人。　维,是。下同。　藩,篱笆。

大师,大众。　垣,墙。

大邦,诸侯中的大国。　屏,屏障。

大宗,周天子同姓的宗族。　翰,桢干、栋梁。

怀,和、团结。陈奂传疏:"棠棣传:'九族会曰和。'"这句意为,以德行团结贤人民众和诸侯宗族,就是国家的安宁。

宗子,周王的嫡子。朱熹诗集传:"言是六者(按即以上六句所言)皆君之所恃以安,而德其本也。有德则得五者之助,不然则亲戚叛之而城坏。"

独,孤独。　斯,此、这。　畏,可怕。这二句意为,你不要使城受到破坏,不要孤立自己,孤立是可怕的。这章是劝谏周厉王不要造成众叛亲离的局面。

韵读:元部——藩、垣、翰。　耕部——宁、城。　脂部——坏(音回)、畏。

敬天之怒,无敢戏豫。敬天之渝,无敢驰驱。昊天曰明,及尔出王。昊天曰旦,及尔游衍。

敬,鲁诗作畏,敬畏。

戏豫,嬉戏娱乐。

渝,变,指天灾。

驰驱,指放纵自恣。毛传:"驰驱,自恣也。"

昊天,上天。　曰,语助词,下同。　明,光明。

及，与。　王，往的假借。出王，来往。

旦，与“明”同义。

游衍，游逛。郑笺：“昊天在上，人仰之皆谓之明，常与女出入往来，游溢相从，视女所行善恶，可不慎乎？”这章是劝谏周厉王要敬畏上天的变怒。

韵读：鱼部——怒、豫。　侯部——渝（喻薀反）、驱（音薀 qiū）。　阳部——明（音芒）、王。　元部——旦、衍。

荡

【题　解】

这是诗人哀伤厉王无道，周室将亡的诗。毛序：“荡，召穆公伤周室大坏也。厉王无道，天下荡荡然无纲纪文章，故作是诗也。”诗的第一章托言上帝，二章至末章设为文王咨嗟指责殷纣之词，而其意则在刺厉王。厉王监谤，箝制言论，国人道路以目，连召穆公这样位高权重的老臣也不敢直言无讳，可见极权者的凶恶霸道了。这种不多见的托古讽今咏史的表现手法，自荡滥觞以来，竟然延续了数千年而不衰，真是中国文学史上的奇观。

陆奎勋诗学：“文王以下七章，初无一语显斥厉王，结撰之奇，在雅诗亦不多覯。”孔颖达说：“伤者，刺外之有馀哀也，其恨深于刺也。”他看出了诗的情调。这种恨是恨铁不成钢的恨，如“靡不有初，鲜克有终”；是失望中还残存着希冀的恨，如“殷鉴不远，在夏后之世”。从这种深沉的感情中孕育出来的诗句，都带有强烈的感染力，流传了二千多年，从而产生出一种普遍意义，成为文坛上常用的成语了。

荡荡上帝，下民之辟。疾威上帝，其命多辟。天生烝民，其命匪谌？靡不有初，鲜克有终。

荡荡，潒之或体，本为流水放散之貌，此处引申为无视礼法、任意骄纵貌。　上帝，托指君王。

辟(bì)，君主。

疾威，贪婪暴虐。郑笺："疾，重赋敛也。威，峻刑法也。"

命，政令。下同。　辟，僻的假借，邪僻。

烝，众。烝民，众人。

谌(chén)，诚信。匪谌，不守信用。陈奂传疏："言天生此天下之众民，何其政教之不诚也？"

靡，无。

鲜，少。　克，能。按这二句即有始无终之意，是针对"其命匪谌"而言。

韵读：支部——帝、辟、帝、辟。　中、侵部合韵——谌、终。

文王曰咨，咨女殷商！曾是强御，曾是掊克，曾是在位，曾是在服。天降慆德，女兴是力。

咨，嗟叹声。亦作嗞，广韵："嗞嗟，忧声也。"

女，同"汝"，指殷纣。厉王暴虐，作者不敢直言，只能假托周文王批评殷纣的口气。下各章均同。

曾，乃、竟然。　是，这样。　御，或作圉。鲁诗、齐诗正作圉。强和御同义，即强梁暴虐。

掊(póu)克，聚敛，搜括财物的意思。按强御、掊克在这里都用作名词。朱熹诗集传："强御，暴虐之臣也。掊克，聚敛之臣也。"

在位，列在官位。凶暴者列于官位，必然穷凶肆虐。

服，任，从事职务。贪婪者从事职务，必然横征暴敛。孙矿批评诗经："明是强御在位，掊克在服，乃分作四句，各唤以'曾是'字，以肆其态。"

慆，通滔，倨慢。慆德，倨慢无忌的败德。方玉润诗经原始引王安石曰："强御掊克，是谓滔德。"

女，同"汝"，指君王。　兴，兴起，助长。　力，力行，努力地做。朱熹诗集传："言此暴虐聚敛之臣在位用事，乃天降慆慢之德而害民。然非其自为之也，乃汝兴起此人而力为之耳。"

韵读:阳部——商(与以下各章遥韵)。　之部——克(枯力反,入声)、服(扶逼反,入声)、德(丁力反,入声)、力。

文王曰咨,咨女殷商!而秉义类,强御多怼。流言以对,寇攘式内。侯作侯祝,靡届靡究。

而,汝、你。　秉,操持、任用。　义类,善类。

怼(duì),怨恨。这二句意为,如果你任用好人,凶暴之臣就有许多怨恨。

流言,谣言。　对,对答。郑笺:"皆流言谤毁贤者。王若问之,则又以对。"

寇攘,盗窃国家资财。　式,以、因此。　内,入。金文内、入同用。这句意为,寇盗攘窃之祸也因此而发生了。

侯,有。陈奂传疏:"侯,维也,犹有也。"　作,诅的假借。　祝,咒的假借。诅咒,祈求鬼神加祸于敌对的人。尚书正义:"诅祝,谓告神明令加殃咎也。"按作祝是一个词,中间衬一个"侯"字以足句,侯是衬字。

靡,无。　届,尽。　究,穷。郑笺:"日祝诅求其凶咎无极已。"

韵读:脂部——类、怼、对、内。　幽部——祝、究。

文王曰咨,咨女殷商!女炰烋于中国,敛怨以为德。不明尔德,时无背无侧。尔德不明,以无陪无卿。

女,同"汝"。炰烋(páo xiāo),亦作咆哮。叠韵。本义是野兽的吼叫,引申为骄傲,盛气凌人。郑笺:"炰烋,自矜气健之貌。"　中国,即国中。

敛,聚。　怨,指凶暴怨怒者。即上章"强御多怼"之人。郑笺:"敛聚群不逞作怨之人谓之有德而任用之。"

不明,无知人之明,不辨善恶。不明尔德,即"尔德不明"的倒文。

时,韩诗作以,所以。　无,分不清。　背,背叛者,怀贰心的人。侧,齐诗作仄。倾仄,指不正派的人。

陪,陪贰,指三公。　卿,卿士,指六卿。三公六卿是王朝的重要官职。汉书颜师古注:"不别善恶,有逆背倾仄者,有堪为卿大夫者,皆不知之也。"

韵读:之部——国(古逼反,入声)、德、德、侧(音淄入声)。　阳部——明(音芒)、卿(音羌)。

文王曰咨,咨女殷商!天不湎尔以酒,不义从式。既愆尔止,靡明靡晦。式号式呼,俾昼作夜。

湎,沉溺于酒。释文引韩诗:"饮酒闭门不出客曰湎。"

义,宜、应该。　从,跟着,或训为纵,亦通。　式,用。有人训为度,亦通。这二句意为,上天没有让你酗酒,酗酒是坏事,不应该跟着去做。

愆(qiān),过失,犯错误。　止,仪态行为。

靡,无。　明,白天。　晦,晚上。孔疏:"汝沉湎如是,既已愆过于汝之容止,又无明无晦而饮酒不息。"

式,语助词。　呼,齐诗作謼,皆嘑之假借字。号呼,形容酗酒之态。

俾,使、将。郑笺:"醉则号呼相效,用昼日作夜,不视政事。"

韵读:之部——式、晦(呼鄙反)。　鱼部——呼、夜(音豫)。

文王曰咨,咨女殷商!如蜩如螗,如沸如羹。小大近丧,人尚乎由行。内奰于中国,覃及鬼方。

蜩(tiáo),蝉。　螗,蝉的一种,亦名蝘。

沸,开水。　羹,菜汤。马瑞辰通释:"诗意盖谓时人悲叹之声如蜩螗之鸣,忧乱之心如沸羹之熟。"

小大,大小事情。　近,迈的讹字,其,将要的意思。见于省吾新证。丧,失败。

人,指君王。　由行,照老样子做。这二句意为,凡百事情都将要失败了,还一意孤行,不知变化。

内,指国内。　奰(bì),激怒,这里是"见怒"的意思。　中国,国中。

覃(tán),延及。　鬼方,远方。这里泛指远方异族,与特指北部鬼方国不同。朱熹诗集传:"言自近及远,无不怨怒也。"

韵读:阳部——商、螗、羹(音冈)、丧、行(音杭)、方。

文王曰咨,咨女殷商!匪上帝不时,殷不用旧。虽无老成人,尚有典刑。曾是莫听,大命以倾。

匪,非。　时,是、善。

旧,指旧的典章法制。这二句意为,并非上帝对你不好,是殷纣不采用旧的典章法制。

老成人,旧臣。

典刑,即旧法。郑笺:“老成人谓若伊尹、伊陟、臣扈之属。虽无此臣,犹有常事故法可案用也。”

曾,竟然。　是,这些,指上面这些劝谏的话。　莫听,不肯听从。

大命,国家的命运。　倾,倒塌。朱熹诗集传:“乃无听用之者,是以大命倾覆而不可救也。”

韵读:之部——时、旧(音忌)。　耕部——刑、听、倾。

文王曰咨,咨女殷商!人亦有言:“颠沛之揭,枝叶未有害,本实先拨。”殷鉴不远,在夏后之世。

亦,语助词。

颠沛,跌倒。这里指被拔倒的树木。　揭,高举,指树木倒地后根部露出。毛传:“揭,见根貌。”

拨,败的假借,列女传引诗正作败,毁坏。朱熹诗集传:“言大木揭然将蹶,枝叶未有折伤,而其根本之实已先绝,然后此木乃相随而颠拔尔。苏氏曰:商周之衰,典刑未废,诸侯未畔,四夷未起,而其君先为不义以自绝于天,莫可救止,正犹此尔。”

鉴,鲁诗作监,镜子。

夏后,周人称夏朝为夏后氏。郑笺:“此言殷之明镜不远也,近在夏后之世,谓(商)汤诛(夏)桀也。后武王诛纣,今之王者何以不用为戒?”

韵读:祭部——揭、害(胡例反,入声)、拨(音鳖)、世。

抑

【题　解】

这是周王朝一位老臣劝告、讽刺周王并自我警戒的诗。毛序:“抑,卫武公刺厉王,亦以自警也。”盖据国语楚语曰:“昔卫武公年数九十有五矣,犹箴儆于国曰:自卿以下至于师长士,苟在朝者,无谓我老耄而舍我,必恭恪于朝,朝夕以交戒我。闻一二之言,必诵志以纳之,以诵道我。……于是作懿戒以自儆也。”韦昭注:“昭谓懿诗,大雅抑之篇也。懿读曰抑。”毛序分析诗旨并不错,但作者是否卫武公,所刺是否周厉王,却引起后人许多纷争。卫武公即位,距厉王流亡于彘已经三十年,而且诗的作者俨然一个老人,那么离开厉王之没至少已七、八十年。于是有人以为是“追刺”,有人以为是“刺平王”,其实都没有什么根据。还有一种意见,认为诗确是刺厉王,而作者则不知何人。我们觉得这方面的争辩并没有多大意义。从诗的内容来看,这一位老臣主要不满于君主的昏庸骄满,沉湎酒色,希望他加强自身德行的修养。这一类泛泛的说教,无论施于哪一位年幼昏庸君主都是合适的,因此也就不必刻意深求了。

这是一首强调修德慎行的诗,因此语言的运用说理成分居多,洗炼概括,有的还带有哲理性,如“白圭之玷,尚可磨也,斯言之玷,不可为也”,“投我以桃,报之以李”,“匪面命之,言提其耳”等句,在后世广泛流传,逐渐演化为成语。由此可见诗经的语言具有旺盛的生命力,历二千五百馀年而不衰。

抑抑威仪,维德之隅。人亦有言:“靡哲不愚。”庶人之愚,亦职维疾。哲人之愚,亦维斯戾。

抑抑,严密审慎貌。　威仪,容止礼节。

隅,偶的假借,匹配。汉刘熊碑引诗正作“维德之偶”。这二句意为,审密的容止礼节,是同道德相匹配的。德为内容,威仪为德之表现形式,言其表里相称。见于省吾新证。

哲,哲人,知识渊博的聪明人。按这句当时的谚语即老子说的“大智若愚”之意。

亦,语首助词,末句同。　职,主、主要。　维,是,末句同。　疾,毛病。朱熹诗集传:"夫众人之愚,盖有禀赋之偏,宜有是疾,不足为怪。"

斯,此、这。　戾,罪。郑笺:"贤者而为愚,畏惧于罪也。"

韵读:侯部——隅(俄讴反)、愚(俄讴反)。　脂部——疾、戾。

无竞维人,四方其训之。有觉德行,四国顺之。吁谟定命,远犹辰告。敬慎威仪,维民之则。

无,发语词。　竞,通倞,强。　维,以、由于。鲁诗作惟或伊,义同。人,指贤人。高诱吕览求人篇注:"国之强惟在得人。"

四方,指诸侯。　训,顺、顺从。左传襄二十六年引这句诗作"四方其顺之"。

有觉,即觉觉,觉是梏的假借,礼记缁衣引诗正作梏,高大正直貌。

四国,即四方。　顺,顺从。

吁(xū),大。　谟,谋、计划。朱熹诗集传:"大谋,谓不为一身之谋,而有天下之虑也。"　定,确定。　命,号令。

犹,同"猷",谋略、政策。　辰,时。　告,宣布。这二句意为,有宏大的计划就确定为号令,有长远的政策就随时宣布。

维,是。　则,法则、榜样。朱熹诗集传:"敬其威仪,然后可以为天下法也。"

韵读:文部——训、顺。　之、幽部通韵——告、则(音稷)。

其在于今,兴迷乱于政。颠覆厥德,荒湛于酒。女虽湛乐从,弗念厥绍。罔敷求先王,克共明刑。

今,指诗所写作的年代。

兴,虚的假借,语气词。　迷乱,混乱。　于,其。这句是倒文,即其政迷乱。

颠覆,败坏。　厥,其,指周王。

湛(dān),鲁诗、齐诗作沈,韩诗作愖,皆酖的假借。说文:"酖,乐酒也。"荒湛,沉湎。

女,同汝,指周王。　虽,通维,惟独。陈奂传疏:"释词云:'虽,维也。'

古虽、维声通。书无逸篇云:‘惟耽乐之从。’文义正与此同。” 从,从事。

弗,不。 念,思。 绍,继承。这二句意为,你只顾着嗜酒玩乐,不想到自己是个王位继承者。

罔,无、不。 敷,广泛。 先王,指先王治国之道。

克,能。 共,拱的古字。执、执行。 刑,法。这二句意为,不能广求先王的治国之道,从而执行英明的法度。

韵读:幽、宵部通韵——酒、绍。 耕、阳部通韵——王、刑。

肆皇天弗尚,如彼泉流,无沦胥以亡。夙兴夜寐,洒扫廷内,维民之章。修尔车马,弓矢戎兵,用戒戎作,用逷蛮方。

肆,发声词。 尚,保佑。马瑞辰通释:“尔雅:‘尚,右也。’右通作佑,佑者助也。弗尚,即弗右耳。”

泉流,泉水流去。比喻国运的不可挽回。

无,发声词。 沦,率。 胥,相。沦胥,相率、相随。 以,而。王引之经义述闻:“周之君臣,将相率而底于败亡也。”

夙,早。夙兴,早起。 夜寐,晚睡。见氓注。

洒,韩诗作灑,泼水去尘。 扫,扫除地上垃圾。见山有枢注。 廷,庭院。 内,室内。

维,为,做。 章,法则、模范。

戎兵,武器。鲁诗作戈兵。

用,以。下句同。 戒,戒备。 戎,战事。 作,起来。

逷(tì),鲁诗作逖,说文:“逷,古文逖。”剪除,治服。 蛮方,远方异族。郑笺:“女(汝)当用此备兵事之起,用此治九州之外不服者。”

韵读:阳部——尚、亡、章、兵(音榜)、方。 脂部——寐、内。

质尔人民,谨尔侯度,用戒不虞。慎尔出话,敬尔威仪,无不柔嘉。白圭之玷,尚可磨也;斯言之玷,不可为也!

质,齐诗作诰,鲁诗、韩诗作告。告诫。郑笺训为平,亦通。 人民,韩诗外传和盐铁论引这句诗均作“民人”。马瑞辰通释:“今毛诗作人民,盖沿唐石经传写之讹。”

谨，谨守、遵循。　侯，君侯。　度，法度。

不虞，不测。郑笺："平女（汝）万民之事，慎女为君之法度，用备不臆度而至之事。"

慎，慎重。　出话，发布的教令。

敬，敬重、重视。

柔嘉，妥善。形容"出话"和"威仪"都是好的。

圭，玉器。　玷（diàn），点的假借，说文引作刮，云："缺也。"本毛传，与三家诗训"玉上的污点"义异。

斯，这。

为，救。这四句意为，玉上的缺陷还可以琢磨掉，说错了话，就无法挽回了。

韵读：鱼部——度、虞。　歌部——仪（音俄）、嘉（音歌）、磨、为（音讹）。

无易由言，无曰"苟矣，莫扪朕舌"，言不可逝矣。无言不雠，无德不报。惠于朋友，庶民小子。子孙绳绳，万民靡不承。

易，轻易。　由，于。朱熹诗集传："言不可轻易其言。"

苟，苟且、随便。

扪，捂住。　朕，我。先秦一般人多自称朕，到秦始皇才定"朕"为皇帝的自称。这二句意为，不要因为没有人捂住我的舌头，说话就可以马马虎虎。

逝，及、追。刘向说苑丛谈篇："口者，关也。舌者，机也。出言不当，四马不能追也。"

雠，鲁诗、韩诗作酬，同音假借字。回答。

德，恩德。　报，报答。这二句意为，你说好话，人们就用好话回答你。你施恩德于人，人们就会努力工作来报答。

惠，爱。　朋友，指在朝的群臣。

庶民小子，人民及其子弟。郑笺："王又当施训道于诸侯，下及庶民之子弟。"

子孙,此处指周王为人之子孙。　绳绳,戒慎貌。

承,顺从。这二句意为,只要为人子孙的周王言行谨慎,那么人民没有不顺从的。

韵读:祭部——舌、逝。　幽部——雠、报(布瘦反)。　之部——友(音以)、子。　蒸部——绳、承。

视尔友君子,辑柔尔颜,不遐有愆。相在尔室,尚不愧于屋漏。无曰"不显,莫予云觏"。神之格思,不可度思,矧可射思。

视,看。　友,招待。　君子,与上章"朋友"同,指在朝的群臣。

辑,和。辑柔,形容和颜悦色。

遐,何。不遐,岂不。　愆,过错。朱熹诗集传:"言视尔友于君子之时,和柔尔之颜色,其戒惧之意,常若自省曰,岂不至于有过乎?"这三句指在大庭广众面前,言行应冠冕堂皇的。

相,看。

尚,通"上"。　屋漏,白天屋里日光从天窗漏入。孔疏引孙炎云:"当室之白日光所漏入。"意谓在屋内隐蔽之处,还是有日光从天窗漏入。你所作所为,是否无愧于天?王先谦集疏:"黄山云:不愧屋漏,即言不愧于神明。神不可知,以天明之,犹言不愧于天。天亦不可知,以日明之。"据黄说,屋漏喻指神明。

无,同毋。　显,明亮。

云,语助词。　觏,看见。这二句意为,休道屋里不是明亮之处,我的言行没有人看见。朱熹诗集传:"此言不但修之于外,又当戒谨恐惧乎其所不睹不闻也。"

格,至、来到。　思,语气词。

度,猜度、揣测。

矧(shěn),况且。　射(yì),斁的假借,讨厌。这三句意为,神明的到来是不可预测的,人们怎么可以厌恶不信呢!

韵读:元部——颜、愆。　侯部——漏、觏。　鱼部——格(音孤入声)、度、射(音豫)。

辟尔为德,俾臧俾嘉。淑慎尔止,不愆于仪。不僭不贼,鲜不为则。投我以桃,报之以李。彼童而角,实虹小子。

辟,修明。礼王制郑注:“辟,明也。” 为,语助词。 德,德行。

俾,使。 臧、嘉,美善。这二句意为,修明你的德行,使它尽善尽美。

淑,善。 止,举止行为。

愆,过失。 仪,威仪,指礼节。郑笺:“又当善慎女(汝)之容止,不可过差于威仪。”

僭,差错。 贼,贰的讹字,也作忒或慝。僭忒,差爽,有过失的意思。见于省吾新证。

鲜,少。这二句意为,在威仪礼节上没有过失,那是很少不被人们当作学习榜样的。

投,见木瓜注。郑笺:“此言善往则善来,人无行而不得其报也。”

童,秃,指无角的羊。 而,以、自以为。

虹,讧的假借,溃乱。 小子,郑笺:“天子未除丧称小子。”这里指周王。这二句意为,有的人将没有角的羊硬说成有角,这种人实在是在溃乱你周王朝的政权。

韵读:歌部——嘉、仪。 之部——贼、则、李、子。

荏染柔木,言缗之丝。温温恭人,维德之基。其维哲人,告之话言,顺德之行。其维愚人,覆谓我僭,民各有心。

荏染,坚韧。 柔木,指椅、桐、梓、漆等可做琴瑟乐器的树木。

言,语首助词。 缗,安上。毛传:“缗,被也。” 丝,琴瑟等的弦。

温温恭人,见小宛注。

维,是。 基,根本,引申为标准。这二句意为,温文尔雅的人是德行的标准。

维,惟、只有。

话,是诂的讹字。陈奂传疏:“话,当为诂字之误也。释文引说文作‘告之诂言’,云:‘诂,故言也。’是陆(德明)所见说文据诗作诂言,可据以订正。”诂言,古代的好话,古老话。

德，道德，指诂言。　行，实行。这三句意为，只有明智的人，告诉他古代的好话，就会遵照着去实行。

覆，反而。　僭，错误。

民，人们。朱熹诗集传："言人心不同，愚智相越之远也。"

韵读：之部——丝、基。　侵部——僭（音祲）、心。

於乎小子，未知臧否！匪手携之，言示之事。匪面命之，言提其耳。借曰未知，亦既抱子。民之靡盈，谁夙知而莫成？

於乎，即呜呼。鲁诗、韩诗正作呜呼，叹词。　小子，指周王。

臧，善。　否（pǐ），恶。以上二句责王不知善恶是非。

匪，非、非但。　携，搀着。

言，语首助词。　示，指示、指点。以上二句意为，我不但搀着你，而且还指点你许多事理。

面，当面。　命，教导。

提其耳，形容教诲的认真急切。这说我不但当面教导你，还拉着你的耳朵让你注意听。

借，齐诗作藉。借曰，假如说。　未知，没有知识。

既，已经。这二句意为，假如说你没有知识，可已经是抱上孩子的人了。

民，人们。　盈，盈满，完美。靡盈，没有一切都好，即有缺点。

夙知，早慧。　莫，同暮。暮成，晚年才有成就。这二句意为，人总是有缺点的，有谁是少年聪明却到晚年才有成就呢？意指青年时代如没有知识，今后就更难有成就了。这是对周王的讽刺。

韵读：之部——子、否（方鄙反）、事、耳、子。　耕部——盈、成。

昊天孔昭，我生靡乐。视尔梦梦，我心惨惨。诲尔谆谆，听我藐藐。匪用为教，覆用为虐。借曰未知，亦聿既耄！

孔，非常。　昭，明亮。

靡乐，不快乐。以上二句意为，上天的眼睛非常明亮，了解我活着并不快乐。

梦梦（méng），昏昏，胡涂貌。

惨惨（cǎo），懆懆的假借，鲁诗作懆，忧愁烦闷貌。

谆谆，齐诗作忳，同音假借字。教诲不倦貌。

藐藐，齐诗作眊，与藐双声通用。鲁诗、韩诗作邈，邈为藐之异体字。轻视忽略貌。这四句是刺周王昏庸拒谏。

虐，谑的假借，戏谑，开玩笑。马瑞辰通释：“诗盖言不用其言为教令，反用其言为戏谑耳。”

聿，语助词。　耄，老。陈奂传疏：“假谓王年尚幼，未知其道；宜听用老臣之言。今反谓其老耄而舍之，是即‘听我藐藐’之意也。”

韵读：宵部——昭、乐、惨、藐、教、虐、耄。

於乎小子，告尔旧止，听用我谋，庶无大悔。天方艰难，曰丧厥国。取譬不远，昊天不忒。回遹其德，俾民大棘！

旧，旧的典章制度。　止，语气词。

庶，庶几，含有希望之意。

方，正在。　艰难，降下灾难。

曰，同聿，韩诗正作聿，发语词。　丧，毁灭。　厥，其。

譬，鲁诗作辟，古字。取譬，打比方。　不远，指极浅近易懂的事理。

忒（tè），偏差。这二句意为，就浅近打个比方，上天的赏罚是不会有偏差的。

回遹（yù），邪僻。　德，品德。

棘，急的假借，困急，灾难。这二句意为，你如果邪僻成性而不改，就要使人民受大灾难了。

韵读：之部——子、止、谋（谟其反）、悔（音喜）、国（古逼反，入声）、忒（他力反，入声）、德（丁力反，入声）、棘。　元部——难、远。

桑　柔

【题　解】

这是芮良夫哀伤周厉王暴虐昏庸，任用非人而终遭灭亡的诗。左传文公十三年秦穆公引这首诗的第十三章，称为“芮良夫之诗”。王符潜夫论遏利篇：“周厉王好专利，芮良夫谏而不入，退赋桑柔之诗以讽。”国语和史记也有类似的记载。史有明文，桑柔是芮良夫所作看来是没有问题的。芮良夫是什么人？郑笺：“芮伯，畿内诸侯，王卿士也。字良夫。”芮国在什么地方？陈奂传疏：“汉书地理志左冯翊临晋有芮乡，故芮国。案此周之芮，在河西。今陕西同州府朝邑县，即周芮伯国。”这首诗作于什么时候？一般的看法根据史书记载，认为诗作于周厉王十六年流亡于彘之前。但我们根据诗中有“天降丧乱，灭我立王”的句子，觉得这一说不妥。此外，周厉王在位的最后几年，暴虐侈傲，得卫巫使监谤者，造成“国人莫敢言，道路以目”的万马齐喑的肃杀气象，而诗中却再三提到“民之贪乱，宁为荼毒”，“民之罔极，职凉善背”，“民之回遹，职竞用力”，可见当时国内已经非常混乱，充满暴力行为。这种形势，也只会出现在人民从沉默中爆发，赶走厉王之后。就诗论诗，其写作时间定在厉王流彘，共和摄政之后一、二年间，是比较确切的。

这是一首忧时伤乱之作，情调是很低沉的。全诗十六章，反反复复描述国事的纷乱不可收拾，申诉自己心情的忧痛而又无能为力。从第八章开始，并以“惠君”和“不顺”，“圣人”和“愚人”，“良人”和“忍心”一再对比，理想中的君主是何等清明，现实中的昏君却是如此暴虐。百姓遭此荼毒，自己却无能为力、进退维谷。作者处在极度的矛盾与忧伤之中，所以全诗便体现出沉郁顿挫的风格。屈原九章中的哀郢、怀沙诸篇，其情调庶几近之。

菀彼桑柔，其下侯旬，捋采其刘。瘼此下民，不殄心忧。仓兄填兮，倬彼昊天，宁不我矜！

菀（wǎn）彼，即菀菀，茂盛貌。　桑柔，“柔桑”的倒文。

其下，指柔桑之下。　侯，维、是。　旬，鲁诗作洵，树荫遍布。毛传：“旬，言阴均也。”

捋（luō），用手脱取树叶等物。　刘，树叶剥落而稀疏。指桑叶都被采光。按上三句是兴，诗人以桑树被捋采干净，使人不得庇荫，比人民被剥削而受害。

瘼，病、害。

殄（tiǎn），绝。不殄，不绝。郑笺：“民心之忧无绝已。”

仓兄，怆怳（chuàng huǎng）的假借，（社会）凄凉纷乱貌。　填，通陈，长久。

倬彼，即倬倬，光明貌。

宁，何。　矜，怜悯。不我矜，即“不矜我”的倒文。这一章作者抒发了对人民生活困苦、社会萧条纷乱的忧愁。

韵读：幽部——柔、刘、忧。　真部——旬、民、填（徒人反）、天（铁因反）、矜。

四牡骙骙，旟旐有翩。乱生不夷，靡国不泯。民靡有黎，具祸以烬。於乎有哀，国步斯频！

骙骙，马匹奔驰不停貌。

旟旐，画有鹰隼龟蛇的旗。见斯干注。　有翩，即翩翩，旌旗翻飞貌。这二句描写军队出征。陈奂传疏：“刺王暴虐，以致累用兵革，无有止息也。”

夷，平息。

泯，乱。王引之经义述闻：“泯，乱也。承上乱生不夷，故云靡国不乱耳。”

黎，众。姚际恒通论：“民靡有黎，犹‘周馀黎民，靡有孑遗’之意，以八字缩为四字，简妙。”

具，同俱。　以，而。　烬，灰烬。王引之经义述闻：“黎，众也。言民多死于祸乱，不复如前日之众多，但留馀烬耳。”

於乎，即呜呼。　有哀，即哀哀。重言之，表现诗人哀伤之甚。

国步,国家的命运。　斯,这样、如此。　频,危急。这章叙战争祸乱频发,人民死亡,国家危急。

韵读:脂部——骙、夷、黎、哀(音衣)。　真部——翩(音缤)、泯、烬、频。

国步蔑资,天不我将。靡所止疑,云徂何往?君子实维,秉心无竞。谁生厉阶?至今为梗。

蔑,无、未。　资,济的假借,定。这句意谓国家的命运不得安定。

将,牂的假借,扶助。马瑞辰通释:"犹言天不扶助我耳。"

疑,䰻字之假借,与止同义。定息。

云,发语词。　徂,往。这二句意为,没有地方可以安身,想走也不知往哪里去。

君子,指当时贵族(包括作者)。　维,惟的假借,想、思考。

秉心,存心。　无竞,无争,不同人争权夺利。

厉阶,祸端。

梗,灾害。朱熹诗集传:"谁实为此祸阶,使至今为病乎?盖曰祸有根原,其所从来也远矣。"这章写国家困穷,人心不安,祸根在于厉王。

韵读:脂部——资、维、阶(音饥)。　阳部——将、往、竞(其两反)、梗(音冈上声)。

忧心殷殷,念我土宇。我生不辰,逢天僤怒。自西徂东,靡所定处。多我觏痻,孔棘我圉。

殷殷,鲁诗作隐隐,心痛貌。

土宇,乡居、家乡。

辰,时。

僤(dàn),惮的假借。惮怒,震怒。这二句意为,我活的不是时候,正好碰上老天发怒。

定处,安身之地。与上章"止疑"同义。

觏,遇到。　痻(mín),愍之或体,病、灾难。这句是"我多觏痻"的倒文,意为遇见许多灾难。

棘，急的假借，紧急。　圉（yǔ），边疆。这句是“我圉孔棘”的倒文，意为边疆很吃紧。这章写家乡边疆受敌人侵扰而忧愁。

韵读：元、文部通韵——殷、辰、痻。　鱼部——宇、怒、处、圉。

为谋为毖，乱况斯削。告尔忧恤，诲尔序爵。谁能执热，逝不以濯？其何能淑，载胥及溺。

谋，计划。　毖，谨慎。

乱况，祸乱的状况。　斯，则，乃。　削，减少。马瑞辰通释：“乱况，犹乱状也。诗盖言在上者如善其谋，慎其事，乱状斯能削减耳。”

尔，指周王及当时执政的大臣。　忧恤，忧虑，指忧虑国事。

序，次序，这里作动词，排列次序。　爵，官爵。郑笺：“我语女（汝）以忧天下之忧，教女（汝）以序贤能之爵。”

执，解救。　热，炎热，比喻国家遭受的苦难。马瑞辰通释：“公羊隐七年传：‘不与夷狄之执中国也。’何注：‘执者，治之也。’救亦治也。执热即治热，亦即救热。言谁能救热而不以濯也。”

逝，发语词。　濯，沐浴。这里用以比喻上述为谋为毖、忧恤、序爵等救国的办法。

淑，善。

载，则，就。　胥，相，相率。　溺，淹死。朱熹诗集传引苏辙曰：“贤者之能已乱，犹濯之能解热耳。不然，则其何能善哉？相与入于陷溺而已。”这章表达作者的救国建议。

韵读：宵部——削、爵、濯、溺。

如彼遡风，亦孔之僾。民有肃心，荓云不逮。好是稼穑，力民代食。稼穑维宝，代食维好。

遡，面向。

亦、之，都是语助词。　僾（ài），气噎而呼吸不畅貌。郑笺：“今王之为政，见之使人唈然，如乡（向）疾风不能息（呼吸）也。”

肃心，进取心。

荓（pīng），使。　云，有。　不逮，不及，不能实行。这二句意为，人们有进取心，但形势使他不能实行。

好，喜爱。　是，这。　稼穑，这里泛指农业劳动。

力民，勤民，使人民出力劳动。　代食，指不事生产而食禄的官僚按例吃人民代耕养活的粮。

宝，珍宝。此二句意为，耕种生产是宝，代耕养人是好。这章批评厉王使人民失望，要他重视农业生产。

韵读：侵部——风、心。　脂部——僾（音懿）、逮（音悌）。　之部——穑（音史入声）、食。　幽部——宝（博叟反）、好（呼叟反）。

天降丧乱，灭我立王。降此蟊贼，稼穑卒痒。哀恫中国，具赘卒荒。靡有旅力，以念穹苍。

立王，陈奂传疏："或谓天之所立谓之立王。"这里指周厉王。这二句是写国人"相与畔（叛），袭厉王，厉王出奔于彘"的事。

蟊，吃苗根的害虫。　贼，吃苗茎的害虫。这里泛指天灾。或云蟊贼喻指贪残之人，亦通。

稼穑，庄稼。　卒，完全。　痒，病。

恫（tōng），痛。　中国，国中。

具，都。　赘，连续。毛传："赘，属也。"说文："属，连也。"　荒，荒芜。陈奂传疏："具赘卒荒，承上文'降此蟊贼，稼穑卒痒'言之，犹云饥馑荐臻耳。"

旅，膂的假借。膂力，体力。

念，感动。　穹苍，青天。孔疏引李巡曰："仰视天形，穹隆而高，其色苍苍，故曰穹苍。"这二句意为，大家没有尽自己的体力工作，来感动上天。这章说人们不肯尽力，以致天灾频仍，周王被灭。

韵读：阳部——王、痒、荒、苍。　之部——贼、国（古逼反，入声）、力。

维此惠君，民人所瞻。秉心宣犹，考慎其相。维彼不顺，自独俾臧，自有肺肠，俾民卒狂。

维，发语词。下同。　惠君，通情达理的君主。

瞻，瞻仰。

秉心,持心,存心。 宣,光明。 犹,通猷,通顺、通达。马瑞辰通释:“方言:‘猷,道也。’道之言导。导,通也,达也。秉心宣犹,言其持心明且顺耳。”

考,察看。 慎,谨慎选择。 相,助,指辅佐大臣。

不顺,悖理的君主。王先谦集疏:“不顺与惠君对举,不顺即不惠也。”

自独,“独自”的倒文。 俾,使。 臧,善。俾臧,使自己过着好生活。林义光诗经通解:“考慎其相,言不仅求自利,亦必思利人,与下文自独俾臧相对。自独俾臧,使己独利也。”

卒,尽、完全。 狂,迷惑狂乱。郑笺:“自有肺肠,行其心中之所欲,乃使民尽迷惑如狂。”这章通过两种君主的对比,批评厉王一意孤行。

韵读:阳部——相、臧、肠、狂。

瞻彼中林,甡甡其鹿。朋友已谮,不胥以穀。人亦有言:“进退维谷。”

瞻,看。 中林,林中。

甡甡(shēn),众多貌。按以上二句是反义的兴,马瑞辰通释:“说文:‘甡,众生并立之貌。’盖鹿性旅行,见食相呼,有朋友群聚之象,故诗以兴朋友之不相善。”

谮(jiàn),僭的假借,互相欺骗而不信任。

胥,相。 以,与。 穀,善。林义光诗经通解:“言朋友僭伪太过,不能相与以善,不如林中之鹿尚能群居。”

维,是。 谷,鞠的假借,穷、困窘。韩诗外传:“申鸣曰:‘受君之禄,避君之难,非忠臣也。正君之法,以杀其父,又非孝子也。行不两全,名不两立,悲夫!若此而生,亦何以视天下之士哉?’遂自刎而死。诗曰:‘进退维谷’。”是韩诗以“进退维谷”为进退两难。阮元以谷为穀的假借,训善;嫌二穀相并为韵,是诗人义同字变之例。于省吾以谷为“欲”的假借,谓朋友之间进退维其所欲,不以礼法自持,恣意所为。按阮、于之训,均可备一说。这章写朋友关系不好,民风浇薄,联系上章的君主不惠,所以觉得进退两难。

韵读:侵部——林、谮。 侯部——鹿、穀、谷。

维此圣人，瞻言百里；维彼愚人，覆狂以喜。匪言不能，胡斯畏忌？

圣，礼记乐记："故知礼乐之情者能作，识礼乐之文者能述。作者之谓圣，述者之谓明。明、圣者，述、作之谓也。"圣人，有创造的人。疑指共伯和。

瞻，远望。　言，句中语助。　百里，指有远见。毛传："瞻言百里，远虑也。"

愚人，疑指厉王。

覆，反而。　狂，狂荡。　以，而。朱熹诗集传："愚人不知祸之将至，而反狂以喜。"

匪，非。这句是"匪不能言"的倒文。

胡，何、为什么。　斯，这样、如此。　畏忌，害怕顾忌。国语："厉王得卫巫，使监谤者，以告，则杀之。国人不敢言，道路以目。"这章追述厉王昏昧，不知国将灭亡，反而狂乱弭谤，箝制言论。

韵读：之部——里、喜、忌。

维此良人，弗求弗迪；维彼忍心，是顾是复。民之贪乱，宁为荼毒。

良人，即上章圣人。

求，奢求。　迪，干进，向上爬。庄子郭象注："共和者，周王之孙也。怀道抱德，食封于共。厉王之难，诸侯立之。宣王立，乃废。立之不喜，废之不怒。"鲁连子："共伯名和，好行仁义，诸侯贤之。周厉王无道，国人作难，王奔于彘。诸侯奉和以行天子事。十四年，厉王死于彘。共伯使诸侯奉王子靖为宣王。共伯复归国于卫。"这些记载可为此句左证。

忍心，即上章愚人。

顾，瞻前顾后。　复，反复。陈奂传疏："彼忍心之人，惟是瞻顾反复无常德也。"

贪乱，贪欲作乱。

宁，胡、为什么。郑笺训为安。　荼毒，本为苦菜、毒虫名，引申为残害破坏的行为。郑笺："天下之民苦王之政，欲其乱亡，故安为苦毒之行相侵暴。”这章写百姓作乱是因不堪厉王暴政。

韵读：幽部——迪（音毒入声）、复、毒。

大风有隧，有空大谷。维此良人，作为式穀；维彼不顺，征以中垢。

有隧，即隧隧，风势疾速貌。

有空，即空空。白驹毛传：“空，大也。”按这二句是兴。郑笺：“大风之行，有所从而来，必从大空谷之中，喻贤愚之所行各由其性。”

式，用、以。　穀，善。陈奂传疏：“言良人之作为，皆用以善道也。”

不顺，即上章“忍心”。

征，往、行。　垢，污浊。中垢，宫中污浊之行。即相鼠所谓“中冓之言”。这章说贤人做好事，恶人做坏事，都出自本性。

韵读：侯部——谷、穀、垢。

大风有隧，贪人败类。听言则对，诵言如醉。匪用其良，覆俾我悖。

贪人，贪财犯法的人。指荣夷公之流。史记周本纪：“厉王即位三十年，好利，近荣夷公。芮良夫谏，不听，卒以荣公为卿士，用事。”　败，残害。　类，同类，指善人。胡承珙后笺：“传训类为善者，善即为善类。败类者，谓贪人能败善人耳。”

听言，顺从的话。广雅：“听，聆，从也。”　对，答话。

诵言，劝告的话。　如醉，像喝醉酒似的昏昏然，不想听。陈奂传疏：“听言指贪人，诵言指良人。王闻贪人听从之言，则对答如流；而闻良人庄诵之言，则懵然若醉酒不省人事。”

良，指讽谏的良言，亦即诵言。

覆俾，反使。　悖，作乱。陈奂传疏：“此刺王不用良人而信用此好利之徒，反使我民悖乱若是也。”这章责厉王任用贪利之人，不听讽谏之言，促成民变。

韵读：脂部——隧、类、对、醉、悖。

嗟尔朋友，予岂不知而作。如彼飞虫，时亦弋获。既之阴女，反予来赫。

嗟，叹呼声。

予，作者自称。　而，你。　作，指所做的坏事。郑笺：“我岂不知女（汝）所行者恶与（欤）？”

飞虫，飞鸟。

时，有时。　弋获，射中捉住。马瑞辰通释：“诗以飞鸟之难射，时亦以弋射获之；喻贪人之难知，时亦以窥测得之耳。”

既，已经。　之，语助词。　阴，谙的假借，洞悉、了解。　女，汝。

赫，俗作吓，恐吓、威吓。这句是“反来赫予”的倒文。这二句意为，当我已经知道你的底细之后，你便反过来威吓我。这章慨叹同僚的行为不良。

韵读：鱼部——作（音租入声）、获（音胡入声）、赫（音呼入声）。

民之罔极，职凉善背。为民不利，如云不克。民之回遹，职竞用力。

罔极，无法则。这里指作乱。

职，主张。　凉，刻薄。　善背，惯于背叛统治者。

不利，不利于民的事。

云，句中助词。　克，胜。这二句意为，你们做不利于人民的事，用尽残酷的办法，好像惟恐不能战胜人民。

回遹（yù），邪僻。

竞，强。　用力，任用暴力。这二句意为，人民的邪僻，主要因你用强硬的暴力。这章言人民以暴力反抗，是由于统治者专事压迫。

韵读：之部——极、背（音逼入声）、克（枯力反，入声）、力。

民之未戾，职盗为寇。凉曰不可，覆背善詈。虽曰匪予，既作尔歌。

戾，善。广雅释诂：“戾，善也。”

职盗为寇，主张做盗贼造反。

凉，谅的假借，诚恳。林义光诗经通解："谅曰不可者，正告之以不可也。"

背，背后。　善詈(lì)，大骂。这二句意为，我诚恳地告诉你所做的事不合理，你反在背后大骂我。

曰，句中助词。　匪，诽的假借，诽谤。匪予，诽谤我。

既，终、最终。　作尔歌，为你作歌。陈奂传疏："此芮伯自明其歌诗以讽刺厉王也。"这章以点明作诗主旨作结。

韵读：歌部——可、歌。

云　汉

【题　解】

这是周宣王求神祈雨的诗，是所谓"宣王变大雅"的第一篇（其他五篇是崧高、烝民、韩奕、江汉和常武）。周宣王史称"中兴之主"，所以大雅中有关他的六篇诗都是美诗。这首诗记载周宣王仰天求雨的祷词，目的是要体现它"有事天之敬，有事神之诚，有恤民之仁"，含有赞美的意思。我们今天读这首诗，当然不是为了体会其中的"美意"，但是从那些怨痛哀诉的句子中，倒可以约略窥见当时那场旱灾的严重，就好像从十月之交中可以证实幽王二年陕西毁灭性的大地震一样。由此可见这首诗还是有史料的价值。诗的作者，毛序说是仍叔。有人据春秋，推算仍叔离周宣王时已一百二十年左右，证明诗非仍叔所作。有人又提出春秋时赵氏世称"孟"，智氏世称"伯"，仍氏也可能世称"叔"，作诗的仍叔是春秋所载仍叔的祖先。其实作者是不是仍叔，无关宏旨。即使考证出确是仍叔所作，我们于他的其他事迹还是一无所知，于诗的理解毫无益处，大可不必纠缠这些细枝末节。

诗以"倬彼云汉，昭回于天"起首，姚际恒诗经通论评道："槭朴篇以云汉喻文章则曰为章，此以云汉言旱则曰昭回。”姚氏所说的实际上是一个不同的感情感应出不同的景物的问题。棫朴是歌功颂德之作，作者感情喜悦而高昂，所以眼中的银河显得星光灿烂。这首诗是禳灾，诗人心里忧惧而焦急，因此只看见银河在天空斜转，水偏偏不肯降落到地上来。王夫之姜斋诗话云：“情、景名为二，而实不可离。神于诗者，妙合无垠。巧者则有情中景，景中情。”这两句诗自然谈不上“妙合无垠”，但景中有情，景随情移却是明显的，所以孙矿批评诗经称赞它“最有风味”。

倬彼云汉，昭回于天。王曰於乎！何辜今之人！天降丧乱，饥馑荐臻。靡神不举，靡爱斯牲。圭璧既卒，宁莫我听？

倬彼，即倬倬，浩大貌。　云汉，银河。

昭，光明。　回，转，指银河在天空斜转。郑笺：“时旱渴雨，故宣王夜仰视天河，望其候焉。”

王，指周宣王。厉王子，名静。史载他继王室衰微之后，修明内政，命秦仲征西戎，尹吉甫伐猃狁，方叔征荆蛮，召虎平淮夷，周室中兴。在位四十六年。　於乎，即呜呼，叹词。

辜，罪。这句是“今之人何辜”的倒文。

荐，重复、屡次。毛传：“荐，重也。”　臻（zhēn），至。

靡，无。　举，祭祀。礼记王制郑注：“举，犹祭也。”

爱，吝惜。　斯，这些。　牲，牺牲，祭祀用的牛羊猪等。周秦时代，遇到荒年天灾，人们就遍求鬼神而祭祀，希望免除灾祸。周礼大司徒：“以荒政十有二：……十有一曰索鬼神。”郑司农注：“索鬼神，求废祀而修之，云汉之诗所谓‘靡神不举，靡爱斯牲’者也。”

圭、璧，都是玉器，周人用来祭祀。祭天神则堆柴焚玉，祭山神地神则埋玉于山脚或地中，祭水神则沉玉于水，祭人鬼则藏玉。　卒，尽。

宁，何、为什么。　我听，即“听我”的倒文。这二句意为，祭祀的圭璧都用完了,为什么上天还不肯聆听我的请求而下雨?

韵读:真部——天(铁因反)、人、臻。 耕部——牲、听。

旱既大甚,蕴隆虫虫。不殄禋祀,自郊徂宫。上下奠瘗,靡神不宗。后稷不克,上帝不临。耗斁下土,宁丁我躬!

大,同太。

蕴,蕰的异体,韩诗作郁,与蕰双声通用。暑气郁结,犹今云闷热。隆,盛,指暑气隆盛。

虫虫(蟲),爞爞之省,烔的假借,韩诗作烔,鲁诗作爞。热气熏蒸貌。

殄(tiǎn),断。 禋祀,古代祭天的仪式。见生民注。这里泛指祭祀。

郊,郊外,祭祀天神在郊外。 徂,往、到。 宫,宗庙,祭祀祖先在宗庙。

上,指天。 下,指地。 奠,陈列祭品,祭天神时的礼仪。 瘗(yì),埋藏,将祭品埋入地中,祭地神时的礼仪。

宗,尊敬。毛传:"国有凶荒,则索鬼神而祭之。"这二句同上章"靡神不举,靡爱斯牲"一样,说为了避免灾祸,无论什么神都去祭祀,反映了古人对天灾的恐惧心情。

后稷,周人的始祖。见生民注。 克,胜过。朱熹诗集传:"言后稷欲救此旱灾而不能胜也。"

临,降临而保佑人们。

耗,消耗。 斁(dù),败坏。 下土,天下、人间。

宁,何。 丁,遭逢、碰上。毛传:"丁,当也。" 躬,自身。这句意为,为什么恰恰在我身上碰到这样的灾难。

韵读:中、侵部合韵——虫、宫、宗、临、躬。

旱既大甚,则不可推。兢兢业业,如霆如雷。周馀黎民,靡有孑遗。昊天上帝,则不我遗。胡不相畏?先祖于摧。

推,消除。

兢兢业业,危惧恐慌貌。

霆,霹雳。这句以巨雷比喻旱灾的猛烈可怕。

黎民,犹今云百姓。

孑遗,剩下、遗留。王充论衡艺增篇引这二句诗为夸张艺术手法的例证。

遗(wèi),赠送,指赐给食物。有人训“遗”为“存问”,亦通。

相畏,相与畏惧。

于,而。　摧,毁灭。这二句意为,先祖怎么不相与畏惧呢?如果因饥馑而子孙死尽,祭祖的典礼将从此而毁灭了。

韵读:脂部——推、雷、遗、遗、畏、摧。

旱既大甚,则不可沮。赫赫炎炎,云我无所。大命近止,靡瞻靡顾。群公先正,则不我助。父母先祖,胡宁忍予!

沮,阻止。

赫赫,干旱燥热貌。　炎炎,暑气灼人貌。

云,雲的古字,庇荫、遮蔽。　无所,没有地方。这句意为,热得没有地方可以遮蔽。

大命,寿命。　止,至,指死亡。毛传:“大命近止,民近死亡也。”

瞻,视察。　顾,顾念。这二句意为,人们的寿命都快完结了,上天还不肯体察顾念。

群公,指前代诸侯的神。　先正,指前代贤达的神。

父母,指死去父母的神。　先祖,指祖先的神。

胡宁,为什么。　忍予,对我忍心。这句意为,为什么这样忍心对待我的灾难而不救。

韵读:鱼部——沮、所、顾、助、祖、予。

旱既大甚,涤涤山川。旱魃为虐,如惔如焚。我心惮暑,忧心如熏。群公先正,则不我闻。昊天上帝,宁俾我遁!

涤涤,三家诗作蔋蔋,本字,涤涤为假借字。光秃枯竭貌。毛传:“涤涤,旱气也。山无木,川无水。”

旱魃(bá),古代传说中的旱魔。孔疏:“神异经曰:南方有人,长二三尺,袒身,而目在顶上。走行如飞,名曰魃,所见之国大旱,赤地千里,一名旱母。”陈奂传疏:“山海经:‘大荒之中有山名不句,有黄帝女妭,本天女也。

黄帝下之，杀蚩尤。不得复上，所居不雨。'玉篇'妭'下引文字指归云：'女妭秃无发，所居之处天不雨也。'" 为虐，作恶。

惔，炎的假借，三家诗正作炎。火光升起。

惮，畏、怕。

熏，烧灼。

闻，问的假借，恤问。马瑞辰通释："闻，当读问，问犹恤问也。"

宁，岂、难道。 俾，使。 遁，逃。这二句意为，上天难道要使我逃避而去吗？有人训遁为困，亦通。

韵读：文部——川（音春）、焚、熏、闻、遁。

旱既大甚，黾勉畏去。胡宁瘨我以旱？憯不知其故。祈年孔夙，方社不莫。昊天上帝，则不我虞。敬恭明神，宜无悔怒。

黾（mǐn）勉，鲁诗作密勿，勉力。见谷风注。 畏去，应读作畏却，担忧。这句意为，虽然努力祈祷而仍有担忧，恐怕无济于事。见于省吾新证。

瘨（diān），病，加害。

憯（cǎn），曾、还。陈奂传疏："言何病我以旱，曾不知其何故也。"

祈年，向神祈求丰年。周代有祈年的祭祀。噫嘻序："春夏祈谷于上帝也。"礼记月令："孟冬，天子乃祈来年于天宗。" 孔夙，很早。

方，祭四方之神。 社，祭土神。甫田毛传："社，后土也。方，迎四方气于郊也。" 莫，同暮，迟。不莫，不晚。

虞，帮助。广雅释诂："虞，助也。"

敬恭，即恭敬。 明神，即神明。

宜，应该。 悔，恨。这句意为，神对我应该没有恨怒。

韵读：鱼部——去、故、莫、虞、怒。

旱既大甚，散无友纪。鞫哉庶正，疚哉冢宰。趣马师氏，膳夫左右。靡人不周，无不能止。瞻卬昊天，云如何里！

散，散漫。 友，"有"的假借。 纪，法纪。此句指群臣散漫而没有法纪。

鞫（jū），贫穷。 庶，众。 正，长。庶正，众官之长。

疚，贫病。　冢宰，官名，相当后世宰相。

趣马，养马的官。　师氏，掌管教育的官，同时又负责王宫的守卫。毛传："趣马不秣，师氏弛其兵。"

膳夫，主管天子等饮食的官。　左右，泛指周宣王左右的大臣。

周，赒的假借，救济。郑笺："周，当作赒，王以诸臣困于食，人人赒救之。"这句意为，以上的大臣没有一人不受周宣王救济的。

不能，没有能力。　止，停止救助人民。王肃云："无不能而止者，其发仓廪，散积聚，有分无，多分寡，无敢有不能而止者，言上下同也。"这几句说百官都努力救助人民。

印，仰的假借。瞻印，仰望。

云，发语词。　里，悝的假借，忧愁。

韵读：之部——纪、宰（音梓）、右（音以）、止、里。

瞻印昊天，有嘒其星。大夫君子，昭假无赢。大命近止，无弃尔成！何求为我，以戾庶正。瞻印昊天，曷惠其宁！

有嘒，即嘒嘒，微小而众多貌。是天晴无雨的象征。

昭，明。　假，通"格"，至。昭假，祷告的意思。　无赢，没有私心。孔疏引王肃云："大夫君子，公卿大夫也。昭其至诚于天下，无敢有私赢之而不敷散。"

成，成功。王肃云："大夫君子所以无私赢者，以民近于死亡，当赈救之，以全汝之成功。"

我，周宣王自称。

戾，安定。陈奂传疏："言今我求雨何独为我躬，亦欲以定庶正救灾之成功而已。"

曷，何。指何时。　惠，语助词。吴闿生诗义会通："曷惠，犹曷维也。"按甲骨文有常用虚词"叀"，应读为"惠"，即此诗"惠"字。这二句意为，仰望苍天，何时才能得到安宁？参见裘锡圭阅读古籍要重视考古资料。

韵读：耕部——星、赢、成、正、宁。

崧　高

【题　解】

这是尹吉甫为申伯送行的诗。毛序:“崧高,尹吉甫美宣王也。天下复平,能建国亲诸侯,褒赏申伯焉。”朱熹诗集传:“宣王之舅申伯出封于谢,而尹吉甫作诗以送之。”两相比较,毛说迂远,朱说明了,且合诗旨。申伯是厉王妻申后的兄弟,宣王的母舅。周宣王时,申伯来朝,久留不归。宣王优待母舅,增加他的封地,派召虎为他建筑谢城和宗庙,治理田地边界,储备粮食。又派傅御代迁家人。临行并赐申伯车马介圭,饯行于郿。宣王的大臣尹吉甫为此作了这首歌,赠给申伯。

这是一首送行诗,但既不诉离别之情,也没有勖勉之辞,全篇是称扬赞颂的话,明显地使人感到有溢美之嫌。结体布局平铺直叙,也不见什么波澜曲折。倒是首章前二句“崧高维岳,骏极于天”,突兀而起,雄伟峥嵘,气势壮阔。杜甫有不少诗的起笔,如“高标跨苍穹,烈风无时休”(同诸公登慈恩寺塔),“素练风霜起,苍鹰画作殊”(画鹰),“堂上不合生枫树,怪底江山起烟雾”(奉先刘少府新画山水障歌)等等,气概不凡,先声夺人,同崧高有相仿佛之处。无怪他自命“亲风雅”了。

崧高维岳,骏极于天。维岳降神,生甫及申。维申及甫,维周之翰。四国于蕃,四方于宣。

崧,三家诗作嵩,嵩高即嵩山,在今河南登封。　维,是。　岳,嵩山是五岳之一。尔雅释山:“泰山为东岳,华山为西岳,霍山(衡山)为南岳,恒山为北岳,嵩高为中岳。”

骏,峻的假借,高大。初学记、艺文类聚、太平御览引这二句诗均作峻。极,至。

维,发语词。　神,神灵。

甫,读作吕,国名;这里指吕侯,其地在今河南南阳西。　申,国名,这里指申伯,其地在今河南南阳北。蔡邕司空杨公碑:“昔在申吕,匡佐周宣。崧高作诵,大雅扬言。”可见申甫即申吕。

翰,桢干、栋梁。

于,为、是。　蕃,韩诗作藩,藩篱、屏障。郑笺:“四国有难,则往扞御之,为之蕃屏。”

四方,指天下。　宣,垣的假借,围墙。

韵读:真部——天(铁因反)、神、申。　元部——翰、蕃、宣。

亹亹申伯,王缵之事。于邑于谢,南国是式。王命召伯,定申伯之宅。登是南邦,世执其功。

亹亹(wěi),勤勉貌。

王,指周宣王。　缵,继承。释文:“韩诗作践。”潜夫论(鲁诗)引诗作荐。按缵与践、荐均双声,通用。　之,指申伯。朱熹诗集传:“使之继其先世之事也。”

前一“于”,为、建。　谢,邑名。孔疏:“申伯先封于申,本国近谢;今命为州牧,故改邑于谢。”这句意为,建邑于谢。其地当在今河南唐河南。

南国,谢邑在周之南,南国指周南一带的诸侯。　式,法、榜样。朱熹诗集传:“式,使诸侯以为法也。”

召伯,召虎,亦称召穆公,周宣王大臣。见甘棠注。

定,确定。　宅,居处,指谢邑。

登,建成。尔雅:“登,成也。”　南邦,指谢邑。

执,遵循、守成。　功,事业。朱熹诗集传:“言使申伯后世常守其功也。”

韵读:之部——事、式。　鱼部——伯(音补入声)、宅(音徒入声)。

东部——邦(博工反)、功。

王命申伯:"式是南邦。因是谢人,以作尔庸。"王命召伯:"彻申伯土田。"王命傅御:"迁其私人。"

因,依靠。　是,这。

作,建起。　庸,墉的假借,城。

彻,治理,指定疆界正赋税。朱熹诗集传:"彻,定其经界,正其赋税也。"　土田,田地,指一般无主的荒田。

傅,太傅,官名。　御,侍御,侍候周王的官。

私人,大夫的家臣。这二句意为,周宣王命令太傅和侍御帮助申伯的家臣迁徙到谢邑。

韵读:东部——邦、庸。　真部——田(徒人反)、人。

申伯之功,召伯是营。有俶其城,寝庙既成。既成藐藐。王锡申伯:四牡蹻蹻,钩膺濯濯。

功,事,指彻土田,筑谢城等工作。

营,经营、办理。

有俶,即俶俶,形容新城完美貌。说文:"俶,善也。"

寝庙,周代宗庙建筑分庙和寝两部分。礼记月令郑玄注:"凡庙,前曰庙,后曰寝。"

藐藐,华丽貌。

锡,赐。

牡,公马。　蹻蹻,强壮貌。

钩膺,亦名樊缨,套在马胸前颈上的带饰。见采芑注。　濯濯(zhuó),光泽貌。

韵读:耕部——营、城、成。　宵部——藐、蹻、濯。

王遣申伯,路车乘马。我图尔居,莫如南土。锡尔介圭,以作尔宝。往近王舅,南土是保。

遣,送走。

路车,诸侯坐的一种车。见渭阳注。　乘马,四匹马。

我，作者代周宣王自称。　图，谋、考虑。　尔，指申伯。这二句意为，我考虑你住的地方，没有比南土更好的了。

介，鲁诗作玠，大。　圭，古代玉制礼器，诸侯执此以朝见周天子。

宝，瑞，朝见的信物。

迈(jì)，语助词。郑笺："迈，辞也。声如'彼记之子'之记。"　王舅，申伯是宣王母亲申后的兄弟，所以宣王称申伯为王舅。陈奂传疏："往迈王舅，言王舅往耳。"

保，保守。指保守好南方谢城之地。

韵读：鱼部——伯、马(音姥 mǔ)、居、土。　幽部——宝(博叟反)、舅、保(博叟反)。

申伯信迈，王饯于郿。申伯还南，谢于诚归。王命召伯，彻申伯土疆。以峙其粻，式遄其行。

信，确实。　迈，行。郑笺："申伯之意不欲离王室，王告之复重，于是意解而信行。"

饯，备酒在郊外送行。　郿，地名，在今陕西郿县东北。

诚，诚心。郑笺："谢于诚归，诚归于谢。"孔疏："诚心归于南国。古之人语多倒，故申明之。诚归者，决意不疑之词。"

土疆，边疆地界。孔疏："令申伯主国之时，不与四邻争讼也。"

以，乃、就。　峙，具、储备。　粻，粮之或体。粮食。

式，用、以。　遄，迅速。郑笺："用是速申伯之行。"

韵读：脂部——郿、归。　阳部——疆、粻、行(音杭)。

申伯番番，既入于谢，徒御啴啴。周邦咸喜，戎有良翰。不显申伯，王之元舅，文武是宪。

番番(bō)，武勇貌。

徒，徒行者，步兵。　御，驾车者，车夫。　啴啴(tān)，众多貌。

周，全、遍。　邦，指谢邑。　咸，都。

戎，你。　翰，桢干，这里指君主。郑笺："申伯入谢，遍邦内皆喜曰，女(汝)乎有善君也。相庆之言。"

不,语词。　显,显赫。

元,大。元舅,大舅父。

文武,指文才武功。　宪,法式。模范。这二句意为,宣王大舅(即申伯)的文才武功是人们的模范。

韵读:元部——番、啴、翰、宪。

申伯之德,柔惠且直。揉此万邦,闻于四国。吉甫作诵,其诗孔硕,其风肆好,以赠申伯。

柔惠,和顺。　直,正直。

揉,安抚。

吉甫,尹吉甫,周宣王卿士,伐猃狁有功。　诵,歌。

孔,非常。　硕,大。郑笺:"言其诗之意甚美大。"

风,曲调。朱熹诗集传:"风,声。"姚际恒诗经通论:"此雅也,而曰其风肆好,则知凡诗皆可称风,第雅、颂可称风,风不可称雅、颂耳。"姚氏将"风"解为风、雅、颂的"风",是错误的,应从朱说。　肆,极。肆好,极好。

韵读:之部——德(丁力反,入声)、直、国(古逼反,入声)。　鱼部——硕(音蜍入声)、伯。

烝　民

【题　解】

这是尹吉甫送别仲山甫的诗。周宣王派仲山甫筑城于齐,在他临行时,尹吉甫作了这首诗赠他。诗中赞扬仲山甫的美德和他辅佐宣王时的盛况。毛序:"尹吉甫美宣王也。任贤使能,周室中兴焉。"后人评他"乖戾不切"。朱熹诗集传:"宣王命樊侯仲山甫筑城于齐,而尹吉甫作诗以送之。"较之毛说切近得多了。

这首诗有它特殊的风格。姚际恒诗经通论:"三百篇说理始此,盖在宣王之世矣。"孙矿批评诗经:"语意高妙,探微入奥,又别是一种风格，大约以理趣胜。”这类说理性的诗，在三百篇很少见，即便是产生于“宣王之世”之后的国风、小雅，也几乎没有这类作品。因为以理语入诗，再如何“高妙”，终嫌枯燥。烝民之所以还可读得，首先在于并非全篇说理。末二章用赋法描写仲山甫出行时的情景，雄健的马匹，勤快的征夫，得得的蹄声，锵锵的鸾铃，给人一种振奋的感觉。尤其最后四句，语重心长，蕴藉有致。以理语起，以情语结，使全诗免入理障。其次，说理部分用词精湛，内涵丰富，哲理性和概括性都很强，以致诗中许多词一直流传到今天，还活在现代汉语的词汇中，如“喉舌”、“矜寡”、“强御”，如“柔茹刚吐”、“小心翼翼”、“明哲保身”、“爱莫能助”等。一首诗中能产生这么多成语，是不多见的，足证诗人遣词造句的功力之深。

天生烝民，有物有则。民之秉彝，好是懿德。天监有周，昭假于下。保兹天子，生仲山甫。

烝，众。

物，事物、物象。　则，法则。胡承珙毛诗后笺：“有物指天，有则指人之法天。”

秉，禀赋。　彝，孟子及潜夫论引诗皆作秉夷，夷为同音假借字。常理。

懿，美。陈奂传疏：“民之秉好性善也。”

监，观察。　有，词头。

昭假，祈祷。

保，保佑。

仲山甫，宣王时大臣，封于樊（今河南济源），排行第二，故亦称樊仲、樊仲山甫或樊穆仲。这四句意为，上天观察周天子，见他虔诚地在下土祈祷，所以保佑他，生下仲山甫作为辅佐。

韵读：之部——则（音稷入声）、德（丁力反，入声）。　鱼部——下（音户上声）、甫。

仲山甫之德，柔嘉维则。令仪令色，小心翼翼。古训是式，威仪是力。天子是若，明命使赋。

柔，柔和。　嘉，美善。　维，是。孔疏："此仲山甫之德如何乎？柔和而美善，维可以为法则。"

令，美善。　仪，仪容、态度。　色，脸色。

古，同故，鲁诗正作故。说文："古，故也。从十口，识前言者也。"郑笺："故训，先王之遗典也。"　式，效法，以为榜样。

威仪，礼节。　力，勤勉、努力。郑笺："力犹勤也。勤威仪者，恪居官次不解（懈）于位也。"

若，顺从。

明命，指政令。　赋，敷的假借，颁布。指天子使他颁布政令。

韵读：之部——德、则、色（音史入声）、翼、式、力。　鱼部——若（音如入声）、赋。

王命仲山甫：式是百辟。缵戎祖考，王躬是保。出纳王命，王之喉舌。赋政于外，四方爰发。

式，法，榜样。　百辟，指诸侯。陈奂传疏："式是百辟，为天下诸侯作式。"

缵，继承。　戎，你。　考，父亲。祖考，祖先。

躬，身体。朱熹诗集传："王躬是保，所谓保其身体者也。"

出，宣布并施行周王的政令。　纳，向周王反映各处的情况、意见。

喉舌，喻指代言人。周代担任周王代言人的称内史，略同于唐虞时的纳言，秦汉时的尚书。

赋，敷之假借，颁布。　政，政令。　外，首都之外，指诸侯。

四方，各地。　爰，乃。　发，响应，实行。郑笺："以布政于畿外，天下诸侯于是莫不发应。"

韵读：幽部——考（苦叟反）、保（博叟反）。　祭部——舌、外（音月入声）、发。

肃肃王命,仲山甫将之。邦国若否,仲山甫明之。既明且哲,以保其身。夙夜匪解,以事一人。

肃肃,齐诗作赫赫,威严。

将,执行。毛传:"将,行也。"

邦国,指国家政事。　若,犹惟,语助词。　否(pǐ),恶、闭塞。

明,通、疏通。于省吾新证:"言邦国当沉晦之时,仲山甫有以通其闭塞。若否乃古人语例。毛公鼎'虩许上下若否',言上下隔阂不相融洽也。"

哲,知识渊博。尔雅:"哲,智也。"

以保其身,孔疏:"以此明哲,择安去危而保全其身,不有祸败。"

夙夜,早晚。　匪,非、不。　解,懈的假借,鲁诗、韩诗正作懈。松弛、怠惰。

事,侍奉。　一人,指周宣王。

韵读:阳部——将、明(音芒)。　真部——身、人。

人亦有言:"柔则茹之,刚则吐之。"维仲山甫,柔亦不茹,刚亦不吐。不侮矜寡,不畏强御。

柔,软。　茹,吃。

刚,坚硬。这二句意为,碰到软的东西就吃掉,碰到硬的只好吐出来。

维,同惟,只有。

矜,左传昭公元年引作鳏,老而无妻。　寡,老而无夫。

强御,汉书王莽传引作强圉,强暴凌弱。孔疏:"不侮不畏即是不茹不吐,既言其喻,又言其实。"以上二句意为,不欺侮鳏寡,不畏惧强梁。

韵读:鱼部——茹、吐、甫、茹、吐、寡(音古)、御。

人亦有言:"德輶如毛,民鲜克举之。"我仪图之,维仲山甫举之,爱莫助之。衮职有阙,维仲山甫补之。

輶(yóu),轻。

鲜,少。　克,能。　举,举起。这里喻指实行。郑笺:"德甚轻,然而众人寡能独举之以行者。"

我，作者尹吉甫自称。　仪图，揣度、思索。

爱，薆的假借，隐蔽。马瑞辰通释："隐者见之不真，凡举物者皆有形，而德之举也无形，凡有形者可助，而无形者不可助，故曰'爱莫助之'。"

衮(gǔn)，古代王侯所穿绣有龙纹的礼服。释名："衮，卷也，画卷龙于衣也。"　职，识的假借，偶尔、适值。俞樾群经平议："职读为识，识犹适也。衮职有阙者，衮适有阙也。"　阙，破损。按诗人以衮衣偶有破损，比喻周王偶有缺失，仲山甫能及时劝告补过，说明他能尽大臣的职责。

韵读：鱼部——举、图、举、助、补。

仲山甫出祖，四牡业业，征夫捷捷，每怀靡及。四牡彭彭，八鸾锵锵。王命仲山甫，城彼东方。

出，出行。　祖，祭祀道路的神。

业业，马匹高大貌。

征夫，指跟随仲山甫出行的人。　捷捷，韩诗作倢倢。勤快敏捷貌。

每，虽。　怀，和。孔疏引王肃云："仲山甫虽有柔和明知之德，犹自谓无及。"按无及指无及于王事，这是说仲山甫处处戒慎自己的行为有不够的地方。

彭彭，马不停蹄貌。

鸾，銮的假借，系在马项下的铜铃。一马二铃，四马八铃。　锵锵，铃声。

城，筑城。　东方，指齐国。齐在镐京之东。

韵读：叶、缉部通韵——业、捷、及。　阳部——彭(音旁)、锵、方。

四牡骙骙，八鸾喈喈。仲山甫徂齐，式遄其归。吉甫作诵，穆如清风。仲山甫永怀，以慰其心。

骙骙(kuí)，马不停蹄貌。

喈喈，和谐的铃声。

徂，往。　齐，汉书杜钦传说仲山甫"就封于齐"。经后人考证，认为封齐之说不足据。王质诗总闻："据史记齐世家：齐厉王暴虐，齐人杀厉公及胡公诸子等七十人。事在宣王世。筑城之命，疑在斯时，盖出定齐乱也。"

其说近是。

式，用，指用这些车马。　遄，快速。　归，回到镐京。这是诗人为仲山甫送行时所致的希望之词。

穆，和美。孔疏："以清微之风化养万物，故以比清美之诗可以感益于人也。"

永怀，长思。仲山甫想什么，说各不一：一、作者希望仲山甫能长思吉甫作诵之意。二、他怀念自己的老家樊邑。三、他对远行日久劳累，很多顾虑。四、他是扶保周宣王的，今当远离，于心不安。五、对处理齐乱感到困难。以上数说，各言之成理。史缺旁证，未知孰是。结合诗的内容来看，以末二说较有可能。

韵读：脂部——骙、喈（音饥）、齐、归。　侵部——风、心。

韩　奕

【题　解】

这是一首歌颂韩侯的诗。陈廷杰说："此诗专美韩侯。"短短一句话，就把诗的主题扼要地点明了。毛序："尹吉甫美宣王也。能锡命诸侯。"以为作者是尹吉甫。朱熹驳他"未有据"。恐怕毛序是因为上一首烝民是尹吉甫所作，故此连带而及，但现在已无法考定了。诗名"韩奕"，取诗中二字为题。陈奂传疏："韩，韩侯。奕，犹奕奕也。宣王命韩侯为侯伯，奕奕然大，故诗以韩奕命篇。"诗中叙述韩侯朝周，受王册命，周王赏赐他许多贵重物品。他离开镐京，路经屠邑，抵达蹶里，与韩姞结婚。还描写了韩地物产丰富，韩姞乐得其所。最后周王任命韩侯为统率北方诸侯的方伯。

这也是一首谀诗，不过写得却很生动，并非一味地溢美。全诗叙事脉络清晰，结构严整，其中四、五两章写韩侯娶妻和韩地的沃美，连用叠词，语气十分活泼，与赞美韩侯的中心内容相映成趣。吴闿生诗义会通极赞其“雄峻奇伟，高华典丽兼而有之”。又引旧评曰：“首章缵戎以下，古奥如尚书，此退之得之以雄百代者。三章忽变清丽，令读者改观。四、五两章朝会大文，夹叙昏姻事，艳丽非常。”

奕奕梁山，维禹甸之，有倬其道。韩侯受命，王亲命之：“缵戎祖考，无废朕命。夙夜匪解，虔共尔位。朕命不易，榦不庭方，以佐戎辟。”

奕奕，高大貌。　梁山，在今河北固安附近。

甸，治。陈奂传疏：“章首即以禹治梁山除水灾，比况宣王平大乱命诸侯。”

有倬（zhuō），即倬倬，释文：“倬，明貌。韩诗作晫，音义并同。”按晫为倬之异体，亦训为广大。这句说从韩到周的道路是广阔的。

韩侯，春秋前有二韩：一为姬姓之韩，受封于武王之世，在今陕西韩城南，春秋时被晋国所并。一为武穆之韩，受封于成王之世，武王子封于此。在今河北固安东南，即此诗的韩侯（据陈奂传疏）。　受命，受周王的册命。韩侯的父亲死了，他继位初立，来朝于周。周王在宗庙中举行册命的典礼，将封侯之令写在简册上颁发给他。

缵戎祖考，见烝民注。

废，废弃。　朕，我。

夙夜匪解，见烝民注。

虔，恭敬而有诚意。　共，执、执行。　位，职位。

不易，不是轻易给的。马瑞辰通释：“易，当读为难易之易。周颂‘命不易哉’，书大诰‘尔亦不知天命不易’，读与此同。”

榦，正，纠正。这里是征伐的意思。　庭，直。不庭，不直，即不臣服于周王。　方，方国。陈奂传疏：“榦不庭方，言四方有不直者则正之，侯伯得专征伐也。”

戎,尔、你。　辟,君主。这说来辅佐你的天子。以上七句都是周王册命韩侯的话。

韵读:真部——甸(徒人反)、命、命、命。　幽部——道(徒叟反)、考(苦叟反)。　支部——解(音系)、易、辟。

四牡奕奕,孔修且张。韩侯入觐,以其介圭,入觐于王。王锡韩侯,淑旂绥章,簟茀错衡,玄衮赤舄,钩膺镂钖,鞹鞃浅幭,鞗革金厄。

孔,很,非常。　修,长。　张,大。

觐(jìn),朝见。

介圭,大圭,玉制礼器。王肃云:"桓圭九寸,诸侯圭之大者,所以朝天子。"桓圭即介圭。

锡,赏赐。

淑,美。　旂,画有蛟龙的旗。　绥,古通嘉,也是美好的意思(见于省吾新证)。　章,文章,即旗上的花纹。

簟茀,遮蔽车厢的竹席。　错衡,车辕前端横木,上画花纹或涂以金色。按簟茀、错衡都是诸侯所乘的路车装饰。

玄衮,画有龙纹的黑色礼服。　赤舄(xì),贵族穿的复底红鞋。

钩膺,亦称樊缨,套在马胸前颈上的带饰。　镂,嵌刻。　钖(yáng),马额上的刻金饰物。毛传:"镂钖,有金镂其钖也。"

鞹(kuò),去毛的兽皮。　鞃(hóng),绑在车轼中段的兽皮。毛传:"鞃,轼中也。"　浅幭(miè),毛传:"浅,虎皮浅毛也。幭,覆式也。"式即轼,车厢前供人倚靠的横木。浅幭即覆盖在轼上的虎皮。

鞗(tiáo)革,马笼头。　厄,轭的假借,套在马颈上用以牵挽的器具。金厄,以金属为装饰的马轭。

韵读:阳部——张、王、章、衡(音杭)、钖。　支、祭部合韵——幭、厄。

韩侯出祖,出宿于屠。显父饯之,清酒百壶。其殽维何?炰鳖鲜鱼。其蔌维何?维笋及蒲。其赠维何?乘马路车。笾豆有且,侯氏燕胥。

出祖,见烝民注。

屠，地名。屠与杜古通，即户县的杜陵，在今陕西西安东。韩侯离开镐京，中途住宿在屠地。

显父，人名，今不可考。　饯，设宴送行。屠是显父的封邑，所以他为途经屠地的韩侯饯行。

殽，荤菜。　维，是。

炰（páo），蒸煮。　鲜，通斯，析。析鱼，脍鱼的意思。

蔌（sù），蔬菜。

笋，竹笋。　蒲，水生，嫩时可食。

乘马，古时四匹马为一乘。　路车，贵族坐的车。

笾，盛干果的竹器。　豆，盛菜的器，高足。　有且（jū），即且且，多貌。又陈奂传疏："且，词也。笾豆有且，言有笾有豆也。"说亦可通。

侯氏，指韩侯。陈奂传疏："凡诸侯觐王曰侯氏。"　燕胥，安乐。

韵读：鱼部——祖、屠、壶、鱼、蒲、车、且、胥。

韩侯取妻，汾王之甥，蹶父之子。韩侯迎止，于蹶之里。百两彭彭，八鸾锵锵，不显其光。诸娣从之，祁祁如云。韩侯顾之，烂其盈门。

取，同娶。

汾王，即周厉王。厉王被国人赶跑，流亡于彘。彘在汾水旁，所以时人称他为汾王。　甥，韩侯之妻是厉王的外甥女。

蹶父（guì fǔ），周宣王的卿士，姓姞。　子，女儿。

迎，亲迎。　止，语气词。

里，邑。

两，辆的假借。陈奂传疏："诸侯之子嫁于诸侯，送御（迎）皆百乘。"　彭彭，众多貌。

鸾，见烝民注。　锵锵，鸾铃声。

不，丕的假借，大。　显，显耀。这句意为，大大显耀亲迎的光辉。

诸，鲁诗作侄。诸娣，众妾。古代诸侯嫁女，或以女妹或以兄女（侄）陪嫁作妾。毛传："诸侯一娶九女，二国媵之。诸娣，众妾也。"

祁祁，众多貌。

顾，曲顾。古代贵族男子到女家亲迎，有三次回顾的礼节（从孔疏说）。

烂其，即烂烂，灿烂而有光彩貌。形容诸娣。

韵读：之部——子、止、里。　阳部——彭（音旁）、锵、光。　文部——云、门。

蹶父孔武，靡国不到。为韩姞相攸，莫如韩乐。孔乐韩土，川泽讦讦，鲂鱮甫甫，麀鹿噳噳，有熊有罴，有猫有虎。庆既令居，韩姞燕誉。

孔，非常。　武，威武、勇武。陈乔枞三家诗遗说考根据易林"大夫祈父，无地不涉，为吾相土，莫如韩乐"，认为蹶父担任周朝司马的官职，掌管军队国防，所以有"孔武"之誉。

靡，无。这句说蹶父经常为王出使各国，没有哪个诸侯国未曾去过。

韩姞，即韩侯妻。姓姞，嫁韩侯之后，称韩姞。　相，读去声。看。　攸，所、住处。郑笺："攸，所也。蹶父为其女韩侯夫人姞氏视其所居，韩国最乐。"

孔乐韩土，即"韩土孔乐"，为协韵而倒文。

讦讦（xū），广大貌。

鲂，鳊鱼。　鱮，鲢鱼。　甫甫，齐诗作诩诩，鱼肥大貌。

麀（yōu），母鹿。　鹿，指公鹿。　噳噳（yǔ），众多貌。毛传："噳噳然众也。"

猫，毛传："似虎，浅毛者也。"据后人考证，即今之山猫，体型似虎而小。

庆，庆贺。　既，终，终于得到的意思。　令居，好住处。

燕，安。　誉，豫的假借，快乐。燕誉，安乐。

韵读：宵部——到、乐。　鱼部——土、讦、甫、噳、虎、居、誉。

溥彼韩城，燕师所完。以先祖受命，因时百蛮。王锡韩侯，其追其貊，奄受北国，因以其伯。实墉实壑，实亩实藉。献其貔皮，赤豹黄罴。

溥彼，即溥溥，广大貌。

燕，国名。释文："北燕国。"按周有二燕：一为南燕，在今河南汲县，国君姓姞,传说为黄帝之后。一即此北燕,在今北京大兴,国君姓姬,召公奭始封于此。　师,民众。　完,修葺、建造。朱熹诗集传:“韩初封时,召公为司空,王命以其众为筑此城。”

以,因为。　先祖,指韩国祖先。　受命,接受周王的册命为诸侯。

因,依靠。　时,是、这些。　百蛮,指北方的少数民族,即所谓北狄者。

其,彼、那个。　追、貊(mò),都是北狄国名。这二句意为,宣王赐给韩侯追、貊等国,恢复他祖先的旧职。

奄,包括。　受,接受。　北国,北方各诸侯国。

因,用。　以,为。　伯,长。一方诸侯之长为方伯。这句意为,用你做北方地区的方伯。

实,是。　墉,城。　壑,城壕。墉、壑在这里都用作动词,指筑城和挖城壕。

亩,开垦田地。　藉,定收赋税。这二句意为,韩侯替他的属国筑城开沟,治田收税。

献,进贡,指向韩侯进贡。　貔(pí),猛兽名,狸类,又名白狐。

赤豹,红毛黑纹的豹。赤豹黄罴均指兽皮而言。

韵读:元部——完、蛮。　鱼部——貊(音模入声)、伯(音补入声)、壑(音呼入声)、藉(音咀入声)。　歌部——皮(音婆)、罴(音波)。

江　汉

【题　解】

这是叙述周宣王命令召虎带兵讨伐淮夷的诗。毛序:“江汉,尹吉甫美宣王也。能兴衰拨乱,命召公平淮夷。”符合诗的主题,但说是尹吉甫所作,恐系附会。诗前三章写召公讨伐淮夷,经营江、汉之事;后二章写宣王册命召虎,赏赐土地、圭瓒、秬鬯等;末章写召公作簋记事。由此,有人怀疑诗本身就是古器物簋的铭文。朱熹提出诗词同古器物铭“语正相类”。方玉润干脆认为江汉就是“召穆公平淮铭器”。郭沫若青铜器时代:“大雅江汉之篇,与世存召伯虎簋铭之一,所记乃同时事。簋铭云:‘对扬朕宗君其休,用作列祖召公尝簋。’诗云:‘作召公考,天子万寿。’文例正同。”有人据此,认为全诗都是簋铭,作者就是召虎。如果真是这样,对诗经的形成、青铜器铭文的文学性等诸问题都有很大的意义。

诗以讨伐淮夷为主题,但真正用于写武功的笔墨却很少,无铺张威烈的气势;倒是反复祝颂召公的功业,郑重赓扬周王的锡命,歌咏不已,显得雍容揄扬,词深意远。姚范援鹑堂笔记评韩愈平淮西碑曰:“裴度以宰相宣慰,君臣协谋,亦应特书,著度之勋,而主威益隆,此江汉、常武之义也。”他指出了二者的渊源关系。不过韩愈的碑铭酣恣奋动,弘大处和工细处较江汉都能胜过。吴闿生诗义会通认为“退之平淮西碑祖此,而词意不及”,实在不是进化的正确观点。

江汉浮浮,武夫滔滔。匪安匪游,淮夷来求。既出我车,既设我旟。匪安匪舒,淮夷来铺。

江,长江。　汉,汉水。　浮浮,鲁诗作陶陶,陶与下句“滔”字古通用。水流盛长貌。毛传训为“众强貌”。

武夫,指出征淮夷的将士。　滔滔,顺流而下貌。按王引之经义述闻、陈奂传疏都认为这二句当作“江汉滔滔,武夫浮浮”。滔滔,广大貌。浮浮,众强貌。现存的诗经各本皆误。王、陈之说颇可取。

匪,非。　安,求安逸。　游,游乐。

淮夷,当时住在淮水南部的沿岸和近海地方的夷族。胡渭禹贡锥指:“淮夷,今淮、扬二府近海之地皆是。”　来,语助词,含有“是”意(见王引之经传释词)。　求,通纠,诛求、讨伐。

出车,驾兵车出行。

设，树起。　旟，画有鸟隼的旗。

舒，舒适。

铺，停止。方言："铺，止也。"这里指驻军在淮夷境内。

韵读：幽部——浮、滔（他愁反）、游、求。　鱼部——车、旟、舒、铺。

江汉汤汤，武夫洸洸。经营四方，告成于王。四方既平，王国庶定。时靡有争，王心载宁。

汤汤（shāng），水势浩大貌。

洸洸（guāng），威武貌。

经营，治理，这里指讨伐。　四方，指各地叛乱的诸侯。郑笺："召公既受命伐淮夷，服之；复经营四方之叛国，从而伐之。"

告成，使人传达成功（战胜）的捷报。

平，清平，指平乱。

庶，庶几，希望之词。　定，安定。

时，是。　靡，无。

载，则、就。　宁，安宁。

韵读：阳部——汤、洸、方、王。　耕部——平、定、争、宁。

江汉之浒，王命召虎："式辟四方，彻我疆土。匪疚匪棘，王国来极。于疆于理，至于南海。"

浒（hǔ），水边。

召虎，召伯，名虎，谥穆公。召南甘棠便是歌颂他的诗。

式，发语词。　辟，闢的假借，开辟。

彻，治。朱熹诗集传："言江汉既平，王又命召公辟四方之侵地，而治其疆界。"

匪，非、不。　疚，病、害。　棘，急的假借，紧张。这二句意为，不再有战争的病害和紧张了。

极，准则。郑笺："极，中也。非可以兵病害之也，非可以兵急操切之也，使来于王国受政教之中正而已。"

于，往。　疆，划分边界。　理，治理土地。

南海，泛指南方近海蛮族所居之地。国语韦昭注：“南海，群蛮也。”即今江苏东部近海之地。

韵读：鱼部——浒、虎、土。　之部——疚（音记）、棘、国（古逼反，入声）、极、理、海（音喜）。

王命召虎，来旬来宣：“文武受命，召公维翰。”无曰予小子，召公是似。肇敏戎公，用锡尔祉。

命，册命。

来，是。　旬，巡的假借，巡视。　宣，告示于众。这二句意为，宣王册命召虎，并巡视各地宣示大众。以下便是宣王的话。

文武，周文王、武王。　受命，指接受天命而有天下。

召公，召公奭，文王子，封于召，助武王灭商有功，谥康公。他是召虎的先祖。　维，是。　翰，桢干，台柱。

无，毋、休要。　予小子，宣王自称。

似，嗣的假借，继承。陈奂传疏：“言尔无以予小子之故，惟尔祖召公之是嗣也。”

肇，开始。　敏，谋的假借，谋划。　戎，大。　公，通功，事。

用，则、就。　祉，福禄。于省吾新证：“始谋大事，用锡尔福祉也。”

韵读：元部——宣、翰。　之部——子、似、祉。

厘尔圭瓒，秬鬯一卣。告于文人，锡山土田。“于周受命，自召祖命。”虎拜稽首：“天子万年！”

厘，赉的假借，赏赐。　圭瓒，用玉做柄的酒勺。

秬（jù），黑黍。　鬯（chàng），郁金香草。　卣（yǒu），带柄的酒壶。这句是说赐一壶秬鬯酿成的香酒（用作祭祖之用）。

文人，指召虎祖先有文德的人，即下文的召祖。

锡，赏赐。这句是指宣王赐召虎山和土地。

周，岐周，是周王朝的发源地。　受命，接受册命。

自，用。　召祖，召虎的祖先，指召公奭。　命，册命的典礼。郑笺：“宣王欲尊显召虎，故如岐周，使虎受山川土田之赐，命用其祖召康公受封之礼。”

稽首,磕头。这是古代最尊敬的一种跪拜礼节。

天子万年,孔疏:“言使天子得万年之寿。臣蒙君恩,无以报答,故愿君长寿而已。”

韵读:真部——人、田(徒人反)、命、命、年(奴因反)。

虎拜稽首:“对扬王休,作召公考。天子万寿!明明天子,令闻不已。矢其文德,洽此四国。”

对,报答。　扬,颂扬。　休,美命。这里指美厚的礼物。

考,郭沫若青铜器时代周代彝器进化观:“考乃簋之假借字。”簋(guǐ),亦作毁。古代食器,圆口,圈足,方座,无耳或有两耳、四耳,无盖或带盖,青铜或陶制,盛行于商、周时。这句说:召虎制作祭祀召公奭的簋器。

明明,犹勉勉,勤勉。

令闻,美好的声誉。　已,止。不已,不停地被称颂。

矢,弛的假借,鲁诗正作弛,宽缓。　文德,相对于“武功”而言。文德是宽松怀柔的政策,所以用“弛”字。朱熹诗集传:“劝其君以文德,而不欲其极意于武功。”

洽,礼记孔子闲居引这句诗作协,协和。　四国,四方的诸侯国。按以上四句颂扬中带有箴规之意。崔述丰镐考信录:“此诗前三章叙召公经略江汉之事,乃国家大政。后三章端言召公受赐事。”

韵读:幽部——首、休、考(苦叟反)、寿。　之部——子、已、德(丁力反,入声)、国。

常　武

【题　解】

这是赞美宣王平定徐国叛乱的诗。毛序:“常武,召穆公美宣王也。有常德以立武事,因以为戒然。”说诗是召穆公所作,毫无根据。以“有常德以立武事”来解释“常武”的篇名,也不知究竟是什么意思。由此引起后世的各种分析。一种主要的意见是"有常德以立武则可,以武为常则不可。此所以有美而有戒也。"(朱熹诗序辨说)但这样讲总嫌迂曲。王质诗总闻:"自南仲以来,累世著武,故曰常武。"他的说法比较平实。讨伐徐国的战役,周宣王是否亲征,旧说不一,从诗意看来,宣王似乎是亲赴戎机,所以朱熹说"宣王自将以伐淮北之夷。"

常武与上篇江汉一样,都是写战争题材的,但风格上却各有千秋。江汉以战争为铺垫,主旨在于颂美,所以词气雍容。常武则正面写战争,扬兵威以证武功,所以文势汹涌。前五章叙宣王命将置副,亲征徐方,临阵指麾,出奇制胜诸事,"是一篇古战场文字"(方玉润语)。尤其是第五章,连用六句比喻,将王师的神武气概渲染得淋漓尽致。紧接着"绵绵翼翼"三句,承上文一气注下,气势浩穰,有天地褰开,风云变色之象。所以吴闿生极赞这章,云:"八句如一笔书,文势之盛,得未曾有。"更妙的是末章写凯旋班师,笔下一扫暴风骤雨的声势而为天清气朗,多此一层跌宕,全诗便显得神完气足了。

赫赫明明,王命卿士,南仲大祖,大师皇父:"整我六师,以修我戎。既敬既戒,惠此南国。"

赫赫,显耀盛大貌。　明明,明智昭察貌。这句是形容周宣王。

卿士,西周时掌管中央各官署和地方的高级官员。相当于后世的宰相。

南仲,人名,周宣王大臣。汉书古今人表作南中,列于宣王时,为大将。　大祖,指太祖庙。周人以后稷为太祖。

大师,即太师,西周时执政大臣之一,总管军事。　皇父,人名,周宣王大臣。马瑞辰通释:"据竹书纪年:'幽王元年,王锡大师尹氏皇父命。'则皇父实为尹氏,即二章所云'王谓尹氏'也。"孔疏:"言王命南仲于太祖,谓于太祖之庙命南仲也。皇父为太师,谓命此皇父为太师。南仲卿士,文在'太祖'之上,是先为卿士,今命以为大将。太师皇父,在'太祖'之下,则于太祖之庙始命以为太师。其实皆在太祖之庙并命之,故'太祖'之文处其中也。"

六师,即六军。周礼夏官司马:"凡制军,万有二千五百人为军,王六军,大国三军,次国二军,小国一军。"

修,整理。 戎,兵器。

敬,儆的假借,警戒。

惠,施恩。 南国,南方诸国。郑笺:"警戒六军之众,以惠淮浦之旁国,谓敕以无暴掠为之害也。"这章写宣王命将整军,准备出征。

韵读:鱼部——祖、父。 之部——戒(音棘)、国(古逼反,入声)。

王谓尹氏,命程伯休父:"左右陈行,戒我师旅。率彼淮浦,省此徐土。"不留不处,三事就绪。

尹氏,即上章的皇父。

程伯,封在程地(今陕西咸阳东)的伯爵。 休父,程伯之名。国语:"重黎氏世叙天地,其在周,程伯休父其后也。当宣王时,失其官守,而为司马氏。"

陈行(háng),列队。

戒,告戒。

率,循、沿。 淮浦,淮水边。

省,巡视。 徐土,徐国的土地。玉海:"徐,嬴姓,伯益佐禹有功,封其子若木于徐。"故城在今安徽泗县北,亦称徐戎、徐州,是淮夷中的一个大国。

处,居住。

三事,三卿,即十月之交中的"择三有事",雨无正中的"三事大夫"。就绪,安排妥当。这二句意为,(周军)不要长久居留在徐土,代徐国将三卿的官安排就绪就可以了。这章写出征前宣王对将帅预作吩咐。

韵读:鱼部——父、旅、浦、土、处、绪。

赫赫业业,有严天子。王舒保作,匪绍匪游。徐方绎骚,震惊徐方,如雷如霆,徐方震惊。

业业,举止有威仪貌。

有严，即严严，威严貌。

舒，徐缓。　保作，安稳地行进，指起兵。朱熹诗集传："言王舒徐而安行也。"

匪，非、不。　绍，迟缓。这句说周军不迟缓也不游逛。

方，方国。徐方，徐国。　绎，军阵。毛传："绎，陈。"　骚，惊扰骚动。陈奂传疏："言未战而徐方之军陈已动乱失次矣。"

如雷如霆，兵势象雷鸣霹雳那样猛烈。陈奂传疏："言王师之震惊徐方如雷如霆也。徐方震惊，言徐方见王旅之众盛而震惊也。"这章写周师甫出，徐国已感恐惧。

韵读：幽部——游、骚（音搜）。　耕部——霆、惊。

王奋厥武，如震如怒。进厥虎臣，阚如虓虎。铺敦淮濆，仍执丑虏。截彼淮浦，王师之所。

奋，奋发、振起。　厥，其。孔疏："既到淮浦，临阵将战，王乃奋扬其威武，其状如天之震雷其声，如人之勃怒其色，言严威之可惧也。"

进，进攻。　虎臣，古代战争时用的冲锋兵车，如后世的敢死队。陈奂传疏："虎臣，即虎贲氏，启行之元戎也。"

阚（hǎn）如，犹阚然，虎怒貌。　虓（xiāo），亦作哮，虎吼。说文："虓，虎鸣也。"

铺，韩诗作敷，二字通用。布，布阵。　敦，顿的假借，整顿（从胡承珙毛诗后笺说）。　濆（fén），河边高地。

仍，频数、屡次。　执，抓住。　丑虏，对俘虏的蔑称。

截，断绝。方玉润诗经原始："谓断绝其出入之路也。"

王师之所，将淮浦作为王师驻守之处。这章写周师进攻，敌人溃败。

韵读：鱼部——武、怒、虎、虏、浦、所。

王旅啴啴，如飞如翰，如江如汉，如山之苞，如水之流。绵绵翼翼，不测不克，濯征徐国。

旅，齐诗作师。　啴啴（tān），齐诗作驒驒，众多貌。

翰，高飞。

苞，茂盛，引申为攒聚。

绵绵，韩诗作民民，绵绵的假借字。连绵不断貌。　翼翼，壮盛貌。马瑞辰通释："皆状其兵之壮盛耳。"

不测，不可测度。　不克，不可战胜。朱熹诗集传："如飞如翰，疾也。如江如汉，众也。如山，不可动也。如川，不可御也。绵绵，不可绝也。翼翼，不可乱也。不测，不可知也。不克，不可胜也。"

濯，大。郑笺："今又以大征徐国，言必胜也。"这章写周师的强大而不可战胜。

韵读：元部——啴、翰、汉。　幽部——苞（布瘦反）、流。　之部——翼、克（枯力反，入声）、国。

王犹允塞，徐方既来。徐方既同，天子之功。四方既平，徐方来庭。徐方不回，王曰还归。

犹，荀子引诗作猷，谋划。　允，诚信。　塞，踏实。

来，齐诗作倈，归服。王先谦集疏："言王道诚信充实，远人自服。"

同，会合、统一。

庭，朝。来庭，来朝拜天子。

回，违、违抗。

还，音义同旋。还归，班师凯旋而归。这章写徐国臣服，周师凯旋。

韵读：之部——塞（音息入声）、来（音吏）。　东部——同、功。　耕部——平、庭。　脂部——回、归。

瞻　印

【题　解】

这是一首讽刺周幽王宠褒姒、逐贤良，以致政乱民病、国运濒危的诗。它和召旻一样，被称为幽王变大雅。毛序："瞻卬，凡伯刺幽王大坏也。"这位凡伯，不是周厉王时作板诗的凡伯，可能是他的后代。但诗究竟是不是凡伯所作，并没有什么根据，所以后人多有不信毛说的。不管作者是谁,他极可能曾经执政过,故遭到幽王忌恨,而悲叹“人之云亡,邦国殄瘁”的不幸。诗人除了批评幽王倒行逆施之外,还不遗馀力地斥责褒姒。我国封建时代历来有“女人祸国”的说法,可谓滥觞于此诗。

毛诗序:“政有小大,故有小雅焉,有大雅焉。”这是就诗的内容方面说。孔疏:“大雅则宏远而疏朗,弘大体以明责。小雅则躁急而局促,多忧伤而怨诽。”这是就诗的风格方面说。但是,这首诗与小雅中刺幽王的诗如正月、十月之交、雨无正等无论内容或风格都几乎没有什么区别,那么何以此诗与下一篇召旻要列入大雅而不入小雅呢?惠周惕诗说:“大、小二雅,当以音乐别之,不以政之大小论也,如律有大、小吕。”他的说法还是比较有道理的。这些诗歌的分列二雅,原因一定是在音乐方面。可惜乐谱失传,给诗经的研究留下了不尽的缺憾。

瞻卬昊天,则不我惠。孔填不宁,降此大厉。邦靡有定,士民其瘵。蟊贼蟊疾,靡有夷届。罪罟不收,靡有夷瘳。

卬,仰的假借。瞻卬,仰视。　昊天,喻指周幽王。毛传:“斥王也。”

惠,爱。我惠,为“惠我”的倒文。郑笺:“仰视幽王为政,则不爱我下民。”

孔,很、非常。　填(chén),尘的古体字,长久。　不宁,指天下不安宁。

厉,祸患。

士民,士卒与人民。　瘵(zhài),病,指忧患。

蟊贼,吃庄稼的害虫,诗人用它比喻幽王。　蟊疾,啃害庄稼貌。孔疏:“言王之害民,如虫之害稼,故比之也。”

夷,语助词。下同。　届,终极。

罟,网。罪罟,法网,喻指条目繁多的酷刑。毛传:“罪罟,设罪以为詈。” 收，收敛。

瘳（chōu），病愈，这里指停息。

韵读：脂、祭部通韵——惠、厉（音列）、瘵、疾、届（音既）。 幽部——收、瘳。

人有土田，女反有之。人有民人，女覆夺之。此宜无罪，女反收之。彼宜有罪，女覆说之。

人，指贵族们。下同。 土田，土地。

女，汝、你。指周王。 有，占有、夺取。广雅：“有，取也。”

民人，人民。西周时，拥有土地的贵族亦拥有一部分人民。

覆，反而。

收，拘捕。

说，脱的假借，后汉书王符传引这句诗正作脱，开脱、赦免。

韵读：真部——田（徒人反）、人。 之、幽部通韵——有、收。 祭部——夺、说。 脂部——罪、罪。

哲夫成城，哲妇倾城。懿厥哲妇，为枭为鸱。妇有长舌，维厉之阶。乱匪降自天，生自妇人。匪教匪诲，时维妇寺。

哲夫，才能见识超越常人的男子。 城，指国家。成城，立国。

哲妇，指幽王宠妃褒姒。 倾城，倾败国家。陈奂传疏：“倾城，喻乱国也。”

懿，噫的假借，叹词。郑笺：“懿，有所伤痛之声也。” 厥，其。

为，是。 枭（xiāo），相传长大后食母的恶鸟。说文：“枭，不孝鸟也。”鸱（chī），猫头鹰。古人以猫头鹰为不祥之鸟。按这二句是诗人运用隐喻的修辞。

长舌，郑笺：“喻多言语。”

维，是。 厉，祸患。 阶，阶梯，含有根源之意。姚际恒诗经通论：“此正指谮申后、废太子事，故曰为厉之阶。”

匪，非、不是。

匪教匪诲，郑笺：“非有人教王为乱，语王为恶者，是惟近爱妇人，用其言故也。”

时,是。 维,唯、只。 妇,褒姒。 寺,侍的假借,指亲近的人,如侍御之流。有人训寺为宦官,恐非诗意。

韵读:耕部——城、城。 脂部——鸱、阶(音饥)。 真部——天(铁因反)、人。 之部——海(呼备反)、寺。

鞫人忮忒,谮始竟背。岂曰不极,伊胡为慝?如贾三倍,君子是识。妇无公事,休其蚕织。

鞫,告。林义光诗经通解:“鞫读为告,告、鞫古同音。” 忮,歧的假借,歧异。 忒,差错。

谮,僭的假借,虚妄。 竟,最终。 背,违背。林义光通解:“告人歧忒者,告人之言两歧而差忒也。僭始竟背者,虚妄于始而背之于终也。盖凡事为妇人所主持,则王之所以告人者其后或因哲妇之阻挠而终背其初约,由是与所告之言两歧差忒,而始言成为虚妄矣。”

极,至、穷尽。含有穷凶极恶之意。

伊,发语词。 胡为,为什么。 慝,韩诗作嫕,悦爱,欢喜。这二句意为,难道她的危害还不到极点吗,为什么还要宠爱她呢?

贾(gǔ),商人。 三倍,指得到多倍的利润。

君子,指贵族从政者。 识,职的假借,主持。林义光通解:“识读为职,识与职古通用。言如贾利三倍之人而主君子之事。君子,谓从政者。盖商贾之不能参预政事,与蚕织者不能参预政事,其理正同也。”

公事,政事。朱熹诗集传:“朝廷之事也。”

休,停止。 蚕织,养蚕纺织。这二句意为,妇人没有参预政事的权利,而褒姒却停止她应当做的养蚕纺织,反去参预政事了。

韵读:之部——忒(他力反,入声)、背(音逼入声)、极、慝(他力反,入声)、倍、识、事、织。

天何以刺?何神不富?舍尔介狄,维予胥忌;不吊不祥,威仪不类。人之云亡,邦国殄瘁。

天,指幽王,下章同。 刺,责罚。

富,福的假借,赐福。朱熹诗集传:“言天何用责王,神何用不富王哉?凡以王信用妇人之故也。”

舍,放任不管。 介,盔甲。介狄,披甲的夷狄,指入侵者。按三家诗狄作逖,逖、狄古通。

维,唯、只。 胥,相。 忌,忌恨。陈启源毛诗稽古编:“小雅渐渐之石、苕之华、何草不黄三诗叙皆言四夷交侵,下篇亦言日蹙国百里,此介狄之明证也。幽王不此之惧而反雠视忠臣,可胜叹哉!”

吊,慰问抚恤。 不祥,指天灾人祸。

威仪,礼节。 类,善。王先谦集疏:“王傲惰不修威仪,望之不似人君。”

人,指贤人。 云,语助词。 亡,逃亡。下章同。

殄(tiǎn)瘁,困病憔悴。朱熹诗集传:“今王遇灾而不恤,又不谨其威仪,又无善人以辅之,则国之殄瘁宜矣。”

韵读:支部——刺、狄。 之部——富(方备反)、忌。 阳部——祥、亡。
脂部——类、瘁。

天之降罔,维其优矣。人之云亡,心之忧矣。天之降罔,维其几矣。人之云亡,心之悲矣。

罔,同网。降罔,下网,加人罪名。

维,发语词。 其,那样。下同。 优(優),瀀的假借,渥厚。这里指罪名的繁多。

几,危殆。按这章皆诗人忧国伤时之词。

韵读:阳部——罔、亡、罔、亡。 幽部——优、忧。 脂部——几、悲。

觱沸槛泉,维其深矣。心之忧矣,宁自今矣?不自我先,不自我后。藐藐昊天,无不克巩。无忝皇祖,式救尔后。

觱(bì)沸,泉水翻腾上涌貌。 槛,滥的假借,泛滥。

其深,那样深。诗人以涌泉之源深长,比喻自己忧思深久。

宁,岂、难道。这二句意为,心里的忧愁岂是从现在才开始的呢?

不自我先,见正月注。朱熹诗集传:“然而祸乱之极适当此时,盖已无可为者。”

藐藐,旷远貌。

克,可。　巩,恐的假借,畏惧。这二句意为,上天渺茫难测,它的降罪无不是可畏惧的(见于省吾新证)。

忝,辱没。　皇祖,指文王、武王。按鲁诗皇作“尔”,意同。

式,用、以。　尔,指幽王。　后,指子孙后代。朱熹诗集传:“幽王苟能改过自新,而不忝其祖,则天意可回,来者犹必可救,而子孙亦蒙其福矣。”

韵读:侵部——深、今。　侯部——后、后。

召旻

【题　解】

这是一位老臣讽刺幽王任用奸邪,朝政昏乱,以致外患频仍,国土日削,行将灭亡的诗。作者可能是一位不得志的官吏,所以他要说“我位孔贬”。诗以“召旻”名篇,后世解者不一。苏辙诗集传说:“首章称旻天,卒章称召公,故谓之‘召旻’,以别小旻而已。”其义差长。“召公”一词,后世的今古文家解释不同。毛诗派认为召公是指召虎,以陈奂为代表。三家诗派认为指召康公,以王先谦为代表。我们认为,诗经中称召虎多为召伯,称召康公多为召公。以此分别,可息无谓的争端。

孙矿批评诗经说:“音调凄恻,语皆自哀苦衷中出,匆匆若不经意,而自有一种奇陗,与他篇风格又别。”这种奇陗的独特风格,具体表现在七字句的运用上,“维昔之富不如时,维今之疚不如兹”,“今也日蹙国百里”,这三句诗,在以四言诗为基本形式的诗经中,确显得戛戛独造,以见姿态。吴闿生诗义会通说:“贤者遭乱世,蒿目伤心,无可告愬,繁冤抑郁之情,离骚、九章所自出也。”他比较了这首诗与离骚的某些共同点,颇能启发读者神思。

旻天疾威，天笃降丧。瘨我饥馑，民卒流亡。我居圉卒荒。

旻(mín)天，尔雅释天："秋为旻天。"这里泛指上天。郑笺："天，斥王也。" 疾威，暴虐。

笃，厚、严重。 丧，死亡的灾难。

瘨(diān)，害、降灾。

卒，尽、完全。下句同。

居，朱熹诗集传："居，国中也。"或以为语词，亦通。 圉(yǔ)，韩诗作御，边疆。毛传："圉，垂(陲)也。"郑笺："病国中以饥馑，令民尽流移荒虚也。荒，虚也。国中至边竟以此故尽空虚。"有人训荒为荒年，亦通。

韵读：阳部——丧、亡、荒。

天降罪罟，蟊贼内讧。昏椓靡共，溃溃回遹，实靖夷我邦。

罪罟，法网。

蟊贼，吃庄稼的害虫，比喻作恶多端的官僚。 内讧(hòng)，内部自相争斗。

昏，乱。 椓(zhuó)，通诼，谗言伤害别人。毛传："椓，夭椓也。"陈奂传疏："夭椓者，残害侵削之谓，合二字成义。" 共，通供，指供职。陈奂传疏："靡，不也。不共，言不共职事也。"

溃溃，愦愦的假借，昏乱貌。 回遹(yù)，邪僻。郑笺："皆溃溃然邪僻是行。"

实，是。 靖，图谋。 夷，平，消灭。郑笺："皆谋夷灭我之邦。"或训夷为语词，亦通。

韵读：东部——讧、共、邦(博工反)。

皋皋訿訿，曾不知其玷。兢兢业业，孔填不宁，我位孔贬。

皋皋，諆諆的假借，玉篇："諆諆，相欺也。" 訿訿(zǐ)，毁谤貌。马瑞辰通释："皋皋訿訿，皆极言小人谗毁人之状。"

曾，乃、还。 玷(diàn)，玉上的斑点。这里比喻人的污点。朱熹诗集传："言小人在位，所为如此，而王不知其缺。"

兢兢业业，戒慎恐惧貌。

填(chén)，久。孔填，很久。　不宁，不敢自图安逸。

我，诗人自称。　贬，降免。朱熹诗集传："至于戒敬(警)恐惧，甚久而不宁者，其位乃更见贬黜。其(指周王)颠倒错乱之甚如此。"以上三句意为，对我这样兢兢业业久久不敢自图安逸的人，职位很有贬降的危险。

韵读：谈部——玷、贬。

如彼岁旱，草不溃茂，如彼栖苴。我相此邦，无不溃止。

溃茂，溃和茂同义，丰茂。郑笺："溃茂之溃当作汇。汇，茂貌也。"齐诗正作汇。

栖，栖息。马瑞辰通释："释文谓栖息，盖谓枯草偃卧有似栖息也。"苴(chá)，三家诗作租，苴、租古通用。枯草。楚辞九章王逸注："生曰草，枯曰苴。"

相，看。

溃，崩溃。　止，语气词。

韵读：之、幽部通韵——茂、止。

维昔之富不如时，维今之疚不如兹。彼疏斯粺，胡不自替？职兄斯引。

维，发语词。　时，是，指今时。

疚，宄的假借，说文："宄，贫病也。"　兹，此，指此地。王先谦集疏："诗言昔日之富，家给人足，不如今日之困穷。今日之疚，仁贤疏退，不如此时之尤甚。"

彼，指那些弄权祸国的小人。　疏，稷、高粱(从程瑶田九谷考)，是粗粮。　斯，此，指此时。粺(bài)，精米。指小人得到了高官厚禄，吃着精米。

替，废退、辞职。王先谦集疏："彼宜食疏粝之小人，反在此食精粺。何不早自废退，免致妨贤病国。"

职，主，含有"此"的意思。　兄，同况，情况。下章同。　斯，语助词。引，延长。这句说这种小人掌权的情况在延长。

韵读：之部——富(方备反)、时、疚(音记)、兹。　支、脂部通韵——

粺、替。

池之竭矣，不云自频？泉之竭矣，不云自中？溥斯害矣，职兄斯弘，不烖我躬？

竭，干涸。

云，语助词。　频，鲁诗作滨，频为滨之假借，水边。孔疏：“人见池水之竭尽矣，岂不言云由其外之滨厓无水以益之故也？以喻人见王政之丧乱矣，岂不言曰由其外之群臣无贤以作之故也？”

中，指泉水的中间。这二句也是比喻，以泉水的枯竭从中开始，喻国家的动乱从朝廷内部腐败开始。

溥，普遍。　斯，此，指上面四句所比喻的无贤臣辅佐及内部腐败之害。

弘，广大、发展。

烖，同灾。　躬，身。这句说难道灾难不轮到我身上吗？

韵读：祭部——竭、竭、害（胡例反）。　中部——中、弘、躬。

昔先王受命，有如召公，日辟国百里。今也日蹙国百里。於乎哀哉！维今之人，不尚有旧？

先王，郑笺：“谓文王、武王时也。”　受命，承受天命为王。

有如，郑笺：“言有如者，时贤臣多，非独召公也。”　召公，召康公，文、武、成王时的大臣。

日，每天。夸张之词。　辟，开辟。朱熹诗集传：“所谓日辟国百里云者，言文王之化自北而南，至于江、汉之间，服从之国日以益众。”

今，指幽王时。　蹙（cù），缩小。指犬戎入侵，诸侯外叛，国土日削。

於乎，即呜呼，哀叹声。

维，发语词。　今之人，指当时在朝而不被重用的人。

尚，犹、还。　旧，有旧德的臣子，指像召公那样的贤人。朱熹诗集传：“今世虽乱，岂不犹有旧德可用之人哉？言有之而不用耳。”

韵读：真部——命、人。　之部——里、里、哉（音兹）、旧（音忌）。

三　颂

周　颂

周颂三十一篇，是周朝的颂歌，全部作于西周初年。据后人考证，为周武王、成王、康王、昭王时代约一百多年间（公元前一一〇〇——前九五〇年）的作品。周颂乐章大多用于宗庙祭祀，多数是贵族创作，有的可能出于宫廷史官、乐官之手，亦有少数是由民间祭歌借用来的。

清　庙

【题　解】

这是周王祭祀文王于宗庙的乐歌。诗人歌颂周的统治者继承文王之德，歌颂文王德行光明，为周代臣民所永远遵循。诗序："清庙，祀文王也。"郑笺："清庙者，祭有清明之德者之宫，谓祭文王也。天德清明，文王象焉，故祭之而歌此诗也。庙之言貌也，死者精神不可得而见，但以生时之居，立宫室象貌为之耳。"孔疏："礼记每云升歌清庙，然则祭宗庙之盛，歌文王之德，莫重于清庙。”据以上的说法，清庙是一篇周王祭祀祖先文王时所奏的乐章。尚书大传说：“周公升歌清庙”，诗中又有“秉文之德”句，疑诗作于周公摄政时。

颂多祭祖祭神的乐章舞歌，故常带雍容肃穆的气氛，舞步舒迟的姿势，歌声悠扬的长腔，巫祝表演的神态。古乐失传，从清庙一诗的字里行间看来，正表现了周颂的艺术特色。

於穆清庙，肃雝显相。济济多士，秉文之德。对越在天，骏奔走在庙。不显不承，无射于人斯。

於（wū），赞叹词。说文段注认为“於”象古文“乌”省，原是象形字，假借为叹词。“於”即“呜呼”，此处含有赞美感叹之意。　穆，深幽壮美貌。马瑞辰通释：“穆即状清庙之貌。”说文：“䢩，细文也。”穆是䢩的假借字。其本义是幽微精美的意思，引申为美好之义。如文王“穆穆文王”，毛传：“穆穆，美也。”维天之命：“於穆不已”，毛传：“穆，美也。”　清，清明。郑笺：“祭有清明之德者之宫也。”一说此处“清”应是清静义，如贾逵桓二年左传注：“肃然清静，谓之清庙。”亦符合诗意。

肃，敬。说文：“肃，持事振敬也。”　雝，同“雍”，和。肃雝，形容助祭者态度严肃雍容。　显，明。指有明德。　相，助。指助祭者。

济济，有威仪而整齐貌。方玉润诗经原始：“济济，亦只是仪度整齐。”　多士，指参加祭祀的官吏。朱熹诗集传：“多士，与祭执事之人也。”

秉，执行。秉本义为禾束，引申为秉承、把持的意思。　文，指周文王。郑笺：“皆执行文王之德。”一说指“文德之人”，亦通。

对，报答。　越，宣扬。这句意为，报答宣扬文王在天之灵（从王念孙、陈奂说）。

骏，疾、迅速。尔雅释诂：“骏，速也。”孔疏：“庙中奔走以疾为敬。”

不，同丕。古不、丕音同，发语词。毛公鼎、师訇簋铭文中均有“丕显文武”句，其中“丕”字都作“不”。陈奂传疏：“孟子滕文公篇引书曰‘丕显哉文王谟；丕承哉武王烈。’释词云：‘显哉承哉，赞美之词，丕，发声’是也。”一说“不”意为大，亦通。　显，光明。　承，继承。权舆传：“承，继也。”这句意为，文王的盛德，光明于天，被人们所继承。正如毛传所释：“显于天矣，见承于人矣。”

无射（yì），不厌。射为斁的假借字，齐诗正作斁。厌弃。此处为被动语式，意即“不见厌弃”。　斯，语气词。王引之释词：“斯，语已词也。”这句意为，文王不见厌于人。换句话说，即受人们拥护的意思。

韵读：无韵。

维天之命

【题　解】

这是祭祀文王的诗。诗的上四句歌颂文王的德行，能上配于天。下四句言子孙要勉力保守家业，以慰祖先之意。陈奂传疏：“书雒诰大传云：‘周公摄政，六年制礼作乐，七年致政。’维天之命，制礼也。维清，作乐也。烈文，致政也。三诗并列，正与大传节次合。然则维天之命当作于六年之末矣。”他认为诗的产生年代，在成王六年之末，即公元前一〇五八年。

此诗只八句，而结构却有起、承、转、合之妙：一、二两句（想那天道在运行，啊！多肃穆永不停）是“起”，方玉润评为“泛起”。三、四两句（啊！多显赫多光明，文王品德真纯正）是“承”，方评为“紧接”。五、六两句（美政善道来戒慎，我们一定要继承）是“转”，方评为“来势顺折而下，省却无数笔墨”。末两句（遵循文王踏过路，子孙）忠实去执行是“合”，即结语，方评为“回斡文王句，单煞”。由此可见，远古巫史者不仅长于歌舞，且娴习制作祝词。

维天之命，於穆不已。於乎不显，文王之德之纯！假以溢我，我其收之。骏惠我文王，曾孙笃之。

维，同惟，想。陈奂传疏："释文引韩诗云：'维，念也。'文选欧阳建临终诗注引薛君章句云：'惟，念也。'惟与维通。"按说文和方言均训惟为思。命，天道，指宇宙中客观运行的规律。郑笺："命，犹道也。天之道，於乎美哉，动而不已，行而不止。"

於（wū）穆，见上篇清庙注。　已，停止。

於（wū）乎，今作呜呼。赞叹词。　不显，见清庙注。

纯，说文："纯，美丝也。"这是本义。朱熹诗集传："纯，不杂也。"这是假借义，形容文王德行的纯洁。

假，"嘉"的假借字。韩诗作誐，是本字。这里指统治人民的美政善道。　溢，说文："溢，器满也。"这是本义。引申为戒慎。陈奂传疏："'溢，慎'，释诂文。舍人注云：'溢，行之慎也。'假以溢我，言以嘉美之道戒慎于我也。"

我，指参加祭祀者。　其，句中助词。　收，受，接受的意思。

骏惠，顺从。骏、惠二字同义互文。马瑞辰通释："惠，顺也。骏，当为驯之假借，驯亦顺也。骏、惠二字平列，皆为顺。"

曾孙，郑笺："曾犹重也。自孙之子而下事先祖皆称曾孙。是言曾孙欲使后王皆厚行之，非惟今也。"　笃，厚、忠实。以上二句的大意是：我们要顺从文王的美政之道，后世子孙都要忠实地执行它。

韵读：文、真部通韵——命、纯。　幽部——收、笃。

维　清

【题　解】

这也是祭祀文王的诗。毛序："维清，奏象舞也。"郑笺："象舞，象用兵时刺伐之舞，武王制焉。"王先谦集疏："鲁说曰：'维清，奏象武之所歌也。'"可见此诗是周统治者用它祭祀文王的。按文王在位七年，先将商纣的属国密崇等消灭掉，为武王灭商奠定基础。成王时,作这首歌舞诗祭祀文王,赞颂他征伐的功绩。周舞有文舞、武舞二种,这首歌舞诗属于当时的武舞。在表演时,演员打扮成文王的样子,进行象征作战动作的歌舞演出。按舞和武古通用,象舞,蔡邕独断作象武,礼记仲尼燕居亦作象武。礼记上有的单称象。陈奂说:"象,文王乐。象文王之武功曰象,象武王之武功曰武。象有舞,故名象舞。"

此诗只五句而含义较多、较深,正如戴震所云:"辞弥少而意旨极深远。"语言简练,是它的特点。

维清缉熙,文王之典。肇禋,迄用有成。维周之祯。

维,想念。见上篇维天之命注。　清,澄清。　缉熙,光明貌。这里形容周王朝天下澄清光明。

典,毛传:"典,法也。"指典章制度。

肇(zhào),开始。　禋(yīn),祭祀。这里指出兵征伐敌国时祭祀上天。

迄,至。　用,因此。　成,成功。陈奂传疏:"肇,始。迄,至。文义相对。言文王始行禋祀,至武王伐纣,用能有此成功也。"

维,是。　祯,吉祥。释文作"祺",义同。郑笺:"征伐之法,乃周家得天下之吉祥。"戴震说:"言此天下澄清光昭于无穷者,文王之法典实开始禋祀昊天盛礼,以迄于今而有成。是周有天下之祥如此也。"他翻译全诗大意,是正确的。

韵读:元部——典、禋(音烟)。　耕部——成、祯。

烈　文

【题　解】

这是成王祭祀祖先时戒勉助祭诸侯的诗。诗人以周天子的身份和口气劝戒公卿诸侯向文武二王学习，求贤修德，福禄不缀。毛序："烈文，成王即政，诸侯助祭也。"孔疏引服虔左传注云："烈文，成王初即雒邑，诸侯助祭之乐。"郑笺："新王即政，必以朝享之礼祭于祖考，告嗣位也。"可见此诗是周公摄政，七年致政成王，祭祀文武二王，宣告正式嗣位，掌管国事，并戒勉助祭诸侯。诗约作于成王七年，即公元前一〇五七年。有人说诗是周公所作，这是臆测，不足信。那么，这首诗到底是谁作的？按周置有史官，周礼天官冢宰："史十有二人"，注："史，掌书者。"小雅宾之初筵："或佐之史"。可见周王朝史官的职责，是掌记事的，即使是贵族的宴会他也去参加，况且"国之大事，在祀与戎"，像成王举行祭祀祖先、诸侯助祭的大典，史官难道不去参加？故我们疑此诗或为史官所作，以就正于同道。

诗的结构比较严整：前八句是戒勉助祭诸侯的话，后五句是戒勉成王的话，条理井然。钟惺云："末语无限含蓄。"方玉润云："君臣交相勉励，神味尤觉无穷。"他们都指出了末句的含蓄馀味。

烈文辟公！锡兹祉福，惠我无疆，子孙保之。无封靡于尔邦，维王其崇之。念兹戎功，继序其皇之。无竞维人，四方其训之。不显维德，百辟其刑之。於乎前王不忘！

烈，武功。说文："烈，火猛也。"这是本义。引申为功绩之义。这里指武功。　文，文德。指道德修养等。马瑞辰通释："烈文二字平列，烈言其功，文言其德。"　辟（bì）公，诸侯，与下文"百辟"同义。这句意为，有武功文德的诸侯。

锡，赐。　兹，此、这。　祉（zhǐ），和福同义，指诸侯来助祭。

惠，顺。陈奂传疏："盖言诸侯皆能训（驯）顺我周，故长保其子孙世世获福也。"

无,通毋,不要。　封靡,犯大罪。毛传:“封,大也。靡,累也。”陈奂传疏:“封与丰声同,故传训大。”累即缧绁的意思,引申为犯罪。

维,是。　王,指周王。　其,语中助词。　崇,重立。陈奂传疏:“崇,训立,谓更立人以继世也。”这二句意谓只要不在你的国家里犯大罪,周王还是会让你建立邦国的。

兹,此。　戎,大。戎功,大功。

序,和“叙”古通用,叙训为绪。继序,即继承,指诸侯子孙继承其前辈的爵位。　皇,光大。此处作动词用。以上二句意为,你要常想着你曾有大功,应继承你的事业并发扬光大。

无,发声词。　竞,强。　维,是。　人,指贤人。这句意为,国家强盛没有比得到贤士更好了。

四方,指天下诸侯。　其,语中助词,含有“将”的意思。　训,通驯,服从。这句意为,四方诸侯国就会顺从你。

不,通丕,语词。　显,光明。见清庙注。这句意为,最光荣的是德行。

百辟,即上文的辟公,指众诸侯。　刑,通型,模范。这句意为,诸侯将把你当模范。

於乎,礼记大学引诗作於戏,赞美词。　前王,指武王。　不忘,言不忘武王之德。孔疏:“成王之前,惟武王耳。故知前王武王。”

韵读:东、阳部通韵——公、疆、邦、功、皇。　文、真、耕部通韵——人、训、刑。

天　作

【题　解】

这是周王祭祀岐山所奏的乐歌。毛序:“天作,祀先王先公也。”郑笺:“先王,谓大王以下;先公,诸盩至不窋。”三家诗鲁说同。朱熹说:“此祭大王之诗。”他们基本上都从序说。何楷诗经世本古义用季明德、邹肇敏说,并据易经升卦六四爻辞:“王用享于岐山,吉”,证明周本有岐山之祭,认为此诗即祭岐山的乐歌。姚际恒、方玉润从之。姚际恒说:“诗序谓祀先王先公,诗中何以无先公?集传谓祀大王,诗中何以又有文王?皆非也。季明德曰:‘窃意此盖祀岐山之乐歌。按易升六四爻曰:王用享于岐山。是周本有岐山之祭。’此说可存。邹肇敏本之为说,曰:‘天子为百神主,岐山王气攸钟,岂容无祭?祭岂容无乐章?不言及王季者,以所重在岐山,故上絜首尾二君言之也。’又为之核实如此。”方玉润说:“天作,享岐山也。”细玩诗的内容,祀岐山说似可从。

此诗“彼徂矣,岐有夷之行”句,表面上指岐山有平坦的道路,实际上是一种双关的修辞。郑笺:“彼,彼万民也。徂,往。行,道也。后之往者又以岐邦之君有佼易之道故也。”后汉书西南夷传李贤注引韩诗薛君章句曰:“徂,往也。夷,易也。行,道也。彼百姓归文王者皆曰:‘岐有易道,可往归矣。’易道,谓仁义之道,故岐道险阻而人不难。”据郑、薛的解释,可见此句是双关的辞格。

天作高山,大王荒之。彼作矣,文王康之。彼徂矣,岐有夷之行,子孙保之。

作,生。毛传:“作,生也。”说文:“作,起也。”生、起义近。　高山,指岐山。在今陕西岐山东北。周的始祖后稷居邰,公刘居豳。到文王的祖父古公亶父初亦居豳,为狄人所侵,率众迁至岐山之下,国号曰周。岐山是周建国的地方。

大(tài)王,古公亶父,到武王时,追尊为太王。　荒,扩建治理。说文:“荒,芜也。”治理是荒的反训义。

彼,指太王。　作,造,指治理开垦。

康,赓的假借字,继续。

彼,指周民,投奔周的人们。　徂(cū),往,指归周。郑笺:“彼,彼万民也。彼万民居岐邦者，皆筑作宫室，以为常居。” 矣，与“者”通。后汉书西南夷传引此诗“矣”作“者”，字异义同。

夷，平坦。 行，道路。末二句意为，岐山之下经过开发后有平坦的道路，后世子孙要永远保守它。杨树达诗周颂天作篇解：“天作高山，太王垦辟其芜秽。彼为其始，文王赓继为之。是以虽彼险阻之岐山亦有平易之道路也。夫先人创业之难如此，子孙其善保之哉。”他用散文翻译此诗，颇为确切。

韵读：阳部——荒、康、行（音杭）。

昊天有成命

【题 解】

这是周王祭祀成王的乐歌。诗的产生年代，可能在康王以后。朱熹诗集传说：“此诗多道成王之德，疑祀成王之诗也。言天祚周以天下，既有定命，而文武受之矣。成王继之，又能不敢康宁，而其夙夜积德以承藉天命者，又宏深而静密，是能继续光明文武之业而尽其心，故今能安静天下而保其所受之命也。国语叔向引此诗而言曰：‘是道成王之德也。成王能明文昭、定武烈者也。’以此证之，则其为祀成王之诗无疑矣。”朱氏分析诗的主题是正确的。毛序、郑笺、孔疏、韦昭国语注等都认为此诗是郊祀天地的乐歌，解“成王”为“成其王功”，不是指周成王。这是曲解。贾谊新书礼容篇：“二后，文王、武王。成王者，文王之孙，武王之子也。文王有大德而功未就，武王有大功而治未成，及成王成嗣，仁以临民，故称昊天焉。”贾谊是汉朝人，距古较近，说似可从。

这首诗同清庙一样，通篇无韵。它如有美妙之处，恐怕要通过音乐，甚至通过舞蹈方才体现出来，单从文字上看是没有什么可称引的。姚际恒赞为“通首密练”，且看它寥寥数句，从文武受天命直说到成王治国，“密练”二字也勉强说得过去。只是语言枯燥，无形象可言，毕竟引不起美感。

昊天有成命，二后受之。成王不敢康，夙夜基命宥密。於缉熙，单厥心，肆其靖之。

昊天，上天、皇天。昊，古作界。说文：“界，春为界天，元气界界也。”黍离毛传：“元气广大则偁昊天。” 成命，明白的命令。马瑞辰通释：“古文‘明’、‘成’二字同义，成命，犹言明命。”一训为定命、预定的命运，亦通。这句意为，上天助周以天下，自古已有明令。

后，君。毛传：“二后，文武也。” 受之，指承受天命。

成王，武王的儿子，名诵，继武王为天子。成王即位时因年幼，由其叔父周公旦摄政，七年后亲自执政。 康，安逸。不敢康，不敢安逸。

夙(sù)夜，早晚。贾子释此句云：“早兴夜寐，以继文王之业。” 基，尔雅释诂：“基，谋也。”郭注：“基者，释言云‘经也，设也。’”经营设置，与谋义近。孔子闲居引“夙夜基命宥密”，郑注：“基，谋也。” 命，政令。贾子曰：“命者，制令也。”基命，经营设置政令。 宥(yòu)，毛传：“宥，宽也。”指对人宽厚仁慈。 密，贾子引作“谧”，安宁。宥密，形容政教宽大，能定国安邦。

於(wū)，赞美词。见清庙注。 缉熙，光明。见维清注。

单，国语引作“亶”，古亶、单通。这里指心地厚道。朱熹训单为“尽”，意谓单通殚，亦通。 厥，尔雅释言：“厥，其也。”说文：“厥，发石也。”这是本义，引申为指示代词，含有“其”义，指成王。厥心，他的心。

肆，巩固，亦训为故。黄焯毛诗郑笺平议：“语词之故，多为申上之词，亦多为必然之词。其于词为必然者，于事则为坚固，故古于故、固常通用。”这里指周王朝政权巩固。 其，在这里作用相当于连词“而”，连接“肆”与“靖”两个并列词。 靖，和平安定。尚书盘庚马融注：“靖，安也。” 之，指天下。

韵读：无韵。

我　将

【题　解】

关于我将的主题，毛序："祀文王于明堂也。"后人多从序说，如吕祖谦东塾读诗记："明堂祀上帝，而文王配焉。"陈奂传疏："此宗祀文王配天之乐歌。"近人怀疑序说，王国维作大武乐章考、说勺舞象舞。陆侃如、冯沅君诗史也提到大武乐歌。他们据礼记乐记说武有六成，及左传庄公十二年所载楚庄王的话，知道大武共有六篇，而武、桓、赉在其中。周颂里还有命名与上三篇相似的酌和般，可能也是武诗。但还差一篇，他们根据祭统云："舞莫重于武宿夜。"郑注："宿夜，武曲也。"王国维根据文字学证明"宿"即"夙"字，他说："武宿夜即武夙夜，其诗中当有夙夜二字，因以名篇。"他又考证周颂中有夙夜二字者有四篇，"而我将为祀文王于明堂之诗……舍此篇莫属矣。"后来高亨同志作周颂考释，说明大武乐歌有六章，除武、赉、般、酌、桓外，将我将列入第一章。他说："我将是大武舞曲的第一章，叙写武王在出兵伐殷时，祭祀上帝和文王，祈求他们保佑。大武有舞有歌。舞分六场，歌分六章。舞的内容，一场象征武王带兵出征，歌我将篇。……"按王、陆、高三位的考证，颇为翔实，是可信的。其写作年代，陆侃如说："武舞述武王克商之功，却作于成王时。"

吴闿生诗义会通："通篇注意在末三句，所以戒成王也。"方玉润说："首三句祀天，中四句祀文王，末三句则祭者本旨，宾主次序井然。"可见此诗结构亦甚严密。

我将我享，维羊维牛，维天其右之。仪式刑文王之典，日靖四方。伊嘏文王，既右飨之。我其夙夜，畏天之威，于时保之。

我，武王自称。　将，奉上。　享，祭献。这里“将”与“享”对文，都是祭祀时奉献的意思。

维，是。维羊维牛，或作维牛维羊。按唐石经亦作维羊维牛，与下“右”协韵。似应从毛本。

维，发语词。　右，同佑，亦作佑。说文：“右，助也。”古文象手形，扶助之义。引申为保佑的意思。维天其右之，是祝祷之词，希望上帝能保佑我周。

仪、式、刑，仪为仪表；式为法式；刑，本作型，模型。都是效法的意思。朱熹诗集传：“仪、式、刑，皆法也。”　典，典章制度。见维清注。

靖，平定。见昊天有成命注。按以上二句大意为，我学习效法文王施政的典章，每天用它来平定天下。

伊，发语词。　嘏（jiǎ），假的假借，伟大。是赞美文王之词。

右，助。与第三句“右”同义。飨（xiǎng），通享，享用。王引之：“言大哉文王，既佑助后王而飨其祭也。”

其，语中助词。　夙夜，早晚。见昊天有成命注。

时，是。于时，于是。犹今言“这样”。　保，安。　之，指周国。这三句意为，我早夜勤于祭祀，敬畏上帝的威灵，这样就会保卫我周。

韵读：之部——牛（音疑）、右（音以）。　阳部——方、王、飨。

时　迈

【题　解】

这是武王克商后巡守诸侯国和祭祀山川百神的诗。毛序：“时迈，巡守告祭柴望也。”（柴，烧柴祭天。望，祭山川名）郑笺：“巡守告祭者，天子巡行邦国，至于方岳之下而封禅也。”孔疏：“武王既定天下，而巡行其守土诸侯，至于方岳之下，乃作告至之祭，为柴望之礼。周公述其事而为此歌焉。……宣十二年左传云：'昔武王克商作颂曰：载戢干戈。'明此篇武王事也。国语称：'周文公之颂曰，载戢干戈。'明此篇周公作也。"毛序、郑笺、孔疏叙述了本诗的主题、作者及其产生时期。

孙矿云："首二句，甚壮甚快，俨然坐明堂、朝万国气象。下分两节：一宣威，一布德，皆以'有周'起，'允王'结，整然有度。遣词最古而腴。"他指出了这首祭歌的艺术特色有如下几点：一、气象壮快。二、结构严整。三、语言古腴。颇为确切。

时迈其邦，昊天其子之？实右序有周。薄言震之，莫不震叠。怀柔百神，及河乔岳。允王维后！明昭有周，式序在位。载戢干戈，载櫜弓矢。我求懿德，肆于时夏。允王保之！

时，是。发语词。孔疏训为"以时"，亦通。　迈，行。说文："迈，远行也。"这里指巡守。　邦，国。指诸侯的封国。

子之，使之为天子。"子"在这里作动词，意为，昊天将把我当儿子吗？与"维天其右之"句型语式相同。朱熹诗集传："天其子我乎哉？盖不敢必也。"

实，是。　右，同佑，助。　序，同叙，有顺助之义。序为本字，叙是假借字。吴闿生诗义会通："右、序，皆助也。"二字同义。　有，名词词头，亦称冠词。如称虞为有虞，夏为有夏。

薄言，语助词。见芣苢注。　震，动。说文："震，劈历振物者。"段注："引申之，凡动谓之震。"这里指用武力震动威胁。　之，指殷商及其属国。

震，韩诗作振，振动。　叠，通慑，恐惧。郑笺："其兵所征伐，甫动之以威，则莫不动惧而服者，言其威武又见畏也。"

怀，来。怀（懷）为褱的假借字。皇矣"予怀明德"，毛传："怀，归也。"引申义，来归的意思。　柔，安抚。说文："柔，木曲直也。"段注："柔之引申为凡耎弱之称，凡抚安之称。"怀柔，这里指安抚祭祀。　百神，天地和山川众神。

及，至、来到。　河，黄河。　乔，高。乔岳，高山。旧说指山东省泰山。

允，确实。毛传："允，信也。"　王，指武王。　维，是。　后，君主。这句意为，武王确实是天下的君主。

明，明智。　昭，洞察。

式，发语词。　序，顺序。　在位，指在位的诸侯。这句意为，诸侯都能称职。

载，则、于是。　戢（jí），收藏。毛传："戢，聚也。"说文："戢，臧兵也。"段注："聚与藏义相成，聚而藏之也。"　干戈，此处泛指兵器。

櫜（gāo），盛甲或弓矢的袋。此处作动词"藏"用。郑笺："王巡守而天下咸服，兵不复用，此又著震叠之效也。"

懿，美，尔雅释诂："懿，美也。"懿德，指追求美德之政。

肆，施行。　时，是、这。　夏，中国。朱熹："夏，中国也。言求懿美之德以布陈于中国。"

之，指上二句施行美德之政的中国。

韵读：侯部——岳、后。　脂部——位、矢。

执　竞

【题　解】

这是一首祭祀武王、成王、康王的乐歌。诗中颂扬三王的功业绵延广大、永世不匮。毛序："执竞，祀武王也。"王先谦集疏："鲁说曰：'执竞，一章十四句，祀武王之所歌也。'（蔡邕独断）齐、韩盖同。"毛诗和三家诗都认为执竞是祭祀武王的诗。欧阳修、朱熹怀疑此说。朱熹认为："此祭武王、成王、康王之诗。"姚际恒从之，他说："毛序谓'祀武王'，固非，集传谓'祀武王、成王、康王'，是已。"他们都将诗中的"不显成康"、"自彼成康"解作成王、康王，认为诗是昭王时代的作品。按三王并祭，周无此例。时代久远，史乏旁证，今据诗的内容，姑从朱说。

周颂是诗经中最早的诗，它多半是带有扮演舞蹈的祭歌，故多不用韵。此诗是昭王时代的祭歌，产生的时间较晚，距周初约百馀年，与清庙等相较，在用韵方面，显然有很大进步。诗押阳韵和元韵，读起来颇有抑扬铿锵之妙。

执竞武王，无竞维烈。不显成康，上帝是皇。自彼成康，奄有四方，斤斤其明。钟鼓喤喤，磬筦将将，降福穰穰。降福简简，威仪反反。既醉既饱，福禄来反！

执，说文："执，捕辠人也。"这里含有制服的意思。马瑞辰通释："释文引韩诗云：'执，服也。'……盖以执竞为能执服强御。" 竞，强，指强敌。这句意为，制服强敌的武王。

无竞，莫强。见烈文注。 维，是。 烈，功业。指克商的功业。见烈文注。

不显，见烈文注。 成，指成王。 康，指康王。

皇，美。以上二句的大意是：光明的成王、康王，上帝赞美他们。

自，从。自的本义为"鼻"，说文段注："今义从也、己也、自然也，皆引申之义。"这里"从"即为引申义。 彼，指那时。

奄，覆盖。说文："奄，覆也，大有馀也。"这里含有"尽"、或"完全"之意。 四方，天下。

斤斤，昕昕的省借，精明貌。郑笺："明察之君，斤斤如也。"

喤喤(huáng)，锽的假借字，三家诗正作锽。毛传："喤喤，和也。"陈奂传疏："云'和'者，谓钟与鼓声相应和。"

磬(qìng)，古代的一种打击乐器，用美石或玉制成，或成套悬挂起来，称为编磬。 筦，"管"的异体字，鲁诗正作管。一种竹制的管乐器。 将将(qiāng)，同锵锵、玱玱、鎗鎗、蹩蹩，象金石和管乐相和声。以上二句写祭祀时奏乐。

穰穰(rǎng),众多。毛传:“穰穰,众也。”这里重言“穰穰”,形容福禄众多。鲁诗作瀼瀼。

简简,盛大貌。毛传:“简简,大也。”以上二句指武王、成王、康王降福给祭者。

威仪,态度容止。左传襄三十一年:“进退可度,周旋可则,容止可观,谓之有威仪。” 反反,昄昄的假借字,慎重。释文引韩诗正作昄昄。潜夫论引作板板,也是假借字。胡承珙毛诗后笺:“说文:‘反,复也’,凡言反复者,皆慎重之意。”

反,反报的意思。王符潜夫论:“此言人德义美茂,神歆飨醉饱,乃反报之以福也。”以上二句指武王等的神灵醉饱以后,用福禄报答祭者。

韵读:阳部——王、康、皇、康、方、明(音芒)、喤、将、穰。 元部——简、反、反。

思 文

【题 解】

这是一首郊祀周人始祖后稷以配天的乐歌。诗中颂扬后稷为民造福,其德行可与上天相配。毛序:“思文,后稷配天也。”王先谦集疏:“鲁说曰:‘思文,一章八句。后稷配天之所歌也。’齐说曰:‘周公相成王,王道大洽,制礼作乐,郊祀后稷以配天。’韩说盖同。”三家诗和毛诗说大致相同。姚际恒诗经通论:“此郊祀后稷以配天之乐歌,周公作也。按孝经云‘昔者周公郊祀后稷以配天’,指此也。国语云‘周文公之为颂曰“思文后稷,克配彼天”’,故知周公作也。郊祀有二:一冬至之郊,一祈谷之郊。此祈谷之郊也。小序谓‘后稷配天’,此诗中语,是已。”按周自后稷发明播种百谷后,公刘和古公亶父都是以农建国的人物,豳民作诗祭祀后稷，这是很自然的事。到周公时，加以润色配乐，定为祭祀后稷配天的乐章，也有此可能。

姚际恒说："古人作颂从简，岂同雅体铺张其词乎？"同样是写后稷，如果将此诗和生民相较，明显地看出它们的详略不同。生民是述事，故详，思文是颂德，故简。故雅、颂的差异，还不仅在有无扮演、舞蹈等方面。

思文后稷，克配彼天。立我烝民，莫匪尔极。贻我来牟，帝命率育。无此疆尔界，陈常于时夏。

思，想。郑笺："周公思先祖有文德者，后稷之功能配天。"一训"思"为语助词，亦通。　文，文德，对武功言，指建设国内的功业。　后稷，周人的始祖，名弃，传说他是尧舜的农官，后人尊他为谷神。见大雅生民篇。

克，能。说文："克，肩也。"段注："肩谓任，任事以肩，故任谓之肩，亦谓之克。"尔雅释言："克，能也。"为引申义。　配，祔祭。说文："配，酒色也。"段注："本义如是。后人借为妃字，而本义废矣。妃者，匹也。"由匹配引申为此义。

立，粒的省借。这里用作动词，"养育"的意思。　烝民，众民。郑笺："立当作粒。后稷播殖百谷，烝民乃粒，万邦作乂。"

匪，非。莫匪，没有不是，双重否定，即全是。　极，至。即最大的好处。朱熹诗集传："极，至也。德之至也。"

贻，遗留。　来牟，泛指麦子。朱熹诗集传："来，小麦；牟，大麦也。"据后人考证，"来牟"即"麦"的合声。马瑞辰通释："牟麦为双声，来麦为叠韵，合牟来则为麦。焦氏循曰'麦为牟来之合声，犹终葵之为锥。牟来倒为来牟，方音相转，往往倒称'，其说是也。"按韩诗作"贻我嘉鍪"，鲁诗作"诒我厘粦"，齐诗作"诒我来粦"。王引之："嘉，当为'喜'字之误，来、厘、喜古声相近，故毛诗作来，而刘向传作厘牟，韩诗作喜牟。"

率，普遍。　育，养育。朱熹诗集传："率，遍。育，养也。……乃上帝之命，以此遍养下民者。"

界，韩诗作“介”。介，古界字。陈奂传疏：“无此疆尔界者，言后稷布种之功尽天下之疆界，无有此尔也。”

陈，布，施行。　常，典、制度。这里指农政。　时夏，这个中国。见时迈注。

韵读：之部——稷、极。　真部——天（铁因反）、民。

臣　工

【题　解】

这是一首周王耕种籍田并劝戒农官的诗。所谓籍田，是周王拥有的一大片由农奴耕种的土地。每年春天，周王带领群臣到籍田上去耕几下，装装样子，以表示对农业的重视。礼记月令：“孟春之月，天子亲载耒耜，措之于参保介之御间，帅三公、九卿、诸侯、大夫躬耕帝籍。天子三推，三公五推，卿诸侯九推。”这首诗就是在籍田时所唱的乐歌。至于诗的产生年代，据郭沫若青铜时代考证，大约和成王时的噫嘻相去不远。

此诗前四句是周王告诫臣工的话，后四句是告诫保介的话。中四句为周王祈求上帝丰年之词，末三句为命令农夫准备收割之语。开后世帝王诫敕一种文体。吴闿生诗义会通：“旧评：‘於皇’以下，虚拟之词，笔情飞舞。”说“於皇”以下七句为“虚拟”，是事实，评它“飞舞”，则未免过誉。

嗟嗟臣工，敬尔在公。王厘尔成，来咨来茹。嗟嗟保介，维莫之春，亦又何求？如何新畬？於皇来牟，将受厥明。明昭上帝，迄用康年。命我众人：庤乃钱镈，奄观铚艾。

嗟嗟（jué），发语词。说文作謷，云：“謷，咨也。”嗟嗟即咨叹之声。朱熹诗集传：“嗟嗟，重叹以深敕之也。”这里表示呼唤对方，相当于现代汉语中的招呼语词“喂喂”。 臣工,群臣百官。马瑞辰通释:“臣工二字平列,犹官府之比。工与官双声,故官通借作工。小尔雅:‘工,官也。’……臣工盖通指诸侯卿大夫言之。”

敬,谨慎负责的意思。 尔,指群臣百官。 在公,在公家的事情上,指籍田之礼。这句意为,你们对待公职的事要谨慎负责。

王,这里指周王。 厘,赉的假借字,赐予。见大雅既醉注。 成,功,指功绩。

来,是。马瑞辰通释:“来者,词之是也。来咨来茹,犹言是咨是茹。”咨,询问。 茹,商度。郑笺:“咨,谋;茹,度也。”这句意为,你们如有问题,这是可以商量的。

保介,田官,亦称田畯。介,界之省借。保界,保护田界的人(从郭沫若青铜时代说)。

维,是。 莫,暮的本字。周历暮春,为夏历初春,即农历正月。

亦,助词。 又,通有。 何求,指对农人有什么要求,意思是应当抓紧农时耕种。

如何,奈何、怎样。 新、畬(yú),休耕又种的田地。毛传:“田二岁曰新,三岁曰畬。”所谓二岁、三岁,指休耕二年或三年。这句意为,怎样经营轮种的土地?

於,赞叹词。屡见前注。 皇,美好。这里指麦种壮实饱满。 来牟,麦子。见思文注。

厥,指示代词,其、它的。 明,成,指收成(依马瑞辰说)。这句连同上句意为,因为麦种好,将要获得丰收。

明昭,明智洞察。见时迈注。

迄,至,致。马瑞辰通释:“至犹致也。迄用康年,犹云用致康年。”用,以。 康年,丰年。这句意为,上帝给以丰收的年成。

众人,指农民。

庤(zhì),偫之或体,具、准备。 乃,代词,你。 钱(jiǎn),古农具名,似今之铁锹,用来翻地。说文:“钱、铫,古田器。” 镈(bó),锄头。释名:“镈,锄头也。”

奄,尽、全。　铚(zhì)艾,收割。铚本义是镰刀。说文:“铚,获禾短镰也。”这里活用为动词“割”。　艾,乂的假借字,亦作刈,似今之大剪刀。割庄稼用的。说文:“乂,芟草也。”这里是动词收割之意。

韵读:无韵。

噫　嘻

【题　解】

这是一首春祈谷的诗。毛序:“噫嘻,春夏祈谷于上帝也。”诗中叙述康王祭祀成王,即令田官带领农夫播种百谷,让农夫开垦私田,号召他们大规模地参加劳动。诗歌反映了周初农夫的劳动情况和公田、私田的制度。

毛传:“终三十里,言各极其望也。”孔疏:“各极其望,谓人目之望所见,极于三十,每各极望则遍及天下矣。三十以极望为言,则十千维耦者,以万为盈数,故举之而言,非谓三十里内十千人也。”传、疏的解释非常明显,指出三十和十千都是虚数,都是夸张之词。方玉润亦同意此说,认为“诗本活相,释者均呆,又安能望其以意逆志,得诗人言外旨哉?”可见夸张言过其实的艺术手法,已滥觞于此诗。

噫嘻成王!既昭假尔。率时农夫,播厥百谷。骏发尔私,终三十里,亦服尔耕,十千维耦。

噫嘻,祈祷时呼叫祝神的声音。戴震毛郑诗考正:“噫嘻,犹噫歆,祝神之声。诗为祈谷所歌,故嘻歆于神以为民祈祷。”　成王,指周成王诵。此处指成王之神。

昭,明。　假,徦的假借字,亦作格。至、来。昭假,人的诚敬上达于神。　尔,语气词。

率，帅的古字，带领。　时，是、这些。

播，播种。郑笺："播，犹种也。"

骏，疾、迅速。见清庙注。　发，开发。　尔，你，指农夫。　私，指私田。毛传："私，民田也。"见小雅大田注。

终，尽。　三十里，据周礼的说法，方圆三十二里半是一个农业行政区域，可容一万农夫耕种，由一个农官掌管。这是儒家虚构的井田制度。此处三十里，但举成数而言。一说此为农官的私田，不是井田。程瑶田沟洫考说："'骏发尔私'，是不画井，无公田之证也。耦曰十千，是万夫之证也。"亦可资参考。

亦，发声词。　服，从事、做活。　尔，指农夫。

十千，一万人，这也是虚数。　维，其。　耦，两人并肩用犁耕地。方玉润诗经原始："窃意诗言'三十里'者，一望之地也。言'十千维耦'者，万众齐心合作也。一以见其人之众，一以见其地之宽，非有成数在其胸中。"

韵读：无韵。

振　鹭

【题　解】

旧说这是一首赞美夏王、商王的后裔——杞国和宋国的国君到周天子宗庙助祭的乐歌。毛序："二王之后来助祭也。"郑笺："二王，夏、殷也。其后，杞也，宋也。"王先谦集疏："鲁说曰：'振鹭，二王之后来助祭之所歌也（蔡邕独断）。'齐、韩盖同。"姚际恒不信他们的说法，他在诗经通论中有较详细的论述，可以参阅。诗中赞扬了朝周宾客美好的德行容止，疑为周王招待诸侯来朝者所奏的乐歌。

此诗首二句毛传标为"兴也"，后之学者多承其说。周颂用兴，比较罕见。诗人以白鹭群飞于西雝，象征诸侯为客于周京，这可能是作者巫史之流向民歌俗谣吸取营养，以比兴丰富自己的作品。此诗语言浅显易读,不似前什之聱牙。据此二特点,它可能是西周晚期之作。

振鹭于飞,于彼西雝。我客戾止,亦有斯容。在彼无恶,在此无斁。庶几夙夜,以永终誉。

振,即振振,鸟群飞貌。　鹭,白鹭,一种水鸟,羽毛洁白。

雝,邕的假借字,典籍中常写为雍,水泽。与大雅灵台"於乐辟廱"的辟廱不同。按这二句是兴,陈奂传疏:"诗以鹭之在泽,兴客之朝周,宾位在西,故曰西。"

戾(lì),至。本义为"曲",说文段注:"训为至,皆于曲义引申之。曲必有所至,故其引申如是。"　止,语气词。

亦有斯容,也有鹭鸟这样洁白的容貌。陈奂传疏:"斯,此也。此,鹭也。言客有此洁白之容也。"

在彼,指客人们的封国。　无恶,没有人怨恨。

在此,指客人们来朝的周地。　斁(yì),厌,韩诗作射,射与斁通。无斁,不被讨厌。郑笺:"在彼,谓居其国无怨恶之者。在此,谓其来朝,人皆敬爱之,无厌之者。"

庶几,表示希望之意。　夙夜,早晚。这里表示早起晚睡,勤劳国事之意。

永,长。　终,众的假借字,韩诗、鲁诗正作众。马瑞辰通释:"终与众古通用。后汉书崔骃传'岂可不庶几夙夜,以永众誉',义本三家诗。"郑笺:"誉,声美也。"众誉,盛誉的意思。

韵读:东部——雝、容。　鱼部——恶、射(音豫)、夜(音豫)、誉。

丰　年

【题　解】

这篇是秋天丰收后祭祀祖先时所唱的乐歌。毛序:"丰年,秋冬报也。”王先谦集疏：“鲁说曰：‘丰年，一章七句，蒸尝秋冬之所歌也。’（蔡邕独断）齐、韩当同。”后人因为毛序未述所报何神，诗中又有“以洽百礼”之句，将百礼解为群神，故多疑议。有的说是祭上帝，有的说是祭八蜡，有的说是报赛农神，莫衷一是。兹据诗中有“烝畀祖妣”之句，定其主题如上。

宗庙之诗宜庄严肃穆，比兴一多，过于流动，反非所宜，故此诗纯用赋体，不杂比兴。全诗的“诗眼”在“为酒为醴”一句。前此三句说明酿酒醴的原因，后此三句说明酿酒醴的目的。寥寥数语，朴实无华，却将祭祀的原因、目的、对象和祭品等都道尽无遗。初读似觉过短，实际上辞严义密，不可增减，是周颂中的上乘之作。

丰年多黍多稌，亦有高廪，万亿及秭。为酒为醴，烝畀祖妣，以洽百礼，降福孔皆。

黍（shǔ），穈子，今称小米。　稌（tú），稻。

亦，句首语助。　廪（lǐn），米仓。

亿，数词。周代十万为亿。　秭（zǐ），尔雅：“秭，数也。”郭注：“今以十亿为秭。”毛传：“数万至万曰亿，数亿至亿曰秭。”郑笺：“万亿为秭，以言谷数多。”此处泛言丰年粮食米仓的众多，不是确数。

为，做，酿造。　醴，甜酒，如今之酒酿。说文：“醴，酒。宿熟也。”

烝，进献。　畀（bì），给予。　祖妣（bǐ），男女祖先。这二句大意是：将粮食所酿成的酒和醴，进奉给先祖先妣。

洽，配合。　百礼，指牲、玉、币、帛等祭品（见孔疏）。此处泛言祭品及礼仪的众多。

孔，甚，很。　皆，普遍。一说皆通“嘉”，美好的意思。亦通。

韵读：鱼部——黍、稌。　脂部——秭、醴、妣、礼、皆（音几）。

有　瞽

【题　解】

这是一首合乐祭祖的诗。毛序:“有瞽,始作乐而合乎祖也。”孔疏:“合诸乐器于祖庙奏之,告神以知和否。”均合诗旨。诗中描述了周代庙堂中祭祀奏乐的盛况。高亨诗经今注云:“这篇是周王大合乐于宗庙所唱的乐歌。大合乐于宗庙是把各种乐器合在一起奏给祖先听,为祖先开个盛大的音乐会。周王和群臣也来听。据礼记月令,每年三月举行一次。”高氏承孔疏之说,将“合”字解作“合乐”,最切诗旨。

此诗首述乐师分布在庙堂庭院之位,次写各种乐器的陈列,一切演奏的准备工作都做好了,就开始奏乐。乐声是那样的宏亮和谐、肃穆和顺,感动了先祖和在座的客人,一直听到乐阕的终了。语简而生动,是颂诗中的杰作。旧评:“简洁生动”,信然。

有瞽有瞽,在周之庭。设业设虡,崇牙树羽,应田县鼓,鞉磬柷圉,既备乃奏,箫管备举。喤喤厥声,肃雝和鸣,先祖是听。我客戾止,永观厥成。

有,词头,无义。　瞽,盲人,周代常以盲人充任乐官,这里指乐师。郑笺:“瞽,矇也。以为乐官者,目无所见,于音声审也。”

庭,指宗庙中的庭院。孔疏:“其作乐者,皆在周之庙庭矣。”

设,陈列。　业,挂乐器的木架横梁上面的大版,刻如锯齿状。　虡(jù),挂钟、磬的直木架。见大雅灵台注。这句说陈列起挂乐器的木架。第二个“设”字是衬字以足句。

崇牙,也叫枞(cōng),是业上突出的木齿,弯曲高耸,用来挂乐器。

树，植，插着。树羽，在崇牙上插着五彩的羽毛作为装饰。

应，小鼓名。　田，郑笺："田，当作楝（yǐng）。大鼓。"　县（xuán），今作悬。县鼓，悬挂的鼓。鼓本置于木座上，将鼓挂起，是周朝的制度。

鞉（táo），亦作鼗，一种有柄有二耳的摇鼓。　磬，玉石制的版状打击乐器。　柷（zhù），乐器名。尔雅释乐郭注："柷如漆桶。方二尺四寸，深一尺八寸，中有椎柄连底，挏之令左右击。"刘熙释名："柷以作乐。"知击柷是作为开始奏乐的一种信号。　圉（yǔ），又作敔，乐器名。形如伏虎，背上有二十七锯齿，以木尺划击出声。释名："敔以止乐。"

箫、管，都是竹制乐器。古箫是排箫，一种编管乐器。管，如笛。陈奂传疏："管如篴并而吹之。"

喤喤（huáng），形容乐声宏亮和谐。见执竞注。

肃雝，形容乐声肃穆和顺。礼记乐记引诗"肃雍和鸣，先祖是听"，郑注："言古乐和且敬。"

戾止，见振鹭注。

永，长。　厥，其，指大合乐。　成，指一曲终了。朱熹诗集传："成，乐阕也。"

韵读：鱼部——瞽、虡、羽、鼓、圉、举。　耕部——庭、声、鸣、听、成。

潜

【题　解】

这是周王献鱼求福、祭祀于宗庙时所唱的乐歌。毛序："潜，季冬荐鱼，春献鲔也。"郑笺："冬鱼之性定，春鲔新来。荐献之者，谓于宗庙也。"方玉润不信序、笺之说，他说："鱼是总名，鲔乃下六鱼之一，何以冬则总荐鱼，春则单荐鲔？且单荐鲔，则文当言鲔，何以仍用总鱼名？周庭纵极不文，亦不难别作乐歌以荐之，何至用此不通之文以献诸祖考前乎？"方说是。兹据诗的内容总结其主题如上。

这是一首鱼祭诗，全诗只有六句，前二句指出产鱼的地点，中二句以六种大鱼渲染一“多”字。末二句说明祭祀的目的。词简意赅，语言明快，似为西周晚期之作。

猗与漆沮，潜有多鱼：有鳣有鲔，鲦鲿鰋鲤。以享以祀，以介景福。

猗(yī)与，赞叹词，相当于今语“啊呀”。 漆、沮，周二水名，在陕西渭河以北。见小雅吉日注。

潜，通槮，鲁诗、韩诗作涔，涔为正字，潜、槮皆为同音假借。放在水中供鱼栖息的柴堆，又名鱼池。王先谦集疏：“案列木水中，鱼得藏隐，有若池然，故曰鱼池。”

鳣(zhān)，鳇鱼。尔雅郭注：“鳣，大鱼，似鱏而短鼻，口在颔下，体有邪行甲，无鳞，肉黄，大者长二三丈，今江东呼为黄鱼。” 鲔(wěi)，鲟鱼。李时珍本草纲目引陈藏器曰：“鲟生江中，背如龙，长一二丈。”均见卫风硕人注。

鲦(tiáo)，鱼名，也叫白鲦、白丝。银白色，背有硬鳍。 鲿(cháng)，亦名黄鲿鱼、鲴鱼，无鳞。 鰋(yǎn)，鲇(nián)鱼，亦称鲶鱼，无鳞。

享，祭献，上供。

介，祈求。 郑笺：“景，大也。”景福，大福。说文：“景，日光也。”这是本义。段注：“尔雅、毛传皆曰：景，大也。其引申之义也。”

韵读：鱼部——与、沮、鱼。 之部——鲔、鲤、祀、福(方逼反，入声)。

雝

【题 解】

这是武王祭祀文王在祭毕撤去祭品时唱的乐歌。毛序：“雝，禘太祖也。”朱熹诗序辨说不信此说，他说：“此但为武王祭文王而彻俎之诗,而后通用于他庙耳。”按后汉书刘向传:“文王既没,武王、周公继政,朝臣和于内,万国欢于外,故尽得其欢心,以事其先祖。其诗曰:有来雝雝,至止肃肃。相维辟公,天子穆穆。言四方皆以和来也。”据诗的末二句,刘向、朱熹以此诗作于武王时,似可信。

对偶、排比是我国诗歌特色之一。国风和小雅中都有这样的形式。武王时代的雝已创其先:如首二句“有来雝雝,至止肃肃”,是对偶。中二句“宣哲维人,文武维后”,末二句“既右烈考,亦右文母”,是排比。这可能当时的民间歌谣已有这些艺术手法,被雝作者所汲取。

有来雝雝,至止肃肃。相维辟公,天子穆穆。於荐广牡,相予肆祀。假哉皇考,绥予孝子。宣哲维人,文武维后。燕及皇天,克昌厥后。绥我眉寿,介以繁祉。既右烈考,亦右文母。

来,指来助祭的诸侯。　雝雝,和睦貌。

至止,到达,指参加祭祀者。　肃肃,严肃恭敬貌。

相,助祭。　维,是。　辟(bì)公,指诸侯。见烈文注。

天子,指周武王。　穆穆,容止端庄肃穆貌。见大雅文王注。

於,赞叹词。屡见前注。　荐,进献。　广,大。这里指诸侯进献大公牛等祭品。

相,助。　予,主祭的周王自称。　肆,陈列。郑笺:“百辟与诸侯又助我陈祭祀之馔。”一说肆祭,为祭名,亦通。

假,嘉。假哉即美哉,赞美之词。　皇考,对已死去的父亲的美称。礼记曲礼:“生曰父、曰母、曰妻。死曰考、曰妣、曰嫔。”皇,形容词,显。对先代的敬称。这里指文王。

绥,安抚。陈奂传疏:“绥,读‘以绥后禄’之绥。绥,安也。”　孝子,武王自称。这句是指文王奠定天下,安抚了我这孝子。

宣,通、明。　哲,智。马瑞辰通释:"按宣哲与文武对举,二字平列。朱子集传训宣为通,哲为知,是也。宣之言显。显,明也。宣哲,犹言明哲也。"　维,为。　人,臣。维人,尽做臣的道理。史记燕世家索隐曰:"人,犹臣也。文王以一身兼尽君臣之道,故言维人、维后。"这句意为,先父做人臣时通达事理,十分明智。

文武,有文德又有武功。　后,君。这句意为,先父做人君时有文德武功。

燕,安。指上天没有变异,不降灾祸。

克,能。　昌,兴盛。　厥,指代词,其。朱熹集传:"此美文王之德,宣哲则尽人之道,文武则备君之德,故能安人以及于天,而克昌其后嗣也。"

绥,通赉,赐。　我,武王自称。　眉寿,长寿。见豳风七月注。

介,助、佑。　祉(zhǐ),福。繁祉,多福。以上二句意为,文王昌盛他的后代,赐我长寿,佑我多福。

右,通"侑",劝酒、劝食。这里是希望先父先母的神灵多多享用祭品。周礼大祝:"以享右祭祀",郑注:"右,读为侑。侑劝尸食而拜。"此诗"右"亦当读为侑劝之侑。诗以"烈考"与"文母"对举,文母为太姒,则烈考为文王。　烈,光明。烈考,光明的先父,指文王。

文母,有文德的母亲,指文王之妻太姒,武王母。

韵读:东部——雝、公。　幽部——肃、穆、牡、考(苦叟反)、寿、考。　之部——祀、子、祉、母(满以反)。　真部——人、天(铁因反)。　侯部——后、后。

载　见

【题　解】

这是一首周成王率领诸侯拜谒武王庙,祭祀求福的乐歌。毛序:"载见,诸侯始见乎武王庙也。"陈奂传疏:"成王之世,武王庙为祢庙。武王主丧毕入祢庙,而诸侯于是乎始见之,此其乐歌也。”诗经传说汇纂：“成王新执政，率百辟见于昭庙，以隆孝享。一以显耆定之大烈，一以彰万国之欢心，有丕承王业、畏怀天下之气象。故曰始也。”据此，诗可能作于成王免丧初执政时。

诗义会通引旧评云：“起层不急入助祭，舒徐有度。末以长句作收。”按此诗可分为几个小节：首二句言成王讲求谒庙的典章制度。三至六句描写诸侯来朝的旌旗车马之盛。七、八、九三句始点明成王带领助祭者祭祀武王的主题。后四句表达向神求福。末句叙祭祀目的作收。细玩诗的内容，评为“舒徐有度”、“长句作收”，颇为确切。

载见辟王，曰求厥章。龙旗阳阳，和铃央央。鞗革有鸧，休有烈光。率见昭考，以孝以享，以介眉寿。永言保之，思皇多祜。烈文辟公，绥以多福。俾缉熙于纯嘏。

载，始。　辟王，君王，指成王。郑笺：“诸侯始见君王，谓见成王也。”

曰，同聿，发语词。　章，典章制度。这里指要求诸侯车马服饰的典章制度。

龙旗，绘刺有两龙蟠绕图案的旗帜。陈奂传疏：“龙旗，交龙为旗也。”见小雅采芑注。　阳阳，色彩鲜明貌。说文：“阳，高明也。”此处重言阳阳，是引申义。毛传：“阳阳，言有文章也。”

和铃，即和銮。和与銮都是铃名。挂在车轼上的铃称和，挂在车衡上的铃称铃，即銮。见小雅蓼萧注。　央央，铃声。朱熹诗集传：“央央，声和也。”

鞗（tiáo）革，马缰绳上的饰铜。见小雅蓼萧注。　有鸧（qiāng），即鸧鸧，与锵、玱、鎗通。马缰绳上的铜金饰物美盛貌。

休的本义是“息止”，这里引申为“美”。　烈光，光明。按以上四句都是形容来朝诸侯旌旗之美，车马之盛。

率，带领。　昭考，指武王。周代宗庙制度，太祖居中，其子孙分居左右。左昭右穆,依次排列。文王为穆,武王为昭,所以成王称武王为昭考。

孝,同享,都是献祭的意思。马瑞辰通释:"按尔雅释诂'享,孝也'……是孝与享同义,故享祀亦曰孝祀。……此诗'以孝以享',犹潜诗'以享以祀',皆二字同义,合言之则曰孝享。"按以下皆为祈祷之词。

永,长久。 言,助词。 之,代词。这里指来祭者。

思,发语词。 皇,大。 祜(hù),福。

烈,有武功。 文,有文德。 辟(bì)公,指诸侯公卿。见烈文注。

绥,安,赐的意思。说文:"绥,车中靶也。"这是本义。段注:"论语曰:'升车必正立执绥',周生烈曰:'正立执绥,所以为安。'按引申为凡安之偁。"

俾(bǐ),使。按俾的本义为"益","使"为益之引申。 缉熙,光明。见大雅文王注。 于,到。 纯嘏(gǔ),大福。郑笺:"纯,大也。"鲁颂閟宫郑笺:"受福曰嘏。"

韵读:阳部——王、章、阳、央、鸧、光、享。 幽部——寿、保(博叟反)。
鱼部——祜、嘏。

有 客

【题 解】

这是一首封于宋地的殷商后代、纣王之兄微子(名启)来朝周祖庙后,周王设宴饯行时所唱的乐歌。毛序:"有客,微子来见祖庙也。"朱熹诗集传:"此微子来见祖庙之诗。周既灭商,封微子于宋,以祀其先王,而以客礼待之,不敢臣也。"诗中赞美微子的德行,描写了微子在周地备受欢迎的情形。

此诗共十二句,结构亦甚严整,语言形象。前四句述客来,中四句写留客,末四句叙送客。诗人以白马象征微子,以雕琢形容其侣。用絷马表留客,用左右表送行。生动有力。不过我们如拿它来同小雅白驹相比,两首诗同样有絷维白马,以留佳客的构思，但后者充满了惜别的真实感情，前者却显得是敷衍客套的泛泛文章。以“发乎情”的标准来衡量，有客是略逊一筹的。

有客有客，亦白其马。有萋有且，敦琢其旅。有客宿宿，有客信信。言授之絷，以絷其马。薄言追之，左右绥之。既有淫威，降福孔夷。

有，词头。　客，指宋微子。左传僖二十四年：“皇武子曰：宋，先代之后也，于周为客。”

亦，发语词。亦白其马，殷人崇尚白色，微子仍乘白马，表示不忘故国之意。

有萋有且（jū），即萋萋且且，随从者众多盛大貌。马瑞辰通释：“按萋、且双声字，皆状从者之盛。说文：‘萋，草盛也。’韩诗章句：‘萋萋，盛也。’且与居同部义近。且且犹言裾裾。荀子杨倞注：‘裾裾，盛服貌。’草之盛曰萋萋，服之盛曰裾裾，人之盛曰萋且，其义一也。”

敦（duī）琢，敦为雕的假借字。敦琢即雕琢，本为治玉之词，这里引申为精心选择之意。郑笺：“言敦琢者，以贤美之，故至言之。”　旅，通侣，伴侣，指微子的随从众臣。

宿宿，毛传：“一宿曰宿。”此言客人住了一夜又一夜。

信信，毛传：“再宿曰信。”此与上句都是用叠字形容客人住了好几天的意思。尔雅郭注：“有客宿宿，言再宿也。有客信信，言四宿也。”

言，发语词。　絷（zhí），绳索。下句用作动词，即用绳来绊住马足，表示挽留客人。见小雅白驹注。

薄言，发语词。　追，饯送。　之，指宋微子。下句同。

左右，指送行的周天子的公卿大夫们。　绥，安抚。此句言饯行众臣殷勤送行，安抚客人。

既，陈奂传疏：“既，犹终也。”既、终义通。　淫，大。　威，德。淫威，大德。引申为优待的意思，指封于宋事。马瑞辰通释：“既有淫威，犹云既有大德耳。”

夷，大。马瑞辰通释："按说文'夷'从大从弓，古夷字必有'大'训。降福孔夷，犹云降福孔大耳。"

韵读：鱼部——客（音枯入声）、马（音姥 mǔ）、旅、马。　脂部——追、绥、威、夷。

武

【题　解】

这是一首歌颂周武王功业的乐歌。是周公所作的大武乐歌之一。按礼记乐记云："武乐六成"，是大武共有六场。关于大武舞歌，后人多作考证：如何楷诗经世本古义，以武、酌、赉、般、时迈、桓为六成（场）。王国维大武乐章考以武、桓、赉、酌、般、我将为六成。陆侃如、冯沅君诗史则从王说，认为我将确为六成之一。左传宣公十二年："武王克商，作武，其卒章曰'耆定尔功'。"吕氏春秋古乐篇："武王伐殷，克之于坶野。归，乃荐诚于京大室，乃命周公作为大武。"毛序："武，奏大武也。"郑笺："大武，周公作乐所为舞也。"前人因诗中有"於皇武王"句，认为不是武王时代的作品，据王国维观堂集林遹敦跋、郭沫若金文丛考谥法之起源的考证，周代尚无谥法，文、武、成、康都是生时称号，到战国时才规定谥法。因此此诗可定为武王时代的作品。

此诗虽歌颂武王的武功，却不忘文王开创之劳，颇有实事求是的精神。故旧评云："夹入文王，曲折有致。"指出了此歌的艺术特色。

於皇武王，无竞维烈。允文文王，克开厥后。嗣武受之，胜殷遏刘，耆定尔功。

於，赞叹词。见清庙注。　皇，伟大。

竞，强。无竞，莫强。　维，是。　烈，功绩。指伐商诛纣的功绩。郑笺："无强乎其克商之功业。"

允，确实。说文："允，信也。"　文，文德。指文王所施行的政教。

克开，能够开创。　厥后，其后代，指武王所开创的事业。

武，指周武王。这句是倒文，应作"武嗣受之"。朱熹诗集传："言武王无竞之功，实文王开之，而武王嗣而受之，胜殷止杀，以致定是功也。"一训武为足迹，毛传："武，迹也。"陈奂传疏："迹者道也，言武王继文王之道，而卒其伐功也。"亦通。

遏，止，灭。　刘，杀。马瑞辰通释："按尔雅释诂：'灭，绝也。'虞翻易注：'遏，绝也。'是遏、灭二字同义。胜殷遏刘，谓胜殷而灭杀之。"

耆（zhǐ），底的假借，致使。毛传："耆，致也。"　尔，其。指武王伐纣，致使奠定其功业。

韵读：无韵。

闵予小子

【题　解】

这是成王遭武王之丧，告于祖庙，思慕父亲、祖父，警戒自己的诗篇。毛序："闵予小子，嗣王朝于庙也。"郑笺："嗣王者，谓成王也。除武王之丧，将始执政，朝于庙也。"这篇和以下三篇都是成王所作。也有人认为可能是周公托为成王之词以进戒的诗。

此诗前三句语极沉痛，画出孤儿无依的衷曲。下述思慕皇考、皇祖的创业。末抒厉精图治继承祖、父事业的决心。真情实感，溢于言表，简洁动人，允称佳作。

闵予小子，遭家不造，嬛嬛在疚。於乎皇考！永世克孝。念兹皇祖，陟降庭止。维予小子，夙夜敬止。於乎皇王，继序思不忘。

闵（mǐn），通悯，可怜。郑笺："闵，伤悼之言也。"　予小子，古代年幼的自称,对先王而言。

造,善。说文:“造,就也。”由“成就”义引申为“达到”、“至”义,再引申为“善”义。不造,不幸。指父亲武王之丧。马瑞辰通释:“按周礼大司寇‘以两造禁民讼’,仪礼士丧礼‘造于西阶下’,注并云:‘造,至也。’书棐誓郑注:‘至,犹善也。’不造,犹不善;不善,犹不淑也。杂记:‘寡君使某问君,如何不淑’,不淑,犹云不祥,谓遭凶丧也。”

嬛嬛(qióng),说文及汉书匡衡传均作“茕茕”,韩诗作惸,孤独哀伤、无所依靠貌。　疚(jiù),鲁诗作宄。在疚,在忧患痛苦之中。朱熹诗集传:“疚,哀病也。”郑玄释此诗开头三句为:“可悼伤乎我小子耳!遭武王崩,家道未成,嬛嬛然孤特在忧病之中。”

皇考,伟大的父亲,指武王。

兹,此、这。齐诗作“我”。　皇祖,伟大的祖父,指文王。

陟,升。陟降,上下,即提升和降级的意思。　庭,亦作廷,直、公正。止,语气词,表示感叹。马瑞辰通释:“‘陟降庭止’与‘夙夜敬止’相对成文。庭,直也。盖谓文王陟降群臣皆以直道。”

夙夜,从早到晚。　敬,谨慎负责做事。

皇王,伟大的先王,这里兼指文王、武王。

序,通绪,事业。陈奂传疏:“尔雅:‘叙,绪也。’序与叙通。继绪犹缵绪。閟宫‘缵禹之绪’,传:‘绪,业也。’绪、业一义之引申。”　思,句中语助词。这句意为,继承先王的事业而不忘。

韵读:之、幽部通韵——造(徂瘦反)、疚、考(苦叟反)、孝(呼瘦反)。
　　　耕部——庭、敬。　阳部——王、忘。

访　落

【题　解】

这是成王朝武王庙与群臣商议国政的诗。毛序:“访落,嗣王谋于庙也。”王先谦集疏:“鲁说曰:‘访落,一章十二句,成王谋政于庙之所歌也。'(蔡邕独断)齐、韩当同。"毛序与鲁诗说同。诗中描写成王开始执政,希望公卿大夫帮助他继承武王的业绩,并祈祷于皇考。后人多认为诗作于成王初执政时,似较可信。

此诗可分为三小节:首二句说明初执政召集群臣的宗旨。中六句为咨询于群臣之词。末四句述祈祷于武王神灵。短短的十二句颂歌,活跃地表现了幼小成王诚惶诚恐的心理状态。姚际恒评:"多少宛转曲折",这不仅纯指咨询语,也说出了成王心理的宛转曲折。

访予落止:率时昭考。於乎悠哉,朕未有艾。将予就之,继犹判涣。维予小子,未堪家多难。绍庭上下,陟降厥家。休矣皇考,以保明其身。

访,咨询、商议。　落,始,指开始执政。毛传:"访,谋;落,始。"　止,语气词。　访予落止,与群臣商议我开始执政的事情。郑笺:"谋者,谋政事也。成王始即政,自以承圣父之业,惧不能遵其道德,故于庙中与群臣谋我始即政之事。"

率,遵循。　时,是、这。　昭考,指武王。见载见注。

於乎,叹词。　悠,远。说文:"悠,忧也。"这是本义。段注:"悠同攸,攸同修。古多假借为修,长也,远也。"黍离"悠悠苍天",毛传:"悠悠,远意。"即与此处"悠"同义。这里指武王之道高远。

朕,我,成王自称。到秦始皇,才定朕为帝王自我的专称。　艾,阅历。尔雅释诂:"艾,历也。"这句是说自己没有阅历经验,难以掌握武王圣明之道。

将,扶助。　就,接近,达到,这里含有因袭义。按就的本义为成就、成功,此处是引申义。　之,指先王的典法。郑笺:"汝扶将我就其典法而行之。"

继,继续。　犹,又作猷,图谋、计划。这里指武王之道。　判涣,大。

马瑞辰通释:“判涣叠韵,字当读与卷阿诗‘伴奂尔游矣’同。伴、奂皆大也,说文:‘伴,大貌。’‘奂’字注:‘一曰,大也。’……继犹判涣,言当谋其大者。”此句意为,继承先人之道,完成建国的大业。

家多难,家邦多灾难,指遭父武王之丧及管叔、蔡叔、武庚叛乱和淮夷之难。这二句意为,我年幼,我不堪遭受家邦多种的灾难。

绍,继承。指继承文武之道。 庭,公正。 上下,即升降官吏。见闵予小子注。

厥,其。这句说,正确地任免臣下以安定多难的家国。

休,美。陈奂传疏:“休,美也。美能绍此道也。” 皇考,指武王的神灵。孔疏:“上言昭考,此言皇考,皆指武王也。”

保,保佑。 明,勉励。 其身,指成王自身。马瑞辰通释:“此诗‘保明’宜训‘保勉’……休矣皇考,谓以皇考之休美保勉其身也。”

韵读:之、幽部通韵——止、考(苦叟反)。 祭、元部通韵——艾、涣、难。 鱼部——下(音户上声)、家(音古)。

敬 之

【题 解】

这是成王警戒自己的诗。毛序说:“群臣进戒嗣王也。”因此,有人认为前六句是群臣进戒周王之辞,后六句是周王受戒的答辞。方玉润不信此说,他说:“盖此诗乃一呼一应,如自问自答之意,并非两人语也。一起直呼‘敬之敬之’,至‘日监在兹’,先立一案。……‘维予小子’以下,紧承上文,相应而下,机神一片,何容分作两截,并谓二人语耶?”林义光诗经通解:“按诗言‘维予小子’,又言‘示我显德行’,则是嗣王告群臣,非群臣戒嗣王也。”方、林二氏的分析主题,与诗的内容合。

有人说,自闵予小子以下四首颂诗,都是他人代作。细玩此诗,语言浅近:“高高在上”、“日就月将”,被历代文人所沿用,已为成语。又如“命不易哉”，“维予小子”，“示我显德行”等句，都接近口语，表现了年轻帝王肩负重任，虚心求教的口气。似非代作者所为。

敬之敬之！天维显思，命不易哉。无曰高高在上，陟降厥士，日监在兹。维予小子，不聪敬止？日就月将，学有缉熙于光明。佛时仔肩，示我显德行。

敬，通警，警戒。　之，语气词。

维，是。　显，明察。指上天明察一切。　思，语气词。

命，天命，这里指国运。　不易，不容易常保住。

无曰，不要说。　高高在上，指上帝高在天上不明察人间。

士，通事。毛传：“士，事也。”这里指政事。这句说上帝好像常升降于人间，察看人们所做的事情。

日，天天。　监，监视，从上往下看。　兹，此，指人间。

聪，聪明。此处是听从之意。马瑞辰通释：“按广雅‘聪，听也’，不为语词。‘不聪敬止’，谓听而警戒也，承上‘敬之敬之’而言。”　止，语气词。此句即听从而且警戒的意思。

就，成就。　将，奉行。陈奂传疏：“淮南子修务篇引诗，高注云：言为善者日有所成就，月有所奉行。”这里是表示不断好学使有成就而能奉行。

缉熙，积渐广大。马瑞辰通释：“此传又以光为广，广犹大也。说文：‘缉，绩也。’绩之言积，缉熙，当谓积渐广大以至于光明。”此处与昊天有成命中训为光明之义的“缉熙”不同。

佛(bì)，韩诗作弗，佛、弗都是弼的假借字，辅助之义。这是成王希望群臣之言。　时，是、这。　仔肩，毛传：“仔肩，克也。”说文：“克，肩也。”仔肩同有克义，引申为重任。

示，指示。　显，显明。胡承珙后笺：“尚赖群臣示以显明之德行耳。”

韵读：之部——之、之、思、哉(音兹)、兹、子、止。　阳部——将、明(音芒)、行(音杭)。

小　毖

【题　解】

这是成王诛管、蔡、消灭武庚以后，自我惩戒并请求群臣辅助的诗篇。毛序："小毖，嗣王求助也。"郑笺："毖，慎也。天下之事当慎其小，小时而不慎，后为祸大。故成王求忠臣辅助己为政，以救患难。"传、笺都说明了此诗的主题。方玉润诗经原始："此诗名虽小毖，意实大戒，盖深自惩也。……自闵予小子至此，凡四章，皆成王自作，若他人则不能如是之深切有味矣。"诗中表现了成王自警，认为应防患于未然的谨小心情。

诗句多用比喻，故较含蓄生动。成王以桃虫小鸟将化而为雕，比武庚、管、蔡不诛，后患必大。以辛辣蓼草比己的苦境。这在周颂中是罕见的。吴闿生诗义会通引旧评："哀音动人。"钟惺云："创巨痛深，伤弓之鸣。"他们都指出了诗中所表现的哀惊的情绪。后世"惩前毖后"的成语，即出于此诗。

予其惩而毖后患。莫予荓蜂，自求辛螫。肇允彼桃虫，拚飞维鸟。未堪家多难，予又集于蓼。

予，成王自称。　其，语助词。　惩，警戒。说文："惩，忞也。""乂，芟草也。"古忞与乂同。含有伤害意，引申为警戒。此指管、蔡之难，我应接受教训。王先谦集疏："惩，忧悔之词。"　毖，谨慎。毛传："毖，慎也。"这句的标点，有人在"而"后断句。段玉裁毛诗故训传定本："疏于'而'字断句，各本皆云小毖一章八句。"胡承珙毛诗后笺以为唐石经中作"予其惩而毖彼后患"，故这句可能原作"予其惩而，毖彼后患"二句，否则各本不会说小毖一章八句。段、胡说是。

荓(píng)蜂，牵引扶助的意思(从孔疏引孙毓说)。双声。鲁诗作甹夆,一作"莫与并螽"。按螽为蠭之误。"予"和"与"古字通,给予的意思。荓蜂为僒夆之假借。毛传:"荓蜂,瘽曳也。"这句大意是,群臣不肯给予辅助。

辛,辛苦。　螫(shì),事的假借字。陈奂传疏:"辛螫,释文引韩诗作'辛赦',云'赦,事也'。辛事,谓辛苦之事也。"

肇,始。　允,信。一训为语助词,亦通。　桃虫,即鷦鷯(jiāo liáo),一种小鸟。古人认为这种小鸟最后将变为大雕。意思是说"始小而终大"。孔疏引陆玑义疏云:"桃虫,今鷦鷯是也。微小于黄雀,其雏化而为雕,故俗语鷦鷯生雕。"这里喻小患不除必酿成大祸,隐指武庚勾结管、蔡二叔叛乱事。

拚(fān),同翻,鸟飞动貌。陈奂传疏:"拚,疑当作翻。文选陆机赠冯文熊诗、刘琨答卢谌诗注引毛诗皆作翻。又,谢瞻张子房诗注引薛君章句:'翻,飞貌。'是其证。"这句意为,不诛管蔡之属,后反叛作乱,就像小鸟鷦鷯翻飞为大鸟。

未堪家多难,见访落注。

予,陈奂传疏:"传训予为我。我,成王自我也。篇中三'予'字同。"　集,本义为鸟栖止木上,引申为会合。郑笺:"集,会也。"孔疏:"会,谓逢遇之也。"　蓼(liǎo),小草名,高二三尺,茎有节,秋开红白花,其味苦辣。这句比喻自己又陷入困境。王先谦集疏引黄山云:"又集于蓼,正指淮夷之继叛。"

韵读:东、中部通韵——蜂、虫。　幽、宵部通韵——鸟、蓼。

载　芟

【题　解】

这是一首周王在春天藉(籍)田时祭祀土神、谷神的乐歌。毛序:"春藉田而祈社稷也。"郑笺:"藉田,甸师氏所掌,王载耒耜所耕之田。天子千亩,诸侯百亩。藉之言借也,借民力治之,故谓之藉田。"王先谦集疏:"载芟,一章三十一句,春藉田祈社稷之所歌也（蔡邕独断）。南齐书乐志：‘汉章帝时，玄武司马班固奏用周颂载芟以祈先农。’是齐说亦以此诗为藉田祈社稷所用乐歌。韩诗当同。”三家所述诗旨，与毛诗同。据陈奂考证，祭祀的地点，在周都的南郊社稷的土坛上。诗中描写农家尽力农事，丰收后祀祖先、宴宾客、敬耆老的景象。

孙矿批评诗经云：“此描写苗处尤工绝。语不多而意状飞动。”那么，这不多的语是怎样使得意状飞动起来的呢？我们觉得主要得力于叠词形容词的运用。全诗三十一句，用叠词的有十二句。其中包括泽泽、驿驿、厌厌、绵绵等双音词，也包括有喰、有略、有厌、有实等以“有”字起头而实际意义相当于叠词的形容词。这两种叠词交叉应用，且不说其描绘的准确给人带来形象上的美感，就是音节上的参差顿挫也使人读来朗朗上口。全诗没有一句比兴，但仍能生动传神，叠词的使用是主要原因。

载芟载柞，其耕泽泽。千耦其耘，徂隰徂畛。侯主侯伯，侯亚侯旅，侯强侯以。有喰其馌，思媚其妇，有依其士。有略其耜，俶载南亩。播厥百谷，实函斯活。驿驿其达，有厌其杰。厌厌其苗，绵绵其麃。载获济济，有实其积，万亿及秭。为酒为醴，烝畀祖妣，以洽百礼。有飶其香，邦家之光。有椒其馨，胡考之宁。匪且有且，匪今斯今，振古如兹。

载，开始。郑笺：“载，始也。” 芟（shān），除草。 柞（zé），通斱，砍伐树木。毛传：“除草曰芟，除木曰柞。”

泽泽，鲁诗作郝郝，都是“释释”的假借，土松散润泽貌。姚际恒通论：“泽泽，谓方春土脉动，润泽可耕之。”

耦（ǒu），两人并耕。见噫嘻注。 耘，除草。这里为耕耘之意。

徂，往。说文：“退，往也。退或从彳。” 隰，低湿的田地。说文：“隰，阪下湿也。” 畛（zhěn），田边的小路，即田界。楚辞大招王逸注：“畛，田上道也。”

侯,发语词。见小雅六月注。　主、伯,毛传:“主,家长也。伯,长子也。”

亚,次,指长子以下仲、叔诸子。毛传:“亚,仲叔也。”　旅,众,指晚辈。毛传:“旅,子弟也。”

强,指身体强壮有馀力来助耕的人,即短工。　以,雇佣的劳动力。郑笺:“强,有馀力者。周礼‘以强予任民’。以谓闲民,今时佣赁也。春秋之义,能东西之曰以。”按予、以古通用,周礼之“予”,即诗之“以”。

嗿(tǎn),同啖。有嗿,即嗿嗿。朱熹诗集传:“嗿,众饮食声也。”　馌(yè),送到田间的饭菜。郑笺:“馌,馈饷也。”

思,发语词。　媚,美盛貌。见大雅思齐注。马瑞辰通释:“今按小尔雅‘媚,美也’,说文‘娓,顺也。读若媚’,广雅‘媚,好也’,盛与美义近。思媚其妇,亦形容美盛之词。”

依,殷的假借字。有依,即依依,壮盛貌。王引之经义述闻:“依之言殷也。马融易注:‘殷,盛也。’有殷,为壮盛之貌。”　士,男子的美称。与上句的妇都是送饭的人。孔疏:“妇、士俱是行馕之人。”

略,挈的假借,鲁诗正作挈。有略,即略略,形容耜的锋刃十分快当。毛传:“略,利也。”　耜(sì),耒上青铜制的犁头。

俶(chù),起土。俶的本义是开始,起土即种地的开头,是引申义。　载,翻草。　南亩,泛指田地。见豳风七月注。

实,指种籽。　函,通含。　斯活,即活活,有生气貌。这句是说种子很好,内含生气,种下就生长。

驿驿,鲁诗作绎绎,接连不断的样子,指苗陆续出土,很茂盛。　达,破土长出地面。郑笺:“达,出地也。”

厌(厭),㱃的假借字。有厌,即厌厌,美好貌。胡承珙后笺:“案说文:‘猒,饱也。’今字作厌。猒本饱足之偁,苗之得气足者,先长为杰,故曰有厌,乃气至则众苗齐足,故曰厌厌。”于诗意亦通。　杰,特出。这里指最先长出的好苗。

厌厌,稖稖的假借,禾苗整齐茂盛貌。

绵绵,韩诗作民民。陈乔枞三家遗说考:“民、绵双声,故通用。”连绵不断貌。孔疏："孙炎云：'绵绵，言详密也。'" 穮(biāo)，穮的借字，鲁诗作穮。指禾谷的稍末，即穗。

载，发语词。 获，收获。 济济，读上声，众多貌。

有实，即实实，广大貌。王引之经义述闻："实，广大貌。有实其积，谓露积之庾其形实实然广大也。" 积，露积，又名庾，露天的圆仓。

万亿及秭，以下四句均见丰年注。

飶(bì)，与苾、馥通用。有飶，即飶飶，形容祭品味香。毛传："飶，芬香也。"

邦家之光，指五谷丰收，是国家的光荣。

椒，与俶、淑通用。有椒，椒椒，三家诗作馥。指香气浓厚。 馨，传播很远的香气。说文："馨，香之远闻也。"这里指酒味醇香。

胡考，寿考。毛传："胡，寿也。考，成也。"这里指老年人。 宁，安。这说用酒食祭祀，神赐福祉，老人安宁。

匪，郑笺："匪，非也。" 且，此之假借，毛传："且，此也。"上"且"字指此时，下"且"字指耕种之事。

上今字，指今时。下今字，指此事。 斯，是，含有"有"义。马瑞辰通释："传训且为此，与下句匪今斯今，特叠句以见义，词虽异而义则同，皆对下振古如兹言。"

振古，自古。毛传："振，自也。" 兹，此。朱熹诗集传："非独此处有此稼穑之事，非独今时有丰年之庆，盖自极古以来，已如此矣。"

韵读：鱼部——柞(音徂)、泽(音徒入声)、旅。 文部——耘、畛。
之部——以、妇(芳鄙反)、士、耜、亩(满以反)。 祭部——活、达、杰。 宵部——苗、麃。 脂部——济、秭、醴、妣、礼。 阳部——香、光。 耕部——馨、宁。

良 耜

【题 解】

这是周王在秋收后祭祀土神、谷神的乐歌。毛序："良耜，秋报社稷也。”按：周礼春官：“祭祀有二时，谓春祈、秋报。报者，报其成熟之功。”故李迂仲云：“祈之诗，则详耕种之事。报之诗，则详收成之事。”王先谦集疏：“鲁说曰：‘良耜，一章二十三句，秋报社稷之所歌也。’（蔡邕独断）齐、韩当同。”鲁说诗旨与序同。诗中描写了农家耕种、送饭、除草、施肥、丰收、纳仓、祭祀等情景，反映了当时农夫的生活。

这首诗与载芟可算是姐妹篇。风格上也颇相近。以叙述而言，在短短十几句中，从送饭、弄锄除草一直写到收割、开仓、杀牲祭祖。内容繁多但有条不紊，次序井然。以描写而言，“其崇如墉，其比如栉”二句是良耜中，也是周颂中唯一的明喻句。以城墙比谷堆的高大，贴切而具体；以梳篦比谷堆的密集，夸张而传神。后世“鳞次栉比”的成语便从此出，可见这个比喻的生命力。周颂庄重有馀而灵动不足，倒是这两首诗为肃穆的祭曲添进一段清越的变奏。

畟畟良耜，俶载南亩。播厥百谷，实函斯活。或来瞻女，载筐及筥，其饟伊黍。其笠伊纠，其镈斯赵，以薅荼蓼。荼蓼朽止，黍稷茂止。获之挃挃，积之栗栗。其崇如墉，其比如栉，以开百室。百室盈止，妇子宁止。杀时犉牡，有捄其角。以似以续，续古之人。

畟畟（cè 测），耜入土深耕貌。毛传：“畟畟，犹测测也。”胡承珙后笺：“凡入深者，必以渐而进。尔雅：‘深，测也。’说文：‘测，深所至也。’畟畟、测测，皆状农人深耕之貌。” 耜，犁头。良耜，良好的耒耜。

俶载南亩下三句均见载芟注。

或，有人。这里指农夫的妇子。 瞻，视、看。 女，同汝，指农民。郑笺：“有来视女，谓妇子来馌者也。”

载，背。 筐、筥（jǔ），都是竹制盛物器，筐形方，筥形圆。

饟（xiǎng），送来的食物。说文：“周人谓饷曰饟。”段注：“周颂曰：其饟伊黍，正周人语也。释诂曰：馌、饟，馈也。”按饟即饷的异体字，齐诗作饷。 伊，是。 黍，穈子，指小米饭。

笠，笠帽。毛传：“笠，所以御暑雨也。” 纠，编织。说文：“纠，三合绳也。”这里用作动词。陈乔枞三家遗说考：“谓以草为笠，其绳维三合之耳。”

镈（bó），锄头。见臣工注。 斯，句中助词。含有“是”意。 赵，通掴，三家诗作掴，擏的借字。说文：“擏，刺也。”铲除的意思。

薅（hāo），拔田草。说文：“薅，披田草也。”段注：“披者，迫地削去之也。”鲁诗作茠。 荼蓼，二种野草名。鲁诗荼作荼。

朽，腐烂。说文：“歺，腐也。歺或从木。腐，烂也。” 止，语气词。下同。

挃挃（zhì），收割农作物的声音。毛传：“挃挃，获声也。”陈奂传疏：“释名作铚铚，云：断禾穗声也。挃、铚声义相近。”

积，露积，指收成的粮食露天积于田郊。 栗栗，众多貌。朱熹诗集传：“栗栗，积之密也。”

崇，高。 墉，城墙。指露积像城墙那样高大。

比，排列。这里指粮垛密集。 栉（zhì），梳子。说文：“栉，梳篦之总名也。”这句形容排列密集的粮食如梳齿。现尚有“鳞次栉比”的成语。

开，指开户。郑笺：“其已治之，则百家开户纳之。” 百室，泛指家家户户的仓库。

盈，满。

宁，安。这句指秋收后，妇女孩子不用再往地里送饭，可以安居于家中了。

时，是、这。 犉（rún）牡，大公牛。马瑞辰通释：“尔雅释畜：‘黑唇犉。’又，‘牛七尺为犉’……此诗及无羊诗‘九十其犉’，皆当以‘牛七尺曰犉’释之。犉谓牛之大者。犉牡，犹言广牡。广亦大也。”这句说杀这大公牛为牺牲，以祭社稷。

捄（qiú），斛之假借字，俗作觩。有捄，即捄捄，兽角弯曲貌。

似，嗣的假借字，与后面的“续”义同，继续。这里有每年不断祭祀之意。陈奂传疏:"言嗣续前岁已往之事也。正义云:嗣、续俱是继前之言,故为嗣前岁、续往岁之事。前、往一也,皆求明年使续今年。"

古之人,指祖先。这二句意为今后将继续不断祭祀社稷之神,要继承祖先的传统。

韵读:之部——耜、亩(满以反)。 鱼部——女、筥、黍。 幽、宵部通韵——纠、赵、蓼(音柳)、朽、茂。 脂部——挃、栗、栉、室。 耕部——盈、宁。 侯部——角(音谷)、续。

丝 衣

【题 解】

这是一首周王祭神而燕饮宾客的歌舞诗。毛序:"绎宾尸也。高子曰:灵星之尸也。"郑笺:"绎,又祭也。天子诸侯曰绎,以祭之明日。卿大夫曰宾尸,与祭同日。周曰绎,商谓之肜(融)。"所祭何神,据高子所云,是灵星的神。王先谦集疏:"鲁说曰:丝衣,一章九句,绎宾尸之所歌也(蔡邕独断)。"陈乔枞三家遗说考:"刘向五经通义亦以'丝衣其紑'为言王者祭灵星公尸所服之衣,与高子说合。"

诗中赞美祭祀有礼、饮酒有节。前五句写祭祀仪式,后四句写祭祀后燕饮宾客的情形。泛泛叙来,未见有精彩处。"兕觥其觩,旨酒思柔"二句描写酒醴的美好,略有一点意味。然而紧接着"不吴不敖,胡考之休"二句作结,说教之态俨然,又把意境全破坏了。

丝衣其紑,载弁俅俅。自堂徂基,自羊徂牛,鼐鼎及鼒。兕觥其觩,旨酒思柔。不吴不敖,胡考之休。

丝衣,祭服名,装神受祭的尸所穿的白色绸衣。 其紑(fǒu),即紑紑,衣服洁白鲜明貌。毛传:"丝衣,祭服也。紑,絜鲜貌。"

载,通戴。王先谦集疏:"鲁、韩载作戴……释名:'戴,载也',载之于头也。" 弁(biàn),古代贵族戴的一种礼帽。武官戴皮弁,文官戴爵弁,这里是爵弁。 俅俅(qiú),冠上修饰美丽貌。说文:"俅,冠饰貌。"

自,从。 堂,庙堂。 徂,往。 基,畿的假借字。门坎。马瑞辰通释:"畿之言期限也。期、朞、基古同音。故畿可借作基。"这句说主祭者从庙堂到门坎祭祀的地方。

自羊徂牛,指主祭者视察祭祀的羊到牛等牺牲。按韩诗徂作"来",来之言至也。

鼐(nài),大鼎。 鼒(zī),小鼎。都是古代的食器,青铜制成,下有三脚,旁有两耳。这句是说用大鼎小鼎盛的祭品请诸神享用。

兕觥,犀牛角制的酒杯。 其觩,即觩觩,弯曲貌。以上二句均见小雅桑扈注。

思柔,即柔柔,酒味柔和貌。

吴,鲁诗作虞,喧哗,大声说话。毛传:"吴,哗也。" 敖,鲁诗作骜,通傲,傲慢。陈奂传疏:"不敖,史记引作不骜……不吴者,言不欢哗也。不敖者,言不傲慢也。"

胡考,寿考。见载芟注。 休,美。这里指吉庆之福。朱熹诗集传:"故能得寿考之福。"

韵读:之、幽部通韵——紑、俅、牛、觩、柔、休。

酌

【题 解】

这是歌颂武王战胜殷商、建立了丰功伟绩的赞歌。是成王时的大武乐歌之一。大武的乐章其数有六,左传:"楚子曰:武王克商,作武,其卒章曰:耆定尔功。其三曰:铺时绎思,我徂惟求定。其六曰:绥万邦,屡丰年。"陆侃如诗史:"据左传宣公十二年所载楚庄王的话，知道武、桓、赉三篇均在其中。但还有三‘成’呢？我们想大约即我将、酌、般三篇。”王质诗总闻说：“寻诗无酌字，亦无酌意，恐‘铄’是‘灼’字。陆（德明）氏：‘酌，亦作汋’，与‘酌’同意，而与‘灼’同形。恐初传是灼字，已而渐渐作汋，又渐渐作酌。”王质是从字的形体方面去说明“酌”的。汉书礼乐志：“周公作勺，‘勺’言能酌先祖之道也。”班固是从意义方面去说明“酌”的。礼燕礼：“若舞则勺。”郑注：“勺，颂篇。告成大武之乐歌也。万舞而奏之，所以美王侯、劝有功也。”可见大武都是歌舞剧。毛序：“酌，告成大武也。言能酌先祖之道以养天下也。”陈奂：“酌，一章九句。”王先谦：“鲁说曰：酌，一章九句，告成大武，言能酌先祖之道以养天下之所敬也。齐说曰：（见上汉书礼乐志）”今从蔡邕独断与陈奂传疏断句。

这是一出歌舞剧，表演武王取纣之功。首二句“於”的一声赞美，音节洪亮悠扬，唱出王师辉煌强盛的气概。中间表演天下清明、人们喜庆、天宠人和的形势。末叙成王祈祷，口中念念有词：“以先公武王为师法。”“允师”句拖拉长腔，馀音袅袅，有绕梁之感。

於铄王师，遵养时晦。时纯熙矣，是用大介。我龙受之。蹻蹻王之造，载用有嗣。实维尔公，允师。

於，赞美词。　铄（shuò），通烁，辉煌美盛貌。毛传：“铄，美。”孔疏：“於乎美哉，武王之用师也。”

遵，率，指率领王师。　养，毛传：“养，取。”取，说文古文作㪅，字从攴，故有取意。　时，是、这。　晦，暗昧，胡涂。指昏聩的商纣王。孔疏：“率此师以取是晦昧之君，谓诛纣以定天下。”

纯，大。　熙，光明。马瑞辰通释：“按纯熙，谓大光明也。武王既攻取晦昧，于时遂大光明。”

是用，因此。　大介，大善、大祥。尔雅释诂："介，善也。"这句指武王时形势大好。

我，祭者自称，即周成王。一说为"我周"，亦通。　龙，宠的借字，光荣的意思。　受，承受，指我接受天宠而有天下。陈奂传疏："传云'龙，和也'，凡应天顺人谓之和。言我周协和伐商，遂受天命有天下。"

蹻蹻(jué)，勇武貌。毛传："蹻蹻，武貌。"　王，指武王。　造，为，这里指成就、功业。

载，则。　有嗣，指连续不断有人为武王所用。王先谦集疏："王之所用有相续不绝者，言周得人之盛也。"

实维，这是。　尔公，你的先公，指武王。

允，信、确实。　师，法、模范。王先谦集疏："尔既荷天宠，又得人和，信可为后世师法矣。"

韵读：无韵。

桓

【题　解】

这是大武的第六章，是颂扬武王功德的赞歌。毛序："桓，讲武类祃也。桓，武志也。"郑笺："类也，祃也，皆师祭也。"王先谦："鲁说曰：'桓，一章九句，师祭讲武类祃之所歌也。'(蔡邕独断)齐、韩当同。"何谓类祃？孔疏："谓武王时欲伐殷，陈列六军，讲习武事。又为类祭于上帝，为祃祭于所在之地。治兵祭神，然后克纣。"诗中描写武王克商以后，各国安定，五谷丰登，天下太平。桓的诗题，大约是取桓桓雄武之义。孔疏："桓者，威武之志。言讲武之时军师皆武，故取桓字名篇也。"按诗中虽有桓字，只形容武王之武。名篇曰桓，是言军队尽武，故序特别以"武志"说明桓，是包括军队在内的。

孔子赞扬武为“尽美矣,未尽善也”。那么武的乐调一定是十分动听的。可惜乐谱久佚,周乐已成绝响,这真是欣赏诗经时的憾事。

绥万邦,娄丰年,天命匪解。桓桓武王,保有厥士,于以四方,克定厥家。於昭于天,皇以间之。

绥,安定,平定。郑笺:“绥,安也。” 万邦,万国,泛指平定天下,包含密、崇、奄等属国。

娄,俗作屡,本义为“空”,引申为屡次。孔疏:“僖十九年左传:‘昔周饥,克殷而年丰。’是伐纣之后,即有丰年也。”

解,同懈。匪懈,不懈怠。朱熹诗集传:“然天命之于周,久而不厌也。”

桓,说文:“亭邮表也。”引申为威。桓桓,威武貌。

士,疑为“土”之误。马瑞辰通释:“士与土形近,古多互讹。保土,犹言‘保邦’也,作‘士’者,盖以形近而讹。”这句意为保持既有的国土为根据地。

于,于是。 以,通有。有四方,指征服别国而有天下。

克,能。克定厥家,能够奠定他的国家基础。

於,赞美词。 昭,明、显耀。这说武王的功德显耀于上天。

皇,天。 以,用。 间,代、代替。 之,指殷商。这说天用武王代殷。陈奂传疏:“间,代。尔雅释诂文,皇字紧承天字。文王传云:‘皇,天也。’於昭于天,皇以间之,言武王之德昭著于天,故天以武王代殷也。皇矣序云:‘天监代殷莫若周’,此其义也。”

韵读:阳部——王、方。

赉

【题 解】

这是大武的第三章、第三场的歌舞剧。是武王克商还都,祭祀文王并封功臣的乐歌。毛序:"大封于庙也。赉,予也。言所以锡善人也。"郑笺:"大封,武王伐纣时,封诸臣有功者。"王先谦集疏:"赉,一章六句,大封于庙,赐有德之所歌也(蔡邕独断)。左桓十二年传云:'武王克商而作颂。'知是伐纣后大封也。"毛序与三家说同。赉(lài),赏赐赠送的意思,可能是指武王承文王赐予勤劳之德而得天下,而诸臣又承受周赐予封有功之命而言。诗中赞颂文王,表达了后王传布文王功德的志愿和思念文王功德的心情。

此诗只六句,语短意赅,多单音词,三、四、五言句互用,表现了西周初年语言古朴的形态。末句"於绎思",含味深长,馀音悠扬,似有启发当时君臣永勤政事的作用。

文王既勤止,我应受之。敷时绎思,我徂维求定。时周之命,於绎思。

勤,辛劳。毛传:"勤,劳。"指文王创业的辛劳。　止,语气词。

我,武王自称。陈奂传疏:"我,我武王也。"　应,毛传:"应,当。"应受,即应当承受。　之,指劳心于政事。

敷,铺。左传引此诗作"铺",布的意思。姚际恒通论:"敷,布也,施也。布施是政,使之续而不绝,不敢倦而中止也。"　时,是、这。　绎(yì),本义为丝,引申为抽引、连绵不断的意思。思,语气词。

徂,往。　定,共定天下。王先谦集疏:"言我自此以往惟求与汝诸臣共定天下耳。"

时,与"承"通。马瑞辰通释:"按时与承一声之转,古亦通用。楚策:'仰承甘露而用之。'新序承作时,是其证也。周受天命,而诸侯受封于庙者,又将受命于周。时周之命,即承周之命也。般诗'时周之命'同义。此谓诸侯受命于庙,彼谓巡守而诸侯受命于方岳也。"

於,赞美词。　思,语气词。姚际恒通论:"於绎思,又重申己与诸侯始终无倦勤之意。”

韵读:之部——之、思、思。

般

【题　解】

这是大武的第四章。是周王巡狩祭祀山川的乐歌。般的名篇和酌、桓、赉很相像,都是以一字题名。三家诗认为这首诗在篇末也有“於绎思”一句,和赉相同。惟蔡邕说此诗一章七句,可证“於绎思”为衍文。毛序:“般,巡守而祀四岳河海也。般,乐也。”般是昪的假借字,说文:“昪,喜乐也。”王先谦:“鲁说曰:般,一章七句,巡狩祀四岳河海之所歌也(蔡邕独断)。”诗中表现了巡狩、封禅、祭祀山川的事实,抒写了普天之下都归服于周的喜乐。史记封禅书认为此诗是成王时代的作品。

这是一首颂歌,而其中“隮山乔岳,允犹翕河”二句却是描写山水。但是这种众山百川皆归于河的雄伟气势,正象征着普天之下臣服于周的宏图。以写景为颂扬,比单纯的颂扬要有思致得多,无怪乎姚际恒评这两句是“写得精彩”。

於皇时周,陟其高山,隮山乔岳,允犹翕河。敷天之下,裒时之对,时周之命。

於(wū),赞美词。　皇,美。　时,是、这。鲁诗时作明。与时迈言“明昭有周”同义。

陟,登。此与上句的大意是:啊,美丽的周国,我登上了它的高山。

隮(duò)山,狭长的山。　乔岳,高大的山。朱熹诗集传:“高山,泛言山耳。隮,则其狭而长者。乔,高也。岳,则其高而大者。”

允,语助词。一训为信,确实,亦通。　犹,若、顺。指顺轨。马瑞辰通释:“按尔雅释言:‘猷,若也。’猷、犹古通用。若如之若,又为若顺之若。尔雅释言:‘若,顺也。’广雅释诂:‘猷,顺也。’是知允犹即允若。允若,即允顺也。河以顺轨而合流。” 翕(xì),合。翕河,指汇合各条支流于黄河。朱熹诗集传:“翕河,河善泛滥,今得其性,故翕而不为暴也。”这句意为众水顺着山势之道而合流于黄河。

敷,同普。敷天之下,郑笺:“遍天之下。”

裒(póu),聚集。何楷诗经世本古义:“裒,尔雅训众多,又训聚也。”时,是、这。代词。 对,配合。郑笺:“配也。”最后三句大意是,普天下山川之神,都聚集在这里一起配合祭祀,周王就能当众神之主,这是我周承受天命当王的缘故。

韵读:无韵。

鲁　颂

鲁颂共四篇。可分为两类，閟宫和泮宫是歌颂鲁僖公的，风格似雅。駉和小駜体裁类风，孔颖达说："此虽借名为颂，而实体国风，非告神之歌，故有章句也。"他已看出了鲁颂的实质。"閟宫中有奚斯所作"一句，薛君韩诗章句："奚斯，鲁公子也。言其新庙奕奕然盛，是诗公子奚斯所作也。"段玉裁作奚斯所作解一文，也证明閟宫确为奚斯所作。奚斯亦名公子鱼，与鲁僖公同时人，约生于公元前六五〇年左右。由此可见，鲁颂是春秋时代作品，产生于春秋鲁国首都山东曲阜一带地区。

駉

【题　解】

这是歌颂鲁公养马众多，注意国家长远利益的诗。毛序："駉，颂僖公也。僖公能遵伯禽之法，俭以足用，宽以爱民，务农重谷，牧于坰野，鲁人尊之。于是季孙行父请命于周而史克作是颂。"王先谦："史克作颂，惟见毛序，他无可证。三家诗说皆以鲁颂为奚斯作，扬雄文云：'昔正考父尝睎尹吉甫矣，公子奚斯尝睎正考父矣。'说鲁颂者首雄，但云奚斯，不云史克睎考父，此鲁说。班固两都赋序'昔皋陶歌虞，奚斯颂鲁，皆见于孔氏，列于诗书，其义一也。'此齐说。曹植承露盘铭序：'奚斯颂鲁。'此韩说。而皆不及史克。史克见左传在文公十八年，至宣公世尚存，见国语。奚斯见闵公二年，传已引閟宫之诗，不应季孙行父请命于周之前，已有史克先奚斯作颂，知毛序不足据矣。"王氏引三家诗说，证明毛序之谬，是可信的。

鲁颂与周颂、商颂在内容和形式方面都有所不同。周、商二颂不是告成功于神明就是祭祀祖先的在天之灵，而鲁颂却都是歌颂活着的国君僖公的，可称后世文人献颂之祖。从风格上看，“其体同列国之风”，无论从章句的复叠上来看是如此，从遣词造句上来看也是如此。这首诗四章复叠，共举出十六种马名，使人产生目不暇接、指不胜屈之感，后来汉赋多所袭用，而变得更加铺张扬厉了。诗人又用“彭彭”、“伾伾”、“绎绎”、“祛祛”来形容骏马矫健有力、驾车飞驰的样子。晋代僧人支遁爱马，说“贫道重其神骏”。读诗至此，我们不禁也有“爱其神骏”之感了。紧接着“思无疆”、“思无期”、“思无斁”、“思无邪”的三字句，是全诗关键之所在。无此三字，诗不过是写马而已，不能成为“美盛德之形容”的颂；有此三字，马群的存在就都归功于僖公的英明正直、深谋远虑了（参见刘永翔鲁颂駉赏析）。

駉駉牡马，在坰之野。薄言駉者：有驈有皇，有骊有黄，以车彭彭。思无疆，思马斯臧。

駉駉(jiōng)，三家诗作驍，马高大肥壮貌。毛传：“駉駉，良马腹干肥张也。” 牡马，壮大的马。陈奂传疏：“牡马，谓壮大之马。犹四马之称四牡，不必读为牝牡之牡也。”

坰(jiǒng)，三家诗作駉。遥远的野外。这里指鲁僖公的牧马之地。说文：“駉，牧马苑也。诗曰‘在同之野’。”毛传：“坰，远野也。邑外曰郊，郊外曰野，野外曰林，林外曰坰。”郑笺：“必牧于坰野者，辟（避）民居与良田也。”

薄言，语助词。见芣苢注。 駉，同骁。说文：“骁，良马也。”

驈(yù)，黑马白胯。 皇，鲁诗作騜，黄白色的马。见豳风东山注。

骊(lí)，纯黑色的马。 黄，黄赤色的马。毛传：“骊马白胯曰驈，黄白曰皇，纯黑曰骊，黄骍曰黄。”

以车，以之驾车的省略。王先谦集疏：“以，用也。用车以驾。” 彭，通騯。彭彭，马强壮有力貌。毛传：“彭彭，有力有容也。”见齐风载驱注。

思，思虑、考虑。 无疆，没有止境。王先谦集疏：“思无疆者，言僖公思虑深微，无有疆畔。即牧马之法亦皆尽善，致斯蕃庶，与定之方中诗美卫文公‘匪直也人，秉心塞渊，騋牝三千’同意。”

思，语首助词。 斯，其、那样。 臧，善、好。王先谦集疏：“案上‘思’，思虑；下‘思’，语词。”

韵读：鱼部——马（音姥 mǔ）、野（音宇）、者（音渚）。 阳部——皇、黄、彭（音旁）、疆、臧。

駉駉牡马，在坰之野。薄言駉者：有骓有駓，有骍有骐，以车伾伾。思无期，思马斯才。

骓（zhuī），苍白杂毛的马。 駓（pī），黄白杂毛的马。

骍（xīn），赤黄色的马。 骐（qí），青黑色相间像棋盘格子的马。毛传：“苍白杂色曰骓，黄白杂毛曰駓，赤黄曰骍，苍祺曰骐。”

伾伾（pī），有力貌。孔疏：“此章言戎马，戎马贵多力，故云伾伾有力。”

思无期，考虑得长远没有期限。

才，通材。释文：“材，本作才。”这里用作动词，指成材。这句意为，他牧的马是那样的成材。王先谦集疏：“思无期者，思虑远长无有期限，即马亦多成材也。”

韵读：鱼部——马、野、者。 之部——駓、骐、伾、期、才（疵其反）。

駉駉牡马，在坰之野。薄言駉者：有驒有骆，有骝有雒，以车绎绎。思无斁，思马斯作。

驒（tuó），青黑色而有白鳞花纹的马。 骆，白色黑鬣的马。

骝（liú），赤身黑鬣的马。 雒（luò），黑身白鬣的马。毛传：“青骊驎曰驒，白马黑鬣曰骆，赤身黑鬣曰骝，黑身白鬣曰雒。”

绎绎，不断绝貌。这里形容马跑得快。毛传：“绎绎，善走也。”

斁(yì)，厌倦。王先谦集疏："思无斁者，思之详审无有厌倦。"

作，腾跃。朱熹诗集传："作，奋起也。"这里是形容骏马腾跃神气的样子。

韵读：鱼部——马、野、者、骆(音卢入声)、雒(音卢入声)、绎(音余入声)、斁(音余入声)、作(音租入声)。

駉駉牡马，在坰之野。薄言駉者，有骃有騢，有驔有鱼，以车祛祛。思无邪，思马斯徂。

骃(yīn)，浅黑和白色相杂的马。　騢(xiá)，赤白杂毛的马。

驔(diàn)，黑色黄脊的马。　鱼，两眼眶有白圈的马。毛传："阴白杂毛曰骃，彤白杂毛曰騢，豪骭曰驔，二目白曰鱼。"

祛祛(qū)，强壮矫健貌。毛传："祛祛，强健也。"

思无邪，思虑没有邪曲。王先谦集疏："思无邪者，思之真正无有邪曲。"

徂，往、行。郑笺："徂，犹行也。牧马使可走行。"这里指骏马善于行走。

韵读：鱼部——马、野、者、騢(音胡)、鱼、祛、邪(音徐)、徂。

有　駜

【题　解】

这是颂祷鲁公和群臣宴会饮酒的乐歌。毛序："有駜，颂僖公君臣之有道也。"据史书记载，鲁国多年饥荒，到僖公时采取了一些措施，克服了自然灾害，获得丰收，此或为序所据。朱熹诗序辨说："此但燕饮之诗，未见君臣有道之意。"朱说近是。诗中表达了喜庆丰收、宴饮欢乐、君臣醉舞的情景。

吴闿生诗义会通引旧评："音节绝佳。"佳在哪里？一、叠字叠词的运用，如摹声的咽咽和有駜有駜。二、顶真的修辞，如第一与第二句，第三与第四句，第五与第六句。三、四言三言的交错。前四句四言，后四句三言，末句“于胥乐兮”加上“兮”字语气词。句法参差，变化有致。四、末章句法的变化，也增加了音节的美。五、韵律美（参阅韵语部分）。

有駜有駜，駜彼乘黄。夙夜在公，在公明明。振振鹭，鹭于下。鼓咽咽，醉言舞。于胥乐兮。

有駜（bì），即駜駜，马肥壮力强貌。毛传：“駜，马肥强貌。马肥强则能升高进远，臣强力则能安国。”这里以肥强之马喻强力之臣。

駜彼，即駜駜。　乘黄，古代一车驾四马，这里指四匹黄马。陈奂传疏：“乘黄，四黄马。駜者，群臣所乘四黄马之貌。”

夙夜，早晚。夙夜在公，郑笺：“早起夜寐，在于公之所。”

明明，勉勉的假借。马瑞辰通释：“明、勉一声之转，明明即勉勉之假借，谓其在公尽力也。笺训为‘明明德’，失之。”这里形容操劳不息的样子。

振振，鸟群飞貌。见周颂振鹭注。　鹭，鸟名，亦名鹭鸶。古人用它的羽毛作舞衣，亦名翿或鹭羽。未舞时持在手中，舞时戴于头上。朱熹诗集传：“鹭羽，舞者所持，或坐或伏，如鹭之下也。”此与上句描写跳鹭羽舞的情景。见陈风宛丘注。

于，同曰，语助词。这句描写舞者表演鹭鸶飞翔而下的舞姿。

咽咽（yuān），有节奏的鼓声。朱熹诗集传：“咽与渊同，鼓声之深长也。”

言，语助词。

于，发声词。　胥，皆、都。胥的本义是一种珍羞美味。说文：“胥，蟹醢也。”段注：“蟹者，多足之物，引申假借为相与之义。释诂曰：胥，皆也。又曰：胥，相也。今音‘相’分平去二音为二义，古不分。”小雅桑扈“君子乐胥”，毛传：“胥，皆也。”与此胥同义。一说此胥训相，朱熹诗集传：“胥，相也。醉而起舞，以相乐也。”于诗意亦通。

韵读：阳部——黄、明（音芒）。　鱼部——鹭、下（音户上声）、舞。　宵部——乐(与以下各章遥韵)。

有駜有駜,駜彼乘牡。夙夜在公,在公饮酒。振振鹭,鹭于飞。鼓咽咽,醉言归。于胥乐兮。

鹭于飞,形容舞者穿戴上舞衣鹭羽跳舞,好像鹭鸟在飞一样。朱熹诗集传:“舞者振作鹭羽如飞也。”

韵读:幽部——牡、酒。　脂部——飞、归。

有駜有駜,駜彼乘駽。夙夜在公,在公载燕。自今以始,岁其有。君子有穀,诒孙子。于胥乐兮。

駽(xuān),铁青色的马。毛传:“青骊曰駽。”孔疏:“郭璞曰:今之铁骢也。”

载,则、就。郑笺:“载之言则也。”　燕,通宴,指宴会饮酒。

以,同而。

有,有年,丰年。毛传:“岁其有,丰年也。”

君子,指鲁公。　穀,善。一训为福禄,亦通。

诒,遗留、传给。郑笺:“诒,遗也。”　孙子,即子孙。

韵读:元部——駽、燕。　之部——始、有(音以)、子。

泮　水

【题　解】

这是一首赞美鲁公战胜淮夷以后,在泮宫祝捷庆功,宴请宾客的诗歌。毛序:“泮水,颂僖公能修泮宫也。”诗中描写了鲁公能继承祖先的事业,整修泮宫、征服淮夷的文治武功。

吴闿生诗义会通引刘氏瑾曰:“诗言不无过实,要当为颂祷之溢辞也。”刘氏指出此诗言过其实、颂祷溢辞的缺点,可谓击中要害。末章“翩彼飞鸮,集于泮林。食我桑黮,怀我好音”四句,被刘勰文心雕龙夸饰引为夸张修辞例证之一。

思乐泮水，薄采其芹。鲁侯戾止，言观其旂。其旂茷茷，鸾声哕哕。无小无大，从公于迈。

思，发语词。　泮（pàn）水，水名。毛传："泮水，宫之水也。天子辟廱，诸侯泮宫。"姚际恒不信传说，他说："宋戴用培、明杨用修皆以为泮水之宫，非学宫。其说诚然。按通典载：'鲁郡泗水县，泮水出焉。'泮为水名可证。"这句是说人们喜欢这泮水。

薄，语助词。　芹，一种水菜。今名水芹菜。

鲁侯，有人认为指周公子伯禽，或指僖公。似以后说较胜。　戾（lì），至。毛传："戾，来。"　止，语气词。

言，语助词。　旂，画有龙纹的旗帜。

茷茷（pèi），亦作伐伐，旆旆之假借，旗帜飘垂貌。见小雅出车注。

鸾，三家诗作銮，铃。　哕哕（huì），铃声。

无，无论。　小、大，指随从官员的职位大小。

公，指鲁侯。　迈，行。言随从鲁侯的人众多。郑笺："我采水之芹，见僖公来至于泮宫，我则观其旂茷茷然，鸾和之声哕哕然。臣无尊卑皆从君行而来称。言此者，僖公贤君，人乐见之。"

韵读：文部——芹、旂（音芹）。　祭部——茷、哕（音喙）、大（徒例反）、迈（音蔑）。

思乐泮水，薄采其藻。鲁侯戾止，其马蹻蹻。其马蹻蹻，其音昭昭。载色载笑，匪怒伊教。

藻，水藻，一种水生植物，可做菜吃。见召南采蘋注。

蹻蹻，马强壮貌。见大雅崧高注。

其音，指鲁侯说话的声音。　昭昭，明快响亮貌。

载，又。　载色载笑，等于又色又笑。见邶风泉水注。　色，和颜悦色。

匪，不。　伊，是。这句是说鲁侯没有怒色，而是温和地指教臣下。

韵读：宵部——藻、蹻、蹻、昭、笑、教。

思乐泮水，薄采其茆。鲁侯戾止，在泮饮酒。既饮旨酒，永锡难老。顺彼长道，屈此群丑。

茆（mǎo），凫葵，今名莼菜。太湖、西湖尤多，用它作汤。

永，长。　锡，赐。　难老，长生不老，长寿的意思。郑笺："在泮饮酒者，征先生君子与之行饮酒之礼，而因以谋事也。已饮美酒而长赐其难使老，难使老者，最寿考也。"

顺，沿。　长道，远道。这是说沿着那条遥远的道路去征伐淮夷。

屈，屈服。　群丑，一群丑恶的人，对淮夷的蔑称。

韵读：幽部——茆（谟叟反）、酒、酒、老（音柳）、道（徒叟反）、丑。

穆穆鲁侯，敬明其德。敬慎威仪，维民之则。允文允武，昭假烈祖。靡有不孝，自求伊祜。

穆穆，举止恭敬端庄貌。见大雅文王注。

敬，恭谨负责。　明，表现。　德，指内心的美德。

维，是。　则，法则，模范。孔疏："穆穆然美者，是鲁侯僖公能敬明其德，又敬慎其举动。威仪内外皆善，惟为下民之所法则也。"

允，信、确实。　文、武，歌颂鲁侯有文德武功。郑笺："信文矣，为修泮宫也。信武矣，为伐淮夷也。"

昭，明。　假，格、至。见周颂噫嘻注。　烈祖，指鲁国有功的祖先，如周公、伯禽等。孔疏："其明道乃至于功烈美祖，谓遵伯禽之法，其道同于伯禽也。"

孝，通效，效法。王引之经义述闻："孝，本作季，说文：季，效也。从子爻声。效与傚同。经文作季，而训为效。故笺云：无不法效之者。靡有不孝，谓僖公无事不法效其祖，非谓国人效僖公也。"

伊，是、此。　祜（hù），福。自求伊祜，意为严格要求自己就是幸福。

韵读：之部——德（丁力反，入声）、则（音稷）。　鱼部——武、祖、祜。

明明鲁侯,克明其德。既作泮宫,淮夷攸服。矫矫虎臣,在泮献馘。淑问如皋陶,在泮献囚。

明明,即勉勉。见有駜注。

淮夷,古种族名,居今淮河下游一带地方。　攸,语助词。有人训为“所”,亦通。

矫矫,勇武貌。郑笺:“矫矫,武貌。”　虎臣,指如猛虎的将帅。

馘(guó),本作聝,割取敌尸的左耳以计功。说文段注:“不服者,杀而献其左耳曰馘。”见大雅皇矣注。

淑问,善于审问。　皋陶(yáo),传说中舜时有名的掌管刑狱的官吏,以善断狱案闻名。郑笺:“又使善听狱之吏如皋陶者献囚,言伐有功,所任得其人。”

韵读:之部——德、服(扶逼反,入声)、馘(古逼反,入声)。　幽部——陶(音由)、囚。

济济多士,克广德心。桓桓于征,狄彼东南。烝烝皇皇,不吴不扬。不告于讻,在泮献功。

济济,众多貌。　多士,指众贤士。郑笺:“多士,谓虎臣及如皋陶之属。”

克,能。　广,推广。　德心,善意。

桓桓,威武貌。　于,往。于征,出征。

狄(tì),通剔,剔即鬄。韩诗作鬄,释文引韩诗训“除也”。说文:“鬄,剃发也。”这是本义,引申为治理。　东南,指淮夷。

烝烝皇皇,形容众贤士美盛貌。

吴,鲁诗作虞,喧哗。见周颂丝衣注。　扬,鲁诗作阳,高声。

告,鞫的假借字,亦作𥷚。严格治罪。　讻,凶恶的敌人。陈奂传疏:“说文:‘𥷚,穷治罪人也。’不告于讻,言不穷治凶恶,唯在柔服之而已。”

韵读:侵部——心、南(奴森反)。　阳部——皇、扬。　东部——讻、功。

角弓其觩,束矢其搜。戎车孔博,徒御无斁。既克淮夷,孔淑不逆。式固尔犹,淮夷卒获。

角弓,用牛角装饰两头的弓。见小雅角弓注。　其觩,即觩觩,角弓弯曲松弛貌。

束矢,一捆箭,古五十矢为一束。　其搜,即搜搜,众箭发射时发出的密集声响。

戎车,兵车。　孔博,很多。陈奂传疏:"博,犹众也。"

徒,徒行者,步兵。　御,御车者,驾车的官兵。　无斁,不疲倦。

孔淑不逆,陈奂传疏:"淑,善也。不逆,言率从也。"这句是说淮夷很善良,没有反叛的行为。

式,用、因为。　固,坚定。陈奂传疏:"固,安也,定也。"　犹,通猷,计谋、战略。

卒,终于。　获,克、胜利。陈奂传疏:"获,亦克也。"以上二句意为,因为坚持了你的战略,征服淮夷终于得到胜利。

韵读:幽部——觩、搜。　鱼部——博(音补入声)、斁(音余入声)、逆(音鱼入声)、获(音胡入声)。

翩彼飞鸮,集于泮林。食我桑黮,怀我好音。憬彼淮夷,来献其琛:元龟象齿,大赂南金。

翩,鸟飞翔貌。　鸮(xiāo),猫头鹰。见陈风墓门注。

集,停息。　泮林,泮水旁的树林。

黮(shèn),亦作葚,桑树的果实。

怀,通鐀,归,赠送。　好音,好听的声音,此指善言。按以上四句以鸮比淮夷。"集于泮林"比淮夷来朝于鲁。以鸮食桑葚,比淮夷使者受鲁的招待。以"怀我好音"比淮夷使者说投降于鲁的好话。

憬,犷之假借,韩诗作犷。文选李注引韩诗"犷彼淮夷"云:"犷,觉悟之貌。"说文亦云:"憬,觉悟也。"

琛,珍宝。毛传:"琛,宝也。"指下述的大龟、象牙、大玉、黄金。

元龟,大龟,古人以大龟为宝物。　象齿,象牙。

大赂，大璐的假借。俞樾群经平议："赂当读为璐，说文璐部：'璐，玉也。'……大璐，犹尚书顾命篇大玉耳……从玉、贝之字，古或相通。说文：'玩，弄也。重文貦。'" 南金，南方出产的金、铜等贵金属。

韵读：侵部——林、音、琛、金。

閟 宫

【题 解】

这是歌颂鲁僖公能兴祖业、复疆土、建新庙的诗。毛序："颂僖公能复周公之宇也。"朱熹诗序辨说："为僖公修庙之诗明矣。"他们都重点地提出了诗的主题，但不全面。全诗共九章，一百二十句，是诗经里最长的一首诗。首章追叙周的始祖姜嫄和后稷，次章叙周的兴起由于太王、文王、武王。三章叙伯禽受封为鲁公及僖公祭祀祖先。四章叙僖公的祭祀并祝其昌大。五六两章夸他的战绩并祝其长寿。七章夸他的土地广大。八章颂他能恢复旧土，家齐国治。末章叙僖公作新庙、奚斯作颂（照朱熹诗集传分章）。文选班固两都赋序："奚斯颂鲁。"李善注引韩诗薛君章句云："言其新庙奕奕然盛，是诗公子奚斯所作也。"可见此诗确是他的作品。他的名字见于左传鲁闵公二年，和僖公是同时人，官大夫，亦名公子鱼。

王安石云："周颂之词约，约所以为严，盛德故也。鲁颂之词侈，侈所以为夸，德不足故也。"王氏指出此诗的缺点在于浮夸。僖公虽尝从齐桓有伐楚之功，而诗夸大其词，名不副实。由于浮夸，则流为铺张炫耀，形成长诗。陈廷杰说："鲁颂多分章，且其体又近乎风，盖实鲁风焉。舍告神之义，为美上之词，遂为秦汉以来刻石铭功之所祖。"他指出了鲁颂是媚上的作品，给后世文人替封建帝王、权贵歌功颂德的诗文碑铭，产生过很大影响。

閟宫有侐,实实枚枚。赫赫姜嫄,其德不回。上帝是依,无灾无害。弥月不迟,是生后稷。降之百福:黍稷重穋,稙稺菽麦。奄有下国,俾民稼穑。有稷有黍,有稻有秬。奄有下土,缵禹之绪。

閟(bì),秘,神的意思。说文:"閟,闭门也。"段注:"引申为凡闭之偁。又假为秘字。閟宫笺曰:'閟,神也。'"说文示部:"秘,神也。"閟宫,神庙。王先谦集疏:"宫与庙通。释宫:宫谓之室,室谓之宫。又室有东西厢曰庙,无东西厢有室曰寝。"这里指后稷母亲姜嫄的庙。　有侐(xù),即侐侐,清净貌。

实实,广大貌。　枚枚,释文:"枚枚,闲暇无人之貌也。"

赫赫,显耀。郑笺:"赫赫乎显著姜嫄也。"　姜嫄,后稷的母亲,见生民注。

回,邪、不正。这句是歌颂显赫的姜嫄,她的品德端正而无邪僻。

依,凭依,指姜嫄依靠上帝。

弥,满。弥月,满月。郑笺:"弥,终也。……终人道十月而生子,不迟晚。"

黍、稷、重、穋,四种粮食名。见豳风七月注。

稙(zhí),早种的谷物。　稺(zhì),晚种的谷物。　菽(shū),豆。

奄,包括,包容。郑笺:"奄,犹覆也。"见周颂执竞注。　下国,天下的意思。朱熹诗集传:"奄有下国,封于邰也。"

俾,使。　稼穑,耕种。

秬(jù),黑黍。

下土,和下国同义。

缵,继承。见大雅烝民注。　绪,事业。陈奂传疏:"尔雅:业,绪也。绪、业转相训。缵,继也。缵禹之绪,言禹有平治水土之业,后稷继而起,教民稼穑也。"

韵读:脂部——枚、回、依、迟。　之部——稷、福(方逼反,入声)、麦(明逼反,入声)、国(古逼反,入声)、穑(音史入声)、　鱼部——

黍、秬、土、绪。

后稷之孙,实维大王。居岐之阳,实始翦商。至于文武,缵大王之绪。致天之届,于牧之野。无贰无虞,上帝临女。敦商之旅,克咸厥功。王曰叔父,建尔元子,俾侯于鲁。大启尔宇,为周室辅。

大(tài)王,即文王的祖父古公亶父。

岐,岐山。　阳,山的南面。

翦,消灭。说文作戬,断或灭的意思。郑笺:"剪,断也。大王自豳徙居岐阳,四方之民咸归往之。"

致,奉行。　届,通殛,诛罚。陈奂传疏:"荡传:届,极也。笺:届,殛也。古极、殛通。致天之届,犹云致天之罚耳。"这句言武王执行上帝之命诛罚纣。

牧之野,即牧野,商首都朝歌附近的郊外,在今河南淇县西南。

贰,有二心。　虞,误、欺骗。马瑞辰通释:"按虞与误古同音通用。……广雅释诂:'虞,欺也。'误亦欺也。"

临,临视。　女,通汝。指伐殷的兵士。以上二句是武王在牧野对兵士誓师的话。

敦,同屯,聚集。马瑞辰通释:"此诗敦亦当读屯,屯,聚也。盖自聚其师旅为聚,俘虏敌之士众,亦为屯聚之也。"　旅,军队。

咸,完成。马瑞辰通释:"克咸厥功,犹云克备厥功,亦即克成厥功也。"以上二句意为,将殷商的军队的俘虏聚集起来,就能完成那大功。

王,指成王。　曰,齐诗作谓。　叔父,指周公。

建,立。　元子,长子,指周公长子伯禽。

俾,使。　侯,此处作动词"称侯"用。伯禽是鲁国开国的君主。

启,开辟。　宇,居。此处引申为疆域、领土的意思。

周室,周王朝。　辅,辅助。

韵读:阳部——王、阳、商。　鱼部——武、绪、野(音宇)、虞、女、旅、父、鲁、宇、辅。

乃命鲁公，俾侯于东。锡之山川，土田附庸。周公之孙，庄公之子。龙旗承祀，六辔耳耳。春秋匪解，享祀不忒，皇皇后帝，皇祖后稷。享以骍牺，是飨是宜，降福孔多。周公皇祖，亦其福女。

鲁公，伯禽。

东，鲁在今山东南部，在周之东。这句意为，使伯禽称侯于东方的鲁国。

附庸，附属于诸侯的小国。朱熹诗集传："附庸，犹属城也。小国不能自达于天子而附于大国也。"按明堂位言："封周公于曲阜地方七百里。"注："上公之封地方五百里，加鲁以四等之附庸，得七百里。"

周公之孙，指鲁僖公。周公传到庄公共十七君，古代自孙以下都称孙。庄公的儿子只有两个，一个是闵公，一个是僖公。闵公早死，在位仅二年。到僖公为十八君。

龙旗，画着交龙的旗。古代诸侯祭天祭祖都用这种旗。　承祀，继承祭祀之礼。

辔，马缰绳，古一车四马六辔。　耳耳，尔尔的假借，华丽貌。马瑞辰通释："说文：尔，丽尔。犹靡丽也。单言'尔'亦为盛，重言之则曰尔尔。"

春秋，代表四时。　解，通懈，懈怠。

享祀，祭祀。　忒(tè)，差错。陈奂传疏："按此四句指(僖公)庙祭言。"

皇皇，光明。　后帝，指上帝。

皇祖，君祖，指后稷。郑笺："成王以周公功大，命鲁郊祭天，亦配以君主后稷。"以上二句言僖公祭天配以后稷。

骍(xīn)，赤色。　牺，祭宗庙的牲口。郑笺："其牲用赤牛纯色。"周人崇尚赤色，故用赤色牲口祭神。

飨、宜，两种祭名。飨，用饮食祭神。宜，本祭社之名。马瑞辰通释："按宜本祭社之名。尔雅释天：'起大事动大众必先有事乎社而后出谓之宜。'孙炎注：'宜，求见福佑也。'是也。"

女，同汝，指僖公。

韵读：东部——公、东、庸。　之部——子、祀、耳、忒(他力反，入声)、稷。

支部——解(音系)、帝。　歌部——牺(音呵)、宜(音俄)。　鱼部——祖、女。

秋而载尝，夏而楅衡。白牡骍刚，牺尊将将。毛炰胾羹，笾豆大房。万舞洋洋，孝孙有庆。俾尔炽而昌，俾尔寿而臧。保彼东方，鲁邦是常。不亏不崩，不震不腾。三寿作朋，如冈如陵。

载，始。　尝，秋祭名。

楅衡(bì háng)，牛栏。说文："衡，牛触衡大木。"段注："是阑闲之谓。"以上二句意为，秋天开始举行尝祭，夏天就将牛养在栏里，准备作为祭祀牺牲之用。

白牡，指白色的公猪。　刚，犅的假借字。骍刚，赤黄色公牛。说文："犅，特也。"特即公牛之义。

尊，酒杯。牺尊，毛传："有沙饰也。"牺，沙声词，沙是娑的假借字，意为酒杯上刻有婆娑状的羽毛为饰。　将将(qiāng)，器物相碰撞的声音。

毛炰(páo)，去毛的烤小猪。　胾(zì)羹，肉片汤。朱熹诗集传："胾，切肉也。"

笾、豆，古代食器名。见豳风伐柯注。　大房，一种盛大块肉的食器，形如高足盘。朱熹诗集传："大房，半体之俎。足下有跗，如堂房也。"

万舞，一种舞蹈名称。见卫风简兮注。　洋洋，场面盛大貌。

孝，享。孝孙，祭祀的孙，指僖公。　庆，福。

尔，指僖公。　炽，盛。　昌，兴旺。

臧，善、安好。

东方，指鲁国。

常，永守的意思。

亏、崩，郑笺："亏、崩皆谓毁坏也。"

震，震动。　腾，沸腾。马瑞辰通释："震，当读如'三川震'之震。腾，当读如'百川沸腾'之腾。正义云'震腾以川喻'是也。"按以上二句是诗人以大山不亏损不毁崩，大水不震动不沸腾，比鲁国永保。

三寿，指上寿、中寿、下寿。文选李善注引养生经："上寿者百二十，中寿百年，下寿八十。" 朋，比。

如冈如陵，比僖公长寿像山冈丘陵那样永存人间。

韵读：阳部——尝、衡（音杭）、刚、将、羹（音冈）、房、洋、庆（音羌）、昌、臧、方、常。 蒸部——崩、腾、朋、陵。

公车千乘，朱英绿縢，二矛重弓。公徒三万，贝胄朱綅，烝徒增增。戎狄是膺，荆舒是惩，则莫我敢承。俾尔昌而炽，俾尔寿而富。黄发台背，寿胥与试。俾尔昌而大，俾尔耆而艾。万有千岁，眉寿无有害。

公，指鲁公伯禽。 车，兵车。当时的一乘即一辆兵车，配备甲士十人，步卒二十人。马瑞辰通释："古制盖以五百乘为一军，此诗公车千乘，谓次国二军也。"

朱英，指武器矛头上的红色羽毛的缨饰。 縢（téng），绳。绿縢，指缠在弓袋上的饰物绿色丝绳。

二矛，古代每辆战车上插两枝长矛，夷矛和酋矛。 重弓，每人带二张弓，其中一张是预备弓。

徒，步卒。下同。 三万，三军共有士卒三万人。

贝，贝壳。 胄，头盔。 朱綅（qīn），红线。马瑞辰通释："按朱綅承贝胄言。段玉裁言毛意谓以朱线缀贝于胄，是也。"

烝，众。 增增，同层层，兵士层层前进貌。毛传："增增，众也。"

戎，西戎。 狄，北狄。 膺，应的假借，鲁诗作应。阻击。

荆，楚的别名。 舒，鲁诗作荼，楚的属国。在今安徽庐江。 惩，治罚。

承，御、抵挡。郑笺："僖公与齐桓举义兵北当戎与狄，南艾荆及群舒，天下莫敢御也。"

黄发、台背，都是老年人的象征。台，同鲐，鲐鱼的背是驼的。老人头发由白变黄，故称黄发。老人驼背像鲐鱼的背一样，故称台背。郑笺："黄发台背，皆寿征也。”

胥，相。　试，比。马瑞辰通释：“试，犹式也，字通作视，广雅：视，比也。比之言比拟也。寿胥与试，承黄发台背言，犹云寿相与比耳。”

耆、艾，都是长寿的意思。礼记曲礼：“五十曰艾，六十曰耆。”说文段注则认为七十岁以上的人称耆，和曲礼说不同。

有，又。说文段注：“古多假‘有’为‘又’字。”

眉寿，长寿。　无有害，没有灾害。按以上八句都是诗人祝祷僖公长寿之词。

韵读：蒸、侵部通韵——乘、縢、弓、綅、增、膺、惩、承。　之部——炽、富（方逼反，入声）、背（音逼入声）、试。　祭部——大（徒例反）、艾（音蘖）、岁（音雪去声）、害（胡例反，入声）。

泰山岩岩，鲁邦所詹。奄有龟蒙，遂荒大东。至于海邦，淮夷来同。莫不率从，鲁侯之功。

岩岩，高峻险要貌。

詹，瞻的假借字，瞻仰。这句是说泰山是鲁国人所瞻仰的名山。

奄，鲁诗作弇，包括。　龟，龟山，在今山东新泰西南。　蒙，蒙山，亦名东山，在今山东蒙阴南。

遂，于是。　荒，有。鲁诗作幠，荒、幠一声之转，通用。说文：“荒，芜也。”其反训义引申为具有。　大东，郑笺：“大东，极东。”指鲁极东的边境。

海邦，指鲁东境近海的小国。

来，语词。　同，朝会。马瑞辰通释：“按说文：‘同，会合也。’朝与会同，对文则异，散文则通。诸侯殷见天子曰同，小国会朝大国亦曰同。……来，语词。‘淮夷来同’，犹大雅‘徐方既同’也。同，亦‘朝会’之通名。”

率，顺。率从，服从。

韵读：谈部——岩、詹。　东部——蒙、东、邦（博工反）、同、从、功。

保有凫绎，遂荒徐宅。至于海邦，淮夷蛮貊。及彼南夷，莫不率从。莫敢不诺，鲁侯是若。

凫，凫山，在今山东邹县西南。　绎，绎山，亦作峄山，邹山，在今山东邹县东南。

徐，徐戎，古国名。在今江苏徐州地方。　宅，居。徐宅，指徐国。

淮夷，见前注。　蛮貊，东南方的异族，此处指淮夷。陈奂传疏："淮上之国，不与华同，故指之曰夷。淮夷在鲁东南，故更以南蛮东貊呼之也。"

南夷，指荆楚。殷武传："荆楚，荆州之楚国也。"按僖公伐楚事，见春秋僖公四年。

诺，应声词，服从听话的意思。

是，代名词，指伐楚的战役。　若，顺，指顺心。郑笺："是若者，是僖公所谓顺也。"这句意为，鲁侯认为，这次战役很顺心。

韵读：鱼部——绎（音余入声）、宅（音徒入声）、貊（音模入声）、诺（音奴入声）、若（音如入声）。　东部——邦（博工反），从。

天锡公纯嘏，眉寿保鲁。居常与许，复周公之宇。鲁侯燕喜，令妻寿母。宜大夫庶士，邦国是有。既多受祉，黄发儿齿。

纯嘏，大福。郑笺："纯，大也。受福曰嘏。"

眉寿保鲁，长寿而保卫鲁国。

常，地名，在鲁国南境薛城的旁边。国语齐语："齐桓公反鲁侵地棠潜。"管子小匡篇作"常潜"。是鲁的常邑曾被齐国侵占，到鲁庄公时才归还鲁国。　许，即许田，地名，在鲁的西境，周公庙的地址，曾被郑国所侵占，左传桓公五年："郑伯以璧假许田。"到僖公时，也归还了鲁国。

宇，居。这里指疆域。

燕，同宴。燕喜，即喜宴。

令，称善。　妻，指僖公妻声姜。　寿，祝寿。　母，指僖公的母亲成风。郑笺："僖公燕饮于内寝，则善其妻，寿其母，谓为之祝庆也。"

宜，相宜，团结的意思。　庶士，指参加宴会的众臣。郑笺："与群臣燕，则欲与之相宜，亦祝庆也。"

是，此、这。　有，保有。邦国是有，即保有此邦国。

祉，福。既多受祉，上天已经赐给他很多的幸福。

黄发、儿齿，都是祝祷长寿之词。孔疏："舍人曰：'老人发白复黄也。’”儿（兒），齯（ní）的假借字。说文：“齯，老人齿也。”朱熹诗集传：“儿齿，齿落更生细者，亦寿征也。”

韵读：鱼部——嘏、鲁、许、宇。　之部——喜、母（满以反）、士、有（音以）、祉、齿。

徂来之松，新甫之柏，是断是度，是寻是尺。松桷有舄，路寝孔硕，新庙奕奕。奚斯所作，孔曼且硕，万民是若。

徂来，山名，亦作徂徕，在山东泰安东南。水经注：“汶水西南流，径徂徕山西，山多松柏，诗所谓‘徂徕之松’也。”

新甫，山名，亦名梁父，在泰山旁。白虎通：“梁甫者，泰山旁山名。”

度，读入声，剫字的省借，劈开。马瑞辰通释：“说文：‘剫，判也。’广雅：‘剫，分也。’……是剫与断义近，故诗以断、度并举。”

寻，八尺。说文：“周制，寸、尺、咫、寻、常、仞诸度量，皆以人体为法。寻，度人之两臂为寻，八尺也。”这里的寻、尺都用作动词。此与上句的大意是：将山上的松柏，斩断劈成寻、尺各种长短不同的建筑木料。

桷（jué），亦作榱，方形屋椽。　舄（xì），大。有舄，即舄舄，粗大貌。毛传：“舄，大貌。”

路寝，正室，古代君主处理政事的宫室。陈奂传疏：“路寝居宫之中央，右社稷而左宗庙，故经言路寝必连及新庙也。”　孔硕（shuò），很大。

新庙，新修建的神庙，鲁诗、齐诗作寝庙，这里指鲁闵公庙。　奕奕，三家诗作绎绎，连续貌。

曼，长。孔曼且硕，称赞奚斯作这首诗篇幅很长而且意义大。马瑞辰通释：“犹崧高诗‘其诗孔硕，其风肆好’也。”

韵读：鱼部——柏（音补入声）、度、尺（音杵入声）、舄（音胥入声）、硕（音蜍入声）、奕（音余入声）、作（音租入声）、硕、若。

商　颂

商颂共五篇。前三篇那、烈祖、玄鸟为祭祀乐歌，不分章，产生的时间较早。后二篇长发、殷武是歌颂宋襄公伐楚的胜利，皆分章，产生的时间较晚。叙事具体，韵律和谐，比周颂进步多了。据魏源、皮锡瑞、王先谦、王国维等精审的考证，认为商颂即宋颂，是春秋时代的作品，产生于宋首都河南商丘地带。陆侃如、冯沅君诗史说商颂"一仿周颂，一仿二雅"，可称的评。

那

【题　解】

这是春秋宋君祭祀祖先的乐歌。关于商颂创作的年代，学者争论甚烈：毛序："祀成汤也。微子至于戴公，其间礼乐废坏。有正考父者，得商颂十二篇于周之太师，以那为首。"据此，则商颂为周太师所保管的商代乐章，时代当在周以前。后人多信序说。魏源诗古微举了十三证，说明商颂是春秋宋诗。皮锡瑞诗经通论又添上七证。王先谦说："魏、皮二十证，精确无伦，即令起古人于九原，当无异议。"王氏又引鲁说曰："宋襄公之时，修仁行义，欲为盟主。其大夫正考父美之，故追道汤、契、高宗所以兴，作商颂。"（史记宋世家）齐说曰："商，宋诗也。"（礼记乐记郑注）韩说曰："正考父，孔子之先也，作商颂十二篇。"（后汉书曹褒传李贤注引韩诗薛君章句）说明三家诗均认为商颂是春秋宋诗，正考父所作。近世王国维观堂集林有说商颂一文，从卜辞角度证明商颂皆宗周中叶之诗，约在公元前七七〇年左右，尤有说服力。从此，“商颂即宋诗”已成诗坛定论。

此诗侧重描写祭祀的音乐歌舞。形式模仿周颂，不分章。用韵模仿大雅，但杂乱无章。语言浅显，不像周颂那样古朴聱牙。

猗与那与，置我鞉鼓。奏鼓简简，衎我烈祖。汤孙奏假，绥我思成。鞉鼓渊渊，嘒嘒管声。既和且平，依我磬声。於赫汤孙，穆穆厥声。庸鼓有斁，万舞有奕。我有嘉客，亦不夷怿。自古在昔，先民有作。温恭朝夕，执事有恪。顾予烝尝，汤孙之将。

猗那，与猗傩、婀娜、旖旎同，皆是美盛之貌。　与，今作欤，赞叹词。

置，植之假借，树立。郑笺：“置，读曰植，植鞉鼓者为楹贯而树之。”鞉，亦作鼗。鞉鼓，摇鼓，用它节乐。

简简，象声词，形容鞉鼓声音洪大。

衎（kàn），乐，使他喜乐的意思。　烈祖，对创业有功的祖先神灵。

汤孙，商汤的子孙，指主祭者。史记集解据韩诗商颂章句，认为商颂是美宋襄公。则主祭者或为襄公。　奏，进。　假，通格，至。奏假，祈祷的意思。马瑞辰通释：“假与格一声之转，故通用。假者，徦之假借，格者，洛之假借。汤孙奏假，皆祭者致神之谓也。小尔雅、说文并曰：‘奏，进也。’上致乎神曰奏假。”

绥，通遗，赐予（从马瑞辰、林义光说）。　思，语中助词。　成，与备、福同义。这句意为，赐我幸福。

渊渊，三家诗作鼘鼘，象声词。广雅：“鼘鼘，声也。”

嘒嘒（huì），管声。　管，篍。仪礼大射仪郑注：“管谓吹篍以播新宫之乐。”贾疏：“篍，大竹也。”引李巡曰：“竹节相去一丈者曰篍。”

和，音节和谐。　平，正，指乐声高低大小适中。国语周语：“声应相保曰和,细大不逾曰平。”

依,倚、随着。 磬,敲击的乐器名,用石或玉制成。奏乐的开始击磬,乐终亦击磬。依我磬声,指鼓声、管声随着磬声而终止。

於(wū),赞叹词。 赫,显赫,形容盛德。 汤孙,皮锡瑞诗经通论:“汤孙,乃主祭君之号,自当属宋襄公。且万舞之名,至周始有也。”

穆穆,和美貌。 厥,其。厥声,它的声调。

庸,鲁诗作镛。乐器名,大钟。说文:“大钟谓之镛。”段注:“惟商颂字作庸,古文假借。” 斁,通绎。有斁,即斁斁,乐声盛大貌。文选甘泉赋注引韩诗章句:“绎绎,貌盛。”

万舞,古代舞名,见简兮注。 奕,说文:“大也。”有奕,即奕奕。马瑞辰通释:“万为大舞,故奕为大貌。古者乐与舞相接,上文依我磬声,为乐之终,故下即言万舞有奕,为舞之始。”

嘉客,指来助祭者。朱熹诗集传:“嘉客,先代之后,来助祭者也。”

夷,悦。夷怿,喜悦。郑笺:“亦不说怿乎?言说怿也。”

自古,从古。 在昔,在从前,和“自古”同义。

先民,前人。 有作,有创作,指恭敬之道。国语闵马父曰:“先圣王之传恭,犹不敢专,称曰‘自古’,古曰‘在昔’,昔曰‘先民’。”可见三个词汇的含义是相同的。

温,温和。 恭,恭敬。 朝夕,早晚朝见君主。左传成十二年疏:“旦见君谓之朝,莫(暮)见君谓之夕。”

执事,执行各种事务。 有恪(kè),即恪恪,谨慎貌。国语韦注:“言先圣人行此恭敬之道久矣,不敢创之于己。乃云受之于先古也。”

顾,光顾。 烝,尝,祭名。冬祭曰烝,秋祭曰尝。这里泛指四时祭祀。

将,奉献。朱熹诗集传:“将,奉也。言汤其尚顾我烝尝哉?此汤孙之所奉者,致其丁宁之意,庶几其顾之也。”

韵读:歌部——猗(音阿)、那。 鱼部——鼓、祖。 耕部——成、声、平、声、声。 鱼部——斁(音余入声)、奕(音余入声)、客(音枯入声)、怿(音余入声)、昔(音胥入声)、作(音租入声)、夕(音徐入声)、恪(音枯入声)。 阳部——尝、将。

烈　祖

【题　解】

这也是宋君祭祀祖先的乐歌。毛序:“烈祖,祀中宗也。”朱熹诗序辨说云:“详此诗,未见其为祀中宗,而末言汤孙,则亦祭成汤之诗耳。”王质诗总闻:“前诗声也,所言皆音乐。此诗臭也,所言皆饮食也。商尚声,亦尚臭,二诗当是各一节。那奏声之诗,此荐臭之诗也。”姚际恒诗经通论引辅广云:“那与烈祖皆祀成汤之乐,然那诗则专言乐声,至烈祖则及于酒馔焉。”他们都不信祀中宗之序说,并指出此诗和那同为祀成汤,内容却不相同。

这首诗共享鱼、耕、阳三部韵,音调颇和谐。尤其是最末十一句,句句入韵,读来铿锵有节,给人一气呵成之感。

嗟嗟烈祖,有秩斯祜。申锡无疆,及尔斯所。既载清酤,赉我思成。亦有和羹,既戒既平。鬷假无言,时靡有争。绥我眉寿,黄耇无疆。约軧错衡,八鸾鸧鸧。以假以享,我受命溥将。自天降康,丰年穰穰。来假来享,降福无疆。顾予烝尝,汤孙之将。

嗟嗟,赞叹词。　烈祖,见上篇那注。

秩,戜之假借。有秩即秩秩,大貌。　斯,语助词。　祜,福。

申,重、一再。　锡,赐。

尔,指主祭者汤孙。　斯所,此处。以上四句大意是,烈祖用大福一再赐给你,这福是没有止限的,一直到了今王之处。

载,陈、设置。　酤(gū),酒。按这句是倒文,应作“清酤既载”。

赉(lài),赏赐。　思,语词。　成,福。见上篇那注。

和羹,调和好的汤。

戒，通届，至。　平，和平，指肃静。陈奂传疏："传训戒为至者，言神灵之来至也。平，和平也。既戒既平，犹言'神之听之，终和且平也'。"

鬷假，齐诗作奏假，鬷、奏双声，故通用。奏，进。假，格、至。见那注。　无言，指祭者静默祷告。

时，这个时候。　靡有争，指祭时大家都很肃敬没有争吵的声音。

绥，赐。　眉寿，长寿。

黄耇，指长寿之福。

约，缠束。　軝（qí），车轴两头伸出轮外部分。约軝，用红漆的皮革缠束着车軝。　错，涂金的花纹。　衡，车辕前用以驾马的横木。见采芑注。

鸾，通銮，车衡上的铃。一马两铃，四马八铃。　鸧鸧，亦作锵锵、玱玱，象声词，铃声。以上二句言宋君乘金饰车驾四马来庙中参加祭祀。皮锡瑞诗经通论："此当属宋君之车，上公虽非同姓，亦得乘金辂。周制驾四，故八鸾。"

假，通格，迎神。　享，献、上供。

我，主祭者宋君自称。　受命，接受上天之命。　溥，广。　将，长。楚辞王逸注："将，长也。"王引之经义述闻："将，长也。"

康，安乐。这句意为，从天降下来的安康丰年之福。

穰穰，粮食盛多貌。

假，格、至。来假，指祖宗的神来降。　享，同飨，指祖宗的神吃所献的祭品。按这句和上面的"以假以享"句不同，"以假以享"，就主祭者言。"来假来享"，就祖宗神言。朱熹诗集传："假之而祖考来假，享之而祖考来飨。则降福无疆矣。"

韵读：鱼部——祖、祜、所、酤。　耕部——成、平、争。　阳部——疆、衡（音杭）、鸧、享、将、康、穰、享、疆、尝、将。

玄　鸟

【题　解】

这是宋君祭祀并歌颂祖先的乐歌。毛序："玄鸟，祀高宗也。”三家诗则以为宋公祀中宗之乐歌。朱熹不信序说：“此亦祭祀宗庙之乐，而追叙商人之所由生，以及其有天下之初也。”朱说较胜。

诗中追叙部分，带有神话传说及史诗性质，和大雅生民相似，可作史料读。关于契及其母有娀氏的传说，在屈原、吕不韦时代也继续流传：天问：“简狄在台喾何宜？玄鸟致贻女何喜？”吕氏春秋音初篇：“有娀氏有二佚女，为之九成之台，饮食必以鼓。帝令燕往视之，鸣若谥隘。二女爱而争搏之，覆以王筐。少选，发而视之，燕遗二卵，北飞，遂不返。二女作歌，一终曰：‘燕燕往飞。’实始作北音。”此后，司马迁史记殷本纪、王充论衡及刘向列女传均有记载。但最早的首推此诗。

方玉润赞此篇：“诗骨奇秀，神气浑穆，而意亦复隽永，实为三颂压卷。”这话实在有些过分。论这首诗的气韵，浑穆则有之，奇秀恐未必，隽永更何从说起。说它与生民相似，是指同样反映上古历史情况而言。如若从诗的意境趣味看，读者只须细细咀嚼，自能体会生民的气势宏敞，奇谲生动，是这首诗所不能及的。

天命玄鸟，降而生商，宅殷土芒芒。古帝命武汤，正域彼四方。方命厥后，奄有九有。商之先后，受命不殆，在武丁孙子。武丁孙子，武王靡不胜。龙旗十乘，大糦是承。邦畿千里，维民所止，肇域彼四海。四海来假，来假祁祁，景员维河。殷受命咸宜，百禄是何。

玄鸟，燕子。色黑，故名玄鸟。王逸楚辞注：“简狄，帝喾之妃。玄鸟，燕也。简狄侍帝喾于台上，有飞燕堕遗其卵，喜而吞之，因生契。”

商，指商的始祖契。契建国于商，在今河南商丘。刘向列女传：“契母简狄者，有娀氏之长女也。当尧之时，与其姊妹浴于玄邱之水。有玄鸟衔卵过而坠之,五色甚好。简狄得而含之,误而吞之,遂生契焉。……尧使为司徒,封于亳。……其后世世居亳,至殷汤兴,为天子。”按刘向习鲁诗,不采简狄为帝喾次妃傅会之说,保存了原始的神话传说。

宅,居、住。　殷土,殷商的土地。按殷在盘庚迁殷以后国号为殷,盘庚以前称商。　芒芒,荒荒之假借,远大貌。鲁诗作“殷社芒芒”,古社、土通用,少一“宅”字。

古帝,天帝。马瑞辰通释:“古,始也。万物莫始于天,故天可称古,古帝犹言昊天上帝。”　武汤,有武功的汤王。朱熹诗集传:“以其有武德号之也。”按史记殷本纪:“汤曰:吾甚武,号曰武王。”故商颂也称他为武王。

正,通征,征服。　域,亦作或,封疆。毛传:“域,有也。”按域、有一声之转,古通。这句意为,汤征服了别国的封疆而有天下四方。

方,古与“旁”通,普遍。说文:“方,并船也。”这是本义。段注:“假借为旁。旁,溥也。”故郑笺云:“方命其君,谓遍告诸侯也。”　厥,其。　后,君,指诸侯。

九有,九域的假借,韩诗正作九域。有、域古同音,皆读若“以”,故通用。即九州。文选注引薛君章句:“九域,九州也。”

先后,先君、先王的意思。

殆,怠的借字,懈怠。

武丁,王引之经义述闻:“疑经文两言武丁,皆武王之讹,而‘武王靡不胜’,则武丁之讹。盖‘商之先君,受命不怠’者,在汤之孙子,故曰:‘在武王孙子。’‘武王孙子’,犹那与烈祖之言‘汤孙’也。汤之孙子有武丁者,绳其祖武,无所不胜任,故曰:‘武王孙子,武丁靡不胜。’传写者上下互讹耳。”王说是。以上三句意为,殷的先君受天命为王而工作不懈怠,在于有武王汤的子孙。按武丁是汤的第九代孙盘庚之弟小乙的儿子,在位五十九年。

武丁孙子,武王靡不胜,应作“武王孙子,武丁靡不胜”。这二句意为,武王汤的孙子武丁对于国事没有不能胜任的。

龙旂,画着交龙的旗。　十乘,兵车十辆。这说武丁带了上插龙旗的十辆兵车来祭祀祖先。

糦,同饎,韩诗正作饎。说文:“饎,酒食也。”大糦,盛大祭祀用的酒食。

王先谦集疏引韩说曰:“大饎,大祭也。” 承,奉、上供。

邦,封之假借,与畿同义。文选西京赋注引此句诗作“封畿千里”。邦畿,疆界。

维,是。 止,居住。这句意为,是人民居住的处所。

肇,和“兆”同音通用。郑笺:“肇,当作兆。”兆域,疆域。这句意为,疆域扩大到那四海之滨。

假,通格,至。这句意为,四海的诸侯都来朝见。

祁祁,众多貌。

景,山名。 员,亦作陨,幅陨,四周的意思。 维,是。 河,黄河。朱熹诗集传:“景,山名,商所都也。春秋传亦曰:‘商汤有景亳之命’是也。员,与下章‘幅陨’义同,盖言‘周’也。河,大河也。言景山四周皆大河也。”

受命,指接受上天之命为王。 咸,皆。咸宜,都很适合,指上面所说的诸侯来朝之多,土地幅员之广。

百禄,多福。 何,通荷。担负、承受。这句意为,应该承受上天赐给的多福。

韵读:阳部——商、芒、汤、方。 之部——有(音以)、殆(徒里反)、子、里、止、海(音喜)。 蒸部——胜、乘、承。 歌、脂部通韵——祁、河、宜(音俄)、何。

长 发

【题 解】

这是宋君祭祀商汤,伊尹配祀的乐歌。王先谦集疏:“此或亦祀成汤之诗。诗本亦主祀汤,而以伊尹从祀。其历述先世,著汤业所由开,非皆祀之。否则,宋为诸侯,礼不得褅帝喾,又安得及有娀乎?”王说切合题旨,可从。楚辞天问:“初汤臣挚(伊尹),后兹永辅,何卒官汤而尊食宗绪?”可见在屈原时代就有伊尹配祀汤庙的传说，一直到春秋商的后代宋君仍从惯例祭祀汤和伊尹。毛序："长发，大禘也。"据陈奂说，禘即祭，这未免太笼统了。

此诗四、五、六言互用，参差不齐。六章句句用韵，末章六句三韵，读起来节奏抑扬，音调铿锵，颇觉悦耳。和西周周颂相比，显然有很大进步。

浚哲维商，长发其祥。洪水芒芒，禹敷下土方，外大国是疆。幅陨既长，有娀方将，帝立子生商。

浚，睿之假借，亦作叡（ruì），智慧。叡哲，明智。　维，是。　商，指契。长，久。　发，发现。　祥，吉祥。

洪水，大水。　芒芒，大貌。今作茫茫。陈奂传疏："芒芒，犹汤汤也。"

敷，治。　下土，天下的土地。　方，四方。此谓大禹治平下土四方的洪水。

外大国，边疆以外的大国，古称诸夏。故毛传曰："诸夏为外。"陈奂传疏："禹有天下曰夏，故畿内为夏，畿外为诸夏也。"　是，这。　疆，此处作动词用，有"画分疆界"之意。

幅陨，即幅员，疆域。说文："幅，布帛广也。"段注："凡布帛广二尺二寸，其边曰幅。"引申为凡广之称。员，圆之假借，国界的意思。这句意为，这时夏国疆域已经很广长。

有娀，淮南子高注："有娀，国名也。"这里指契母有娀氏之女。　方，正。　将，壮大。这说有娀之女正在壮年。

帝，上帝。　立子，指上帝立商之子。　生商，有娀氏生下了契，尧封之于商，后汤王因以为天下号。按这章写契。

韵读：阳部——商、祥、芒、方、疆、长、将、商。

玄王桓拨，受小国是达，受大国是达。率履不越，遂视既发。相土烈烈，海外有截。

玄王，殷商后代对契的尊称。国语周语："玄王勤商，十有四世而兴。"

国语鲁语及荀子成相篇皆谓玄王为契，朱熹诗集传："玄者，深微之称。或曰：以玄鸟降而生也。王者，追尊之号。" 桓，武貌。 拨，韩诗作发，是正字，明。桓拨，英明。王先谦集疏："发，明也。释文引韩诗文。盖以桓拨二字平列，训桓为武，训发为明，言玄王有英明之姿。"

受，接受。 达，通，顺利。下句同。这是说契接受尧封于商为小国。到舜的末年增加契的土地为大国，都通达顺利。

率，循。 履，礼的借字，三家诗皆作"率礼不越"。 越，过、越轨。这说契能遵循礼教而不越轨。

遂，乃、于是。 视，省视、视察。 发，执行。这说契于是视察人民，完全执行他的教令。

相土，契孙。史记殷本纪："契卒，子昭明立。昭明卒，子相土立。" 烈烈，威武貌。

海外，指四海之外。 有截，截截，整齐貌。郑笺："相土居夏后之世，承契之业，入为王官之伯，出长诸侯，其威武之盛烈烈然。四海之外率服，截尔整齐。"

韵读：祭部——拨（音鳖）、达、达、越、发、烈、截。

帝命不违，至于汤齐。汤降不迟，圣敬日跻。昭假迟迟，上帝是祗。帝命式于九围。

帝，上帝。按这句为倒文，即"不违帝命"。

齐，同、一致。马瑞辰通释："帝命不违，即'不违帝命'之倒文。诗总括相土以下诸君，谓商先君之不违天命，至汤皆齐一。"

汤降，即"降汤"之倒文，指汤的降生适当其时。

圣，明智有创见。 敬，恭谨负责。 跻，升、进。日跻，与日俱进。

昭假，明告，即祷告上帝。 迟迟，久久不息之意。

上帝是祗，陈奂传疏："祗，敬也。上帝是祗，言敬是上帝也。"

命，命令。 式，法。 九围，毛传："九州也。"这句意为，上帝命令汤做九州的模范领导。

韵读：脂部——违、齐、迟、跻、迟、祗、围。

受小球大球，为下国缀旒，何天之休。不竞不絿，不刚不柔，敷政优优，百禄是遒。

受，通授，授予。　球，圆玉。

下国，指诸侯。　缀旒，表章。毛传：“缀，表。旒，章也。”这二句意为，汤授予诸侯大玉小玉，做了他们的表章。

何，荷的假借，蒙受。　休，美福。这句意为，蒙受天所赐的美福。

竞，争。　絿，广雅：“絿，求也。”

敷政，鲁诗、齐诗作布政，施政的意思。　优优，鲁诗作忧忧，本字，优优为假借字。宽和貌。

遒，揂的假借字，鲁诗作揫，聚。这说各种福禄都集聚于他。

韵读：幽部——球、球、旒、休、絿、柔、优、遒。

受小共大共，为下国骏厖，何天之龙。敷奏其勇，不震不动，不戁不竦，百禄是总。

共，毛传：“共，法。”指图法。章炳麟菿汉闲话：“毛传球训玉，共训法，自有据。盖玉以班瑞群后，法以统制诸侯。共主之守，莫大于此。是以受之则为下国缀游，为下国骏厖矣。”

骏厖，鲁诗作骏蒙，齐诗作恂蒙。骏厖为恂蒙之假借。庇荫。马瑞辰通释：“骏与恂，厖与蒙，古并声近通用。为下国恂蒙，犹云为下国庇覆耳。”

何，同荷，见上。　龙，宠的假借，齐诗正作宠。故郑笺云：“龙当作宠。”这句意为，蒙受上天赐予的荣宠。

敷，齐诗作傅，施行。敷奏，施展。孔疏：“汤之陈进其勇。”

震动，震惊。

戁（nǎn），恐。　竦（sǒng），惧。

总，集聚。

韵读：东部——共、共、厖（音蒙）、龙、勇、动、竦、总。

武王载旆，有虔秉钺。如火烈烈，则莫我敢曷。苞有三蘖，莫遂莫达。九有有截，韦顾既伐，昆吾夏桀。

武王，毛传：“武王，汤也。”　载，与哉通，开始。　旆，发的借字，指起兵出发。王引之经义述闻:“韩诗外传引诗并作‘武王载发’,说文则作‘武王载坺’。发,正字也。旆、坺,皆借字也。发,谓起师伐桀也。”

有虔,即虔虔,强武如虎之貌。 秉,执、拿着。 钺(yuè),古兵器名,大斧,青铜制成。

如火烈烈,比喻成汤的军威。郑笺:“其威势如猛火之炎炽。”

曷,遏的借字,鲁诗、韩诗正作遏。阻止。尔雅释诂:“曷、遏,止。”

苞,齐诗作包,广韵作枹,包、枹皆假借字。从生之木,引申为本。 蘖(niè),齐诗作枿,为蘖之或体。木旁生的枝芽。这句是比喻,朱熹诗集传:“言一本生三蘖也。本则夏桀。蘖则韦也、顾也、昆吾也。皆桀之党也。”

遂,生。 达,长。王先谦集疏:“方言:达,芒也。遂与达皆草木生长之称。‘莫遂莫达’,喻三国不能复兴。”

九有,鲁诗、韩诗作九域,九州。 有截,即截截,齐一貌。这句犹言九州统一。朱熹诗集传:“天下截然归商矣。”

韦,豕韦,夏时种族小国名,彭姓。在今河南滑县附近,为商汤所灭。 顾,亦作鼓,夏时小国名,己姓。在今山东郈城附近,亦为商汤所灭。

昆吾,夏附属国名,己姓。在今河南濮阳附近。亦为汤所灭。按此句接上句省一“伐”字。 夏桀,夏代最后的君主名。陈奂传疏:“按夏商之际,昆吾最强盛。顾在其东,豕韦在其西。汤伐韦顾,锄其与党,而昆吾已成孤国之形。书序云:‘战之鸣条之野’,犹武王与纣战于坶之野耳。桀因败绩西走定陶,于是夏桀已亡,汤归商邱即天子位。”

韵读:祭部——旆、钺、烈、曷、蘖、达、截、伐、桀。

昔在中叶,有震且业。允也天子,降予卿士。实维阿衡,实左右商王。

叶,世之假借。中叶,中世,指汤时。马瑞辰通释:“下文‘允也天子’,指汤。承上言之,则中叶宜指汤时。盖自殷有天下言,则汤为开创之君。自玄王立国言,则汤为中叶矣。”

有震,即震震,威武貌。 业,尔雅释诂:“业,大也。”这句意为,这时的形势,既威武且强大。

允,诚、确实。这说商汤确实是上帝之子。

降,天赐。 予,同与。降予,指天赐给汤。 卿士,郑笺:“卿士,谓生贤佐也。”这里指伊尹。

实,此,这。 维,为、是。实维,这是。 阿衡,即伊尹,官名。他名挚(见史记殷本纪索隐)。马瑞辰通释:“说文:‘伊,殷圣人阿衡尹治天下者,从人尹。’段玉裁曰:‘伊与阿,尹与衡,皆双声,即一声之转。’今按段说是也。伊尹即阿衡之转,故毛传以阿衡为伊尹,笺亦以阿衡为官名。”

实,此,指伊尹。 左右,辅助的意思。毛传:“左右,助也。” 商王,郑笺:“汤也。”这句意为,他是辅助商汤的大臣。

韵读:叶部——叶、业。 之部——子、士。 阳部——衡(音杭)、王。

殷 武

【题 解】

这是宋君建庙祭祀高宗的乐歌。毛序:“殷武,祀高宗也。”孔疏:“高宗前世,殷道中衰,宫室不修,荆楚背叛。高宗有德,中兴殷道,伐荆楚,修宫室。既崩之后,子孙美之,追述其功,而歌此诗也。”王先谦集疏:“韩说曰:宋襄公去奢即俭。”见于史记司马贞索隐、文选张衡东京赋李善注引韩诗。证明这是宋诗,祭者为宋襄公。从文字方面考查,也不是殷商甲骨文时代所能产生的作品。

此诗主要叙述高宗攻伐荆楚之功,孔疏:“首章言伐楚之功,二章言责楚之义,三章、四章、五章述其告晓荆楚。”陈廷杰诗序解:“详味此篇之辞,既温而厉。”即指这五章而言。第二章举成汤时代氐羌不敢不来贡来朝作比,第三章言诸侯亦来服,第四、五章言高宗中兴的国内形势。措词虽温而实厉,曲而实直。和周颂相比,确实有很大进步。

挞彼殷武，奋伐荆楚。罙入其阻，裒荆之旅。有截其所，汤孙之绪。

挞，勇武貌。或训伐，亦通。　殷武，毛传："殷王武丁也。"武丁，殷高宗名。陈奂传疏："高宗都亳，殷则称殷。挞伐则称武。故传谓殷武为殷王武丁也。"

奋伐，奋力讨伐。　荆楚，即楚国。

罙，同深。毛传、说文均训罙为深，以今字释古字。　阻，险阻。

裒（pōu），捊的别体，训聚或取，引申为俘，此处作动词用，故郑笺云："俘虏其士众。"　旅，指兵士。

有截，即截截，齐一貌。见长发注。　其所，其地，指荆楚。这句意为，统一其地。

汤孙，此处指高宗武丁。　绪，功业。郑笺："绪，业。"朱熹诗集传："盖自盘庚而殷道衰，楚人叛之，高宗挞然用武以伐其国，入其险阻，以致其众，尽平其地，使截然齐一，皆高宗之功也。易曰：'高宗伐鬼方，三年克之。'盖谓此欤？"

韵读：鱼部——武、楚、阻、旅、所、绪。

维女荆楚，居国南乡。昔有成汤，自彼氐羌，莫敢不来享，莫敢不来王，曰商是常。

维，发语词。　女，同汝。

乡，地方。这句意为，荆楚居于我国的南方。皮锡瑞诗经通论："国，即宋国。此似敌国相称之词，楚在宋南，故曰南乡。"

成汤，汤号。马瑞辰通释："成汤仍当为生时之号，史记：'汤曰：吾甚武，号为武王。'或始以武为号，及武功既成之后，又号为'成'耳。"按后人认为成汤是汤死后的谥，不知谥法周以后始有。

自，通虽。　彼，那。　氐、羌，当时西方的两种部落名，生活于陕西、甘肃、青海、四川一带地方（据陈奂考证）。

享，郑笺："献也。"指进贡。扬雄扬州牧箴作"莫敢不来贡，莫敢不来王"。

王,读如旺,去声。郑笺:“世见曰来王。”不来王,不来朝的意思。左传隐九年:“宋公不王”,不王即不朝。

曰,同聿,发语词。　常,长。指商的国祚最永长。

韵读:阳部——乡、汤、羌、享、王、常。

天命多辟,设都于禹之绩。岁事来辟,勿予祸適,稼穑匪解。

天,指商王。王先谦集疏:“天谓王也。”　辟,君。多辟,指诸侯。

绩,通迹、迹,地。禹之绩,九州都经过禹的治水,故称地为禹迹。以上二句意为,商王命令诸侯,建设都城在禹所治之地。

岁事,指诸侯每年朝见之事。　来辟,来朝。郑笺:“来辟,犹来王也。”

予,施。　祸,通过。　適,通谪。祸適,过责。王引之经义述闻:“予,犹施也。祸,读为过。广雅:‘谪,过责也。’勿予过责,言不施过责也。”

稼穑,耕种。　解,今作懈。匪懈,这里指劝民不要懈怠。王先谦集疏:“但令其岁时来王,不施过责,惟告之以劝民稼穑而已。”

韵读:支部——辟、绩、辟、适、解(音系)。

天命降监,下民有严。不僭不滥,不敢怠遑。命于下国,封建厥福。

降,下。　监,监察。降监,下察人民。

下民,天下面的人民。　严,通俨。有严,严严,守法谨严貌。陈奂传疏:“严,读为俨。尔雅:‘俨,敬也。’荀子儒效篇:‘严严乎其能敬己也。’杨倞注:‘严或为俨。’”

僭、滥,过差,指人民没有过失。马瑞辰通释:“说文:‘僭,儗也。’僭之本义为以下拟上,引申之为过差。滥者,嬿之假借,说文:‘嬿,过差也。’僭、滥二字同义。”

怠,懈怠、懒惰。　遑,暇逸、偷闲。按以上二句也是指人民。

命,命令。　下国,天下诸侯之国。

封,毛传:“大也。”　建,立。封建厥福,即大立其福。朱熹诗集传:“天命之以天下,而大建其福,此高宗所以受命而中兴也。”

韵读:谈部——监、严、滥。　之部——国(古逼反,入声)、福(方逼反,入声）。

商邑翼翼，四方之极。赫赫厥声，濯濯厥灵。寿考且宁，以保我后生。

商邑，三家诗作京邑。王都。毛传：“商邑，京师也。”按白虎通京师篇云：“夏曰夏邑，殷曰商邑，周曰京师。”毛传是以周名释古名。　翼翼，繁盛貌。

四方，指四方诸侯国。　极，中、法。三家诗作“四方是则”，“则”和“极”同义。这二句意为，京师的礼仪制度翼翼地繁盛，它是四方诸侯国的准则。

赫赫，显著貌。生民毛传：“赫，显也。”　声，指高宗的名声显著。

濯濯，朱熹诗集传：“光明也。”　灵，神灵。指高宗的神灵光明。

寿考，长寿。　宁，康宁。

保，保佑。　我，指商。　后生，朱熹诗集传：“谓后嗣子孙也。”按这二句为倒装，即保佑我商后嗣子孙永远长寿康宁。

韵读：之部——翼、极。　耕部——声、灵、宁、生。

陟彼景山，松柏丸丸。是断是迁，方斲是虔。松桷有梴，旅楹有闲。寝成孔安。

陟，登。　景山，朱熹诗集传：“山名，商所都也。”

丸丸，毛传：“易直也。”又圆又直貌。这二句意为，为了兴建庙宇，登上景山观察木料，看见丸丸的松柏，适于采用。

是，于是。　断，把树木锯断。　迁，搬，把锯断的树木搬下山来。

方，是。马瑞辰通释：“方，犹是也。或言方，或言是，互文以见参差。”　斲，砍，用斧来砍。　虔，削、用刀来削。马瑞辰通释：“虔，当读如虔刘之虔。方言：‘虔，杀也。’淮南说林高注：‘杀犹削也。’‘是断是迁’，是斩伐木于在山之时，‘方斲是虔’，是削伐于作室之隙。”

桷（jué），方的椽子。　有梴，即梴梴。说文：“梴，木长貌。”这说松木的椽子那样长。

旅，鑢之假借，广雅释诂：“鑢，磨也。”　楹，堂前柱。旅楹，括磨的柱子。　有闲，即闲闲。王先谦集疏："韩说曰：闲，大也。谓闲然大也。"这说括磨的柱子那样粗。

寝，寝庙。指春秋宋君所建的高宗庙。　孔安，很安。朱熹诗集传："安，所以安高宗之神也。"

韵读：元部——山、丸、迁、虔、梴、闲、安。